#홈스쿨링
#혼자서공부하기

우등생 수학

Chunjae
Makes
Chunjae

▼

[우등생] 초등 수학 3-2

기획총괄 김안나
편집/개발 김정희, 김혜민, 최수정, 김현주
디자인총괄 김희정
표지디자인 윤순미, 김효민
내지디자인 박희춘
내지이미지 ma_nud_sen/shutterstock.com
제작 황성진, 조규영

발행일 2023년 3월 1일 2판 2023년 3월 1일 1쇄
발행인 (주)천재교육
주소 서울시 금천구 가산로9길 54
신고번호 제2001-000018호
고객센터 1577-0902

우등생 홈스쿨링

학년, 학기 선택

메뉴

수학

스케줄표

온라인 학습

개념강의
문제풀이

단원 성취도 평가

학습자료실

학습 만화
문제 생성기
학습 게임
서술형+수행평가
정답

검정 교과서 자료

★ 과목별 스케줄표와 통합 스케줄표를 이용할 수 있어요.

통합 스케줄표

우등생 국어, 수학, 사회, 과학 과목이 함께 있는 12주 스케줄표

★ 교재의 날개 부분에 있는 「진도 완료 체크」 QR코드를 스캔하면 온라인 스케줄표에 자동으로 체크돼요.

검정 교과서 학습 구성 &

우등생 수학 단원 구성 안내

영역	핵심 개념	3~4학년군 검정교과서 내용 요소	우등생 수학 단원 구성
수와 연산	수의 체계	- 다섯 자리 이상의 수 - 분수 - 소수	(3-1) 6. 분수와 소수 (3-2) 4. 분수 (4-1) 1. 큰 수
	수의 연산	- 세 자리 수의 덧셈과 뺄셈 - 자연수의 곱셈과 나눗셈 - 분모가 같은 분수의 덧셈과 뺄셈 - 소수의 덧셈과 뺄셈	(3-1) 1. 덧셈과 뺄셈 (3-1) 3. 나눗셈 (3-1) 4. 곱셈 (3-2) 1. 곱셈 (3-2) 2. 나눗셈 (4-1) 3. 곱셈과 나눗셈 (4-2) 1. 분수의 덧셈과 뺄셈 (4-2) 3. 소수의 덧셈과 뺄셈
도형	평면도형	- 도형의 기초 - 원의 구성 요소 - 여러 가지 삼각형 - 여러 가지 사각형 - 다각형 - 평면도형의 이동	(3-1) 2. 평면도형 (3-2) 3. 원 (4-1) 4. 평면도형의 이동 (4-2) 2. 삼각형 (4-2) 4. 사각형 (4-2) 6. 다각형
	입체도형		
측정	양의 측정	- 시간, 길이(mm, km) - 들이, 무게, 각도	(3-1) 5. 길이와 시간 (3-2) 5. 들이와 무게 (4-1) 2. 각도
	어림하기		
규칙성	규칙성과 대응	- 규칙을 수나 식으로 나타내기	(4-1) 6. 규칙 찾기
자료와 가능성	자료처리	- 간단한 그림그래프 - 막대그래프 - 꺾은선그래프	(3-2) 6. 자료의 정리(그림그래프) (4-1) 5. 막대그래프 (4-2) 5. 꺾은선그래프
	가능성		

어떤 교과서를 사용해도 수학 교과 교육과정을 꼼꼼하게 모두 학습할 수 있는 교과 기본서! 우등생 수학!

홈스쿨링 40회 스케줄표

다음의 표는 우등생 수학을 공부하는 데 알맞은 학습 진도표입니다.
본책을 40회로 나누어 공부하는 스케줄입니다. (1주일에 5회씩 공부하면 학습하는 데 8주가 걸립니다.)
시험 대비 기간에는 평가 자료집을 사용하시면 좋습니다.

1. 곱셈

1회 1단계	2회 2단계	3회 1단계+2단계	4회 1단계	5회 2단계	6회
6~11쪽	12~13쪽	14~19쪽	20~23쪽	24~25쪽	26
월 일	월 일	월 일	월 일	월 일	

2. 나눗셈

11회 1단계+2단계	12회 1단계+2단계	13회 3단계	14회 4단계	15회 단원평가	16
44~49쪽	50~55쪽	56~59쪽	60~61쪽	62~65쪽	66
월 일	월 일	월 일	월 일	월 일	

3. 원 / **4. 분수**

21회 단원평가	22회 1단계	23회 2단계	24회 1단계	25회 2단계	26
86~89쪽	90~95쪽	96~97쪽	98~101쪽	102~103쪽	10
월 일	월 일	월 일	월 일	월 일	

5. 들이와 무게

31회 1단계	32회 1단계+2단계	33회 3단계	34회 4단계	35회 단원평가	36
124~127쪽	128~131쪽	132~135쪽	136~137쪽	138~141쪽	14
월 일	월 일	월 일	월 일	월 일	

어떤 교과서를 쓰더라도 ALWAYS **우등생**

수학 3·2

	6회	7회	8회	9회	10회
	3단계 26~29쪽	4단계 30~31쪽	단원평가 32~35쪽	기본+실력 평가 자료집 2~6쪽	과정중심+창의융합 평가 자료집 7~9쪽
일	월 일	월 일	월 일	월 일	월 일

15회	16회	17회	18회	19회
3단계 6~59쪽	4단계 60~61쪽	단원평가 62~65쪽	기본+실력 평가 자료집 10~14쪽	과정중심+창의융합 평가 자료집 15~17쪽
월 일	월 일	월 일	월 일	월 일

	24회	25회	26회	27회
	4단계 84~85쪽	단원평가 86~89쪽	기본+실력 평가 자료집 18~22쪽	과정중심+창의융합 평가 자료집 23~25쪽
일	월 일	월 일	월 일	월 일

32회	33회	34회	35회	36회
3단계 4~107쪽	4단계 108~109쪽	단원평가 110~113쪽	기본+실력 평가 자료집 26~30쪽	과정중심+창의융합 평가 자료집 31~33쪽
월 일	월 일	월 일	월 일	월 일

41회	42회	43회	44회	45회
3단계 2~135쪽	4단계 136~137쪽	단원평가 138~141쪽	기본+실력 평가 자료집 34~38쪽	과정중심+창의융합 평가 자료집 39~41쪽
월 일	월 일	월 일	월 일	월 일

49회	50회	51회	52회
4단계 ~159쪽	단원평가 160~163쪽	기본+실력 평가 자료집 42~46쪽	과정중심+창의융합 평가 자료집 47~48쪽
월 일	월 일	월 일	월 일

홈스쿨링 52회 스케줄표

다음의 표는 우등생 수학을 공부하는 데 알맞은 학습 진도표입니다.
본책과 평가 자료집을 52회로 나누어 공부하는 스케줄입니다.

1. 곱셈	1회	2회	3회	4회	5회
	1단계	2단계	1단계 2단계	1단계	2단계
	6~11쪽	12~13쪽	14~19쪽	20~23쪽	24~25쪽
	월 일	월 일	월 일	월 일	월

2. 나눗셈	11회	12회	13회	14회	
	1단계	2단계	1단계 2단계	1단계 2단계	
	36 ~41쪽	42~43쪽	44~49쪽	50~55쪽	5
	월 일	월 일	월 일	월 일	

3. 원	20회	21회	22회	23회
	1단계	2단계	1단계 2단계	3단계
	66~71쪽	72~73쪽	74~79쪽	80~83쪽
	월 일	월 일	월 일	월

4. 분수	28회	29회	30회	31회	
	1단계	2단계	1단계	2단계	
	90~95쪽	96~97쪽	98~101쪽	102~103쪽	10
	월 일	월 일	월 일	월 일	

5. 들이와 무게	37회	38회	39회	40회	
	1단계	1단계 2단계	1단계	1단계 2단계	
	114~119쪽	120~123쪽	124~127쪽	128~131쪽	13
	월 일	월 일	월 일	월 일	

6. 자료의 정리 (그림그래프)	46회	47회	48회	
	1단계 2단계	1단계 2단계	3단계	
	142~147쪽	148~153쪽	154~157쪽	15
	월 일	월 일	월 일	

어떤 교과서를 쓰더라도 ALWAYS **우등생**

수학 3·2

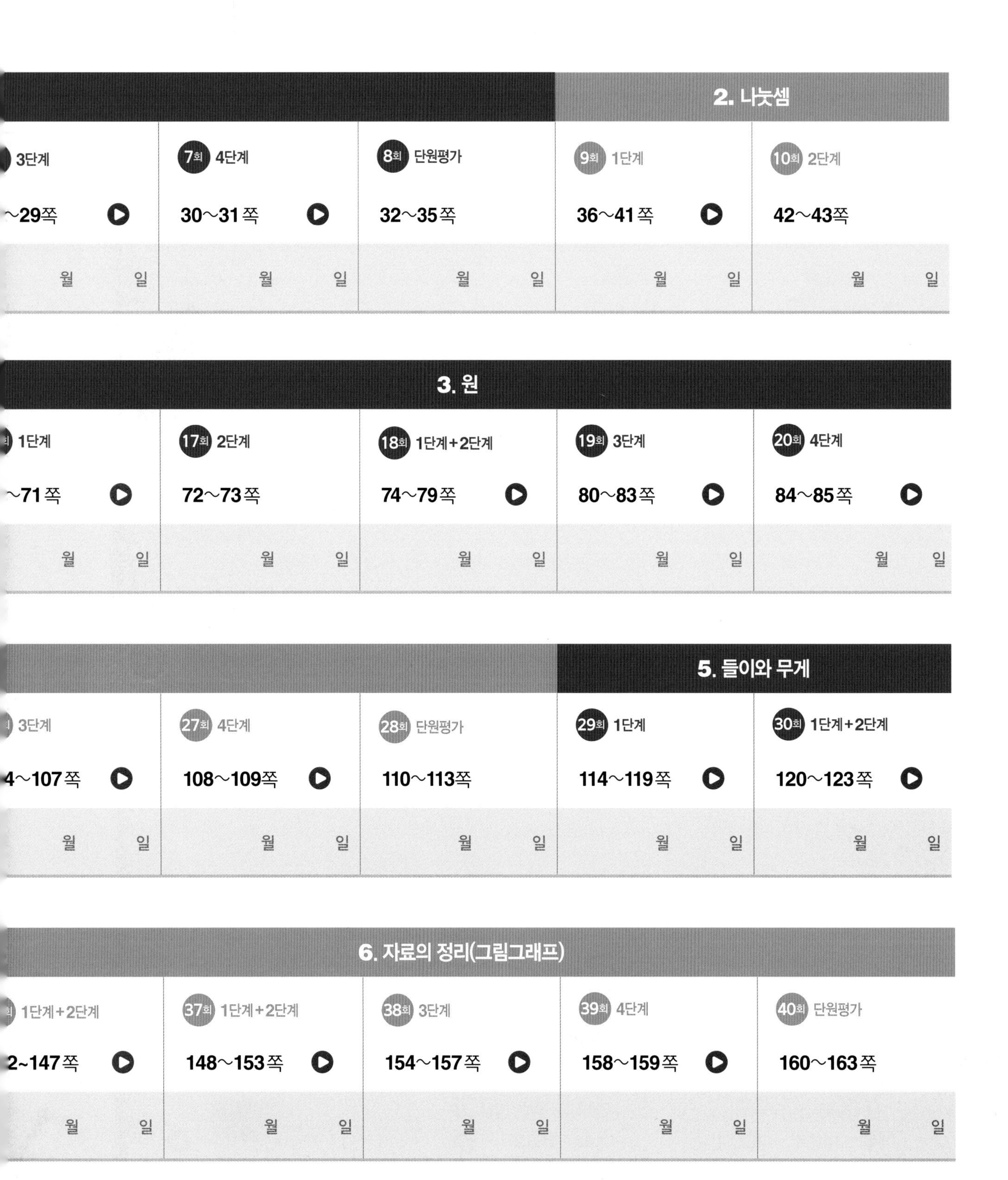

			2. 나눗셈	
3단계	7회 4단계	8회 단원평가	9회 1단계	10회 2단계
~29쪽	30~31쪽	32~35쪽	36~41쪽	42~43쪽
월 일	월 일	월 일	월 일	월 일

		3. 원		
1단계	17회 2단계	18회 1단계+2단계	19회 3단계	20회 4단계
~71쪽	72~73쪽	74~79쪽	80~83쪽	84~85쪽
월 일	월 일	월 일	월 일	월 일

			5. 들이와 무게	
3단계	27회 4단계	28회 단원평가	29회 1단계	30회 1단계+2단계
4~107쪽	108~109쪽	110~113쪽	114~119쪽	120~123쪽
월 일	월 일	월 일	월 일	월 일

		6. 자료의 정리(그림그래프)		
1단계+2단계	37회 1단계+2단계	38회 3단계	39회 4단계	40회 단원평가
2~147쪽	148~153쪽	154~157쪽	158~159쪽	160~163쪽
월 일	월 일	월 일	월 일	월 일

QR코드를 찍어서 답 입력!

빅데이터를 이용한

단원 성취도 평가

- 빅데이터를 활용한 단원 성취도 평가는 모바일 QR코드로 접속하면 취약점 분석이 가능합니다.
- 정확한 데이터 분석을 위해 로그인이 필요합니다.

3-2

홈페이지에 답을 입력

자동 채점

취약점 분석

취약점을 보완할 처방 문제 풀기

확인평가로 다시 한 번 평가

1단원 성취도 평가

1. 곱셈

01 수 모형을 보고 곱셈식으로 나타내시오.

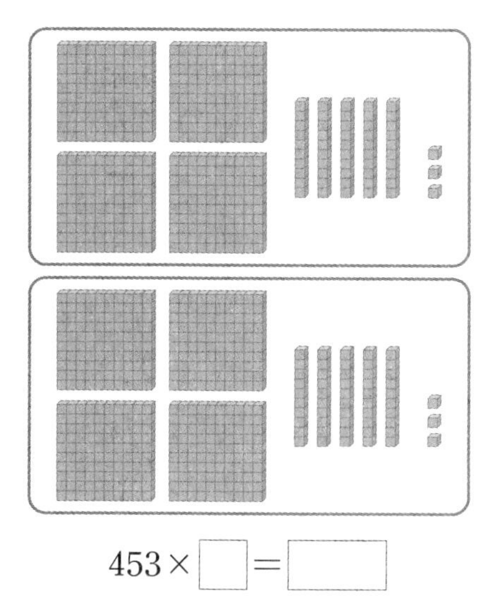

$453 \times \square = \square$

02 □ 안에 알맞은 수를 써넣으시오.

$60 \times 80 = 48\square$

03 덧셈식을 곱셈식으로 나타내시오.

$114+114+114+114+114+114$

$114 \times \square = \square$

04 계산을 하시오.

5×13

(　　　　　　　　)

05 색칠된 부분은 실제 어떤 수의 곱입니까?

(　　　　)

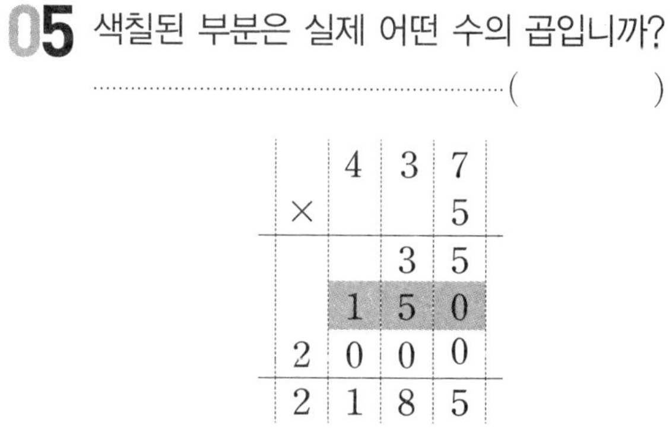

	4	3	7
×			5
		3	5
	1	5	0
2	0	0	0
2	1	8	5

① 7×5　② 3×5　③ 30×5
④ 300×5　⑤ 40×5

06 ㉠에 알맞은 수를 구하시오.

$$43 \times 26 = 43 \times \boxed{㉠} + 43 \times 6$$
$$= 860 + 258$$
$$= 1118$$

(　　　　　　　　)

07 빈 곳에 알맞은 수를 써넣으시오.

16 → ×23 → □

08 □ 안에 알맞은 수를 써넣으시오.

$$90 \times \square = 6300$$

09 계산 결과를 비교하여 ○ 안에 >, =, <를 알맞게 써넣으시오.

$$256 \times 7 \bigcirc 73 \times 22$$

10 가장 큰 수와 가장 작은 수의 곱을 구하시오.

26　35　65　19

(　　　　　　　　)

11 정사각형의 네 변의 길이의 합은 몇 cm입니까?

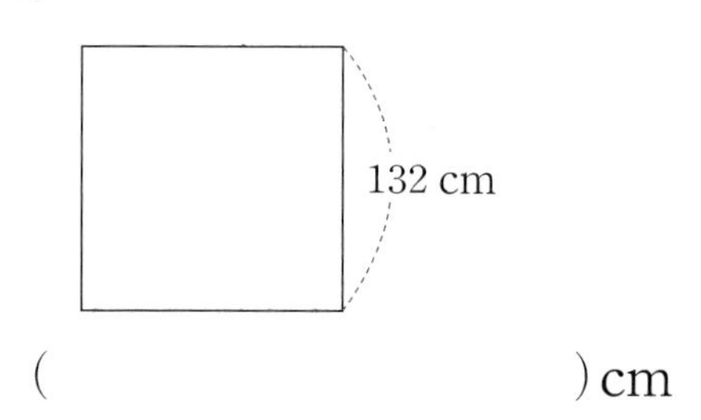

( ) cm

12 다음을 보고 서진이와 유미 중 바르게 말한 사람은 누구인지 쓰시오.

1분은 60초니까
40분은 240초야.
서진
1시간은 60분이니까
20시간은 1200분이야.
유미

( )

13 계산 결과가 가장 큰 것을 찾아 기호를 쓰시오.

㉠ 167×5 ㉡ 213×3 ㉢ 319×2

( )

14 계산 결과가 작은 것부터 차례로 기호를 쓰시오.

㉠ 235×3 ㉡ 26×40 ㉢ 17×45

( )

15 색종이가 한 묶음에 45장씩 20묶음 있습니다. 색종이는 모두 몇 장입니까?

( )장

16 운동장에 학생들이 한 줄에 8명씩 25줄로 서 있습니다. 줄을 선 학생은 모두 몇 명입니까?

( )명

17 윤정이는 줄넘기를 하루에 95번씩 매일 합니다. 윤정이가 10월 한 달 동안 한 줄넘기는 모두 몇 번입니까?

( )번

18 혜미는 10원짜리 동전 70개와 50원짜리 동전 30개를 모았습니다. 혜미가 모은 돈은 모두 얼마입니까?

( )원

19 □ 안에 알맞은 수를 써넣으시오.

$$\begin{array}{r} 3\,\square\,7 \\ \times \quad \square \\ \hline 9\,5\,1 \end{array}$$

20 1부터 9까지의 수 중에서 □ 안에 들어갈 수 있는 수는 모두 몇 개입니까?

$76 \times \square 0 < 4200$

( )개

2단원 성취도 평가

2. 나눗셈

01 수 모형을 보고 □ 안에 알맞은 수를 써넣으시오.

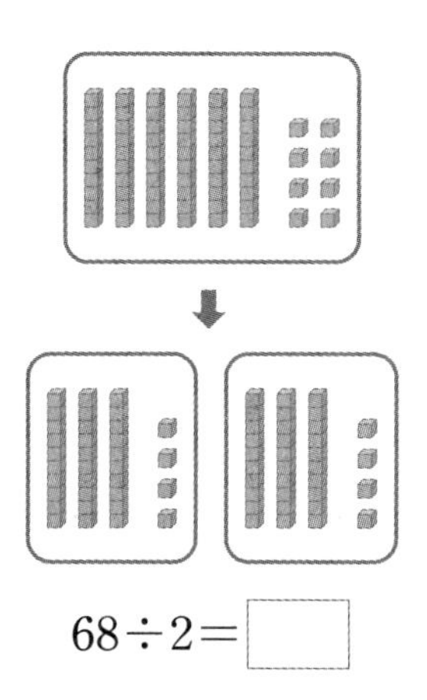

$68 \div 2 = \square$

02 나눗셈의 몫을 찾아 기호를 쓰시오.

$4\overline{)80}$

㉠ 10 ㉡ 20 ㉢ 40

( )

03 다음을 보고 나머지는 얼마인지 쓰시오.

$$\begin{array}{r} 17 \\ 5\overline{)87} \\ \underline{5} \\ 37 \\ \underline{35} \\ 2 \end{array}$$

( )

[04~05] 나눗셈의 몫과 나머지를 구하시오.

04

$6\overline{)76}$

몫 ( )

나머지 ( )

05

$3\overline{)128}$

몫 ( )

나머지 ( )

06 큰 수를 작은 수로 나눈 몫을 빈칸에 써넣으시오.

93	3

07 다음 중 어떤 수를 7로 나누었을 때 나머지가 될 수 없는 수는 어느 것입니까? ( )

① 1 ② 3 ③ 4
④ 9 ⑤ 5

08 나눗셈의 계산이 맞았는지 확인하는 식으로 알맞은 것은 어느 것입니까? ( )

$40 \div 7 = 5 \cdots 5$

① $7 \times 6 = 42,\ 42 - 2 = 40$
② $7 \times 5 = 38,\ 38 + 2 = 40$
③ $7 \times 5 = 35,\ 35 + 3 = 38$
④ $7 \times 5 = 35,\ 35 + 5 = 40$
⑤ $7 \times 7 = 49,\ 49 - 9 = 40$

09 $96 \div 8$과 몫이 같은 것은 어느 것입니까? ( )

① $42 \div 3$ ② $84 \div 4$
③ $60 \div 5$ ④ $66 \div 6$
⑤ $95 \div 5$

10 다음 중 몫이 가장 작은 것은 어느 것입니까? ( )

① $39 \div 7$ ② $60 \div 8$
③ $41 \div 5$ ④ $27 \div 4$
⑤ $25 \div 8$

11 다음 중 나머지가 가장 작은 것은 어느 것입니까? ( )

① $35 \div 9$ ② $74 \div 8$
③ $48 \div 5$ ④ $86 \div 5$
⑤ $58 \div 4$

12 삼각형의 세 변의 길이의 합은 117 cm입니다. 삼각형의 세 변의 길이가 모두 같을 때 □ 안에 알맞은 수를 구하시오.

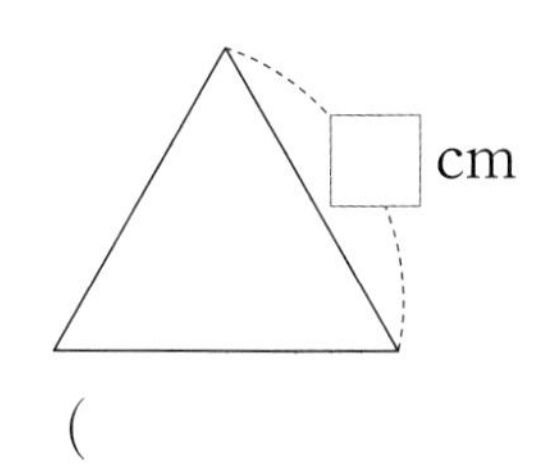

( )

13 시안이와 은하의 대화를 읽고 사탕을 모두 담으려면 봉지가 몇 개 필요한지 구하시오.

시안: 사탕 640개를 한 봉지에 5개씩 담을게.
은하: 그럼 봉지가 몇 개 필요하지?

( )개

14 □ 안에 알맞은 수를 구하시오.

$\square \div 3 = 14 \cdots 1$

( )

15 붙임딱지 144장이 있습니다. 한 사람이 6장씩 가져가면 모두 몇 명이 가져갈 수 있습니까?

( )명

16 자두 78개를 한 접시에 5개씩 담으려고 합니다. 자두는 모두 몇 접시에 담을 수 있고, 몇 개가 남습니까?

( )접시, ( )개

17 나눗셈식 □□÷□를 계산하고 맞게 계산했는지 확인한 식이 보기 와 같습니다. 몫과 나머지를 각각 구하시오.

보기

$4\times21=84,\ 84+3=87$

몫 ( )

나머지 ( )

18 어떤 수를 8로 나누었더니 몫은 13이고 나누어떨어졌습니다. 어떤 수는 얼마인지 구하시오.

( )

19 80부터 85까지의 수 중에서 6으로 나누었을 때 나머지가 1인 수는 얼마입니까?

( )

20 ㉠과 ㉡에 알맞은 수를 각각 구하시오.

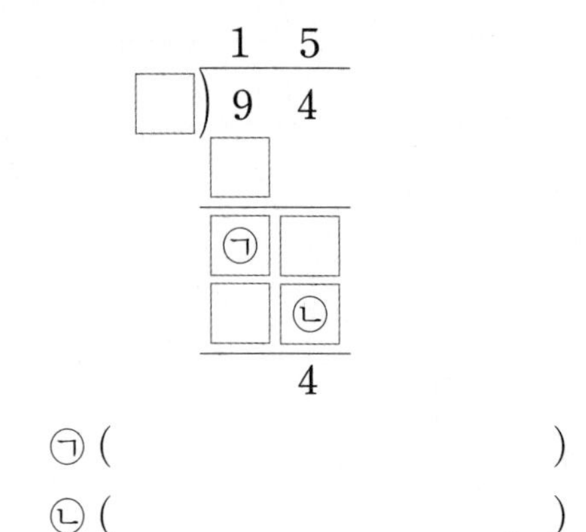

㉠ ( )

㉡ ( )

3단원 성취도 평가

3. 원

01 □ 안에 알맞은 말을 써넣으시오.

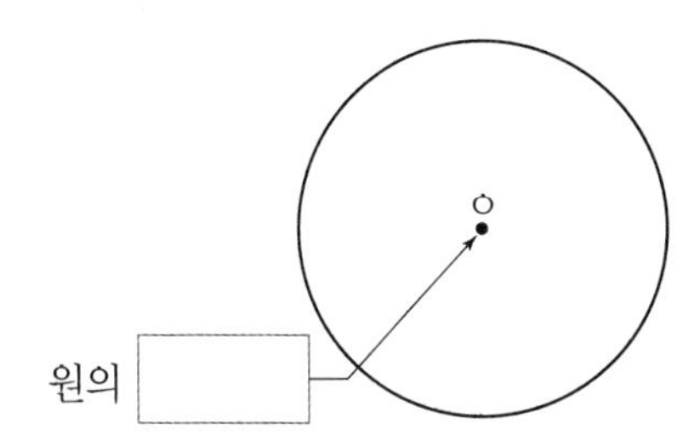

02 원 안에 그은 선분 중에서 원의 반지름이 아닌 것을 찾아 기호를 쓰시오.

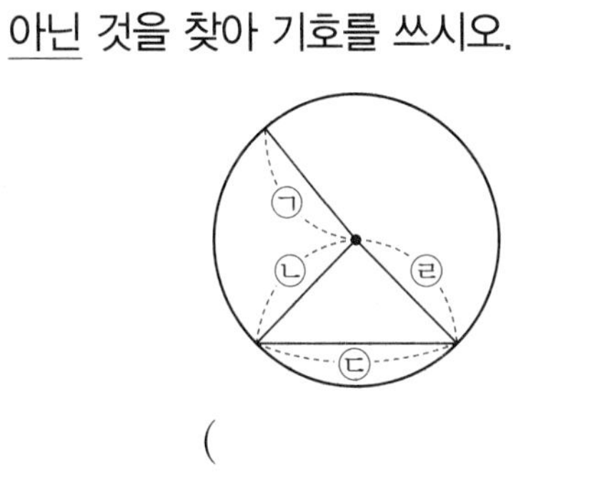

(　　　　　　　　　)

03 원의 중심을 찾아 쓰시오.

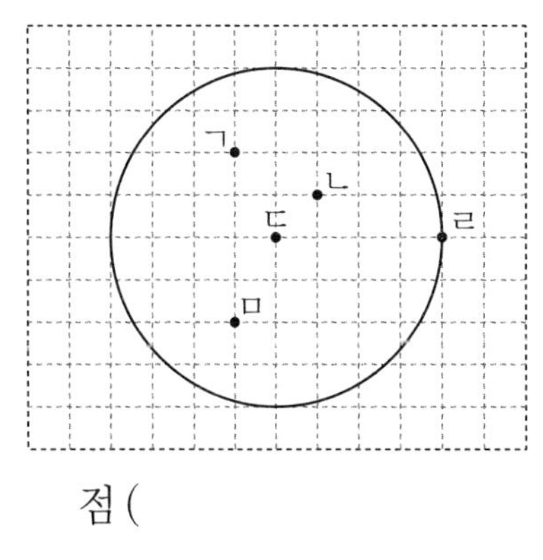

점 (　　　　　　　　　)

[04~05] 설명하는 것을  에서 찾아 기호를 쓰시오.

보기

㉠ 원의 반지름　　㉡ 원의 중심

㉢ 원의 지름

04 한 원에서 1개뿐입니다.

(　　　　　　　　　)

05 원 안에 그을 수 있는 가장 긴 선분입니다.

(　　　　　　　　　)

06 반지름이 3 cm인 원을 그리려고 합니다. 컴퍼스를 바르게 벌린 것을 찾아 기호를 쓰시오.

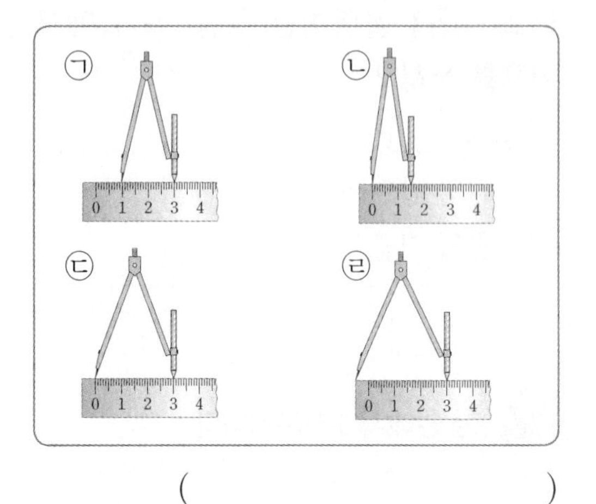

( )

[07~09] 그림을 보고 물음에 답하시오.

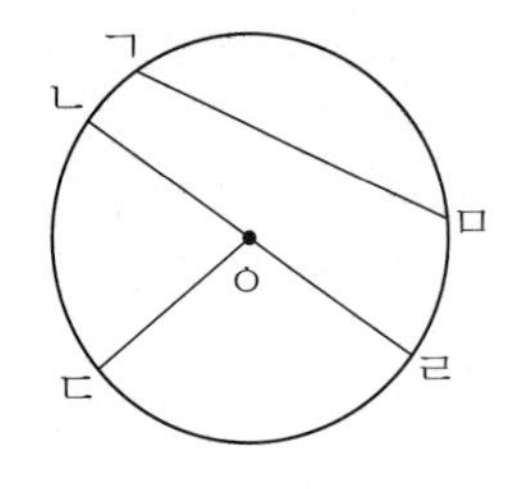

07 위 그림에서 점 ㅇ이 원의 중심일 때 반지름을 나타내는 선분은 모두 몇 개 있습니까?

( )개

08 원을 똑같이 둘로 나누는 선분을 찾아 쓰시오.

선분 ( )

09 선분 ㅇㄷ이 9 cm일 때 선분 ㄴㄹ은 몇 cm입니까?

( ) cm

10 □ 안에 알맞은 수를 써넣으시오.

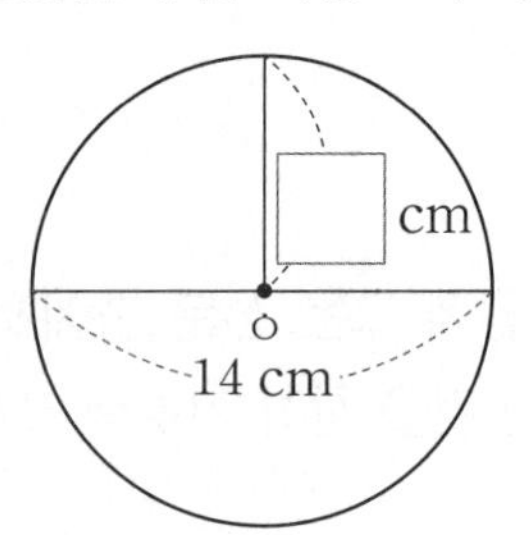

11 컴퍼스를 이용하여 주어진 원과 크기가 같은 원을 그리려고 합니다. 컴퍼스를 몇 cm만큼 벌려야 합니까?

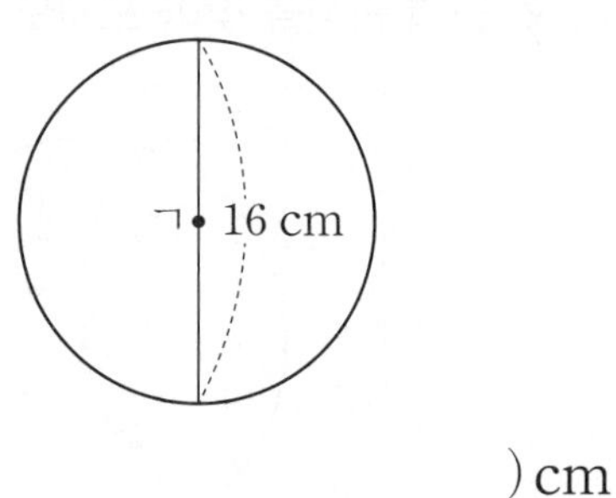

( ) cm

12 주어진 모양을 그리기 위하여 컴퍼스의 침을 꽂아야 할 곳은 모두 몇 군데입니까?

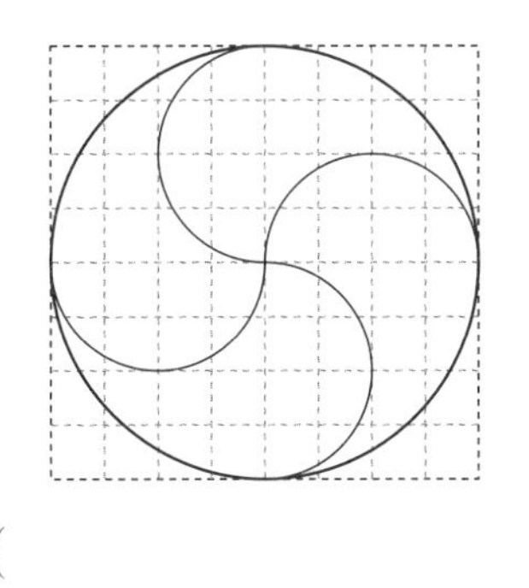

( )군데

13 어떤 규칙이 있는지 설명하려고 합니다. □ 안에 알맞은 수를 써넣으시오.

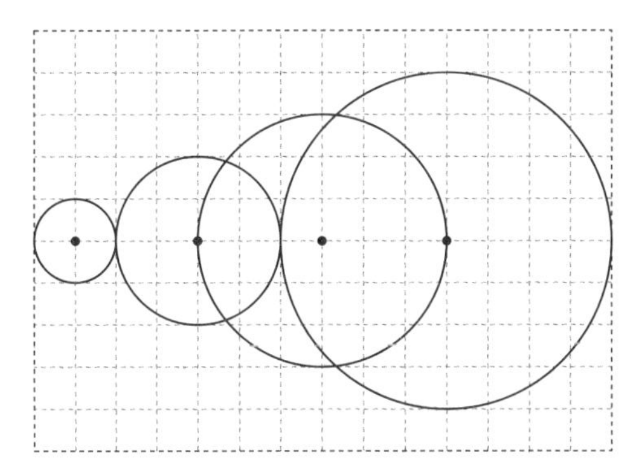

원의 중심이 오른쪽으로 □칸씩 옮겨지고 원의 반지름이 □칸씩 늘어나는 규칙입니다.

14 크기가 가장 큰 원을 찾아 기호를 쓰시오.

㉠ 반지름이 5 cm인 원
㉡ 지름이 18 cm인 원
㉢ 반지름이 8 cm인 원
㉣ 지름이 11 cm인 원

( )

[15~16] 상자에 반지름이 3 cm인 원 모양의 메달 초콜릿이 들어 있습니다. 물음에 답하시오.

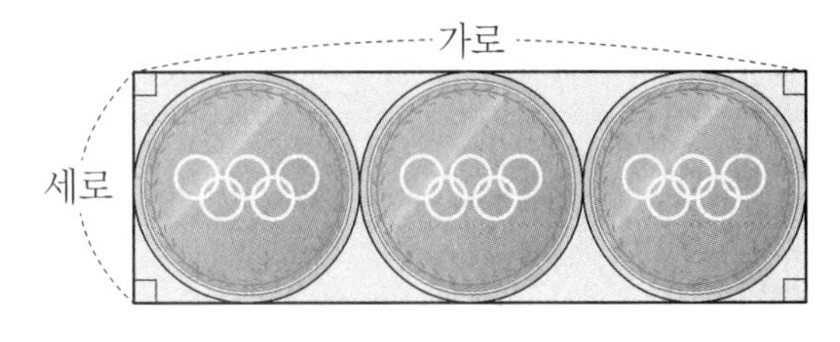

15 상자의 세로는 몇 cm입니까?

( ) cm

16 상자의 가로는 몇 cm입니까?

( ) cm

17 원들이 맞닿도록 모눈종이에 반지름을 늘려 가며 원을 그리려고 합니다. 규칙에 따라 원을 1개 더 그리려면 반지름이 모눈 몇 칸인 원을 그려야 합니까?

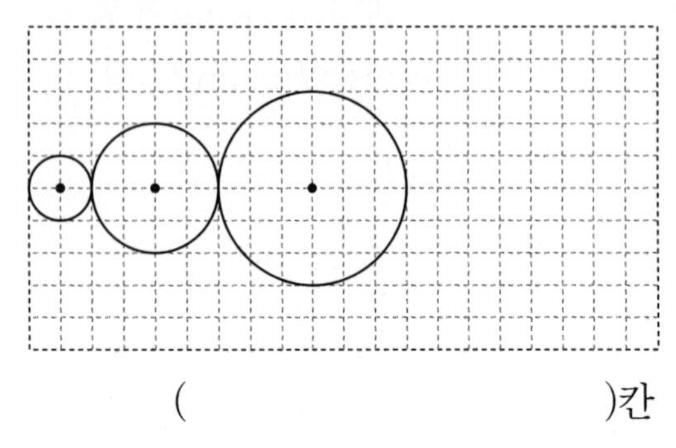

( )칸

18 점 ㄱ, 점 ㄴ, 점 ㄷ이 원의 중심입니다. 세 원의 크기가 모두 같을 때 선분 ㄱㄷ의 길이를 구하시오.

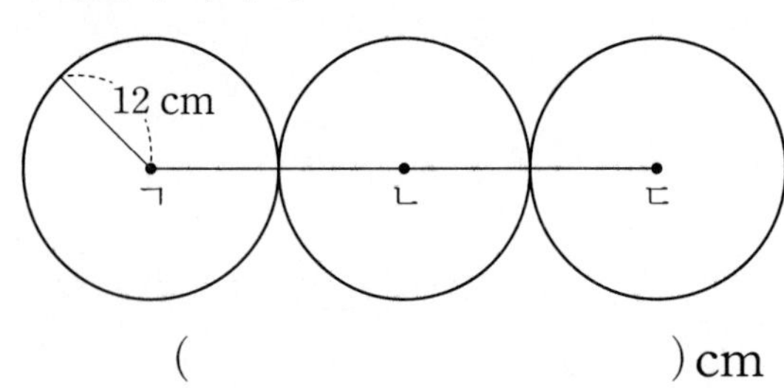

( ) cm

19 점 ㄱ과 점 ㄴ은 각각 원의 중심입니다. 선분 ㄱㄴ의 길이는 몇 cm입니까?

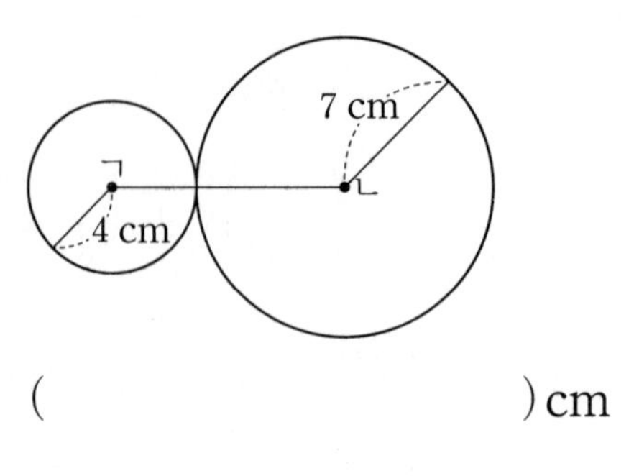

( ) cm

20 그림에서 가장 큰 원의 반지름은 몇 cm인지 구하시오.

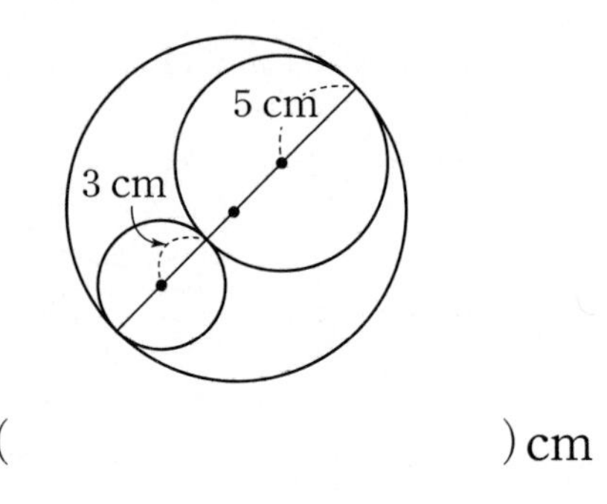

( ) cm

4단원 성취도 평가

4. 분수

[01~02] 카드가 12장 있습니다. 그림을 보고 물음에 답하시오.

01 □ 안에 알맞은 수를 써넣으시오.

카드를 2장씩 묶으면 4장은 12장의 $\frac{\square}{6}$ 입니다.

02 12장의 $\frac{5}{6}$는 몇 장입니까?

(　　　　　　　　)장

[03~04] 종이띠를 보고 물음에 답하시오.

0　1　2　3　4　5　6　7　8(m)

03 □ 안에 알맞은 수를 써넣으시오.

종이띠를 2 m씩 나누면 2 m는 8 m의 $\frac{1}{\square}$입니다.

04 8 m의 $\frac{3}{4}$은 몇 m입니까?

(　　　　　　　　) m

05 다음 중 진분수는 모두 몇 개입니까?

$\frac{3}{2}$　$\frac{4}{9}$　$\frac{5}{5}$　$\frac{11}{4}$　$\frac{6}{12}$　$1\frac{1}{7}$　$\frac{7}{8}$

(　　　　　　　　)개

06 분모와 분자의 합이 12인 가분수를 찾아 기호를 쓰시오.

㉠ $\frac{2}{10}$ ㉡ $\frac{6}{6}$ ㉢ $\frac{4}{3}$ ㉣ $\frac{12}{2}$

( )

07 그림을 보고 대분수로 나타내시오.

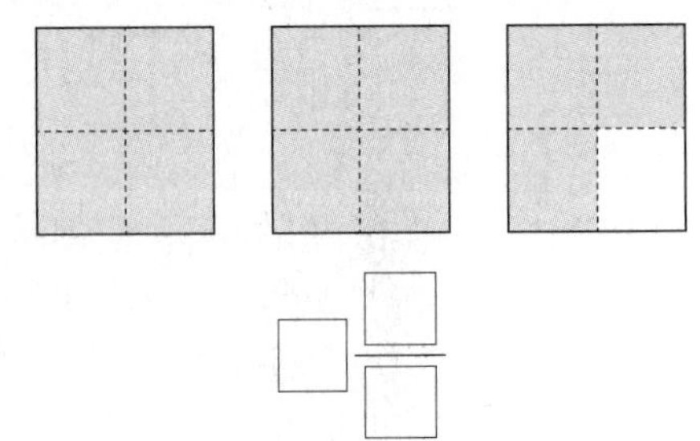

$\square\frac{\square}{\square}$

[08~09] 두 분수의 크기를 비교하여 큰 이 있으면 큰 분수의 기호를, 작 이 있으면 작은 분수의 기호를 □ 안에 써넣으시오.

08

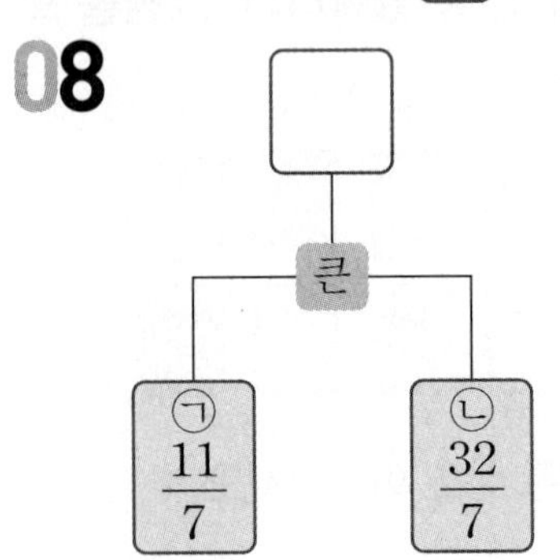

09

□

작

㉠ $6\frac{4}{5}$ ㉡ $8\frac{1}{5}$

10 대분수를 가분수로 나타내시오.

$$6\frac{3}{7}=\frac{\square}{7}$$

11 가분수를 대분수로 나타내시오.

$$\frac{23}{6}=\square\frac{\square}{6}$$

[12~13] 두 분수의 크기를 비교하여 ○ 안에 $>$, $=$, $<$를 알맞게 써넣으시오.

12 $\frac{15}{4}$ ○ $3\frac{1}{4}$

13 $5\frac{2}{3}$ ○ $\frac{19}{3}$

14 지후가 놓은 바둑돌 15개 중에서 $\frac{1}{3}$은 흰 바둑돌입니다. 지후가 놓은 바둑돌을 찾아 기호를 쓰시오.

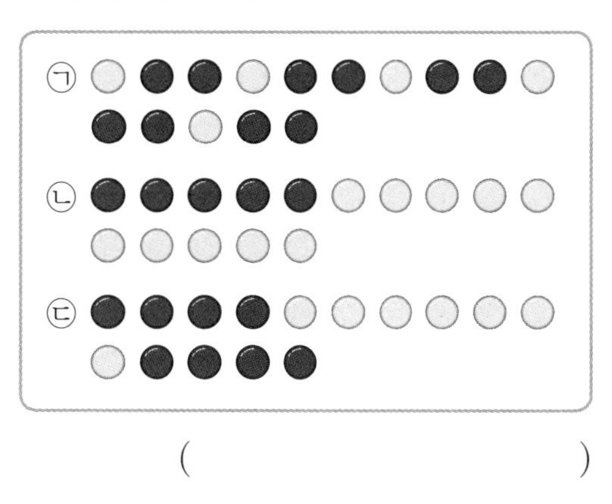

( )

15 수영 강습 시간은 1시간입니다. 1시간의 $\frac{1}{2}$만큼 발차기를 했다면 발차기를 한 시간은 몇 분입니까?

( )분

16 연정이는 새로 산 연필 12자루의 $\frac{2}{3}$를 친구들에게 주었습니다. 연정이가 친구들에게 준 연필은 몇 자루인지 구하시오.

( )자루

17 수 카드 중 2장을 사용하여 만들 수 있는 진분수는 모두 몇 개입니까?

2 3 4 5

( )개

18 □ 안에 들어갈 수 있는 수가 모두 몇 개인지 구하시오. (0<□<5)

$\frac{13}{5} > 2\frac{\square}{5}$

( )개

19 선정이는 사탕 20개를 가지고 있습니다. 이 사탕을 4개씩 묶고 친구들에게 나누어 주었더니 8개가 남았습니다. 친구들에게 나누어 준 사탕은 전체 20개의 몇 분의 몇인지 구하시오.

전체 20개의 $\frac{\square}{5}$

20 $1\frac{3}{4}$보다 크고 $\frac{13}{4}$보다 작은 분수를 찾아 기호를 쓰시오.

㉠ $2\frac{3}{4}$ ㉡ $\frac{6}{4}$ ㉢ $4\frac{1}{4}$

( )

5단원 성취도 평가

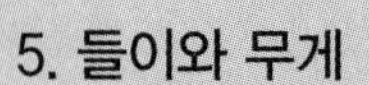
5. 들이와 무게

01 들이가 가장 많은 것은 어느 것입니까? ( )

① 1 L ② 1 mL
③ 100 mL ④ 2 L
⑤ 200 mL

02 ㉠과 ㉡에 알맞은 수를 각각 구하시오.

4 L 580 mL = 4 L + 580 mL
= ㉠ mL + 580 mL
= ㉡ mL

㉠ ( ), ㉡ ( )

03 인형의 무게는 몇 kg 몇 g입니까?

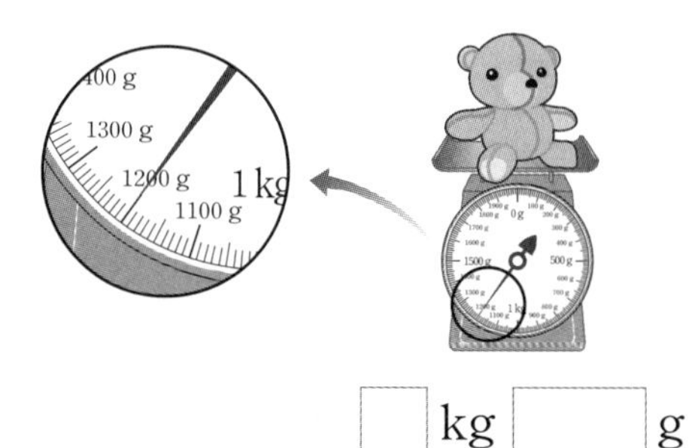

☐ kg ☐ g

04 무게가 다른 하나를 찾아 기호를 쓰시오.

㉠ 5000 kg ㉡ 5 t ㉢ 5000 g

( )

05 주전자에 3200 mL의 물을 담았더니 가득 찼습니다. 주전자의 들이는 몇 L 몇 mL입니까? ( )

① 3 L 2 mL ② 32 L
③ 300 L 2 mL ④ 3 L 20 mL
⑤ 3 L 200 mL

06 수조에 담긴 물은 몇 mL입니까?

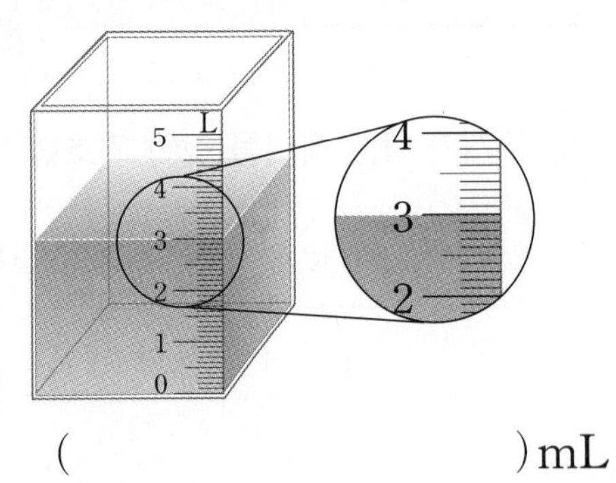

( ) mL

07 들이가 더 많은 것의 기호를 쓰시오.

㉠ 3050 mL ㉡ 3 L 500 mL

( )

08 무게를 비교하여 ○ 안에 >, =, <를 알맞게 써넣으시오.

1400 g ○ 1 kg 45 g

[09~10] 계산을 하시오.

09

		L		mL
	4	L	400	mL
+	5	L	530	mL
	□	L	□	mL

10

		L		mL
	6	L	800	mL
−	4	L	600	mL
	□	L	□	mL

11 유건이 가족의 대화를 읽고 <u>틀리게</u> 말한 사람은 누구인지 쓰시오.

> 유건: 연필의 무게는 g 단위를 사용하여 나타내요.
> 엄마: 비행기의 무게는 t 단위보다 kg 단위를 사용하는 것이 더 편리하단다.
> 이모: 책상의 무게를 나타낼 때 kg 단위를 사용하면 편리해.

( )

12 들이가 3 L에 가장 가까운 것을 찾아 기호를 쓰시오.

㉠

4200 mL

㉡

2200 mL

㉢

2900 mL

( )

13 무게가 가벼운 것부터 순서대로 기호를 쓰시오.

> ㉠ 7 t ㉡ 7 kg 792 g
> ㉢ 9005 g ㉣ 960 g

□, □, □, □

14 무게가 무거운 것부터 순서대로 기호를 쓰시오.

> ㉠ 1700 g+2 kg 150 g
> ㉡ 6 kg 800 g−1 kg 400 g
> ㉢ 4650 g

□, □, □

15 다음을 계산한 값은 몇 kg 몇 g입니까?

> 5800 g−2 kg 500 g+2300 g

□ kg □ g

16 종민이는 우유를 어제는 1 L 500 mL 마셨고, 오늘은 1 L 200 mL 마셨습니다. 종민이가 어제 마신 우유는 오늘 마신 우유보다 몇 mL 더 많습니까?

( ) mL

17 어머니께서 찹쌀 2 kg 200 g과 검은콩 900 g을 사용하여 잡곡밥을 지었습니다. 잡곡밥을 짓는 데 사용한 찹쌀과 검은콩은 모두 몇 g입니까?

( ) g

18 실제 무게가 10 kg 120 g인 화장대의 무게를 세 사람이 각각 다음과 같이 어림하였습니다. 화장대의 실제 무게에 가장 가깝게 어림한 사람은 누구인지 쓰시오.

보영	약 10 kg 800 g
선제	약 10 kg
효린	약 10 kg 500 g

( )

19 그릇 가, 나, 다에 물을 가득 채운 후 모양과 크기가 같은 어항 3개에 각각 옮겨 담았습니다. 다음 횟수만큼 어항에 물을 부었을 때 어항에 물이 가득 찼다면 들이가 가장 많은 그릇을 찾아 기호를 쓰시오.

가: 27회 나: 25회 다: 20회

( ) 그릇

20 물이 주전자에는 3 L 300 mL 들어 있고, 물병에는 주전자에 들어 있는 물보다 물이 500 mL 더 적게 들어 있습니다. 주전자와 물병에 들어 있는 물은 모두 몇 mL입니까?

( ) mL

6단원 성취도 평가

6. 자료의 정리

[01~05] 다음은 어느 과일 가게에 있는 과일입니다. 물음에 답하시오.

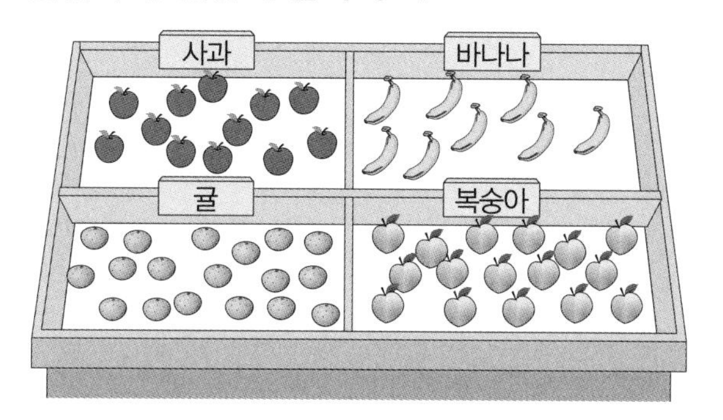

01 과일 가게에 있는 과일의 수를 표로 나타내시오.

종류별 과일의 수

종류	사과	바나나	귤	복숭아	합계
과일 수(개)	12		18	16	

02 과일 가게에 있는 사과는 몇 개입니까?

( )개

03 사과는 바나나보다 몇 개 더 많습니까?

( )개

04 가장 많이 있는 과일은 무엇입니까?

( )

05 가장 적게 있는 과일은 무엇입니까?

( )

[06~10] 영민이네 학교 3학년 학생들이 좋아하는 운동을 조사하여 그림그래프로 나타내었습니다. 물음에 답하시오.

좋아하는 운동

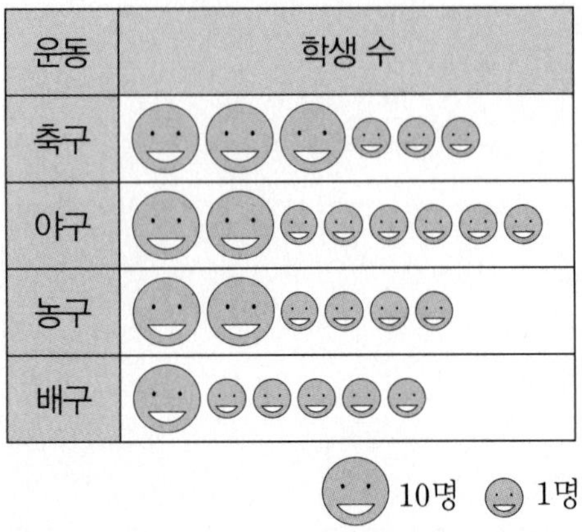

운동	학생 수
축구	
야구	
농구	
배구	

10명 1명

06 그림  과 은 각각 몇 명을 나타냅니까?

명, 명

07 농구를 좋아하는 학생은 몇 명입니까?

( )명

08 가장 많은 학생들이 좋아하는 운동은 무엇입니까?

( )

09 많은 학생들이 좋아하는 운동부터 차례로 쓰시오.

, , ,

10 야구를 좋아하는 학생은 배구를 좋아하는 학생보다 몇 명 더 많습니까?

( )명

[11 ~ 15] 재윤이네 학교 3학년 학생들이 좋아하는 간식을 조사하여 표와 그림그래프로 나타내었습니다. 물음에 답하시오.

좋아하는 간식

간식	피자	떡볶이	치킨	햄버거	합계
학생 수(명)	45	17	23	34	119

좋아하는 간식

간식	학생 수
피자	
떡볶이	
치킨	
햄버거	

10명 1명

11 햄버거를 좋아하는 학생은 몇 명입니까?

( )명

12 가장 많은 학생들이 좋아하는 간식은 무엇입니까?

( )

13 조사한 전체 학생은 몇 명입니까?

( )명

14 표와 그림그래프 중 조사한 전체 학생 수를 한눈에 알 수 있는 것의 기호를 쓰시오.

㉠ 표 ㉡ 그림그래프

( )

15 표와 그림그래프 중 자료의 많고 적음을 한눈에 비교하기 쉬운 것의 기호를 쓰시오.

㉠ 표 ㉡ 그림그래프

( )

[16~20] 윤석이네 마을에서 오늘의 복숭아 수확량을 조사하여 표와 그림그래프로 나타내었습니다. 물음에 답하시오.

복숭아 수확량

농장	가	나	다	라	합계
수확량(kg)	74		54	63	287

복숭아 수확량

농장	수확량
가	
나	
다	
라	

10 kg　1 kg

16 나 농장에는 그림 과 을 각각 몇 개씩 그려야 합니까?

: □개, : □개

17 복숭아 수확량이 가장 적은 농장은 어느 농장입니까?

(　　　　　　　　) 농장

18 복숭아 수확량이 가장 많은 농장과 가장 적은 농장의 수확량의 차는 몇 kg입니까?

(　　　　　　　　) kg

19 라 농장에서 내일은 복숭아를 80 kg 수확하려고 합니다. 수확량을 오늘보다 몇 kg 더 늘려야 합니까?

(　　　　　　　　) kg

20 나 농장에서 오늘 수확한 복숭아를 한 상자에 4 kg씩 담았습니다. 복숭아를 담은 상자는 모두 몇 상자입니까?

(　　　　　　　　) 상자

정답과 풀이

꼼꼼 풀이집의 표지에 있는 스피드 정답 QR코드를 이용하시면 더 자세한 풀이를 보실 수 있습니다.

3~6쪽 1단원

1 2, 906	**2** 00	**3** 6, 684
4 65	**5** ③	**6** 20
7 368	**8** 70	**9** >
10 1235	**11** 528	**12** 유미
13 ㉠	**14** ㉠, ㉢, ㉡	**15** 900
16 200	**17** 2945	**18** 2200
19 1, 3	**20** 5	

풀이

17 10월 한 달의 날수는 31일입니다.
따라서 윤정이가 10월 한 달 동안 한 줄넘기는 $95\times31=2945$(번)입니다.

18 혜미가 모은 10원짜리 동전은 $10\times70=700$(원)이고, 50원짜리 동전은 $50\times30=1500$(원)입니다.
따라서 혜미가 모은 돈은 모두 $700+1500=2200$(원)입니다.

19
- 일의 자리 계산: $7\times\square$의 일의 자리 숫자가 1이므로 $\square=3$입니다.
- 십의 자리 계산: $7\times3=21$에서 20을 십의 자리로 올림한 것이므로 $\square0\times3=30$이 되어야 하므로 $\square=1$입니다.

20 $76\times\boxed{5}0=3800<4200$,
$76\times\boxed{6}0=4560>4200$입니다.
따라서 □ 안에 들어갈 수 있는 수는 1, 2, 3, 4, 5로 5개입니다.

7~10쪽 2단원

1 34	**2** ㉡	**3** 2
4 12, 4	**5** 42, 2	**6** 31
7 ④	**8** ④	**9** ③
10 ⑤	**11** ④	**12** 39
13 128	**14** 43	**15** 24
16 15, 3	**17** 21, 3	**18** 104
19 85	**20** 3, 0	

풀이

18 어떤 수를 □라 하면 $\square\div8=13$입니다.
$\square=8\times13$이므로 $\square=104$입니다.

19 $80\div6=13\cdots2$, $81\div6=13\cdots3$,
$82\div6=13\cdots4$, $83\div6=13\cdots5$,
$84\div6=14$, $85\div6=14\cdots1$,
따라서 6으로 나누었을 때 나머지가 1인 수는 85입니다.

20 몫이 두 자리 수이므로 나누는 수는 94의 십의 자리 숫자인 9보다 작고 나머지인 4보다 큽니다. 따라서 나누는 수가 될 수 있는 수는 5, 6, 7, 8입니다.
$94\div5=18\cdots4$ (×), $94\div6=15\cdots4$ (◯)
$94\div7=13\cdots3$ (×), $94\div8=11\cdots6$ (×)

```
    1 5
6 ) 9 4
    6
    3 4
    3 0
      4
```

따라서 ㉠에 알맞은 수는 3이고, ㉡에 알맞은 수는 0입니다.

11~14쪽 3단원

1 중심	**2** ㉢	**3** ㄷ
4 ㉡	**5** ㉢	**6** ㉢
7 3	**8** ㄴㄹ(ㄹㄴ)	**9** 18
10 7	**11** 8	**12** 5
13 3, 1	**14** ㉡	**15** 6
16 18	**17** 4	**18** 48
19 11	**20** 8	

풀이

16 상자의 가로에는 초콜릿의 지름이 3번 늘어가고 초콜릿의 지름이 $3\times2=6$ (cm)이므로 상자의 가로는 $6+6+6=18$ (cm)입니다.

17 원의 반지름이 1칸, 2칸, 3칸으로 1칸씩 늘어나는 규칙이므로 원을 1개 더 그리려면 반지름이 모눈 4칸인 원을 그려야 합니다.

18 선분 ㄱㄷ에는 원의 반지름이 4번 들어가므로 $12+12+12+12=48$ (cm)입니다.

19 선분 ㄱㄴ의 길이는 두 원의 반지름의 합과 같습니다. ⇨ $4+7=11$ (cm)

20 가장 큰 원의 지름은 원 안에 있는 두 원의 지름의 합과 같습니다. $3\times2=6$, $5\times2=10$
⇨ $6+10=16$ (cm)입니다. 따라서 가장 큰 원의 반지름은 $16\div2=8$ (cm)입니다.

15~18쪽 4단원

1 2	2 10	3 4
4 6	5 3	6 ㉡
7 $\boxed{2}\frac{\boxed{3}}{\boxed{4}}$	8 ㉡	9 ㉠
10 45	11 $\boxed{3}\frac{\boxed{5}}{6}$	12 >
13 <	14 ㉠	15 30
16 8	17 6	18 2
19 3	20 ㉠	

풀이

18 $\frac{13}{5}=2\frac{3}{5}$이므로 $2\frac{3}{5}>2\frac{\square}{5}$에서 □ 안에 들어갈 수 있는 수는 1, 2로 모두 2개입니다.

19 친구들에게 나누어 주었더니 8개가 남았으므로 친구들에게 나누어 준 사탕은 $20-8=12$(개)입니다. 사탕 20개를 4개씩 묶으면 12개는 전체 5묶음 중의 3묶음이므로 친구들에게 나누어 준 사탕은 전체 20개의 $\frac{3}{5}$입니다.

20 모두 가분수로 나타내어 분자를 비교합니다.

㉠ $2\frac{3}{4}=\frac{11}{4}$ ㉡ $\frac{6}{4}$

㉢ $4\frac{1}{4}=\frac{17}{4}$

이 중에서 $1\frac{3}{4}=\frac{7}{4}$보다 크고 $\frac{13}{4}$보다 작은 분수는 ㉠입니다.

19~22쪽 5단원

1 ④	2 4000, 4580	3 1, 200
4 ㉢	5 ⑤	6 3000
7 ㉡	8 >	9 9, 930
10 2, 200	11 엄마	12 ㉢
13 ㉣, ㉡, ㉢, ㉠		14 ㉡, ㉢, ㉠
15 5, 600	16 300	17 3100
18 선제	19 다	20 6100

풀이

18 어림한 무게와 실제 무게와의 차가 작을수록 가깝게 어림한 것입니다.

보영: 10 kg 800 g − 10 kg 120 g = 680 g

선제: 10 kg 120 g − 10 kg = 120 g

효린: 10 kg 500 g − 10 kg 120 g = 380 g

따라서 선제가 실제 무게에 가장 가깝게 어림하였습니다.

19 들이가 큰 그릇일수록 물을 붓는 횟수가 적습니다. 따라서 들이가 가장 많은 그릇은 다 그릇입니다.

20 (물병에 들어 있는 물의 양)

= 3 L 300 mL − 500 mL

= 2 L 800 mL

(주전자와 물병에 들어 있는 물의 양)

= 3 L 300 mL + 2 L 800 mL

= 5 L 1100 mL

= 6100 mL

23~26쪽 6단원

1 8, 54	2 12	3 4
4 귤	5 바나나	6 10, 1
7 24	8 축구	
9 축구, 야구, 농구, 배구		10 11
11 34	12 피자	13 119
14 ㉠	15 ㉡	
16 (왼쪽에서부터) 9, 6		17 다
18 42	19 17	20 24

풀이

16 나 농장의 수확량은 $287-74-54-63=96$ (kg)이므로 큰 그림 9개, 작은 그림 6개를 그립니다.

17 복숭아 수확량이 가장 적은 농장은 큰 그림이 가장 적은 다 농장입니다.

18 수확량이 가장 많은 농장은 나 농장으로 96 kg이고, 수확량이 가장 적은 농장은 다 농장으로 54 kg입니다.

⇨ $96-54=42$ (kg)

19 내일 80 kg을 수확하려면 오늘보다 수확량을 $80-63=17$ (kg) 더 늘려야 합니다.

20 나 농장의 수확량을 한 상자에 담는 무게로 나눕니다.

⇨ $96\div4=24$이므로 복숭아를 담은 상자는 24 상자입니다.

학교에서
어떤 교과서를
사용하더라도
상관없는

우등생 수학 사용법

동영상 강의!

1단계의 **개념**은
동영상 강의로 공부!
3, 4단계의 문제는 모두
문제 풀이 강의를
볼 수 있어.

QR코드 스캔!

진도 완료 체크

QR코드를 스캔하면 우등생 홈페이지로
슝~ 갈 수 있어.
홈페이지에 있는 스케줄표로
내 **스케줄**은 내가 관리!

진도 완료 체크
QR코드를
찍자!
1
단원
진도 완료
체크

진도 완료 체크

틀린 문제 저장! 출력!

학습을 마칠 때에는 **오답노트**에 어떤 문제를
틀렸는지 표시해.
나중에 틀린 문제만 모아서 다시 풀면 **실력도**
쑥쑥 늘겠지?

① 오답노트 앱을 설치 후 로그인
② 책 표지의 홈스쿨링 QR코드를 스캔하여
   내 교재를 등록
③ 문항 번호를 선택하여 오답노트 만들기

문항번호 선택
날짜별 또는
단원별 보기
인쇄 가능
틀린 문제는
모르는 채 넘어
가지 말자구!

문제 생성기로 반복 학습!

본책의 단원평가 1~20번 문제는 문제 생성기로
유사 문제를 만들 수 있어.
매번 할 때마다 다른 문제가 나오니깐
시험 보기 전에 연습하기 딱 좋지?
다른 문제 같은 느낌~

문제가 자꾸 만들
어져. 이게 바로
그 문제 생성기!
문제
생성기

구성과 특징

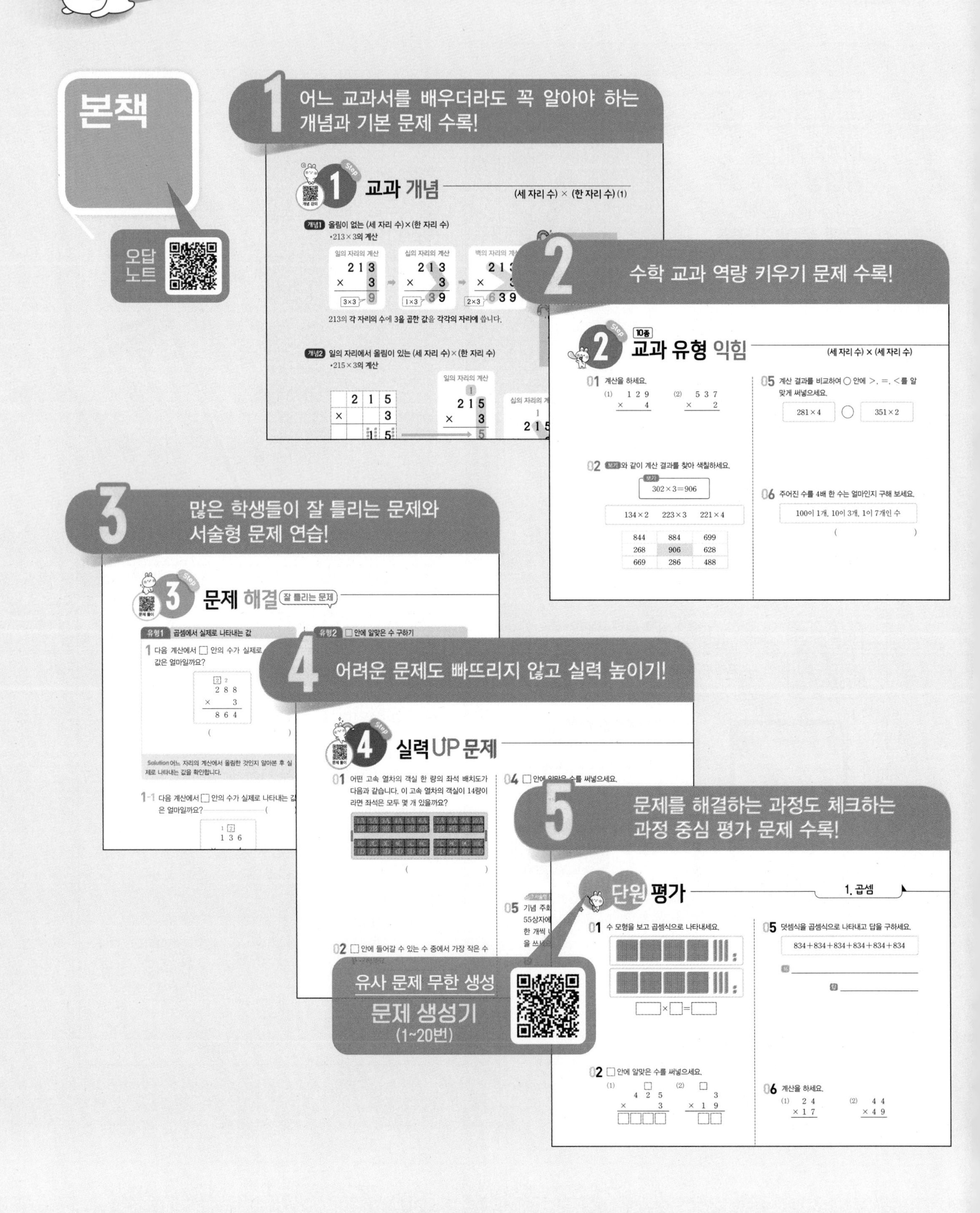

본책
오답 노트
1 어느 교과서를 배우더라도 꼭 알아야 하는 개념과 기본 문제 수록!
Step 1 교과 개념
2 수학 교과 역량 키우기 문제 수록!
Step 2 교과 유형 익힘
3 많은 학생들이 잘 틀리는 문제와 서술형 문제 연습!
Step 3 문제 해결 잘 틀리는 문제
4 어려운 문제도 빠뜨리지 않고 실력 높이기!
Step 4 실력 UP 문제
5 문제를 해결하는 과정도 체크하는 과정 중심 평가 문제 수록!
단원 평가
유사 문제 무한 생성
문제 생성기
(1~20번)

단원 성취도 평가

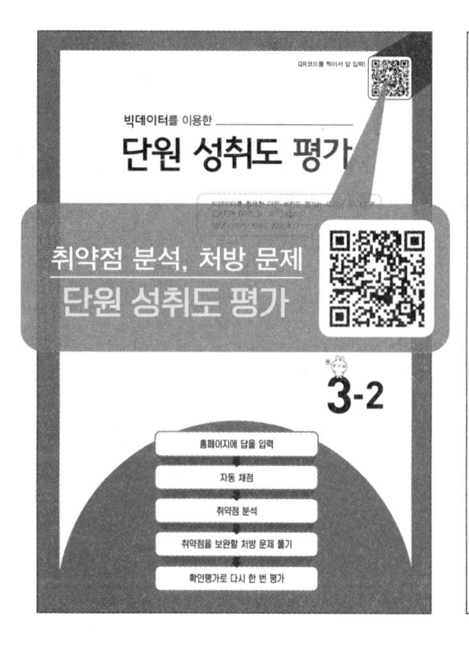

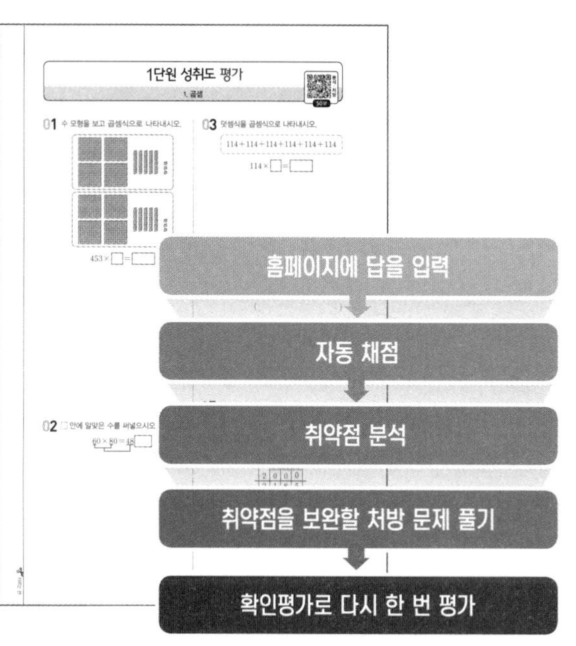

10종 교과 평가 자료집

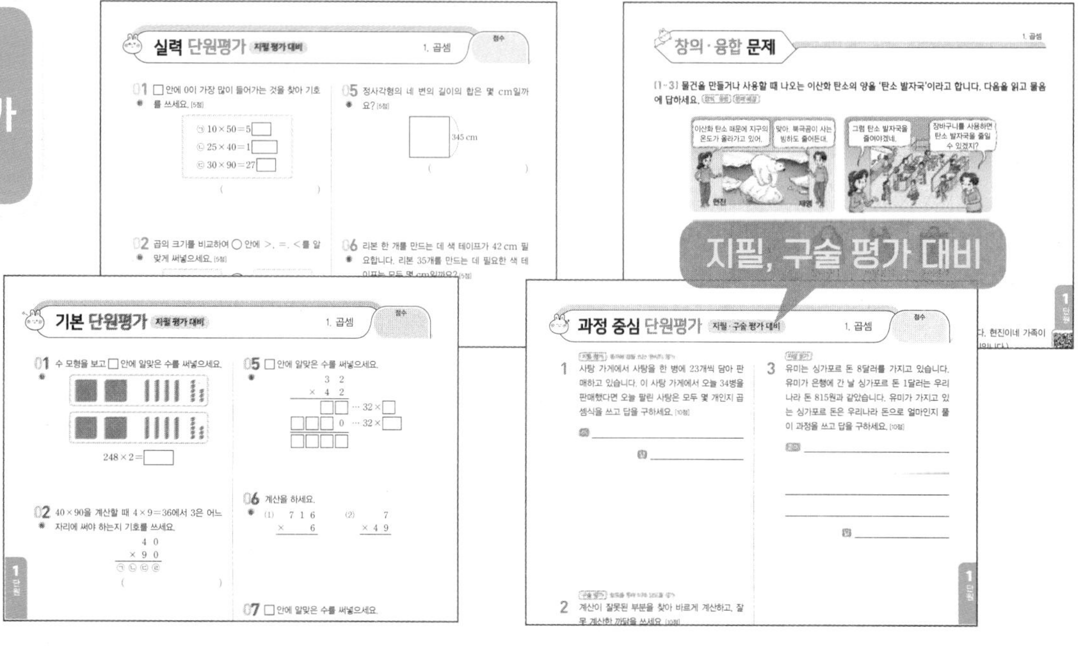

- 각종 평가를 대비할 수 있는 기본 단원평가, 실력 단원평가, 과정 중심 단원평가!
- 과정 중심 단원평가에는 지필, 구술, 관찰 평가를 대비할 수 있는 문제 수록

검정 교과서는 무엇인가요?

교육부가 편찬하는 국정 교과서와 달리 일반출판사에서 저자를 섭외 구성하고, 교육과정을 반영한 후, 교육부 심사를 거친 교과서입니다.

<table>
<tr><th colspan="4">적용 시기</th><th colspan="2">2015 개정 교육과정
검정 교과서 적용</th><th colspan="4">2022 개정 교육과정 적용</th></tr>
<tr><th>구분</th><th>학년</th><th>과목</th><th>유형</th><th>22년</th><th>23년</th><th>24년</th><th>25년</th><th>26년</th><th>27년</th></tr>
<tr><td rowspan="5">초등</td><td>1, 2</td><td>국어/수학</td><td>국정</td><td></td><td></td><td>적용</td><td></td><td></td><td></td></tr>
<tr><td rowspan="2">3, 4</td><td>국어/도덕</td><td>국정</td><td></td><td></td><td></td><td rowspan="2">적용</td><td></td><td></td></tr>
<tr><td>수학/사회/과학</td><td>검정</td><td>적용</td><td></td><td></td><td></td><td></td></tr>
<tr><td rowspan="2">5, 6</td><td>국어/도덕</td><td>국정</td><td></td><td></td><td></td><td></td><td rowspan="2">적용</td><td></td></tr>
<tr><td>수학/사회/과학</td><td>검정</td><td></td><td>적용</td><td></td><td></td><td></td></tr>
<tr><td rowspan="3">중고등</td><td>1</td><td rowspan="3">전과목</td><td rowspan="3">검정</td><td></td><td></td><td></td><td>적용</td><td></td><td></td></tr>
<tr><td>2</td><td></td><td></td><td></td><td></td><td>적용</td><td></td></tr>
<tr><td>3</td><td></td><td></td><td></td><td></td><td></td><td>적용</td></tr>
</table>

과정 중심 평가가 무엇인가요?

과정 중심 평가는 기존의 결과 중심 평가와 대비되는 평가 방식으로 학습의 과정 속에서 평가가 이루어지며, 과정에서 적절한 피드백을 제공하여 평가를 통해 학습 능력이 성장하도록 하는 데 목적이 있습니다.

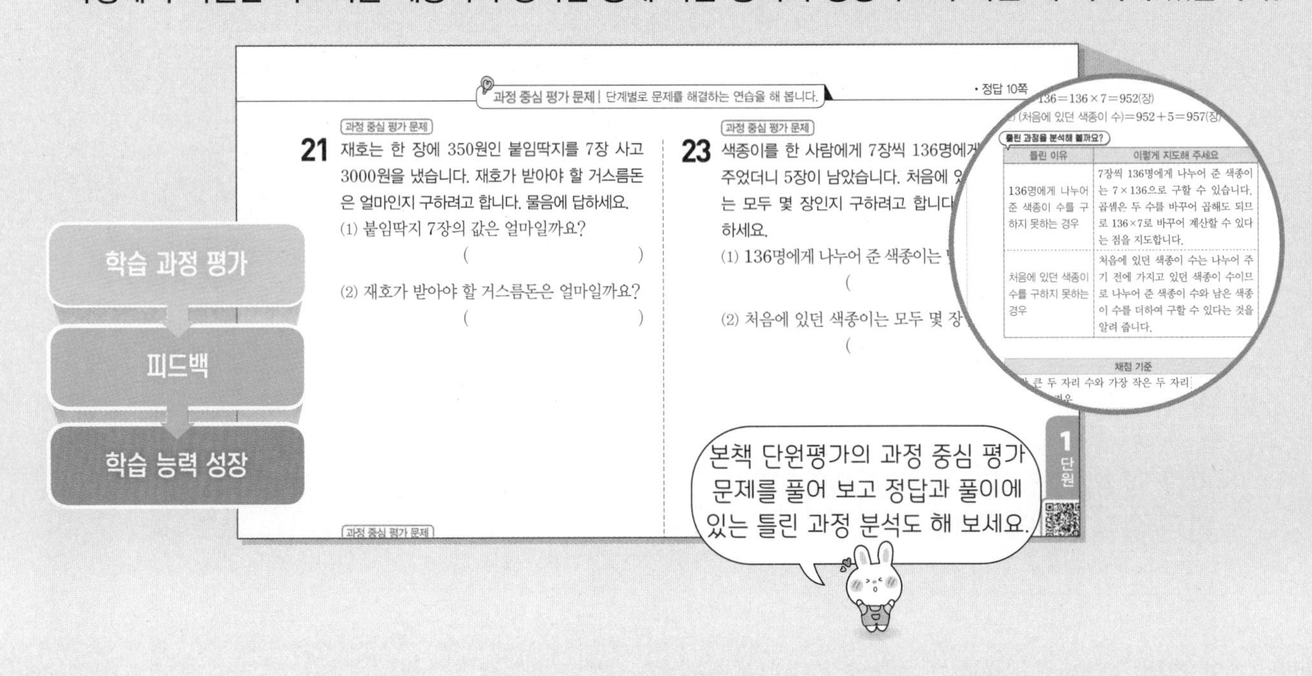

우등생 수학

3-2

1 곱셈

웹툰으로 **단원 미리보기** 1화_ 고백 문자의 비결

 QR코드를 스캔하여 이어지는 내용을 확인하세요.

이전에 배운 내용

3-1 (몇십)×(몇)

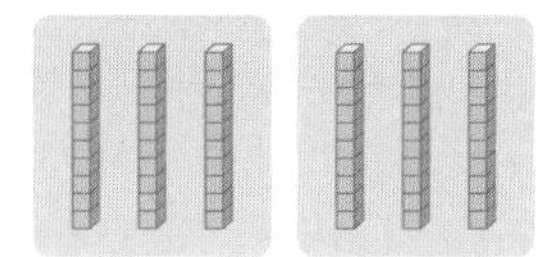

십 모형은 3개씩 2묶음이므로

3×2=6(개)입니다. ⇨ $30\times2=60$

3-1 (몇십몇)×(몇)

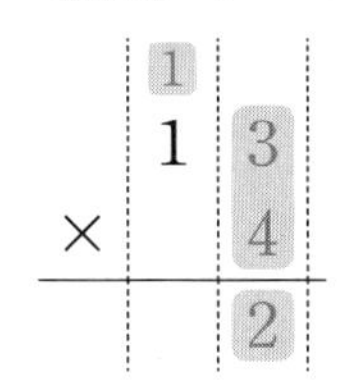

일의 자리의 계산:
$3\times4=12$
→ 10은 올림

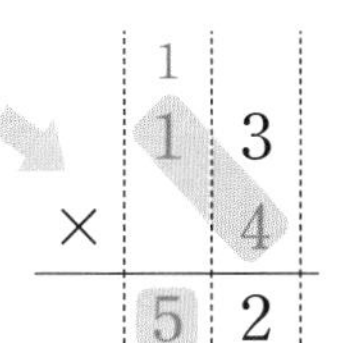

십의 자리의 계산:
$1\times4=4$
→ $4+1=5$

이 단원에서 배울 내용

1 Step **교과 개념**	(세 자리 수)×(한 자리 수)(1) – 올림이 없거나 일의 자리에서 올림이 있는 경우
1 Step **교과 개념**	(세 자리 수)×(한 자리 수)(2) – 십의 자리, 백의 자리에서 올림이 있는 경우
2 Step **교과 유형 익힘**	
1 Step **교과 개념**	(몇십)×(몇십), (몇십몇)×(몇십)
1 Step **교과 개념**	(몇)×(몇십몇)
2 Step **교과 유형 익힘**	
1 Step **교과 개념**	(몇십몇)×(몇십몇)(1) – 올림이 한 번 있는 경우
1 Step **교과 개념**	(몇십몇)×(몇십몇)(2) – 올림이 여러 번 있는 경우
2 Step **교과 유형 익힘**	
3 Step **문제 해결**	잘 틀리는 문제 / 서술형 문제
4 Step **실력 UP 문제**	
✩ **단원 평가**	

이 단원을 배우면
(세 자리 수)×(한 자리 수)와
(몇십몇)×(몇십몇)의 계산 원리와
계산 방법을 알 수 있어요.

교과 개념

(세 자리 수) × (한 자리 수) (1)

개념1 올림이 없는 (세 자리 수)×(한 자리 수)

• 213 × 3의 계산

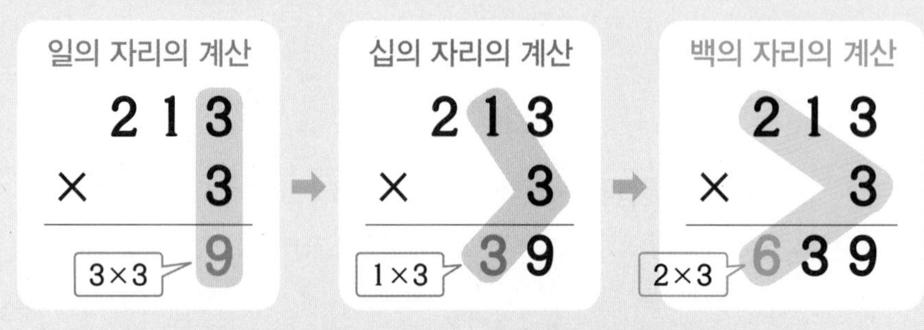

213의 각 자리의 수에 3을 곱한 값을 각각의 자리에 씁니다.

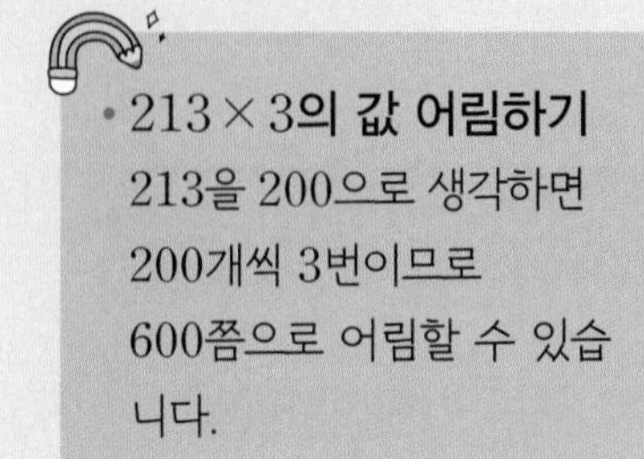

• 213 × 3의 값 어림하기
213을 200으로 생각하면 200개씩 3번이므로 600쯤으로 어림할 수 있습니다.

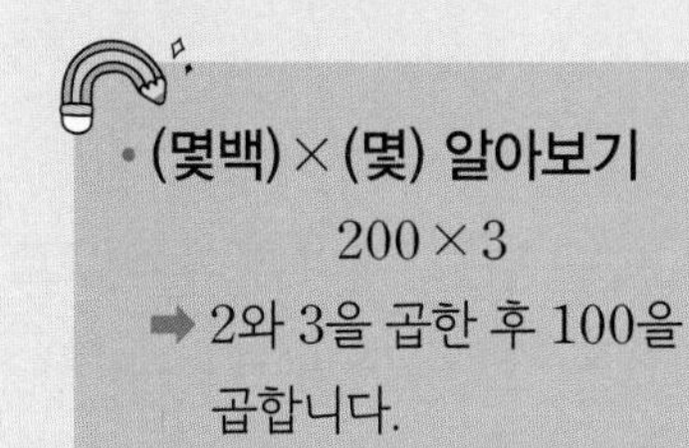

• (몇백) × (몇) 알아보기
200 × 3
➡ 2와 3을 곱한 후 100을 곱합니다.
➡ 200 × 3 = 600

개념2 일의 자리에서 올림이 있는 (세 자리 수)×(한 자리 수)

• 215 × 3의 계산

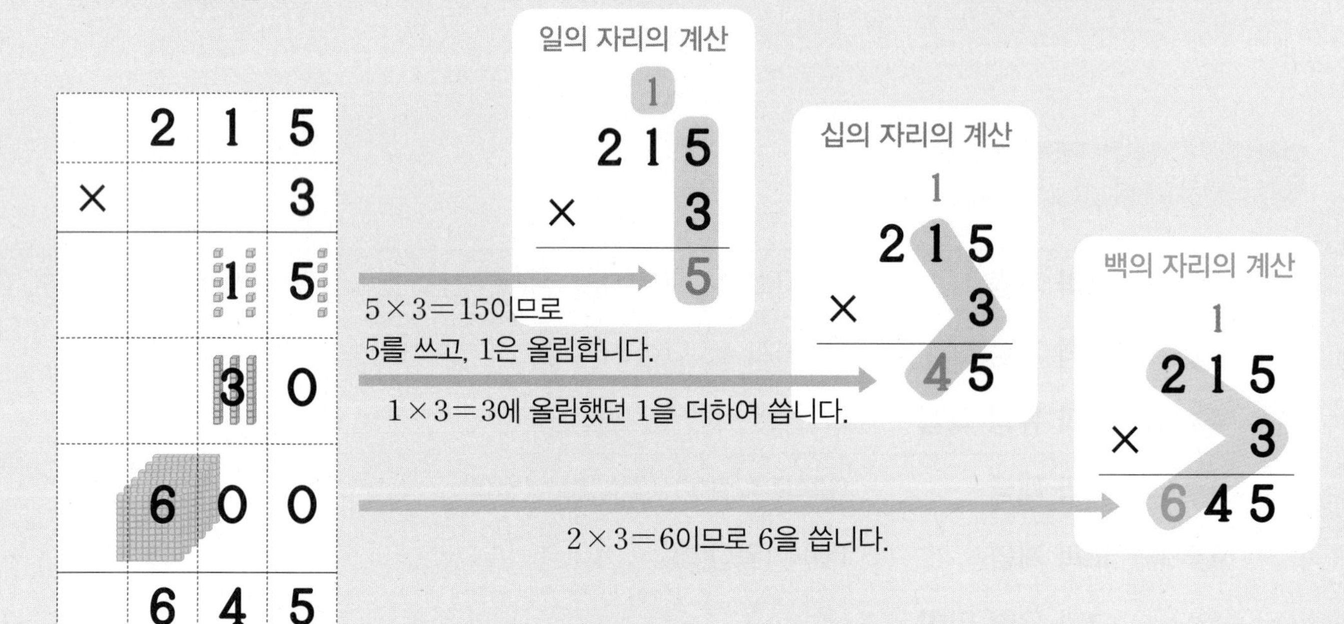

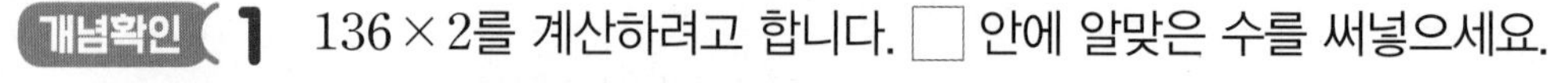

개념확인 1 136 × 2를 계산하려고 합니다. □ 안에 알맞은 수를 써넣으세요.

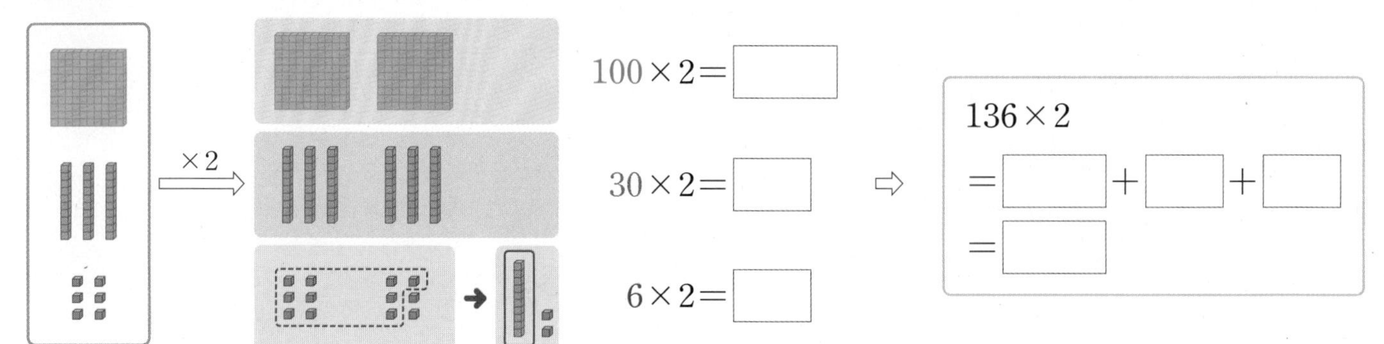

2 수 모형을 보고 곱셈식으로 나타내세요.

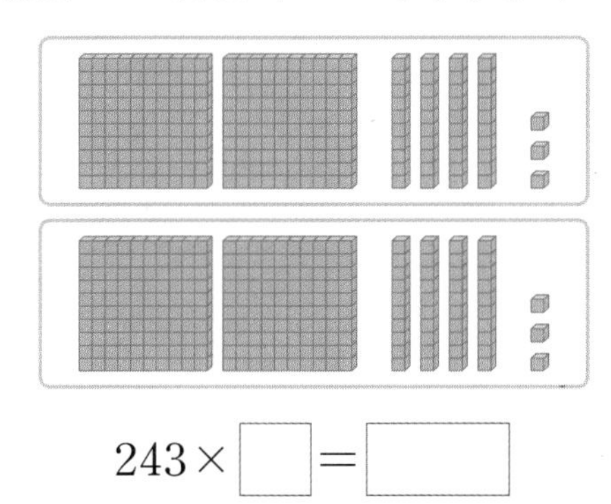

243 × □ = □

3 수 모형을 보고 124 × 3을 계산하세요.

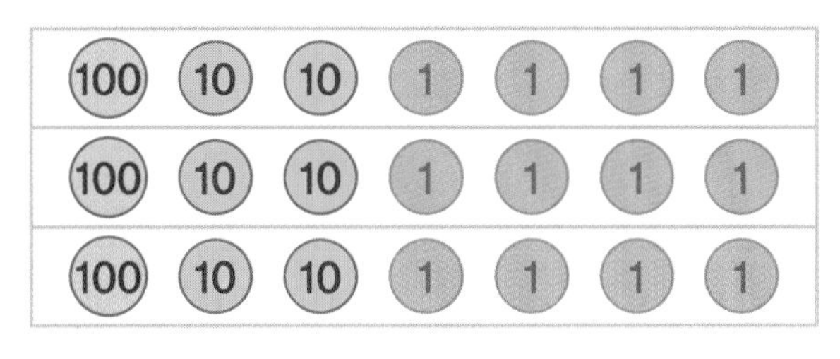

124 × 3 = □

4 □ 안에 알맞은 수를 써넣으세요.

(1)

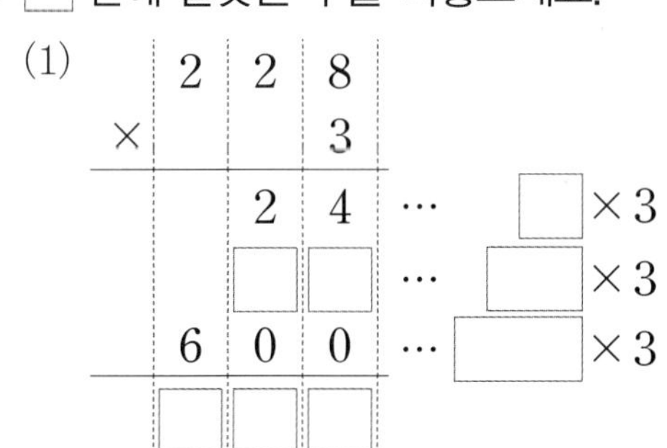

(2)

	4	2	3
×			2
			□
		4	0
	□	□	□
	□	□	□

(3)

	3	2	7
×			3
		□	□
		□	□
	9	0	0
	□	□	□

5 보기 와 같이 계산을 하세요.

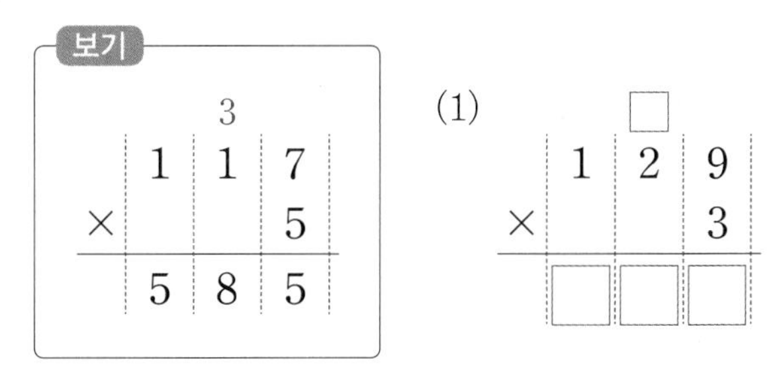

(2)

	□		
	1	1	8
×			4
	□	□	□

(3)

	□		
	3	2	8
×			2
	□	□	□

6 계산을 하세요.

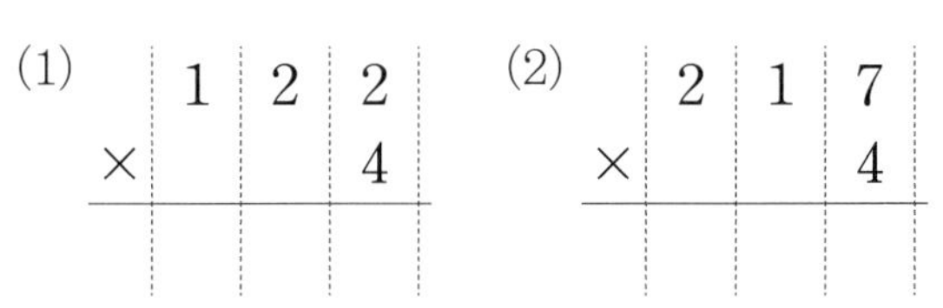

7 두 수의 곱을 빈칸에 써넣으세요.

225	3

8 덧셈의 계산 결과를 어림해 보고, 곱셈식으로 정확하게 계산해 보세요.

114＋114＋114＋114＋114

어림 ______________________

곱셈식 ______________________

답 ______________________

교과 개념

(세 자리 수) × (한 자리 수) (2)

개념1 십의 자리에서 올림이 있는 (세 자리 수)×(한 자리 수)

• 142 × 4의 계산

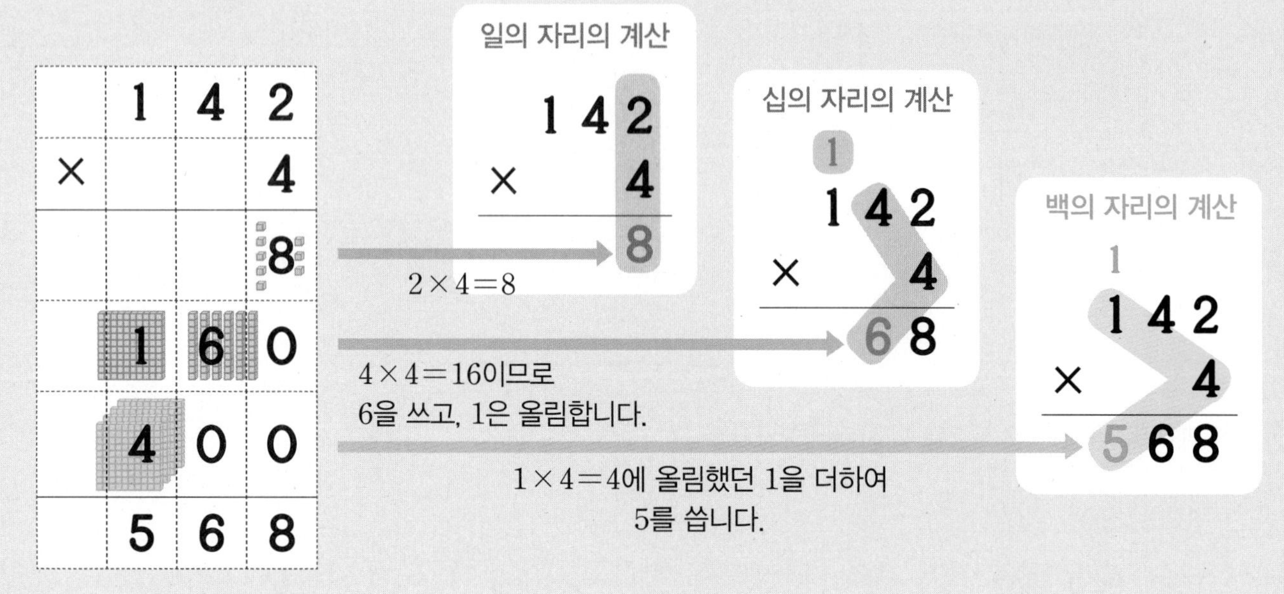

개념2 십, 백의 자리에서 올림이 있는 (세 자리 수)×(한 자리 수)

• 843 × 3의 계산

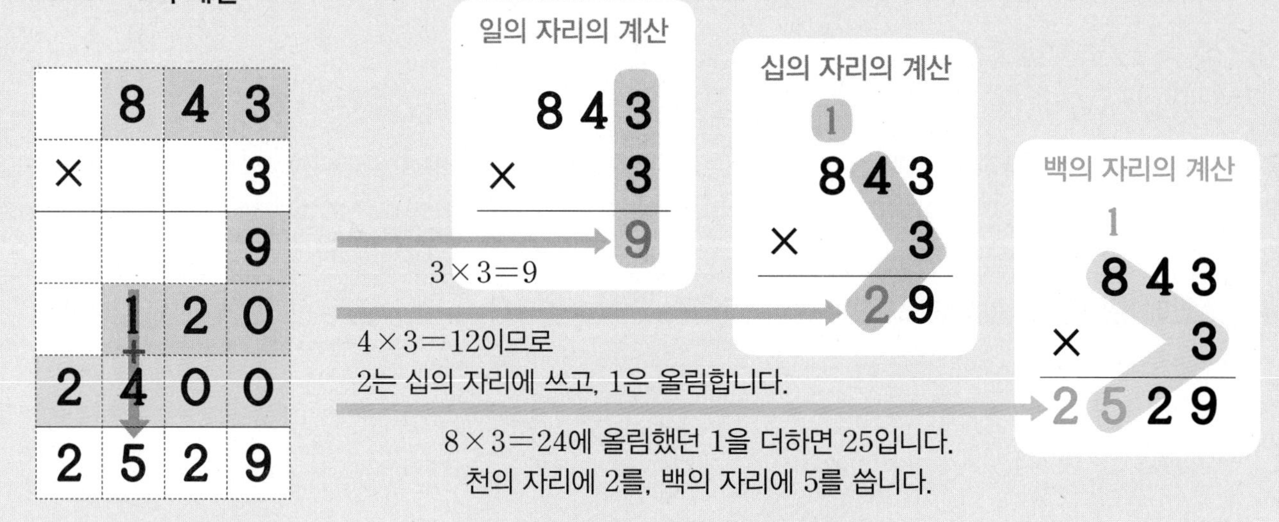

개념확인 1 520 × 2를 계산하려고 합니다. □ 안에 알맞은 수를 써넣으세요.

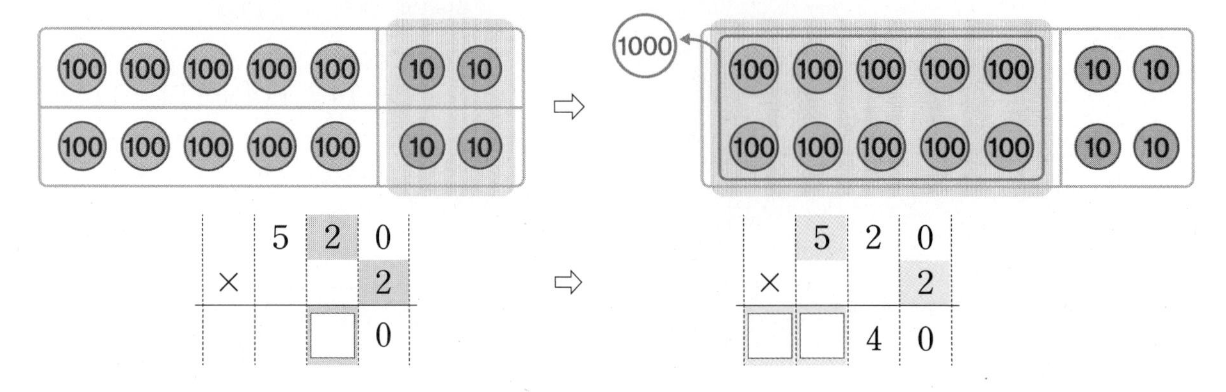

2 수 모형을 보고 곱셈식으로 나타내세요.

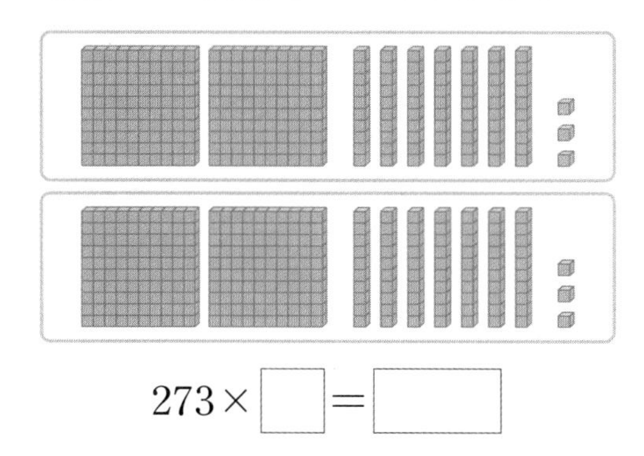

273 × □ = □

3 □ 안에 알맞은 수를 써넣으세요.

(1)

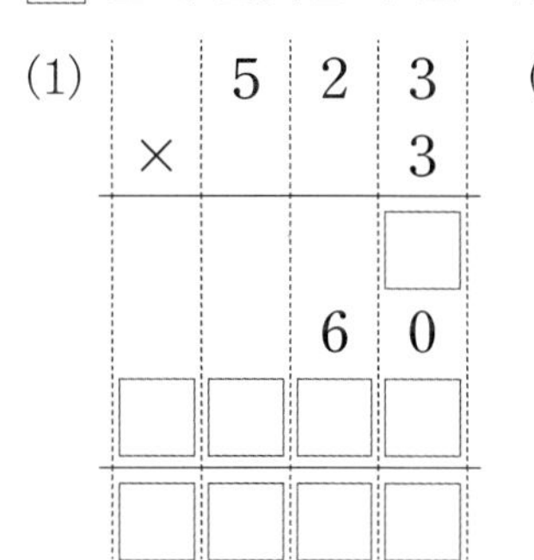

(2)

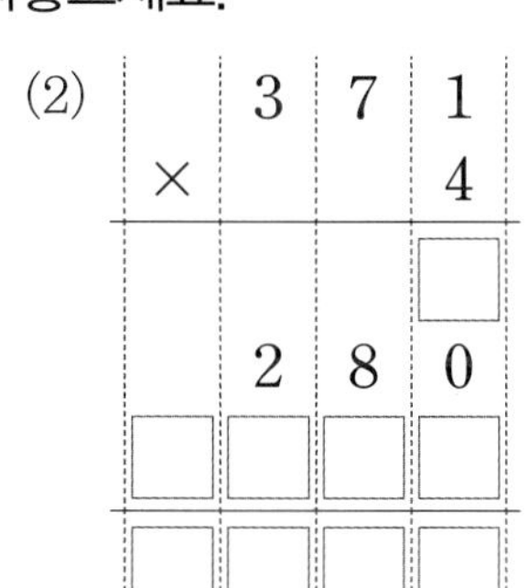

4 보기 와 같이 계산하세요.

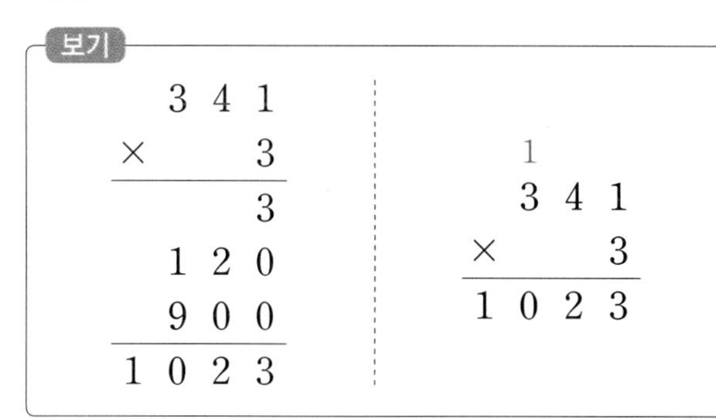

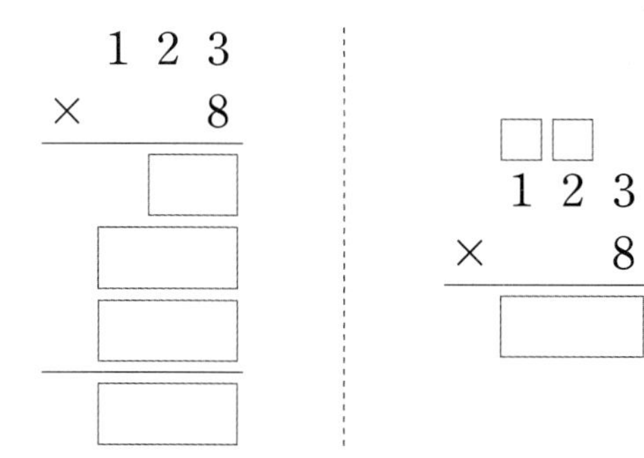

5 □ 안에 알맞은 수를 써넣으세요.

(1)

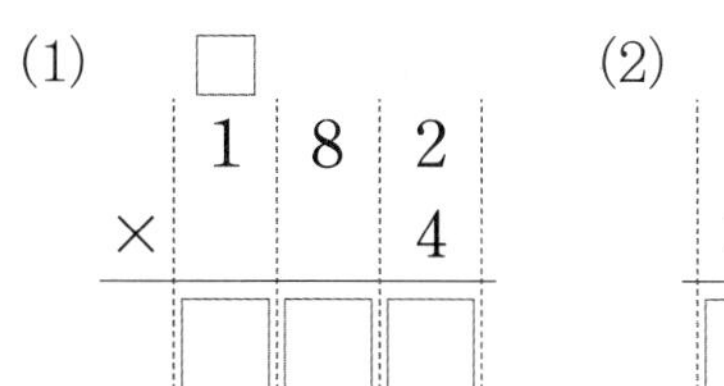

(2)

	□		
	4	5	2
×			3
□	□	□	□

6 색칠된 부분은 실제 어떤 수의 곱인지 찾아 ○표 하세요.

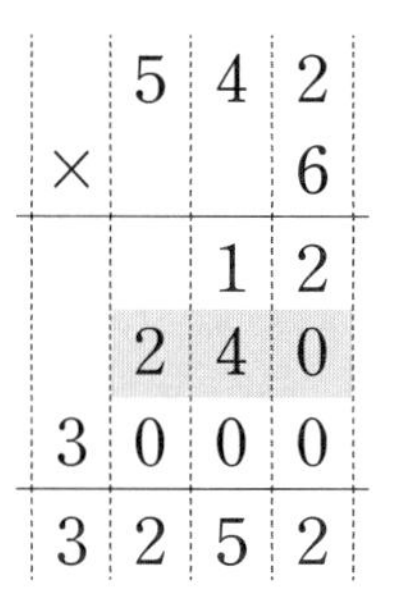

2×6	4×6	40×6	500×6

7 계산을 하세요.

(1)

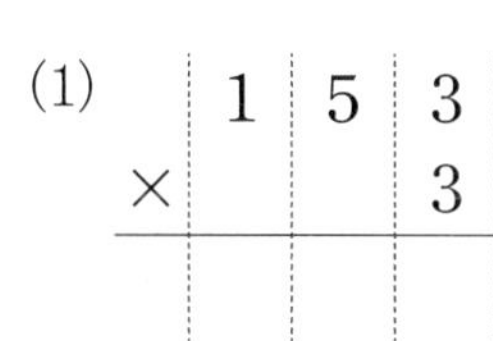

(2)

	3	6	2
×			4

8 덧셈식을 곱셈식으로 나타내어 계산하세요.

230+230+230+230+230

답 ____________

10종

교과 유형 익힘

(세 자리 수) × (한 자리 수)

01 계산을 하세요.

(1) $\begin{array}{r} 129 \\ \times \quad 4 \\ \hline \end{array}$

(2) $\begin{array}{r} 537 \\ \times \quad 2 \\ \hline \end{array}$

02 보기 와 같이 계산 결과를 찾아 색칠하세요.

보기

$302 \times 3 = 906$

134×2　　223×3　　221×4

844	884	699
268	906	628
669	286	488

03 빈칸에 알맞은 수를 써넣으세요.

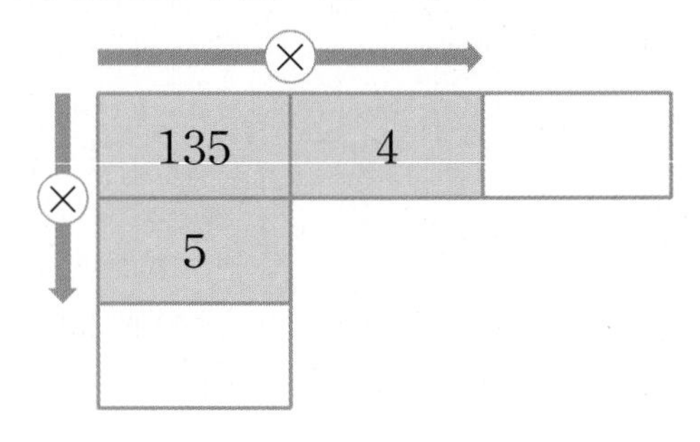

04 계산 결과가 가장 작은 것을 찾아 ○표 하세요.

237×2　　161×6　　421×2

05 계산 결과를 비교하여 ○ 안에 >, =, <를 알맞게 써넣으세요.

281×4 ○ 351×2

06 주어진 수를 4배 한 수는 얼마인지 구해 보세요.

100이 1개, 10이 3개, 1이 7개인 수

(　　　　　　　)

07 □ 안에 알맞은 수를 써넣으세요.

$\begin{array}{r} 1\ 1\ \square \\ \times \quad\ 4 \\ \hline 4\ 7\ 6 \end{array}$

08 조건 을 보고 □ 안에 알맞은 수를 써넣으세요.

조건

151 ⇨ ✦ ⇨ □ ⇨ ◈ ⇨ □

서술형 문제

09 잘못 계산한 곳을 찾아 잘못된 까닭을 쓰고 바르게 계산하세요.

잘못된 계산	바른 계산
$\begin{array}{r} 319 \\ \times \quad 2 \\ \hline 628 \end{array}$	$\begin{array}{r} 319 \\ \times \quad 2 \\ \hline \end{array}$

까닭 ______________________

____

10 한 번에 승객이 264명 탈 수 있는 열차를 서울에서 대구까지 하루에 5번 운행합니다. 이 열차를 타고 서울에서 대구까지 갈 수 있는 승객은 하루에 몇 명인지 곱셈식을 쓰고 답을 구하세요.

식 ______________________

답 ______________________

서술형 문제

11 □ 안에 들어갈 수 있는 네 자리 수 중에서 가장 큰 수는 얼마인지 풀이 과정을 쓰고 답을 구하세요.

$374 \times 4 > \square$

풀이 ______________________

____

____

____

답 ______________________

12 문제해결 학교에서 서점까지의 거리는 209 m입니다. 학교에서 출발하여 서점까지 갔다 오면 이동한 거리는 모두 몇 m일까요?

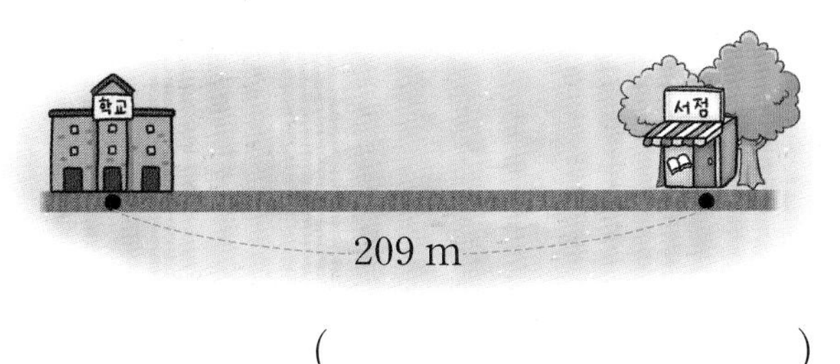

(　　　　　　　　)

13 정보처리 뉴질랜드 돈 1달러가 우리나라 돈 810원과 같을 때 뉴질랜드 돈 4달러는 우리나라 돈으로 얼마일까요?

(　　　　　　　　)

14 문제해결 한 변의 길이가 277 cm인 정사각형 모양의 나무판이 있습니다. 이 나무판의 네 변의 길이의 합은 몇 cm인지 구하세요.

(　　　　　　　　)

15 추론 두 사람의 대화를 읽고 물음에 답하세요.

민호: 세 자리 수 하나를 생각하고 그 수에 5를 곱해 봐.

주연: 내가 생각한 세 자리 수에 5를 더하면 139인데…….

(1) 주연이가 생각한 세 자리 수는 얼마일까요?

(　　　　　　　　)

(2) 주연이가 생각한 세 자리 수에 5를 곱하면 얼마일까요?

(　　　　　　　　)

1 단원

진도 완료 체크

Step 1 교과 개념

(몇십)×(몇십), (몇십몇)×(몇십)

개념1 (몇십)×(몇십)

• 30×20의 계산

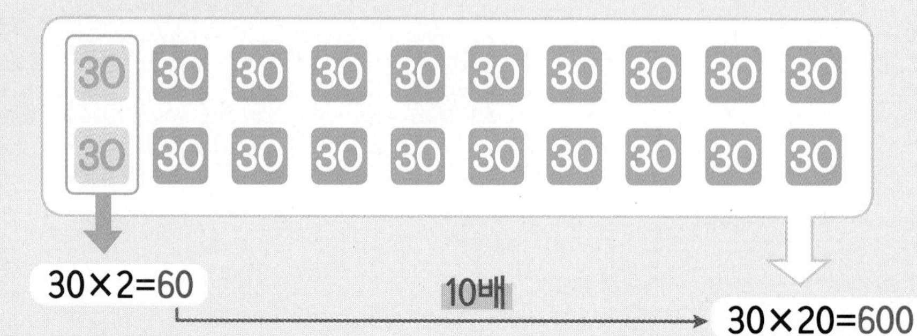

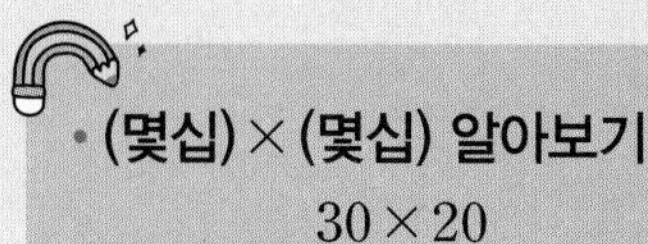

• (몇십)×(몇십) 알아보기

30×20

➡ 3과 2를 곱한 후 곱의 뒤에 0을 2개 붙입니다.

➡ $3 \times 2 = 6$

$30 \times 20 = 600$

개념2 (몇십몇)×(몇십)

• 12×20의 계산

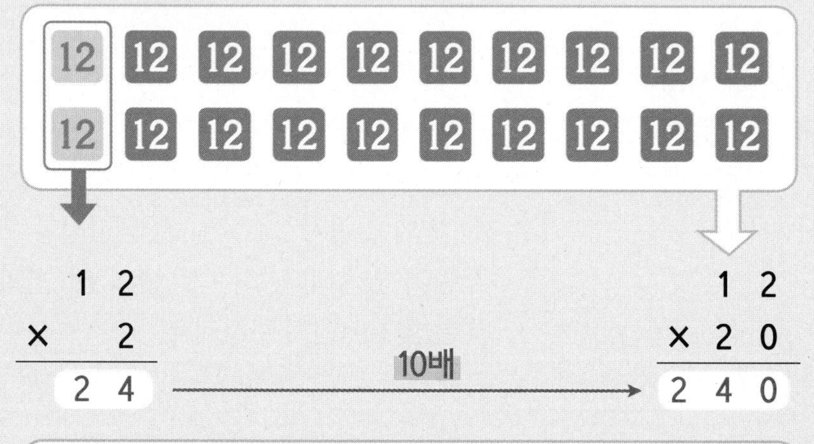

$$\begin{array}{r} 12 \\ \times \ \ 2 \\ \hline 24 \end{array} \xrightarrow{10배} \begin{array}{r} 12 \\ \times 20 \\ \hline 240 \end{array}$$

12×10=120

12×20=240

2배

12 × 20 = 12 × 10 × 2 = 120 × 2 = 240

• (몇십몇)×(몇십) 알아보기

12×20

➡ 12와 2를 곱한 후 곱의 뒤에 0을 1개 붙입니다.

➡ $12 \times 2 = 24$

$12 \times 20 = 240$

개념확인 1 13×20을 계산하려고 합니다. 수 모형을 보고 □ 안에 알맞은 수를 써넣으세요.

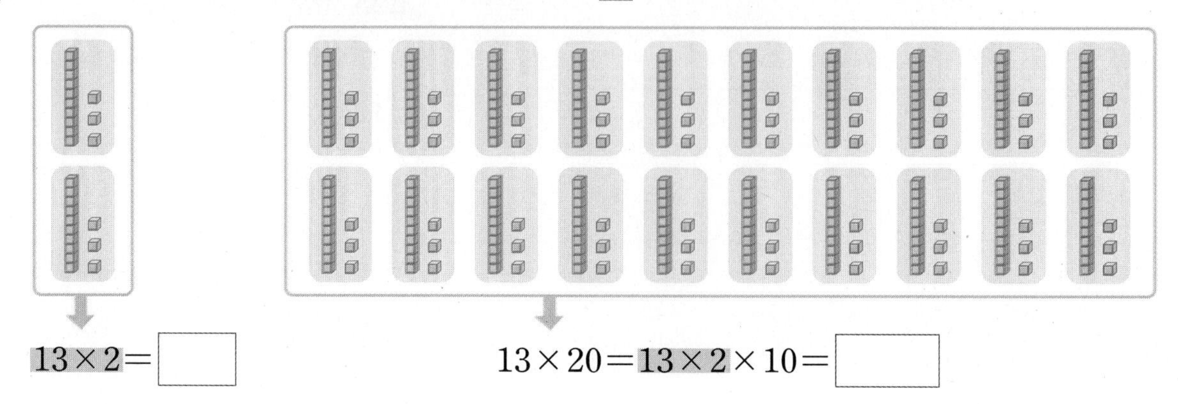

$13 \times 2 =$ □

$13 \times 20 = 13 \times 2 \times 10 =$ □

2 □ 안에 알맞은 수를 써넣으세요.

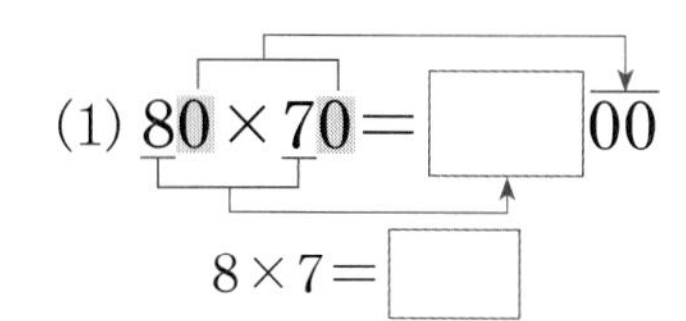
(1) $80 \times 70 = \square 00$

$8 \times 7 = \square$

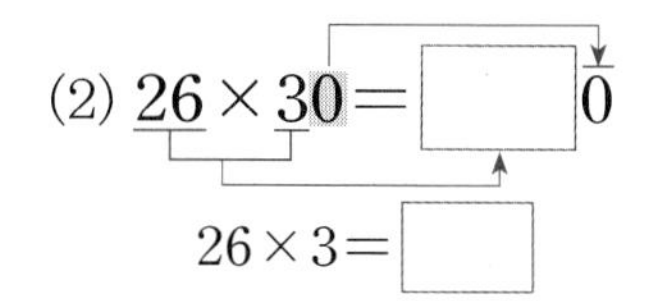
(2) $26 \times 30 = \square 0$

$26 \times 3 = \square$

3 왼쪽 식을 이용하여 곱셈을 하세요.

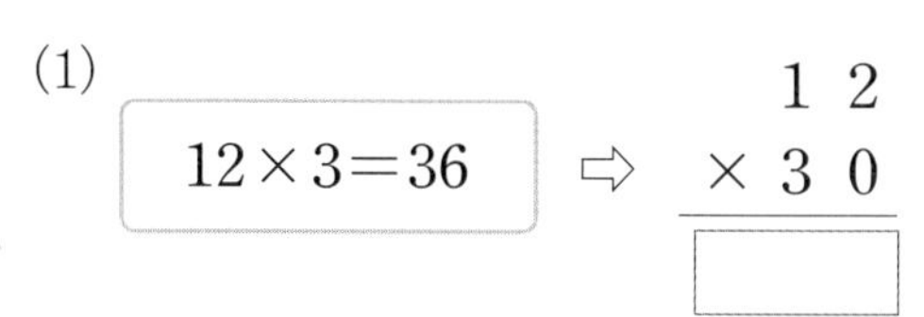
(1) $12 \times 3 = 36$ ⇨ $12 \times 30 = \square$

(2) $23 \times 4 = 92$ ⇨ $23 \times 40 = \square$

4 52×40을 여러 가지 방법으로 계산하려고 합니다. □ 안에 알맞은 수를 써넣으세요.

(1) $52 \times 40 = 52 \times 4 \times \square$

$= 208 \times \square$

$= \square$

(2) $52 \times 40 = 52 \times 10 \times \square$

$= 520 \times \square$

$= \square$

5 계산을 하세요.

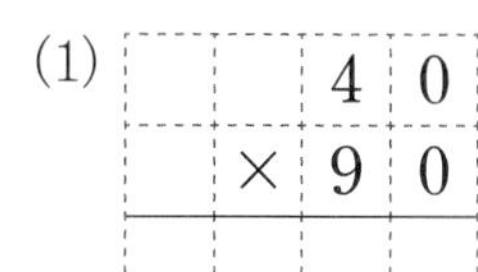
(1) 40×90

(2) 62×60

(3) 46×50

(4) 83×20

6 □ 안에 알맞은 수를 써넣으세요.

(1) $40 \times 60 = \square$

(2) $44 \times 60 = \square$

(3) $70 \times 30 = \square$

(4) $77 \times 30 = \square$

7 계산을 하세요.

(1) 60×70

(2) 54×70

(3) 50×80

(4) 74×50

1 단원

교과 개념

(몇)×(몇십몇)

개념1 (몇)×(몇십몇)

• 8×14의 계산 원리

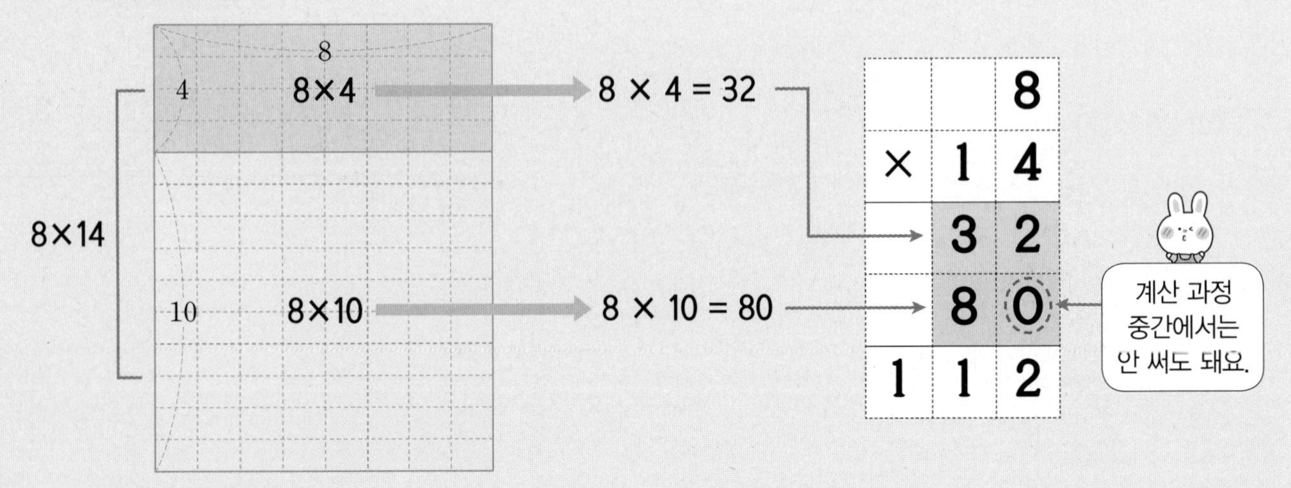

• 8×14의 계산 방법

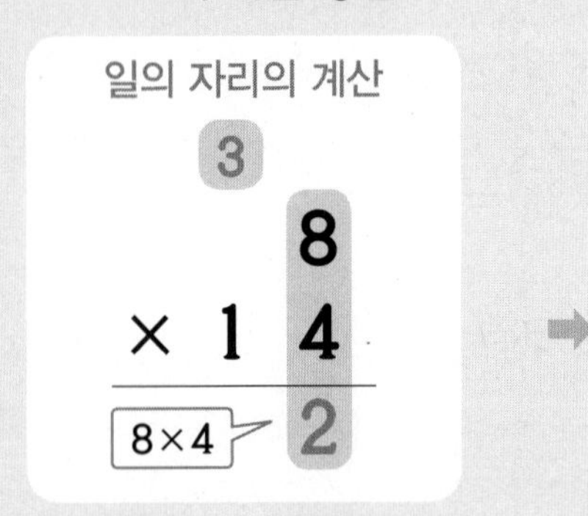

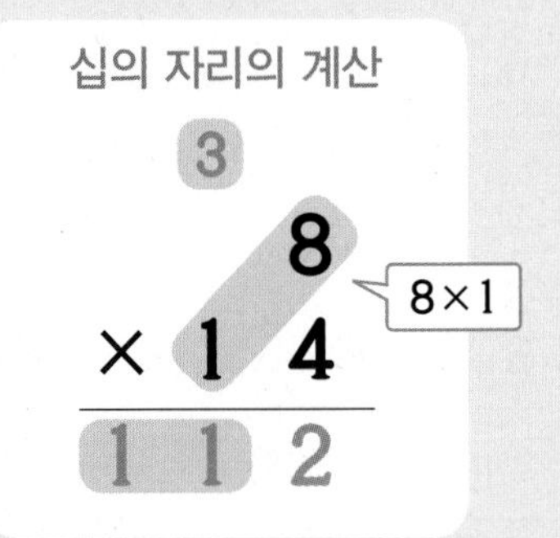

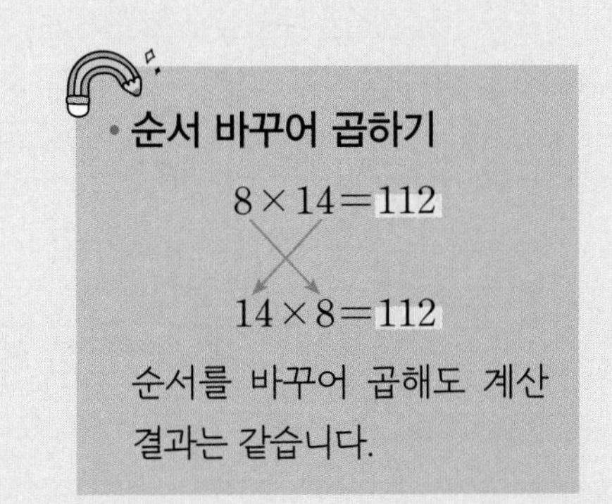

• 순서 바꾸어 곱하기
8×14=112
14×8=112
순서를 바꾸어 곱해도 계산 결과는 같습니다.

8×4=32이므로 3은 **올림하고 2는 일의 자리**에 씁니다.

8×1=8,
8에 **올림했던 3을 더하면 11**이므로 백의 자리와 십의 자리에 각각 1을 씁니다.

개념확인 1 7×15는 얼마인지 색칠된 모눈의 수를 이용하여 알아보려고 합니다. □ 안에 알맞은 수를 써넣으세요.

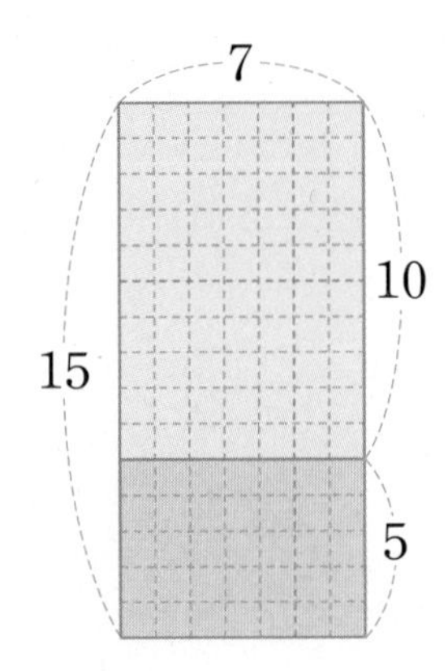

(1) □ 모눈의 수: $7\times10=$ □

(2) □ 모눈의 수: $7\times5=$ □

(3) $7\times15=$ □

2 □ 안에 알맞은 수를 써넣으세요.

(1)

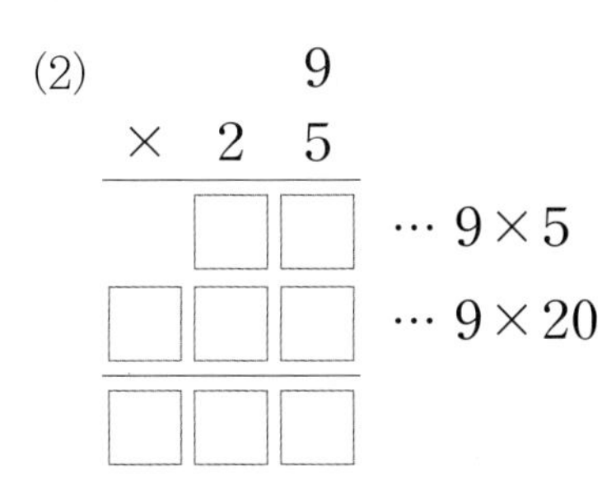

(2)

$$\begin{array}{r} 9 \\ \times\ 2\ 5 \\ \hline \square\square \\ \square\square\square \\ \hline \square\square\square \end{array}$$

… 9×5

… 9×20

3 □ 안에 알맞은 수를 써넣으세요.

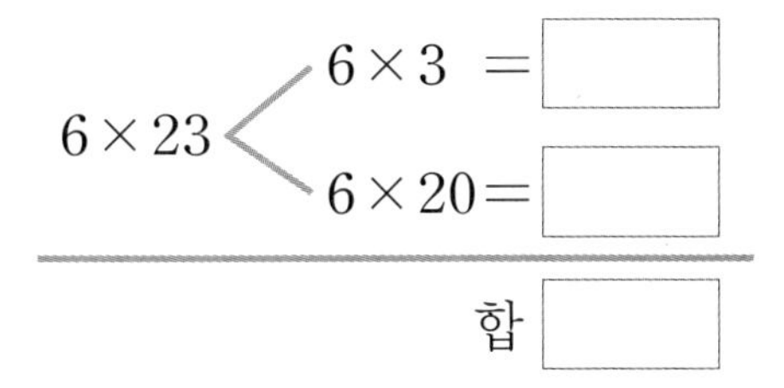

4 보기 와 같이 계산을 하세요.

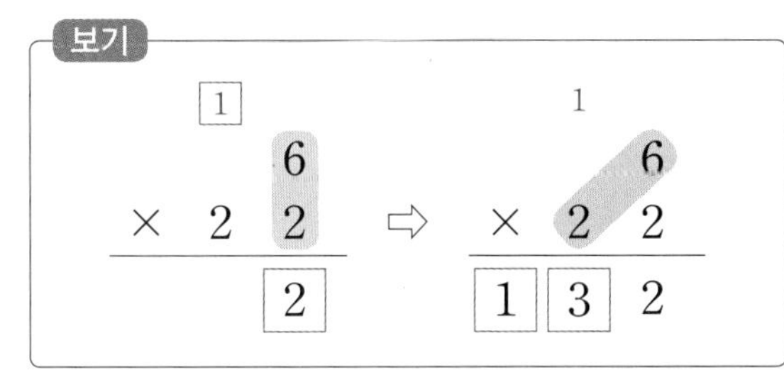

(1) □

$$\begin{array}{r} 4 \\ \times\ 2\ 3 \\ \hline \square \end{array} \Rightarrow \begin{array}{r} 1 \\ 4 \\ \times\ 2\ 3 \\ \hline \square\ 2 \end{array}$$

(2) □

$$\begin{array}{r} 7 \\ \times\ 3\ 4 \\ \hline \square \end{array} \Rightarrow \begin{array}{r} 2 \\ 7 \\ \times\ 3\ 4 \\ \hline \square\square\ 8 \end{array}$$

5 계산을 하세요.

(1)
$$\begin{array}{r} 4 \\ \times\ 2\ 7 \\ \hline \end{array}$$

(2)
$$\begin{array}{r} 8 \\ \times\ 3\ 6 \\ \hline \end{array}$$

(3)
$$\begin{array}{r} 3 \\ \times\ 6\ 9 \\ \hline \end{array}$$

(4)
$$\begin{array}{r} 7 \\ \times\ 5\ 9 \\ \hline \end{array}$$

6 빈 곳에 알맞은 수를 써넣으세요.

(1)

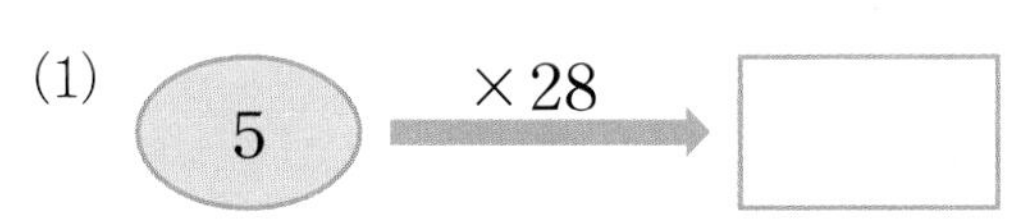

(2)

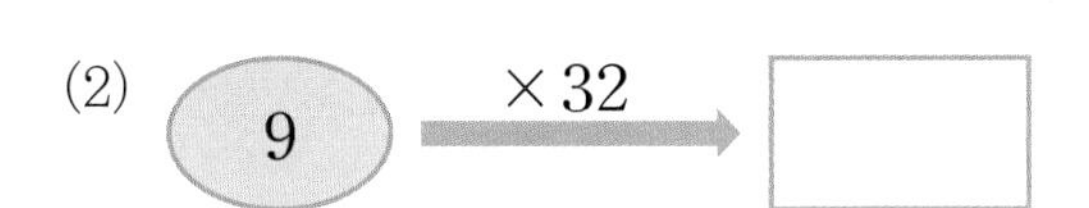

7 빈칸에 알맞은 수를 써넣으세요.

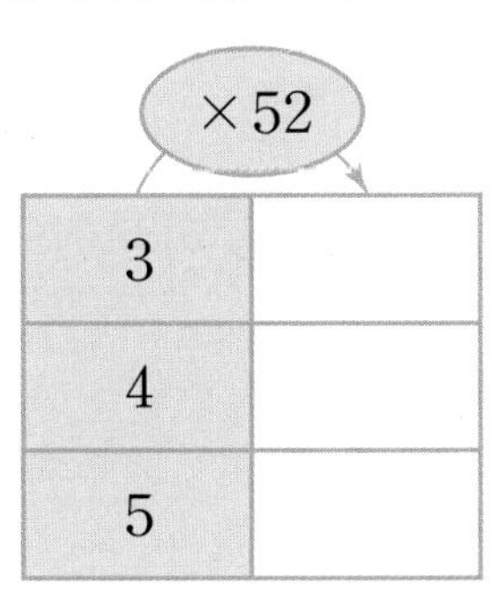

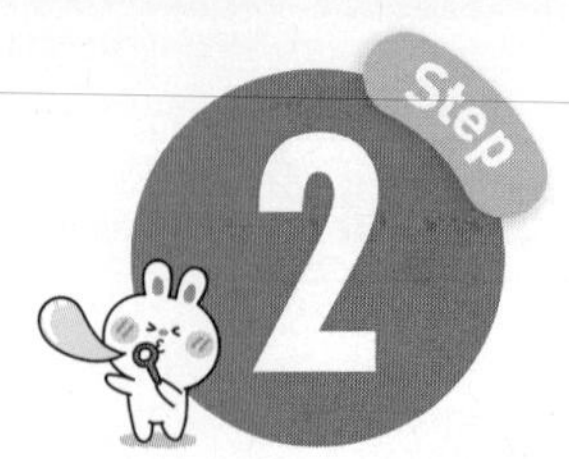

10종

교과 유형 익힘

(몇십)×(몇십), (몇십몇)×(몇십), (몇)×(몇십몇)

01 계산을 하세요.

(1) $\begin{array}{r} 64 \\ \times\ 40 \\ \hline \end{array}$ (2) $\begin{array}{r} 3 \\ \times\ 56 \\ \hline \end{array}$

02 빈칸에 알맞은 수를 써넣으세요.

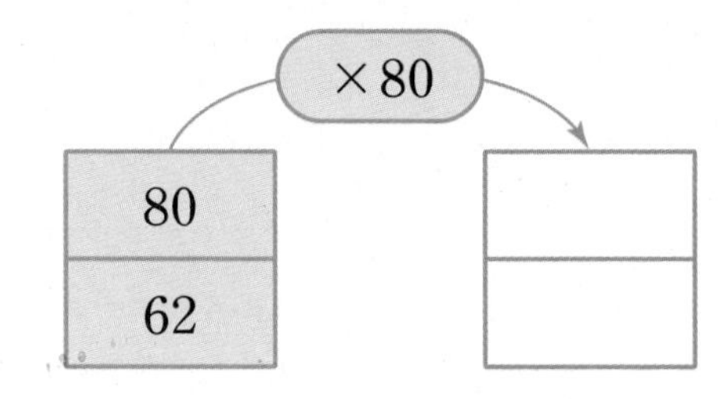

03 두 곱셈의 계산 결과를 비교하세요.

93×5	5×93

(　　　　　　　　)

04 계산 결과가 같은 것끼리 이으세요.

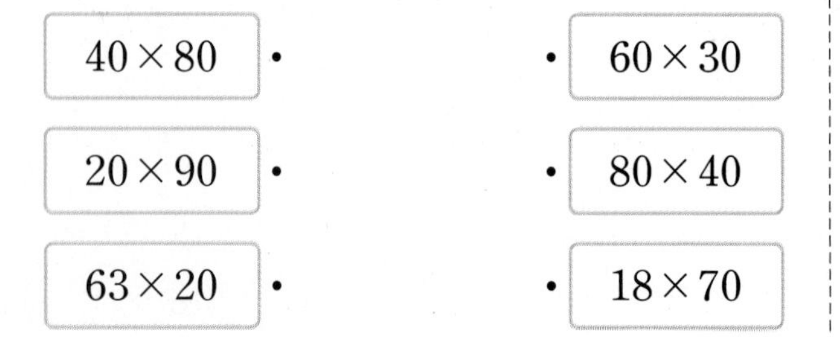

05 계산 결과를 비교하여 ○ 안에 >, =, <를 알맞게 써넣으세요.

90×50 ○ 86×60

06 계산 결과가 2500보다 큰 곱셈식에 ○표 하세요.

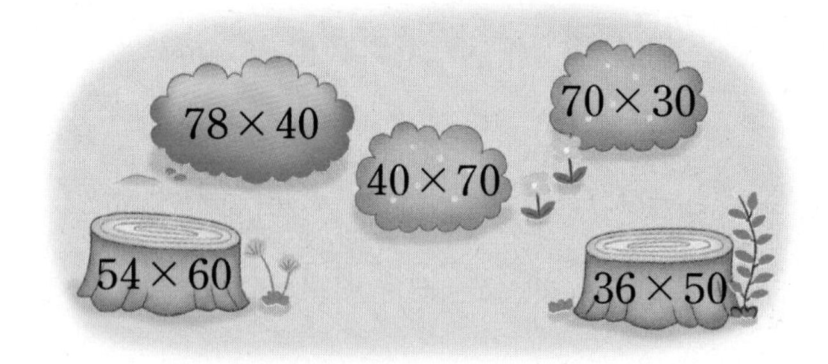

07 계산에서 잘못된 부분을 찾아 바르게 계산하세요.

$\begin{array}{r} 9 \\ \times\ 15 \\ \hline 45 \\ 9 \\ \hline 54 \end{array}$ ⇨ $\begin{array}{r} 9 \\ \times\ 15 \\ \hline \end{array}$

08 다음 중 24×50과 곱이 다른 것은 어느 것인가요? (　　　)

① 60×20　② 40×30
③ 24×5×10　④ 240×5
⑤ 2×4×50

09 계산 결과가 큰 것부터 차례로 기호를 쓰세요.

㉠ 6×25	㉡ 7×23	㉢ 8×22

( )

10 운동장에 학생들이 한 줄에 7명씩 38줄로 서 있습니다. 운동장에 줄을 선 학생은 모두 몇 명일까요?

( )

11 무궁화 한 송이의 꽃잎은 5개입니다. 무궁화가 52송이 있다면 꽃잎은 모두 몇 개인지 곱셈식을 쓰고 답을 구하세요.

식 ____________________

답 ____________________

12 1시간은 60분이고, 1분은 60초입니다. 1시간은 몇 초일까요?

( )

13 □ 안에 알맞은 수를 써넣어 곱셈식 두 가지를 완성해 보세요.
추론

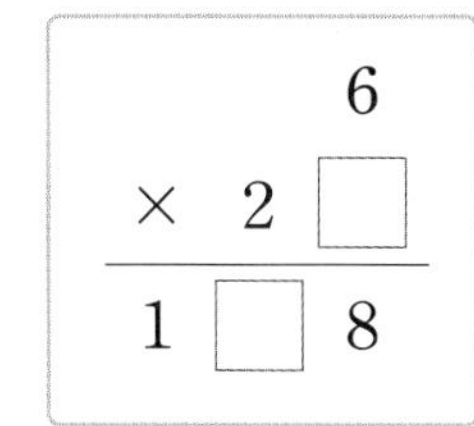

$$\begin{array}{r} 6 \\ \times\ 2\,\square \\ \hline 1\,\square\,8 \end{array}$$

14 1부터 9까지의 수 중에서 □ 안에 들어갈 수 있는 가장 작은 수는 얼마인지 구하세요.
추론

$4 \times 6\square > 270$

( )

15 연정이네 반과 호민이네 반의 학생 수와 학생 한 명당 모은 붙임딱지의 수를 나타낸 표입니다. 물음에 답하세요.
문제해결

	학생 수(명)	한 명당 모은 붙임딱지 수(장)
연정이네 빈	19	20
호민이네 반	14	30

(1) 연정이네 반과 호민이네 반 학생이 모은 붙임딱지는 각각 모두 몇 장인지 구하세요.

연정이네 반 ( )

호민이네 반 ( )

(2) 붙임딱지를 어느 반 학생들이 몇 장 더 많이 모았는지 구하세요.

□ 이네 반 학생들이

□ 장 더 많이 모았습니다.

교과 개념

(몇십몇)×(몇십몇) (1)

개념1 올림이 한 번 있는 (몇십몇)×(몇십몇)

• 24 × 13의 계산 원리

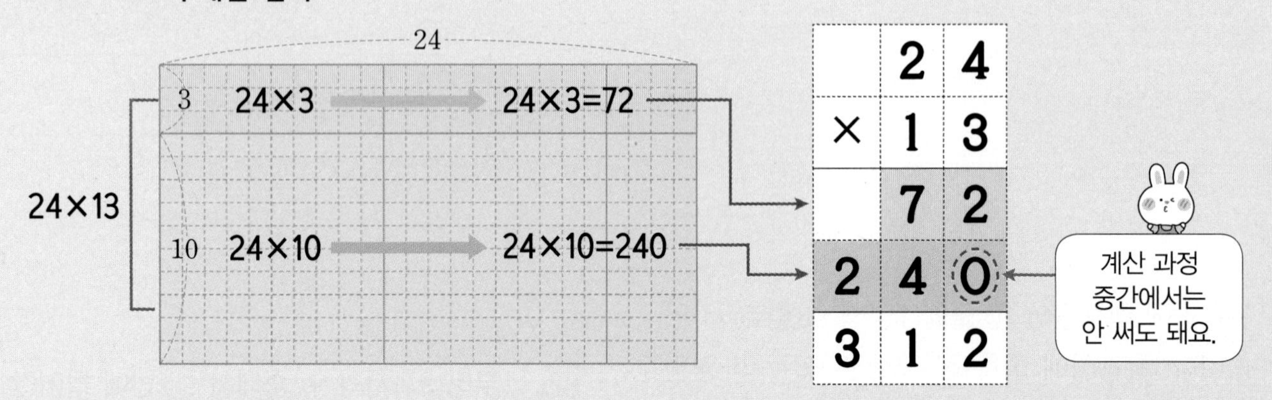

• 24 × 13의 계산 방법

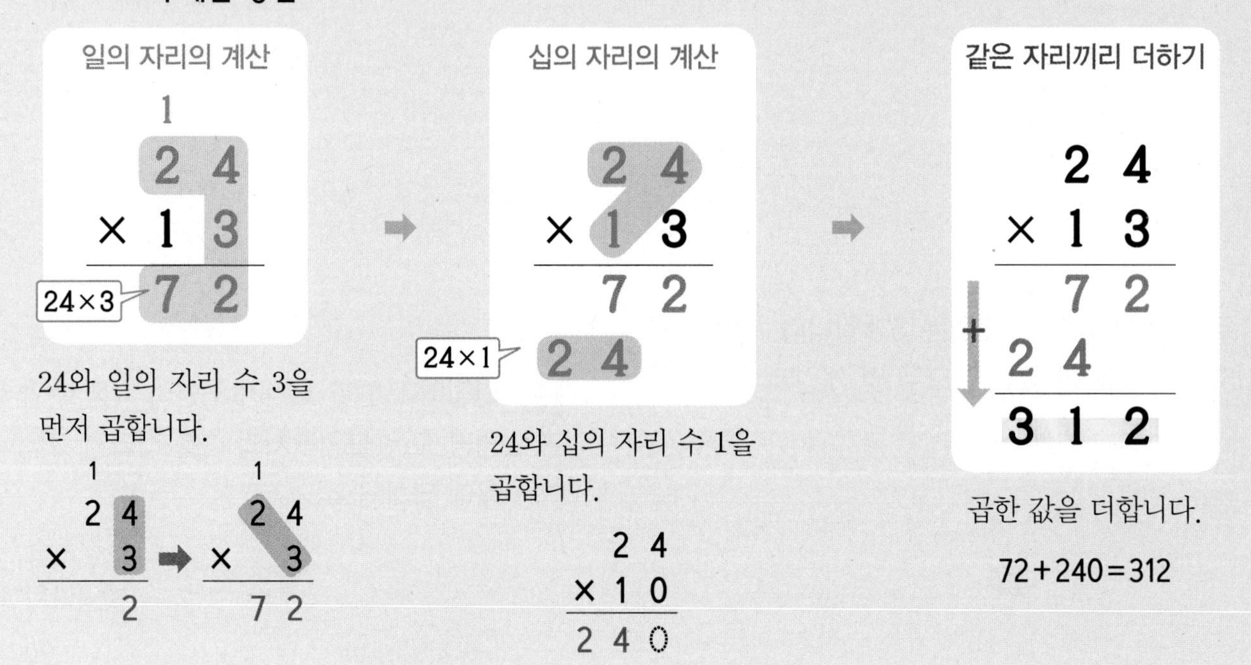

24와 일의 자리 수 3을 먼저 곱합니다.

24와 십의 자리 수 1을 곱합니다.

곱한 값을 더합니다.

72 + 240 = 312

개념확인 1 35 × 12를 구하려고 합니다. □ 안에 알맞은 수를 써넣으세요.

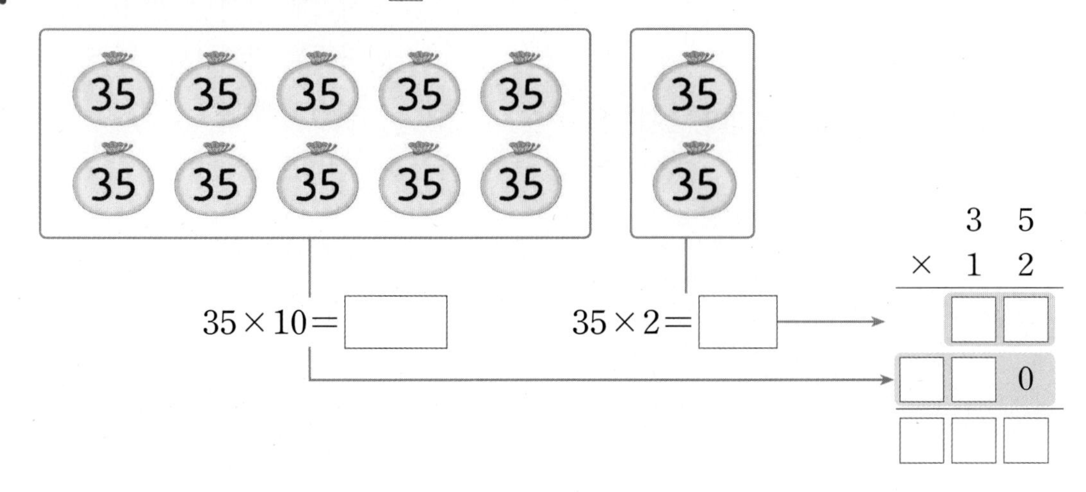

2 □ 안에 알맞은 수를 써넣으세요.

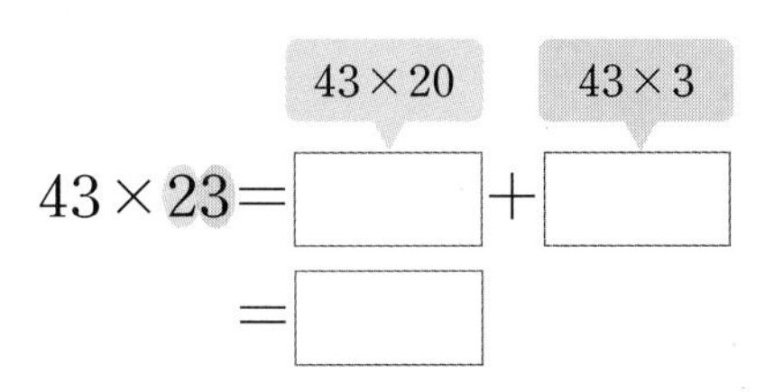

3 16×14를 계산하려고 합니다. □ 안에 알맞은 수를 써넣으세요.

16×14

16× 4=□ ⇨ □□

16×10=□ ⇨ □□□

합 □

$$\begin{array}{r} 1\ 6 \\ \times\ 1\ 4 \\ \hline \square\square \\ \square\square\square \\ \hline \square\square\square \end{array}$$

4 □ 안에 알맞은 수를 써넣으세요.

(1)

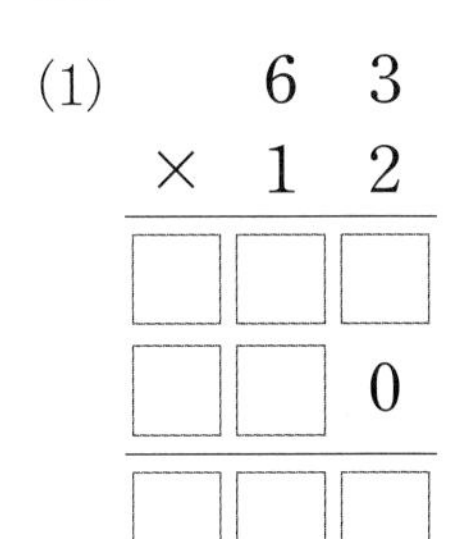

(2)

$$\begin{array}{r} 2\ 8 \\ \times\ 1\ 3 \\ \hline \square\square \\ \square\square\ 0 \\ \hline \square\square\square \end{array}$$

5 두 수의 곱을 빈칸에 써넣으세요.

72	31

6 계산을 하세요.

(1) $\begin{array}{r} 1\ 3 \\ \times\ 2\ 5 \\ \hline \end{array}$ (2) $\begin{array}{r} 2\ 6 \\ \times\ 1\ 2 \\ \hline \end{array}$

(3) $\begin{array}{r} 5\ 2 \\ \times\ 1\ 3 \\ \hline \end{array}$ (4) $\begin{array}{r} 6\ 1 \\ \times\ 2\ 1 \\ \hline \end{array}$

7 계산 결과를 찾아 이으세요.

14×17 •

46×21 •

• 966

• 754

• 238

8 모눈종이를 이용하여 13×17을 나타내고, 그 곱을 구하세요.

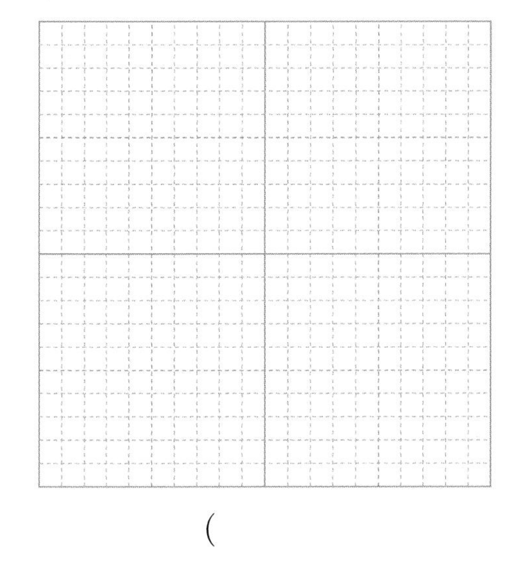

( )

1 단원

Step 1 교과 개념

개념1 올림이 여러 번 있는 (몇십몇)×(몇십몇)

• 52×27의 계산 원리

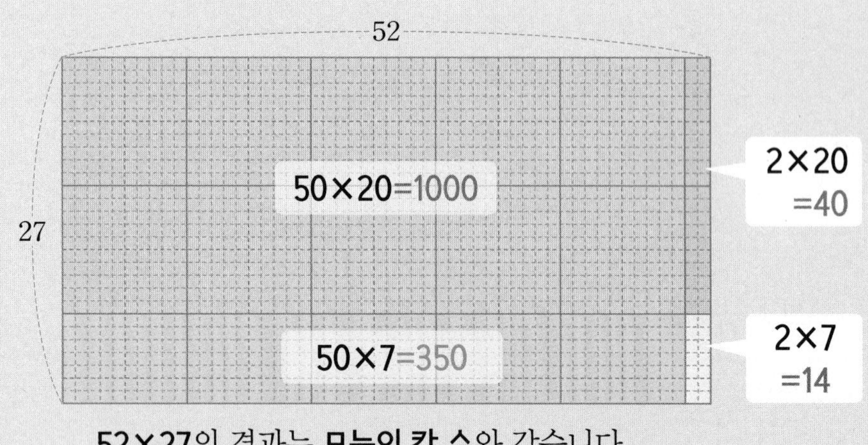

52×27의 결과는 **모눈의 칸 수**와 같습니다.

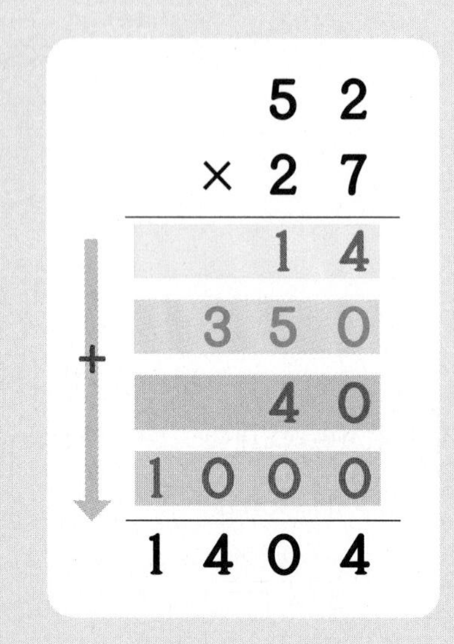

• 52×27의 계산 방법

① 52와 일의 자리 수 7 곱하기 ② 52와 십의 자리 수 2 곱하기 ③ 더하기

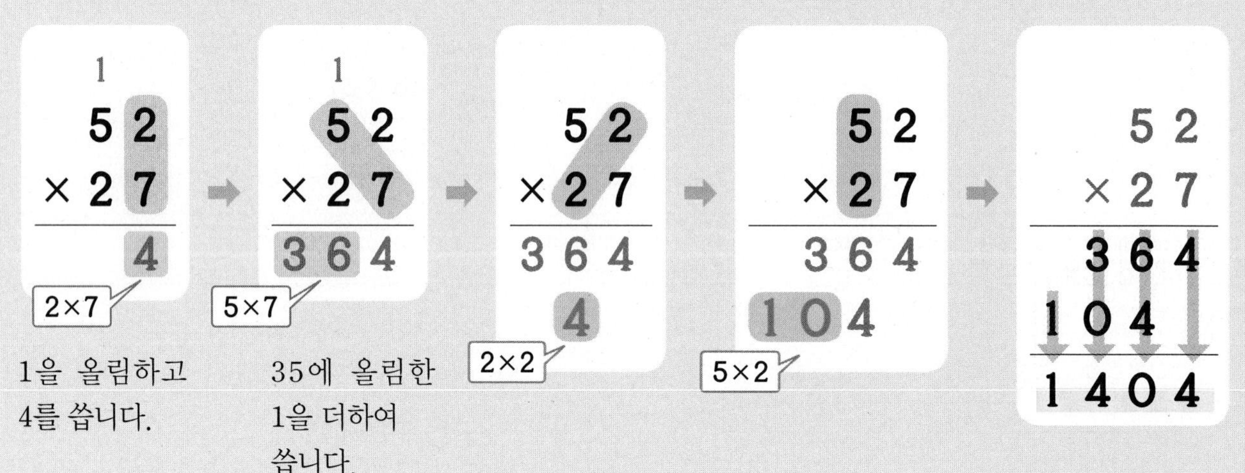

1을 올림하고 4를 씁니다.

35에 올림한 1을 더하여 씁니다.

개념확인 1 (몇십몇)×(몇십몇)을 계산하는 순서에 따라 □ 안에 알맞은 수를 써넣으세요.

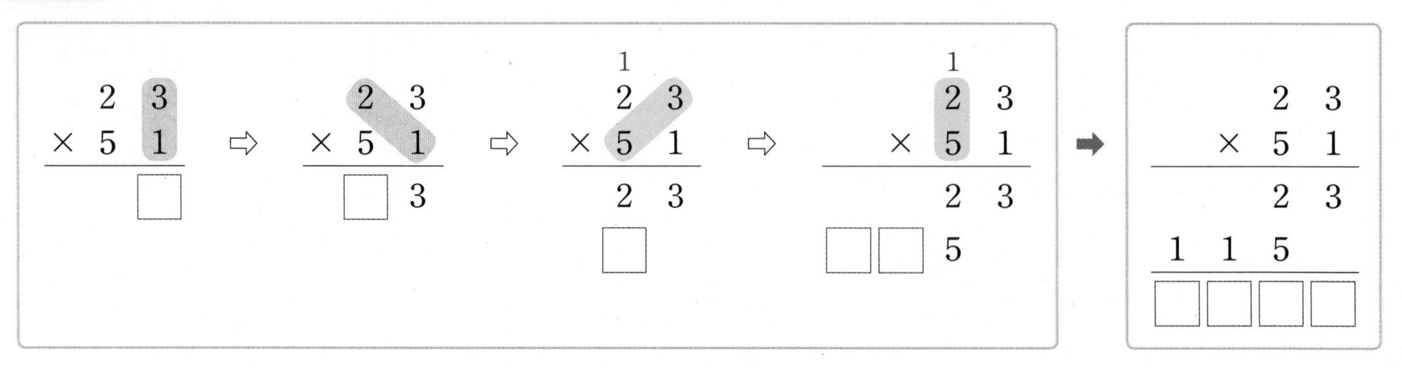

2 □ 안에 알맞은 수를 써넣으세요.

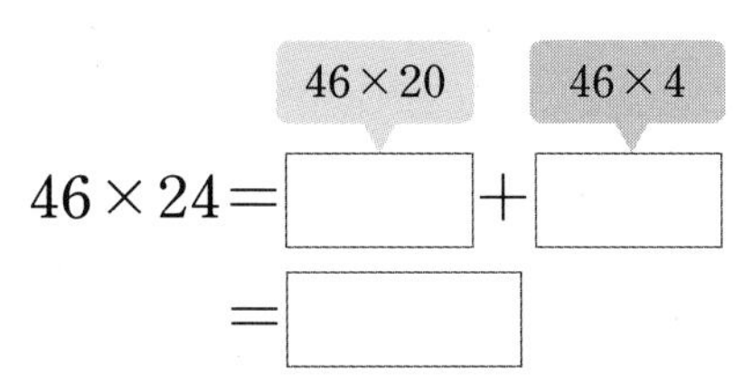

3 □ 안에 알맞은 수를 써넣으세요.

$$\begin{array}{r} 5\ 6 \\ \times\ 6\ 7 \\ \hline \square\square\square \cdots 56\times\square \\ \square\square\square 0 \cdots 56\times\square \\ \hline \square\square\square\square \end{array}$$

4 □ 안에 알맞은 수를 써넣으세요.

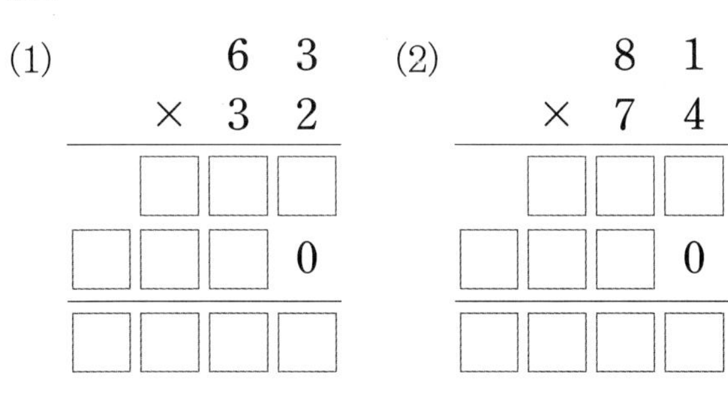

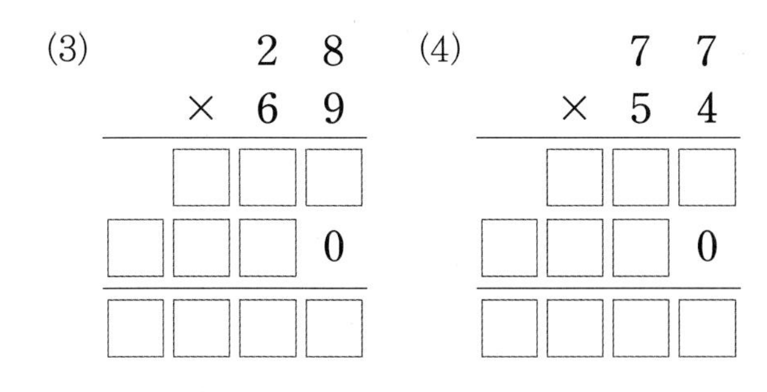

5 오른쪽에서 □ 안의 수는 실제로 어떤 수의 곱일까요?

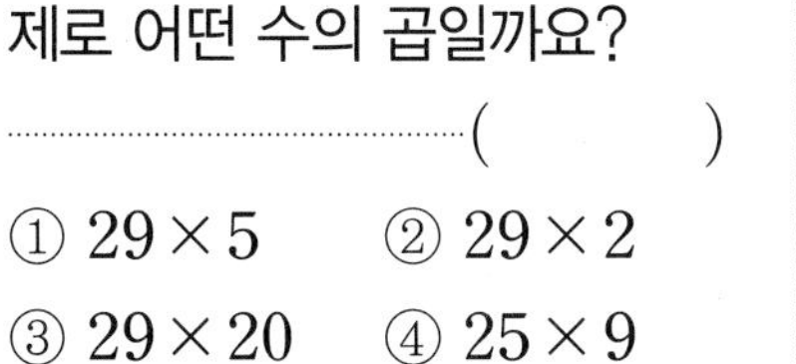

(　　　)

① 29×5　② 29×2
③ 29×20　④ 25×9
⑤ 25×20

$$\begin{array}{r} 2\ 9 \\ \times\ 2\ 5 \\ \hline 1\ 4\ 5 \\ \boxed{5\ 8\ 0} \\ \hline 7\ 2\ 5 \end{array}$$

6 계산을 하세요.

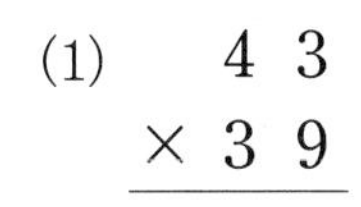

(1) $\begin{array}{r} 4\ 3 \\ \times\ 3\ 9 \\ \hline \end{array}$　(2) $\begin{array}{r} 5\ 6 \\ \times\ 2\ 4 \\ \hline \end{array}$

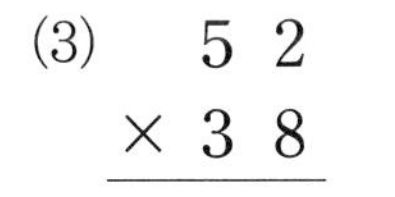

(3) $\begin{array}{r} 5\ 2 \\ \times\ 3\ 8 \\ \hline \end{array}$　(4) $\begin{array}{r} 6\ 7 \\ \times\ 8\ 4 \\ \hline \end{array}$

7 빈 곳에 알맞은 수를 써넣으세요.

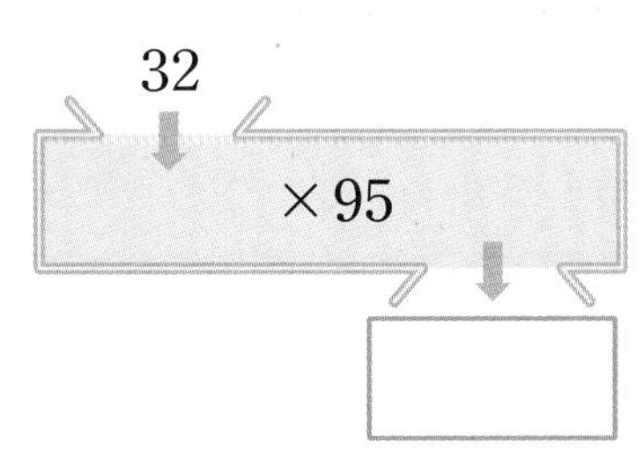

8 빈 곳에 알맞은 수를 써넣으세요.

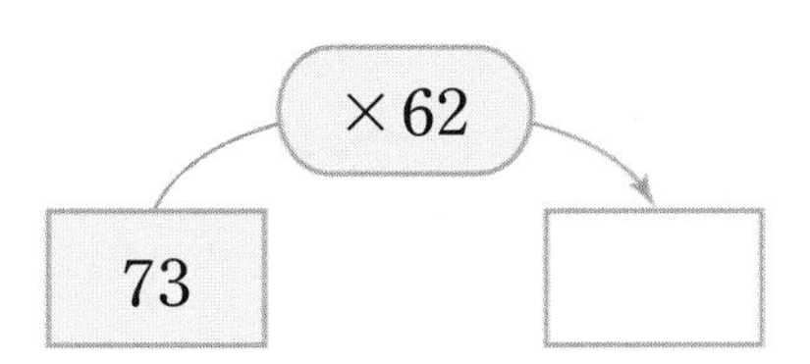

1 단원

진도 완료 체크

Step 2 10종

교과 유형 익힘

(몇십몇) × (몇십몇)

01 계산을 하세요.

(1)

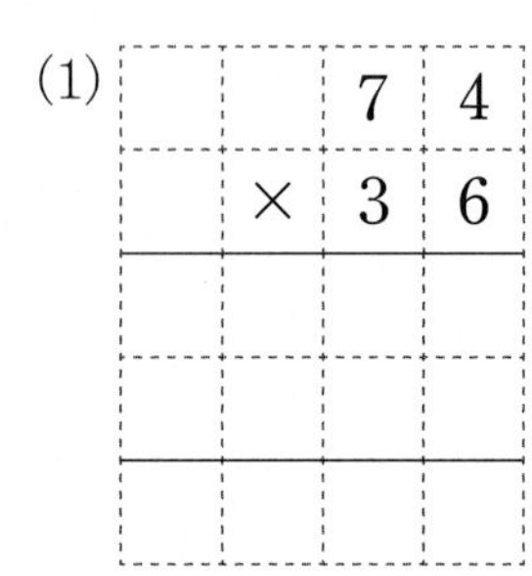

		7	4
	×	3	6

(2)

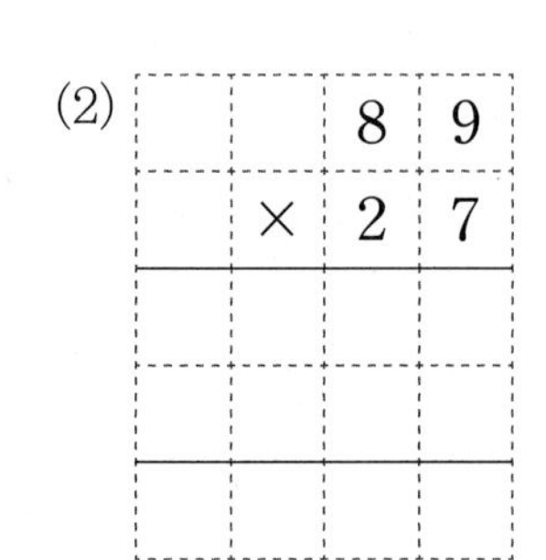

		8	9
	×	2	7

02 빈칸에 알맞은 수를 써넣으세요.

×13

16	
41	

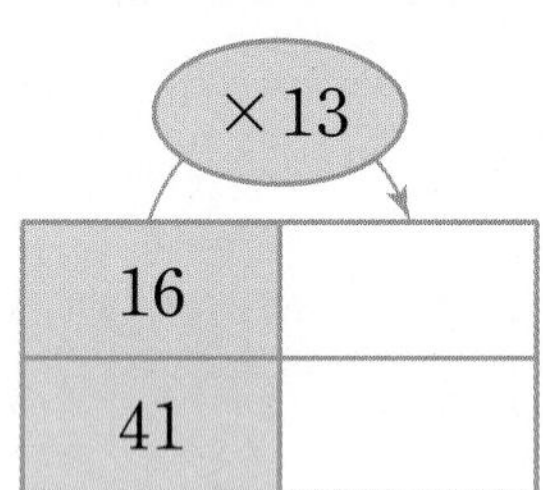

03 계산 결과를 찾아 이으세요.

45×63 •	• 1134
27×24 •	• 2835
63×18 •	• 648

04 가장 큰 수와 가장 작은 수의 곱을 구하세요.

27　41　53　19

(　　　　　　　　)

05 계산 결과를 비교하여 ○ 안에 >, =, <를 알맞게 써넣으세요.

(1) 46×39 ○ 71×13

(2) 12×42 ○ 21×24

06 잘못된 곳을 찾아 바르게 계산하세요.

$$\begin{array}{r} 35 \\ \times\ 63 \\ \hline 105 \\ 210 \\ \hline 315 \end{array} \Rightarrow \begin{array}{r} 35 \\ \times\ 63 \\ \hline \end{array}$$

07 승강기에는 안전을 위하여 동시에 탈 수 있는 최대 정원이 다음과 같이 표시되어 있습니다. 한 사람의 몸무게를 65 킬로그램이라고 할 때 승강기에 실을 수 있는 최대 무게는 몇 킬로그램일까요?

승강기

최대 정원 12명

*적재 하중 [redacted]

(　　　　　　　　)

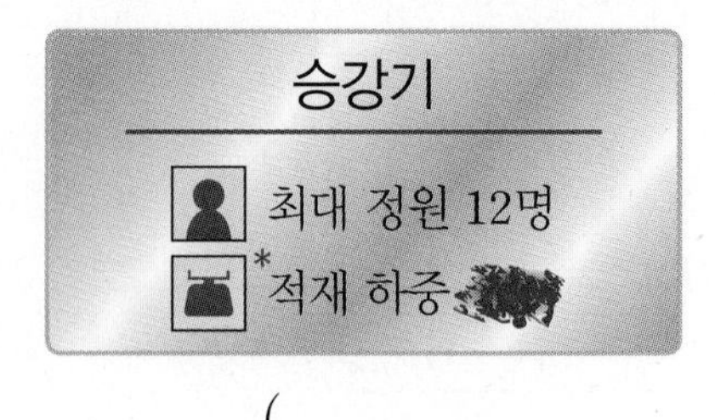

* 적재 하중: 승강기에 실을 수 있는 최대 무게

08 어항 한 개에 열대어가 24마리씩 있습니다. 어항 49개에 있는 열대어는 모두 몇 마리인지 곱셈식을 쓰고 답을 구하세요.

식 ____________________

답 ____________________

09 현수는 동화책을 하루에 26쪽씩 읽으려고 합니다. 4주일 동안 읽을 수 있는 동화책은 모두 몇 쪽입니까?

( )

서술형 문제

10 과자 공장에서 하루 동안 만든 과자를 한 상자에 27개씩 넣었더니 19상자가 되고 22개가 남았습니다. 이 공장에서 하루 동안 만든 과자는 모두 몇 개인지 풀이 과정을 쓰고 답을 구하세요.

풀이 ____________________

답 ____________________

11 문제해결 두 곱셈의 계산 결과 사이에 있는 세 자리 수는 모두 몇 개인지 구하세요.

39 × 22	43 × 19

( )

12 추론 곱한 결과가 ✤ 안의 수가 되는 두 수를 찾아 색칠하세요.

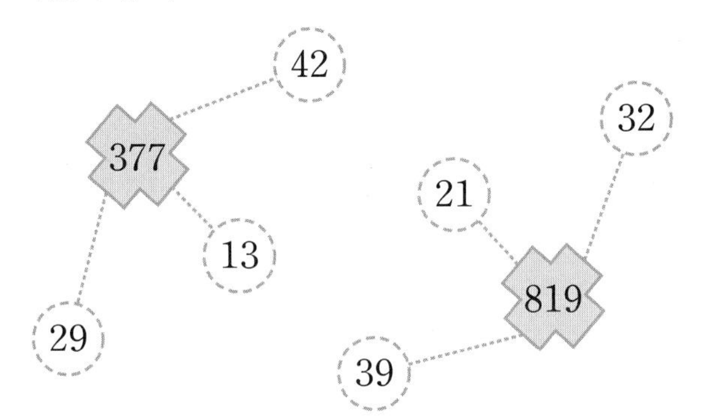

13 문제해결 한 변의 길이가 17 cm인 정사각형 6개를 나란히 붙였습니다. 굵은 선의 길이는 몇 cm인지 구하세요.

17 cm
17 cm 17 cm 17 cm 17 cm 17 cm 17 cm

( )

14 추론 수 카드 2, 4, 7, 6을 한 번씩만 사용하여 계산 결과가 가장 큰 곱셈식을 만드세요.

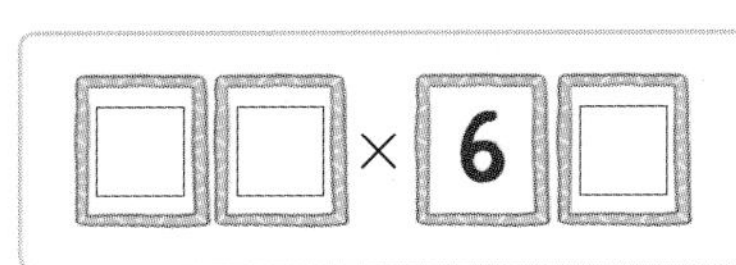

문제 해결 (잘 틀리는 문제)

유형1 곱셈에서 실제로 나타내는 값

1 다음 계산에서 □ 안의 수가 실제로 나타내는 값은 얼마일까요?

```
  [2] 2
   2 8 8
 ×     3
 -------
   8 6 4
```

(　　　　　　　　)

Solution 어느 자리의 계산에서 올림한 것인지 알아본 후 실제로 나타내는 값을 확인합니다.

1-1 다음 계산에서 □ 안의 수가 실제로 나타내는 값은 얼마일까요? ·························· (　　　)

```
   1 [2]
   1 3 6
 ×     4
 -------
   5 4 4
```

① 0　　② 2　　③ 20
④ 23　　⑤ 200

1-2 다음 계산에서 □ 안의 수 420은 실제 어떤 수의 곱인지 쓰세요.

```
     1 6 3
 ×       7
 ---------
       2 1
    [4 2 0]
     7 0 0
 ---------
   1 1 4 1
```

□ × □

유형2 □ 안에 알맞은 수 구하기

2 □ 안에 알맞은 수를 써넣으세요.

```
     6 8 □
 ×       4
 ---------
   2 7 5 6
```

Solution □×4의 일의 자리 숫자가 6이 되는 경우를 모두 찾아봅니다.

2-1 □ 안에 알맞은 수를 구하려고 합니다. 물음에 답하세요.

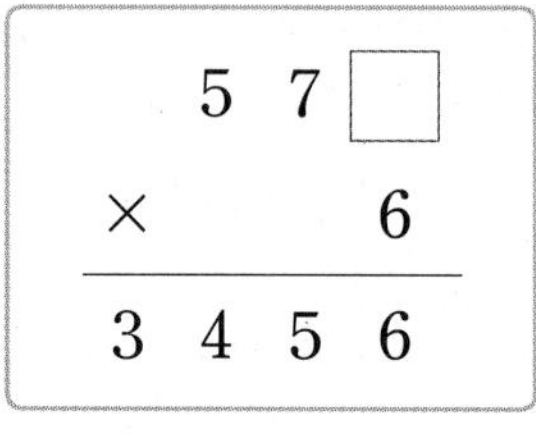

(1) □×6의 일의 자리 숫자가 6일 때 □가 될 수 있는 한 자리 수를 모두 구하세요.

(　　　　　　　　)

(2) □ 안에 알맞은 수를 구하세요.

(　　　　　　　　)

2-2 □ 안에 알맞은 수를 써넣으세요.

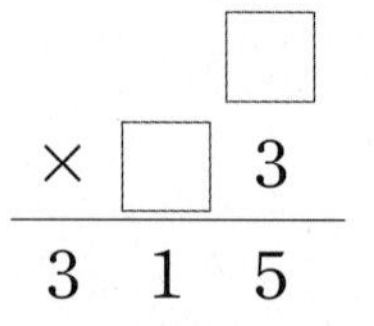

유형3 곱의 크기 비교

3 □ 안에 들어갈 수 있는 두 자리 수 중에서 가장 큰 수를 구하세요.

$83\times\square < 4300$

(　　　　　　　　)

Solution 83을 80으로 생각해 보면 $80\times50=4000$, $80\times60=4800$이므로 □ 안에 오십몇을 넣어 계산해 봅니다.

3-1 □ 안에 들어갈 수 있는 한 자리 수 중에서 가장 큰 수를 구하세요.

$531\times\square < 1600$

(　　　　　　　　)

3-2 □ 안에 들어갈 수 있는 한 자리 수 중에서 가장 작은 수를 구하세요.

$612\times\square > 1900$

(　　　　　　　　)

3-3 □ 안에 들어갈 수 있는 두 자리 수를 모두 구하세요.

$220<15\times\square<255$

(　　　　　　　　)

유형4 수 카드로 곱셈식 만들기

4 3장의 수 카드를 한 번씩만 사용하여 계산 결과가 가장 큰 곱셈식을 만드세요.

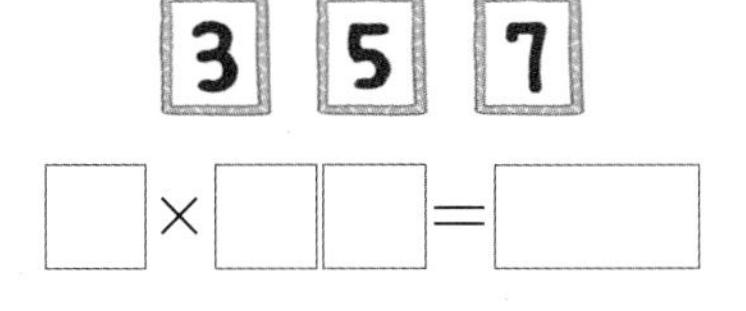

$\square\times\square\square=\square$

Solution 계산 결과가 가장 큰 곱셈식을 만들 때에는 가장 큰 수를 한 자리 수에 놓고 나머지 수로 가장 큰 두 자리 수를 만듭니다.

1 단원

4-1 3장의 수 카드를 한 번씩만 사용하여 계산 결과가 가장 큰 곱셈식을 만드세요.

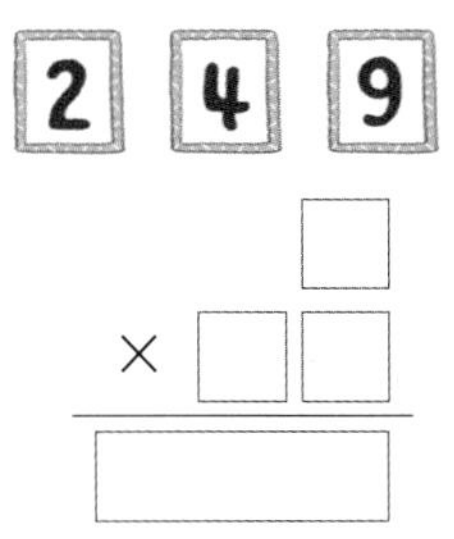

4-2 3장의 수 카드를 한 번씩만 사용하여 계산 결과가 가장 작은 곱셈식을 만드세요.

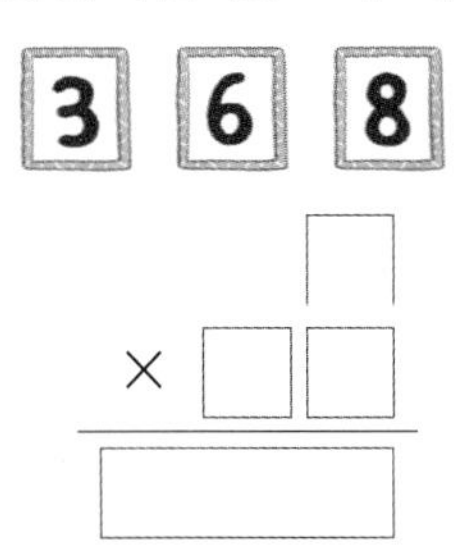

Step 3 문제 해결 (서술형 문제)

유형5

문제 해결 Key
재영이가 먹은 아몬드 수와 민주가 먹은 아몬드 수를 더합니다.

문제 해결 전략
1. 재영이가 먹은 아몬드 수 구하기
2. 민주가 먹은 아몬드 수 구하기
3. 두 사람이 먹은 아몬드 수 구하기

5 아몬드를 하루에 ❶ 재영이는 28개씩 12일 동안 먹었고, ❷ 민주는 30개씩 10일 동안 먹었습니다. ❸ 두 사람이 먹은 아몬드는 모두 몇 개인지 풀이 과정을 보고 □ 안에 알맞은 수를 써넣어 답을 구하세요.

아몬드를 하루에 28개씩 12일 동안 먹었어.
재영
민주
난 하루에 30개씩 10일 동안 먹었는데…….

풀이 ❶ 재영이가 먹은 아몬드는 $28 \times \square = \square$(개)입니다.

❷ 민주가 먹은 아몬드는 $\square \times 10 = \square$(개)입니다.

❸ 따라서 재영이와 민주가 먹은 아몬드는 모두

$\square + \square = \square$(개)입니다.

답 ____________

5-1 연습 문제

귤을 한 상자에 60개씩 14상자에 담았고, 대추를 한 상자에 230개씩 3상자에 담았습니다. 상자에 담은 귤과 대추는 모두 몇 개인지 풀이 과정을 쓰고 답을 구하세요.

풀이
❶ 상자에 담은 귤의 수 구하기

❷ 상자에 담은 대추의 수 구하기

❸ 상자에 담은 귤과 대추 수의 합 구하기

답 ____________

5-2 실전 문제

수영이와 주혁이는 걷기 운동을 했습니다. 수영이는 473 m씩 5일 동안 걸었고, 주혁이는 549 m씩 4일 동안 걸었습니다. 누가 몇 m 더 걸었는지 풀이 과정을 쓰고 답을 구하세요.

풀이

답 ____________, ____________

유형6

문제 해결 Key

리본 20장의 길이의 합에서 겹친 부분의 길이의 합을 뺍니다.

문제 해결 전략

① 리본 20장의 길이의 합 구하기

② 겹친 부분의 길이의 합 구하기

③ 이어 붙인 리본의 전체 길이 구하기

6 ①길이가 15 cm인 리본 20장을 ②4 cm씩 겹쳐서 이어 붙였습니다. ③이어 붙인 리본의 전체 길이는 몇 cm인지 풀이 과정을 보고 □ 안에 알맞은 수를 써넣어 답을 구하세요.

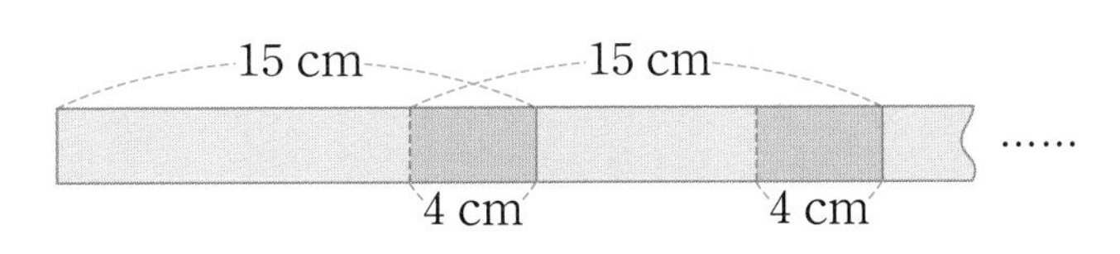

풀이 ① 리본 20장의 길이의 합은 $15\times\square=\square$(cm)입니다.

② 겹친 부분의 길이의 합은 $4\times\square=\square$(cm)입니다.

③ 이어 붙인 리본의 전체 길이는

$\square-\square=\square$(cm)입니다.

답 ______

1 단원

진도 완료 체크

6-1 연습 문제

길이가 35 cm인 색 테이프 16장을 7 cm씩 겹쳐서 이어 붙였습니다. 이어 붙인 색 테이프의 전체 길이는 몇 cm인지 풀이 과정을 쓰고 답을 구하세요.

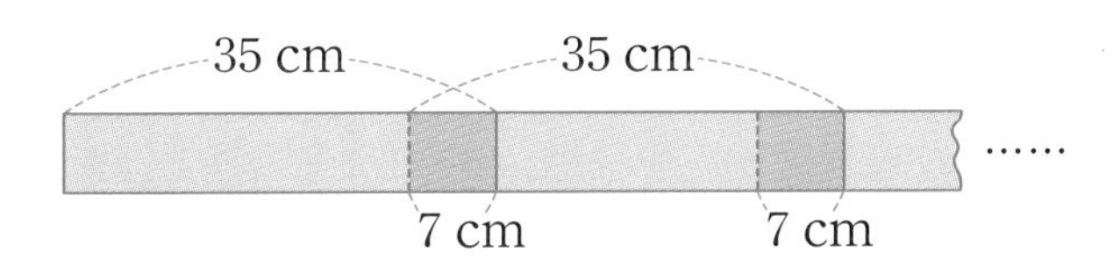

풀이

① 색 테이프 16장의 길이의 합 구하기

② 겹친 부분의 길이의 합 구하기

③ 이어 붙인 색 테이프의 전체 길이 구하기

답 ______

6-2 실전 문제

민서는 게시판을 꾸미기 위해 길이가 42 cm인 막대 24개를 10 cm씩 겹쳐서 이어 묶었습니다. 이어 묶은 막대의 전체 길이는 몇 cm인지 풀이 과정을 쓰고 답을 구하세요.

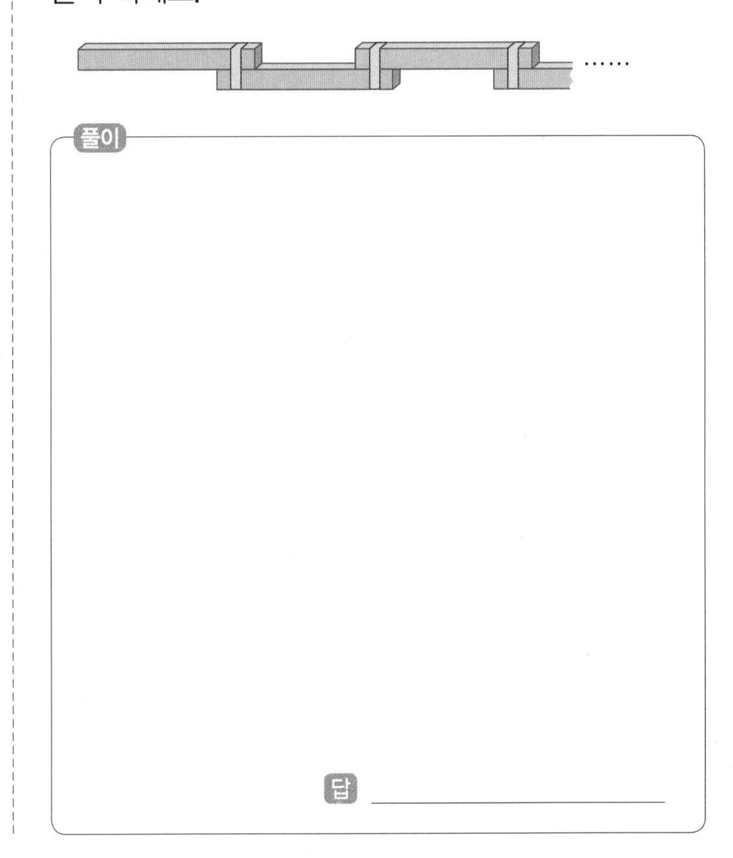

풀이

답 ______

실력 UP 문제

01 어떤 고속 열차의 객실 한 칸의 좌석 배치가 다음과 같습니다. 이 고속 열차의 객실이 14칸이라면 좌석은 모두 몇 개인가요?

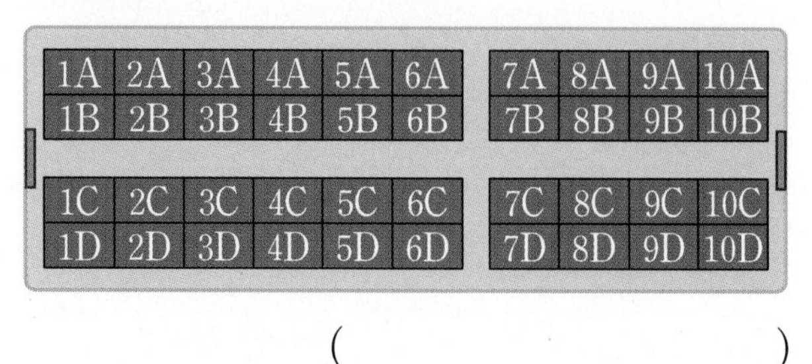

(　　　　　　　　　　)

02 1부터 9까지의 수 중에서 □ 안에 들어갈 수 있는 수는 모두 몇 개인지 구하세요.

□3 × 12 > 500

(　　　　　　　　　　)

03 식품을 먹었을 때 몸속에서 발생하는 에너지의 양을 '열량'이라고 합니다. 식품별 열량이 다음과 같을 때 새우튀김 13개와 치즈 케이크 2조각의 열량은 몇 킬로칼로리일까요?

음식	열량(킬로칼로리)
새우튀김 1개	68
치즈 케이크 1조각	198

(　　　　　　　　　　)

04 □ 안에 알맞은 수를 써넣으세요.

$$\begin{array}{r} \square\ 3 \\ \times\ 3\ \square \\ \hline 2\ 1\ 5 \\ 1\ \square\ 9\ 0\ \ \\ \hline 1\ \square\ 0\ 5 \end{array}$$

서술형 문제

05 기념 주화가 한 상자에 30개씩 들어 있습니다. 55상자에 들어 있는 기념 주화를 1600명에게 한 개씩 나누어 줄 수 있는지 알아보고, 그 까닭을 쓰세요.

답 ______________________

까닭 ______________________

____

서술형 문제

06 장마 기간에 비가 하루에 25 mm씩 2주일 동안 매일 내렸습니다. 2주일 동안 온 비의 양은 모두 몇 cm인지 풀이 과정을 쓰고 답을 구하세요.

풀이 ______________________

____

____

____

답 ______________________

07 귤을 한 봉지에 7개씩 담았더니 29봉지가 되었고 감을 한 봉지에 6개씩 담았더니 33봉지가 되었습니다. 어느 과일이 몇 개 더 많을까요?

( ), ( )

08 자원봉사 단체별로 하루에 심은 나무 수와 나무를 심은 기간을 나타낸 표입니다. 세 자원봉사 단체에서 심은 나무는 모두 몇 그루일까요?

단체	하루에 심은 나무 수	나무 심은 기간
녹색 지구	52그루	5일
희망 지킴	76그루	13일
환경 사랑	113그루	1주일

( )

09 민지는 책 한 권을 30일 동안 읽었습니다. 12일 동안에는 하루에 27쪽씩 읽었고, 나머지 18일 동안에는 하루에 24쪽씩 읽었습니다. 민지가 30일 동안 읽은 책은 모두 몇 쪽일까요?

( )

10 길이가 30 cm인 색 테이프 16장을 4 cm씩 겹쳐서 길게 이어 붙였습니다. 이어 붙인 색 테이프의 전체 길이는 몇 cm인지 구하세요.

( )

서술형 문제

11 어떤 수에 35를 곱해야 하는데 잘못하여 더했더니 112가 되었습니다. 바르게 계산하면 얼마인지 풀이 과정을 쓰고 답을 구하세요.

풀이 ____________________

____

____

____

답 ____________________

1 단원

진도 완료 체크

12 ㉠★㉡을 다음과 같이 계산할 때, 38★12를 계산하세요.

> ㉠－㉡＝㉢, ㉠＋㉡＝㉣일 때
> ㉠★㉡＝㉢×㉣입니다.

( )

단원 평가

01 수 모형을 보고 곱셈식으로 나타내세요.

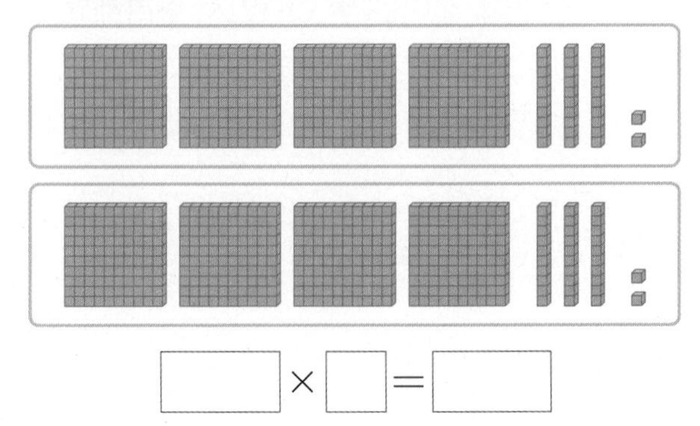

$\square \times \square = \square$

02 □ 안에 알맞은 수를 써넣으세요.

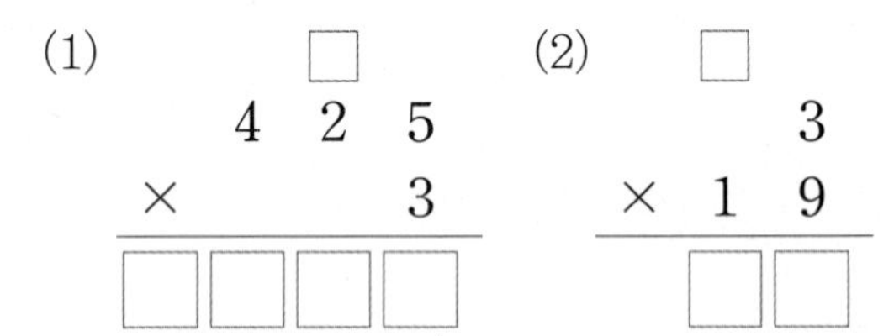

(1)
$$\begin{array}{r} \square \\ 4\ 2\ 5 \\ \times \ 3 \\ \hline \square\square\square\square \end{array}$$

(2)
$$\begin{array}{r} \square \\ 3 \\ \times\ 1\ 9 \\ \hline \square\square \end{array}$$

03 □ 안에 알맞은 수를 써넣으세요.

(1) $50 \times 70 = \square 00$

(2) $68 \times 50 = \square 0$

04 □ 안에 알맞은 수를 써넣으세요.

$32 \times 14 = 32 \times 10 + 32 \times \square$

$= \square + \square$

$= \square$

05 덧셈식을 곱셈식으로 나타내고 답을 구하세요.

$834+834+834+834+834+834$

식 

답 

06 계산을 하세요.

(1)
$$\begin{array}{r} 2\ 4 \\ \times\ 1\ 7 \\ \hline \end{array}$$

(2)
$$\begin{array}{r} 4\ 4 \\ \times\ 4\ 9 \\ \hline \end{array}$$

07 계산 결과가 같은 것끼리 이으세요.

40×70 •	• 124×5
31×20 •	• 35×80
60×50 •	• 75×40

08 빈 곳에 알맞은 수를 써넣으세요.

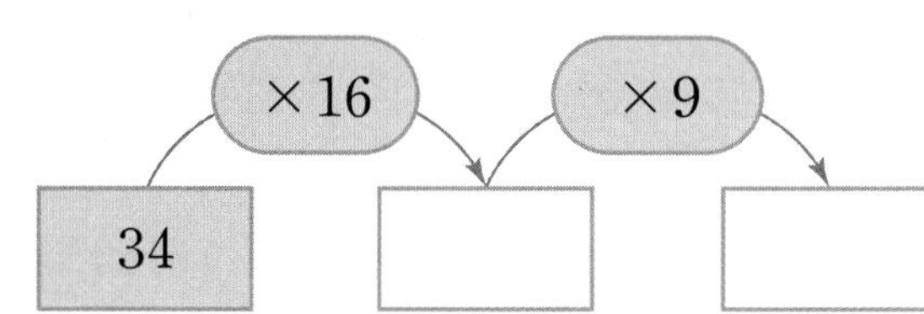

09 빈칸에 알맞은 수를 써넣으세요.

(×→)		
55	29	1595
12	73	

10 잘못된 곳을 찾아 바르게 계산하세요.

$$\begin{array}{r} 57 \\ \times\ 64 \\ \hline 228 \\ 342 \\ \hline 570 \end{array} \Rightarrow \begin{array}{r} 57 \\ \times\ 64 \\ \hline \end{array}$$

11 계산 결과를 비교하여 ○ 안에 $>$, $=$, $<$를 알맞게 써넣으세요.

476×3 ○ 47×35

12 계산 결과가 작은 것부터 차례로 기호를 쓰세요.

㉠ 342×2
㉡ 17×30
㉢ 12×34

( )

13 정사각형의 네 변의 길이의 합은 몇 cm일까요?

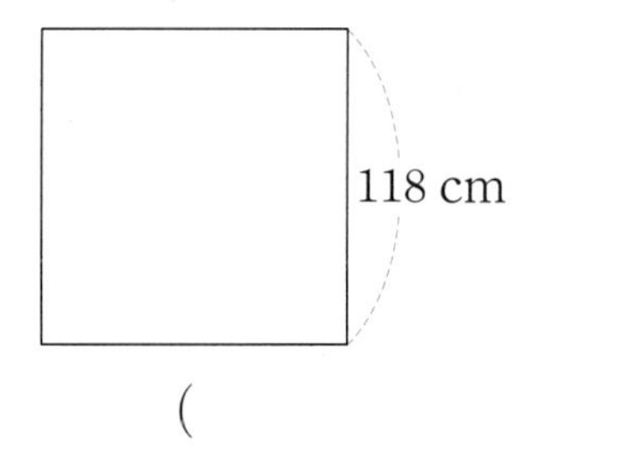

( )

14 유나는 알뜰 시장에서 90원짜리 수첩 16권을 샀습니다. 유나가 내야 할 돈은 얼마인지 식을 쓰고 답을 구하세요.

식 ____________________

답 ____________________

1 단원

15 색칠된 전체 모눈의 수를 곱셈식으로 나타내고 그 곱을 구하세요.

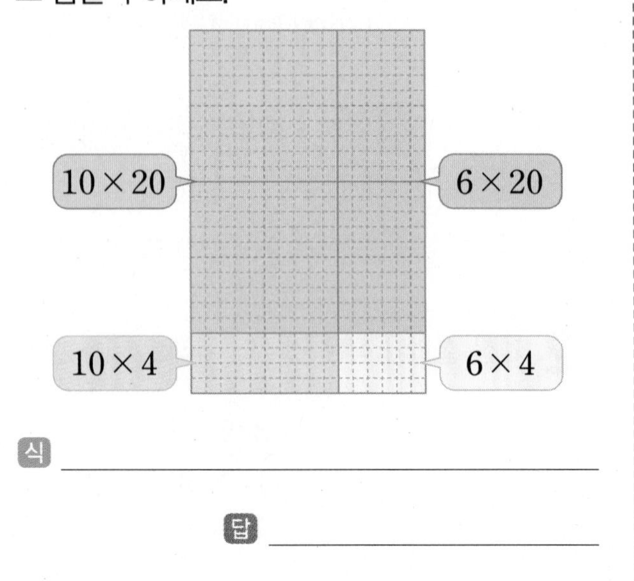
10 × 20
6 × 20
10 × 4
6 × 4

식 ______________________

답 ______________________

16 다현이는 매일 윗몸일으키기를 47번씩 합니다. 다현이가 9월 한 달 동안 한 윗몸일으키기는 모두 몇 번일까요?

( )

17 다음을 보고 잘못 말한 사람은 누구인지 쓰세요.

1시간은 60분
이니까 하루는
1440분이야.
1분은 60초이
니까 1시간은
360초야.
주연
재영

( )

18 지수는 10원짜리 동전 60개와 50원짜리 동전 70개를 모았습니다. 지수가 모은 돈은 모두 얼마일까요?

( )

19 □ 안에 들어갈 수 있는 수 중에서 가장 작은 수를 구하세요.

$87 \times \square 0 > 3400$

( )

20 □ 안에 알맞은 수를 써넣으세요.

$$\begin{array}{r} 5\,\square\,7 \\ \times \quad \square \\ \hline 1\,5\,8\,1 \end{array}$$

문제 생성기
1~20번까지의 단원평가
유사 문제 제공

과정 중심 평가 문제

21 재호는 한 장에 350원인 붙임딱지를 7장 사고 3000원을 냈습니다. 재호가 받아야 할 거스름돈은 얼마인지 구하려고 합니다. 물음에 답하세요.

(1) 붙임딱지 7장의 값은 얼마일까요?

( )

(2) 재호가 받아야 할 거스름돈은 얼마일까요?

( )

과정 중심 평가 문제

22 주현이는 매주 화요일, 수요일, 금요일에 달리기를 각각 35분씩 했습니다. 주현이가 한 달 동안 달리기를 한 시간은 모두 몇 분인지 풀이 과정을 쓰고 답을 구하세요.

일	월	화	수	목	금	토
	1	2	3	4	5	6
7	8	9	10	11	12	13
14	15	16	17	18	19	20
21	22	23	24	25	26	27
28	29	30	31			

풀이

답

과정 중심 평가 문제

23 색종이를 한 사람에게 7장씩 136명에게 나누어 주었더니 5장이 남았습니다. 처음에 있던 색종이는 모두 몇 장인지 구하려고 합니다. 물음에 답하세요.

(1) 136명에게 나누어 준 색종이는 몇 장입니까?

( )

(2) 처음에 있던 색종이는 모두 몇 장입니까?

( )

1 단원

진도 완료 체크

과정 중심 평가 문제

24 수 카드 3, 4, 5, 6 중에서 두 장을 한 번씩만 사용하여 두 자리 수를 만들려고 합니다. 만들 수 있는 수 중에서 가장 큰 두 자리 수와 가장 작은 두 자리 수의 곱은 얼마인지 풀이 과정을 쓰고 답을 구하세요.

풀이

답

배점
1~20번 4점
21~24번 5점
점수
오답노트
틀린 문제 저장! 출력!

나눗셈

웹툰으로 단원 미리보기 2화_ 사탕 고백 미션!

QR코드를 스캔하여 이어지는 내용을 확인하세요.

이전에 배운 내용

3-1 나눗셈식

- 12를 4로 나누면 3이 됩니다.

나눗셈식 $12 \div 4 = 3$

읽기 12 나누기 4는 3과 같습니다.

나누어지는 수 → 12, 나누는 수 → 4, 몫 → 3

$12 \div 4 = 3$

3-1 나눗셈의 몫을 곱셈식으로 구하기

- $28 \div 7 = \square$에서 몫 $\square$는 $7 \times 4 = 28$을 이용하여 구할 수 있습니다.

$7 \times 4 = 28$

$28 \div 7 = \boxed{4}$

이 단원에서 배울 내용

1 Step 교과 개념	(몇십)÷(몇)
1 Step 교과 개념	(몇십몇)÷(몇) (1)
2 Step 교과 유형 익힘	
1 Step 교과 개념	(몇십몇)÷(몇) (2)
1 Step 교과 개념	(몇십몇)÷(몇) (3)
2 Step 교과 유형 익힘	
1 Step 교과 개념	(세 자리 수)÷(한 자리 수) (1)
1 Step 교과 개념	(세 자리 수)÷(한 자리 수) (2), 맞게 계산했는지 확인하기
2 Step 교과 유형 익힘	
3 Step 문제 해결	잘 틀리는 문제, 서술형 문제
4 Step 실력 UP 문제	
단원 평가	

이 단원을 배우면
(두 자리 수)÷(한 자리 수),
(세 자리 수)÷(한 자리 수)를
계산할 수 있어요.

1 Step 교과 개념

개념1 내림이 없는 (몇십)÷(몇)

• $80\div4$의 계산

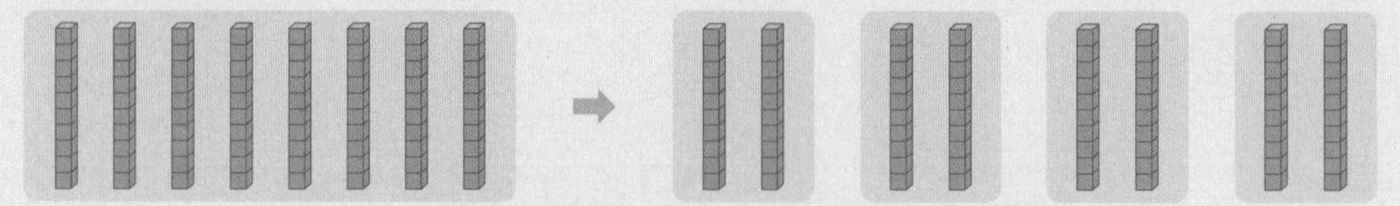

십 모형 8개를 4묶음으로 묶으면 한 묶음에 십 모형이 $8\div4=2$(개)입니다.

내림이 없는 (몇십)÷(몇)의 몫은 **(몇)÷(몇)의 몫에 0을 1개** 붙여 줍니다.

$$8\div4=2 \Rightarrow 80\div4=20$$

개념2 내림이 있는 (몇십)÷(몇)

• $70\div5$의 계산

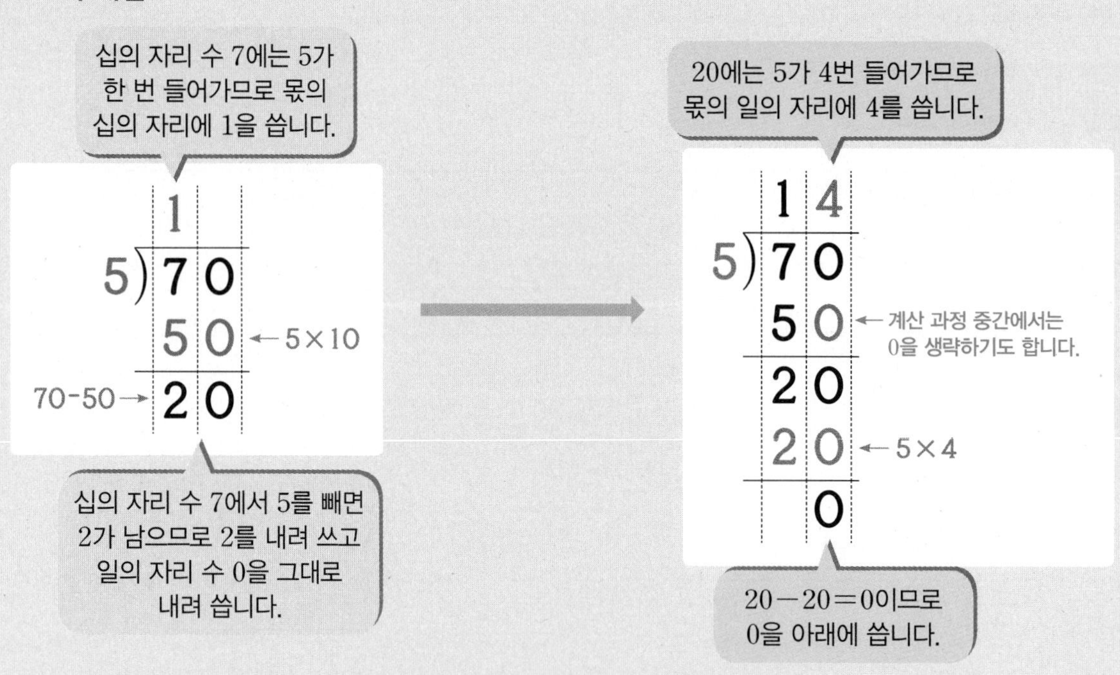

십의 자리 수 7에는 5가 한 번 들어가므로 몫의 십의 자리에 1을 씁니다.
20에는 5가 4번 들어가므로 몫의 일의 자리에 4를 씁니다.
1
5)70
50 ←5×10
70-50→20
14
5)70
50 ←계산 과정 중간에서는 0을 생략하기도 합니다.
20
20 ←5×4
0
십의 자리 수 7에서 5를 빼면 2가 남으므로 2를 내려 쓰고 일의 자리 수 0을 그대로 내려 씁니다.
20−20=0이므로 0을 아래에 씁니다.

개념확인 1 $60\div3$을 어떻게 계산하는지 알아보세요.

(1) 수 모형을 똑같이 3묶음으로 묶으세요.

(2) 한 묶음에는 십 모형 □개가 있습니다. ⇨ $60\div3=$□

2 그림을 보고 □ 안에 알맞은 수를 써넣으세요.

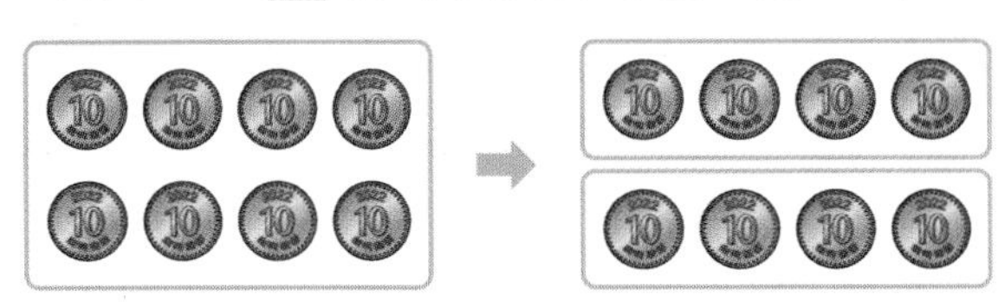

$80 \div 2 =$ □

3 바둑돌 40개를 2명이 똑같이 나누어 가지려고 합니다. 한 명이 몇 개씩 가져야 하는지 알아보세요.

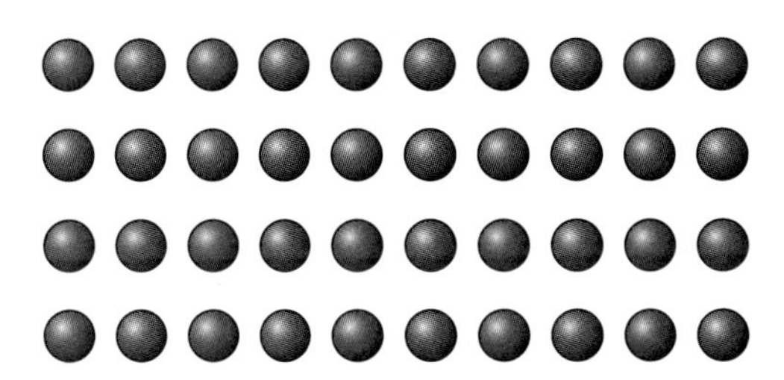

(1) ● 40개를 ⬭로 묶어서 똑같이 2묶음으로 나누세요.

(2) ●이 한 묶음에 □개 있습니다.

(3) $40 \div 2 =$ □

4 $50 \div 2$의 계산 과정을 수 모형으로 나타낸 그림입니다. □ 안에 알맞은 수를 써넣으세요.

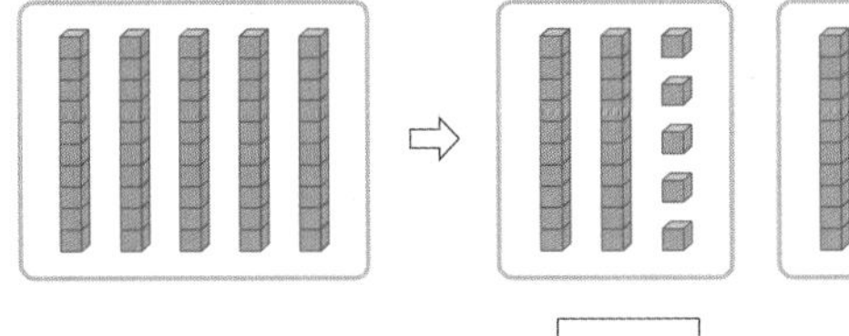

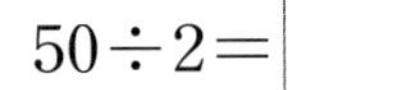

$50 \div 2 =$ □

5 □ 안에 알맞은 수를 써넣으세요.

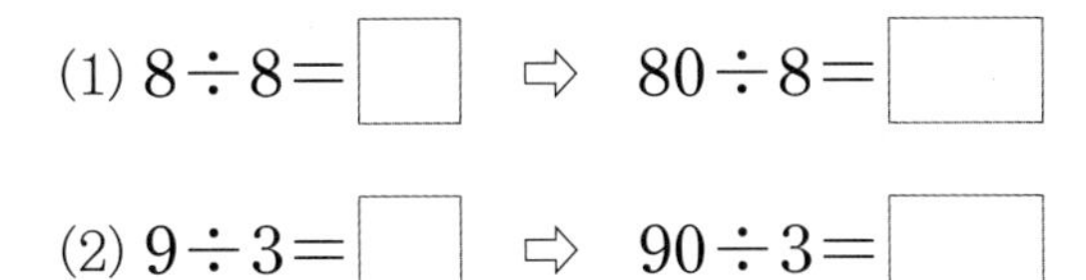

(1) $8 \div 8 =$ □ ⇨ $80 \div 8 =$ □

(2) $9 \div 3 =$ □ ⇨ $90 \div 3 =$ □

6 □ 안에 알맞은 수를 써넣으세요.

(1)

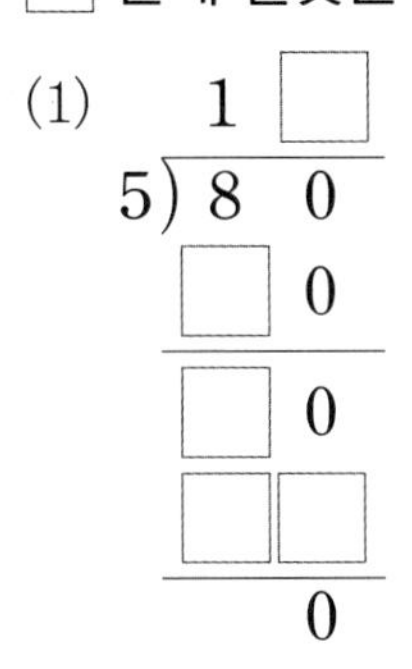

(2)

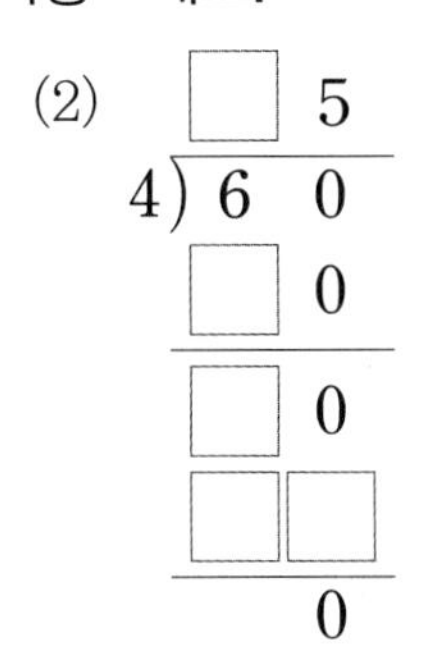

7 계산을 하세요.

(1) $60 \div 2$

(2) $90 \div 6$

8 빈칸에 알맞은 수를 써넣으세요.

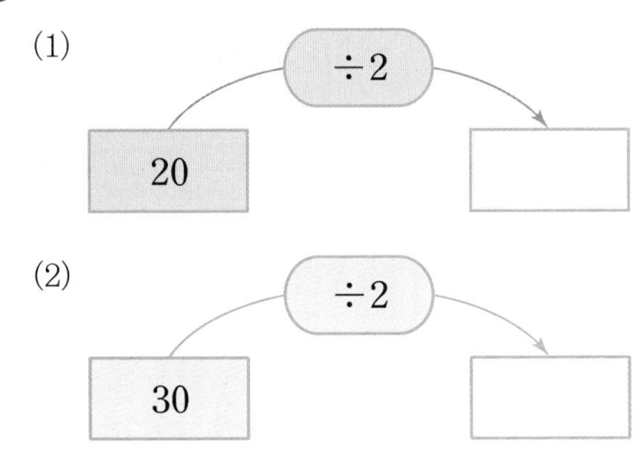

Step 1 교과 개념

개념1 내림이 없는 (몇십몇)÷(몇)

• 28÷2의 계산

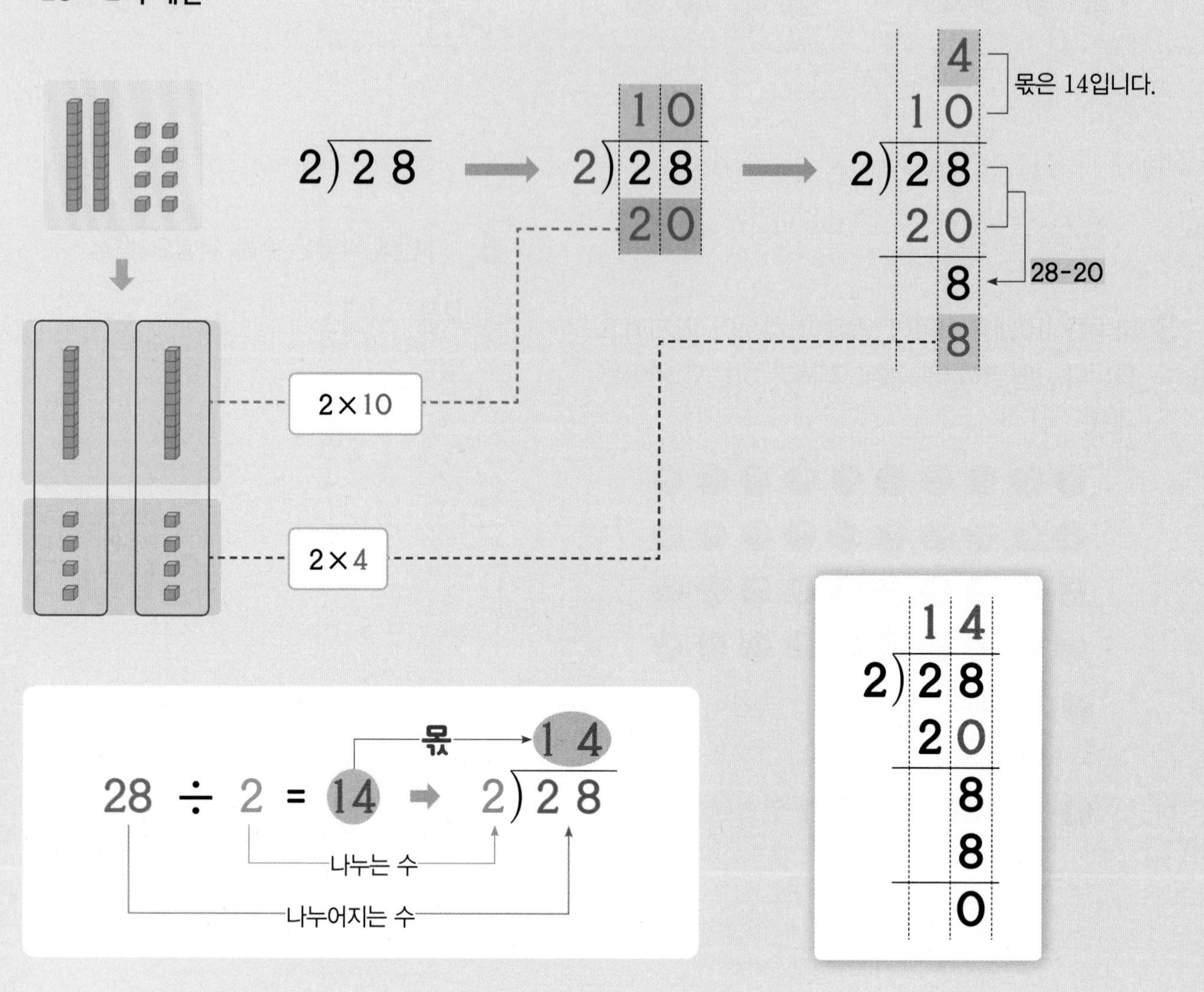

개념확인 1 88÷4를 어떻게 계산하는지 알아보세요.

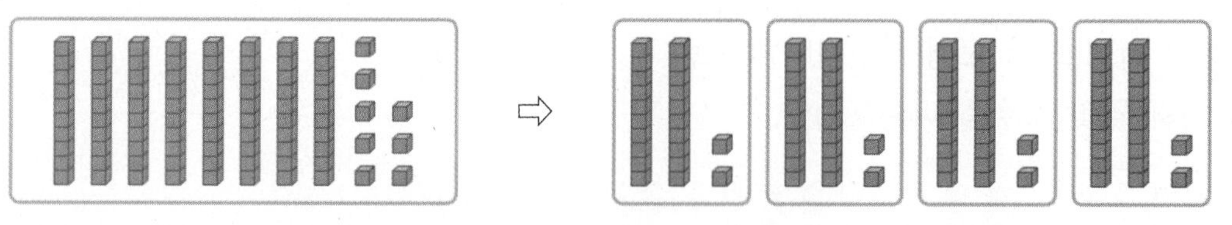

(1) 수 모형을 똑같이 4묶음으로 나누면 한 묶음에는 십 모형 ☐개, 일 모형 ☐개가 있습니다.

(2) 88÷4=☐

2 □ 안에 알맞은 수를 써넣으세요.

(1) 33÷3=11 ⇨

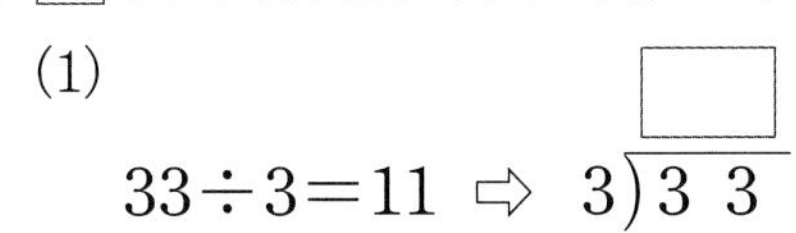

(2) 82÷2=41 ⇨ □)8 2 (몫 4 1)

3 □ 안에 알맞은 수를 써넣으세요.

(1)

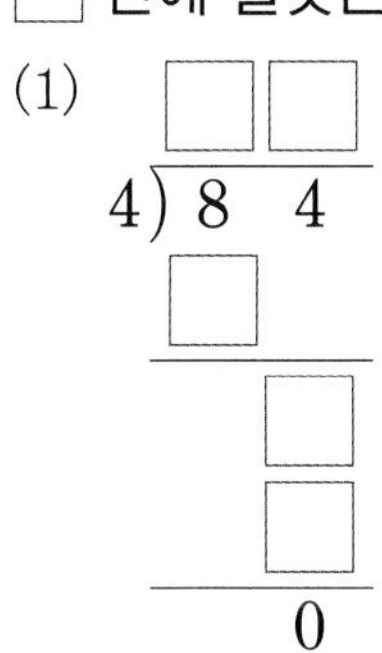

(2)

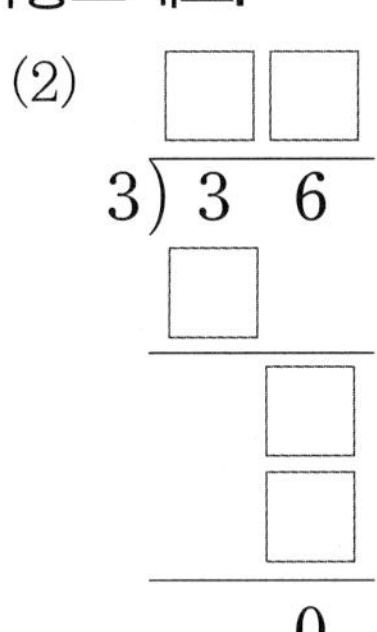

4 계산을 하세요.

(1) 4)4 4

(2) 2)2 6

5 바르게 계산한 것에 ○표 하세요.

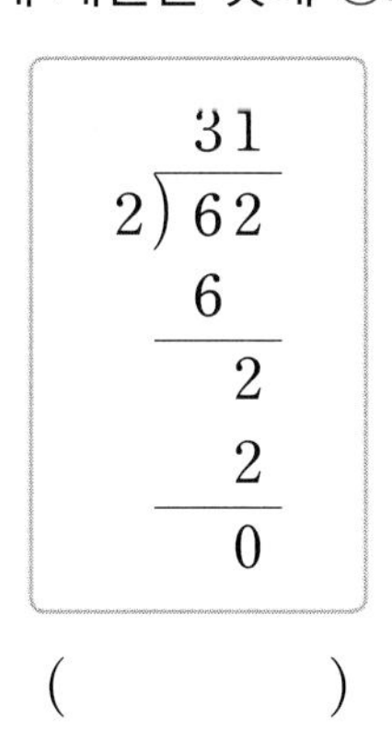

```
    21
 4) 48
    4
    --
     8
     8
    --
     0
```

(　　　　)　(　　　　)

6 몫을 바르게 구한 것에 ○표 하세요.

86÷2=43	46÷2=43
(　　　　)	(　　　　)

7 계산을 하세요.

(1) 93÷3

(2) 69÷3

8 몫이 13인 것을 찾아 ○표 하세요.

39÷3	42÷2	62÷2

9 빈칸에 알맞은 수를 써넣으세요.

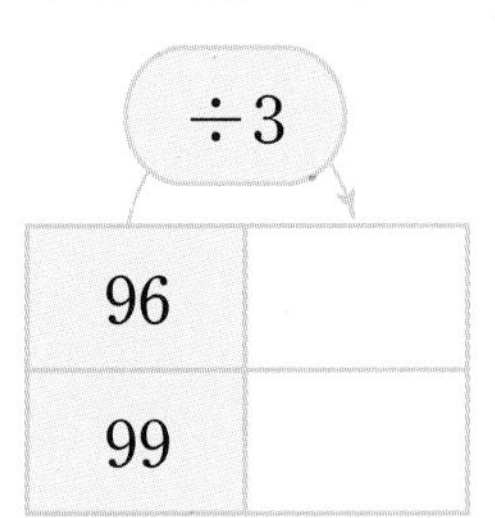

10종

교과 유형 익힘

(몇십)÷(몇), 내림이 없는 (몇십몇)÷(몇)

01 큰 수를 작은 수로 나눈 몫을 빈칸에 써넣으세요.

(1)

40	4

(2)

3	90

02 몫의 크기를 비교하여 ○ 안에 >, =, <를 알맞게 써넣으세요.

$90 \div 9$ ○ $80 \div 4$

03 몫이 가장 큰 것을 찾아 기호를 쓰세요.

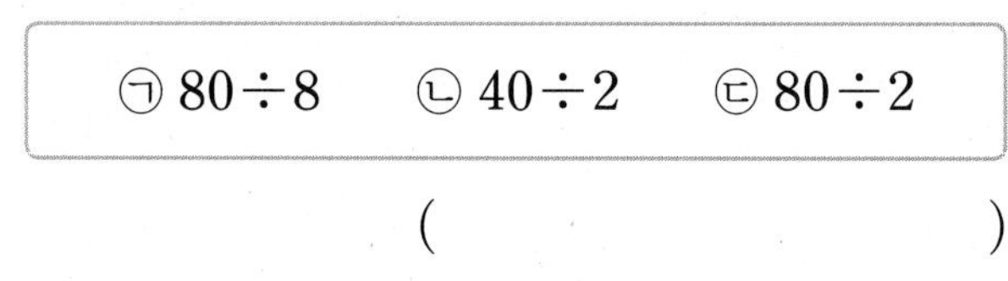

㉠ $80 \div 8$ ㉡ $40 \div 2$ ㉢ $80 \div 2$

( )

04 몫이 같은 것끼리 이으세요.

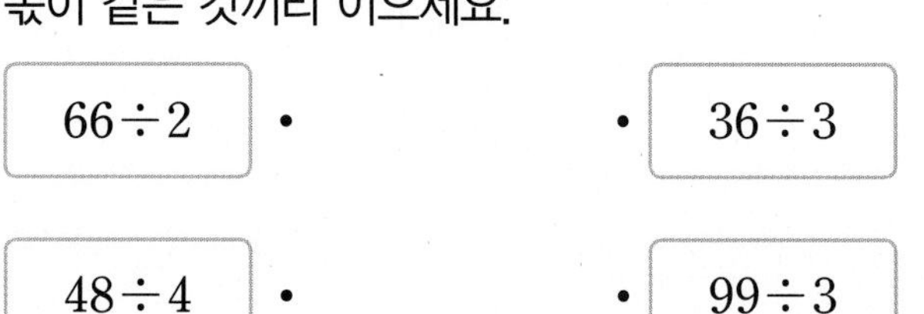

$66 \div 2$ •	• $36 \div 3$
$48 \div 4$ •	• $99 \div 3$

05 두 나눗셈의 몫의 차를 구하세요.

$93 \div 3$ $84 \div 2$

( )

06 몫이 다른 것을 찾아 ○표 하세요.

$44 \div 4$	$22 \div 2$
$66 \div 6$	$70 \div 7$

07 물고기 90마리를 잡아 6개의 망에 똑같이 나누어 담았습니다. 한 망에 몇 마리씩 담았을까요?

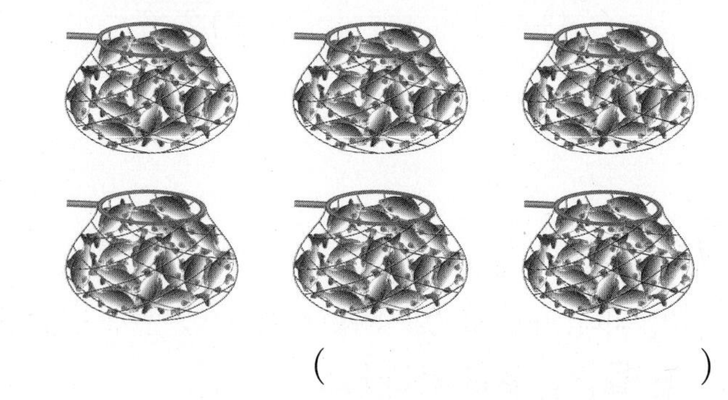

( )

08 귤 20개를 2개의 봉지에 똑같이 나누어 담으면 한 봉지에 몇 개씩 담을 수 있을까요?

( )

09 다음 정사각형의 네 변의 길이의 합은 44 cm입니다. 이 정사각형의 한 변의 길이는 몇 cm일까요?

(　　　　　　　　)

서술형 문제

10 계산에서 잘못된 곳을 찾아 바르게 고치고 잘못된 까닭을 쓰세요.

$$\begin{array}{r} 1\ 0 \\ 7\overline{)7\ 7} \\ 7\ 0 \\ \hline 7 \end{array} \Rightarrow$$

까닭 ______________________

11 구슬 84개를 한 명에게 4개씩 나누어 주려고 합니다. 구슬을 몇 명에게 줄 수 있는지 나눗셈식을 쓰고 답을 구하세요.

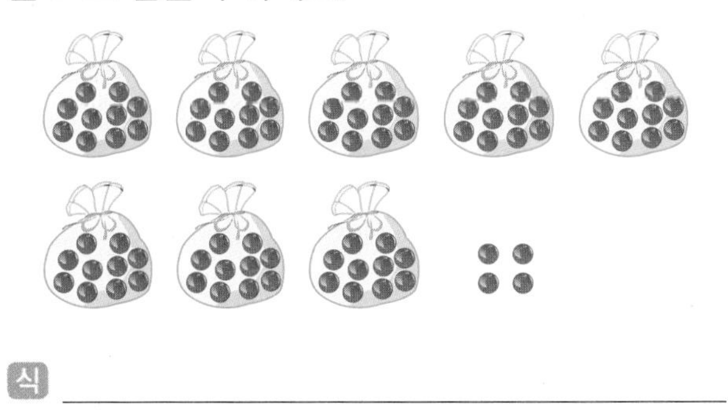

식 ______________________

답 ______________________

12 창의융합 몫이 10인 나눗셈을 찾아 색칠하고, 나타나는 한글 자음을 쓰세요.

$20 \div 2$	$30 \div 2$	$60 \div 3$
$60 \div 6$	$80 \div 4$	$80 \div 2$
$70 \div 7$	$40 \div 4$	$90 \div 9$

(　　　　　　　　)

13 창의융합 나눗셈의 몫이 작은 것부터 차례대로 해당하는 글자를 □ 안에 써넣어 단어를 완성하세요.

$63 \div 3$	바	$24 \div 2$	늬
$90 \div 3$	람	$77 \div 7$	하

□ □ □ □

14 추론 □ 안에 들어갈 수 있는 수를 모두 찾아 ○표 하세요.

$80 \div 5 > \square$

(13 , 14 , 15 , 16 , 17)

교과 개념

개념1 **내림이 있는 (몇십몇)÷(몇)**

• 42÷3의 계산

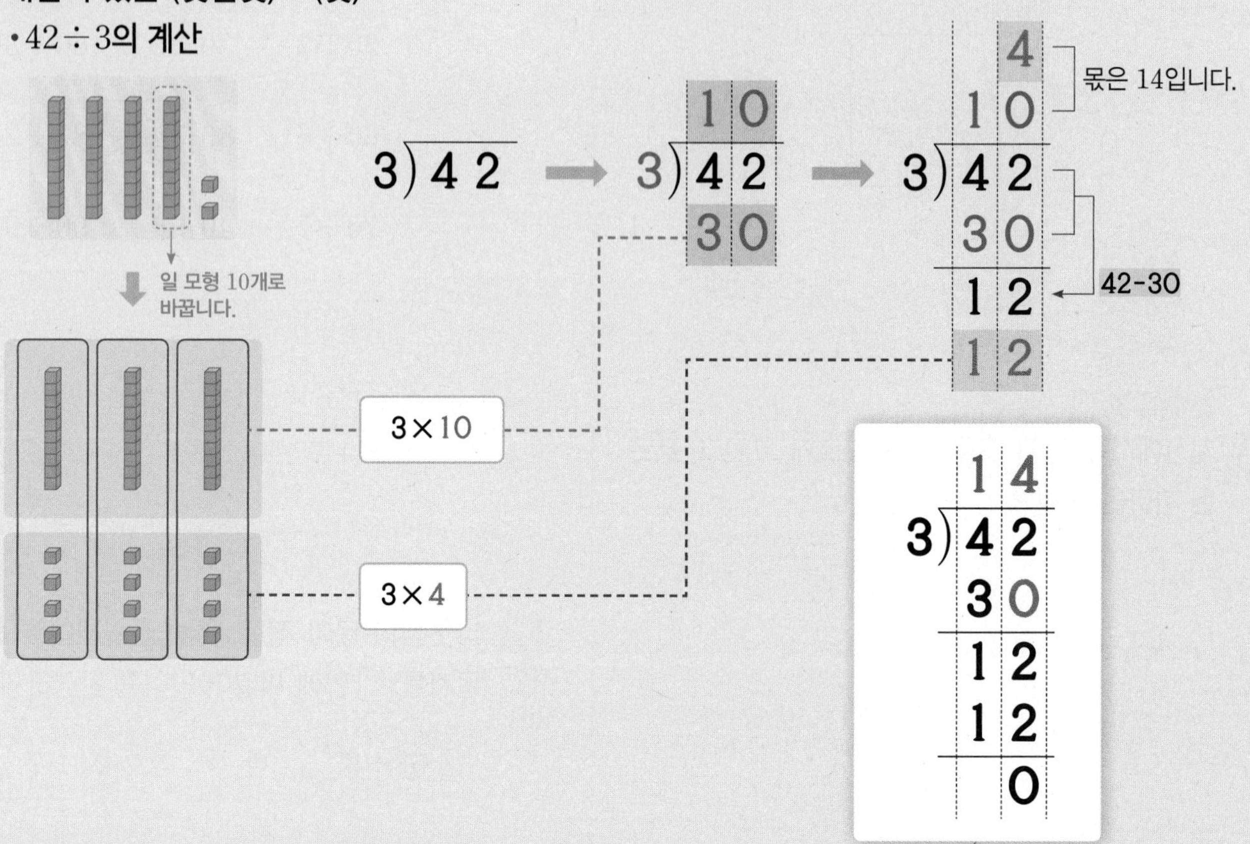

개념2 **나머지가 있는 (몇십몇)÷(몇)**

19를 5로 나누면 몫은 3이고 4가 남습니다.
이때 4를 19÷5의 나머지라고 합니다.

$19 \div 5 = 3 \cdots 4$ (3: 몫, 4: 나머지)

$$\begin{array}{r} 3 \\ 5\overline{)19} \\ 15 \\ \hline 4 \end{array}$$
3 ← 몫, 4 ← 나머지

나머지가 없으면 나머지가 0이라고 말할 수 있습니다.
나머지가 0일 때, **나누어떨어진다**고 합니다.

개념확인 1 □ 안에 알맞은 수나 말을 써넣으세요.

(1)
$$\begin{array}{r} \square \\ 4\overline{)17} \\ 16 \\ \hline \square \end{array}$$

(2) 17을 4로 나누면 몫은 □이고 □이/가 남습니다.
이때 1을 17÷4의 □(이)라고 합니다.

2 15÷2를 어떻게 계산하는지 알아보세요.

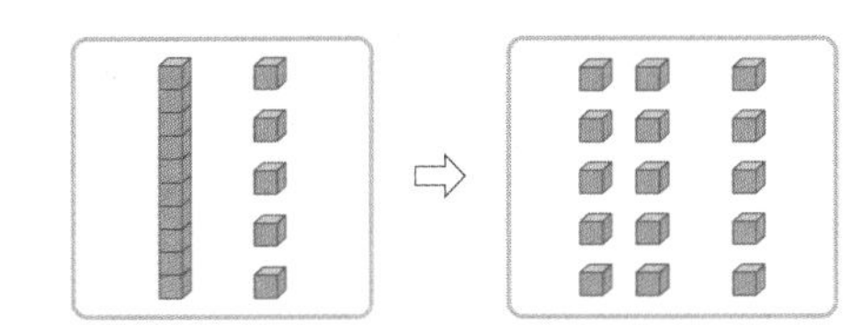

(1) 일 모형 15개를 한 묶음에 2개씩 묶으세요.

(2) □묶음이 되고 □개가 남습니다.

(3) 15÷2의 몫과 나머지는 얼마일까요?

몫 (　　　　　　)
나머지 (　　　　　　)

3 □ 안에 알맞은 수를 써넣으세요.

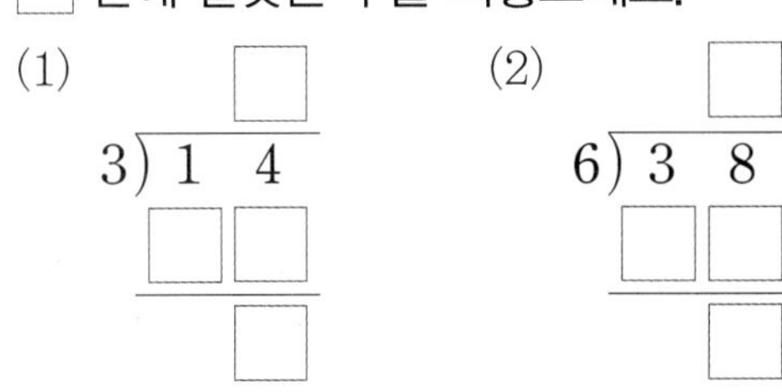

4 □ 안에 알맞은 수를 써넣으세요.

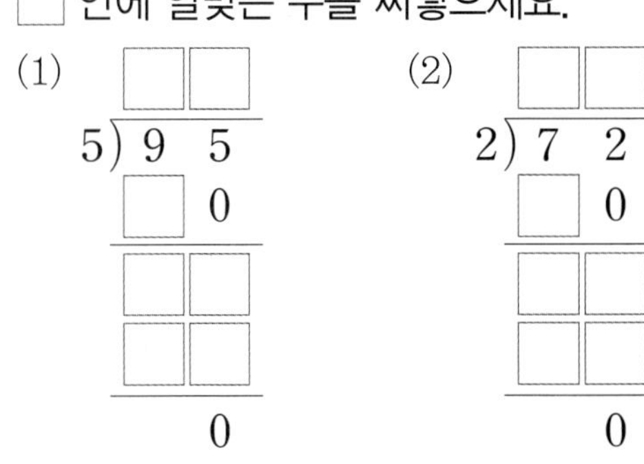

5 계산을 하세요.

(1) 48÷3

(2) 92÷4

(3) 36÷2

6 빈칸에 알맞은 수를 써넣으세요.

(1)

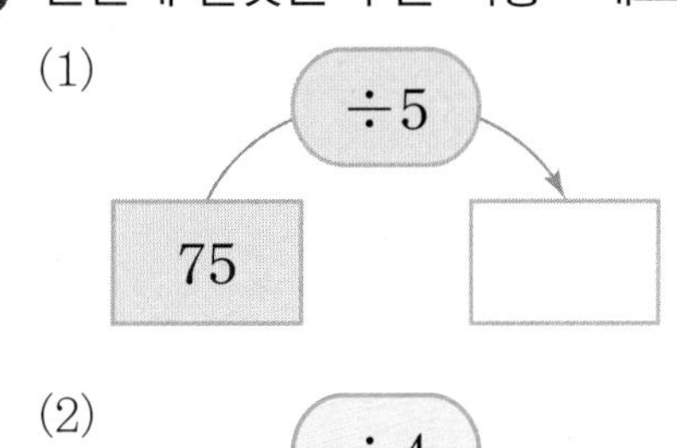

(2)

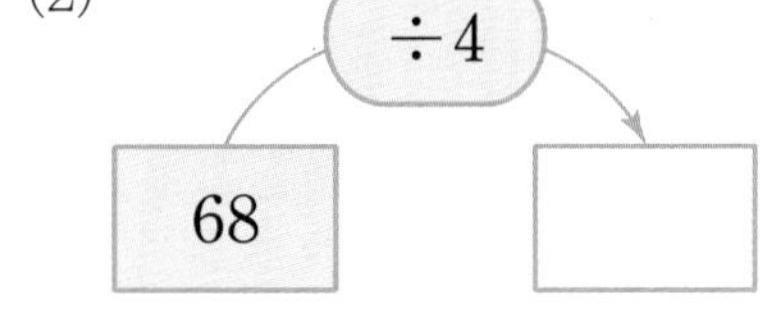

7 나눗셈의 몫과 나머지를 구하세요.

(1) 26÷4

몫 (　　　　　　)
나머지 (　　　　　　)

(2)

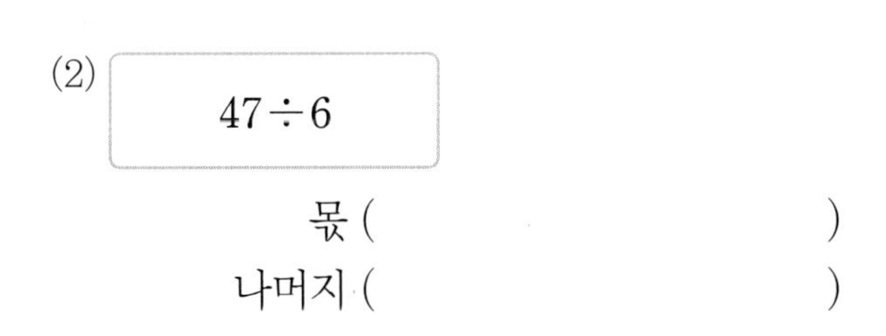

Step 1 교과 개념

(몇십몇)÷(몇) (3)

개념1 내림이 있고 나머지가 있는 (몇십몇)÷(몇)

• 63÷5의 계산

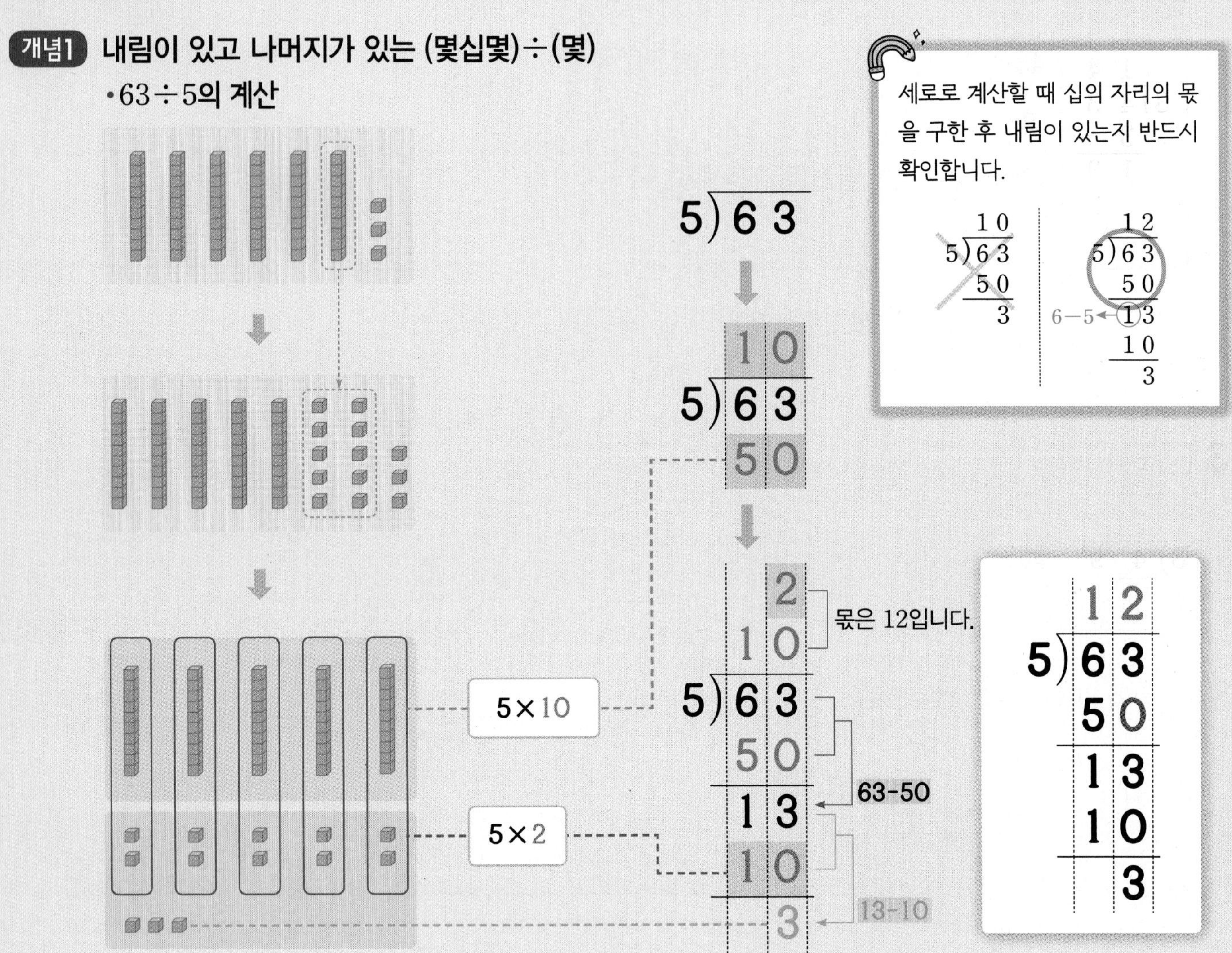

개념확인 1 58÷4를 어떻게 계산하는지 알아보세요.

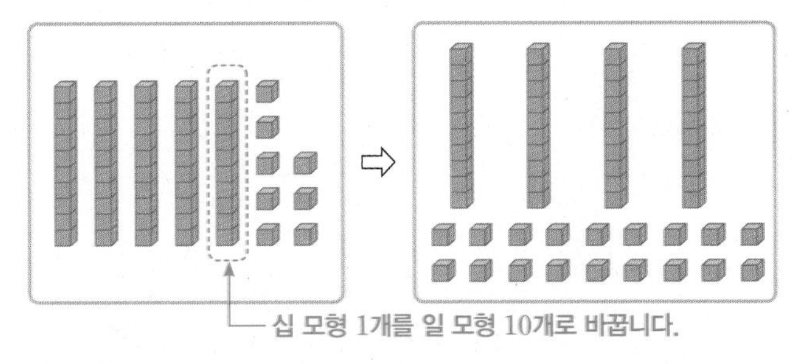

십 모형 1개를 일 모형 10개로 바꿉니다.

(1) 수 모형을 4묶음으로 똑같이 나누세요.

(2) 한 묶음에는 십 모형 □개, 일 모형 □개가 있고, 남은 일 모형은 □개입니다.

(3) 58÷4의 몫과 나머지는 얼마일까요?

몫 (　　　　　), 나머지 (　　　　　)

2 나눗셈식을 보고 □ 안에 알맞은 수나 말을 써넣으세요.

$$\begin{array}{r} 14 \\ 3\overline{)43} \\ 3 \\ \hline 13 \\ 12 \\ \hline 1 \end{array}$$

43을 3으로 나누면 몫은 □이고 □이/가 남습니다.
이때 1을 43÷3의 □(이)라고 합니다.

3 □ 안에 알맞은 수를 써넣으세요.

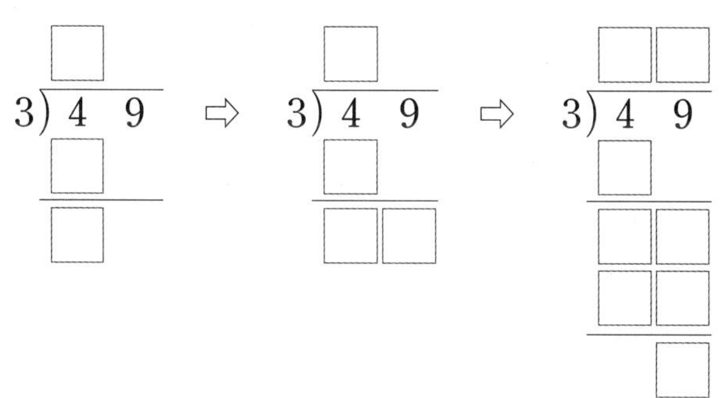

4 □ 안에 알맞은 수를 써넣으세요.

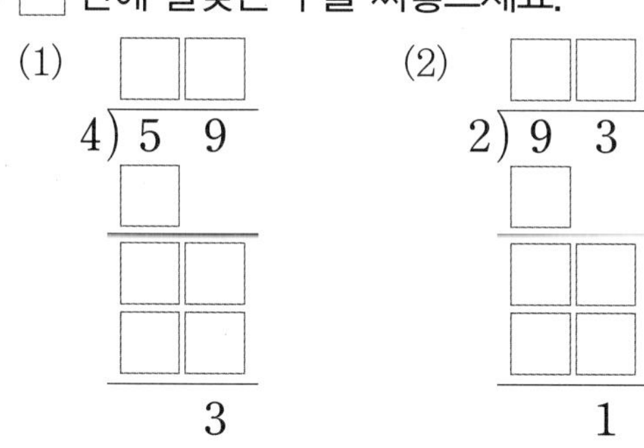

(1) 4)59, 나머지 3

(2) 2)93, 나머지 1

5 □ 안에 알맞은 수를 써넣으세요.

(1) 75÷4=□…□

(2) 82÷5=□…□

6 계산을 하세요.

(1) 3)50

(2) 6)92

(3) 5)83

(4) 7)93

7 몫이 더 큰 것에 ○표 하세요.

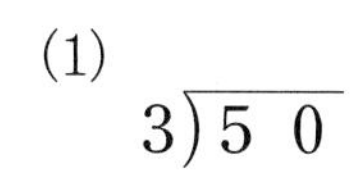

74÷5	98÷8
(　　)	(　　)

8 나눗셈의 몫과 나머지를 구하세요.

(1) 3)56

몫 (　　)
나머지 (　　)

(2) 73÷4

몫 (　　)
나머지 (　　)

10종

교과 유형 익힘

내림이 있거나 나머지가 있는 (몇십몇)÷(몇)

01 빈 곳에 알맞은 수를 써넣으세요.

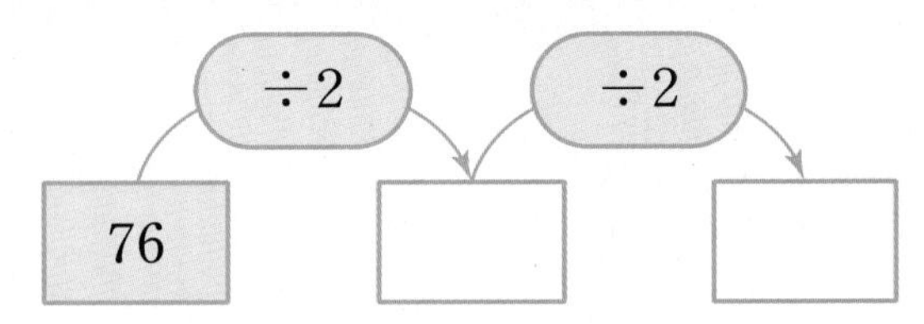

02 몫의 크기를 비교하여 ○ 안에 >, =, <를 알맞게 써넣으세요.

$92 \div 4$ ○ $78 \div 6$

03 □ 안에 나눗셈의 몫을, ○ 안에 나머지를 써넣으세요.

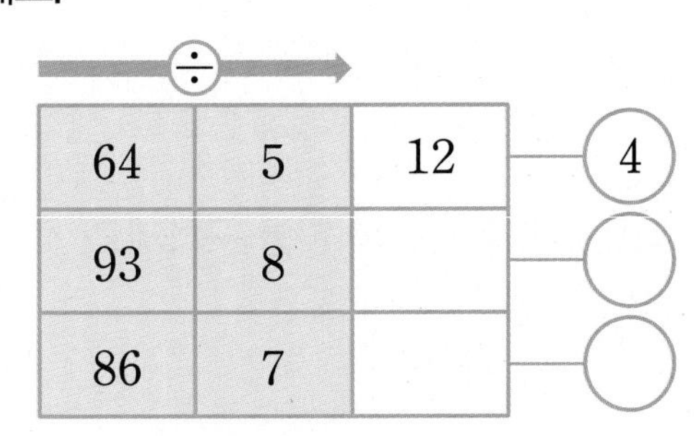

04 나머지가 4가 될 수 없는 식을 찾아 ○표 하세요.

□÷6	□÷4	□÷7
(　　)	(　　)	(　　)

05 계산에서 잘못된 곳을 찾아 바르게 고치세요.

$$\begin{array}{r} 1\ 1 \\ 4\overline{)6\ 5} \\ 4 \\ \hline 5 \\ 4 \\ \hline 1 \end{array} \Rightarrow \boxed{}$$

06 ㉠과 ㉡에 알맞은 수를 각각 구하세요.

$62 \div 4 =$ ㉠ $\cdots 2$
$75 \div 7 = 10 \cdots$ ㉡

㉠ (　　　　)
㉡ (　　　　)

07 6으로 나누어떨어지는 수가 아닌 것을 모두 고르세요. (　　　　)

① 48　② 60　③ 38
④ 50　⑤ 96

08 나머지가 가장 큰 것을 찾아 기호를 쓰세요.

㉠ $69 \div 4$　㉡ $53 \div 3$
㉢ $43 \div 5$　㉣ $60 \div 8$

(　　　　)

09 탁구공 44개를 남김없이 바구니의 각 칸에 똑같이 나누어 넣으려고 합니다. (가)와 (나) 중 어느 바구니에 넣어야 할까요?

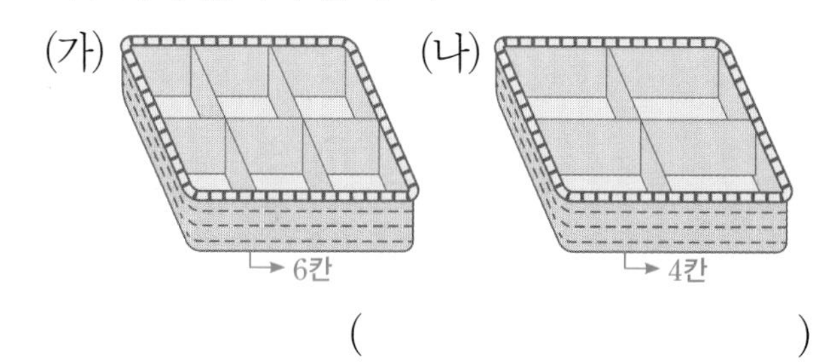

( )

10 표를 보고 물음에 답하세요.

곤충	나비	베짱이
날개	2쌍	2쌍
다리	3쌍	3쌍

→ 한 쌍은 2개를 나타냅니다.

(1) 꽃밭에 있는 나비의 다리는 모두 72개입니다. 나비는 몇 마리 있을까요?

( )

(2) 풀밭에 있는 베짱이의 날개는 모두 56장입니다. 베짱이는 몇 마리 있을까요?

( )

11 사과가 84개 있습니다. 7명에게 똑같이 나누어 주려면 사과를 한 명에게 몇 개씩 주어야 하는지 나눗셈식을 쓰고 답을 구하세요.

식 ____________________

답 ____________________

12 창의 융합

초콜릿 61개를 5명에게 똑같이 나누어 주려고 합니다. 한 명에게 몇 개씩 줄 수 있고 몇 개가 남는지 나눗셈식을 쓰고 답을 차례로 쓰세요.

식 ____________________

답 한 명에게 □개씩 줄 수 있고, □개가 남습니다.

13 문제 해결

3장의 수 카드 중에서 2장을 한 번씩만 사용하여 가장 큰 두 자리 수를 만들었습니다. 이 수를 남은 수 카드의 수로 나누었을 때의 몫을 구하세요.

( )

14 정보 처리

양팔저울은 양쪽에 같은 무게만큼을 올려야 어느 한쪽으로 기울지 않습니다. 저울이 기울지 않도록 바둑돌 54개를 올리려면 한쪽에 몇 개씩 놓아야 할까요?

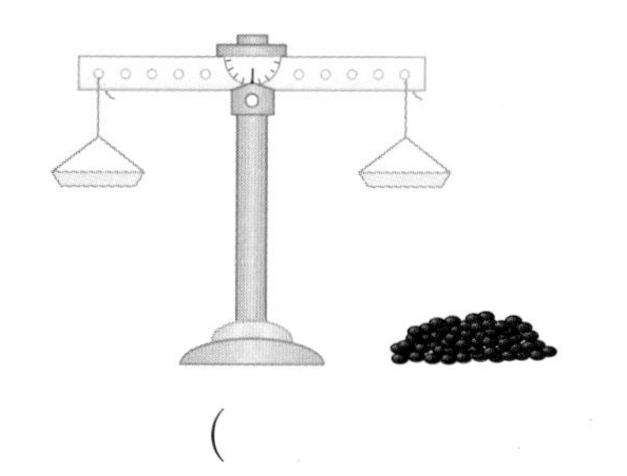

( )

2 단원

진도 완료 체크

교과 개념

(세 자리 수)÷(한 자리 수)(1)

개념1 나머지가 없는 (세 자리 수)÷(한 자리 수)

200÷2의 계산

$$\begin{array}{r} 1 \\ 2\overline{)200} \\ 200 \\ \hline 0 \end{array} \rightarrow \begin{array}{r} 10 \\ 2\overline{)200} \\ 2 \\ \hline 0 \end{array} \rightarrow \begin{array}{r} 100 \\ 2\overline{)200} \\ 2 \\ \hline 0 \end{array}$$

← 2에 2가 1번 들어갑니다.
← 2×100
← 몫

420÷3의 계산

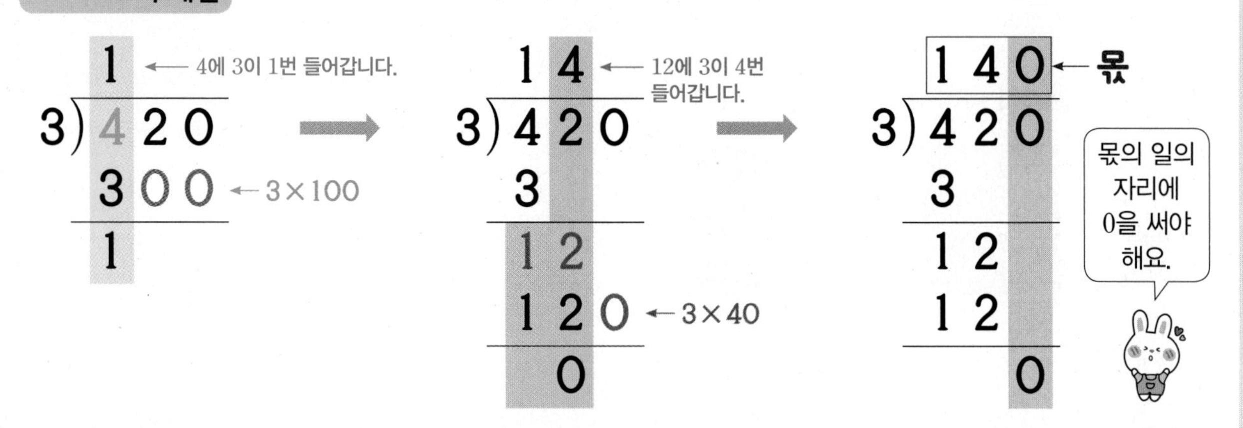

365÷5의 계산

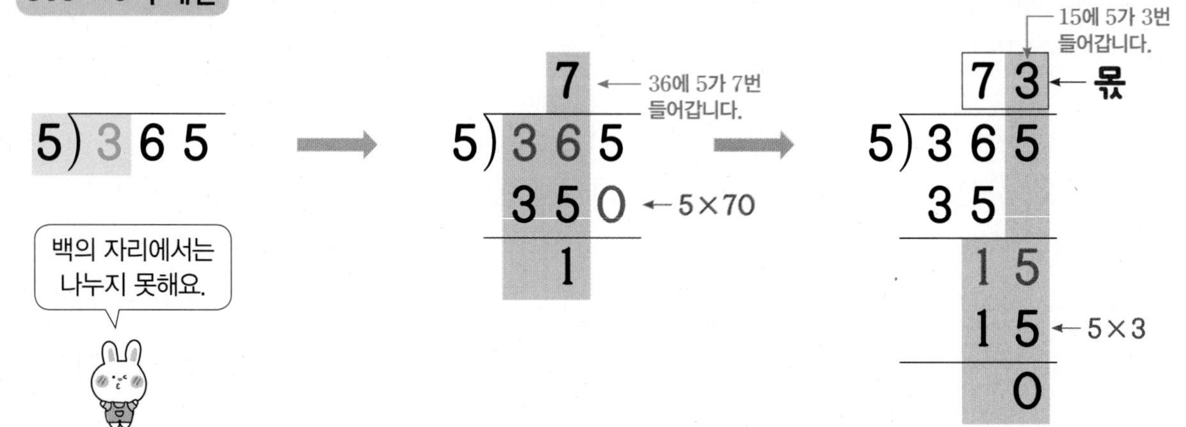

개념확인 1 □ 안에 알맞은 수를 써넣으세요.

(1)

$$\begin{array}{r} \square\,0\,0 \\ 3\overline{)9\,0\,0} \\ \square\,0\,0 \\ \hline 0 \end{array}$$

← 3×300

(2)

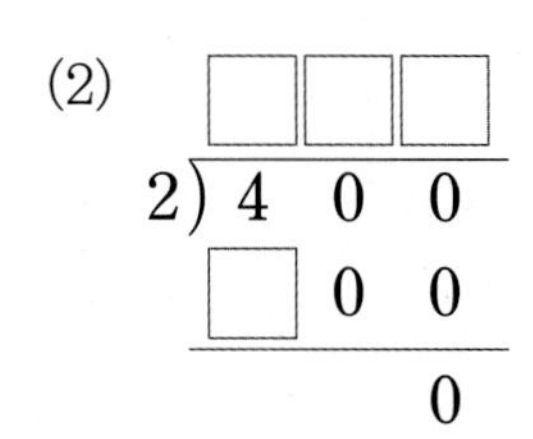

$$\begin{array}{r} \square\square\square \\ 2\overline{)4\,0\,0} \\ \square\,0\,0 \\ \hline 0 \end{array}$$

2 □ 안에 알맞은 수를 써넣으세요.

(1) 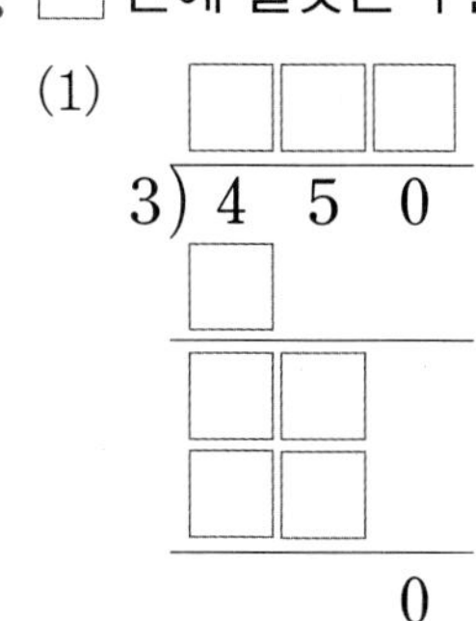

(2) 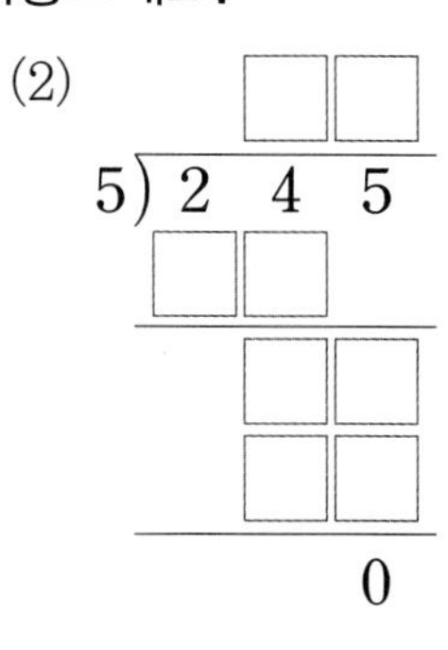

(3) $800 \div 4 = \square$

(4) $600 \div 3 = \square$

3 계산을 하세요.

(1) 2) 7 8 0

(2) 3) 7 3 2

4 계산을 하세요.

(1) $720 \div 2$

(2) $395 \div 5$

5 빈 곳에 알맞은 수를 써넣으세요.

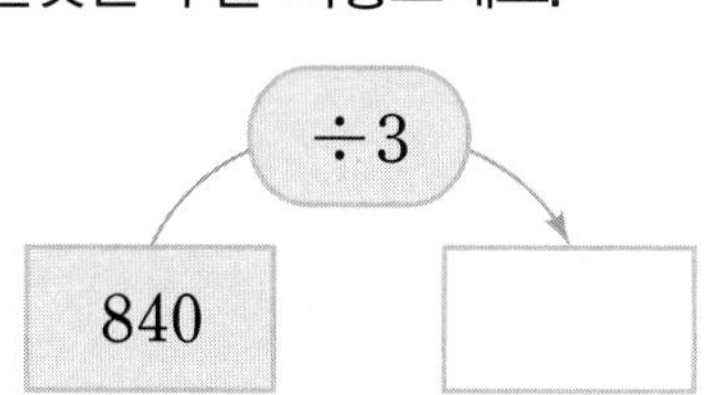

6 큰 수를 작은 수로 나누었을 때의 몫을 구하세요.

445 5

(   )

7 나눗셈의 몫을 찾아 이으세요.

$480 \div 3$ •	• 260
$520 \div 2$ •	• 160
$600 \div 2$ •	• 300

8 주어진 나눗셈식에 대한 옳은 설명을 찾아 기호를 쓰세요.

$291 \div 3$

㉠ 몫은 90보다 작습니다.
㉡ 나누어떨어집니다.
㉢ 나머지가 있습니다.

(   )

2 단원

교과 개념

(세 자리 수)÷(한 자리 수) (2), 맞게 계산했는지 확인하기

개념1 나머지가 있는 (세 자리 수)÷(한 자리 수)

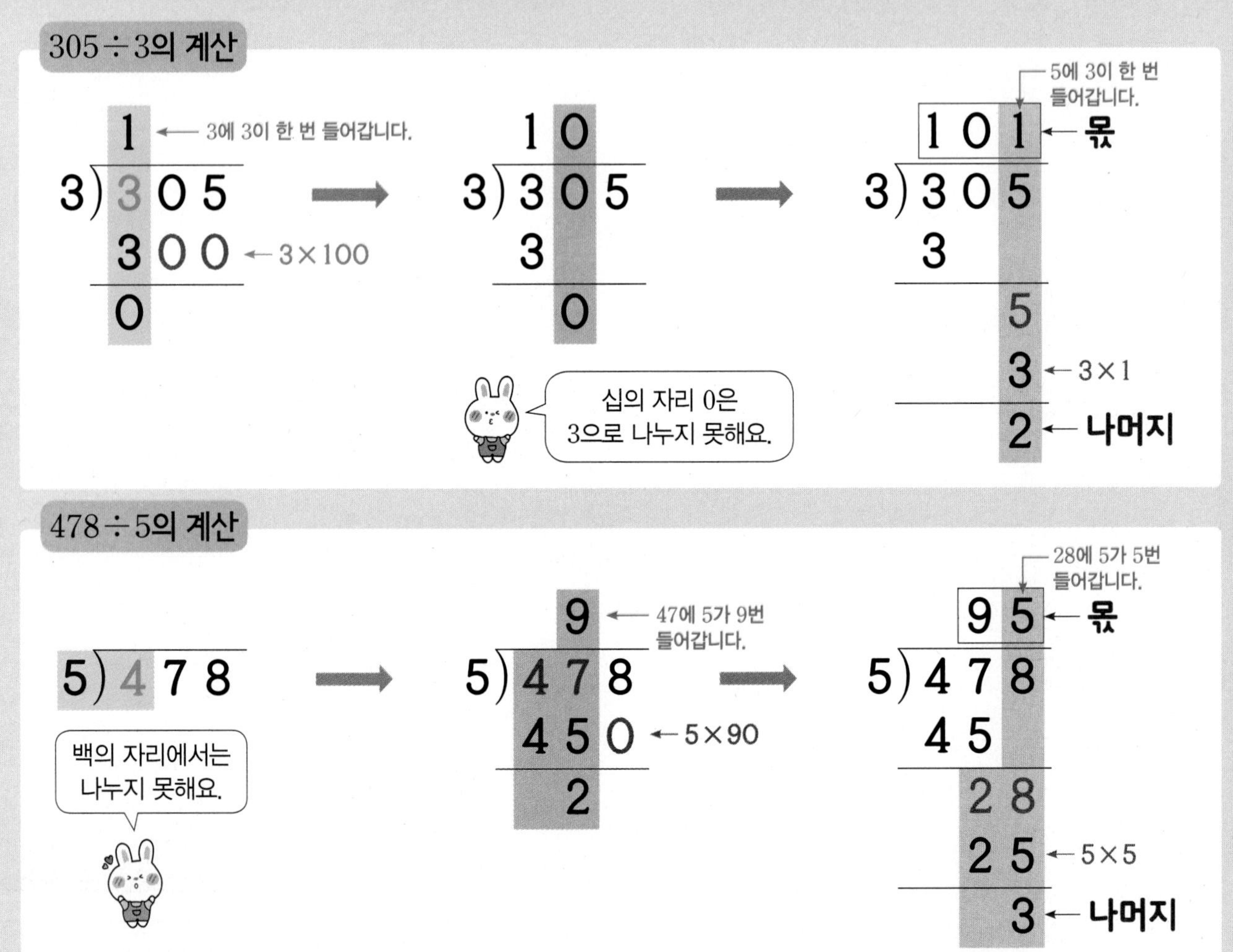

305÷3의 계산
3에 3이 한 번 들어갑니다.
3×100
십의 자리 0은 3으로 나누지 못해요.
5에 3이 한 번 들어갑니다.
몫
3×1
나머지
478÷5의 계산
백의 자리에서는 나누지 못해요.
47에 5가 9번 들어갑니다.
5×90
28에 5가 5번 들어갑니다.
몫
5×5
나머지

개념2 맞게 계산했는지 확인하기

$84 \div 3 = 28$

확인 $3 \times 28 = 84$

$19 \div 5 = 3 \cdots 4$

확인 $5 \times 3 = 15,\ 15 + 4 = 19$

나누는 수와 몫의 곱에 나머지를 더하면 나누어지는 수가 되어야 합니다.

개념확인 1 보기에서 알맞은 말을 찾아 □ 안에 써넣으세요.

보기: 나누어지는 수 　 몫 　 나누는 수 　 나머지

나눗셈을 맞게 계산했는지 확인하려면 □와/과 □의 곱에 □을/를 더했을 때 □이/가 되는지 알아봅니다.

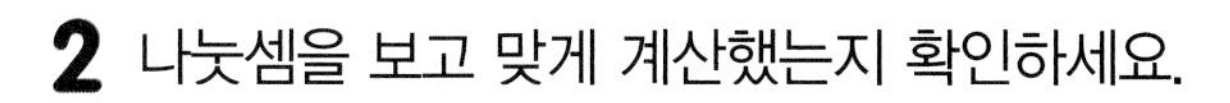

2 나눗셈을 보고 맞게 계산했는지 확인하세요.

$19 \div 4 = 4 \cdots 3$

확인 $4 \times \square = \square$, $\square + 3 = 19$

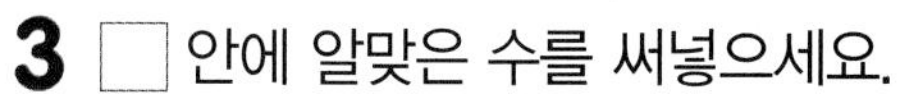

3 ☐ 안에 알맞은 수를 써넣으세요.

(1)

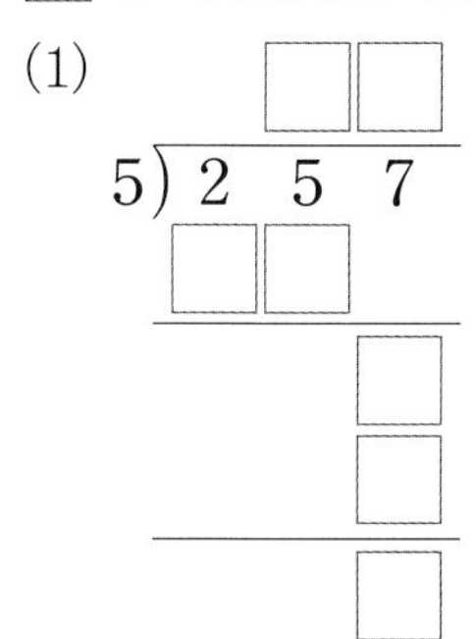

(2)

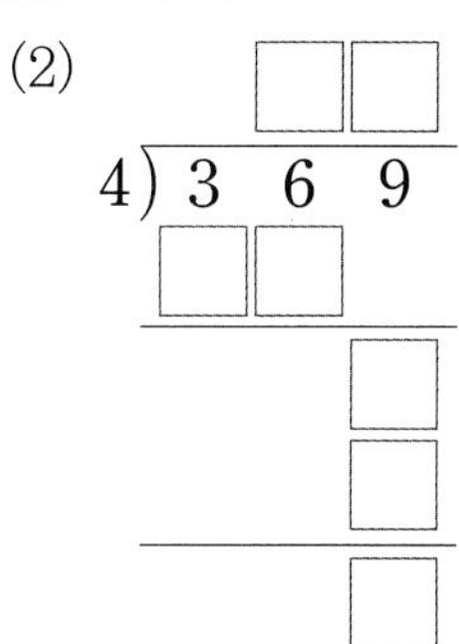

(3)

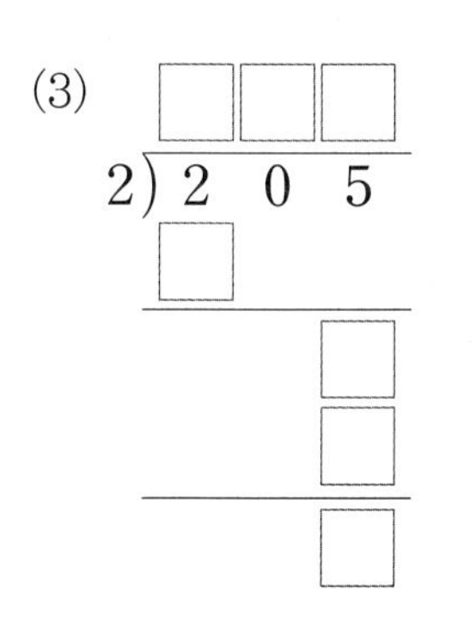

(4)

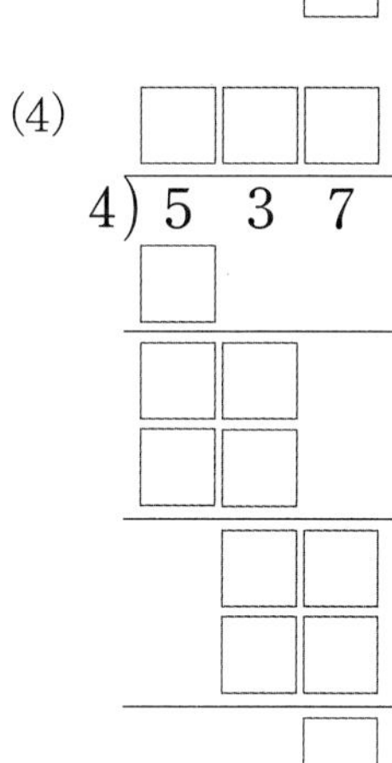

4 계산을 하세요.

(1) $409 \div 4 = \square \cdots \square$

(2) $603 \div 6 = \square \cdots \square$

5 계산을 하세요.

(1) $3\overline{)130}$

(2) $5\overline{)248}$

6 나눗셈을 하고 맞게 계산했는지 확인하세요.

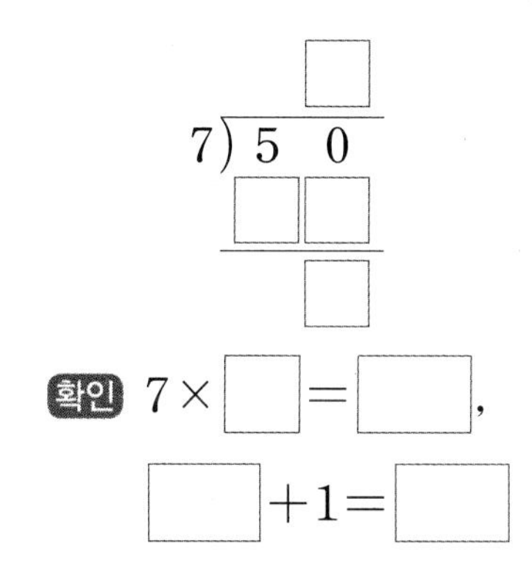

확인 $7 \times \square = \square$,

$\square + 1 = \square$

7 나눗셈의 나머지가 더 큰 것에 ○표 하세요.

$358 \div 3$	$654 \div 5$
(　　　)	(　　　)

8 ☐ 안에 나눗셈의 몫을, ○ 안에 나머지를 써넣으세요.

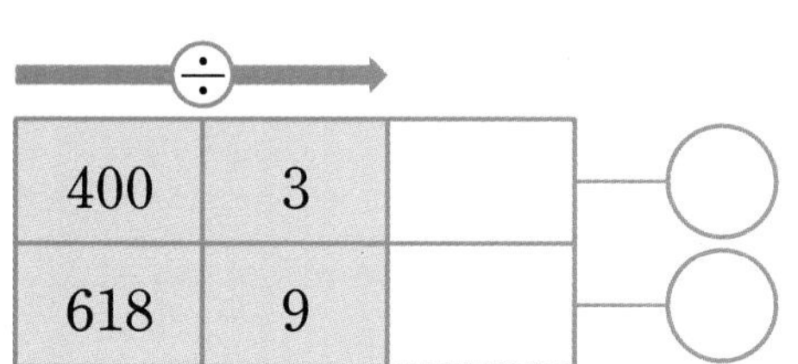

2 단원

10종

교과 유형 익힘

(세 자리 수)÷(한 자리 수), 맞게 계산했는지 확인하기

01 큰 수를 작은 수로 나눈 몫을 빈칸에 써넣으세요.

(1)

5	650

(2)

434	7

02 나눗셈을 하고 맞게 계산했는지 확인하세요.

$4\overline{)7\ 3}$

몫 ______ 나머지 ______

확인 ______

03 관계있는 것끼리 이으세요.

$55\div3$ •		• $3\times18=54$, $54+1=55$
$49\div5$ •		• $8\times8=64$, $64+2=66$
$66\div8$ •		• $5\times9=45$, $45+4=49$

04 몫의 크기를 비교하여 ○ 안에 >, =, <를 알맞게 써넣으세요.

$738\div3$ ○ $492\div2$

05 몫이 가장 작은 것을 찾아 기호를 쓰세요.

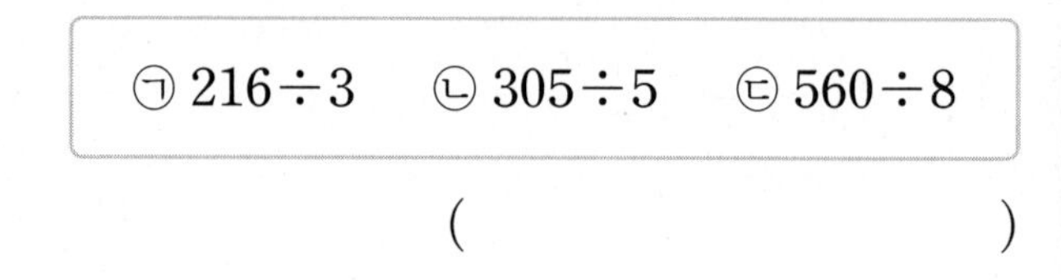

㉠ $216\div3$ ㉡ $305\div5$ ㉢ $560\div8$

( )

06 계산이 잘못된 곳을 찾아 바르게 계산하세요.

```
     1 9 8
  2) 5 7 6
     2
     ─────
     3 7
     1 8
     ─────
     1 9 6
       1 6
     ─────
     1 8 0
```

⇨ [ ]

07 두 나눗셈의 몫의 차를 구하세요.

$720\div8$ $625\div5$

( )

08 색연필 875자루를 7개의 반에 똑같이 나누어 주려고 합니다. 한 반에 색연필을 몇 자루씩 나누어 줄 수 있는지 나눗셈식을 쓰고 답을 구하세요.

식 ______________________

답 ______________________

09 어떤 수를 9로 나누었더니 몫이 13이고 나머지가 6이었습니다. 어떤 수는 얼마인지 구하세요.

( )

서술형 문제

10 고무찰흙이 5개씩 32묶음 있습니다. 이 고무찰흙을 4명에게 똑같이 나누어 주려고 합니다. 한 명에게 고무찰흙을 몇 개씩 나누어 줄 수 있는지 풀이 과정을 쓰고 답을 구하세요.

풀이 ______________________

____

____

답 ______________________

11 문제 해결

사과 167개를 5상자에 똑같이 나누어 담으려고 합니다. 한 상자에 사과를 몇 개씩 담을 수 있고 몇 개가 남는지 나눗셈식을 쓰고 답을 구하세요.

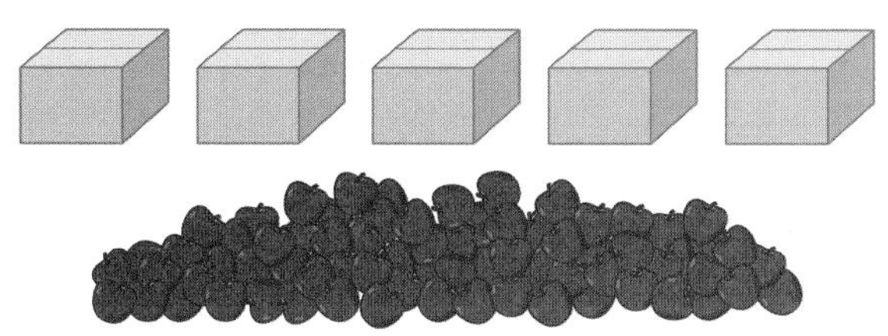

식 ______________________

답 한 상자에 [ ]개씩 담을 수 있고, [ ]개가 남습니다.

12 창의 융합

나머지가 2인 나눗셈이 쓰인 길을 따라 미로를 탈출하는 길을 그리세요.

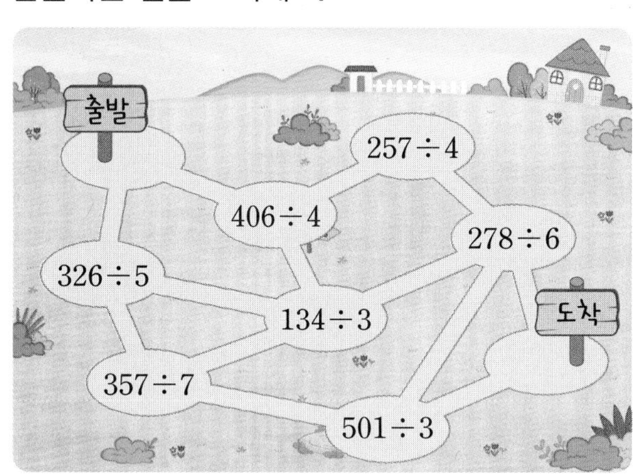

13 추론

(몇십몇)÷(몇)을 계산하고 계산이 맞는지 확인한 식이 보기 와 같습니다. 계산한 나눗셈식을 쓰고 몫과 나머지를 구하세요.

보기

$3\times 26=78,\ 78+1=79$

식 ______________________

몫 ____________ 나머지 ____________

문제 해결 (잘 틀리는 문제)

유형1 나머지가 될 수 있는 수 찾기

1 어떤 수를 6으로 나누었을 때 나머지가 될 수 없는 수에 ○표 하세요.

0	2	4	5	6

Solution 나눗셈에서 나머지는 항상 나누는 수보다 작아야 합니다. ⇨ (나머지)<(나누는 수)

1-1 어떤 수를 5로 나누었을 때 나머지가 될 수 있는 수를 모두 찾아 쓰세요.

1	2	4	5	8

( )

1-2 다음 나눗셈에서 나올 수 있는 나머지 중 가장 큰 수를 구하세요.

$\square \div 9$

( )

1-3 나머지가 7이 될 수 없는 식을 모두 고르세요. .... ( )

① $\square \div 9$ ② $\square \div 8$

③ $\square \div 7$ ④ $\square \div 3$

⑤ $\square \div 10$

유형2 계산이 잘못된 곳 찾기

2 계산이 잘못된 곳을 찾아 바르게 고치세요.

$$\begin{array}{r} 11 \\ 5\overline{)67} \\ 5 \\ \hline 7 \\ 5 \\ \hline 2 \end{array}$$ ⇨

Solution 나눗셈식에서 틀린 부분을 찾을 때는 나눗셈의 몫부터 다시 계산을 해 보면 쉽게 알 수 있습니다.

2-1 계산이 잘못된 곳을 찾아 바르게 고치세요.

$$\begin{array}{r} 9 \\ 6\overline{)84} \\ 54 \\ \hline 30 \end{array}$$ ⇨

2-2 계산이 잘못된 곳을 찾아 바르게 고치세요.

$$\begin{array}{r} 11 \\ 7\overline{)88} \\ 7 \\ \hline 18 \\ 7 \\ \hline 11 \end{array}$$ ⇨

유형3 나누어떨어질 때 나누어지는 수 구하기

3 다음 나눗셈이 나누어떨어질 때 ★에 알맞은 수를 모두 구하세요.

6★÷6

(　　　　　　　　)

Solution 나머지가 0일 때의 나눗셈식을 곱셈식으로 나타내어 찾아봅니다.

3-1 다음 나눗셈이 나누어떨어질 때 ★에 알맞은 수를 구하려고 합니다. 물음에 답하세요.

8★÷7

(1) 몫을 □로 놓고 곱셈식을 만드세요.

(2) 7과 곱해서 곱의 십의 자리 숫자가 8이 되는 곱셈식을 쓰세요.

(3) ★에 알맞은 수를 구하세요.

(　　　　　　　　)

3-2 다음 나눗셈이 나누어떨어질 때 ★에 알맞은 수를 모두 구하세요.

7★÷6

(　　　　　　　　)

유형4 확인하는 식으로 나누어지는 수 구하기

4 어떤 수를 4로 나누었더니 몫이 18, 나머지가 2가 되었습니다. 어떤 수는 얼마일까요?

(　　　　　　　　)

Solution (어떤 수)÷(나누는 수)=(몫)···(나머지)
나누는 수와 몫의 곱에 나머지를 더하면 어떤 수를 구할 수 있습니다.

4-1 어떤 수를 9로 나누었더니 몫이 12, 나머지가 3이었습니다. 어떤 수는 얼마일까요?

(　　　　　　　　)

4-2 □ 안에 들어갈 수 있는 수 중에서 가장 작은 수를 구하세요. (단, ▲는 0이 아닙니다.)

□÷6=8···▲

(　　　　　　　　)

4-3 □ 안에 들어갈 수 있는 수 중에서 가장 큰 수를 구하세요.

□÷3=26···★

(　　　　　　　　)

2 단원

문제 해결 (서술형 문제)

유형5

❶ 문제 해결 Key
나눗셈식으로 나타내고 몫과 나머지를 찾아봅니다.

5 ❶학생 63명이 운동장에서 짝 짓기 놀이를 하고 있습니다. 8명씩 짝 짓기를 한다면 ❷짝을 짓지 못한 학생은 몇 명인지 풀이 과정을 보고 □ 안에 알맞은 수를 써넣어 답을 구하세요.

8명씩 짝을 지으세요.
한 명이 부족한데.

문제 해결 전략
❶ 나눗셈식 만들고 계산하기
❷ 짝을 짓지 못한 학생 수 구하기

풀이 ❶ 학생 63명이 8명씩 짝 짓는 것을 나눗셈식으로 나타내면
$63 \div \square = \square \cdots \square$입니다.
❷ 따라서 짝을 짓지 못한 학생은 □명입니다.

답 ____________

5-1 연습 문제

학생 85명이 운동장에서 짝 짓기 놀이를 하고 있습니다. 6명씩 짝 짓기를 한다면 짝을 짓지 못한 학생은 몇 명인지 풀이 과정을 쓰고 답을 구하세요.

풀이
❶ 나눗셈식 만들고 계산하기

❷ 짝을 짓지 못한 학생 수 구하기

답 ____________

5-2 실전 문제

건전지 75개를 상자에 똑같은 개수씩 담았습니다. 한 상자에 담은 건전지가 4개일 때 남은 건전지는 몇 개인지 풀이 과정을 쓰고 답을 구하세요.

풀이

답 ____________

유형6

문제 해결 Key
잘못 계산한 식에서 어떤 수를 구합니다.

6
어떤 수를 3으로 나눠야 할 것을 잘못하여 어떤 수에 3을 곱했더니 69였습니다. 바르게 계산한 몫과 나머지는 각각 얼마인지 풀이 과정을 보고 □ 안에 알맞은 수를 써넣어 답을 구하세요.

문제 해결 전략
❶ 잘못 계산한 식 쓰기
❷ 어떤 수 구하기
❸ 바르게 계산하기

풀이 ❶ 잘못 계산한 식은 (어떤 수)×□=□입니다.
❷ 나눗셈식으로 나타내면 □÷□=(어떤 수)이므로 어떤 수는 □입니다.
❸ 바르게 계산한 식은 □÷3=□ ··· □이므로 몫은 □, 나머지는 □입니다.

답 몫: , 나머지:

6-1 연습 문제
어떤 수를 6으로 나눠야 할 것을 잘못하여 어떤 수에 6을 곱했더니 78이었습니다. 바르게 계산한 몫과 나머지는 각각 얼마인지 풀이 과정을 쓰고 답을 구하세요.

풀이
❶ 잘못 계산한 식 쓰기

❷ 어떤 수 구하기

❸ 바르게 계산하기

답 몫: , 나머지:

6-2 실전 문제
어떤 수를 4로 나눠야 할 것을 잘못하여 어떤 수에 4를 곱했더니 164였습니다. 바르게 계산한 몫과 나머지는 각각 얼마인지 풀이 과정을 쓰고 답을 구하세요.

풀이

답 몫: , 나머지:

2 단원
진도 완료 체크

실력 UP 문제

01 5장의 수 카드 중에서 4장을 골라 만들 수 있는 (세 자리 수)÷(한 자리 수) 중 몫이 가장 크게 되는 나눗셈식을 쓰고, 몫을 구하세요.

2 3 4 6 8

나눗셈식 □□□÷□

몫 (　　　　　　　　)

02 준이가 하루에 4쪽씩 35일 동안 읽은 책을 다시 읽으려고 합니다. 하루에 9쪽씩 읽으면 모두 읽는 데 적어도 며칠이 걸릴까요?

(　　　　　　　　)

03 3장의 수 카드를 한 번씩 사용하여 만들 수 있는 (두 자리 수)÷(한 자리 수) 중 나머지가 가장 작게 되는 나눗셈식을 쓰고, 몫과 나머지를 구하세요.

7 5 9

나눗셈식 □□÷□

몫 (　　　　　　　　)

나머지 (　　　　　　　　)

04 사탕을 14명에게 6개씩 똑같이 나누어 주면 1개가 남습니다. 이 사탕을 5명에게 똑같이 나누어 주려면 한 사람에게 몇 개씩 주면 될까요?

(　　　　　　　　)

05 나눗셈에서 ㉠에 들어갈 수 있는 수를 모두 구하세요.

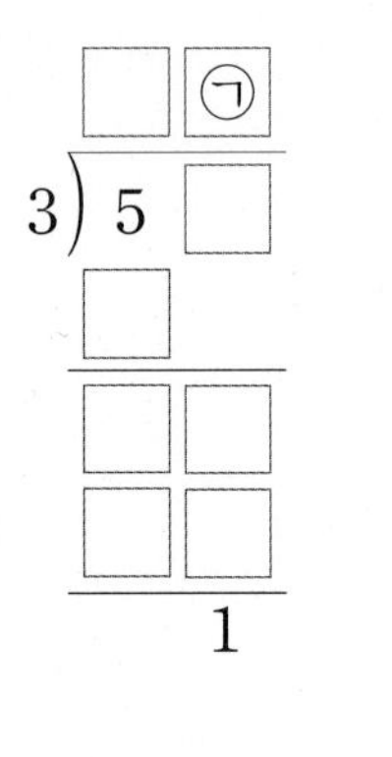

(　　　　　　　　)

06 나눗셈식에서 ㉠과 ㉡에 들어갈 수 있는 수 중 가장 작은 수를 각각 구하세요.

㉠÷㉡=12…4

㉠ (　　　　　　　　)

㉡ (　　　　　　　　)

서술형 문제

07 지민이는 240쪽인 동화책을 14쪽씩 12일 동안 읽고 나머지는 4일 동안 매일 같은 쪽수씩 나누어 모두 읽으려고 합니다. 나머지를 하루에 몇 쪽씩 읽어야 하는지 풀이 과정을 쓰고 답을 구하세요.

풀이 ______________________

____

____

____

답 ______________________

서술형 문제

08 나눗셈식 $\square \div 6 = 13 \cdots 3$에 알맞은 문제를 만들고 $\square$의 값을 구하는 풀이 과정을 쓰고 답을 구하세요.

문제 ______________________

____

풀이 ______________________

____

답 ______________________

09 어떤 수에 7을 곱해야 할 것을 잘못하여 7로 나누었더니 몫이 13이고 나머지가 2였습니다. 바르게 계산한 값을 구하세요.

(　　　　　　　　)

10 조건을 모두 만족하는 ★을 구하세요.

㉠ ★은 80보다 크고 90보다 작습니다.
㉡ ★을 6으로 나누면 나머지가 3입니다.
㉢ ★을 9로 나누면 나머지가 6입니다.

(　　　　　　　　)

11 80보다 큰 두 자리 수 중에서 8로 나누었을 때 나머지가 6인 수는 모두 몇 개일까요?

(　　　　　　　　)

2 단원

진도 완료 체크

01 수 모형을 보고 □ 안에 알맞은 수를 써넣으세요.

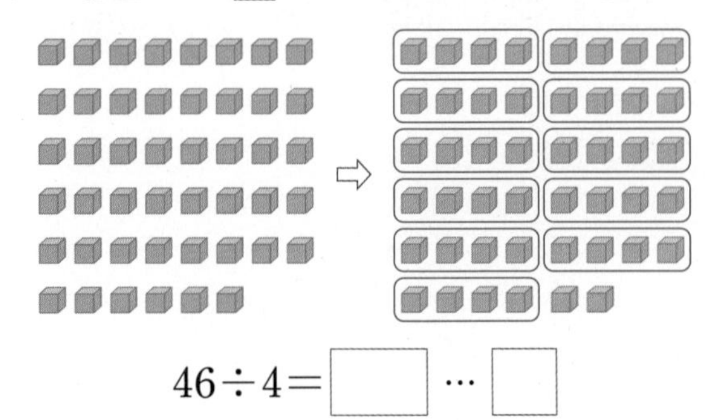

$46 \div 4 = \square \cdots \square$

02 나눗셈을 하세요.

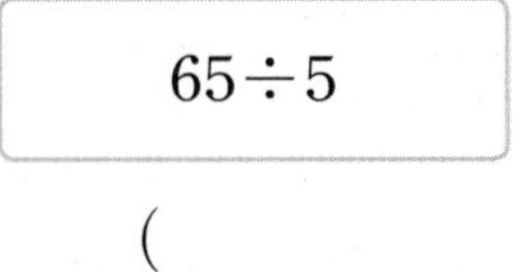

(　　　　　　　)

03 계산을 하세요.

(1) $480 \div 8$

(2) $185 \div 5$

04 몫의 크기를 바르게 비교한 것은 어느 것일까요? (　　　)

① $7 \div 7 = 70 \div 7$

② $55 \div 5 = 77 \div 7$

③ $93 \div 3 = 63 \div 3$

④ $48 \div 4 > 84 \div 4$

⑤ $42 \div 2 < 33 \div 3$

05 빈 곳에 알맞은 수를 써넣으세요.

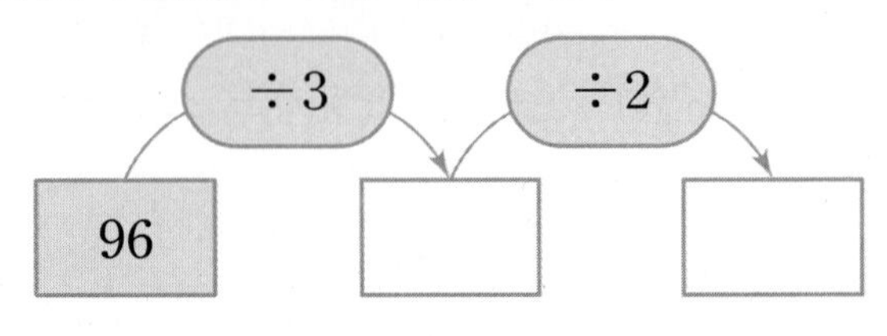

06 나머지가 큰 것부터 순서대로 기호를 쓰세요.

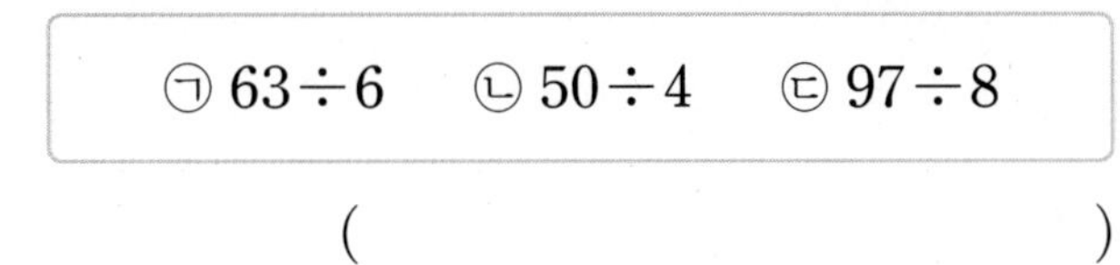

(　　　　　　　)

07 나눗셈의 몫에 알맞은 글자를 찾아 빈칸에 써넣으세요.

46÷2	24÷2	88÷8	88÷4

08 6으로 나누었을 때 나누어떨어지는 수를 찾아 기호를 쓰세요.

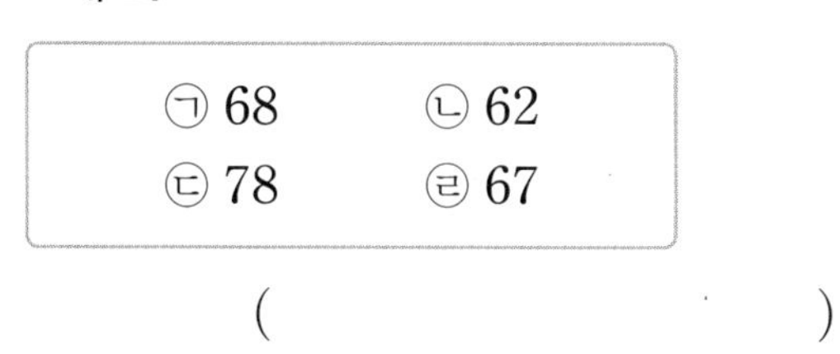

( )

09 약과 72개를 한 사람이 4개씩 먹으려고 합니다. 몇 명이 먹을 수 있을까요?

( )

10 4일 동안 같은 횟수만큼 운동장을 돌아서 모두 52바퀴를 돌았습니다. 하루에 운동장을 몇 바퀴씩 돈 것인지 나눗셈식을 쓰고 답을 구하세요.

식 ______________________

답 ______________________

11 정사각형의 네 변의 길이의 합은 80 cm입니다. 이 정사각형의 한 변의 길이는 몇 cm일까요?

( )

12 계산이 잘못된 곳을 찾아 바르게 고치세요.

$$\begin{array}{r} 185 \\ 4\overline{)745} \\ 4 \\ \hline 34 \\ 32 \\ \hline 25 \\ 20 \\ \hline 5 \end{array}$$

⇨

13 빨간 엽서 26장과 파란 엽서 34장이 있습니다. 이 엽서를 6명에게 색깔에 관계없이 똑같이 나누어 주려고 합니다. 한 명에게 엽서를 몇 장씩 나누어 줄 수 있을까요?

( )

14 사과 127개를 모두 상자에 담으려고 합니다. 한 상자에 8개까지 담을 수 있다면 상자는 적어도 몇 개가 필요할까요?

( )

15 연서의 동생은 태어난 지 100일이 되었습니다. 연서의 동생은 태어난 지 몇 주일 며칠이 되었는지 나눗셈식을 쓰고 답을 구하세요.

식 ______________________

답 ____________, ____________

16 48을 1부터 9까지의 수 중 어떤 수로 나누면 나누어떨어지는지 모두 쓰세요.

(　　　　　　　　　　)

17 장미가 한 묶음에 10송이씩 9묶음 있습니다. 이 장미를 한 사람에게 8송이씩 나누어 주면 몇 명에게 나누어 줄 수 있고, 몇 송이가 남을까요?

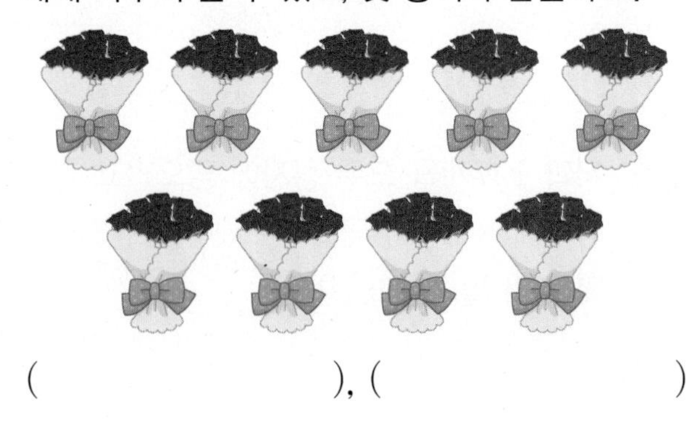

(　　　　　　), (　　　　　　)

18 65보다 크고 80보다 작은 수 중에서 5로 나누면 나머지가 2이고, 7로 나누면 나누어떨어지는 수를 구하세요.

(　　　　　　　　　　)

19 나눗셈의 나머지가 2일 때 □ 안에 알맞은 수를 모두 구하세요.

$6\overline{)6\square}$

(　　　　　　　　　　)

20 나눗셈에서 ㉠에 알맞은 숫자를 구하세요.

```
      2 ㉠
   ┌─────
 □ ) 7 □
     □
   ─────
     □ 7
     1 □
   ─────
       2
```

(　　　　　　　　　　)

문제 생성기

1~20번까지의 단원평가 유사 문제 제공

과정 중심 평가 문제

21 도훈이가 어떤 동화책을 매일 18쪽씩 7일 동안 다 읽었습니다. 이 동화책을 성하가 매일 6쪽씩 읽는다면 다 읽는 데 며칠이 걸리는지 알아보세요.

(1) 도훈이가 읽은 동화책은 모두 몇 쪽일까요?

( )

(2) 성하가 이 동화책을 다 읽으려면 며칠이 걸릴까요?

( )

과정 중심 평가 문제

22 쿠키를 15개씩 상자에 담았더니 7상자에 담고 1개가 남았습니다. 이 쿠키를 5명에게 똑같이 나누어 주려면 한 사람에게 몇 개씩 주면 되고, 남는 쿠키는 몇 개인지 알아보세요.

(1) 쿠키는 모두 몇 개일까요?

( )

(2) 5명에게 똑같이 나누어 주려면 한 사람에게 □개씩 주면 되고 남는 쿠키는 □개입니다.

과정 중심 평가 문제

23 나눗셈을 이용하여 90을 연속한 세 자연수의 합으로 나타내는 풀이 과정을 쓰고 답을 구하세요.

풀이

답

2 단원

진도 완료 체크

과정 중심 평가 문제

24 다음 색 도화지를 잘라서 가로 4 cm, 세로 6 cm인 직사각형 모양의 카드를 만들려고 합니다. 카드를 몇 장까지 만들 수 있는지 풀이 과정을 쓰고 답을 구하세요.

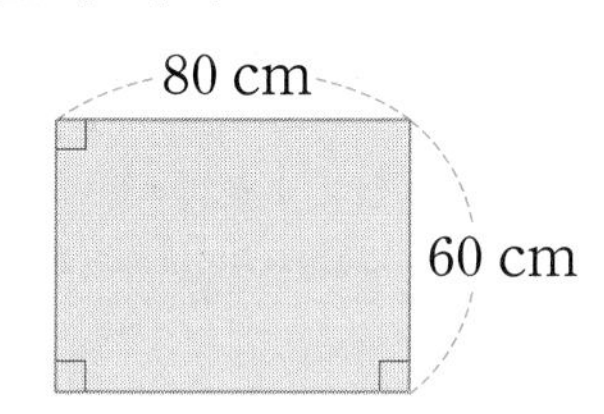

풀이

답

틀린 문제 저장! 출력!

원

웹툰으로 단원 미리보기 3화_ 세상의 중심에서 원을 그리다!

QR코드를 스캔하여 이어지는 내용을 확인하세요.

이전에 배운 내용

2-1 원

• 원: 그림과 같은 모양의 도형

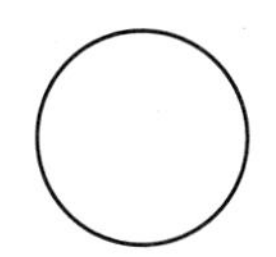 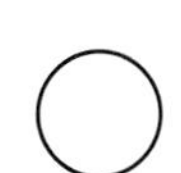 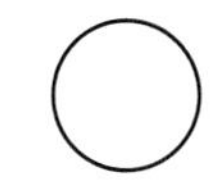

2-1 원을 그리는 방법

원 모양을 본떠 원을 그릴 수 있습니다.

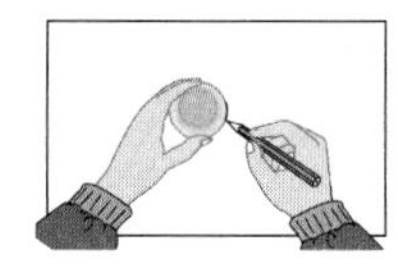 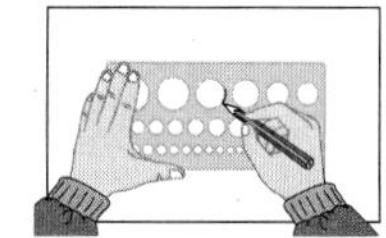

3-1 선분

• 선분: 두 점을 이은 곧은 선

• 점 ㄱ과 점 ㄴ을 이은 선분

⇨ 선분 ㄱㄴ 또는 선분 ㄴㄱ

ㄱ ㄴ

이 단원에서 배울 내용

① Step 교과 개념	원의 중심, 반지름
① Step 교과 개념	원의 지름, 지름과 반지름의 관계
② Step 교과 유형 익힘	
① Step 교과 개념	컴퍼스를 이용하여 원 그리기
① Step 교과 개념	원을 이용하여 여러 가지 모양 그리기
② Step 교과 유형 익힘	
③ Step 문제 해결	잘 틀리는 문제 서술형 문제
④ Step 실력 UP 문제	
단원 평가	

이 단원을 배우면 원의 중심, 반지름, 지름을 알고 원을 그릴 수 있어요.

교과 개념

개념1 원 그리기

• 점을 찍어 원 그리기

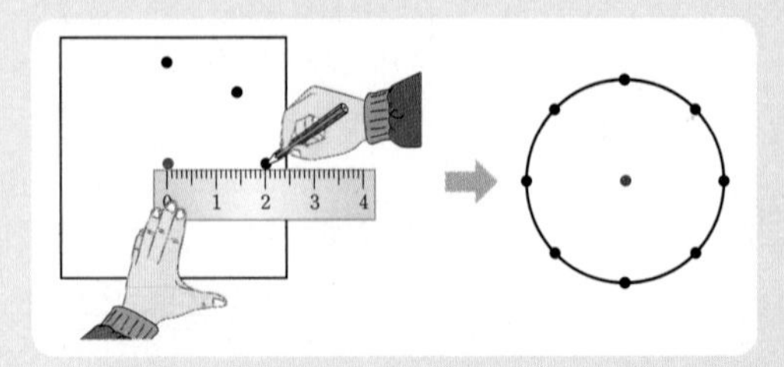

한 점에서 2 cm 떨어진 곳에 점을 찍은 후
이 점들을 연결하여 원을 그립니다.
➡ 점을 더 많이 찍을수록 원을 좀 더 정확하게
그릴 수 있습니다.

• 누름 못과 띠 종이를 이용하여 원 그리기

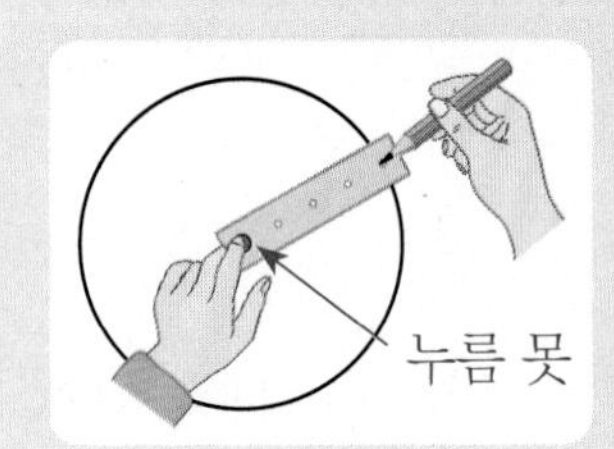

띠 종이의 한쪽 구멍에 누름 못을 꽂아 고정하고, 다른 구멍에
연필심을 꽂아 원을 그립니다.

누름 못이 꽂혔던 점은
원의 중심이에요.

개념2 원의 중심, 반지름

• **원의 중심**: 누름 못이 꽂혔던 점으로 **원의 가장 안쪽에 있는 점**
• 원의 **반지름**: **원의 중심과 원 위의 한 점을 이은 선분**

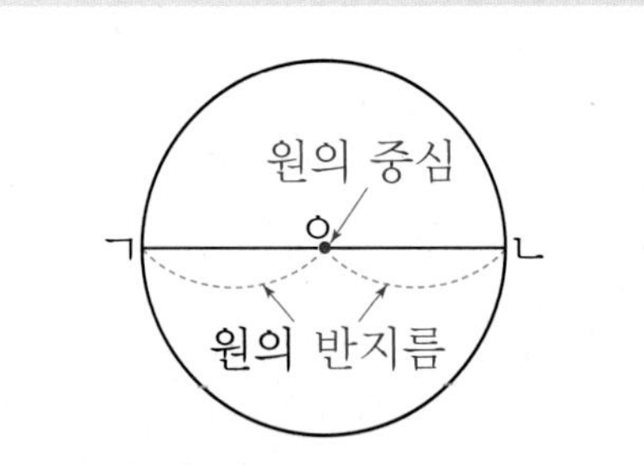

점 ㅇ ⇨ 원의 중심
선분 ㅇㄱ, 선분 ㅇㄴ ⇨ 원의 반지름

개념확인 1 그림을 보고 관계있는 것끼리 이으세요.

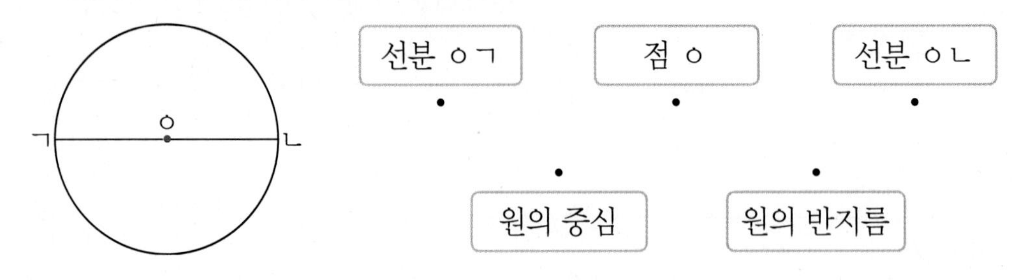

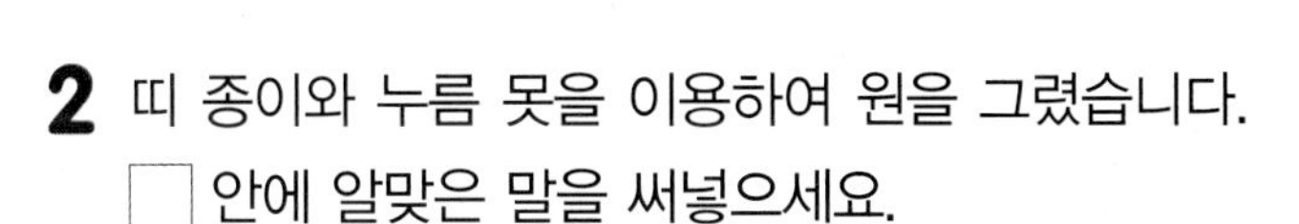

2 띠 종이와 누름 못을 이용하여 원을 그렸습니다. □ 안에 알맞은 말을 써넣으세요.

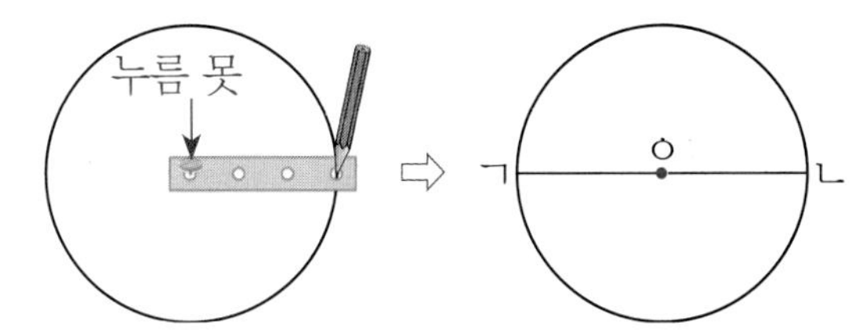

원을 그릴 때에 누름 못이 꽂혔던 점 ㅇ을 원의 □이라고 합니다.
누름 못이 꽂힌 점에서 원 위의 한 점까지의 길이는 모두 □.

3 □ 안에 알맞은 말을 써넣으세요.

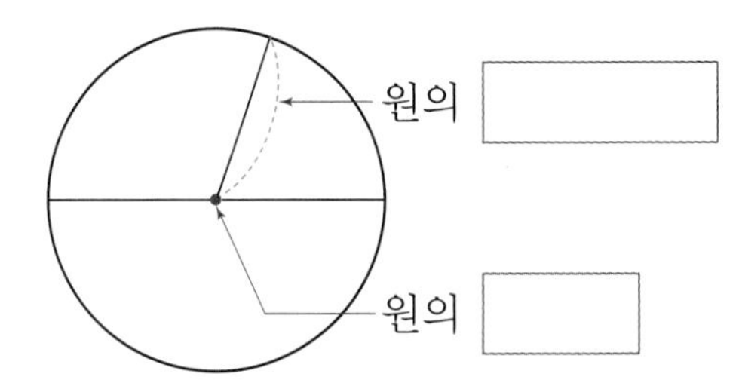

4 원의 중심을 찾아 표시하고 □ 안에 알맞은 수를 써넣으세요.

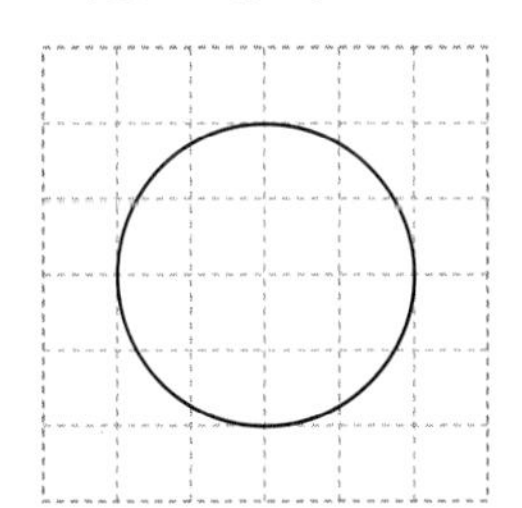

한 원에는 원의 중심이 □개 있습니다.

5 점 ㅇ이 원의 중심일 때, 원의 반지름을 찾아 쓰세요.

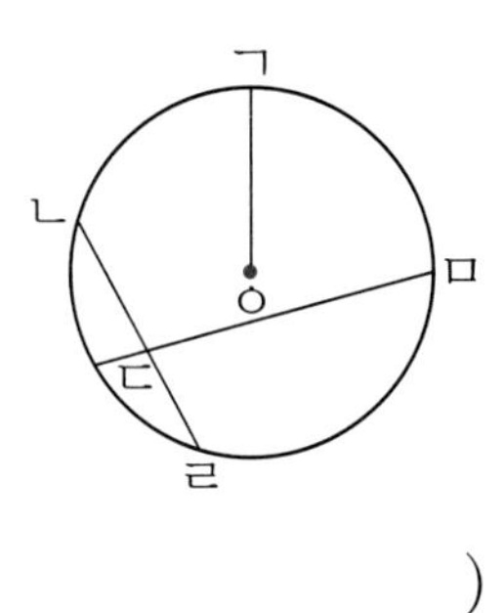

( )

6 자를 이용하여 가운데의 점에서 2 cm 떨어진 곳에 여러 개의 점을 찍어 원을 그리세요.

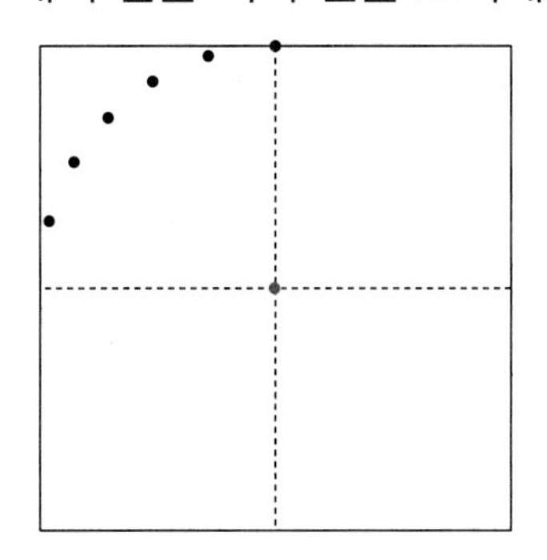

7 그림에서 원의 중심과 반지름을 찾아 표시하세요.

8 원에 반지름을 2개 긋고, 그 길이를 재어 보세요.

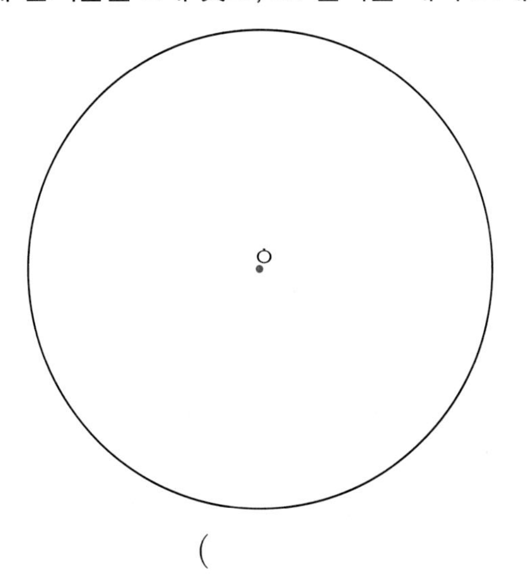

( )

3 단원

교과 개념

원의 지름, 지름과 반지름의 관계

개념1 원의 지름

- **원의 지름**: 원의 중심을 지나도록 원 위의 두 점을 이은 선분
- 원의 지름은 **원을 똑같이 둘로 나눕니다.**

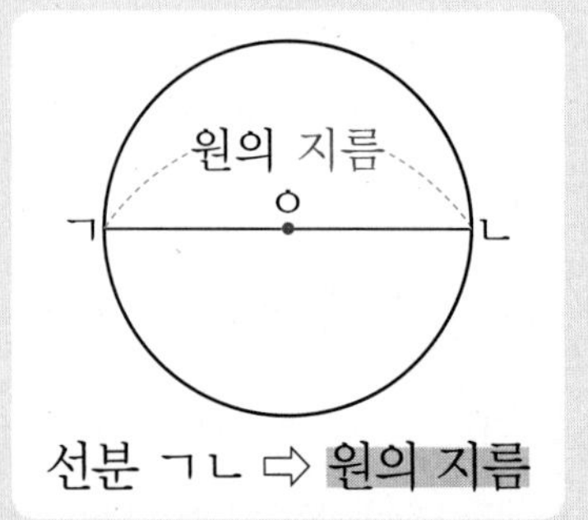

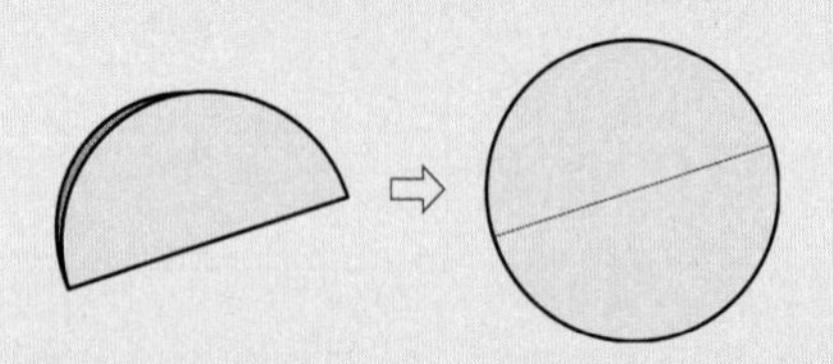

원 모양의 종이를 둘로 똑같이 나누어지도록 접으면 접혔던 선은 원의 지름입니다.

- 원의 지름은 **원 안에 그을 수 있는 가장 긴 선분**입니다.

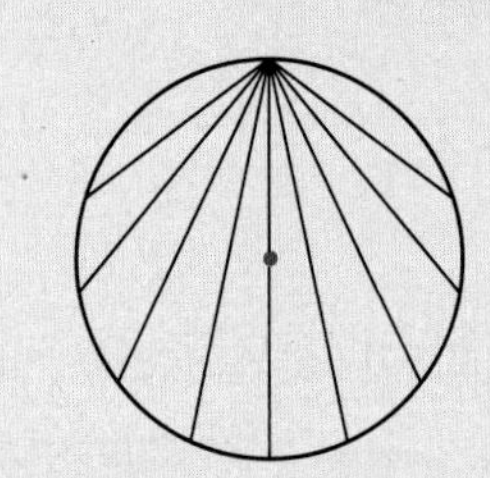

한 점에서 원 위의 여러 점을 잇는 선분을 그어 보면 원의 중심을 지나는 선분이 가장 깁니다.
(원의 중심을 지나는 선분 → 지름)

- 원의 중심을 지나는 선분은 **셀 수 없이 많이 그을 수 있습니다.**
(원의 중심을 지나는 선분 → 지름)

개념2 지름과 반지름의 관계

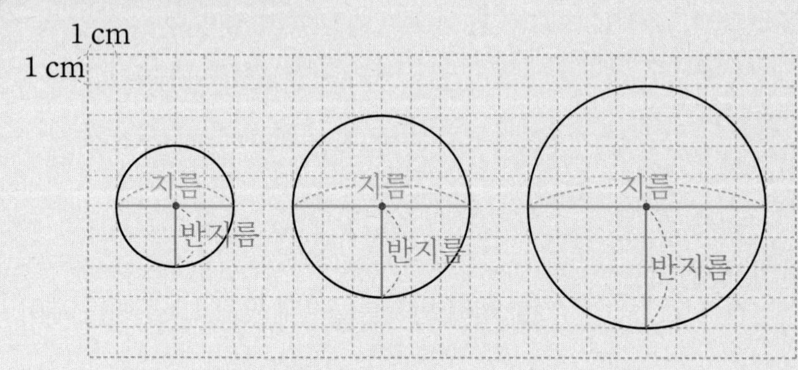

(원의 지름)
=(원의 반지름)+(원의 반지름)
=**(원의 반지름)×2**

(원의 반지름)
=**(원의 지름)÷2**

개념확인 1 그림을 보고 물음에 답하세요.

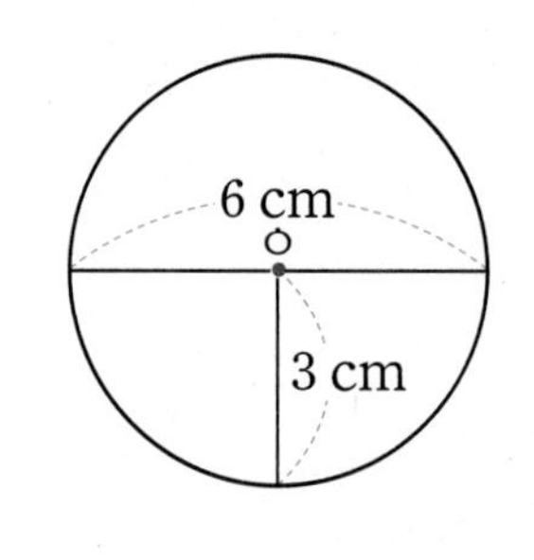

(1) 원의 지름과 반지름은 각각 몇 cm일까요?

원의 지름 (　　　　　　)
원의 반지름 (　　　　　　)

(2) 지름은 반지름의 몇 배일까요?

(　　　　　　)

2 그림을 보고 물음에 답하세요.

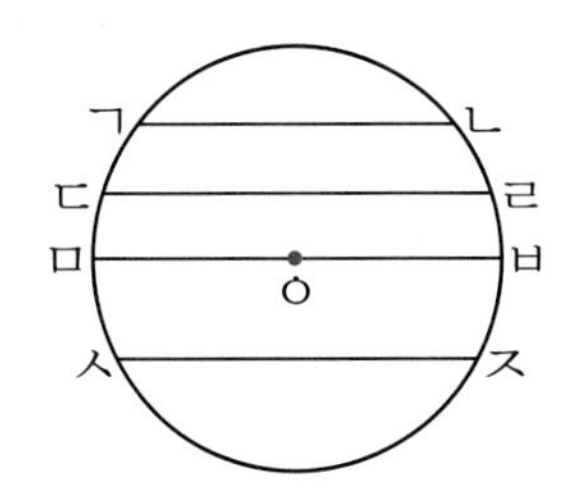

(1) 길이가 가장 긴 선분을 찾아 쓰세요.

( )

(2) 원의 지름은 어느 선분일까요?

( )

(3) □ 안에 알맞은 말을 써넣으세요.

원 안에 그을 수 있는 가장 긴 선분은 원의 □입니다.

3 그림을 보고 물음에 답하세요.

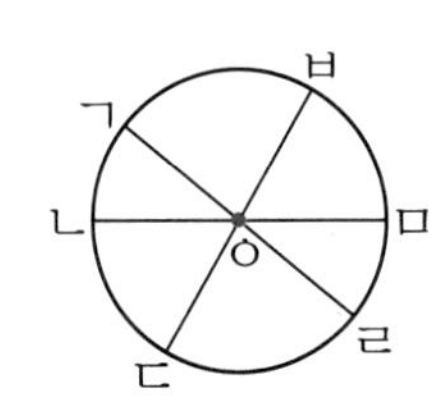

(1) 지름의 길이를 재어 몇 cm인지 쓰세요.

선분 ㄱㄹ	선분 ㄴㅁ	선분 ㄷㅂ

(2) 알맞은 말에 ○표 하세요.

한 원에서 원의 지름의 길이는 모두 (같습니다 , 다릅니다).

(3) 원의 지름과 반지름은 각각 몇 cm일까요?

원의 지름 ( )

원의 반지름 ( )

(4) 알맞은 말에 ○표 하세요.

한 원에서 반지름은 지름의 (반 , 2배 , 10배)입니다.

4 원에 지름을 2개 긋고, 그 길이를 재어 보세요.

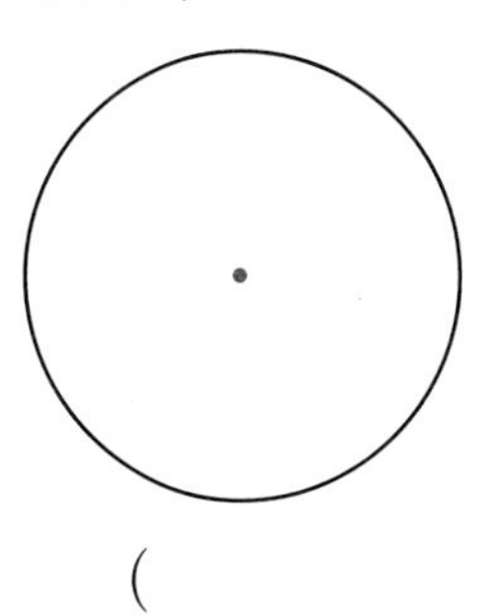

( )

5 원의 지름과 반지름 사이의 관계를 알아보려고 합니다. 물음에 답하세요.

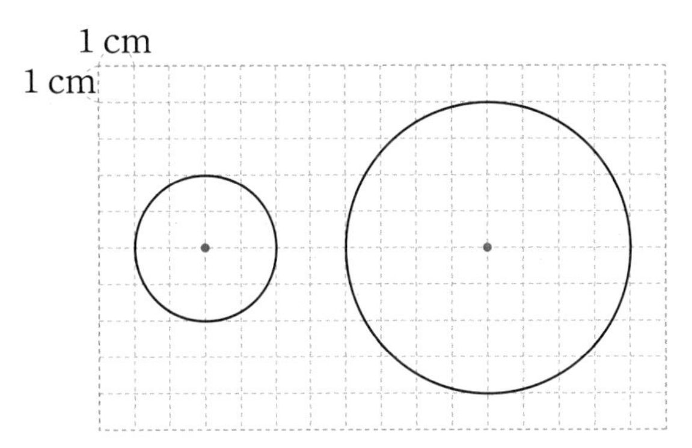

(1) 작은 원의 지름과 반지름은 각각 몇 cm일까요?

원의 지름 ( )

원의 반지름 ( )

(2) 큰 원의 지름과 반지름은 각각 몇 cm일까요?

원의 지름 ( )

원의 반지름 ( )

(3) 원의 지름은 반지름의 몇 배일까요?

( )

3 단원

진도 완료 체크

10종

교과 유형 익힘

원의 중심, 반지름
~원의 지름, 지름과 반지름의 관계

01 그림과 같이 띠 종이에 연필과 누름 못을 꽂고 원을 그리면 원의 중심이 되는 곳은 어디일까요? ································ (　　　)

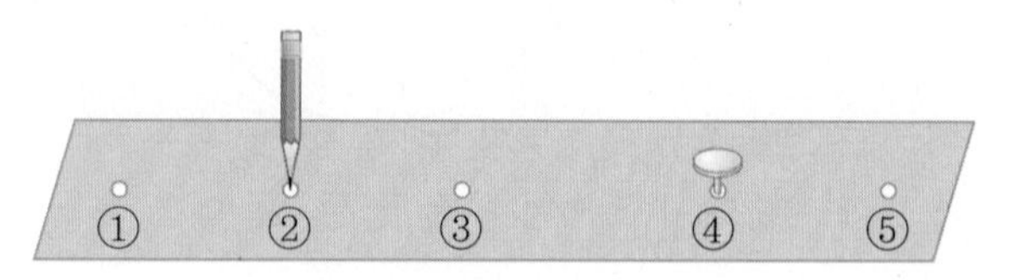

02 원의 반지름을 모두 찾아 쓰세요.

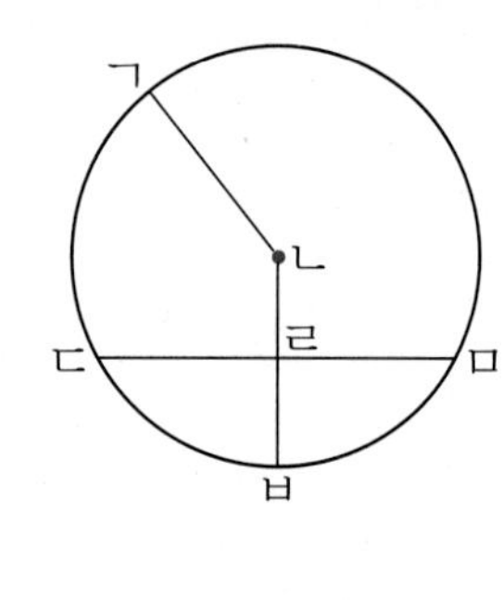

(　　　　　　　　　　　　)

03 원의 반지름에 대하여 바르게 설명한 것을 찾아 기호를 쓰세요.

> ㉠ 한 원에서 길이가 같은 반지름은 2개만 그을 수 있습니다.
> ㉡ 한 원에서 원의 반지름은 모두 같습니다.
> ㉢ 한 원에서 반지름은 3개까지 그을 수 있습니다.

(　　　　　　)

04 원의 반지름은 2 cm입니다. 자를 이용하여 원의 지름을 재어 보고 □ 안에 알맞은 수를 써넣으세요.

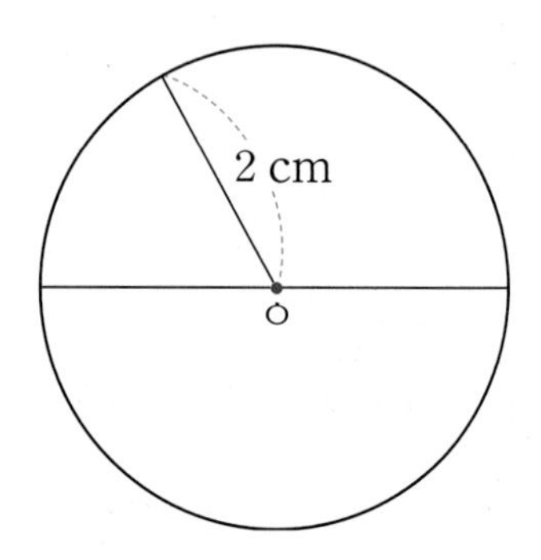

> 원의 지름은 □ cm로 반지름의 □배입니다.

05 □ 안에 알맞은 수를 써넣으세요.

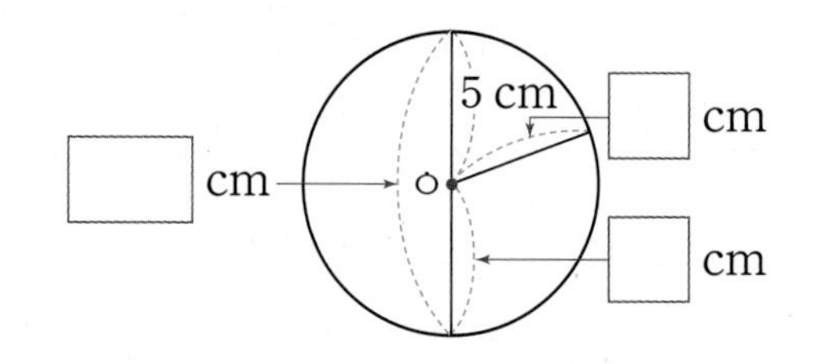

서술형 문제

06 원의 지름을 잘못 그은 것입니다. 그 까닭을 쓰세요.

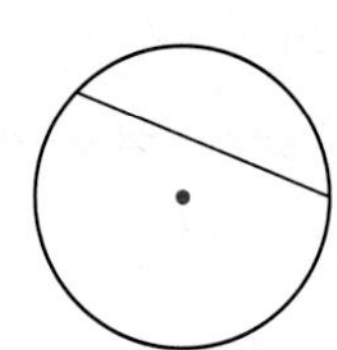

07 반지름이 10 cm인 원 모양 종이에 선분을 그으려고 합니다. 그을 수 있는 가장 긴 선분의 길이는 몇 cm일까요?

( )

08 지름을 나타내는 선분을 모두 찾아 길이를 재어 보고, 알 수 있는 점을 쓰세요.

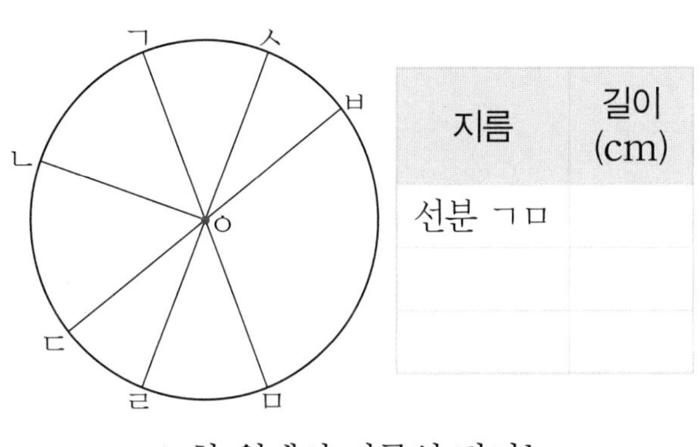

지름	길이 (cm)
선분 ㄱㅁ	

⇨ 한 원에서 지름의 길이는 모두 [ ].

09 원의 반지름은 몇 cm일까요?

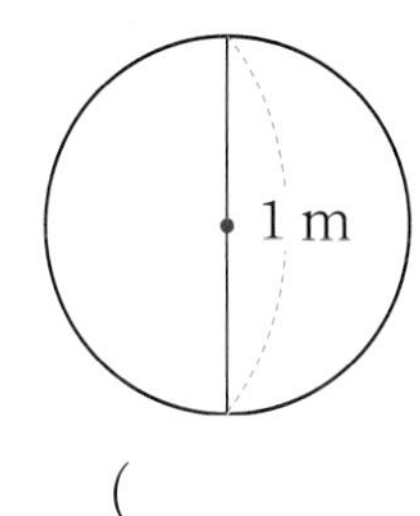

( )

10 상자 속에 크기가 다른 원 모양의 접시 3개가 들어 있습니다. 작은 접시부터 순서대로 기호를 쓰세요.

㉠ 반지름이 11 cm인 접시
㉡ 지름이 20 cm인 접시
㉢ 반지름이 15 cm인 접시

( )

11 창의 융합 거름종이를 이용하여 원의 성질을 알아보고 있습니다. 거름종이가 포개어지도록 반을 접었다가 폈더니 선이 생겼습니다. 다른 방향으로 한 번 더 반을 접었다가 폈습니다. 대화를 완성하세요.

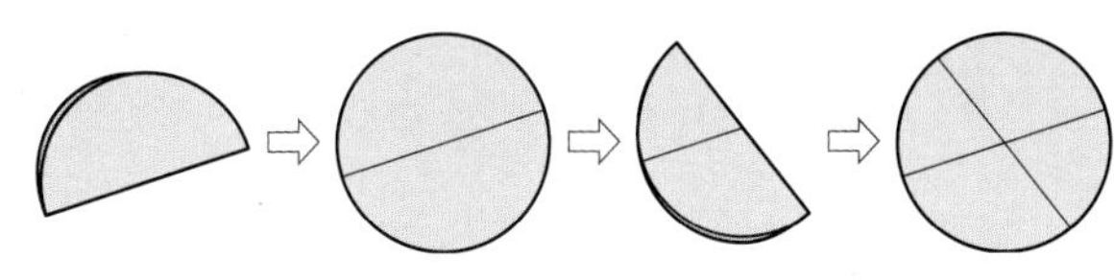

민호: 반을 접어 생긴 선분은 원의 [ ](이)라고 해.

주연: 두 선분이 만나는 점은 [ ]이지.

민호: 지름의 수는 (2개뿐이야, 무수히 많아, 10개쯤이야).

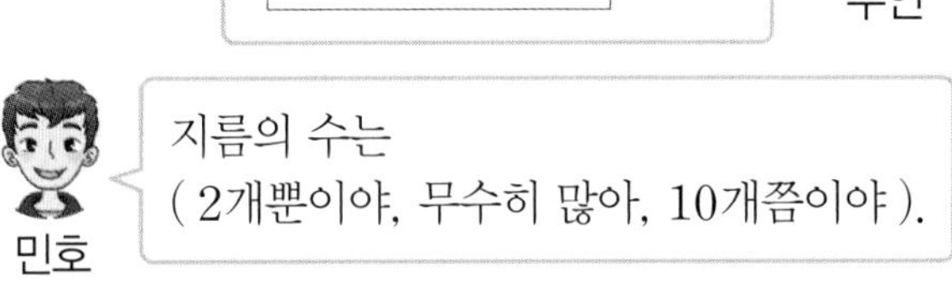

서술형 문제

12 추론 그림에서 가장 큰 원의 지름은 몇 cm인지 풀이 과정을 쓰고 답을 구하세요.

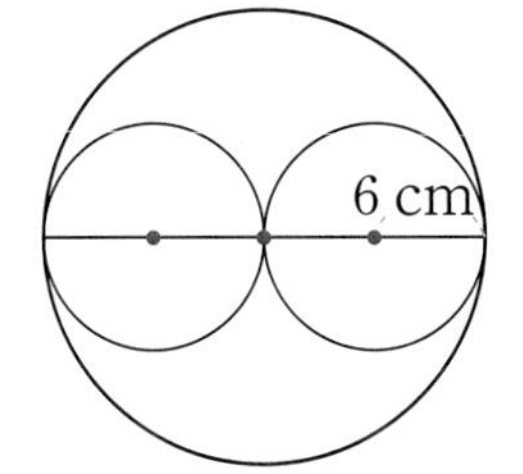

풀이 ______

답 ______

13 문제 해결 점 ㄱ, 점 ㄴ은 원의 중심입니다. 선분 ㄱㄷ의 길이를 구하세요.

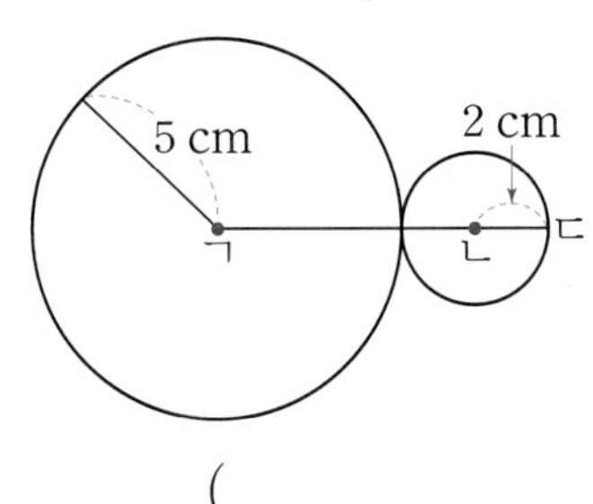

( )

3 단원 진도 완료 체크

Step 1 교과 개념

컴퍼스를 이용하여 원 그리기

개념1 컴퍼스를 이용하여 반지름이 2 cm인 원 그리기

1 **원의 중심**이 되는 **점 ㅇ**을 정합니다.

ㅇ

→

2 컴퍼스를 **원의 반지름**인 **2 cm만큼 벌립니다.**

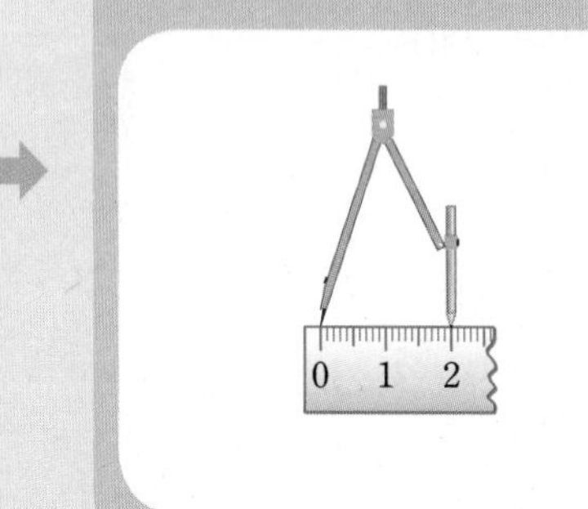

→

3 **컴퍼스의 침**을 **점 ㅇ**에 꽂고 원을 그립니다.

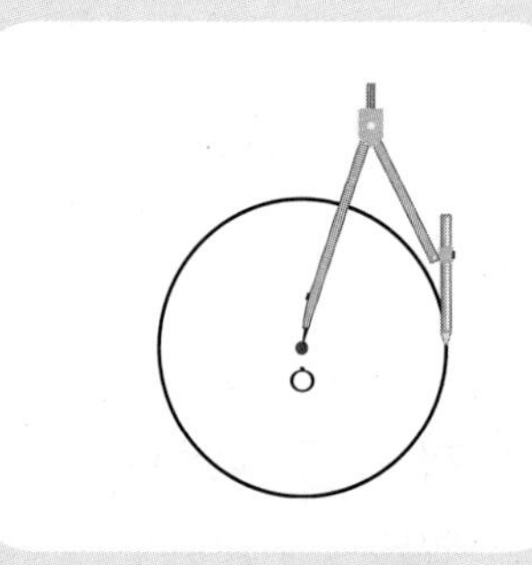

개념2 크기가 같은 원 그리기

1 **컴퍼스의 침**을 주어진 **원의 중심**에 꽂습니다.

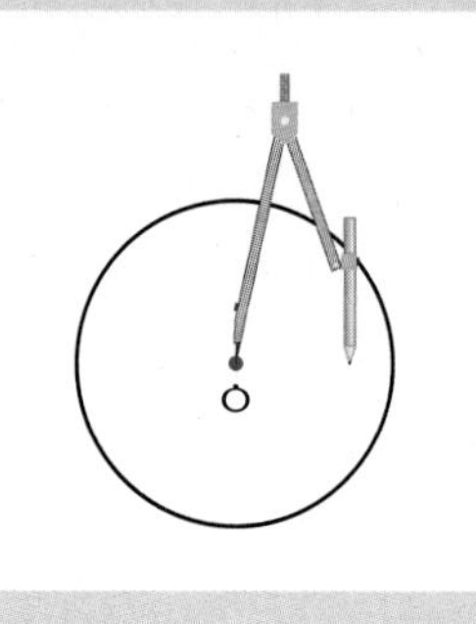

→

2 컴퍼스를 주어진 **원의 반지름만큼 벌립니다.**

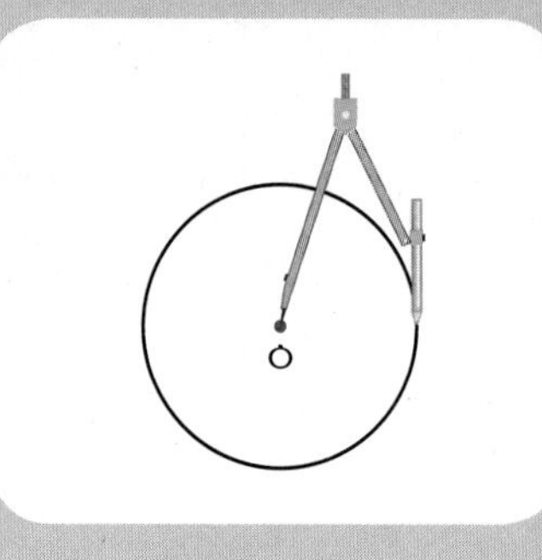

→

3 **컴퍼스를 그대로 옮겨서** 원의 중심을 정하여 원을 그립니다.

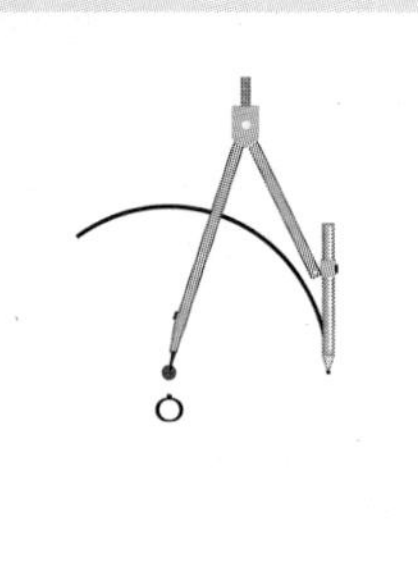

개념확인 1 반지름이 4 cm인 원을 그릴 수 있도록 컴퍼스를 바르게 벌린 것을 찾아 ○표 하세요.

0 1 2 3 4 ( )

0 1 2 3 4 ( )

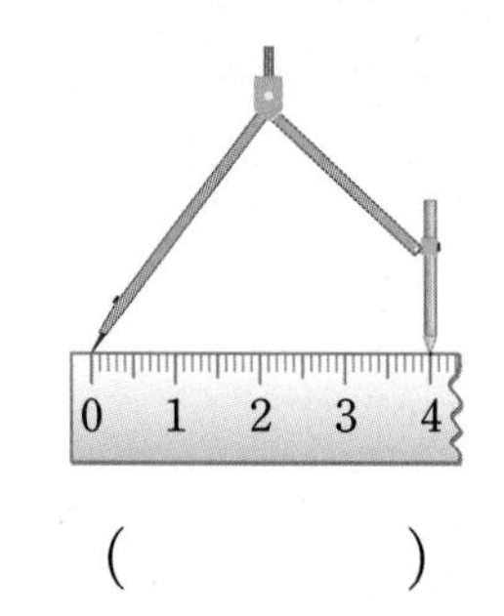

( )

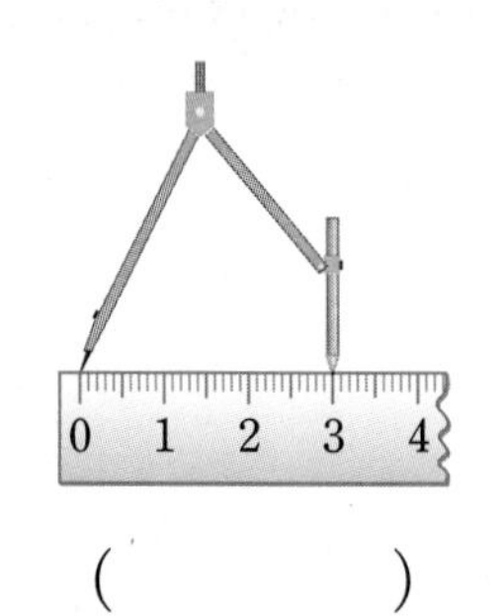

( )

2 컴퍼스를 이용하여 원을 완성하세요.

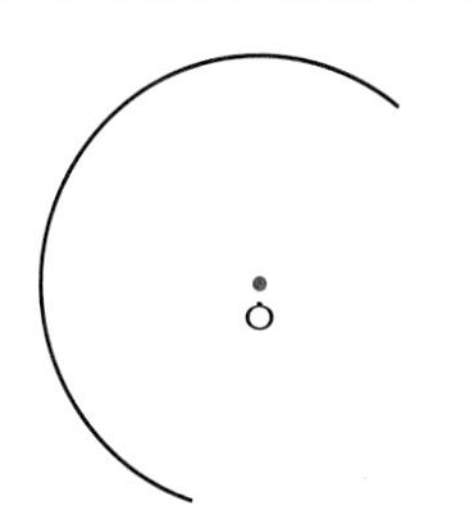

3 점 ㅇ을 원의 중심으로 하는 반지름이 3 cm인 원을 그리세요.

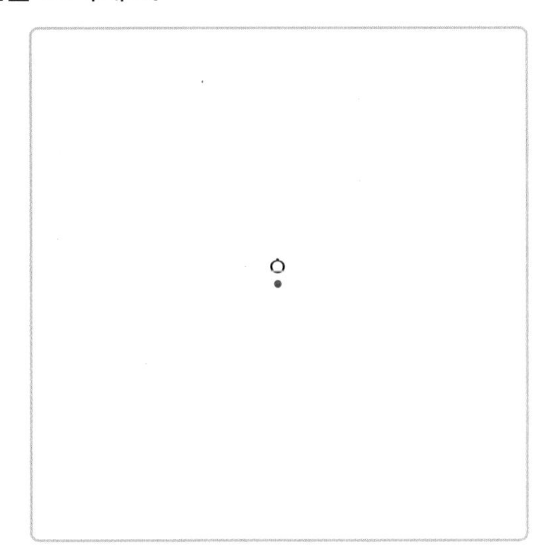

4 그림과 같이 컴퍼스를 벌려서 원을 그리면 그린 원의 지름은 몇 cm일까요?

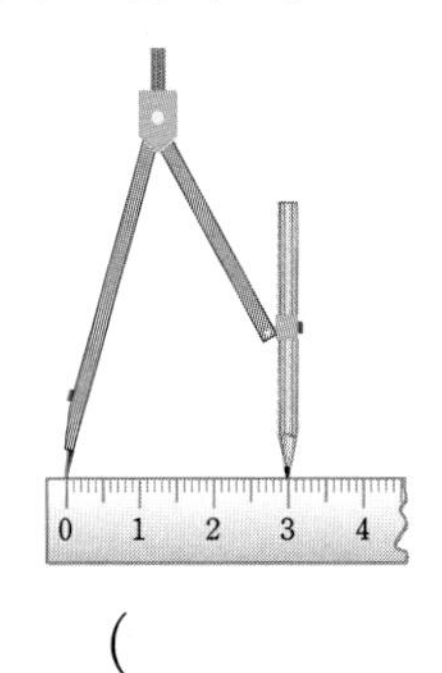

(   )

5 주어진 선분의 길이를 반지름으로 하는 원을 그리세요.

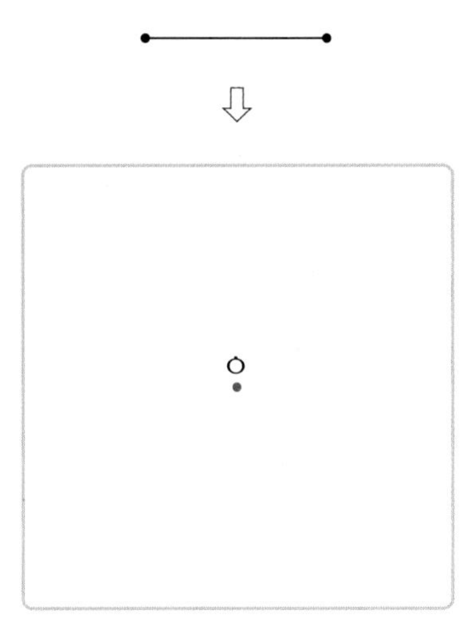

6 컴퍼스를 사용하여 크기가 같은 원을 2개 그리세요.

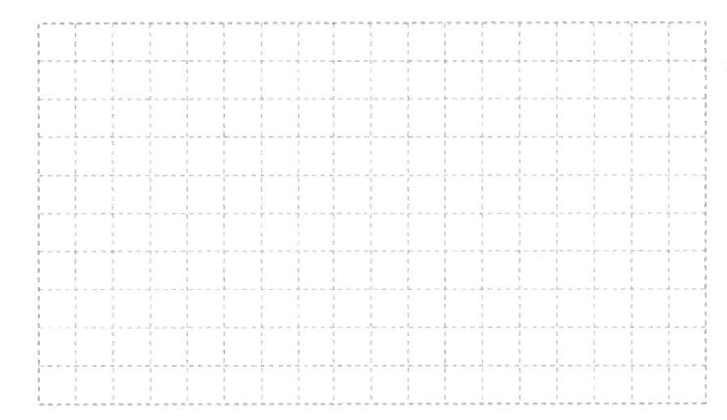

7 주어진 원과 크기가 같은 원을 그리세요.

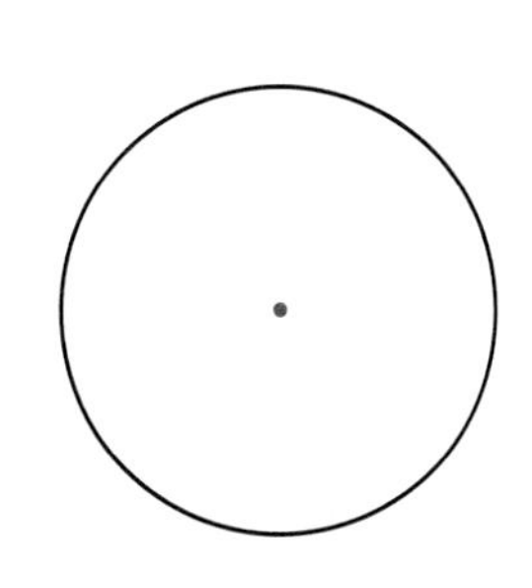

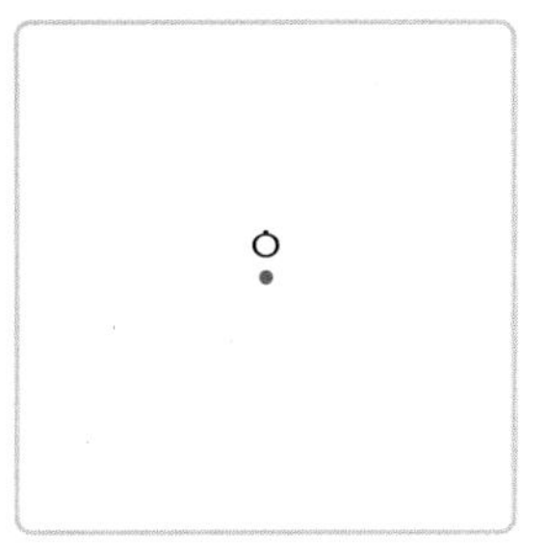

Step 1 교과 개념

원을 이용하여 여러 가지 모양 그리기

개념1 규칙을 찾아 원 그리기

• 원의 중심은 같고 **원의 반지름을 다르게** 하여 그리기

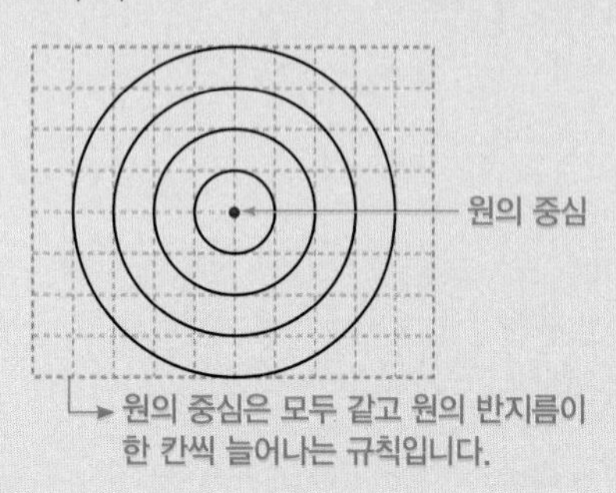

→ 원의 중심은 모두 같고 원의 반지름이 한 칸씩 늘어나는 규칙입니다.

• 원의 반지름은 변하지 않고 **원의 중심을 옮겨 가며** 그리기

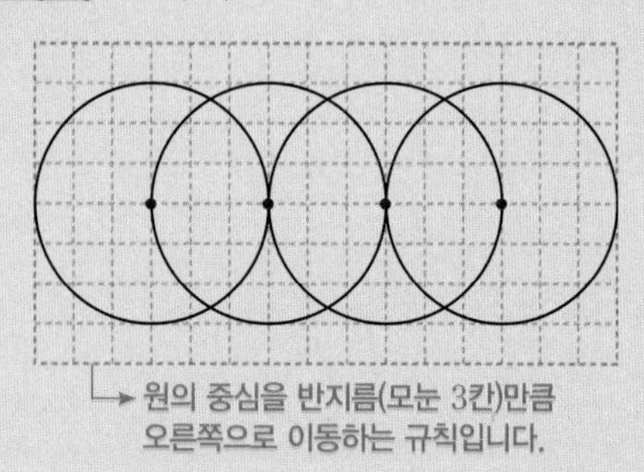

→ 원의 중심을 반지름(모눈 3칸)만큼 오른쪽으로 이동하는 규칙입니다.

개념2 주어진 모양과 똑같이 그리기

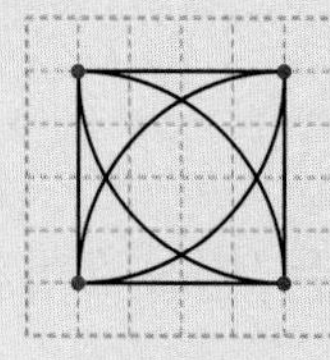

정사각형 1개와 정사각형의 꼭짓점을 원의 중심으로 하는 원의 일부분을 4개 그립니다.
이때 원의 반지름은 정사각형의 한 변과 같습니다.

어떤 원의 일부인지, 원의 중심이 어디 인지 생각해 보면 똑같이 그릴 수 있어.

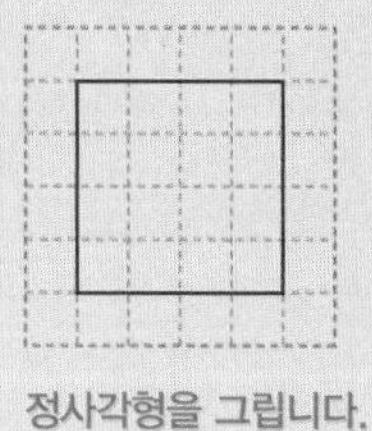

정사각형을 그립니다.

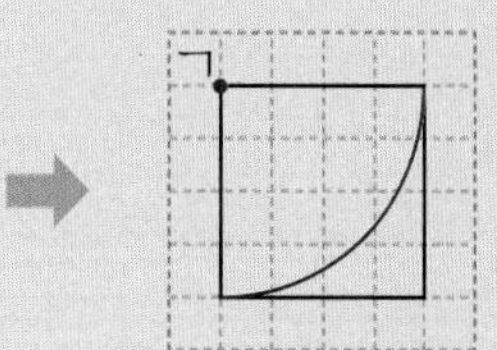

점 ㄱ을 원의 중심으로 하는 원의 일부분을 그립니다.

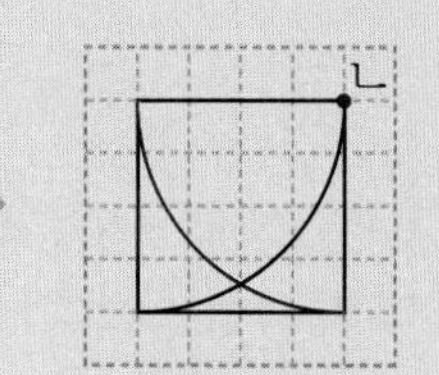

점 ㄴ을 원의 중심으로 하는 원의 일부분을 그립니다.

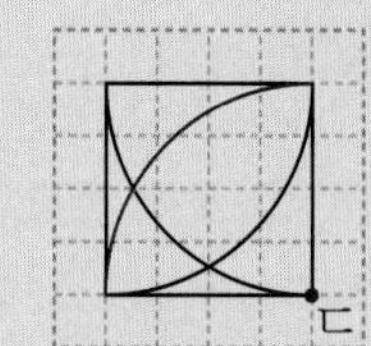

점 ㄷ을 원의 중심으로 하는 원의 일부분을 그립니다.

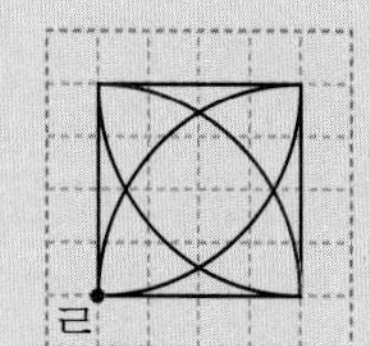

점 ㄹ을 원의 중심으로 하는 원의 일부분을 그립니다.

개념확인 1 규칙에 따라 원을 1개 더 그리세요.

(1)

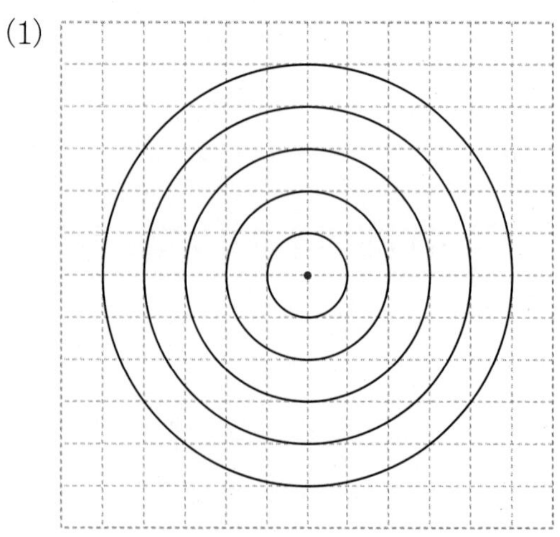

(2)

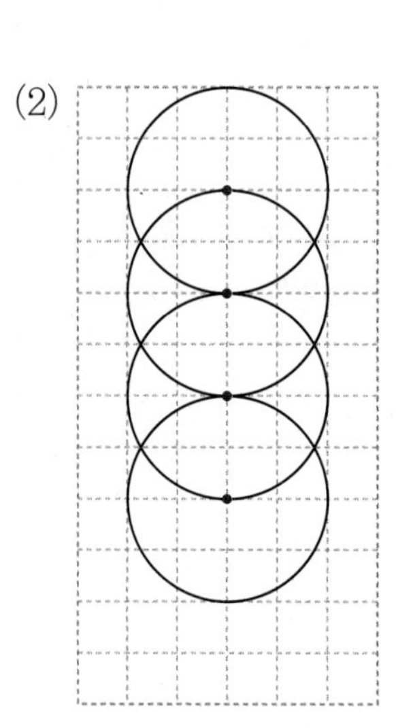

2 주어진 모양과 똑같이 그리려고 합니다. 물음에 답하세요.

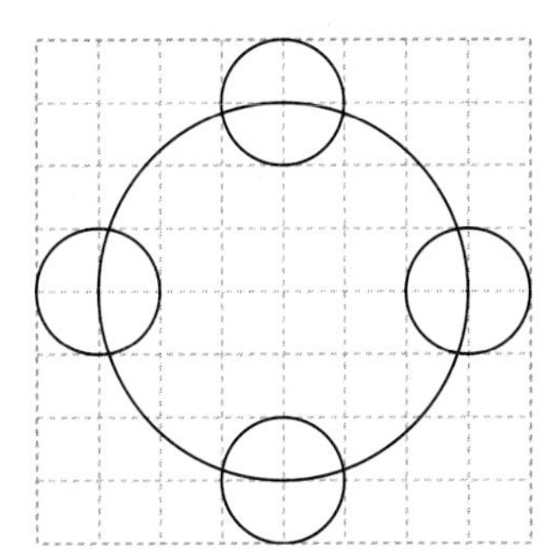

(1) 주어진 모양을 그릴 때 컴퍼스의 침이 꽂혔던 곳을 모두 찾아 표시하세요.

(2) 주어진 모양과 똑같이 그리세요.

3 그림을 보고 물음에 답하세요.

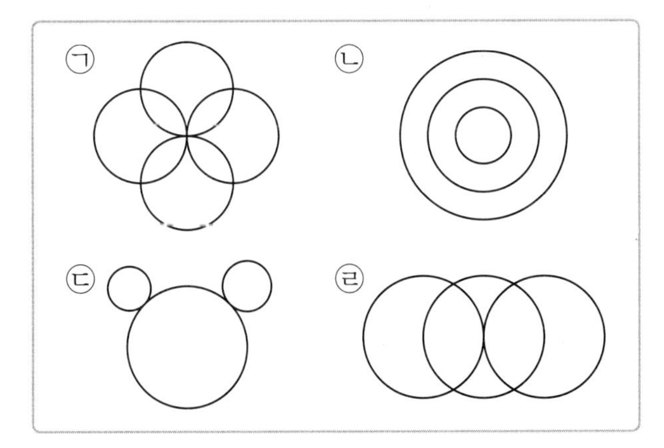

(1) 원의 반지름이 변하지 않고 원의 중심을 옮겨 가며 그린 모양을 모두 찾아 기호를 쓰세요.

( )

(2) 원의 중심을 옮기지 않고 원의 반지름을 다르게 하여 그린 모양을 찾아 기호를 쓰세요.

( )

4 규칙에 따라 원을 1개 더 그리고 □ 안에 알맞은 수를 써넣어 규칙을 설명하세요.

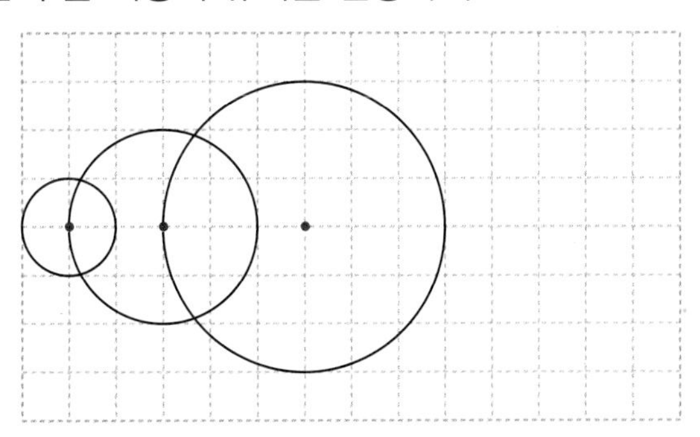

원의 반지름

모눈 1칸, 2칸, □칸, □칸으로 □칸씩 늘어났습니다.

원의 중심

오른쪽으로 모눈 2칸, 3칸, □칸만큼 이동하였습니다.

5 주어진 모양과 똑같이 그리세요.

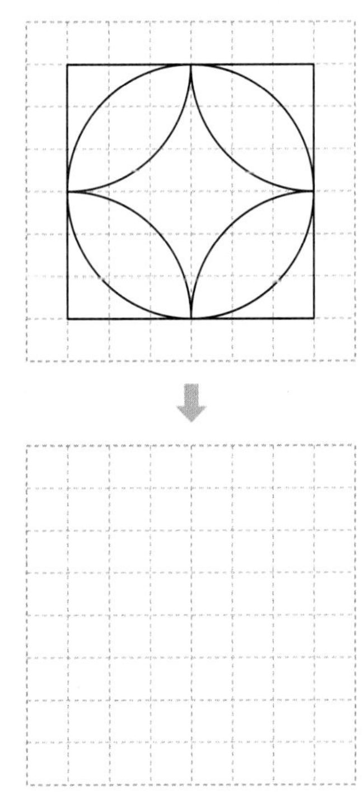

3 단원

10종

교과 유형 익힘

컴퍼스를 이용하여 원 그리기
~원을 이용하여 여러 가지 모양 그리기

01 주어진 원과 크기가 같은 원을 그리려고 합니다. 물음에 답하세요.

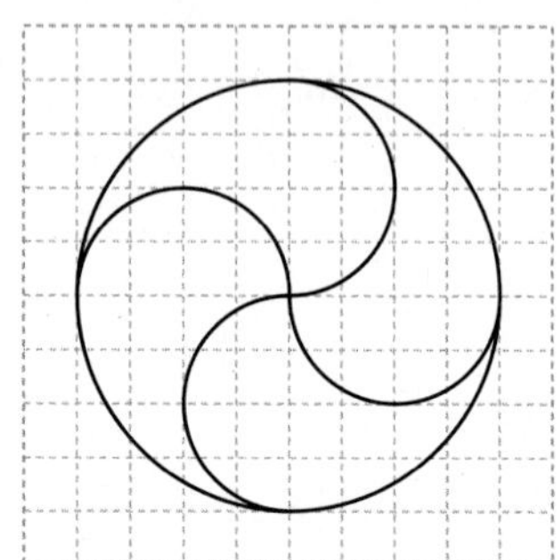

(1) 원의 반지름을 나타내고 길이를 재어 보세요.

( )

(2) 크기가 같은 원을 그리세요.

02 모눈종이 위에 점 ㅇ을 원의 중심으로 하고 크기가 다음과 같은 원을 그리세요.

반지름이 모눈 3칸인 원

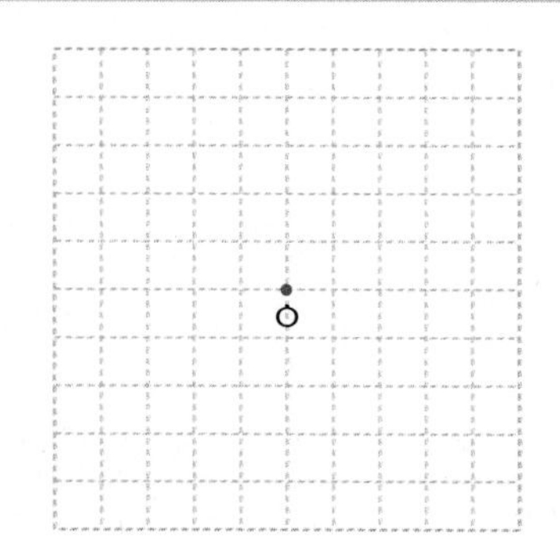

03 주어진 모양과 똑같이 그리기 위하여 컴퍼스의 침을 꽂아야 할 곳을 모두 찾아 표시하세요.

04 점 ㅇ을 원의 중심으로 하는 반지름이 1 cm, 3 cm인 원을 각각 그리세요.

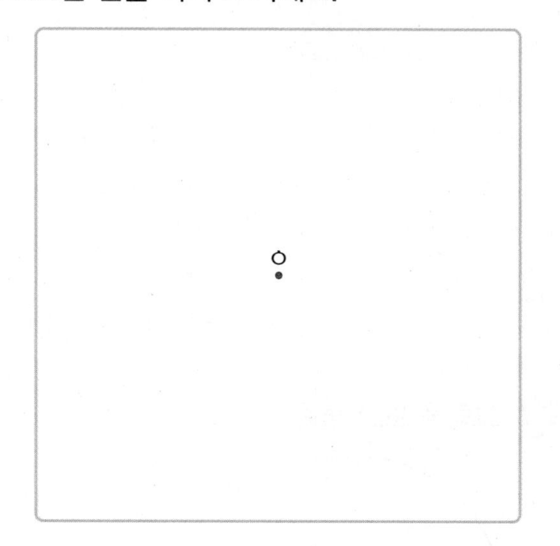

05 컴퍼스를 이용하여 다음 원을 그릴 때 컴퍼스의 침과 연필심 사이의 거리는 몇 cm로 해야 할까요?

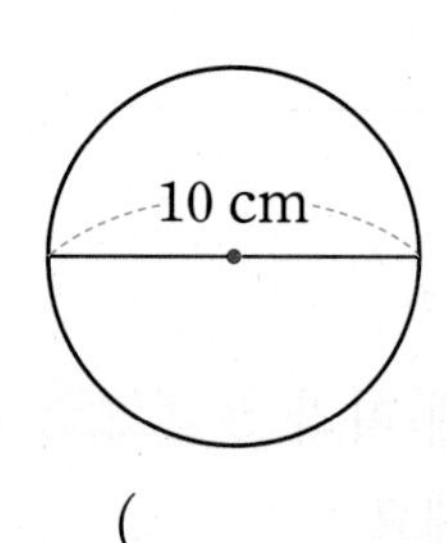

( )

06 주어진 모양과 똑같이 그리세요.

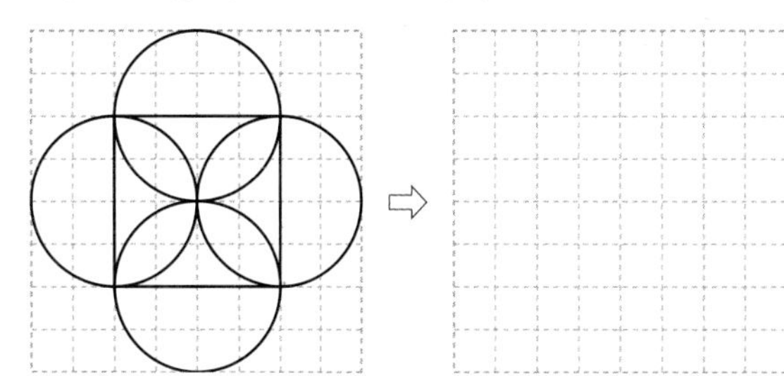

07 과녁 모양을 그리고 있습니다. 규칙에 따라 원을 1개 더 그리세요.

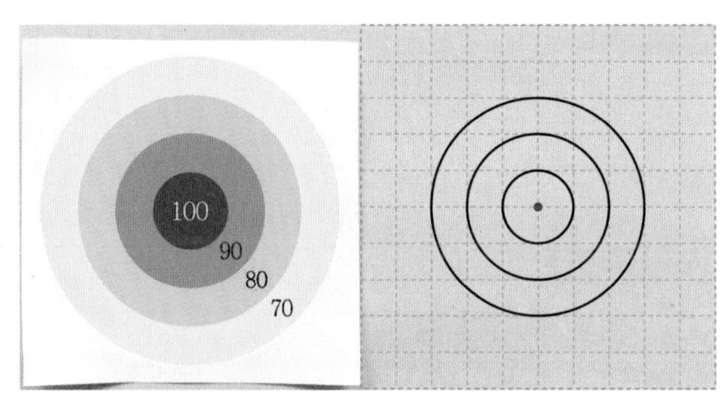

08 그림을 보고 물음에 답하세요.

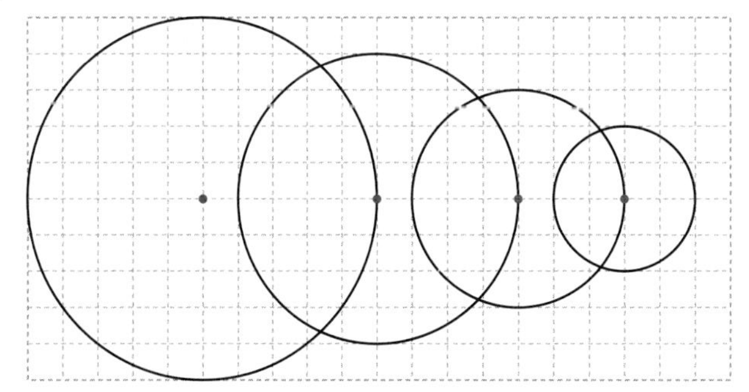

(1) 어떤 규칙이 있는지 쓰세요.

____

____

(2) 규칙에 따라 위의 모눈종이에 원 1개를 더 그리세요.

09 창의융합 오륜기를 완성하세요.

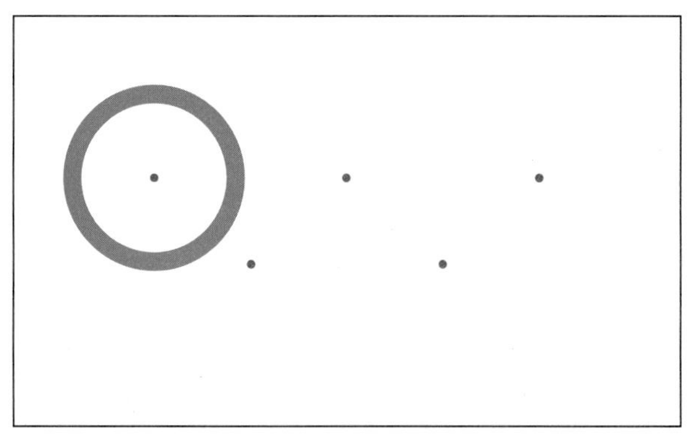

10 문제해결 아린이네 마을 지도입니다. 컴퍼스를 이용하여 놀이터의 위치를 찾아 표시하세요.

> 놀이터는 학교에서 2 cm, 집에서 3 cm 떨어진 곳에 있습니다.

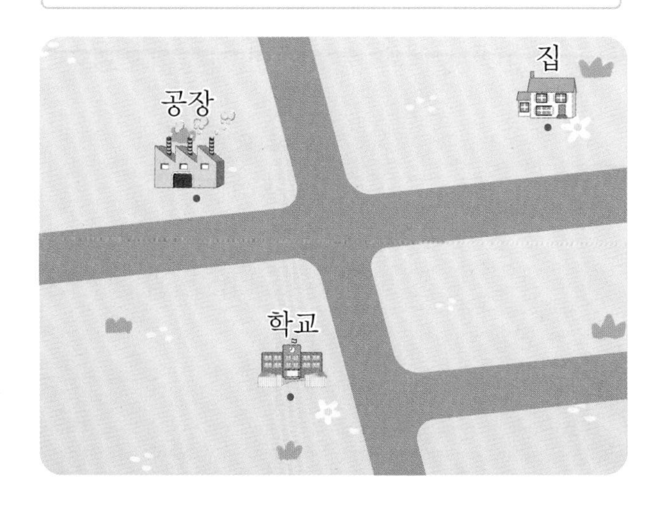

문제 해결 (잘 틀리는 문제)

유형1 원의 크기 비교하기

1 크기가 가장 큰 원을 찾아 기호를 쓰세요.

㉠ 반지름이 4 cm인 원
㉡ 지름이 6 cm인 원
㉢ 반지름이 5 cm인 원
㉣ 지름이 9 cm인 원

(　　　　　　　　)

Solution 원의 반지름 또는 지름으로 모두 나타내어 원의 크기를 비교합니다.

1-1 크기가 가장 작은 원을 찾아 기호를 쓰세요.

㉠ 반지름이 3 cm인 원
㉡ 지름이 5 cm인 원
㉢ 지름이 9 cm인 원
㉣ 반지름이 4 cm인 원

(　　　　　　　　)

1-2 크기가 같은 두 원을 찾아 기호를 쓰세요.

㉠ 지름이 8 cm인 원
㉡ 반지름이 4 cm인 원
㉢ 지름이 4 cm인 원
㉣ 반지름이 8 cm인 원

(　　　　　　　　)

유형2 원의 중심 찾아보기

2 주어진 모양과 똑같이 그리기 위하여 컴퍼스의 침을 꽂아야 할 곳을 모두 찾아 •표 하세요.

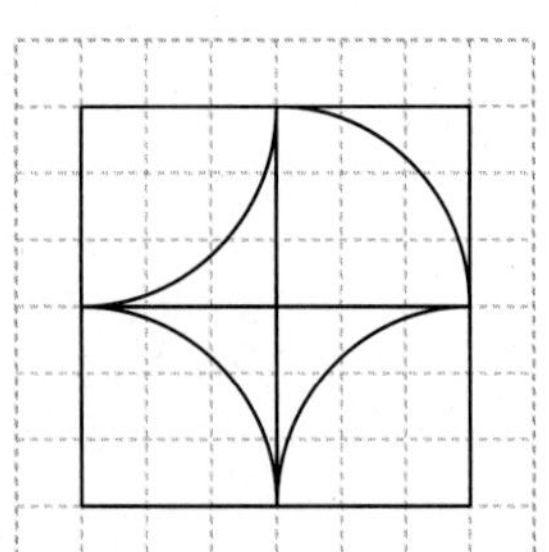

Solution 원의 일부분을 보고 원 전체를 모두 그렸을 때 원의 중심을 찾습니다. 크기가 다른 원의 중심이 서로 같을 수도 있음을 주의합니다.

2-1 주어진 모양과 똑같이 그리기 위하여 컴퍼스의 침을 꽂아야 할 곳을 모두 찾아 •표 하세요.

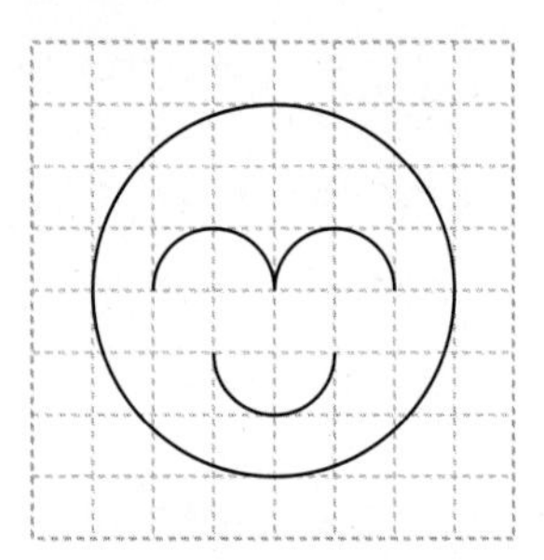

2-2 주어진 모양과 똑같이 그리기 위하여 컴퍼스의 침을 꽂아야 할 곳은 모두 몇 군데일까요?

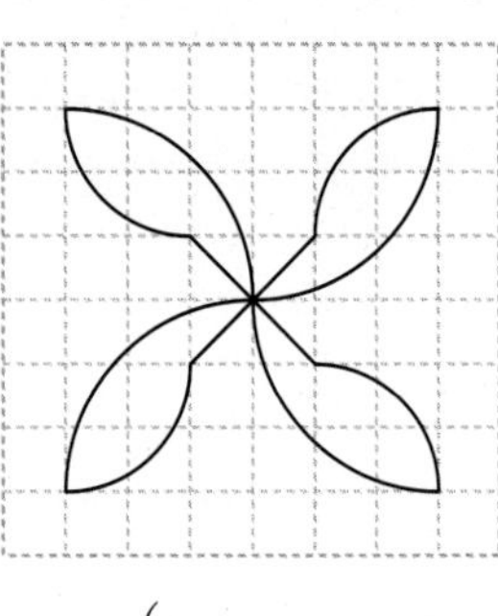

(　　　　　　　　)

유형3 원에서 길이 구하기

3 큰 원의 지름이 12 cm일 때 작은 원의 반지름은 몇 cm인지 구하세요.

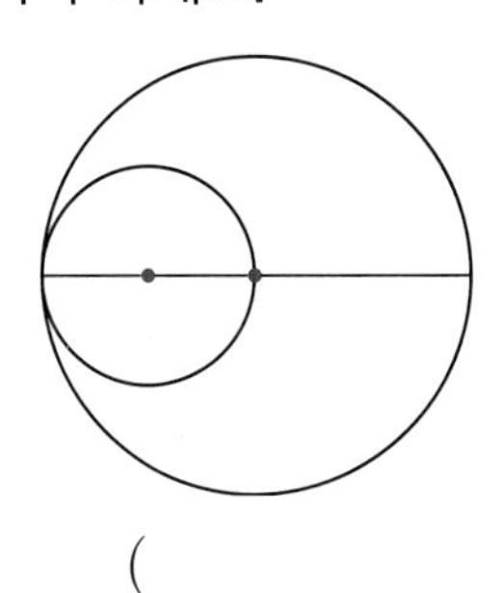

(   )

Solution (반지름)=(지름)÷2, (지름)=(반지름)×2를 이용하여 큰 원과 작은 원의 반지름, 지름을 각각 구합니다.

3-1 작은 원의 반지름이 6 cm일 때 큰 원의 지름은 몇 cm인지 구하세요.

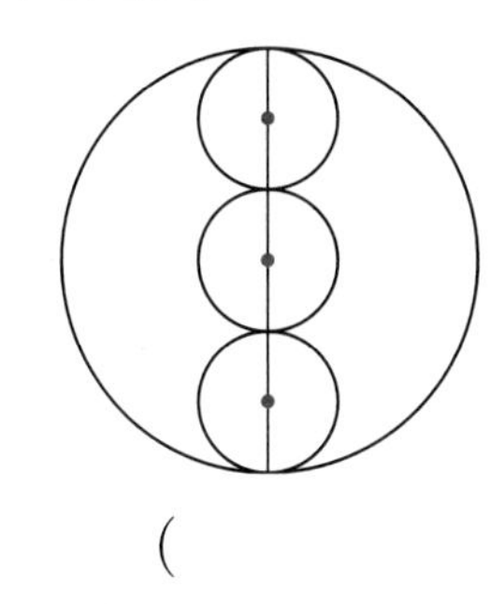

(   )

3-2 작은 원의 반지름이 3 cm일 때 큰 원의 지름은 몇 cm인지 구하세요.

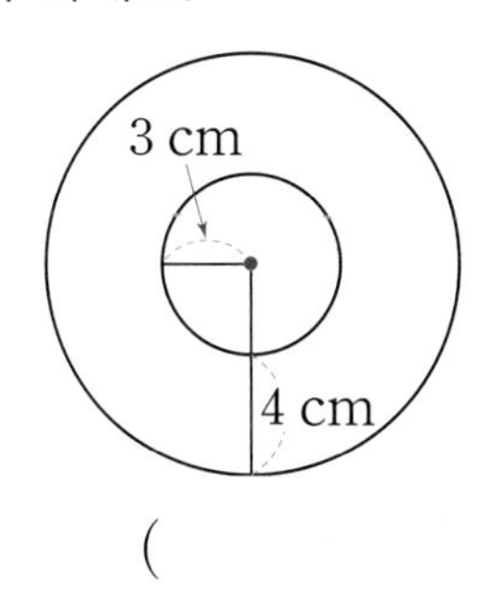

(   )

유형4 맞닿은 원에서 길이 구하기

4 점 ㄴ, 점 ㄷ, 점 ㄹ은 원의 중심입니다. 선분 ㄱㄹ의 길이를 구하세요.

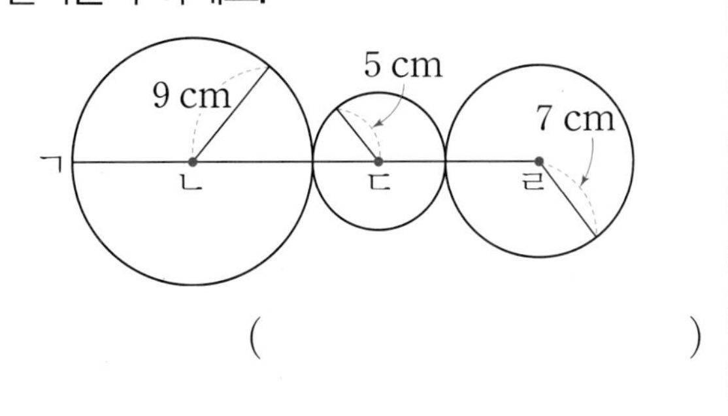

(   )

Solution 길이를 구하려는 선분을 원의 반지름 또는 지름으로 알맞게 잘라 길이를 구합니다. 이때 한 원에서 반지름은 모두 같고 지름은 반지름의 2배임을 이용합니다.

4-1 점 ㄱ, 점 ㄴ, 점 ㄷ은 원의 중심입니다. 선분 ㄱㄷ의 길이를 구하세요.

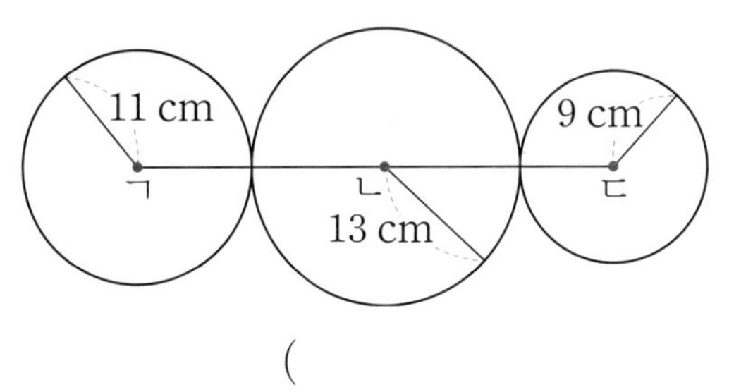

(   )

4-2 점 ㄱ, 점 ㄴ, 점 ㄷ, 점 ㄹ은 원의 중심이고 원의 크기는 모두 같습니다. 선분 ㄱㄹ의 길이를 구하세요.

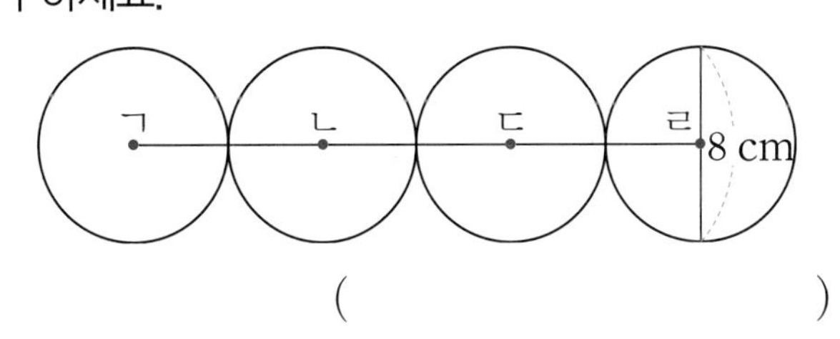

(   )

3 단원

문제 해결 (서술형 문제)

유형5

문제 해결 Key

점 ㄱ, 점 ㄴ은 원의 중심, 점 ㄷ은 원 위의 점이므로 원의 지름과 반지름을 이용하여 선분의 길이를 구합니다.

문제 해결 전략

❶ 선분 ㄱㄷ의 길이를 두 원의 지름과 반지름으로 나타내고 길이 구하기

❷ 선분 ㄱㄷ의 길이 구하기

5 ❶점 ㄱ, 점 ㄴ은 원의 중심입니다. ❷선분 ㄱㄷ의 길이는 몇 cm인지 풀이 과정을 보고 □ 안에 알맞게 써넣어 답을 구하세요.

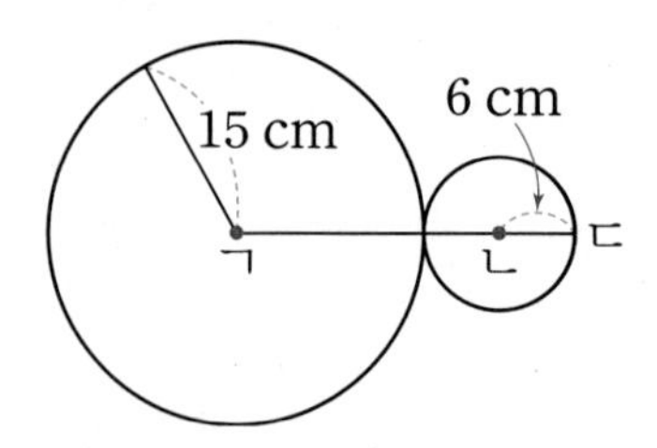

풀이 ❶ 선분 ㄱㄷ의 길이는 큰 원의 □과 작은 원의 □을 더한 길이입니다.

큰 원의 반지름은 □ cm이고, 작은 원의 반지름은 □ cm이므로

작은 원의 지름은 □ × 2 = □ (cm)입니다.

❷ 따라서 선분 ㄱㄷ은 □ + □ = □ (cm)입니다.

답 ____________

5-1 연습 문제

점 ㄴ, 점 ㄷ은 원의 중심입니다. 선분 ㄱㄷ의 길이는 몇 cm인지 풀이 과정을 쓰고 답을 구하세요.

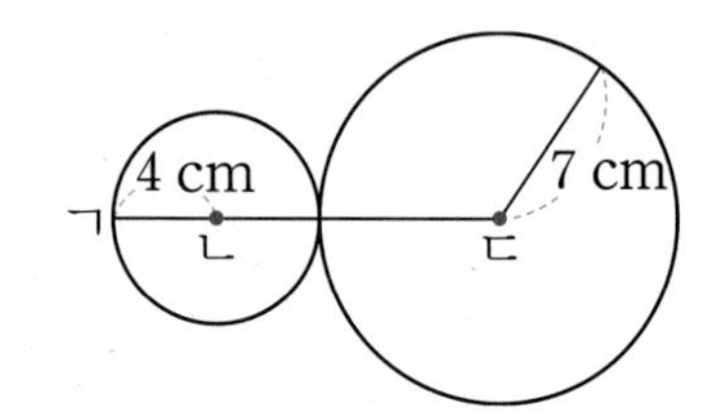

풀이

❶ 선분 ㄱㄷ의 길이를 두 원의 지름과 반지름으로 나타내고 길이 구하기

❷ 선분 ㄱㄷ의 길이 구하기

답 ____________

5-2 실전 문제

점 ㄱ, 점 ㄴ은 원의 중심입니다. 선분 ㄱㄷ의 길이는 몇 cm인지 풀이 과정을 쓰고 답을 구하세요.

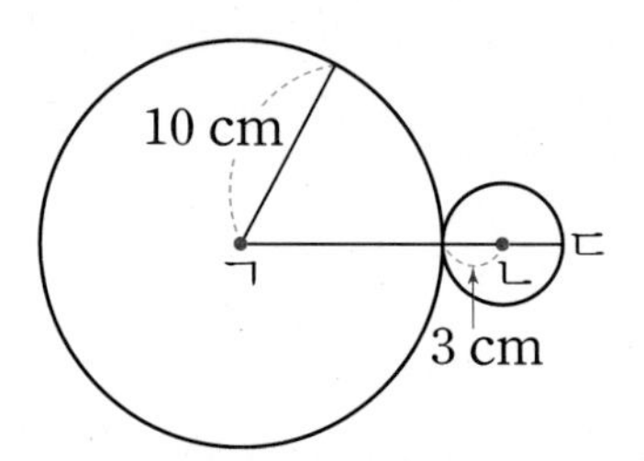

풀이

답 ____________

유형6

문제 해결 Key
자른 피자 조각의 두 변이 반지름과 같고, 반지름은 지름의 반입니다.

문제 해결 전략
❶ 세 변의 길이 각각 구하기
❷ 세 변의 길이의 합 구하기

6 민영이가 ❶지름이 24 cm인 피자를 그림과 같이 삼각형 모양으로 잘랐습니다. ❷자른 피자 조각의 세 변의 길이의 합은 몇 cm인지 풀이 과정을 보고 □ 안에 알맞게 써넣어 답을 구하세요.

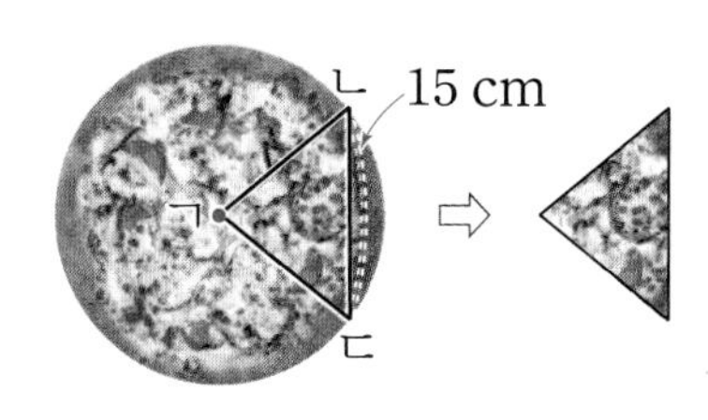

풀이 ❶ 변 ㄱㄴ과 변 ㄱㄷ은 모두 원의 □입니다.
원의 지름이 24 cm이므로 반지름은 24÷□=□(cm)이고
자른 피자 조각의 세 변의 길이는 각각 □ cm, □ cm, 15 cm입니다.
❷ 세 변의 길이의 합은 □+□+□=□(cm)입니다.

답 ______

6-1 연습 문제

지름이 34 cm인 원 모양의 종이에 오른쪽과 같이 삼각형 모양을 그리고 오렸습니다. 오려 낸 삼각형의 세 변의 길이의 합은 몇 cm인지 풀이 과정을 쓰고 답을 구하세요.

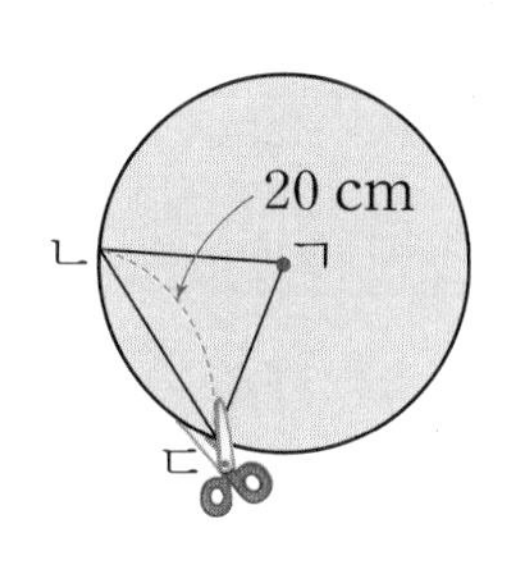

풀이
❶ 세 변의 길이 각각 구하기

❷ 세 변의 길이의 합 구하기

답 ______

6-2 실전 문제

지름이 30 cm인 원 안에 오른쪽과 같이 세 변의 길이가 같은 삼각형 모양 색종이를 붙였습니다. 삼각형 모양 색종이 한 장의 세 변의 길이의 합은 몇 cm인지 풀이 과정을 쓰고 답을 구하세요.

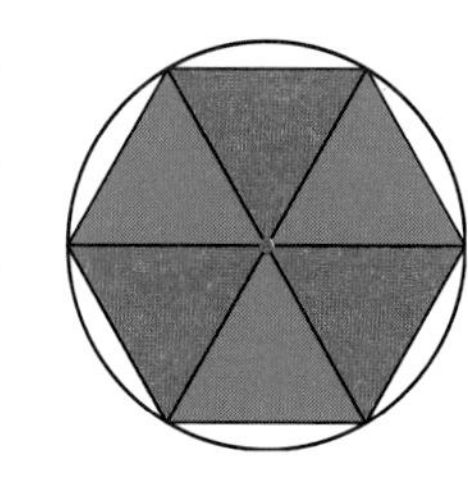

풀이

답 ______

실력 UP 문제

01 진호와 연우가 컴퍼스를 이용하여 그림을 그리는 방법에 대해 이야기하고 있습니다. 잘못 말한 사람을 찾아 이름을 쓰세요.

> 진호: 컴퍼스로 태극 무늬를 그리려면 침을 세 군데에 꽂아야 해.
> 연우: 두 군데에만 꽂아도 그릴 수 있어.

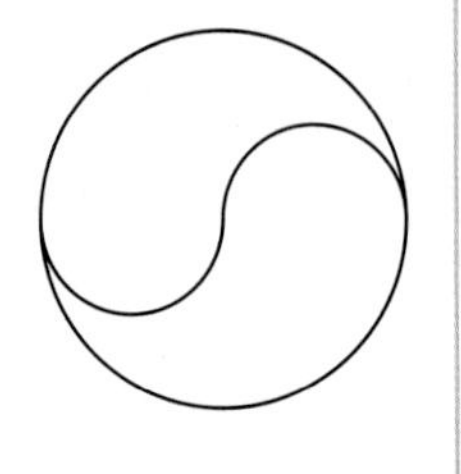

(　　　　　　　　)

02 지름이 12 cm인 원 4개를 맞닿게 그린 것입니다. 원의 중심을 이은 사각형 ㄱㄴㄷㄹ은 어떤 사각형일까요?

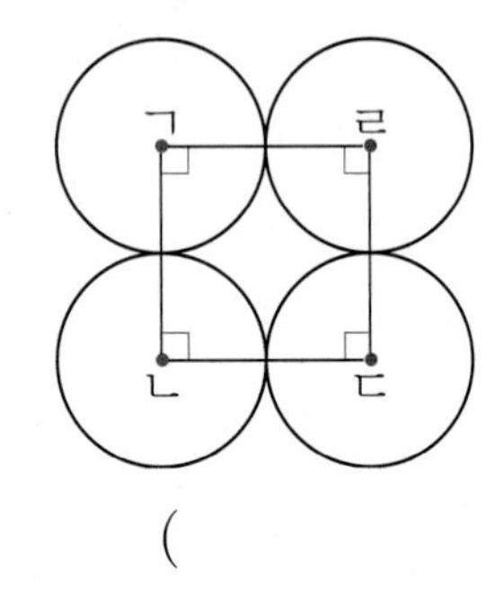

(　　　　　　　　)

03 한 변이 10 cm인 정사각형 안에 그릴 수 있는 가장 큰 원의 반지름은 몇 cm일까요?

(　　　　　　　　)

04 지민이와 친구들은 마트에서 원 모양의 물건을 찾았습니다. 두 번째로 큰 원 모양을 찾은 사람은 누구일까요?

(　　　　　　　　)

05 직사각형 안에 크기가 같은 두 원의 일부분을 그린 것입니다. 점 ㄴ, 점 ㄷ이 원의 중심일 때, 삼각형 ㄱㄴㄷ의 세 변의 길이의 합을 구하세요.

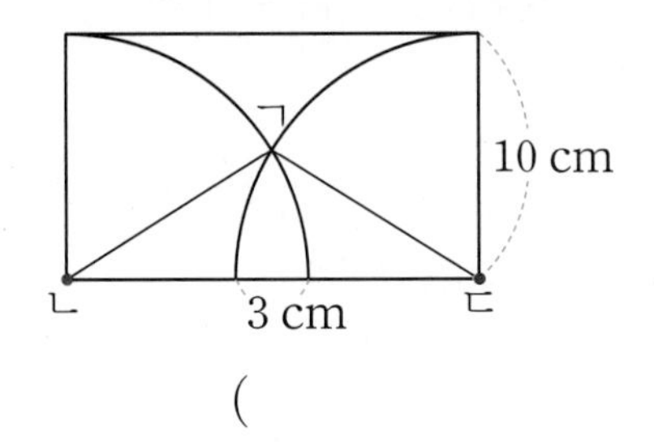

(　　　　　　　　)

06 주어진 원 안에 원 2개를 더 그려서 주어진 원을 가장 많은 부분으로 나누어 보고 몇 개의 부분으로 나눌 수 있는지 구하세요.

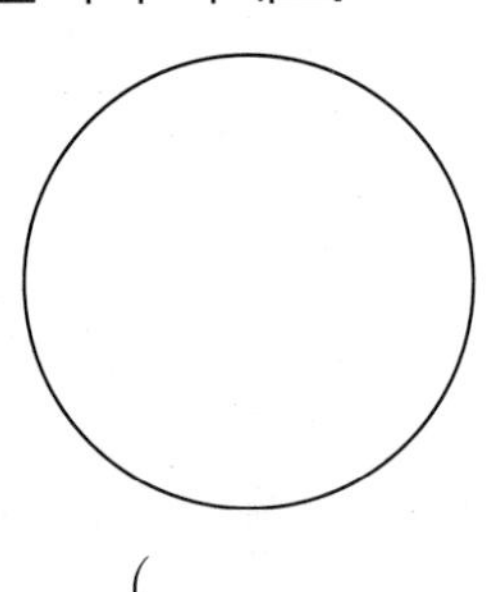

(　　　　　　　　)

서술형 문제

07 그림을 보고 어떤 규칙이 있는지 설명하세요.

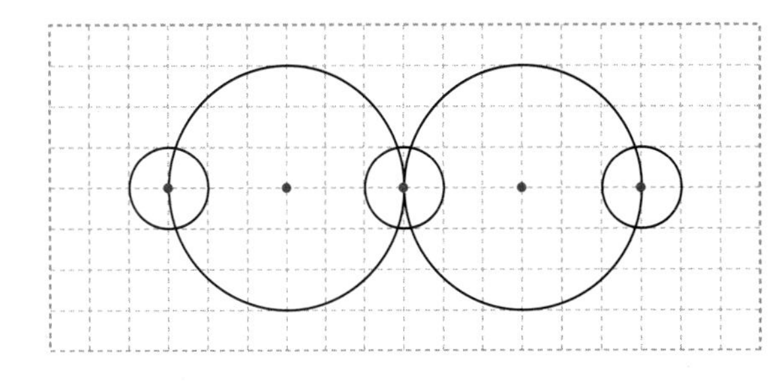

08 윤호는 집에서 출발하여 도서관, 우체국, 약국의 순서대로 들른 후 집에 돌아왔습니다. 윤호가 움직인 거리는 모두 몇 km인지 풀이 과정을 쓰고 답을 구하세요.

(서술형 문제)

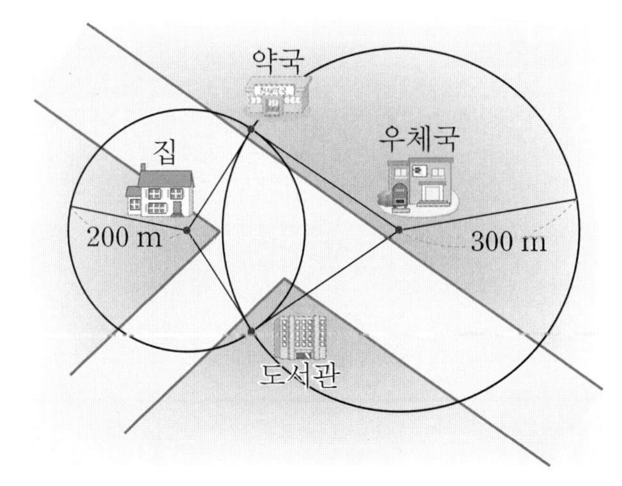

풀이

답

09 반지름이 4 cm인 원 4개를 그렸습니다. 그림에서 굵은 선의 길이는 몇 cm일까요?

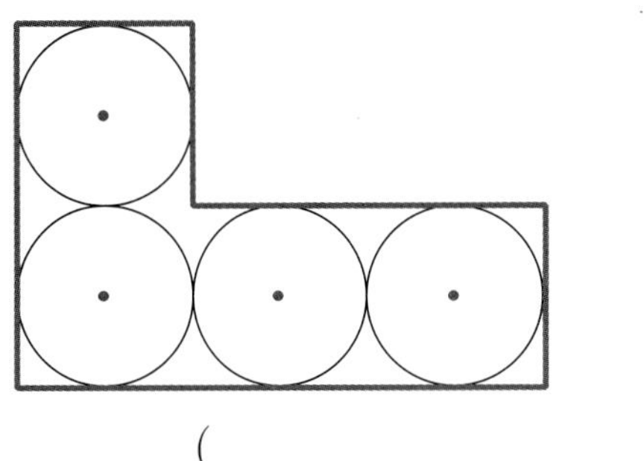

(　　　　　　　　　)

10 원의 중심을 이어 그린 사각형 ㄱㄴㄷㄹ의 네 변의 길이의 합은 몇 cm일까요?

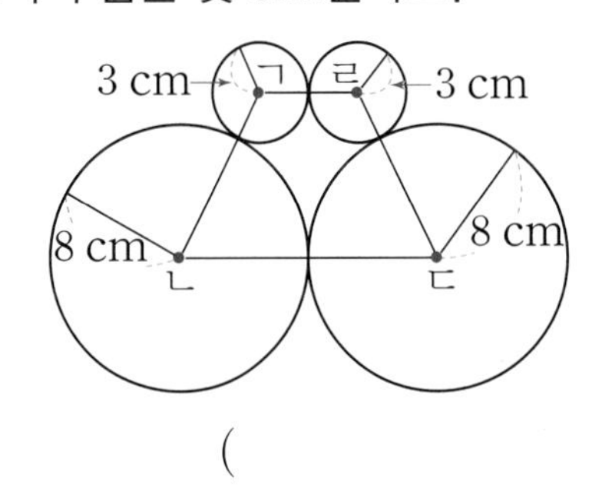

(　　　　　　　　　)

11 지름이 80 cm인 양궁 과녁입니다. 원의 반지름이 4 cm씩 늘어날 때 초록색으로 표시한 원의 지름은 몇 cm일까요?

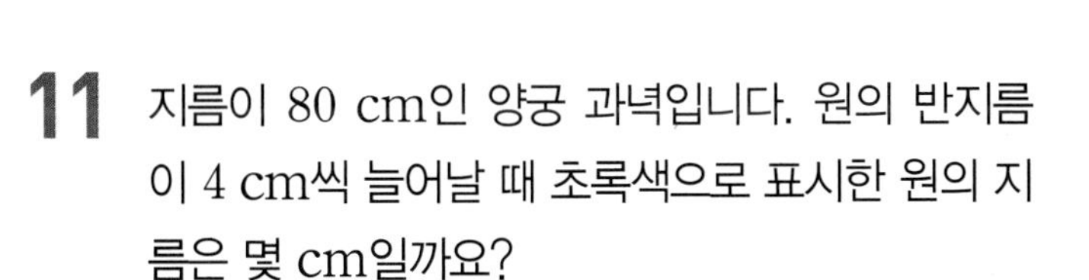

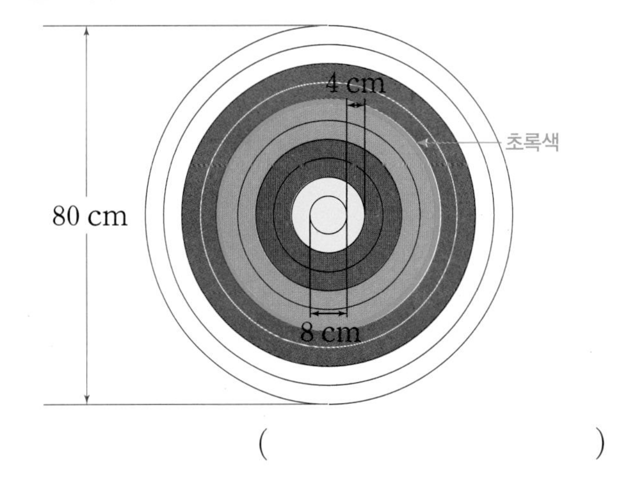

(　　　　　　　　　)

3 단원

진도 완료 체크

01 주영이가 다음과 같이 원을 그렸습니다. 누름 못이 꽂혔던 점을 무엇이라고 할까요?

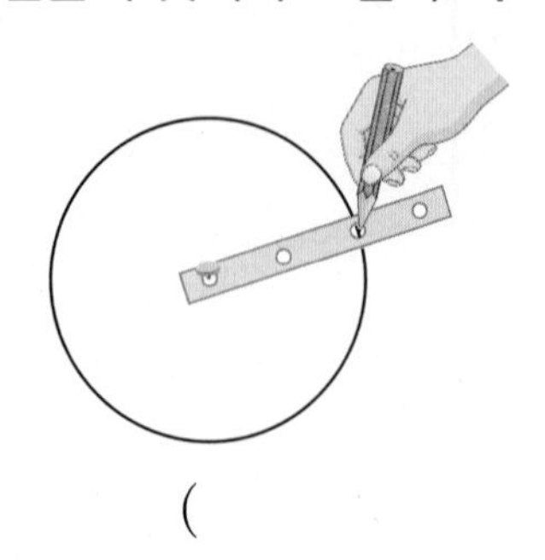

(　　　　　　　　　　)

02 점 ㅇ은 원의 중심입니다. 원의 반지름은 몇 cm인지 구하세요.

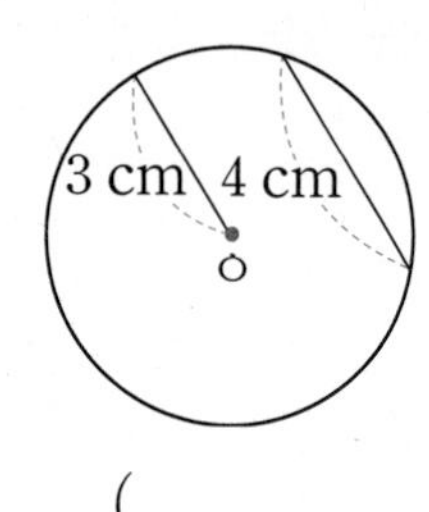

(　　　　　　　　　　)

03 지름을 나타내는 선분을 찾아 쓰세요.

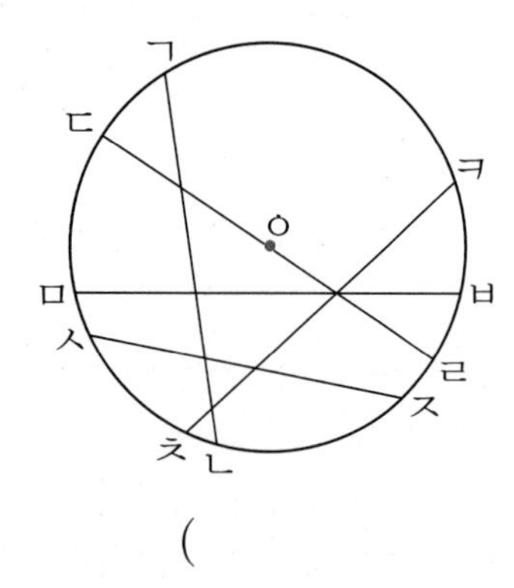

(　　　　　　　　　　)

04 선분 중에서 선분 ㄱㄴ과 길이가 같은 선분을 모두 찾아 쓰세요.

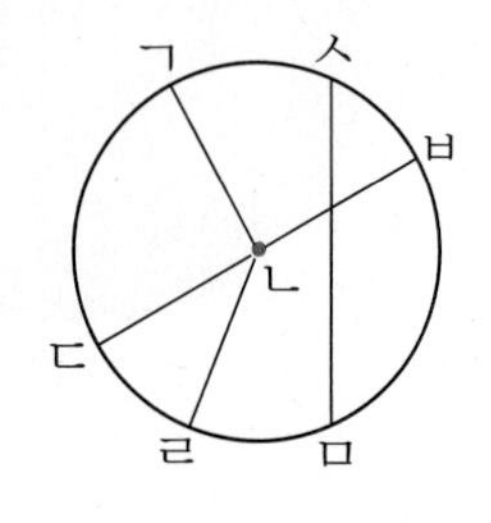

(　　　　　　　　　　)

[05~06] 그림을 보고 물음에 답하세요.

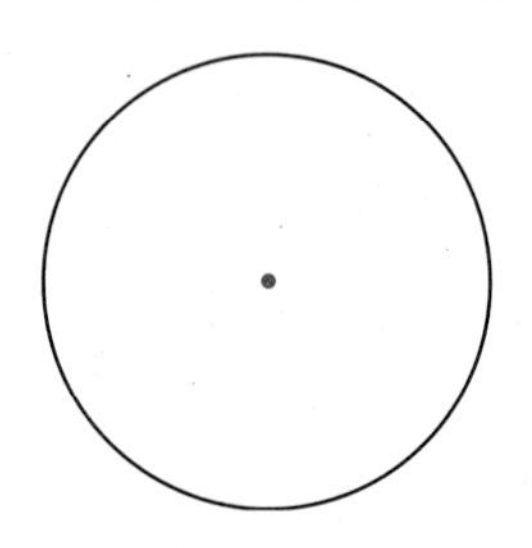

05 원에 지름을 3개 그으세요.

06 알맞은 말에 ○표 하세요.

> 원의 지름은 (3개 , 5개 , 무수히 많이) 그을 수 있습니다.

07 그림을 보고 □ 안에 알맞은 수를 써넣으세요.

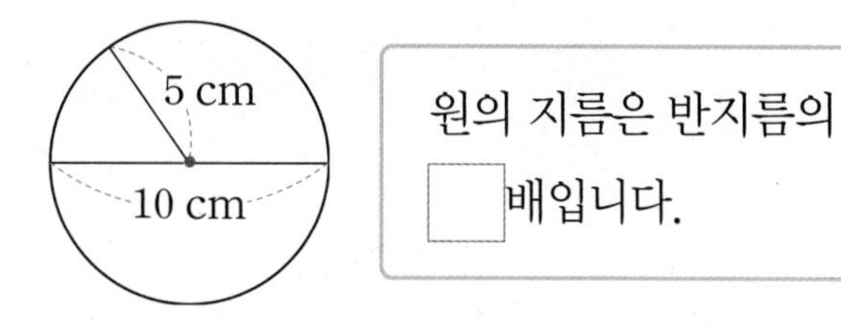

08 바르게 설명한 친구들을 모두 찾아 이름을 쓰세요.

> 현우: 한 원에서 지름은 반지름의 2배야.
> 민영: 한 원에서 원의 중심은 여러 개야.
> 다희: 지름은 항상 원의 중심을 지나.
> 서후: 한 원에서 반지름은 3개뿐이야.

(　　　　　　　　　　)

09 □ 안에 알맞은 수를 써넣으세요.

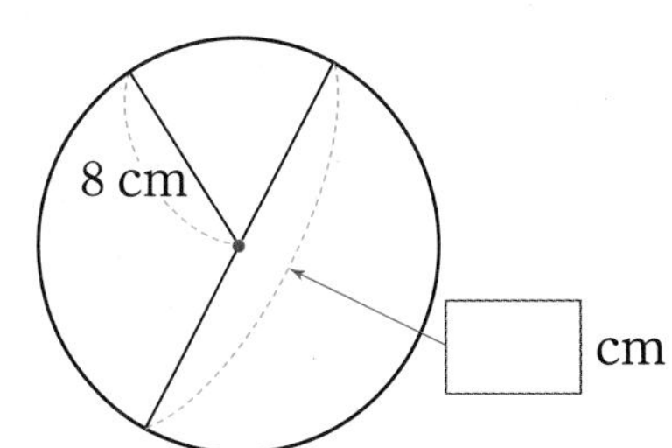

10 원을 그리려고 컴퍼스를 오른쪽과 같이 벌렸습니다. 그리려는 원의 지름은 몇 cm일까요?

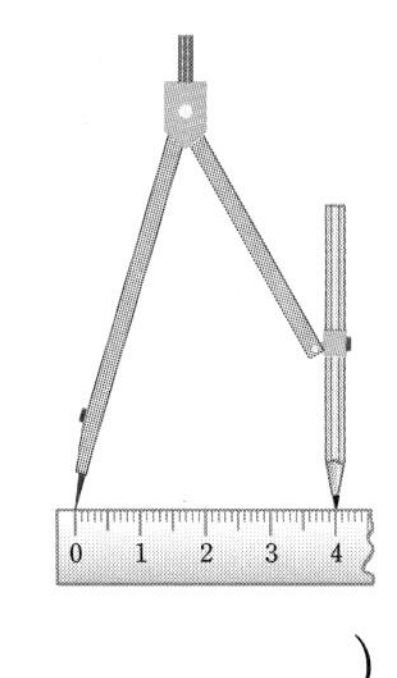

( )

11 현아가 원을 이용하여 다음과 같은 모양을 그렸습니다. 현아가 그린 모양과 똑같이 그리세요.

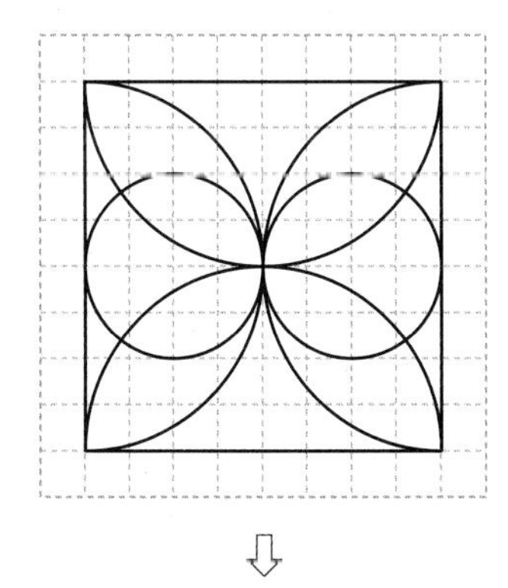

⇩

12 가장 큰 원은 어느 것일까요? ·········· ( )

① 반지름이 8 cm인 원
② 반지름이 7 cm인 원
③ 지름이 18 cm인 원
④ 반지름이 6 cm인 원
⑤ 지름이 20 cm인 원

13 주어진 모양을 그릴 때 컴퍼스의 침을 꽂아야 하는 곳의 수가 다른 하나를 찾아 기호를 쓰세요.

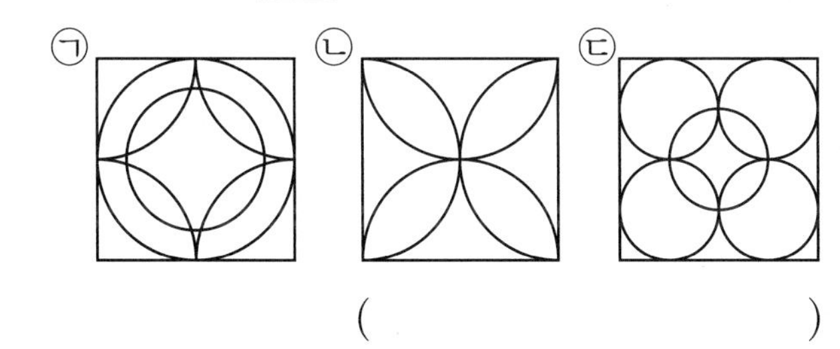

( )

14 민호는 원의 반지름을 4개 표시하고 길이를 재어 나타냈습니다. 민호가 알 수 있는 사실은 무엇인지 쓰세요.

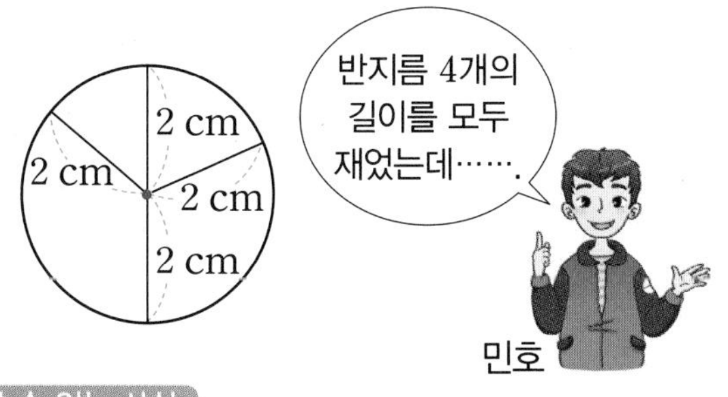

알 수 있는 사실

한 원에서 원의 반지름은 ____________________

____

15 그림과 같이 모눈종이에 반지름을 1칸씩 늘려 가며 규칙에 따라 원을 2개 더 그리세요.

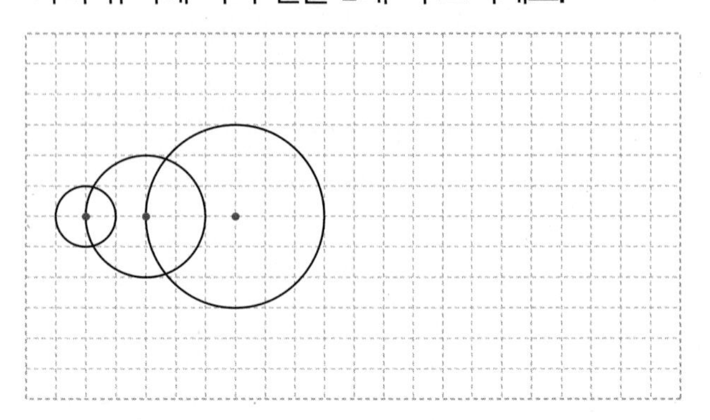

16 큰 원 안에 크기가 같은 원 2개를 그렸습니다. 큰 원의 지름이 16 cm라면 작은 원의 반지름은 몇 cm일까요?

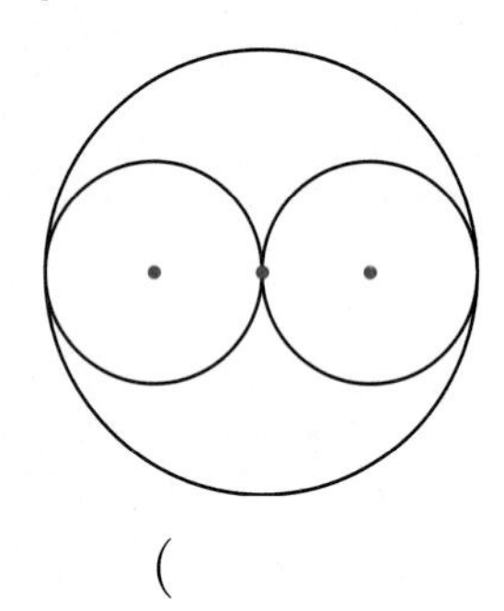

(　　　　　　　　　　)

17 혜원이네 모둠 친구들 5명의 집의 위치는 도서관을 원의 중심으로 하는 원 위에 있습니다. 5명의 학생들의 집 중에서 집 사이의 거리가 가장 먼 두 학생은 누구와 누구일까요?

(　　　　　　　　　　)

18 상자에 지름이 18 mm인 10원짜리 동전이 2개 들어 있습니다. 상자의 가로와 세로는 각각 몇 mm인지 구하세요.

가로 (　　　　　　　　　　)

세로 (　　　　　　　　　　)

19 반지름이 5 cm인 원 3개를 그림과 같이 맞닿게 그리고 세 원의 중심을 이었습니다. 삼각형의 세 변의 길이의 합은 몇 cm일까요?

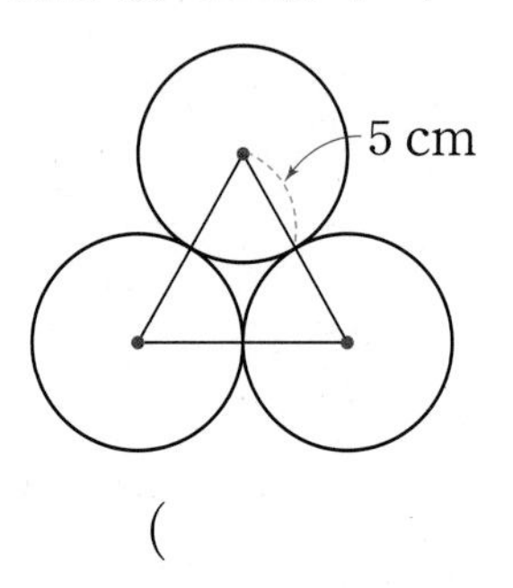

(　　　　　　　　　　)

20 그림에서 가장 큰 원의 지름은 몇 cm일까요?

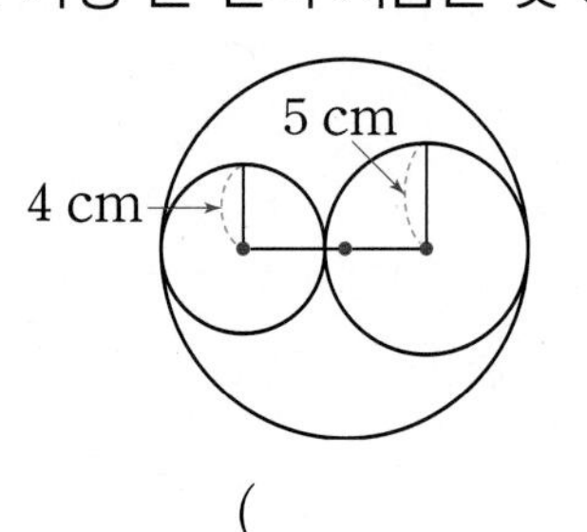

(　　　　　　　　　　)

과정 중심 평가 문제

21 점 ㄱ, 점 ㄴ, 점 ㄷ이 원의 중심일 때 선분 ㄱㄷ의 길이를 구하려고 합니다. 물음에 답하세요.

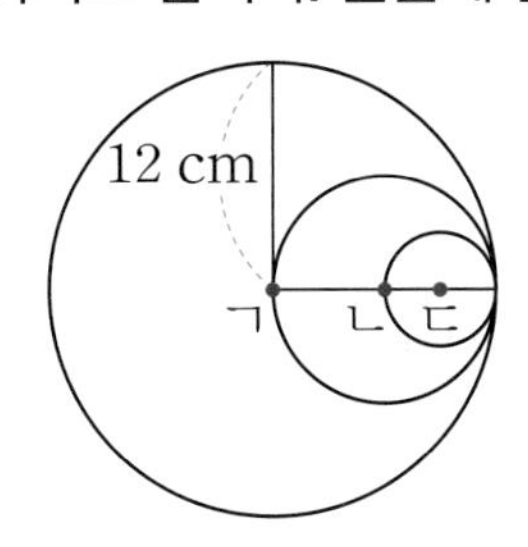

(1) 선분 ㄴㄷ의 길이를 구하세요.

( )

(2) 선분 ㄱㄷ의 길이를 구하세요.

( )

과정 중심 평가 문제

22 직사각형 안에 원을 그렸습니다. 직사각형의 네 변의 길이의 합이 72 cm일 때, 원의 반지름은 몇 cm인지 구하려고 합니다. 물음에 답하세요.

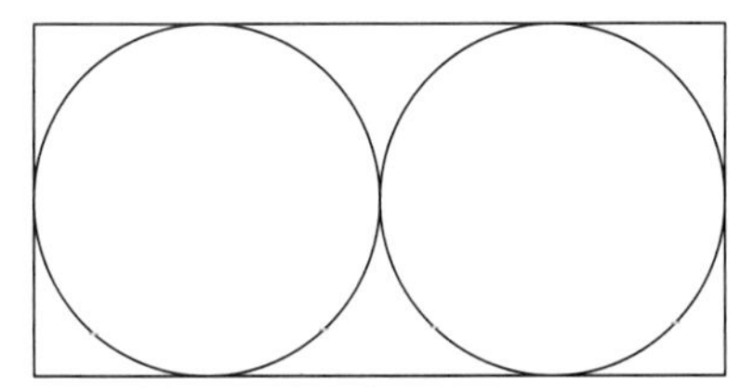

(1) 직사각형의 네 변의 길이의 합은 원의 지름이 몇 개 있는 것과 같을까요?

( )

(2) 원의 지름은 몇 cm일까요?

( )

(3) 원의 반지름은 몇 cm일까요?

( )

과정 중심 평가 문제

23 점 ㅇ이 원의 중심이고 반지름이 5 cm인 원입니다. 삼각형 ㄱㅇㄴ의 세 변의 길이의 합은 몇 cm인지 풀이 과정을 쓰고 답을 구하세요.

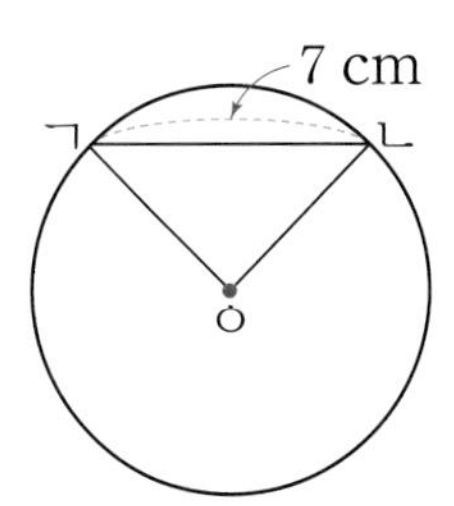

풀이

답

3 단원

과정 중심 평가 문제

24 그림을 보고 어떤 규칙이 있는지 설명하세요.

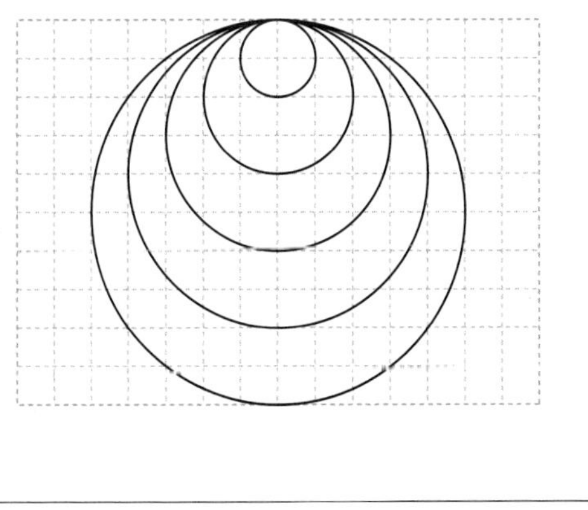

배점			점수
	1~20번	4점	
	21~24번	5점	

오답 노트

틀린 문제 저장! 출력!

분수

웹툰으로 단원 미리보기 4화_ 욕심은 금물!

QR코드를 스캔하여 이어지는 내용을 확인하세요.

이전에 배운 내용

3-1 분수

- 전체를 똑같이 4로 나눈 것 중의 3

쓰기 $\frac{3}{4}$ ← 분자, ← 분모 읽기 4분의 3

부분 은 전체 를

똑같이 4로 나눈 것 중의 3이므로 $\frac{3}{4}$입니다.

3-1 분수의 크기 비교

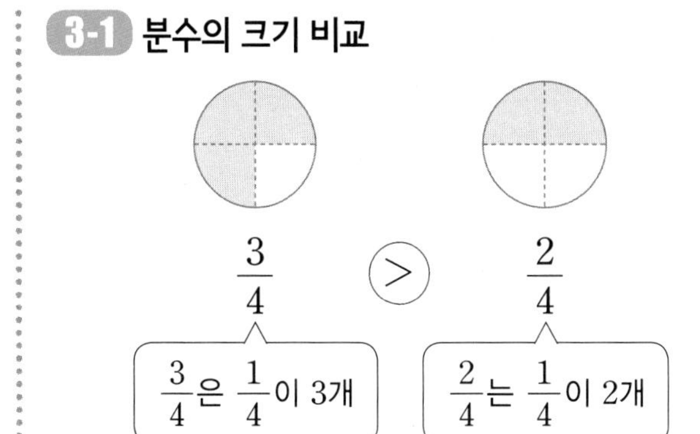

$\frac{3}{4} > \frac{2}{4}$

$\frac{3}{4}$은 $\frac{1}{4}$이 3개

$\frac{2}{4}$는 $\frac{1}{4}$이 2개

이 단원에서 배울 내용

1 Step 교과 개념	분수로 나타내기
1 Step 교과 개념	분수만큼을 알아보기
2 Step 교과 유형 익힘	
1 Step 교과 개념	여러 가지 분수 알아보기
1 Step 교과 개념	분모가 같은 분수의 크기 비교
2 Step 교과 유형 익힘	
3 Step 문제 해결	잘 틀리는 문제 / 서술형 문제
4 Step 실력 UP 문제	
단원 평가	

이 단원을 배우면 여러 가지 분수를 알고, 분모가 같은 분수의 크기를 비교할 수 있어요.

1 Step 교과 개념

분수로 나타내기

개념1 부분은 전체의 얼마인지 분수로 나타내기

• 전체 6개를 똑같이 2묶음으로 나누기

부분 은 전체 를

똑같이 2묶음으로 나눈 것 중의 1묶음이므로 **전체의** $\frac{1}{2}$입니다.

• 전체 6개를 똑같이 3묶음으로 나누기

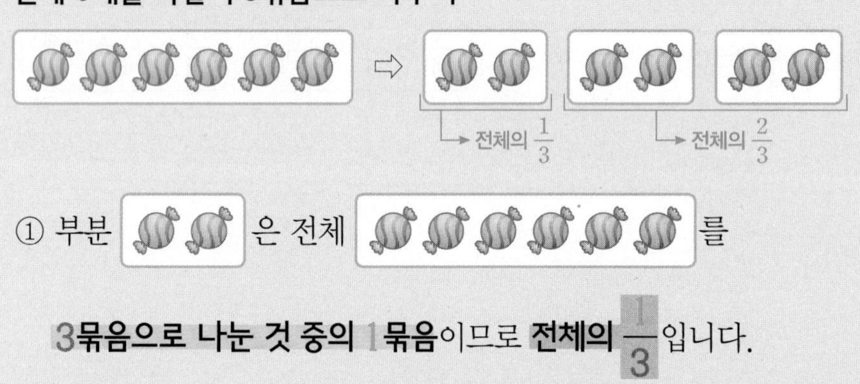

① 부분 은 전체 를

3묶음으로 나눈 것 중의 1묶음이므로 **전체의** $\frac{1}{3}$입니다.

② 부분 은 전체 를

3묶음으로 나눈 것 중의 2묶음이므로 **전체의** $\frac{2}{3}$입니다.

• '전체'는 '분모'에, '부분'은 '분자'에 써서 $\frac{(\text{부분의 묶음 수})}{(\text{전체의 묶음 수})}$와 같이 나타냅니다.

예 색칠한 부분은 4묶음 중에서 3묶음이므로 전체의 $\frac{3}{4}$입니다.

개념확인 1 바둑돌 8개가 있습니다. □ 안에 알맞은 수를 써넣으세요.

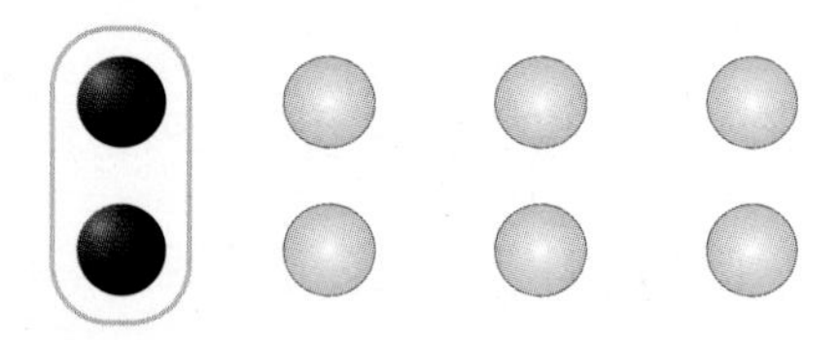

(1) 바둑돌을 2개씩 묶어 보세요.

(2) 전체 □묶음 중 검은 바둑돌은 □묶음이고, 흰 바둑돌은 □묶음입니다.

(3) 검은 바둑돌은 전체 바둑돌의 $\frac{\square}{\square}$이고, 흰 바둑돌은 전체 바둑돌의 $\frac{\square}{\square}$입니다.

2 색칠한 별은 전체의 몇 분의 몇인지 □ 안에 알맞은 수를 써넣으세요.

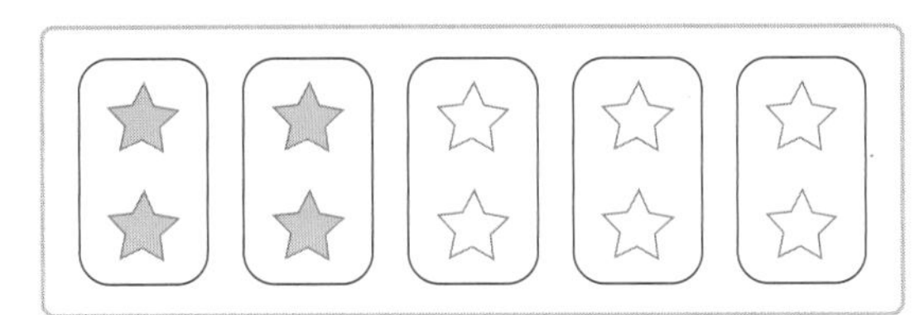

색칠한 부분은 5묶음 중에서 □묶음이므로

전체의 $\frac{\square}{\square}$입니다.

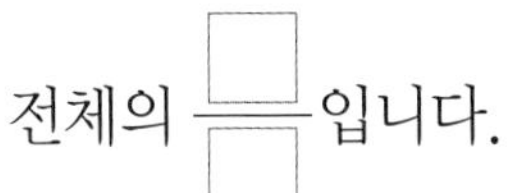

3 15를 3씩 묶으면 6은 15의 몇 분의 몇인지 알아보세요.

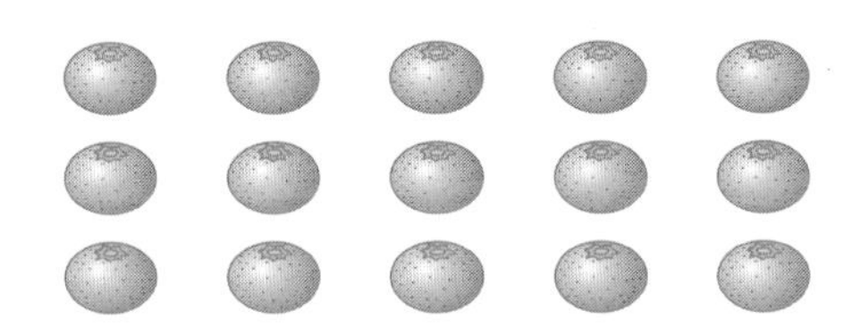

(1) 15를 3씩 묶으면 몇 묶음일까요?

( )

(2) 6은 몇 묶음일까요?

( )

(3) 15를 3씩 묶으면 6은 15의 몇 분의 몇일까요?

( )

4 보기 와 같이 $\frac{2}{3}$를 그림으로 나타내세요.

보기

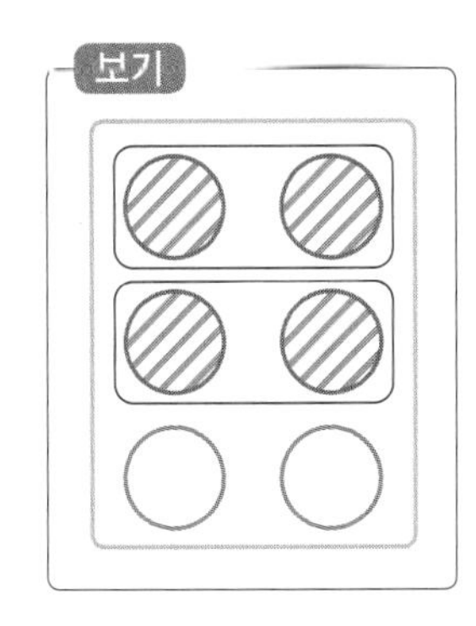

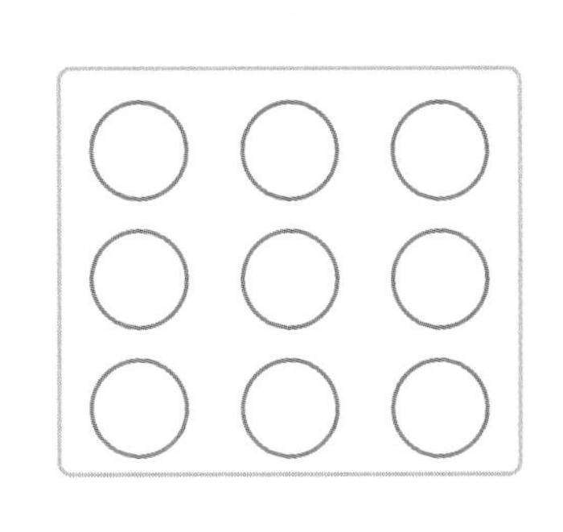

5 색칠한 부분을 분수로 나타내세요.

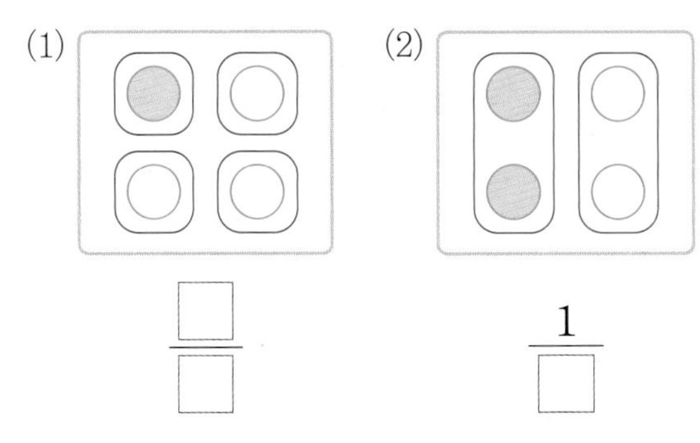

(1) $\frac{\square}{\square}$

(2) $\frac{1}{\square}$

6 □ 안에 알맞은 수를 써넣으세요.

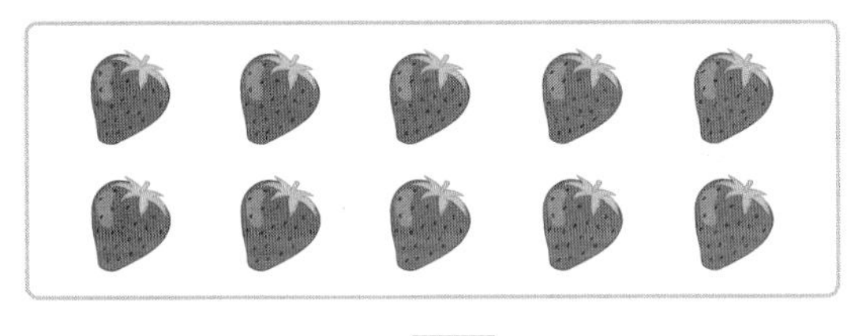

10을 2씩 묶으면 □묶음이 됩니다.

6은 10의 $\frac{\square}{\square}$입니다.

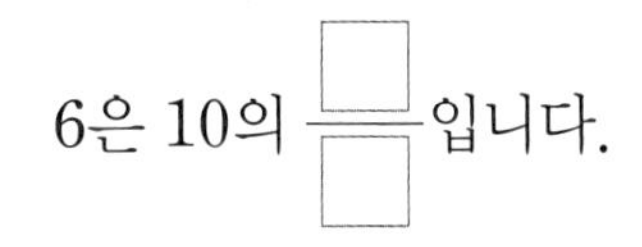

7 색칠한 부분을 분수로 나타낸 것을 찾아 이으세요.

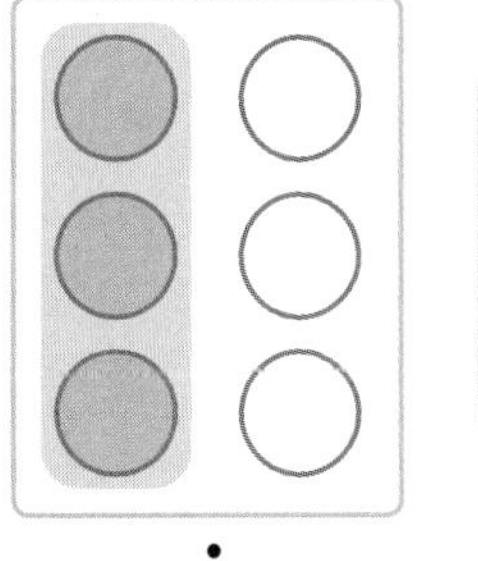

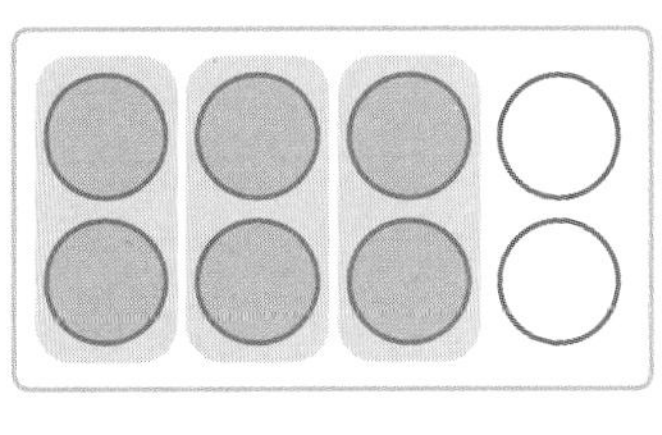

$\frac{3}{4}$ $\frac{1}{2}$

Step 1 교과 개념

분수만큼을 알아보기

개념1 전체의 분수만큼은 얼마인지 알아보기

• 6의 $\frac{2}{3}$를 알아보기

① 전체 6개를 똑같이 3묶음으로 나누기 (2개씩 3묶음)

⇨ 3묶음이 되도록 2개씩 묶습니다.

② 2묶음의 수 알아보기 (2묶음은 4개)

⇨ 2묶음의 수는 4개입니다.

➡ **6의 $\frac{2}{3}$**는 전체 6개를 똑같이 3묶음으로 나눈 것 중의 2묶음이므로 **4**입니다.

• 12 m의 $\frac{1}{6}$을 알아보기

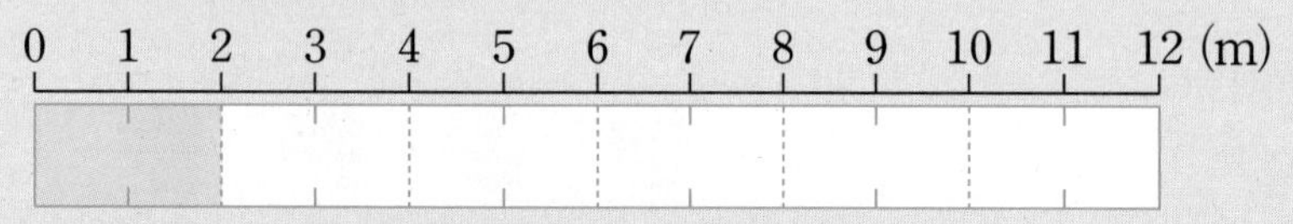

① 전체 12 m를 똑같이 6부분으로 나누기

⇨ 6부분이 되도록 2 m씩 나눕니다.

② 1부분의 길이 알아보기

⇨ 1부분의 길이는 2 m입니다.

➡ **12 m의 $\frac{1}{6}$**은 **2 m**입니다.

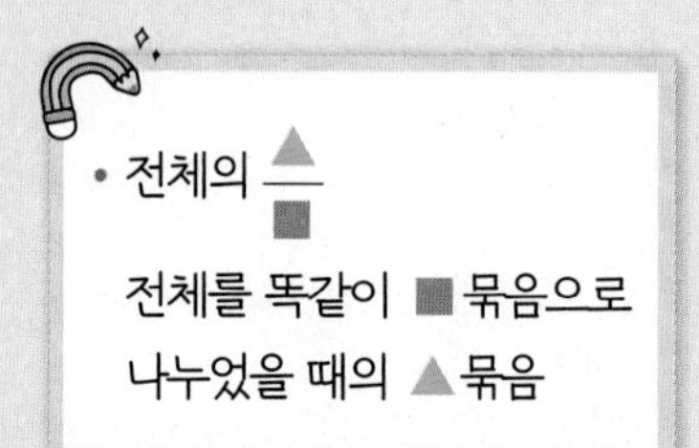

개념확인 1 그림을 보고 12의 $\frac{1}{4}$은 얼마인지 알아보세요.

(1) 도토리 12개를 4묶음으로 똑같이 나누세요.

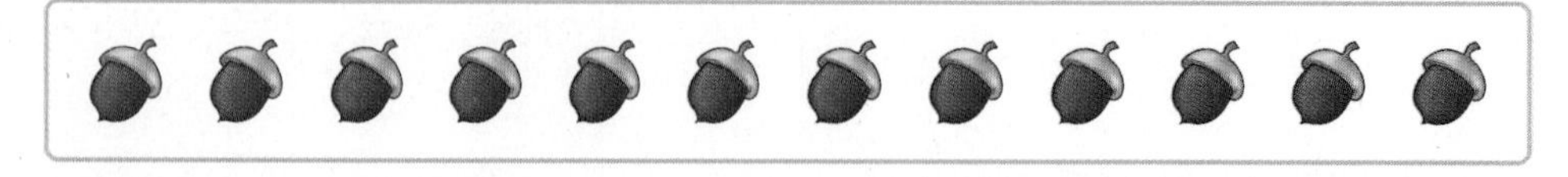

(2) 전체의 $\frac{1}{4}$만큼을 색칠하세요.

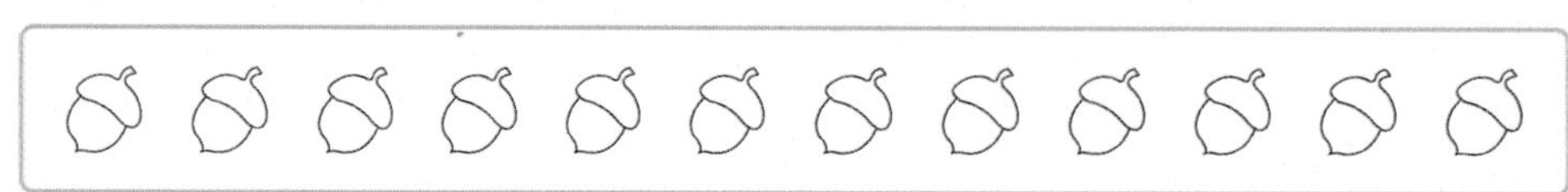

(3) 12의 $\frac{1}{4}$은 얼마일까요? (　　　　　　)

2 그림을 보고 □ 안에 알맞은 수를 써넣으세요.

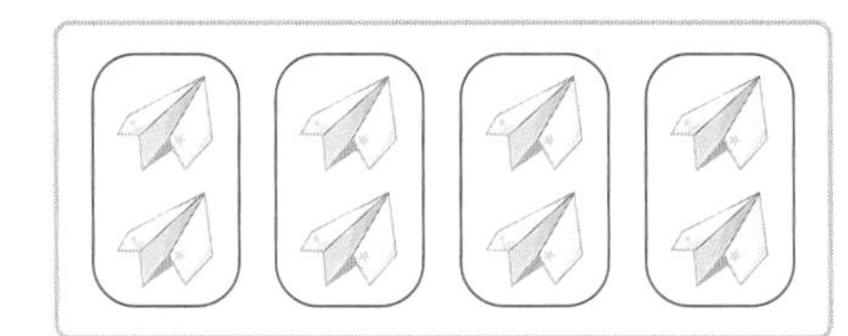

(1) 8의 $\frac{2}{4}$는 □입니다.

(2) 8의 $\frac{3}{4}$은 □입니다.

3 보기 는 60초의 $\frac{1}{4}$을 나타낸 것입니다. 60초의 $\frac{3}{4}$은 몇 초인지 알아보세요.

보기

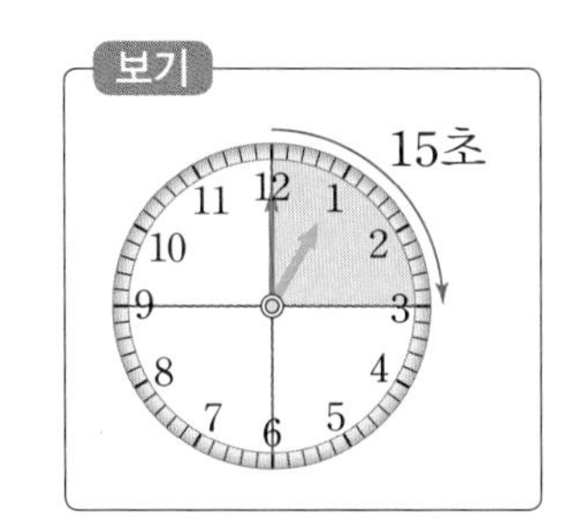

(1) 60초의 $\frac{3}{4}$을 오른쪽 시계에 나타내세요.

(2) 60초의 $\frac{3}{4}$은 몇 초일까요?

(　　　　　　　　)

4 알맞게 색칠하고 □ 안에 알맞은 수를 써넣으세요.

☆ ☆ ☆ ☆ ☆ ☆ ☆ ☆ ☆ ☆

(1) 전체의 $\frac{2}{5}$만큼을 색칠하세요.

(2) 10의 $\frac{2}{5}$는 □입니다.

5 그림을 보고 □ 안에 알맞은 수를 써넣으세요.

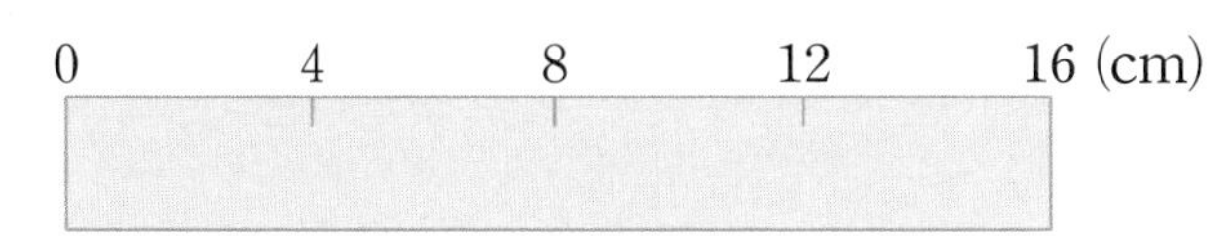

(1) 16 cm의 $\frac{1}{4}$은 □ cm입니다.

(2) 16 cm의 $\frac{2}{4}$는 □ cm입니다.

(3) 16 cm의 $\frac{3}{4}$은 □ cm입니다.

6 9 cm의 종이띠에 분수만큼 색칠하고, □ 안에 알맞은 수를 써넣으세요.

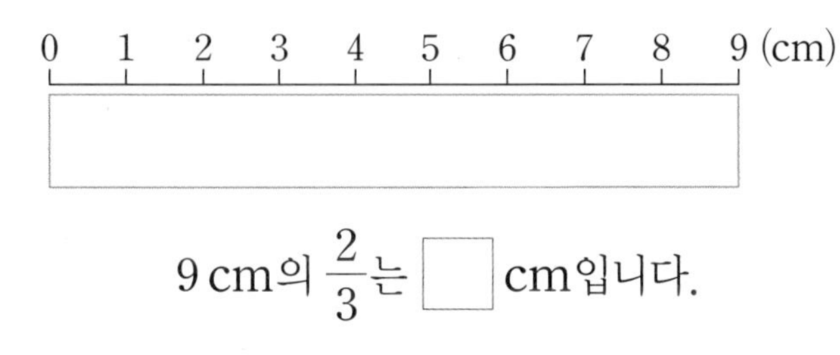

9 cm의 $\frac{2}{3}$는 □ cm입니다.

7 수직선을 보고 □ 안에 알맞은 수를 써넣으세요.

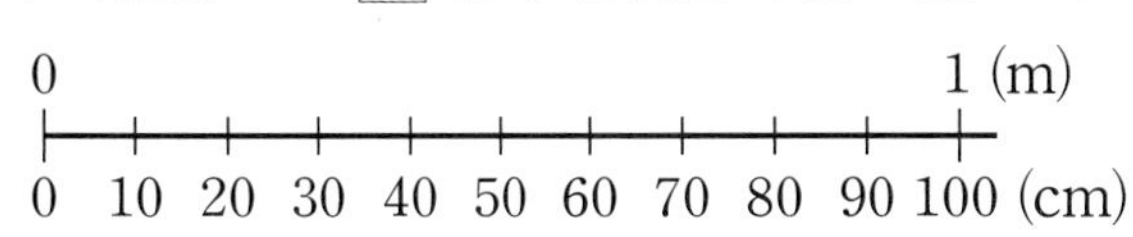

(1) 1 m의 $\frac{3}{5}$은 □ cm입니다.

(2) 1 m의 $\frac{4}{5}$는 □ cm입니다.

10종

교과 유형 익힘

분수로 나타내기 ~ 분수만큼을 알아보기

01 □ 안에 알맞은 수를 써넣고, 빨간색과 파란색으로 수만큼 색칠하세요.

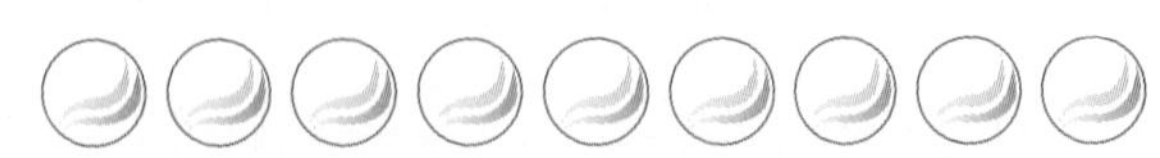

9의 $\frac{1}{3}$은 빨간색 구슬입니다. ⇨ □개

9의 $\frac{2}{3}$는 파란색 구슬입니다. ⇨ □개

02 구슬 36개를 6개씩 묶었을 때, 구슬 30개는 전체 구슬의 몇 분의 몇일까요?

(　　　　　　　)

03 □ 안에 알맞은 수를 써넣으세요.

(1) 25의 $\frac{1}{5}$은 □입니다.

25의 $\frac{2}{5}$는 □입니다.

(2) 32의 $\frac{1}{8}$은 □입니다.

32의 $\frac{5}{8}$는 □입니다.

04 □ 안에 알맞은 수를 써넣으세요.

0 1 2 3 4 5 6 7 8 9 10 11 12 (cm)

(1) 12 cm의 $\frac{3}{4}$은 □ cm입니다.

(2) 12 cm의 $\frac{3}{6}$은 □ cm입니다.

05 조건에 맞게 색칠하여 무늬를 꾸미세요.

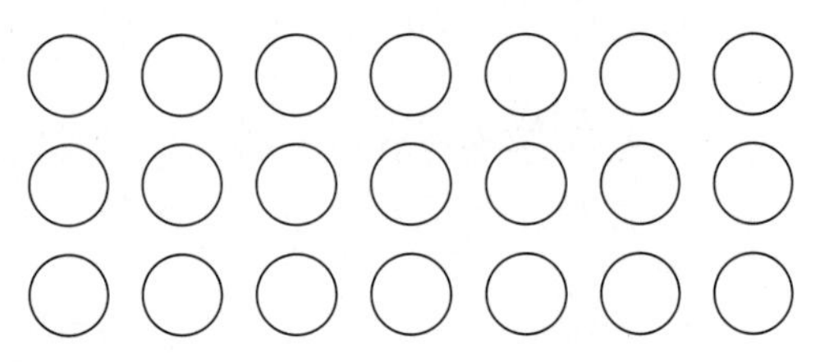

빨간색: 21의 $\frac{3}{7}$　　파란색: 21의 $\frac{4}{7}$

(1) 빨간색 ○는 몇 개일까요?

(　　　　　　　)

(2) 파란색 ○는 몇 개일까요?

(　　　　　　　)

(3) 빨간색과 파란색의 수만큼 위의 그림을 색칠하여 무늬를 꾸미세요.

06 □ 안에 알맞은 수가 더 큰 것을 찾아 기호를 쓰세요.

㉠ 9를 3씩 묶으면 6은 9의 $\frac{□}{3}$입니다.

㉡ 25를 5씩 묶으면 20은 25의 $\frac{□}{5}$입니다.

(　　　　　　　)

07 □ 안에 알맞은 수를 써넣으세요.

1시간의 $\frac{1}{3}$은 □분이고

1시간의 $\frac{1}{4}$은 □분입니다.

08 옥수수가 18개 있습니다. 그중 9개는 할머니께 드리고 6개는 이웃집에 드렸습니다. □ 안에 알맞은 수를 써넣으세요.

(1) 18개를 9개씩 묶으면 할머니께 드린 옥수수 9개는 18개의 $\frac{1}{\square}$입니다.

(2) 18개를 6개씩 묶으면 이웃집에 드린 옥수수 6개는 18개의 $\frac{1}{\square}$입니다.

09 집에서 야구장까지의 거리는 900 m이고, 학교까지의 거리는 야구장까지의 거리의 $\frac{4}{9}$입니다. 집에서 학교까지의 거리는 몇 m인지 구하세요.

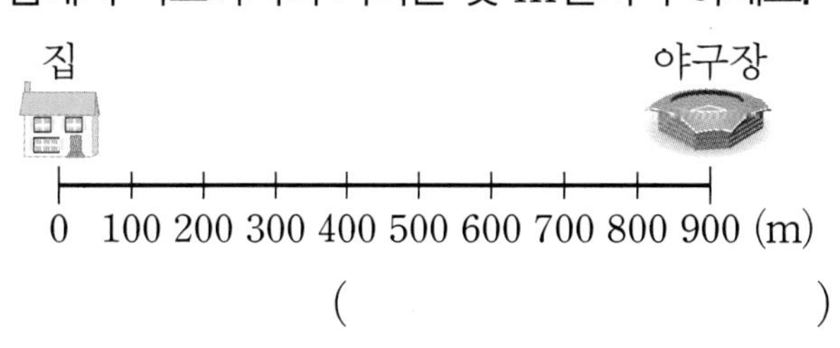

(　　　　　　)

10 재현이는 전체가 56쪽인 동화책을 읽고 있습니다. 지금까지 전체의 $\frac{5}{7}$를 읽었다면 앞으로 몇 쪽을 더 읽어야 할까요?

(　　　　　　)

11 문제해결

자동차가 이동한 거리를 그림에 ──으로 나타내고 더 멀리 이동한 자동차의 기호를 쓰세요.

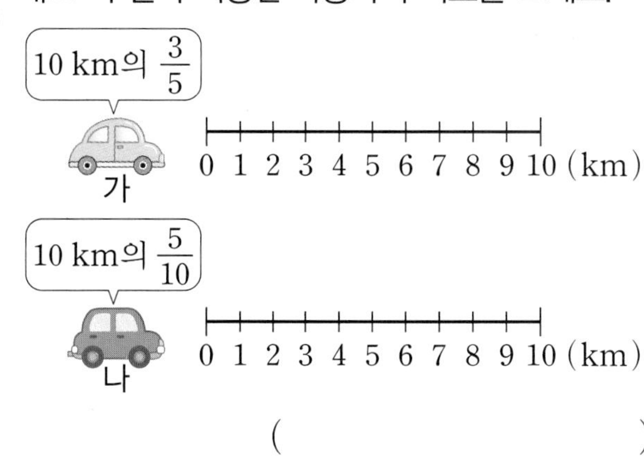

(　　　　　　)

12 창의융합

오른쪽은 민호의 사물함입니다. 조건 을 보고 사물함 비밀번호를 써넣으세요.

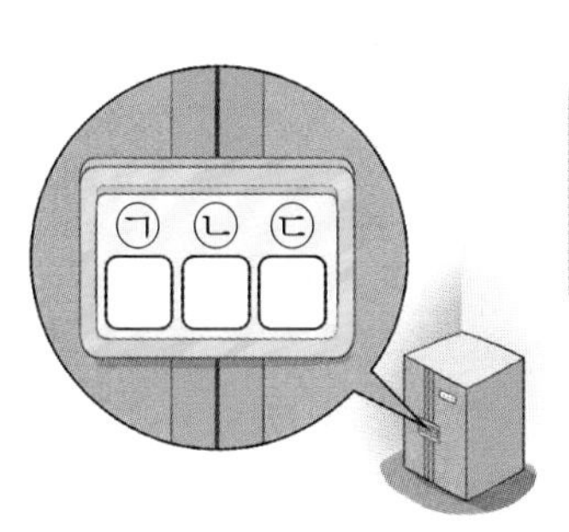

조건

- 30을 3씩 묶으면 9는 30의 $\frac{㉠}{10}$입니다.
- 30을 5씩 묶으면 10은 30의 $\frac{㉡}{6}$입니다.
- 30을 10씩 묶으면 20은 30의 $\frac{㉢}{3}$입니다.

13 추론

12의 $\frac{1}{3}$, $\frac{2}{3}$, $\frac{1}{4}$, $\frac{3}{4}$만큼 되는 곳에 알맞은 글자를 찾아 □ 안에 알맞게 써넣으세요.

12의 $\frac{1}{3}$ ⇨ 수　　12의 $\frac{2}{3}$ ⇨ 산

12의 $\frac{1}{4}$ ⇨ 갈　　12의 $\frac{3}{4}$ ⇨ 이

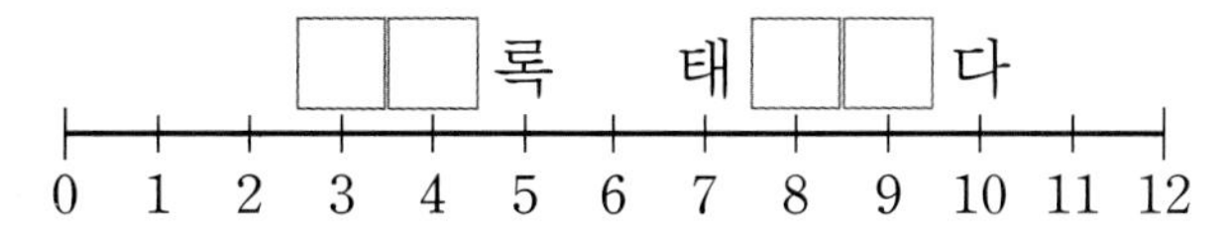

4 단원 진도 완료 체크

교과 개념

여러 가지 분수 알아보기

개념1 진분수, 가분수, 대분수 알아보기

- **진분수**: **분자**가 분모보다 **작은** 분수 예 $\frac{1}{5}$, $\frac{2}{5}$, $\frac{3}{5}$, $\frac{4}{5}$
- **가분수**: **분자**가 분모와 **같거나** 분모보다 **큰** 분수 예 $\frac{5}{5}$, $\frac{6}{5}$, $\frac{7}{5}$, $\frac{8}{5}$
- **자연수**: 1, 2, 3과 같은 수

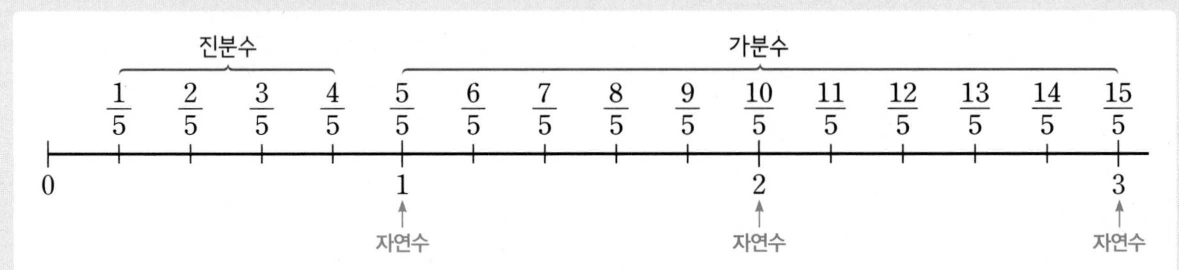

- **대분수**: **자연수**와 **진분수**로 이루어진 분수

1과 $\frac{1}{5}$ ➡ 쓰기 $1\frac{1}{5}$ 읽기 1과 5분의 1

개념2 대분수를 가분수로, 가분수를 대분수로 나타내기

- **대분수를 가분수로 나타내기**

자연수를 가분수로 나타내고 가분수와 진분수에서 단위분수가 몇 개인지 세어 봅니다.

예 $1\frac{2}{3}$ ➡ ➡ $\frac{5}{3}$

$1=\frac{3}{3}$ $\frac{2}{3}$ → $\frac{1}{3}$이 5개

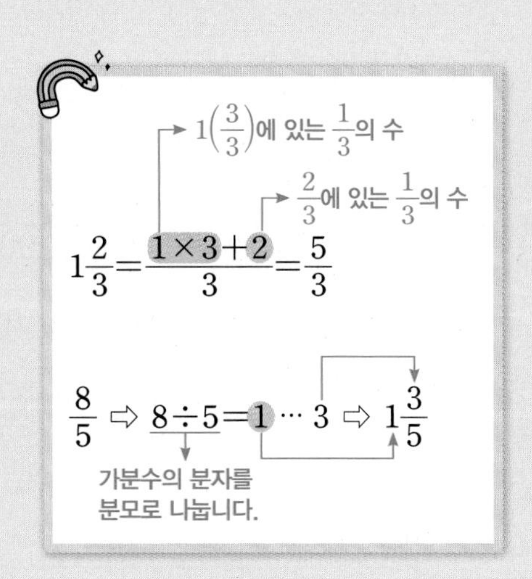

$1\left(\frac{3}{3}\right)$에 있는 $\frac{1}{3}$의 수
$\frac{2}{3}$에 있는 $\frac{1}{3}$의 수
$1\frac{2}{3}=\frac{1\times3+2}{3}=\frac{5}{3}$
$\frac{8}{5}$ ⇨ $8\div5=1\cdots3$ ⇨ $1\frac{3}{5}$
가분수의 분자를 분모로 나눕니다.

- **가분수를 대분수로 나타내기**

가분수에서 자연수로 나타낼 수 있는 가분수를 자연수로 나타내고 나머지는 진분수로 하여 대분수로 나타냅니다.

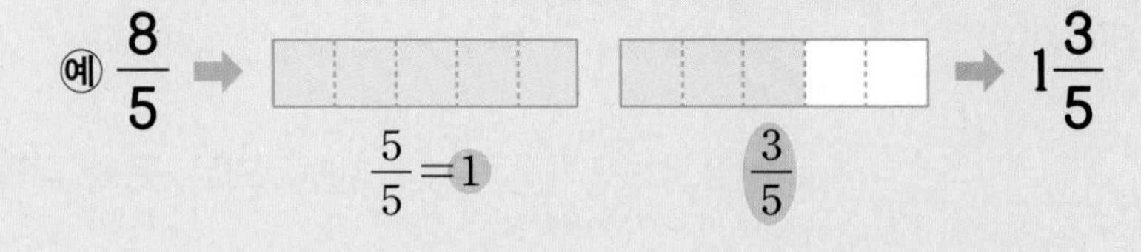

예 $\frac{8}{5}$ ➡ ➡ $1\frac{3}{5}$

$\frac{5}{5}=1$ $\frac{3}{5}$

개념확인 1 분모가 4인 분수로 나타내고 진분수이면 △표, 가분수이면 ▽표 하세요.

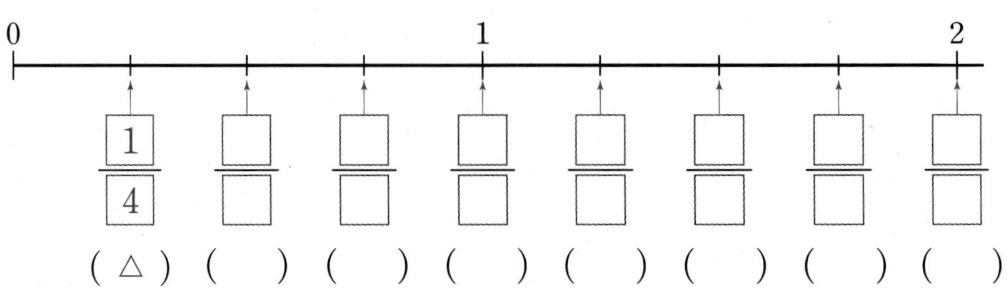

2 그림을 보고 □ 안에 알맞은 수를 써넣으세요.

$\frac{1}{3}$ 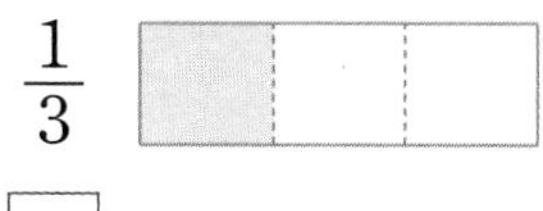

$\frac{\square}{3}$ 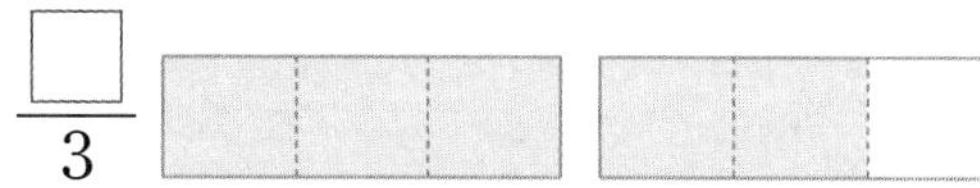

3 진분수에는 ○표, 가분수에는 △표 하세요.

$\frac{9}{4}$ $\frac{5}{5}$ $\frac{1}{2}$ $\frac{10}{3}$ $\frac{2}{6}$

4 그림을 보고 대분수를 가분수로 나타내세요.

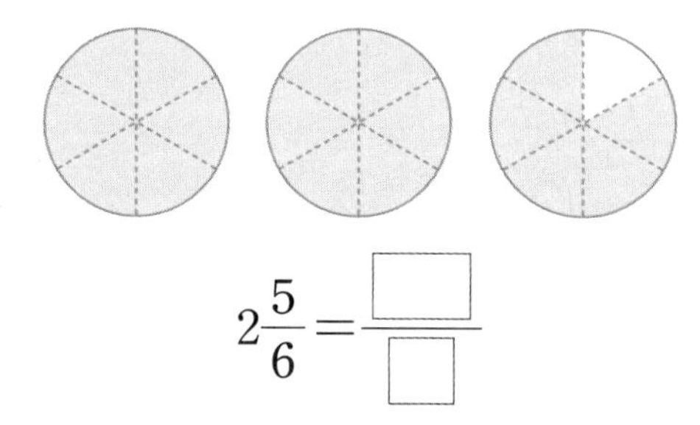

$2\frac{5}{6}=\frac{\square}{\square}$

5 맞는 말에 ○표, 틀린 말에 ×표 하세요.

(1) $\frac{1}{4}$, $\frac{2}{4}$, $\frac{3}{4}$, $\frac{4}{4}$는 모두 진분수입니다.

( )

(2) $\frac{6}{6}$은 1입니다. ( )

(3) $\frac{10}{7}$은 가분수입니다. ( )

6 $3\frac{5}{6}$를 가분수로 나타내세요.

(1) 3과 $\frac{5}{6}$는 $\frac{1}{6}$이 각각 몇 개인지 차례로 쓰세요.

3 ⇨ ( ), $\frac{5}{6}$ ⇨ ( )

(2) $3\frac{5}{6}$는 $\frac{1}{6}$이 몇 개인지 쓰고 $3\frac{5}{6}$를 가분수로 나타내세요.

( ), ( )

7 수직선을 보고 물음에 답하세요.

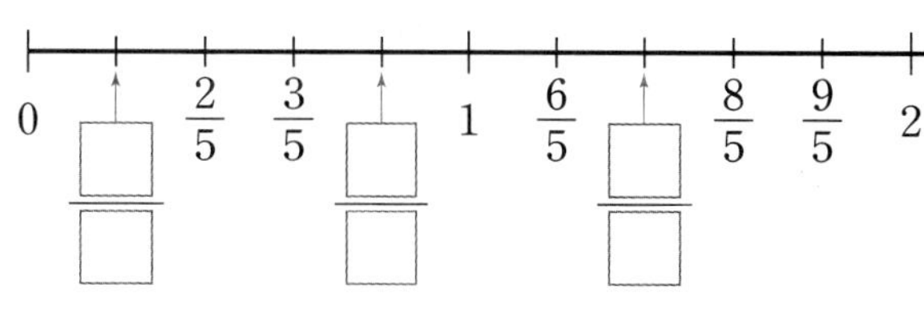

(1) □ 안에 알맞은 수를 써넣으세요.

(2) $\frac{5}{5}$인 곳을 찾아 수직선에 ↓로 나타내세요.

8 가분수 $\frac{8}{3}$만큼 색칠하고 대분수로 나티내세요.

$\frac{8}{3}$ ⇨ 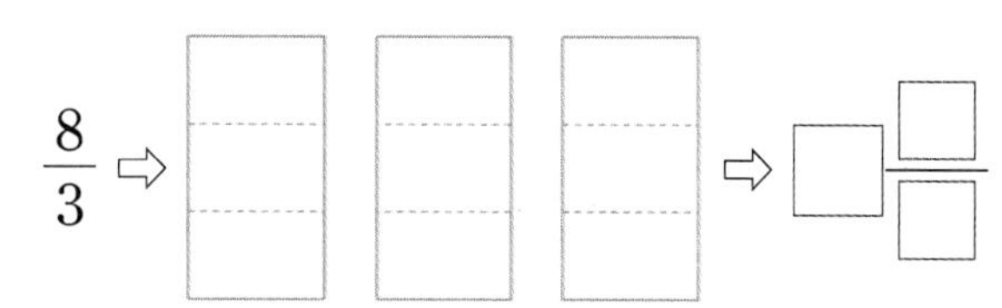 ⇨ $\square\frac{\square}{\square}$

4 단원

Step 1 교과 개념

분모가 같은 분수의 크기 비교

개념1 분모가 같은 가분수의 크기 비교

분자가 클수록 더 큽니다.

$\frac{6}{5} < \frac{7}{5}$ $\frac{9}{5} < \frac{14}{5}$

개념2 분모가 같은 대분수의 크기 비교

먼저 **자연수의 크기를 비교**하고
자연수의 크기가 같으면
분자의 크기를 비교합니다.

$2\frac{3}{5} < 4\frac{1}{5}$ $3\frac{1}{5} < 3\frac{4}{5}$

같습니다.

개념3 분모가 같은 대분수와 가분수의 크기 비교

대분수를 가분수로 나타내거나 가분수를 대분수로 나타내어 분수의 크기를 비교합니다.

• $2\frac{3}{4}$과 $\frac{14}{4}$의 크기 비교

• **대분수를 가분수로 나타내어** 비교하기

$2\frac{3}{4} = \frac{11}{4}$ ➡ $\frac{11}{4} < \frac{14}{4}$ ➡ $2\frac{3}{4} < \frac{14}{4}$

• **가분수를 대분수로 나타내어** 비교하기

$\frac{14}{4} = 3\frac{2}{4}$ ➡ $2\frac{3}{4} < 3\frac{2}{4}$ ➡ $2\frac{3}{4} < \frac{14}{4}$

개념확인 1 $\frac{7}{4}$과 $\frac{5}{4}$의 크기를 비교하려고 합니다. 물음에 답하세요.

(1) $\frac{7}{4}$과 $\frac{5}{4}$를 수직선에 각각 ——으로 나타내세요.

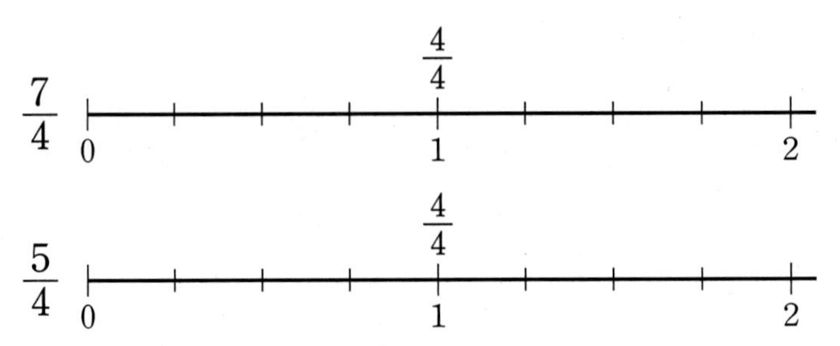

(2) $\frac{7}{4}$과 $\frac{5}{4}$ 중에서 어느 분수가 더 클까요?

(　　　　　　　　　　)

2 더 큰 수에 ○표 하세요.

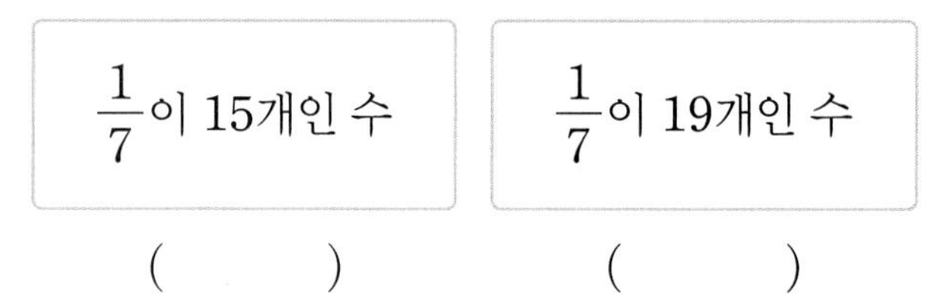

( ) ( )

3 그림을 보고 분수의 크기를 비교하여 ○ 안에 >, =, <를 알맞게 써넣으세요.

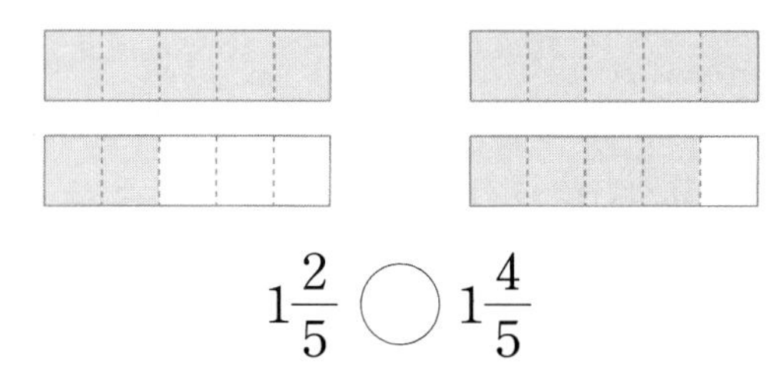

$1\frac{2}{5}$ ○ $1\frac{4}{5}$

4 분수의 크기를 비교하여 ○ 안에 >, =, <를 알맞게 써넣으세요.

(1) $\frac{7}{3}$ ○ $\frac{4}{3}$ (2) $\frac{10}{2}$ ○ $\frac{9}{2}$

5 $1\frac{2}{3}$와 $2\frac{1}{3}$의 크기를 비교하려고 합니다. $1\frac{2}{3}$와 $2\frac{1}{3}$만큼 색칠하고, 더 큰 분수에 ○표 하세요.

$1\frac{2}{3}$ [ ] [ ] [ ]

$2\frac{1}{3}$ [ ] [ ] [ ]

6 분수의 크기를 비교하여 ○ 안에 >, =, <를 알맞게 써넣고, 알맞은 말에 ○표 하세요.

$5\frac{7}{10}$ ○ $5\frac{3}{10}$

자연수 부분이 같으므로 분자의 크기를 비교하면 $5\frac{7}{10}$이 $5\frac{3}{10}$보다 더 (큽니다 , 작습니다).

7 분수의 크기를 비교하여 ○ 안에 >, =, <를 알맞게 써넣으세요.

(1) $1\frac{2}{4}$ ○ $3\frac{1}{4}$

(2) $2\frac{7}{9}$ ○ $2\frac{5}{9}$

8 $\frac{19}{5}$와 $2\frac{4}{5}$ 중 어느 분수가 더 큰지 알아보세요.

(1) $\frac{19}{5}$를 대분수로 나타내세요.

( )

(2) $\frac{19}{5}$와 $2\frac{4}{5}$ 중 어느 분수가 더 클까요?

( )

10종

교과 유형 익힘

01 진분수, 가분수, 대분수로 분류하세요.

$\frac{3}{3}$ $1\frac{1}{8}$ $\frac{10}{9}$ $\frac{11}{12}$

진분수	가분수	대분수

02 사다리를 타고 내려가 도착한 곳이 참이면 ○표, 거짓이면 ×표 하세요.

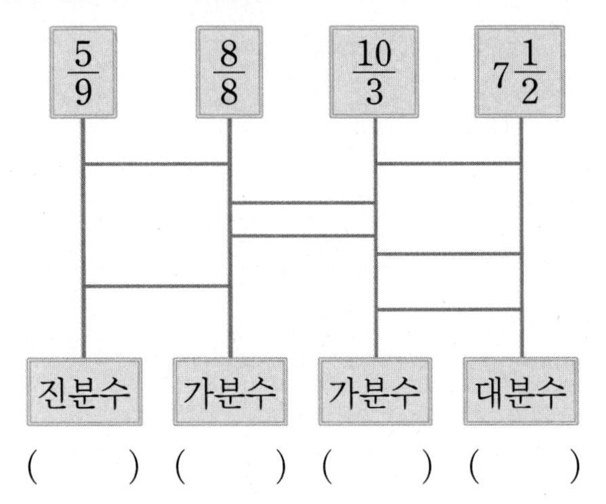

( ) ( ) ( ) ( )

03 가분수 $\frac{11}{4}$을 대분수로 나타내려고 합니다. 물음에 답하세요.

(1) $\frac{11}{4}$만큼 색칠하세요.

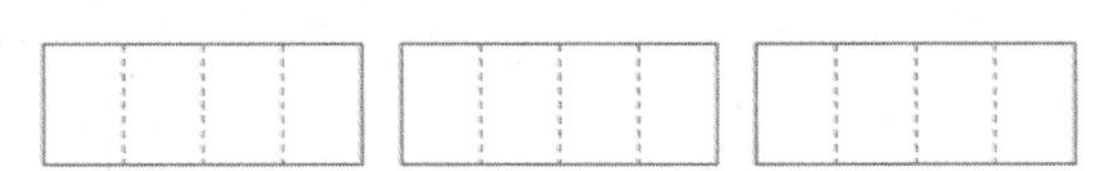

(2) $\frac{11}{4}$을 대분수로 나타내세요.

( )

04 주어진 분수가 어떤 분수인지 알맞게 이으세요.

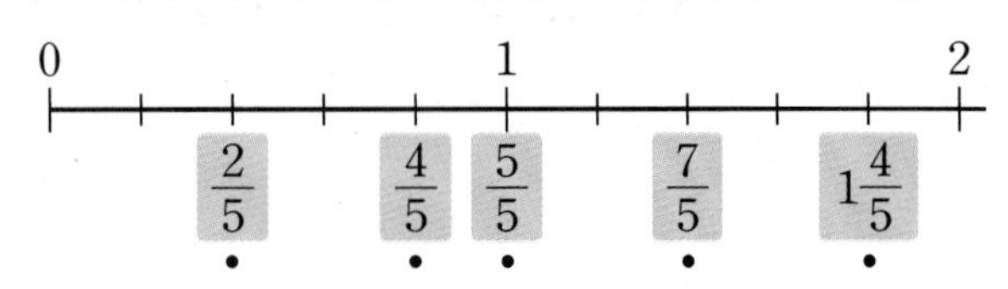

진분수 대분수 가분수

05 세 분수의 크기를 비교하여 가장 큰 분수를 쓰세요.

$\frac{5}{3}$ $\frac{3}{3}$ $\frac{8}{3}$

( )

06 민호와 태인이가 종이띠로 만들기를 하고 있습니다. 종이띠를 민호는 $2\frac{4}{7}$ m 사용했고, 태인이는 $1\frac{6}{7}$ m 사용했습니다. 종이띠를 더 많이 사용한 사람은 누구일까요?

( )

07 가분수를 대분수로, 대분수를 가분수로 나타내세요.

(1) $\frac{11}{6}=\square\frac{\square}{\square}$ (2) $3\frac{1}{2}=\frac{\square}{\square}$

08 대분수를 가분수로, 가분수를 대분수로 나타낸 것을 찾아 이으세요.

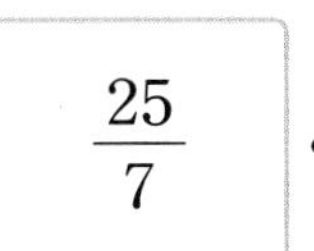

$\frac{25}{7}$ •		• $\frac{23}{7}$
$3\frac{2}{7}$ •		• $3\frac{4}{7}$
$\frac{31}{7}$ •		• $4\frac{3}{7}$

09 분수의 크기를 비교하여 ◯ 안에 >, =, <를 알맞게 써넣으세요.

(1) $4\frac{5}{8}$ ◯ $\frac{33}{8}$　　(2) $\frac{51}{7}$ ◯ $6\frac{6}{7}$

10 분수를 순서대로 □ 안에 써넣으세요.

$4\frac{5}{6}$, $\frac{31}{6}$, $5\frac{3}{6}$ ⇨ □ > □ > □

11 $2\frac{3}{4}$보다 크고 $\frac{15}{4}$보다 작은 분수를 3개 찾아 ◯표 하세요.

$\frac{11}{4}$　$3\frac{2}{4}$　$3\frac{1}{4}$　$\frac{12}{4}$　$2\frac{1}{4}$　$3\frac{3}{4}$

12 조건 을 모두 만족하는 분수를 찾아 ◯표 하세요.

추론

조건
- 분모와 분자의 합이 10입니다.
- 가분수입니다.

$\frac{4}{6}$　$\frac{1}{2}$　$\frac{7}{3}$　$\frac{2}{12}$

13 두 분수의 크기를 비교하여 더 작은 분수를 □ 안에 써넣으세요.

문제해결

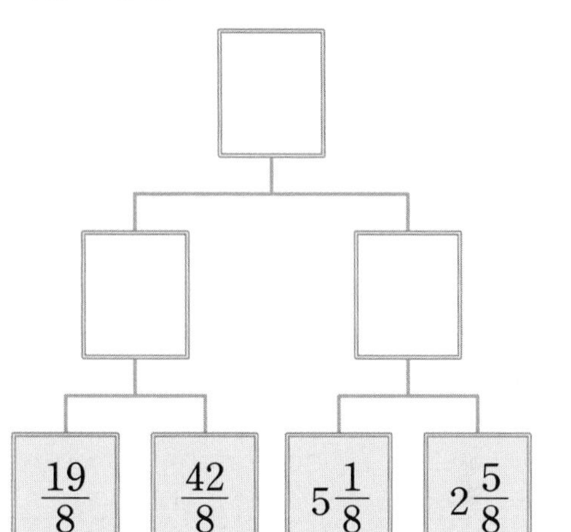

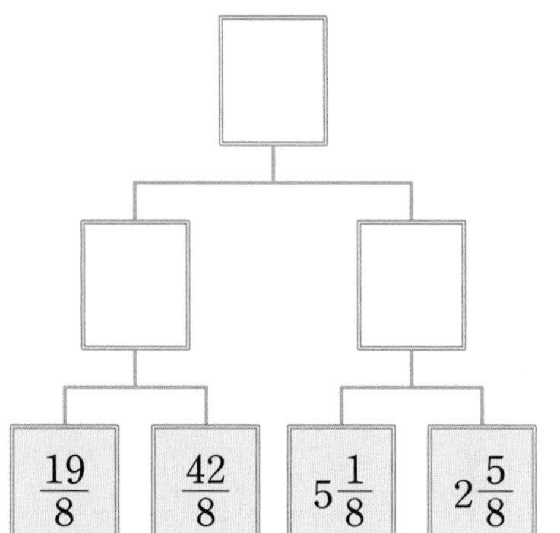

14 수 카드 3장을 보고 물음에 답하세요.

정보처리

(1) 수 카드 2장을 사용하여 만들 수 있는 가분수를 모두 쓰세요.

(　　　　　　　　　　)

(2) 수 카드 2장을 사용하여 만든 가분수를 대분수로 나타내세요.

(　　　　　　　　　　)

4 단원

진도 완료 체크

문제 해결 잘 틀리는 문제

유형1 여러 가지 분수 분류하기

1 가분수를 모두 찾아 쓰세요.

$\frac{9}{5}$ $1\frac{5}{8}$ $\frac{1}{3}$ $\frac{5}{5}$ $\frac{11}{2}$ $\frac{1}{15}$ $21\frac{6}{7}$

(　　　　　　　　　　)

Solution 분자와 분모가 같은 분수도 가분수임을 주의하여 가분수를 모두 찾습니다.

1-1 가분수를 모두 찾아 쓰세요.

$\frac{7}{10}$ $\frac{1}{5}$ $\frac{10}{7}$ $\frac{8}{8}$ $\frac{11}{10}$ $\frac{9}{6}$ $\frac{2}{3}$

(　　　　　　　　　　)

1-2 진분수와 가분수로 분류하세요.

$\frac{1}{2}$ $\frac{98}{99}$ $\frac{23}{23}$ $\frac{8}{9}$ $\frac{5}{4}$

진분수	가분수

1-3 수직선을 보고 빈칸에 알맞은 기호를 써넣으세요.

㉠ $\frac{1}{3}$ ㉡ $\frac{2}{3}$ ㉢ $\frac{3}{3}$ ㉣ $\frac{4}{3}$ ㉤ $\frac{5}{3}$ ㉥ $\frac{6}{3}$

0 ㉦ 1 ㉧ $1\frac{1}{3}$ ㉨ $1\frac{2}{3}$ ㉩ 2

진분수	
가분수	
자연수	
대분수	

유형2 분수로 나타내기

2 사탕 12개를 2개씩 묶었을 때 10개는 12개의 몇 분의 몇일까요?

(　　　　　　　　　　)

Solution 묶음의 수에 따라 나타내는 분수가 다름을 이해하고 부분의 양과 전체의 양을 비교합니다.

■묶음 중 ▲묶음은 전체의 $\frac{▲}{■}$입니다.

2-1 재형이는 양로원에 가져가기 위해 준비한 빵 20개를 4개씩 묶었습니다. 물음에 답하세요.

(1) 4개는 20개의 몇 분의 몇일까요?

(　　　　　　　　　　)

(2) 12개는 20개의 몇 분의 몇일까요?

(　　　　　　　　　　)

2-2 초콜릿 24개를 3개씩 묶었을 때 9개는 24개의 몇 분의 몇일까요?

(　　　　　　　　　　)

2-3 □ 안에 알맞은 수를 써넣으세요.

(1) 6은 24의 $\frac{1}{□}$입니다.

(2) 4는 24의 $\frac{1}{□}$입니다.

유형3 분수만큼은 얼마인지 구하기

3 하루는 24시간입니다. 정훈이가 하루 동안 운동과 공부를 하고 남은 시간은 몇 시간인지 구하세요.

운동: 하루의 $\frac{1}{8}$, 공부: 하루의 $\frac{3}{8}$

( )

Solution 자연수의 $\frac{▲}{■}$는 자연수를 똑같이 ■묶음으로 나눈 것 중의 ▲묶음입니다.

3-1 은혁이는 선물로 받은 공책 20권을 동생과 형에게도 나누어 주었습니다. 나누어 주고 남은 공책은 몇 권인지 알아보세요.

동생: 20권의 $\frac{1}{5}$, 형: 20권의 $\frac{3}{5}$

(1) 동생과 형에게 준 공책 수를 각각 구하세요.

동생 ( )

형 ( )

(2) 나누어 주고 남은 공책은 몇 권일까요?

( )

3-2 윤아는 28 m짜리 색 테이프를 샀습니다. 선물을 포장하는 데 28 m의 $\frac{2}{4}$를 사용하고, 리본을 만드는 데 28 m의 $\frac{1}{4}$을 사용했습니다. 남은 색 테이프는 몇 m일까요?

( )

유형4 분수의 크기 비교

4 두 분수의 크기를 비교하여 큰 이 있으면 큰 분수를, 작 이 있으면 작은 분수를 □ 안에 써넣으세요.

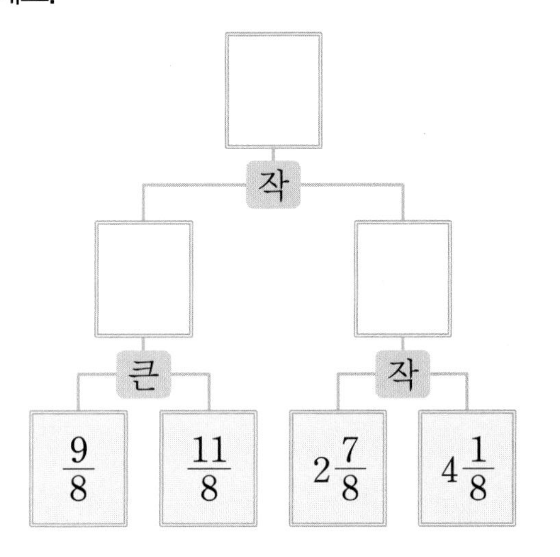

Solution 문제의 조건에 따라 두 수 중 큰 수를 써야 할 경우와 작은 수를 써야 할 경우를 구분하여 분수를 씁니다.

4-1 두 분수의 크기를 비교하여 큰 이 있으면 큰 분수를, 작 이 있으면 작은 분수를 □ 안에 써넣으세요.

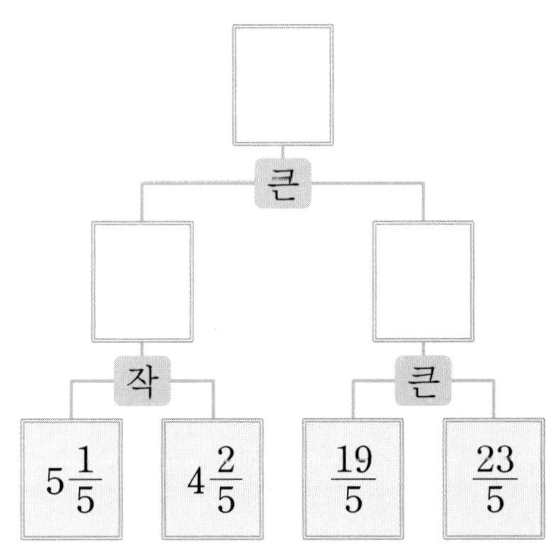

4 단원

문제 해결 (서술형 문제)

유형5

문제 해결 Key
먹은 밤의 수를 구하고 전체 밤의 수에서 빼어 남은 밤의 수를 구합니다.

문제 해결 전략
❶ 먹은 밤의 수 구하기
❷ 남은 밤의 수 구하기

5 다람쥐 삼 남매는 ❶밤을 20개 주웠습니다. 그중 $\frac{3}{5}$을 먹었다면 ❷남은 밤은 몇 개인지 풀이 과정을 보고 □ 안에 알맞은 수를 써넣어 답을 구하세요.

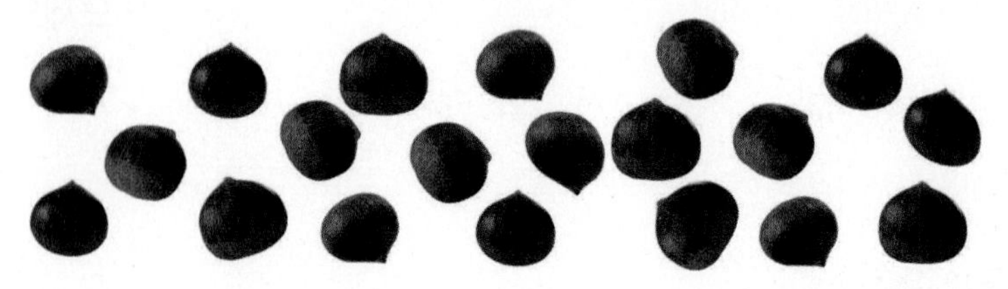

풀이 ❶ 20개의 $\frac{3}{5}$은 20개를 □묶음으로 나눈 것 중의 □묶음입니다.
20개를 똑같이 5묶음으로 나누면 한 묶음은 □개이므로 다람쥐 삼 남매가 먹은 밤은 □개입니다.
❷ 따라서 먹고 남은 밤은 □ − □ = □(개)입니다.

답 ________

5-1 연습 문제

문구점에 학용품 세트가 63개 있습니다. 그중 $\frac{5}{7}$가 팔렸습니다. 문구점에 남은 학용품 세트는 몇 개인지 풀이 과정을 쓰고 답을 구하세요.

풀이
❶ 팔린 학용품 세트의 수 구하기

❷ 남은 학용품 세트의 수 구하기

답 ________

5-2 실전 문제

벽에 붙임딱지 72장이 붙어 있습니다. 그중 $\frac{5}{9}$를 떼어 냈습니다. 벽에 남은 붙임딱지는 몇 장인지 풀이 과정을 쓰고 답을 구하세요.

풀이

답 ________

유형6

문제 해결 Key
끈의 길이를 가분수 또는 대분수로 모두 나타내어 비교합니다.

문제 해결 전략
❶ 가분수 또는 대분수로 나타내기
❷ 분수의 크기 비교하기

6 끈으로 리본 모양을 만드는 데 ❶민주는 $1\frac{4}{5}$ m, 재영이는 $\frac{7}{5}$ m를 사용했습니다. ❷누가 끈을 더 많이 사용했는지 풀이 과정을 보고 □ 안에 알맞게 써넣어 답을 구하세요.

$1\frac{4}{5}$ m로 만들었어.
민주

난 $\frac{7}{5}$ m를 사용했는데!

재영

풀이 ❶ 민주가 사용한 끈의 길이를 가분수로 나타내면 $1\frac{4}{5}=\frac{\square}{5}$ (m)입니다.

❷ $\frac{\square}{5}$와/과 $\frac{7}{5}$의 분자를 비교하면 $\frac{\square}{5}>\frac{\square}{5}$이므로 □(이)가 끈을 더 많이 사용했습니다.

답 ______

6-1 연습 문제

어제 시원이는 $9\frac{1}{4}$시간을 자고, 은성이는 $\frac{38}{4}$시간을 잤습니다. 누가 더 오래 잤는지 풀이 과정을 쓰고 답을 구하세요.

풀이
❶ 대분수를 가분수로 나타내거나 가분수를 대분수로 나타내기

❷ 대분수 또는 가분수의 크기 비교하기

답 ______

6-2 실전 문제

레몬청 $3\frac{1}{2}$ 숟가락과 자몽청 $\frac{9}{2}$ 숟가락을 넣어 에이드를 만들었습니다. 레몬청과 자몽청 중 어느 것을 더 많이 넣었는지 풀이 과정을 쓰고 답을 구하세요.

풀이

답 ______

4 단원

진도 완료 체크

실력 UP 문제

01 시연이의 하루입니다. □ 안에 알맞은 수를 써넣고 각각의 색으로 색칠하세요.

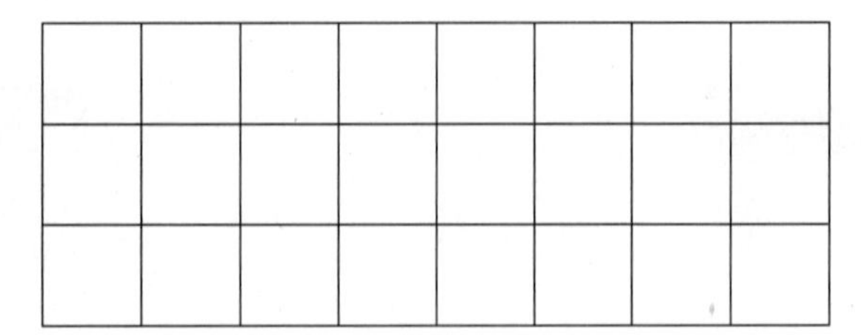

(1) 하루 24시간의 $\frac{1}{3}$은 잠을 잡니다.

⇨ □시간(빨간색)

(2) 하루 24시간의 $\frac{1}{4}$은 공부를 합니다.

⇨ □시간(파란색)

(3) 하루 24시간의 $\frac{1}{8}$은 밥을 먹습니다.

⇨ □시간(노란색)

(4) 남은 시간 ⇨ □시간(보라색)

02 우리가 흔히 사용하는 A4 용지는 A0 용지를 잘라서 만듭니다. 물음에 답하세요.

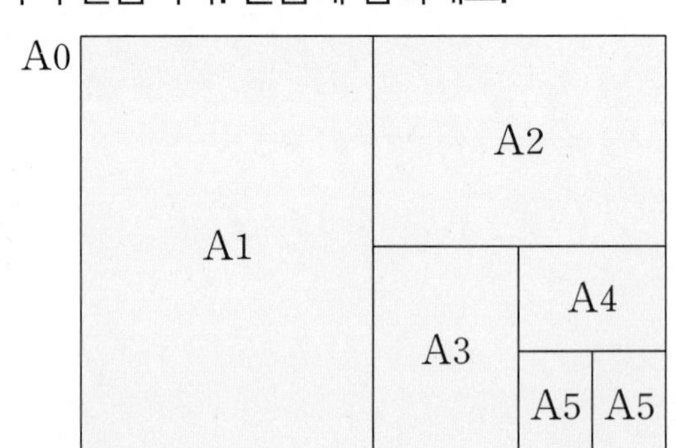

(1) A0 용지 1장으로 A4 용지 몇 장을 만들 수 있을까요?

(　　　　　　　　)

(2) A4 용지의 크기는 A0 용지 크기의 몇 분의 몇인지 분수로 나타내세요.

(　　　　　　　　)

03 조건 을 모두 만족하는 분수를 모두 구하세요.

조건
- 자연수가 5인 대분수입니다.
- 분모는 9입니다.
- 분모와 분자의 차는 4보다 작습니다.

(　　　　　　　　)

04 태양계에는 우리가 살고 있는 지구를 포함하여 8개의 행성이 태양의 주위를 돌고 있습니다. 지구를 기준으로 행성의 크기를 비교하여 나타낸 표를 보고 물음에 답하세요.

행성의 크기

수성	금성	지구	화성	목성	토성	천왕성	해왕성
$\frac{4}{10}$	$\frac{9}{10}$	1	$\frac{5}{10}$	$11\frac{1}{5}$	$9\frac{2}{5}$	4	$3\frac{9}{10}$

(1) 지구보다 크기가 작은 행성을 모두 찾아 쓰세요.

(　　　　　　　　)

(2) 해왕성보다 크기가 큰 행성을 모두 찾아 쓰세요.

(　　　　　　　　)

서술형 문제

05 주연이가 어제와 오늘 리본을 만드는 데 사용하고 남은 끈의 길이는 모두 몇 cm인지 풀이 과정을 쓰고 답을 구하세요.

0 8 16 24 32 40 48 56 64 72 80 (cm)

풀이 ______________________

답 ______________________

06 □ 안에 들어갈 수 있는 자연수를 모두 구하세요.

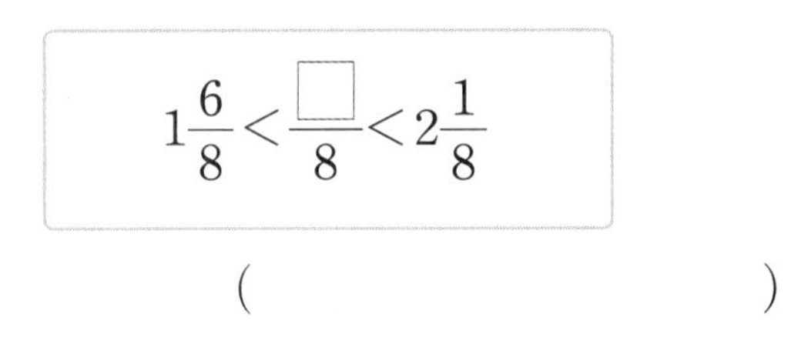

$$1\frac{6}{8} < \frac{\square}{8} < 2\frac{1}{8}$$

(　　　　　　　　　)

07 어떤 수의 $\frac{4}{5}$는 24입니다. 어떤 수의 $\frac{4}{6}$는 얼마일까요?

(　　　　　　　　　)

08 KTX를 타고 서울역에서 강릉역까지 가는 데 $1\frac{9}{10}$시간이 걸린다고 합니다. 오후 2시에 KTX가 서울역에서 출발했다면 강릉역에 도착하는 시각은 오후 몇 시 몇 분일까요?

(　　　　　　　　　)

서술형 문제

09 수 카드 6장 중에서 3장을 사용하여 분모가 5인 대분수를 만들려고 합니다. $1\frac{3}{5}$보다 크고 $\frac{14}{5}$보다 작은 대분수를 몇 개 만들 수 있는지 풀이 과정을 쓰고 답을 구하세요.

풀이 ______________________

답 ______________________

4 단원

단원 평가

01 □ 안에 알맞은 수를 써넣으세요.

16을 4씩 묶으면 4는 16의 $\frac{\square}{\square}$입니다.

02 □ 안에 알맞은 수를 써넣으세요.

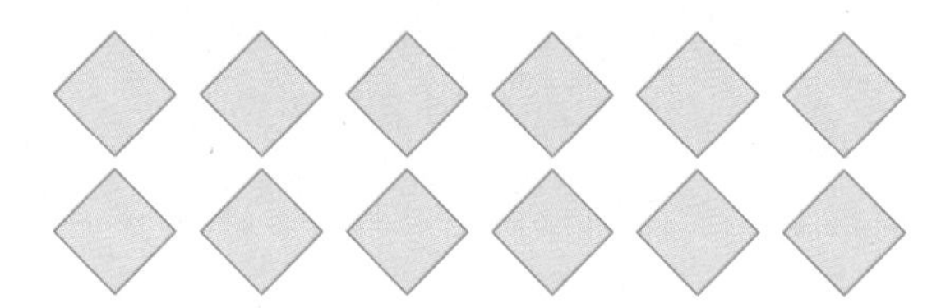

12의 $\frac{2}{3}$는 □입니다.

03 진분수를 모두 찾아 ○표 하세요.

$\frac{2}{3}$	$\frac{1}{8}$	$\frac{3}{7}$	$\frac{6}{5}$
$\frac{9}{9}$	$\frac{5}{4}$	$\frac{10}{6}$	$\frac{4}{11}$

04 가분수를 모두 찾아 ○표 하세요.

$\frac{1}{7}$	$\frac{13}{13}$	$\frac{11}{9}$	$\frac{7}{8}$
$\frac{3}{14}$	$\frac{2}{6}$	$\frac{3}{2}$	$\frac{15}{16}$

05 대분수를 모두 찾아 색칠하고 나타내는 글자를 쓰세요.

$\frac{1}{2}$	$2\frac{2}{5}$	$4\frac{1}{3}$	$8\frac{4}{10}$	$\frac{29}{6}$
$\frac{12}{13}$	$1\frac{3}{7}$	$\frac{9}{9}$	$\frac{5}{6}$	$\frac{5}{4}$
$\frac{11}{5}$	$3\frac{1}{4}$	$6\frac{5}{8}$	$1\frac{2}{10}$	$\frac{17}{24}$

(　　　　　　　　)

06 그림을 보고 대분수와 가분수로 각각 나타내세요.

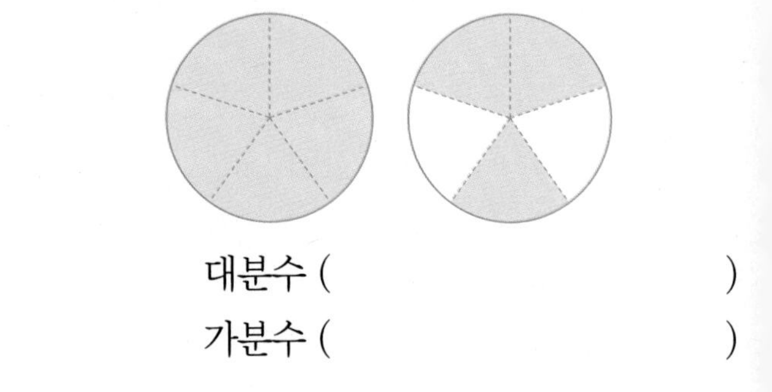

대분수 (　　　　　　　　)

가분수 (　　　　　　　　)

07 종이띠를 보고 □ 안에 알맞은 수를 써넣으세요.

0　1　2　3　4　5　6　7　8(m)

⑴ 종이띠를 2 m씩 나누면 2 m는 8 m의 $\frac{\square}{\square}$입니다.

⑵ 8 m의 $\frac{3}{4}$은 □ m입니다.

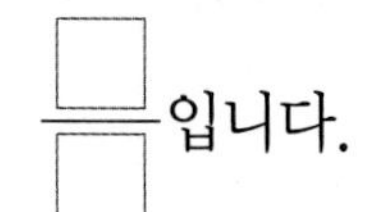

08 그림을 보고 대분수를 가분수로 나타내세요.

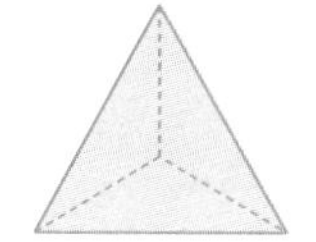 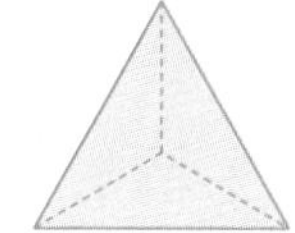 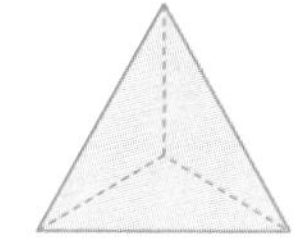 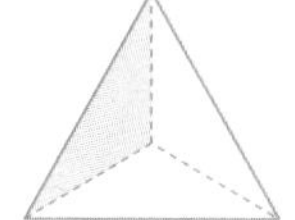

$3\frac{1}{3}=\frac{\square}{\square}$

09 그림을 보고 가분수를 대분수로 나타내세요.

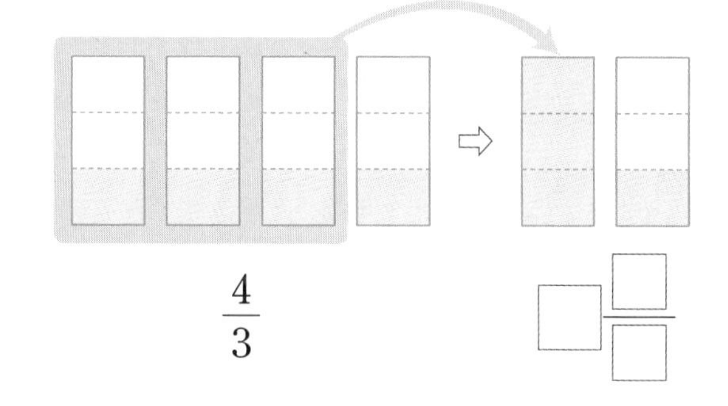

$\frac{4}{3}$ ⇨ $\square\frac{\square}{\square}$

10 분모가 7인 진분수는 모두 몇 개일까요?

(　　　　　　)

11 대분수는 가분수로, 가분수는 대분수로 나타내세요.

(1) $8\frac{1}{3}$ (　　　　　　)

(2) $\frac{33}{12}$ (　　　　　　)

12 다음 중 가장 작은 수는 어느 것일까요? (　　　)

① 36의 $\frac{1}{2}$　② 36의 $\frac{1}{6}$

③ 36의 $\frac{7}{9}$　④ 36의 $\frac{10}{12}$

⑤ 36의 $\frac{3}{4}$

13 수 카드 3장을 보고 물음에 답하세요.

(1) 수 카드 2장을 사용하여 만들 수 있는 가분수를 모두 쓰세요.

(　　　　　　)

(2) 수 카드 3장을 사용하여 만들 수 있는 대분수를 모두 쓰세요.

(　　　　　　)

14 달에서 몸무게를 재면 지구에서 재는 몸무게의 $\frac{1}{6}$이라고 합니다. 몸무게가 54 kg인 사람이 달에서 몸무게를 재면 몇 kg일까요?

(　　　　　　)

15 민주와 재영이가 책을 읽었습니다. 책을 누가 더 오래 읽었는지 구하세요.

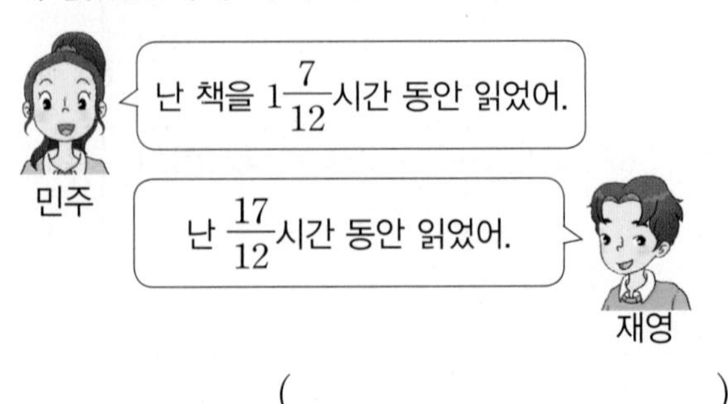

(　　　　　　　　　　)

16 두 분수의 크기를 비교하여 더 큰 분수를 □ 안에 써넣으세요.

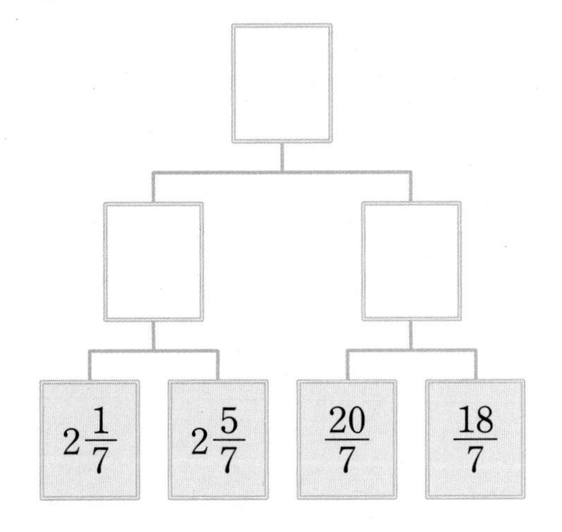

17 태빈이는 가지고 있던 사탕 12개 중에서 $\frac{1}{6}$은 동생에게 주고 $\frac{2}{6}$는 형에게 주었습니다. 남은 사탕은 몇 개일까요?

(　　　　　　　　　　)

18 □ 안에 들어갈 수 있는 자연수는 모두 몇 개인지 구하세요.

$$\frac{12}{5} < 2\frac{\square}{5}$$

(　　　　　　　　　　)

19 큰 분수부터 차례로 쓰세요.

$2\frac{1}{7}$　　$\frac{16}{7}$　　$1\frac{4}{7}$　　$\frac{41}{7}$

(　　　　　　　　　　)

20 1큰술의 $\frac{1}{3}$은 1작은술입니다. 설탕과 박력분 중에서 어느 재료가 더 많을까요?

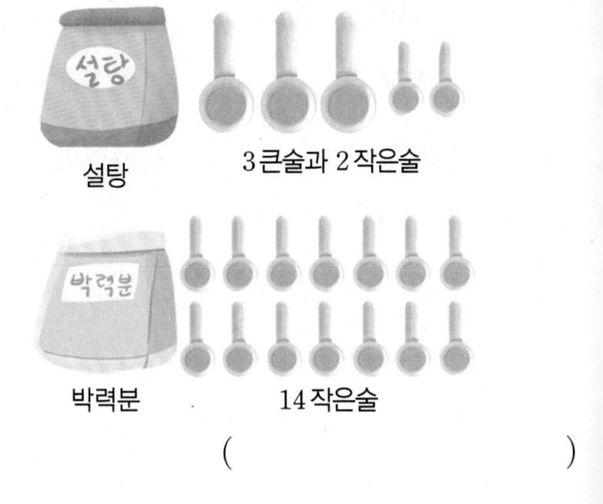

(　　　　　　　　　　)

과정 중심 평가 문제

21 소영이는 강아지 간식을 새로 샀습니다. 새로 산 간식 수의 $\frac{1}{3}$을 강아지에게 주었습니다. 그림을 보고 남은 간식은 몇 개인지 구하려고 합니다. 물음에 답하세요.

(1) 강아지에게 준 간식은 몇 개일까요?

( )

(2) 강아지에게 주고 남은 간식은 몇 개일까요?

( )

과정 중심 평가 문제

22 조건에 맞는 분수를 구하려고 합니다. 물음에 답하세요.

> 분모와 분자의 합이 9이고,
> 차가 5인 진분수입니다.

(1) 분모와 분자의 합이 9인 진분수를 모두 쓰세요.

( )

(2) (1)에서 구한 분수 중에서 분모와 분자의 차가 5인 분수를 쓰세요.

( )

(3) 조건에 맞는 분수를 쓰세요.

( )

과정 중심 평가 문제

23 성하가 가지고 있는 분수 카드에 물감이 묻어 숫자가 잘 보이지 않습니다. 성하가 가지고 있는 분수는 가분수이고 분모가 1보다 큰 수라고 할 때 분모가 될 수 있는 수는 모두 몇 개인지 풀이 과정을 쓰고 답을 구하세요.

풀이 ____________________

____

____

____

답 ____________________

4 단원

과정 중심 평가 문제

24 □ 안에 알맞은 자연수를 써넣고 까닭을 설명하세요.

$$\frac{7}{5} > 1\frac{\square}{5}$$

____

____

____

____

배점	1~20번	4점	점수	
	21~24번	5점		

들이와 무게

웹툰으로 단원 미리보기 5화_ 요리 대결의 승자는 누구?!

QR코드를 스캔하여 이어지는 내용을 확인하세요.

이전에 배운 내용

1-1 비교하기

- (물통)는 (주전자)보다 담을 수 있는 양이 더 많습니다.
- (사과 심)는 (사과)보다 더 가볍습니다.

3-1 길이의 단위

mm 밀리미터	cm 센티미터	m 미터	km 킬로미터

10 mm=1 cm
100 cm=1 m
1000 m=1 km

3-1 길이의 덧셈과 뺄셈

- 4 km 700 m −2 km 300 m의 계산

	4 km	700 m
−	2 km	300 m
	2 km	400 m

같은 단위끼리 계산합니다.

이 단원에서 배울 내용

1 Step 교과 개념	들이 비교하기
1 Step 교과 개념	들이의 단위, 들이를 어림하고 재기
1 Step 교과 개념	들이의 덧셈과 뺄셈
2 Step 교과 유형 익힘	
1 Step 교과 개념	무게 비교하기
1 Step 교과 개념	무게의 단위, 무게를 어림하고 재기
1 Step 교과 개념	무게의 덧셈과 뺄셈
2 Step 교과 유형 익힘	
3 Step 문제 해결	잘 틀리는 문제 / 서술형 문제
4 Step 실력 UP 문제	
단원 평가	

이 단원을 배우면 들이와 무게의 단위를 알 수 있고 들이의 덧셈과 뺄셈, 무게의 덧셈과 뺄셈을 할 수 있어요.

Step 1 교과 개념

들이 비교하기

개념1 들이를 직접 비교하기

• 한 병에 물을 가득 담아 다른 물병에 부어 비교하기

가 물병에 물을 가득 담아 나 물병에 부었습니다.

나 물병에 물을 가득 채우고도 가 물병에 **물이 남았**습니다.

➡ 나 물병보다 가 물병에 **물을 더 많이** 담을 수 있습니다.

• 똑같은 수조에 옮겨 담아 비교하기

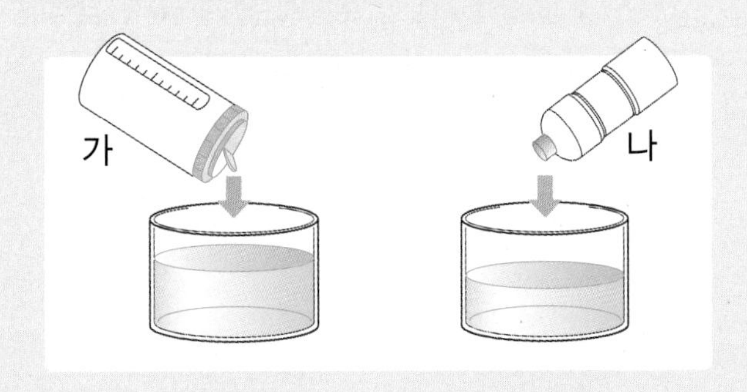

똑같은 수조에 부었을 때 가 물병의 물을 부은 수조의 **물의 높이가 더 높았**습니다.

➡ 가 물병에 **물을 더 많이** 담을 수 있습니다.

들이란 통이나 그릇에 넣을 수 있는 최대 양입니다.

개념2 여러 가지 단위로 들이를 재어 비교하기

• 컵을 이용하여 들이를 재어서 비교하기

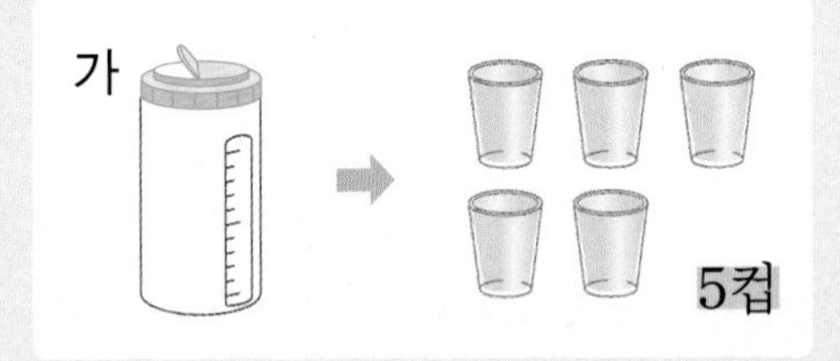

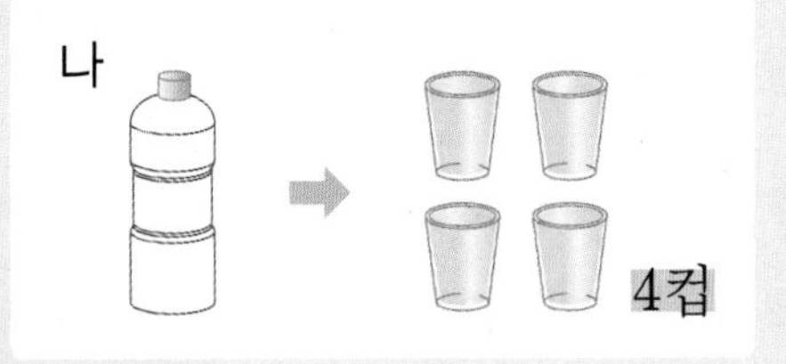

가 물병에는 나 물병보다 **컵 1개만큼** 물이 **더 많이** 들어갑니다.

개념확인 1 음료수 병에 물을 가득 채운 후 수조에 옮겨 담았습니다. 알맞은 말에 ○표 하시오.

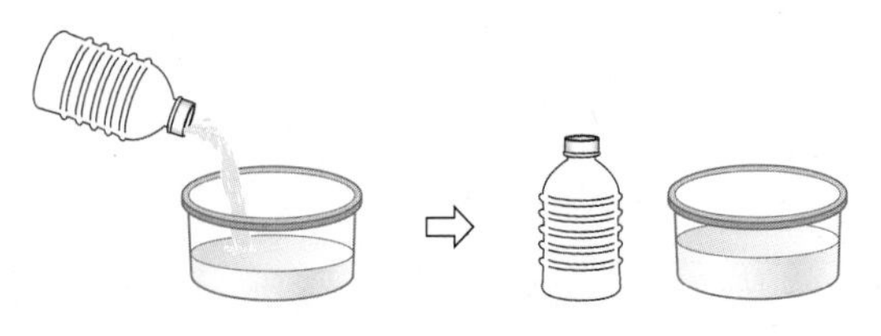

수조에 물이 가득 차지 않았으므로 수조의 들이가 음료수 병의 들이보다 더 (많습니다 , 적습니다).

2 어항, 분무기, 물병에 물을 가득 채운 후 모양과 크기가 같은 수조에 물을 옮겨 담았습니다. 들이가 적은 물건부터 순서대로 쓰세요.

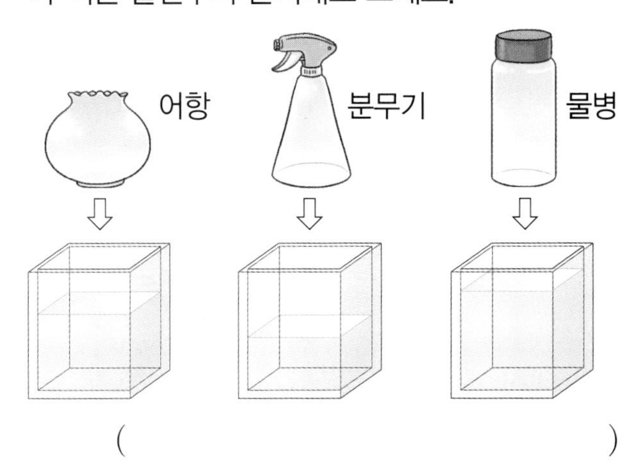

(　　　　　　　　　　)

3 컵을 이용하여 두 냄비의 들이를 재어 비교했습니다. □ 안에 알맞은 수를 써넣으세요.

나 냄비는 가 냄비보다 물을 □ 컵만큼 더 담을 수 있습니다.

4 두 물병의 들이를 비교하는 방법을 잘못 설명한 사람의 이름을 쓰세요.

재영: 물을 가득 담았을 때 물의 높이가 높을수록 들이가 더 많아요.

민주: 하나의 병에 물을 가득 채운 후 다른 병에 부어서 비교할 수 있어요.

(　　　　　　　　　　)

5 왼쪽 수조에 물을 가득 채우려면 가, 나, 다 컵으로 각각 다음과 같이 부어야 합니다. 가, 나, 다 컵 중에서 들이가 가장 적은 것은 어느 것일까요?

컵	가	나	다
부은 횟수(번)	10	15	12

(　　　　　　　　　　)

6 2개의 아이스크림 통에 물을 가득 채운 후 모양과 크기가 같은 컵에 모두 옮겨 담았습니다. 가 아이스크림 통의 들이는 나 아이스크림 통의 들이의 몇 배일까요?

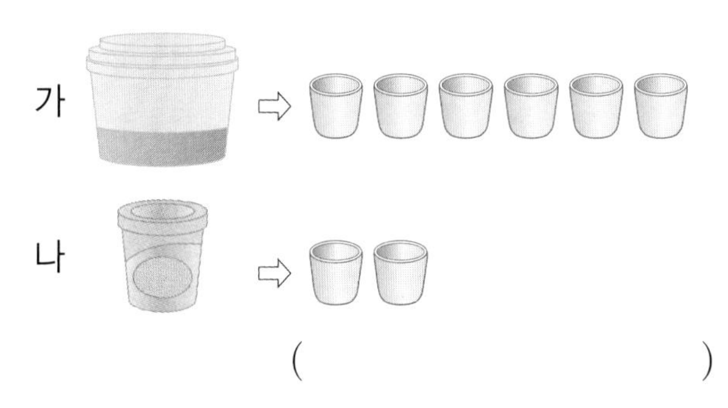

(　　　　　　　　　　)

7 주전자와 양동이에 물을 가득 채우려면 ㉮ 컵 또는 ㉯ 컵으로 다음과 같이 각각 부어야 합니다. 바르게 설명한 것에 ○표 하세요.

	㉮ 컵	㉯ 컵
주전자	3개	5개
양동이	6개	10개

• 양동이보다 주전자에 물을 더 많이 담을 수 있습니다. (　　)
• ㉮ 컵과 ㉯ 컵 중에 들이가 더 적은 컵은 ㉯ 컵입니다. (　　)

5 단원

교과 개념

들이의 단위, 들이를 어림하고 재기

개념1 들이의 단위

• **1 L** (**리터**): 한 변이 10 cm인 그릇에 담을 수 있는 양

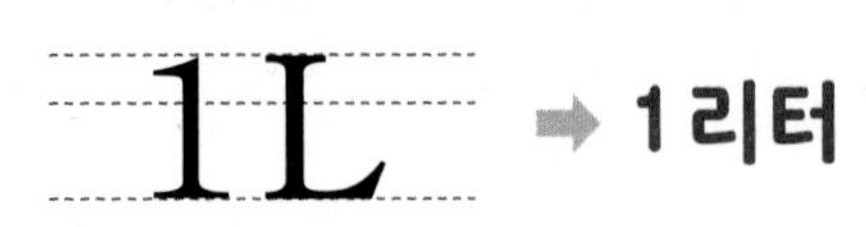

➡ **1 리터**

• **1 mL** (**밀리리터**): 한 변이 1 cm인 그릇에 담을 수 있는 양

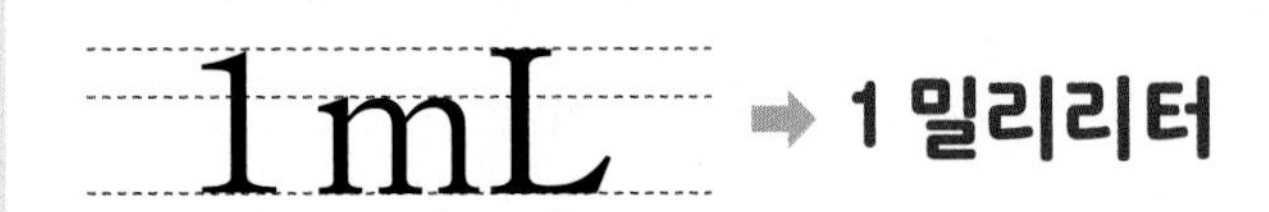

➡ **1 밀리리터**

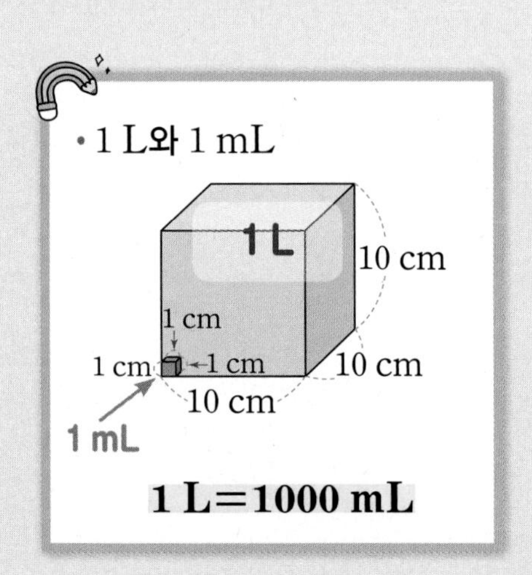

• 1 L보다 500 mL 더 많은 들이

1 L

500 mL

1 L 500 mL
➡ 1 리터 500 밀리리터
1 L 500 mL = 1500 mL

비커와 같은 도구를 사용해서 들이를 잴 수 있어요.

개념2 들이를 어림하고 재기

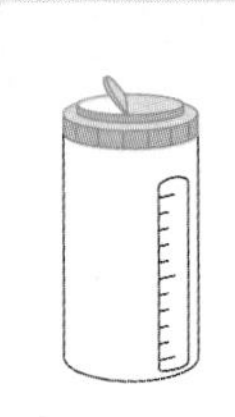

200 mL 으로 5번**쯤** 들어갈 것 같습니다.

어림한 들이 ➡ **약** 1 L

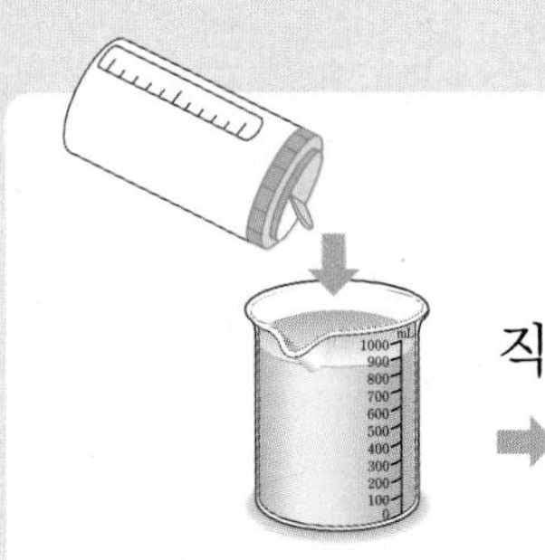

직접 잰 들이
➡ 900 mL

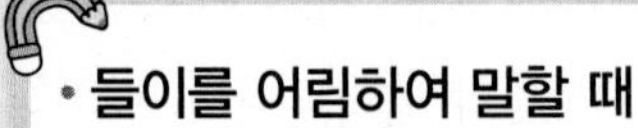

• **들이를 어림하여 말할 때**

'약' 또는 '쯤'이라는 용어를 사용합니다. 예 그릇의 들이는 약 2 L, 컵의 들이는 190 mL쯤입니다.

개념확인 1 □ 안에 알맞은 수를 써넣으세요.

1 L보다 300 mL 더 많은 들이는 □ L □ mL라 쓰고
1리터 300 밀리리터라고 읽습니다.

1 L 300 mL= □ mL

2 물의 양이 얼마인지 눈금을 읽으세요.

(1)

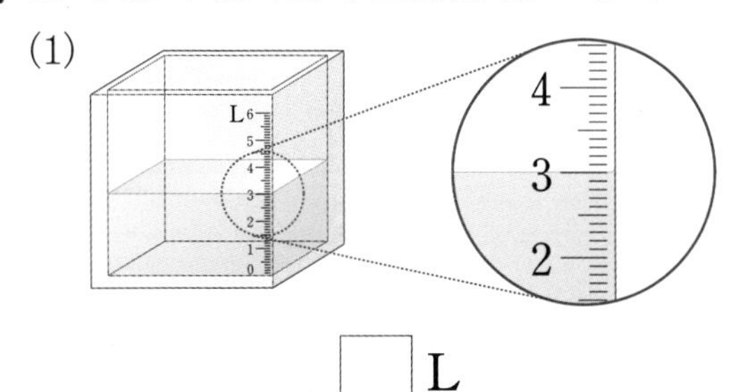

☐ L

(2)

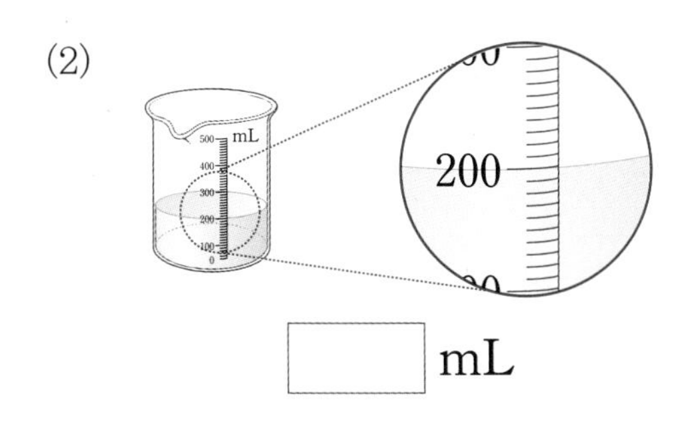

☐ mL

3 ☐ 안에 mL와 L 중에서 알맞은 단위를 써넣으세요.

(1)

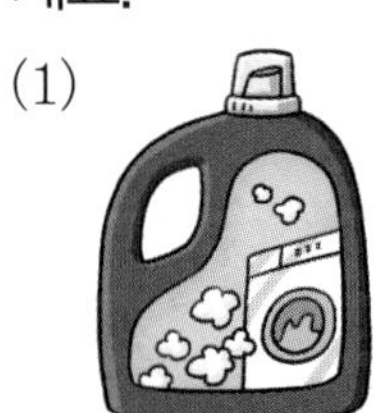

세제통: 약 5 ☐

(2)

우유갑: 약 500 ☐

4 들이가 1 L보다 더 많아 보이는 물건을 찾아 기호를 쓰세요.

1 L

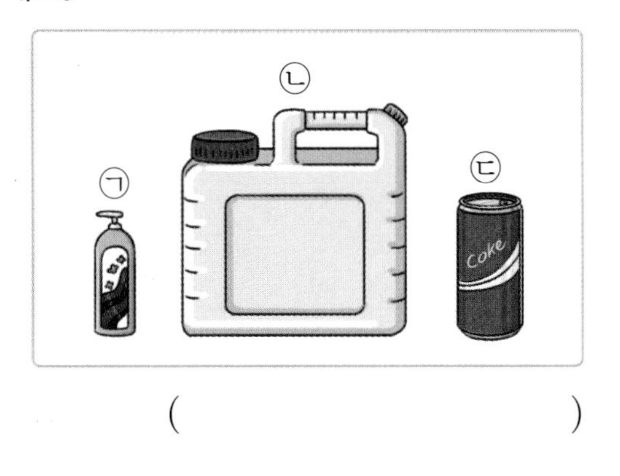

(　　　　　　　　)

5 ☐ 안에 알맞은 수를 써넣으세요.

8 L보다 200 mL 더 많은 들이

⇨ ☐ mL

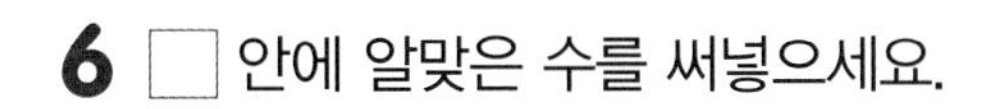

6 ☐ 안에 알맞은 수를 써넣으세요.

(1) 4 L 300 mL = ☐ mL

(2) 6 L 100 mL = ☐ mL

(3) 1900 mL = ☐ L ☐ mL

(4) 2040 mL = ☐ L ☐ mL

7 들이를 비교하여 ○ 안에 >, =, <를 알맞게 써넣으세요.

(1) 1 L ○ 1 L 200 mL

(2) 3980 mL ○ 4 L

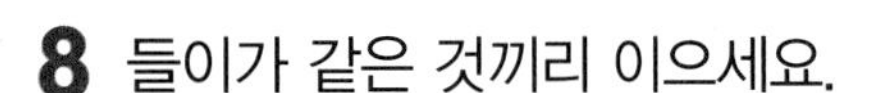

8 들이가 같은 것끼리 이으세요.

3000 mL •	• 3 L 300 mL
3003 mL •	• 3 L
3300 mL •	• 3 L 3 mL

Step 1 교과 개념

들이의 덧셈과 뺄셈

개념1 들이의 덧셈

• 5 L 100 mL + 3 L 600 mL의 계산

	L	mL	
	5 L	100 mL	
+	3 L	600 mL	
		700 mL	mL는 mL끼리 더합니다.

➡

	L	mL	
	5 L	100 mL	
+	3 L	600 mL	
	8 L	700 mL	L는 L끼리 더합니다.

참고 mL끼리의 합이 1000이거나 1000보다 큰 경우

	L	mL
	1	
	4 L	600 mL
+	2 L	700 mL
		300 mL ← 600+700=1300

L 단위로 받아올림하여 계산합니다. →

	L	mL
	1	
	4 L	600 mL
+	2 L	700 mL
1+4+2=7 →	7 L	300 mL

개념2 들이의 뺄셈

• 2 L 300 mL − 1 L 200 mL의 계산

	L	mL	
	2 L	300 mL	
-	1 L	200 mL	
		100 mL	mL는 mL끼리 뺍니다.

➡

	L	mL	
	2 L	300 mL	
-	1 L	200 mL	
	1 L	100 mL	L는 L끼리 뺍니다.

참고 mL끼리 뺄 수 없는 경우

	L	mL
	3	1000
	~~4~~ L	600 mL
-	2 L	700 mL
		900 mL ← 1000+600−700=900

L 단위에서 받아내림하여 계산합니다. →

	L	mL
	3	1000
	~~4~~ L	600 mL
-	2 L	700 mL
	1 L	900 mL

개념확인 1 들이의 덧셈을 하려고 합니다. □ 안에 알맞은 수를 써넣으세요.

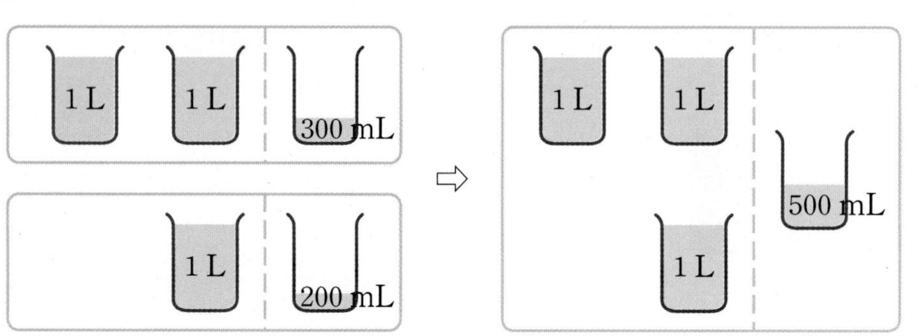

	L	mL
	2 L	300 mL
+	1 L	200 mL
	□ L	□ mL

2 그림을 보고 □ 안에 알맞은 수를 써넣으세요.

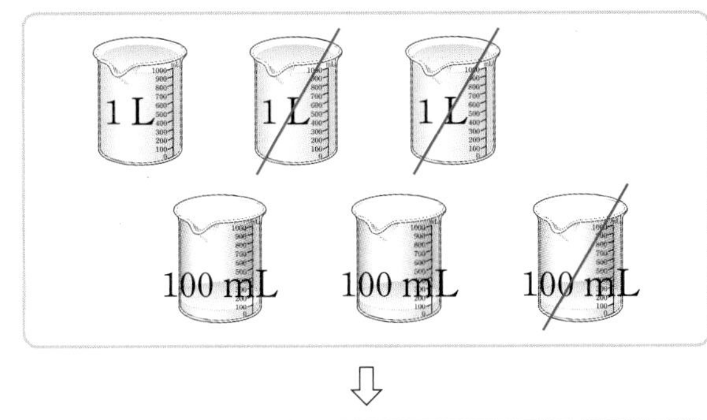

⇩

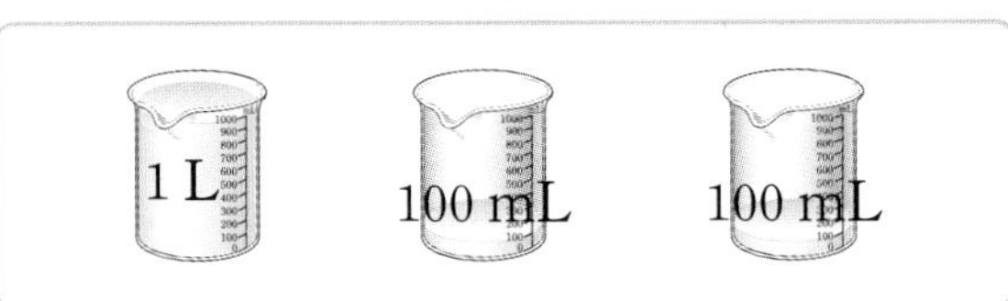

3 L 300 mL − 2 L 100 mL
= □ L □ mL

3 □ 안에 알맞은 수를 써넣으세요.

(1)

		L		mL
	5	L	100	mL
+	3	L	600	mL
	□	L	□	mL

(2)

		L		mL
	6	L	900	mL
−	2	L	200	mL
	□	L	□	mL

4 들이가 3 L 500 mL인 세제 통에 액체 세제가 가득 들어 있었습니다. 그중 액체 세제를 1 L 300 mL만큼 사용했다면 세제 통에 남은 액체 세제의 양은 얼마인지 구하세요.

	3	L	500	mL
−	1	L	300	mL
	□	L	□	mL

5 계산을 하세요.

(1) 4 L 600 mL + 2 L

(2)

	2	L	500	mL
+	4	L	400	mL

(3) 5 L 500 mL − 3 L 200 mL

(4)

	4	L	700	mL
−	2	L	600	mL

6 비커에 있는 물을 모두 수조에 부었을 때 수조에 담긴 물의 양은 모두 얼마인지 구하세요.

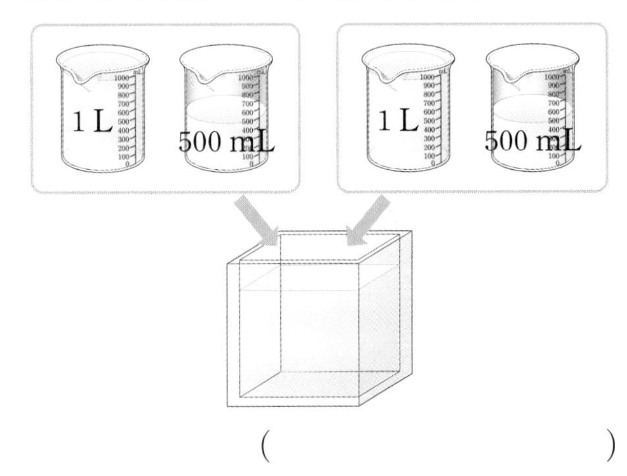

(   )

7 두 양동이의 들이가 다음과 같을 때 들이의 합과 차를 각각 구해 보세요.

5 L 200 mL   4 L 500 mL

합 (   )

차 (   )

10종 교과 유형 익힘

들이의 비교, 들이의 단위와 덧셈, 뺄셈

01 물통에 물을 가득 채운 후 수조에 옮겨 담았습니다. 알맞은 말에 ○표 하세요.

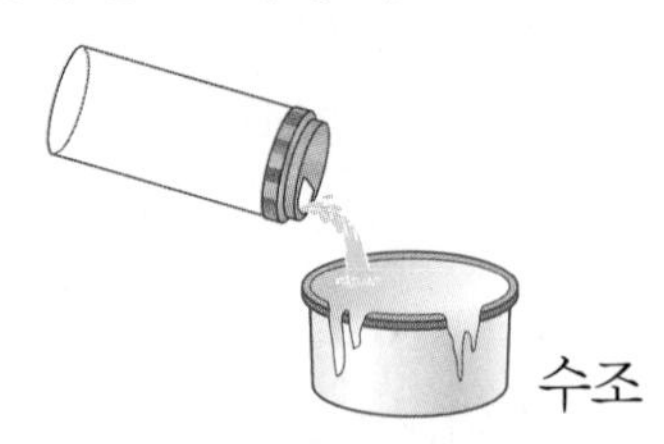

수조에 물이 흘러넘쳤으므로 수조의 들이가 물통의 들이보다 더 (많습니다 , 적습니다).

02 1 L짜리 생수병에 물을 가득 채워 그릇에 2번 부었더니 넘치지 않고 가득 찼습니다. 그릇의 들이는 몇 L일까요?

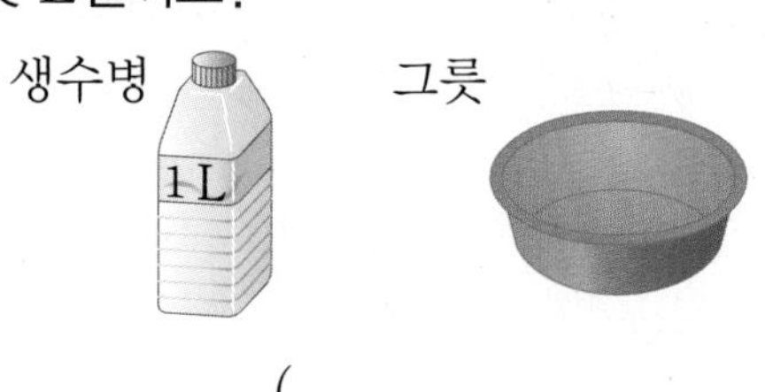

(　　　　　　　　　　)

03 들이의 단위를 알맞게 사용한 친구의 이름을 쓰세요.

주연: 나는 오늘 요구르트를 80 L 마셨어.

민호: 주사기에는 약이 5 mL 정도 들어 있을 거야.

재영: 욕조에 물을 가득 담았더니 70 mL 정도 되네.

(　　　　　　　　　　)

04 물건의 들이를 알맞게 나타낸 수에 ○표 하세요.

(1) 우유갑의 들이는 약 (2 , 200) mL입니다.

(2) 주전자의 들이는 약 (5 , 5000) L입니다.

05 들이를 비교하여 ○ 안에 >, =, <를 알맞게 써넣으세요.

(1) 1 L ○ 101 mL

(2) 2 L 800 mL ○ 2080 mL

(3) 4600 mL ○ 4 L 600 mL

서술형 문제

06 들이가 가장 많은 것은 어느 것인지 찾고, 그 까닭을 설명하세요.

물병	주전자	대접
1 L 300 mL	1150 mL	1000 mL

답 ______________________

까닭 ______________________

07 계산을 하세요.

(1)
$$\begin{array}{r} 6\text{ L}\ \ 800\text{ mL} \\ +\ 2\text{ L}\ \ 300\text{ mL} \\ \hline \end{array}$$

(2)
$$\begin{array}{r} 9\text{ L}\ \ 500\text{ mL} \\ -\ 4\text{ L}\ \ 700\text{ mL} \\ \hline \end{array}$$

08 보기 의 단어를 한 번씩 사용하여 문장을 완성하세요.

보기: 냄비　　수족관　　음료수 캔

• 물고기가 살고 있는 ☐ 의 들이는 약 130 L입니다.

• 한 손에 들고 마실 수 있는 ☐ 의 들이는 약 200 mL입니다.

• 콩나물국을 끓이는 ☐ 의 들이는 약 5 L입니다.

09 벌통 1개당 2600 mL의 꿀을 얻을 수 있습니다. 벌통 2개에서 얻을 수 있는 꿀은 몇 L 몇 mL일까요?

(　　　　　　　　)

10 대야에 물을 단비는 3 L 800 mL, 성수는 1 L 400 mL 받아 왔습니다. 단비의 물은 성수의 물보다 몇 L 몇 mL 더 많을까요?

(　　　　　　　　)

11 추론 물에 물감을 타서 여러 가지 색의 물을 만들었습니다. 두 가지 물을 모두 섞어서 3 L 500 mL를 만들려고 합니다. 섞어야 할 두 가지 색 물을 찾아 기호를 쓰세요.

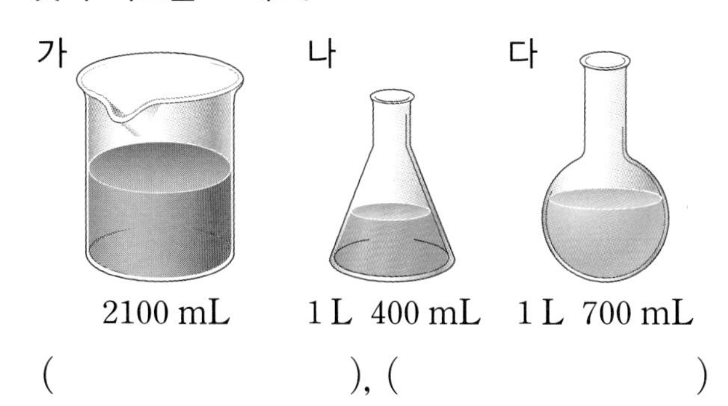

(　　　　　　), (　　　　　　)

서술형 문제

12 추론 물병에 물을 가득 채운 후 1 L들이의 통에 똑같이 나누어 담았더니 다음과 같았습니다. 물병의 들이를 어림하고 그 까닭을 쓰세요.

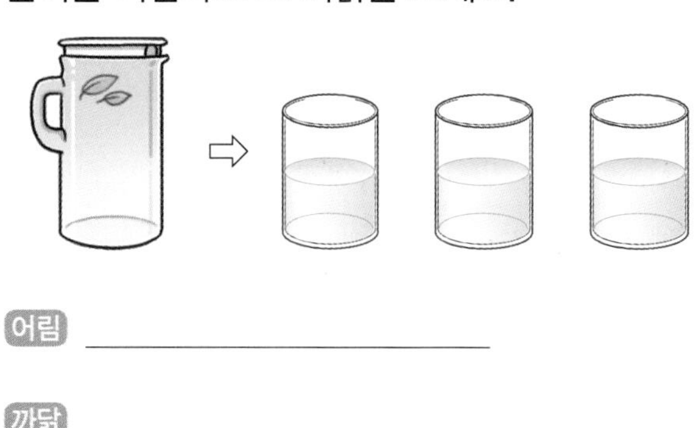

어림 ____________________

까닭 ____________________

13 문제해결 은서가 다음과 같은 순서로 빈 양동이에 물을 부었습니다. 양동이에 담긴 물의 양은 모두 얼마인지 구하세요.

① 들이가 1 L 400 mL인 통에 물을 가득 채워 양동이에 한 번 부었습니다.
② 들이가 1 L 400 mL인 통에 물을 가득 채운 후 이 통의 물을 들이가 200 mL인 종이컵에 가득 차도록 한 번 옮겨 담고, 남은 물을 양동이에 부었습니다.

(　　　　　　　　)

5 단원

진도 완료 체크

Step 1 교과 개념

개념1 무게를 직접 비교하기

• 양손에 물건을 들고 무게 비교하기

양손에 파프리카와 토마토를 하나씩 들고 무게를 비교하면 토마토가 더 무겁게 느껴집니다.

• 저울을 사용하여 무게 비교하기

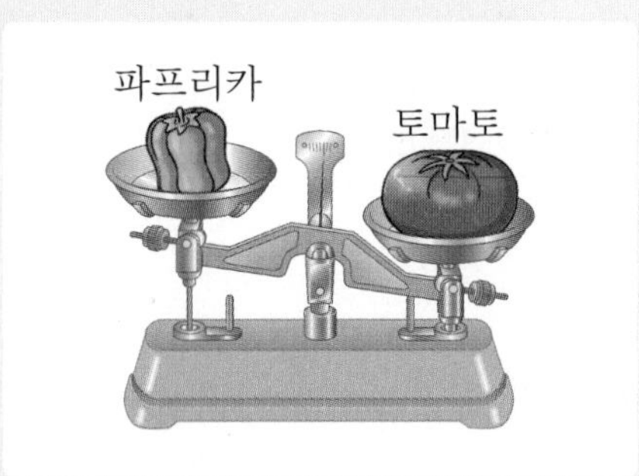

토마토를 올려놓은 **접시가 아래로 내려갔**습니다.
파프리카보다 **토마토가 더 무겁**습니다.

개념2 여러 가지 단위로 무게를 재어 비교하기

• 바둑돌을 이용하여 무게를 재어서 비교하기

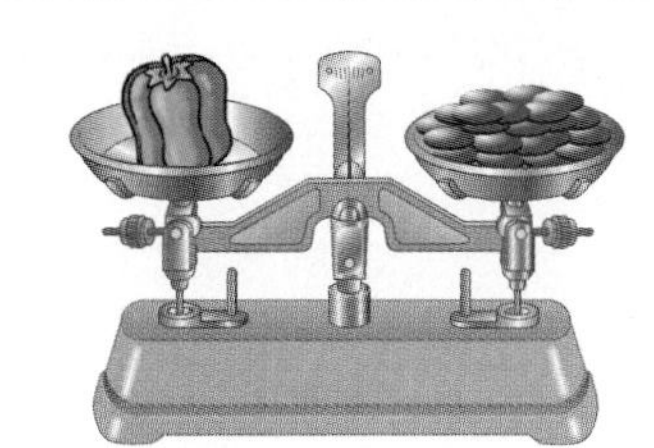

바둑돌 23개

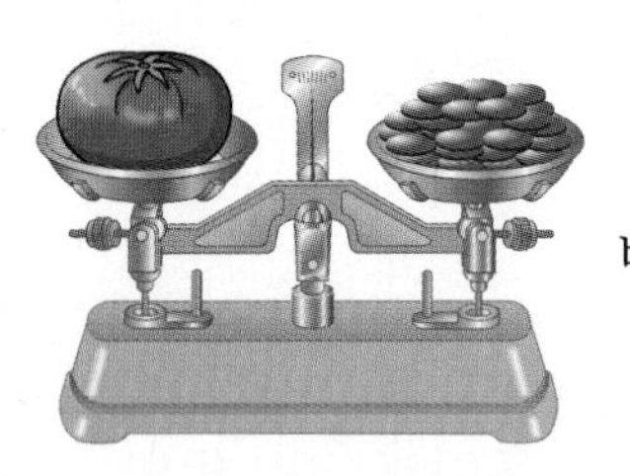

바둑돌 31개

$31-23=8$(개)
토마토가 파프리카보다 **바둑돌 8개만큼** 더 **무겁**습니다.

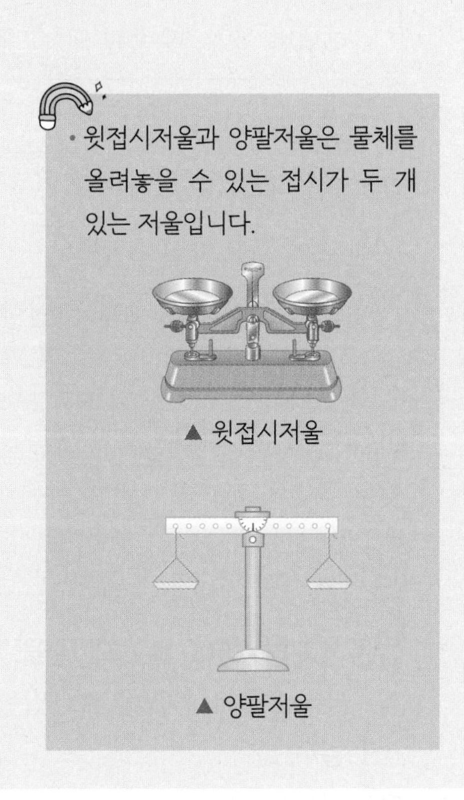

• 윗접시저울과 양팔저울은 물체를 올려놓을 수 있는 접시가 두 개 있는 저울입니다.
▲ 윗접시저울
▲ 양팔저울

개념확인 1 바나나와 귤의 무게를 비교하기 위해 과일과 바둑돌을 윗접시저울에 올려놓았습니다. 그림을 보고 □ 안에 알맞은 수를 써넣으세요.

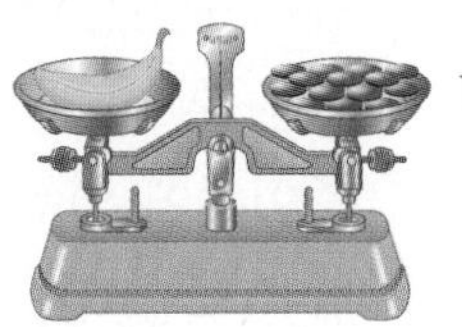

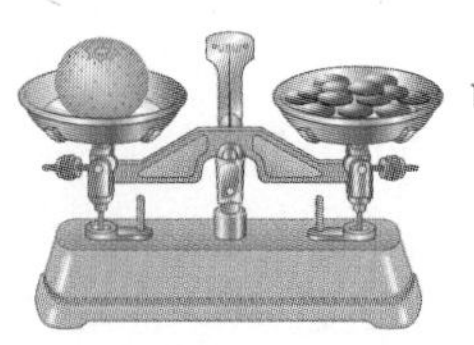

바나나가 귤보다 바둑돌 □개만큼 더 무겁습니다.

2 양팔저울을 사용하여 나무도막의 무게를 재었습니다. □ 안에 알맞은 수나 말을 써넣으세요.

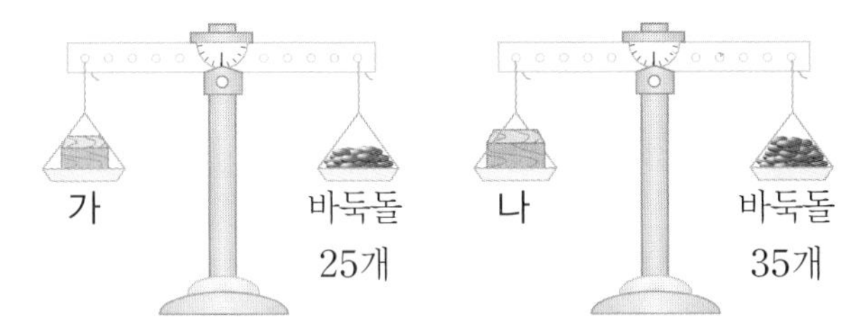

나무도막 □가 나무도막 □보다 바둑돌 □개만큼 더 무겁습니다.

3 저울과 100원짜리 동전으로 물건의 무게를 비교하고 있습니다. 자와 지우개 중 더 무거운 물건은 무엇입니까?

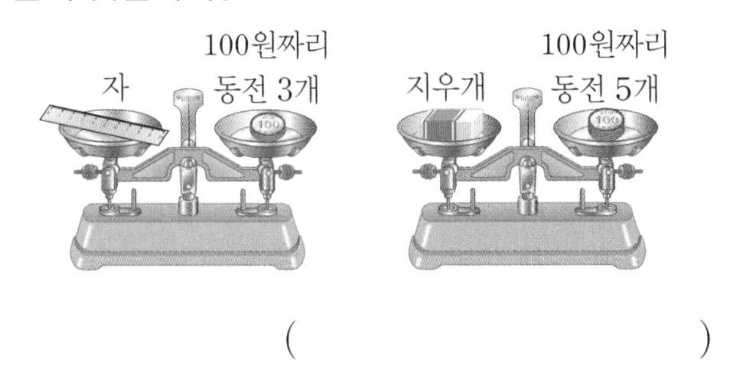

(　　　　　　　　　　)

4 식빵과 모닝빵의 무게가 클립 몇 개와 같은지 알아보았습니다. 식빵과 모닝빵 중에서 더 무거운 것은 무엇일까요?

물건	식빵	모닝빵
클립의 수	42개	38개

(　　　　　　　　　　)

5 오이, 상추, 호박의 무게를 비교하였습니다. 무게가 가벼운 것부터 차례로 쓰세요.

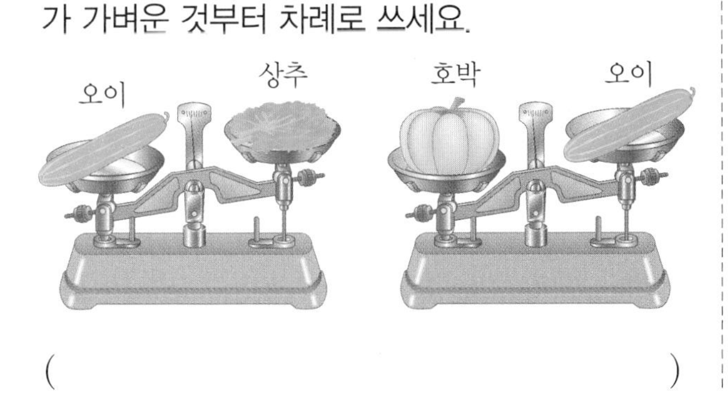

(　　　　　　　　　　)

6 저울과 동전으로 공의 무게를 비교하려고 합니다. 물음에 답하세요.

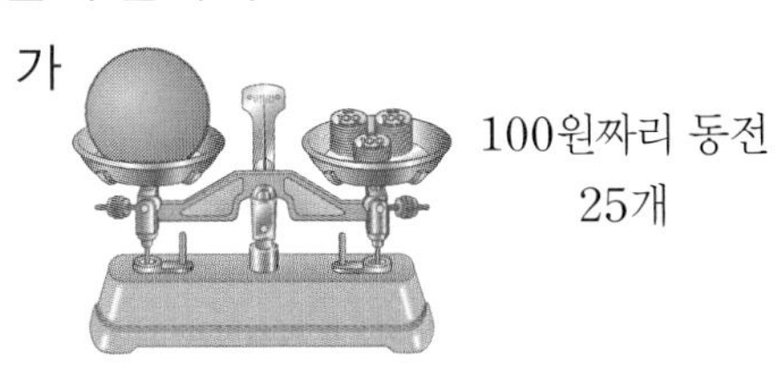

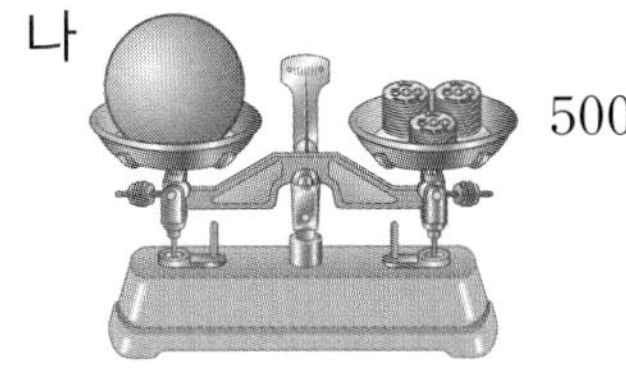

(1) 공 가와 나의 무게를 비교하여 알맞은 말에 ○표 하세요.

100원짜리 동전 25개와 500원짜리 동전 25개의 무게가 (같기 , 다르기) 때문에 공 가와 공 나의 무게는 서로 (같습니다 , 다릅니다).

(2) 500원짜리 동전이 100원짜리 동전보다 더 무겁습니다. 공 가와 나 중 어느 것이 더 무거울까요?

(　　　　　　　　　　)

7 망고, 토마토, 귤 한 개의 무게를 비교하여 무게가 무거운 것부터 순서대로 쓰세요. (단, 망고끼리, 토마토끼리, 귤끼리 무게가 같습니다.)

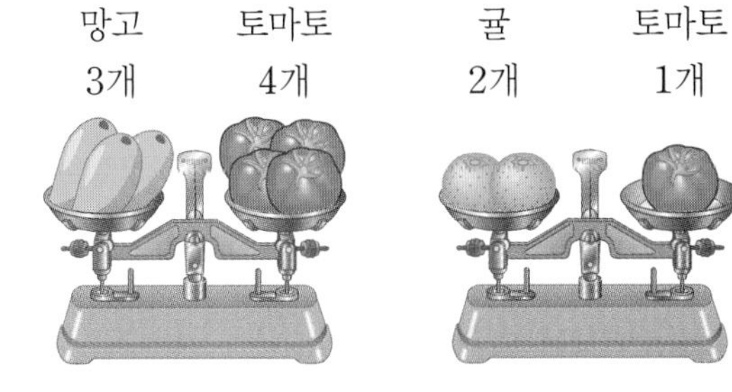

(　　　　　　　　　　)

5 단원

교과 개념

무게의 단위, 무게를 어림하고 재기

개념1 무게의 단위(그램, 킬로그램, 톤)

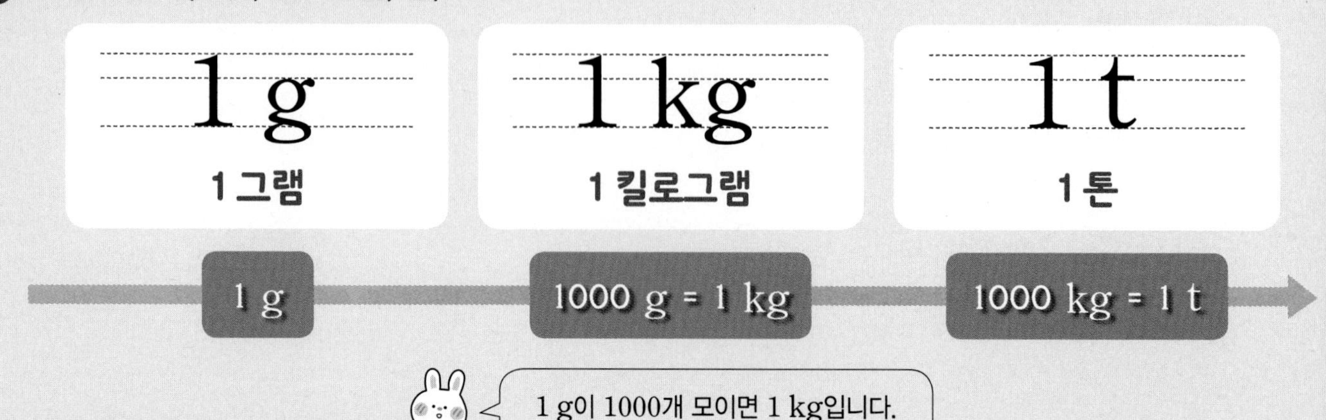

1 g이 1000개 모이면 1 kg입니다.

• 1 kg보다 500 g 더 무거운 것

1 kg 500 g
➡ 1 킬로그램 500 그램

1 kg 500 g = 1500 g

개념2 무게를 어림하고 재기

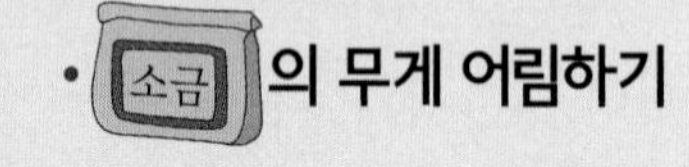

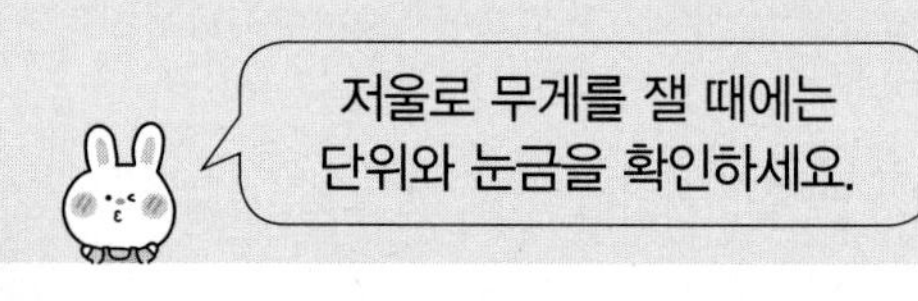

저울로 무게를 잴 때에는
단위와 눈금을 확인하세요.

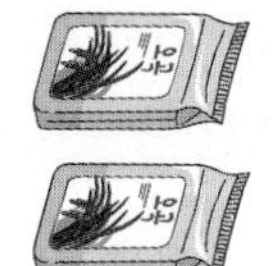

소금 한 봉지의 무게는 400 g짜리 잡곡 2봉지와 비슷합니다.

어림한 무게 ➡ **약 800 g**

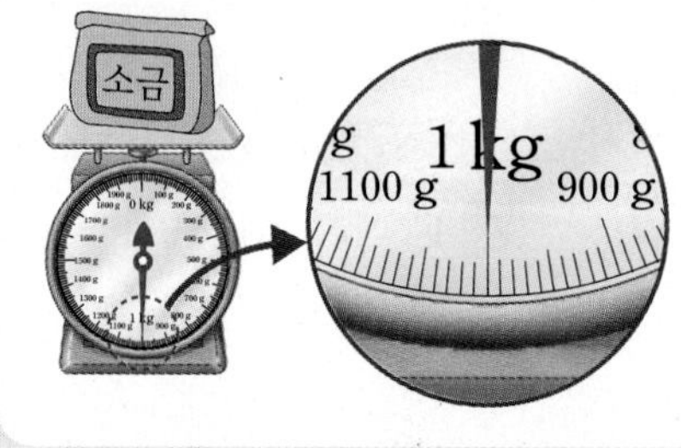

작은 눈금 한 칸은 10 g을 나타냅니다.

직접 잰 무게 ➡ 1 kg

무게를 어림하여 말할 때에는 **약 □ kg**, **약 □ g**이라고 합니다.
□ **kg쯤**이라고 하는 경우도 있습니다.

개념확인 1 10 kg짜리 설탕이 한 상자에 10봉지씩 들어 있습니다. □ 안에 알맞은 수를 써넣으세요.

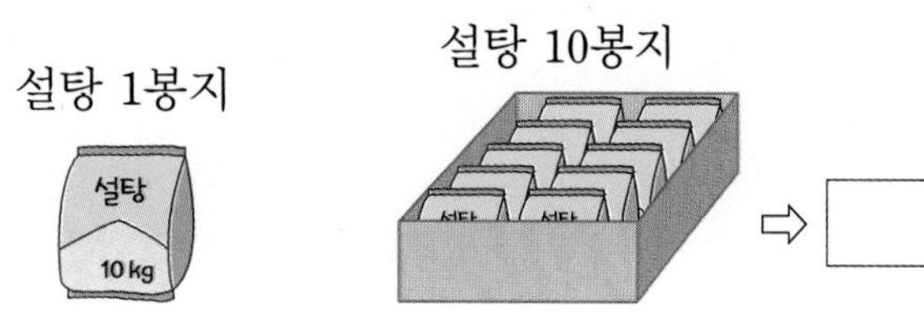

⇨ □ kg

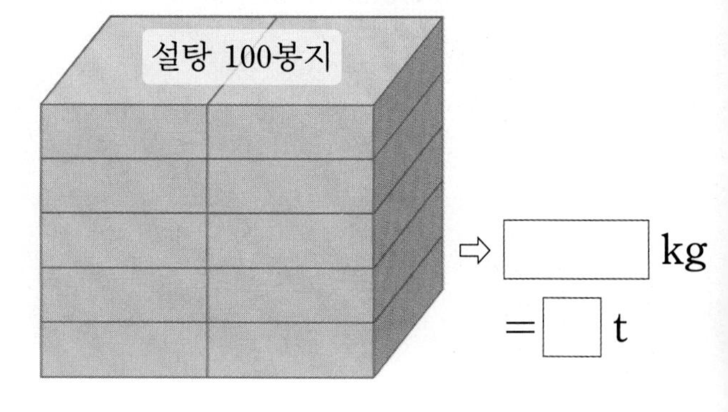

⇨ □ kg
= □ t

2 저울이 가리키는 눈금을 읽으세요.

(1)

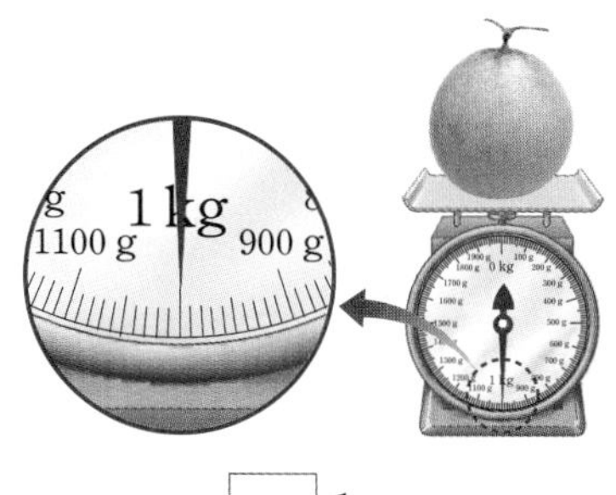

□ kg

(2)

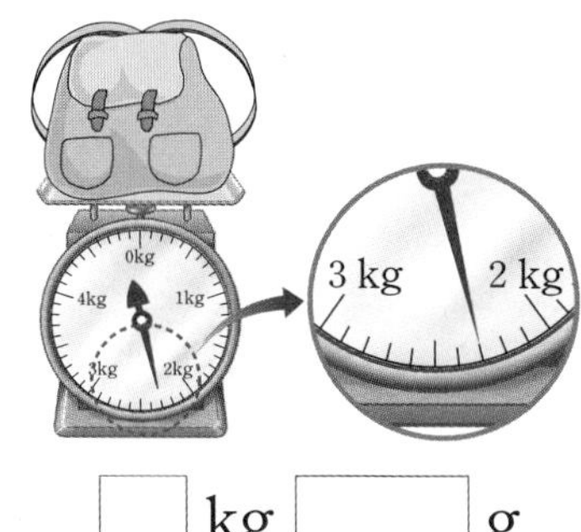

□ kg □ g

3 g, kg, t 중에서 알맞은 단위를 골라 □ 안에 써넣으세요.

(1) 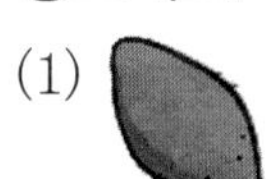 고구마 ⇨ 115 □

(2) 범고래 ⇨ 7 □

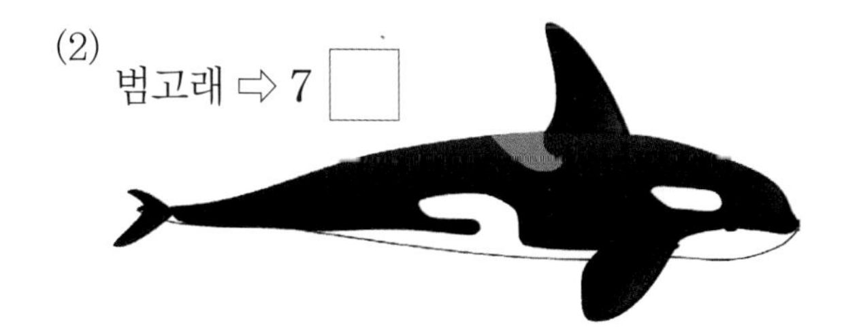

4 □ 안에 알맞은 수를 써넣으세요.

(1) 2 kg보다 70 g 더 무거운 무게

⇨ □ kg □ g

(2) 10 kg보다 200 g 더 무거운 무게

⇨ □ kg □ g

5 □ 안에 알맞은 수를 써넣으세요.

(1) 3 kg 200 g= □ g

(2) 7090 g= □ kg □ g

(3) 6 t= □ kg

(4) 3000 kg= □ t

6 무게를 비교하여 ○ 안에 >, =, <를 알맞게 써넣으세요.

(1) 3 kg ○ 2125 g

(2) 3 kg 100 g ○ 3030 g

7 무게가 2 kg인 가방에 무게가 500 g인 물병을 넣었습니다. 물병이 들어 있는 가방의 무게는 몇 kg 몇 g일까요?

( )

8 라면 한 봉지의 무게가 100 g입니다. □ 안에 알맞은 수를 써넣으세요.

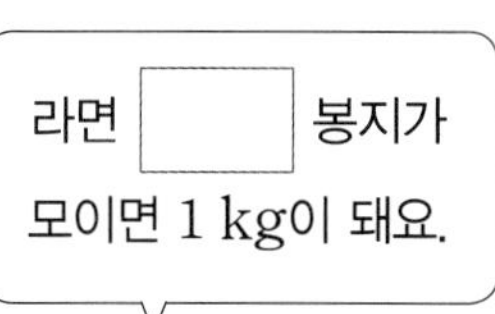

Step 1 교과 개념

무게의 덧셈과 뺄셈

개념1 무게의 덧셈

• 3 kg 400 g+1 kg 100 g의 계산

$$\begin{array}{rrr} & 3\text{ kg} & 400\text{ g} \\ + & 1\text{ kg} & 100\text{ g} \\ \hline & & 500\text{ g} \end{array}$$

g은 g끼리 더합니다.

➡

$$\begin{array}{rrr} & 3\text{ kg} & 400\text{ g} \\ + & 1\text{ kg} & 100\text{ g} \\ \hline & 4\text{ kg} & 500\text{ g} \end{array}$$

kg은 kg끼리 더합니다.

참고 g끼리의 합이 1000이거나 1000을 넘는 경우

$$\begin{array}{rrr} & \overset{1}{5}\text{ kg} & 200\text{ g} \\ + & 2\text{ kg} & 900\text{ g} \\ \hline & & 100\text{ g} \end{array}$$

← 200+900=1100

kg 단위로 받아올림하여 계산합니다.

$$\begin{array}{rrr} & \overset{1}{5}\text{ kg} & 200\text{ g} \\ + & 2\text{ kg} & 900\text{ g} \\ \hline & 8\text{ kg} & 100\text{ g} \end{array}$$

1+5+2=8 →

개념2 무게의 뺄셈

• 3 kg 400 g−1 kg 100 g의 계산

$$\begin{array}{rrr} & 3\text{ kg} & 400\text{ g} \\ - & 1\text{ kg} & 100\text{ g} \\ \hline & & 300\text{ g} \end{array}$$

g은 g끼리 뺍니다.

➡

$$\begin{array}{rrr} & 3\text{ kg} & 400\text{ g} \\ - & 1\text{ kg} & 100\text{ g} \\ \hline & 2\text{ kg} & 300\text{ g} \end{array}$$

kg은 kg끼리 뺍니다.

참고 g끼리 뺄 수 없는 경우

$$\begin{array}{rrr} & \overset{4}{\cancel{5}}\text{ kg} & \overset{1000}{200}\text{ g} \\ - & 2\text{ kg} & 900\text{ g} \\ \hline & & 300\text{ g} \end{array}$$

← 1000+200−900=300

kg 단위에서 받아내림하여 계산합니다.

$$\begin{array}{rrr} & \overset{4}{\cancel{5}}\text{ kg} & \overset{1000}{200}\text{ g} \\ - & 2\text{ kg} & 900\text{ g} \\ \hline & 2\text{ kg} & 300\text{ g} \end{array}$$

개념확인 1 그림을 보고 무게의 덧셈을 하세요.

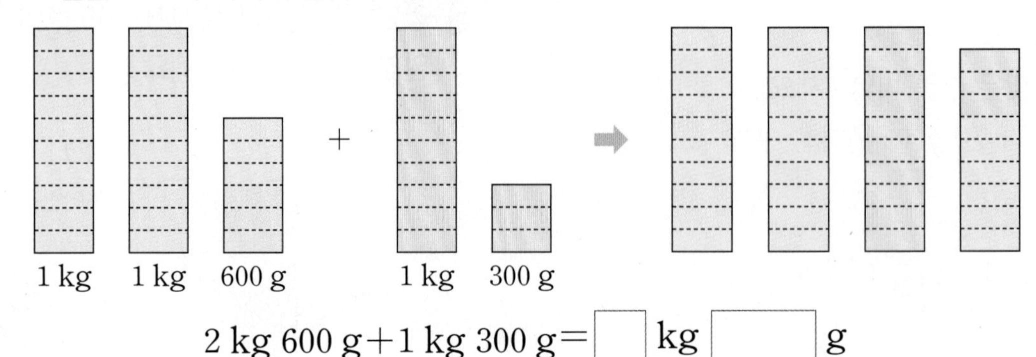

2 kg 600 g+1 kg 300 g=☐ kg ☐ g

2 그림을 보고 무게의 뺄셈을 하세요.

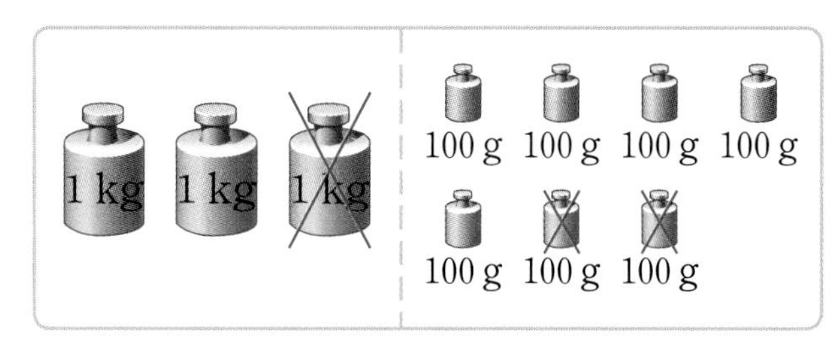

3 kg 700 g－1 kg 200 g
＝☐ kg ☐ g

3 ☐ 안에 알맞은 수를 써넣으세요.

(1)

	2	kg	700	g
＋	7	kg	100	g
	☐	kg	☐	g

(2)

	6	kg	600	g
－	4	kg	500	g
	☐	kg	☐	g

4 계산을 하세요.

(1) 5 kg 800 g＋4 kg 100 g

(2)
  3 kg 200 g
＋ 3 kg 600 g

(3) 10 kg 500 g－9 kg 200 g

(4)
  6 kg 800 g
－ 2 kg 200 g

5 무게를 비교하여 ○ 안에 >, ＝, <를 알맞게 써넣으세요.

(1)

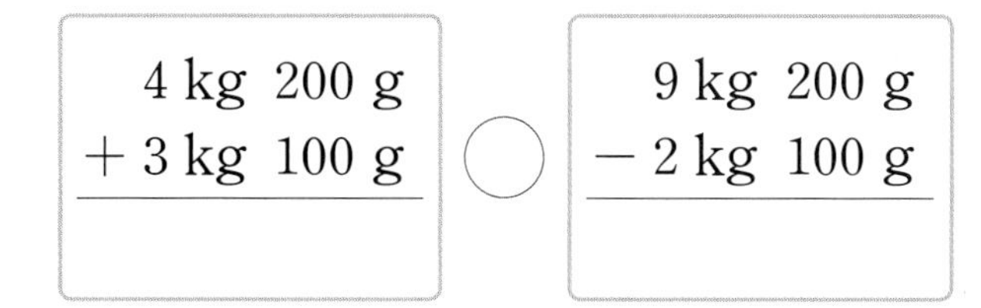

(2)

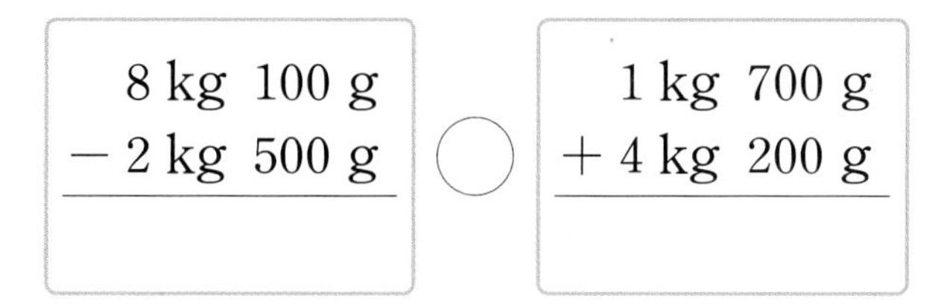

6 음식이 담긴 접시의 무게는 2 kg 500 g이고 빈 접시의 무게는 1 kg 200 g입니다. 음식의 무게는 몇 kg 몇 g인지 구하세요.

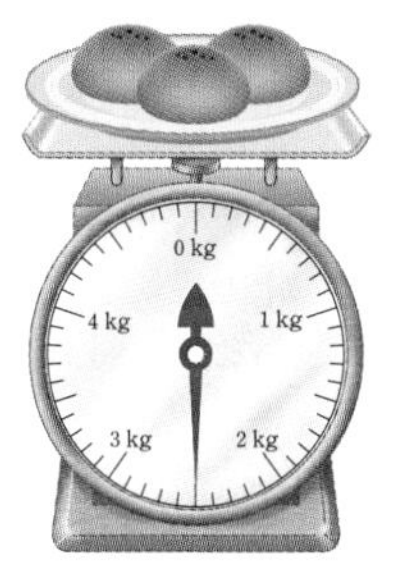

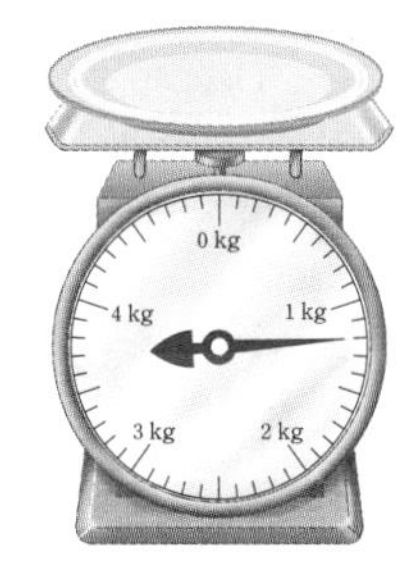

2 kg 500 g－1 kg 200 g
＝☐ kg ☐ g

7 저울에 밀가루를 한 포대 올려 놓았더니 저울의 바늘이 2 kg 200 g을 가리켰습니다. 저울에 밀가루를 한 포대 더 올리면 몇 kg 몇 g이 될까요?

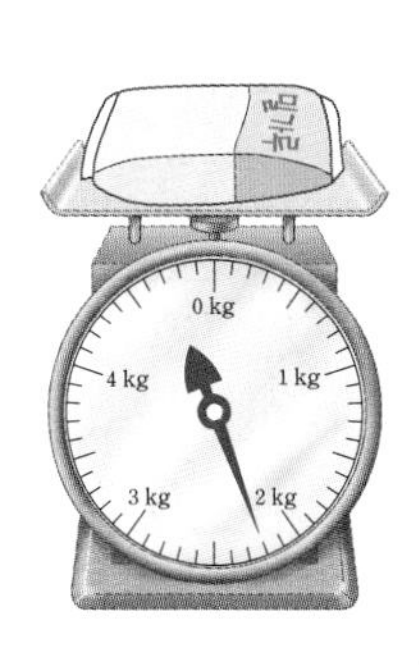

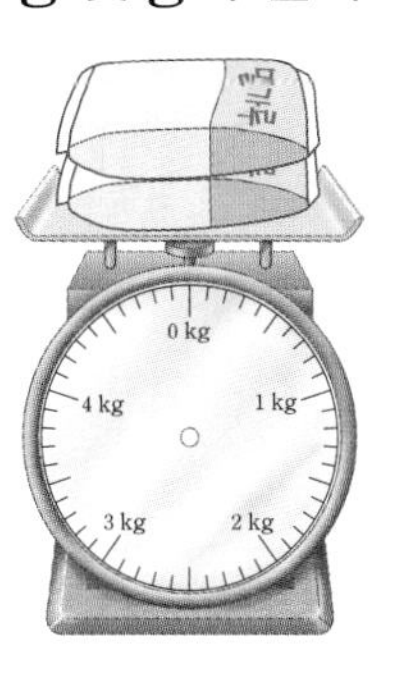

(　　　　　　　　　　)

5 단원

10종

교과 유형 익힘

01 바둑돌을 사용하여 물건의 무게를 비교하려고 합니다. 지우개와 필통 중에서 어느 것이 더 무거울까요?

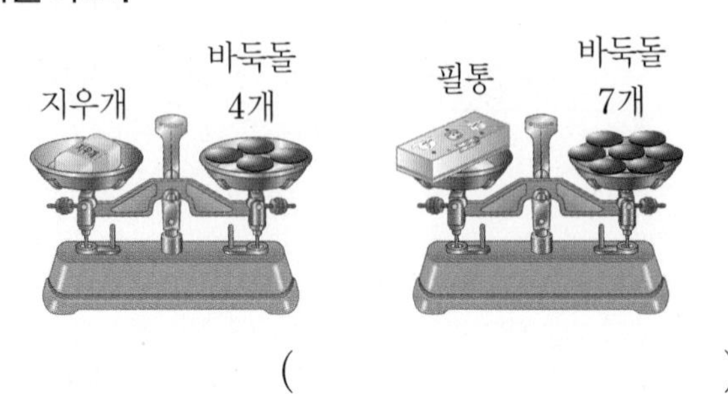

(　　　　　　　　　)

02 축구공의 무게를 가장 가깝게 어림한 것을 찾아 기호를 쓰세요.

㉠ 4 g	㉡ 450 g
㉢ 450 kg	㉣ 40 t

(　　　　　　　　　)

03 □ 안에 알맞은 수를 써넣으세요.

(1) 2 kg보다 900 g 더 무거운 무게

⇨ □ kg □ g

(2) 800 kg보다 200 kg 더 무거운 무게

⇨ □ t

04 무게를 비교하여 ○ 안에 >, =, <를 알맞게 써넣으세요.

(1) 3500 g ○ 3 kg 800 g

(2) 9600 g ○ 9 kg 60 g

05 계산을 하세요.

(1)
$$\begin{array}{r} 3\text{ kg }\ 400\text{ g} \\ +\ 3\text{ kg }\ 800\text{ g} \\ \hline \end{array}$$

(2)
$$\begin{array}{r} 16\text{ kg }\ 100\text{ g} \\ -\qquad 600\text{ g} \\ \hline \end{array}$$

06 보기 에서 물건을 선택하여 문장을 완성하세요.

보기

땅콩　　책상　　자동차

(1) □의 무게는 약 2 g입니다.

(2) □의 무게는 약 2 t입니다.

서술형 문제

07 가장 가벼운 상자는 무엇인지 찾고 그 까닭은 무엇인지 쓰세요.

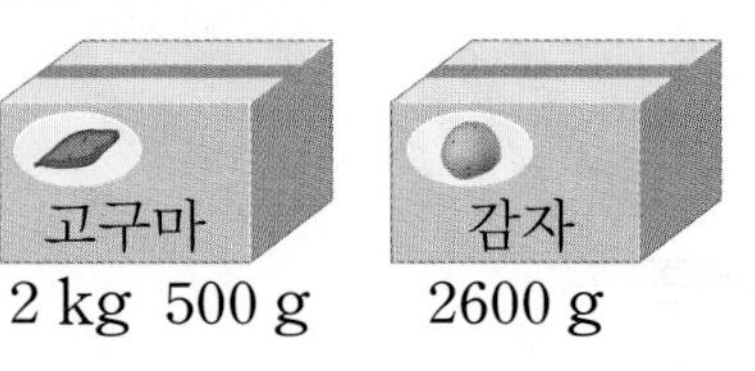

2 kg 500 g　　2600 g　　3 kg

답 ______________

까닭 ______________

08 □ 안에 알맞은 수를 써넣으세요.

$$\begin{array}{rrr} 4\text{ kg} & \square & \text{g} \\ +\ \square\text{ kg} & 300 & \text{g} \\ \hline 8\text{ kg} & 200 & \text{g} \end{array}$$

09 가장 무거운 물건과 가장 가벼운 물건의 무게의 차는 몇 kg 몇 g일까요?

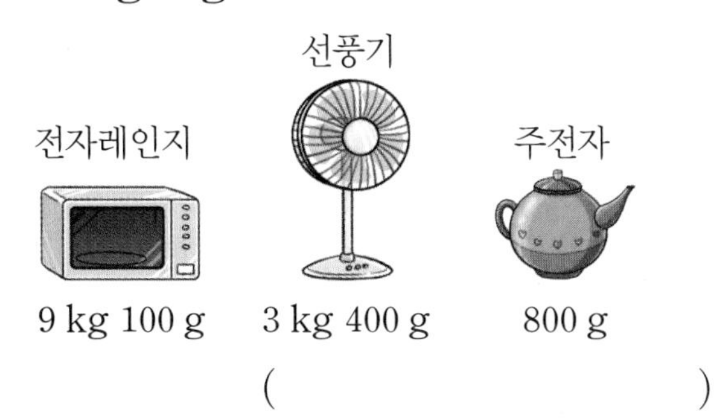

( )

10 무게가 5600 g인 김치를 무게가 3 kg 500 g인 항아리에 넣었습니다. 김치가 담긴 항아리의 무게는 몇 kg 몇 g일까요?

3 kg 500 g

( )

11 저울에 무게를 재었더니 다음과 같았습니다. 콜라 한 병의 무게가 1 kg 100 g일 때 오렌지 주스 한 병의 무게를 구하세요.

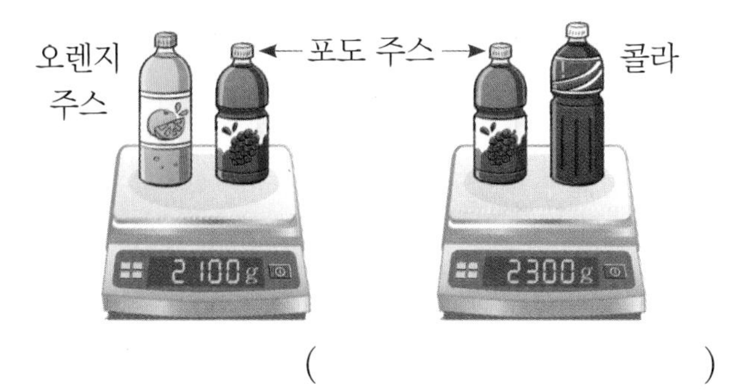

( )

12 단위를 잘못 사용한 것을 찾고 옳게 고쳐 쓰세요.

정보처리

- 공책 한 권의 무게는 약 200 g입니다.
- 옷핀 한 개의 무게는 약 1 kg입니다.

옳게 고친 문장

서술형 문제

13 민호는 저울의 눈금을 다음과 같이 읽었습니다. 옳게 읽었으면 ○표, 틀리게 읽었으면 ×표 하고 그렇게 생각한 까닭을 쓰세요.

추론

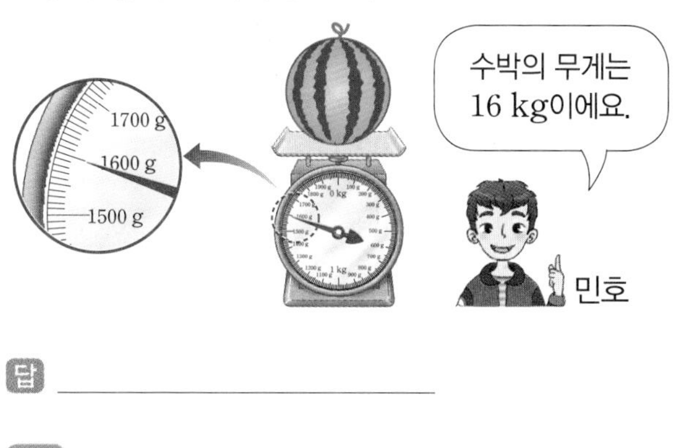

답

까닭

14 재영이가 타려는 비행기에 갖고 탈 수 있는 가방의 무게는 10 kg까지입니다. 재영이는 무게가 2 kg 500 g인 가방에 짐을 7 kg 600 g 넣었습니다. 재영이는 이 가방을 갖고 비행기에 탈 수 있을까요?

문제해결

( )

5 단원

문제 해결 (잘 틀리는 문제)

유형1 가깝게 어림한 것 찾기

1 2 L 300 mL인 주전자의 들이를 다음과 같이 어림하였습니다. 실제 들이에 가장 가깝게 어림한 것을 찾아 기호를 쓰세요.

㉠ 약 2000 mL
㉡ 약 2500 mL
㉢ 약 3 L

( )

Solution 어림한 들이와 실제 들이의 차가 작을수록 더 가깝게 어림한 것입니다.

1-1 들이가 2300 mL인 물병의 들이를 할머니는 약 2 L 500 mL, 아버지는 약 2 L 30 mL로 어림하였습니다. 실제 들이에 더 가깝게 어림한 사람은 누구일까요?

( )

1-2 양배추의 무게를 지애는 약 1 kg 300 g, 혜연이는 약 1 kg으로 어림하였습니다. 양배추의 무게를 실제 무게에 더 가깝게 어림한 사람은 누구일까요?

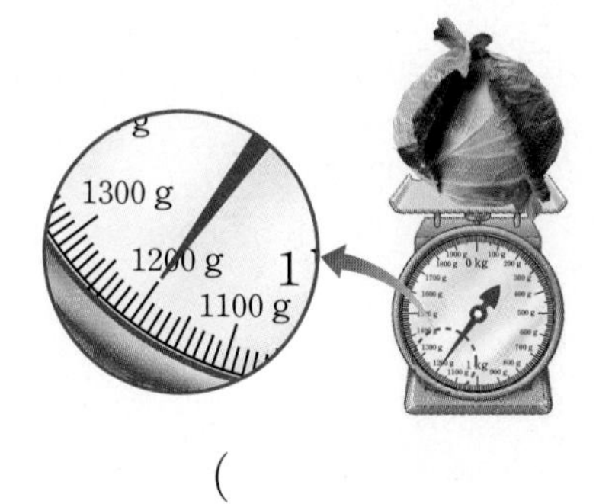

( )

유형2 받아올림이 있는 들이의 덧셈하기

2 시내는 약수터에서 3 L 600 mL의 물을 받아 왔고, 지선이는 3 L 800 mL의 물을 받아 왔습니다. 두 사람이 받아 온 물은 모두 몇 L 몇 mL일까요?

( )

Solution L는 L끼리, mL는 mL끼리 단위를 맞추어 더합니다. mL끼리의 합이 1000 mL보다 크거나 같으면 1000 mL를 1 L로 받아올림합니다.

2-1 양동이에 2 L 800 mL의 물이 들어 있습니다. 양동이에 3 L 900 mL의 물을 더 부으면 물이 넘치지 않고 가득 찹니다. 양동이의 들이는 몇 L 몇 mL일까요?

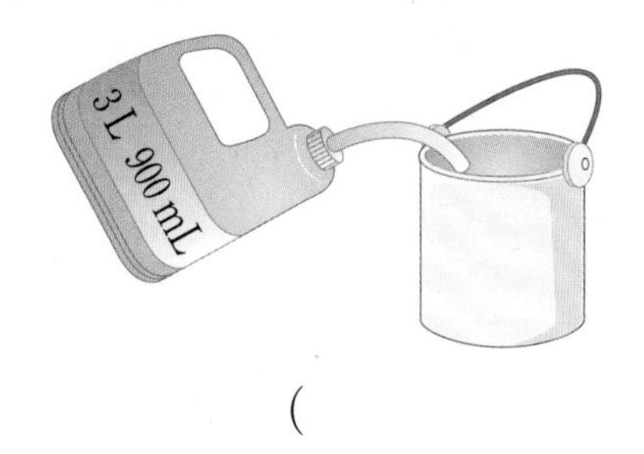

( )

2-2 물이 1분에 3 L 350 mL씩 나오는 수도가 있습니다. 이 수도로 3분 동안 물을 받는다면 받을 수 있는 물은 모두 몇 L 몇 mL일까요?

( )

유형3 받아내림이 있는 무게의 뺄셈하기

3 밀가루가 3 kg 200 g 있었습니다. 그중에서 1 kg 800 g을 빵을 만드는 데 사용했습니다. 남은 밀가루는 몇 kg 몇 g일까요?

( )

Solution kg은 kg끼리, g은 g끼리 단위를 맞추어 뺍니다. g끼리 계산할 수 없는 경우 1 kg을 1000 g으로 받아내림하여 계산합니다.

3-1 사탕을 담은 바구니의 무게가 1 kg 400 g입니다. 바구니만의 무게가 600 g일 때, 사탕만의 무게는 몇 g일까요?

( )

3-2 감자밭에서 윤정이는 감자를 3 kg 650 g 캐고, 민정이는 5 kg 200 g 캤습니다. 누가 감자를 몇 kg 몇 g 더 많이 캤을까요?

( ),
( )

3-3 동화책과 위인전의 무게의 합은 1 kg 400 g이고, 위인전과 국어사전의 무게의 합은 1 kg 900 g입니다. 국어사전의 무게가 1 kg 100 g이면 동화책의 무게는 몇 g일까요?

( )

유형4 수량이 여러 개일 때 무게 구하기

4 주문한 밀가루와 찹쌀가루의 무게는 모두 몇 kg 몇 g일까요?

주문서

종류	한 포대의 무게	수량
밀가루	700 g	2포대
찹쌀가루	500 g	2포대

( )

Solution 무게의 덧셈이나 뺄셈을 하는 과정에서 물건의 수에 주의하도록 합니다.

4-1 주문한 삼겹살과 목살의 무게는 모두 몇 kg 몇 g일까요?

주문서

종류	1인분의 무게	수량
삼겹살	300 g	4인분
목살	200 g	3인분

( )

4-2 오늘 남은 소금의 무게는 몇 kg 몇 g일까요?

어제 남아 있던 소금: 700 g
오늘 산 소금: 한 봉지에 400 g씩 5봉지
오늘 사용한 소금: 1 kg 500 g

( )

문제 해결 (서술형 문제)

유형5

문제 해결 Key
무게를 g 단위로 나타내고 무게를 비교하여 더 많이 사용한 것을 구합니다.

5 제과점에서 빵을 만드는 데 ❶설탕 6 kg 80 g과 밀가루 6300 g을 사용하였습니다. ❷더 많이 사용한 것은 무엇인지 풀이 과정을 보고 □ 안에 알맞게 써넣어 답을 구하세요.

문제 해결 전략
❶ 설탕의 무게를 g 단위로 나타내기
❷ 무게를 비교하여 더 많이 사용한 것 구하기

풀이 ❶ 6 kg 80 g=□ g

❷ 설탕과 밀가루의 무게를 비교하면 □ g ○ 6300 g입니다.

따라서 설탕과 밀가루 중에서 더 많이 사용한 것은 □ 입니다.

답 ____________

5-1 연습 문제

헌 종이를 준호는 3 kg 500 g, 재연이는 3490 g 모았습니다. 모은 헌 종이의 무게가 더 무거운 사람은 누구인지 풀이 과정을 쓰고 답을 구하세요.

풀이
❶ 준호가 모은 헌 종이의 무게를 g 단위로 바꾸기

❷ 모은 헌 종이의 무게가 더 무거운 사람 구하기

답 ____________

5-2 실전 문제

할머니께서 항아리 2개에 각각 된장은 4080 g, 고추장은 4 kg 600 g 담았습니다. 된장과 고추장 중에서 할머니께서 더 많이 담은 것은 무엇인지 풀이 과정을 쓰고 답을 구하세요.

풀이

답 ____________

유형6

문제 해결 Key
안나가 산 페인트의 양을 구한 후, 안나가 사용하고 남은 페인트의 양을 구합니다.

문제 해결 전략
❶ 산 페인트의 양 구하기
❷ 사용하고 남은 페인트의 양 구하기

6 안나는 ❶1 L짜리 페인트를 2통 사서 ❷1 L 500 mL는 벽지를 꾸미는 데 사용하였습니다. 남은 페인트는 몇 mL인지 풀이 과정을 보고 □ 안에 알맞은 수를 써넣어 답을 구하세요.

풀이 ❶ 1 L짜리 페인트를 2통 샀으므로 안나가 산 페인트의 양은
1 L+1 L=□ L입니다.
❷ 안나가 벽지를 꾸미는 데 사용하고 남은 페인트의 양은
2 L−1 L 500 mL=□ mL입니다.

답 ________

6-1 연습 문제
은재는 2 L짜리 물을 2통 사서 1 L 200 mL는 김치찌개를 끓이는 데 사용하였습니다. 남은 물은 몇 L 몇 mL인지 풀이 과정을 쓰고 답을 구하세요.

풀이
❶ 산 물의 양 구하기

❷ 남은 물의 양 구하기

답 ________

6-2 실전 문제
지윤이는 1 L 500 mL짜리 콜라를 2병 사서 700 mL를 마셨습니다. 남은 콜라는 몇 L 몇 mL인지 풀이 과정을 쓰고 답을 구하세요.

풀이

답 ________

5 단원

진도 완료 체크

실력UP 문제

01 배 2개의 무게를 재었더니 다음과 같았습니다. 배 1개의 무게를 어림하세요.

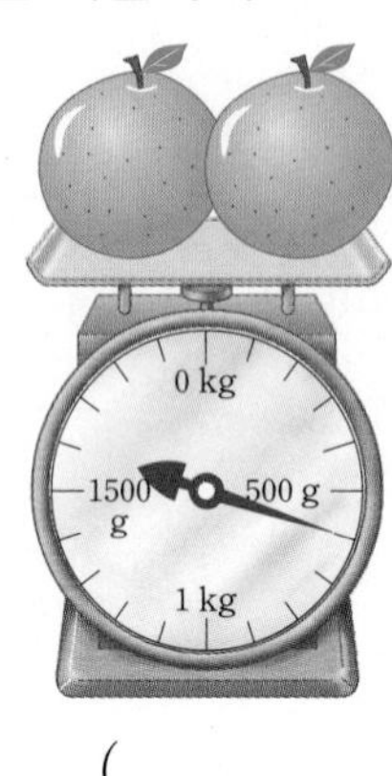

( )

02 염색 박물관으로 체험 학습을 갔습니다. 보라색 수건을 만들기 위해 빨간색 염색 물 2 L 600 mL와 파란색 염색 물 2 L 500 mL를 섞었습니다. 섞어서 만든 보라색 염색 물은 모두 몇 L 몇 mL일까요?

( )

03 민준이는 한옥마을에 체험 학습을 갔습니다. 한옥마을에는 *장독대가 있는데 가장 큰 장독의 들이는 10 L 600 mL이고 가장 작은 장독의 들이는 5 L 800 mL입니다. 두 장독의 들이의 차는 몇 L 몇 mL일까요?

* **장독대**: 장독을 놓아두려고 약간 높게 만들어 놓은 곳

( )

04 참외, 복숭아, 키위의 무게를 비교하려고 합니다. 물음에 답하세요. (단, 참외끼리, 복숭아끼리, 키위끼리 무게가 같습니다.)

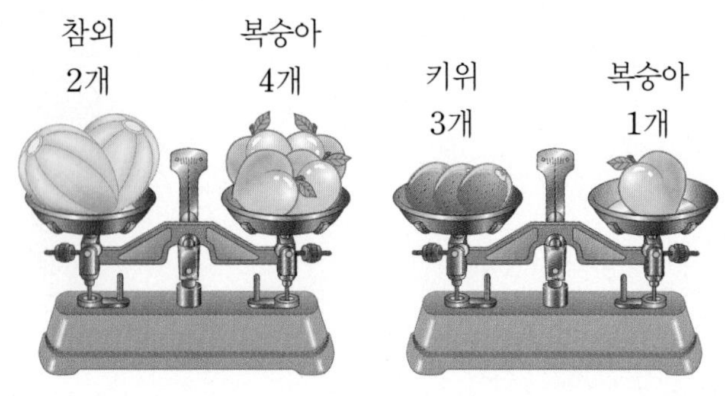

(1) 참외 1개의 무게는 복숭아 몇 개의 무게와 같을까요?

( )

(2) 참외 1개의 무게는 키위 몇 개의 무게와 같을까요?

( )

(3) 참외, 복숭아, 키위를 무게가 무거운 것부터 순서대로 쓰세요.

( )

05 토마토 5개의 무게는 몇 kg 몇 g일까요?

( )

06 *양봉장에서 꿀을 봄에는 5 kg 400 g, 여름에는 3800 g 얻어 냈습니다. 이 중에서 7 kg 600 g을 팔았다면 팔고 남은 꿀은 몇 kg 몇 g인지 구하세요.

*양봉장: 꿀을 얻기 위해 벌을 기르는 곳

( )

07 무게가 1 kg 300 g인 빈 물통에 물을 정확히 반을 채웠더니 무게가 4 kg 800 g이 되었습니다. 물을 가득 채운 물통의 무게는 몇 kg 몇 g일까요?

( )

08 은서와 정수가 딴 한라봉을 합하면 무게가 16 kg입니다. 은서가 딴 한라봉의 무게는 정수가 딴 한라봉의 무게보다 4 kg 더 무겁습니다. 은서가 딴 한라봉의 무게는 몇 kg일까요?

( )

서술형 문제

09 들이가 300 mL인 컵에 물을 가득 채워 들이가 3 L인 주전자에 3번 부었습니다. 주전자에 물을 가득 채우려면 이 컵으로 적어도 몇 번을 더 부어야 하는지 풀이 과정을 쓰고 답을 구하세요.

풀이 ______

답 ______

서술형 문제

10 범진이가 과일 바구니를 들고 몸무게를 재면 42 kg 400 g이고, 과일 바구니를 들지 않고 몸무게를 재면 38 kg 300 g입니다. 과일 바구니의 무게는 몇 kg 몇 g인지 풀이 과정을 쓰고 답을 구하세요.

풀이 ______

답 ______

5 단원

진도 완료 체크

단원 평가

01 그림을 보고 눈금을 읽으세요.

(1)

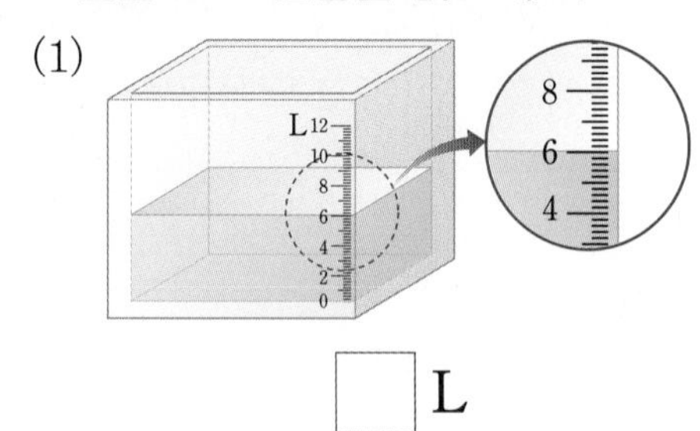

☐ L

(2)

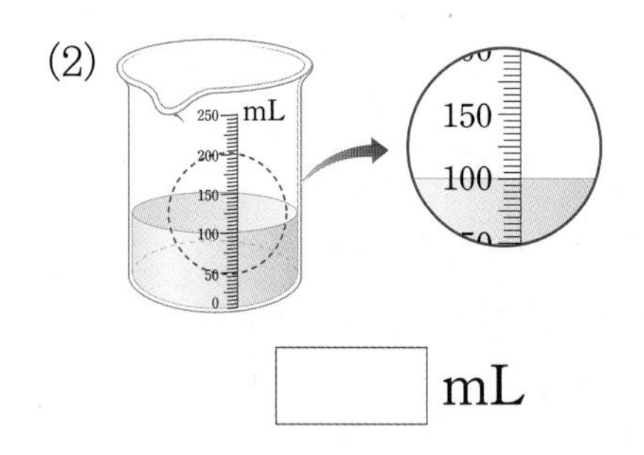

☐ mL

02 ☐ 안에 알맞은 수를 써넣으세요.

(1) 7 L 300 mL = ☐ mL

(2) 3080 mL = ☐ L ☐ mL

03 어느 단위를 사용하여 무게를 재면 편리할지 알맞은 것에 ○표 하세요.

(1)

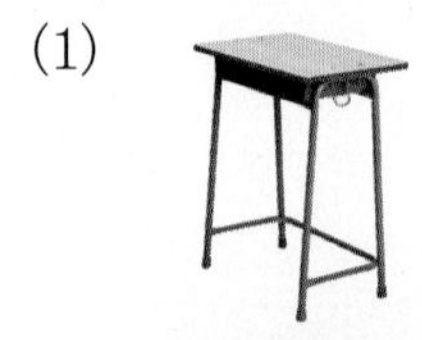

⇨ (g , kg , t)

(2)

⇨ (g , kg , t)

(3)

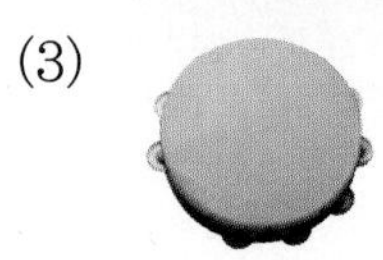

⇨ (g , kg , t)

04 무게가 같은 것끼리 이으세요.

6 t •	• 6100 g
6 kg 10 g •	• 6000 kg
6 kg 100 g •	• 6010 g

05 100원짜리 동전을 이용하여 필통과 수첩의 무게를 비교하였습니다. 어느 것이 동전 몇 개만큼 더 무거울까요?

필통 동전 72개

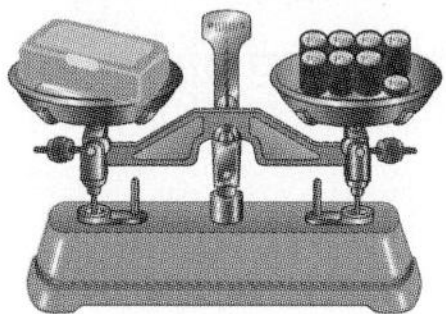

수첩 동전 69개

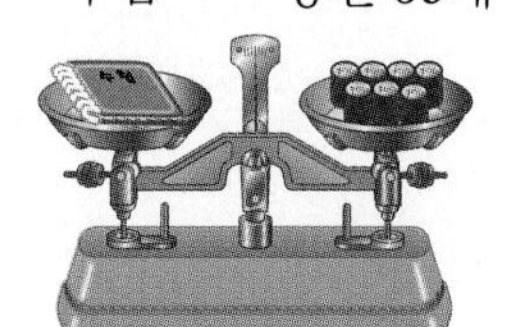

⇨ (필통 , 수첩)이 (필통 , 수첩)보다 동전 ☐ 개만큼 더 무겁습니다.

06 ☐ 안에 알맞은 수를 써넣으세요.

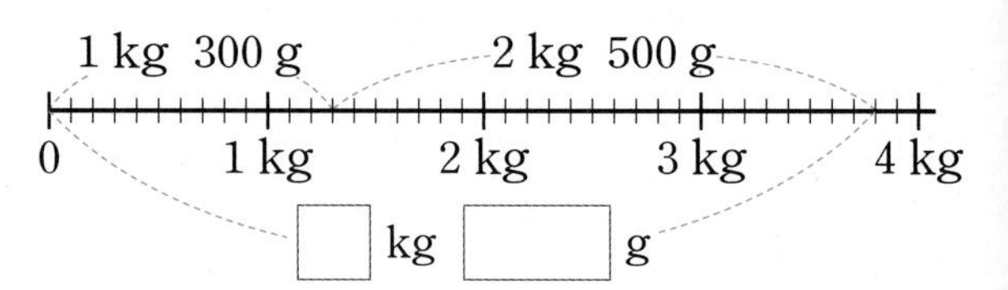

☐ kg ☐ g

07 들이가 많은 것부터 차례대로 기호를 쓰세요.

㉠ 6 L 940 mL	㉡ 7100 mL
㉢ 7030 mL	㉣ 8 L 50 mL

( )

08 계산을 하세요.

(1)
```
   6 L  500 mL
 + 8 L  600 mL
```

(2)
```
   23 L  300 mL
 − 16 L  700 mL
```

09 무게를 비교하여 ◯ 안에 >, =, <를 알맞게 써넣으세요.

(1) 2 kg 800 g ◯ 3000 g

(2) 7080 g ◯ 7 kg 800 g

10 계산을 하세요.

(1)
```
   9 kg  900 g
 + 6 kg  500 g
```

(2)
```
   16 kg  300 g
 −  7 kg  600 g
```

11 무게의 합이 더 큰 쪽에 ◯표 하세요.

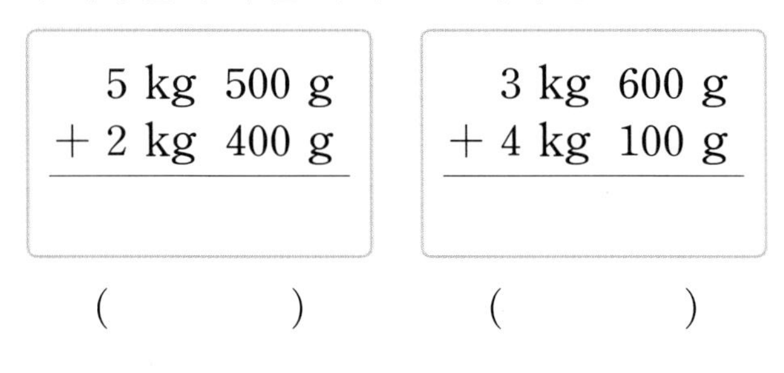

( ) ( )

12 ㉠과 ㉡에 알맞은 수를 각각 구하세요.

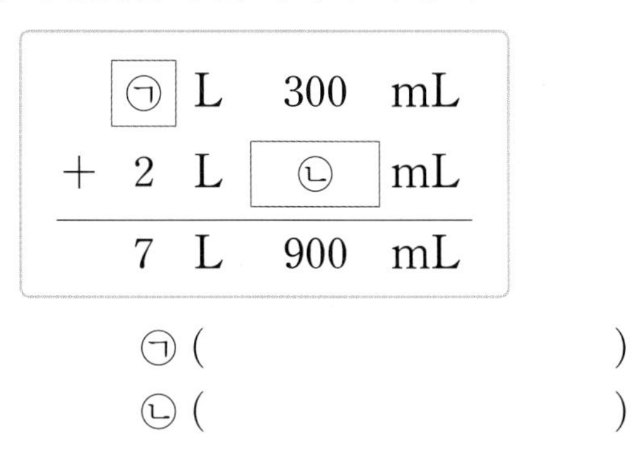

㉠ ( )

㉡ ( )

[13~14] 민호와 주연이는 수박의 무게를 어림하였습니다. 다음을 보고 물음에 답하세요.

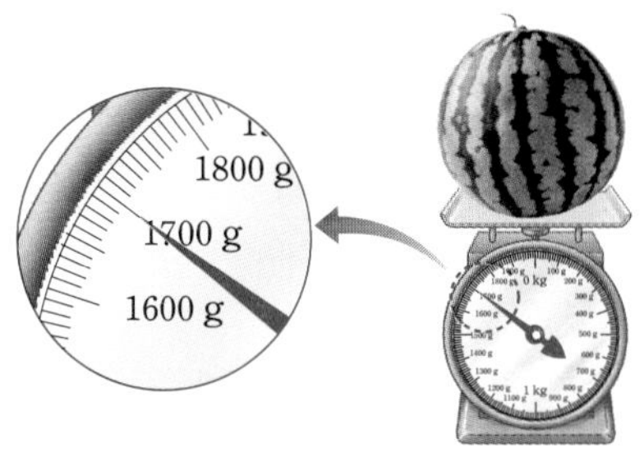

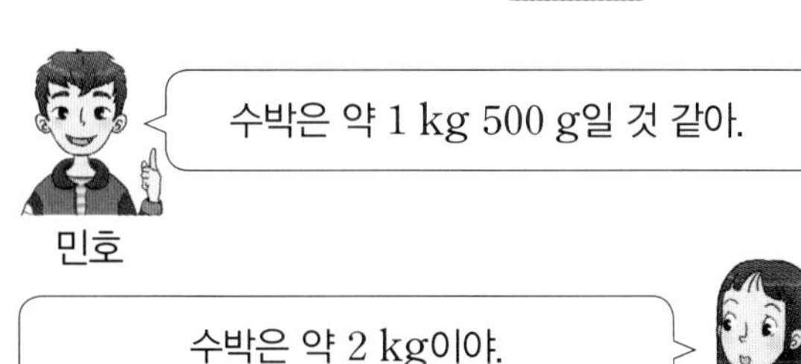

수박은 약 1 kg 500 g일 것 같아.
민호
수박은 약 2 kg이야.
주연

13 수박의 무게는 몇 kg 몇 g일까요?

( )

14 민호와 주연이 중에서 수박의 실제 무게와 더 가깝게 어림한 사람은 누구일까요?

( )

15 가위, 테이프, 지우개의 무게를 비교하려고 합니다. 물음에 답하세요.

가위	테이프	지우개	테이프
1개	2개	3개	2개

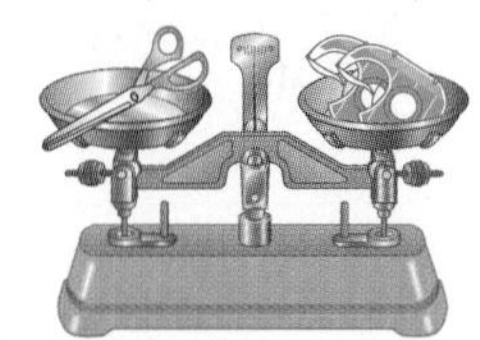
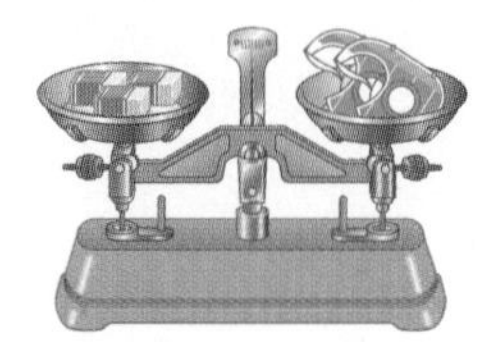

(1) 가위와 테이프 중에서 한 개의 무게가 더 무거운 것은 어느 것일까요?

( )

(2) 지우개와 테이프 중에서 한 개의 무게가 더 무거운 것은 어느 것일까요?

( )

16 어머니께서 요리하는 데 간장 1 L 300 mL를 사용하셨습니다. 처음에 있던 간장의 양이 2 L 500 mL라면 남은 간장은 몇 L 몇 mL일까요?

( )

17 빨간색 페인트와 파란색 페인트를 남기지 않고 양동이에 부었습니다. 양동이에 부은 페인트는 모두 몇 L 몇 mL일까요?

8 L 300 mL　　4 L 800 mL

( )

18 예원이와 민준이가 헌 신문을 모았습니다. 저울을 보고 물음에 답하세요.

(1) 두 사람이 모은 헌 신문은 모두 몇 kg 몇 g일까요?

( )

(2) 두 사람 중에서 누가 헌 신문을 몇 kg 몇 g 더 많이 모았을까요?

( ),
( )

19 바구니 안에 과일을 담아 무게를 재었더니 3 kg 600 g이었습니다. 바구니만의 무게가 850 g이면 과일은 몇 kg 몇 g인지 식을 쓰고 답을 구하세요.

식 ______________________

답 ______________

20 주스가 1 L 있습니다. 주스 1 L 중에서 수호가 250 mL를 마시고 려원이가 300 mL를 마셨습니다. 남은 주스는 몇 mL일까요?

( )

문제 생성기
1~20번까지의 단원평가 유사 문제 제공

과정 중심 평가 문제

21 두 가지 주스 1병의 가격과 양을 나타낸 것입니다. 2000원으로 더 많은 양의 주스를 사려면 어떤 주스를 사야 하는지 알아보세요.

	가격	양
오렌지 주스	2000원	1 L 200 mL
사과 주스	1000원	800 mL

(1) 2000원으로 사과 주스를 사면 몇 L 몇 mL를 살 수 있을까요?

( )

(2) 2000원으로 더 많은 양의 주스를 사려면 어떤 주스를 사면 될까요?

( )

과정 중심 평가 문제

22 감자 5개와 당근 4개의 무게를 잰 것입니다. 감자 5개와 당근 4개의 무게는 모두 몇 kg인지 풀이 과정을 쓰고 답을 구하세요.

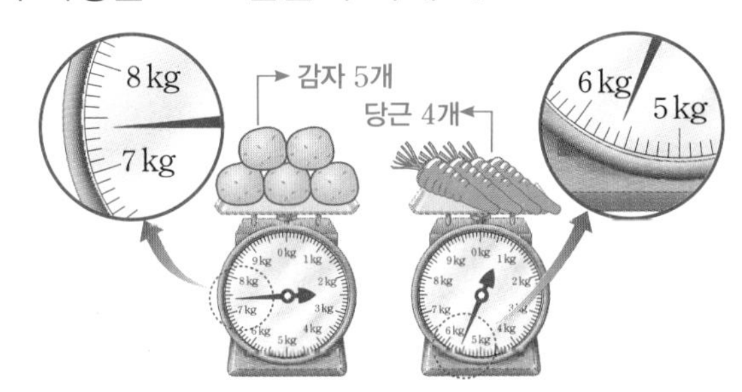

풀이 ______

답 ______

과정 중심 평가 문제

23 무게가 같은 달걀 10개를 담은 바구니의 무게가 1 kg 410 g이었습니다. 그중에서 달걀 5개를 꺼낸 후 다시 무게를 재었더니 990 g이었습니다. 달걀 10개의 무게는 얼마인지 알아보세요.

(1) 달걀 5개의 무게는 얼마일까요?

( )

(2) 달걀 10개의 무게는 얼마일까요?

( )

과정 중심 평가 문제

24 장우와 현빈이가 산 음료의 양입니다. 누가 산 음료가 몇 mL 더 많은지 풀이 과정을 쓰고 답을 구하세요.

	장우	현빈
수정과	1 L 800 mL	1 L 50 mL
식혜	750 mL	1 L 150 mL

풀이 ______

답 ______, ______

5 단원

진도 완료 체크

배점	1~20번	4점	점수	
	21~24번	5점		

오답노트

틀린 문제 저장! 출력!

자료의 정리 (그림그래프)

웹툰으로 **단원 미리보기** 6화_ 도전! 그림그래프를 그려 볼까?

QR코드를 스캔하여 이어지는 내용을 확인하세요.

이전에 배운 내용

2-1 분류하기

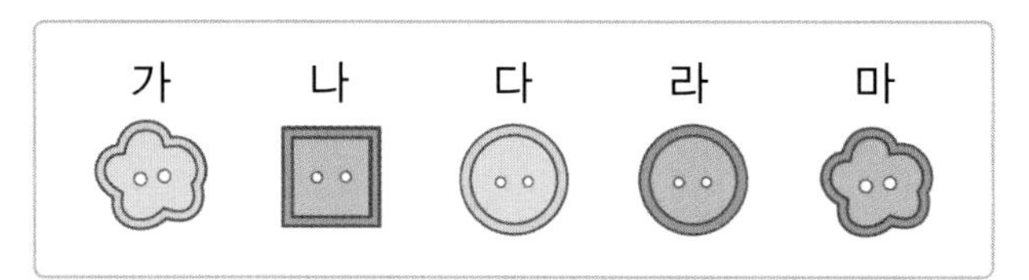

분류 기준: 모양

(꽃) 모양	□ 모양	○ 모양
가, 마	나	다, 라

2-2 표와 그래프

학생들이 좋아하는 옷 색깔

색깔	하양	파랑	분홍	합계
학생 수(명)	3	2	1	6

분홍을 좋아하는 학생은 1명입니다.

학생들이 좋아하는 옷 색깔

3	○		
2	○	○	
1	○	○	○
학생 수(명) / 색깔	하양	파랑	분홍

가장 많은 학생들이 좋아하는 옷 색깔은 하양입니다.

이 단원에서 배울 내용

1 Step	교과 개념	표로 나타내기, 그림그래프 알아보기
2 Step	교과 유형 익힘	
1 Step	교과 개념	그림그래프로 나타내기
1 Step	교과 개념	자료를 수집하여 표와 그림그래프로 나타내기
2 Step	교과 유형 익힘	
3 Step	문제 해결	
4 Step	실력 UP 문제	잘 틀리는 문제 / 서술형 문제
✩	단원 평가	

이 단원을 배우면 그림그래프로 나타낸 자료를 보고 그림그래프의 특징을 알 수 있고, 자료를 그림그래프로 나타낼 수 있어요.

교과 개념

표로 나타내기, 그림그래프 알아보기

개념1 표로 나타내기

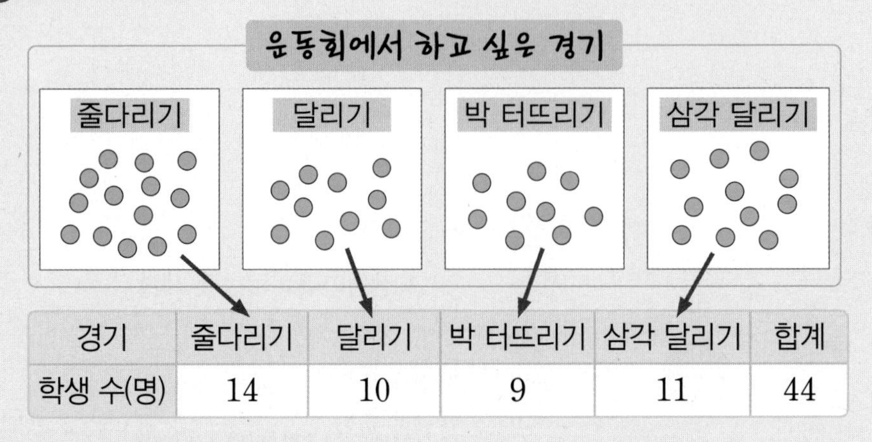

① 각 항목의 **수를 세어** 씁니다.

경기	줄다리기	달리기	박 터뜨리기	삼각 달리기	합계
학생 수(명)	14	10	9	11	44

② 각 항목의 **수를 더하여 합계**에 씁니다.

개념2 그림그래프 알아보기

• **그림그래프**: 알려고 하는 수(조사한 수)를 **그림**으로 나타낸 그래프

도서관을 이용한 학생 수

요일	학생 수
월요일	23명
화요일	31명
수요일	44명
목요일	40명
금요일	46명

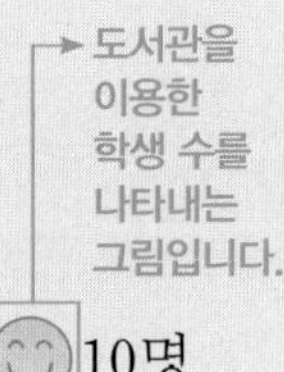

• 도서관을 이용한 학생이 가장 많은 요일은 **금요일**입니다.
• 도서관을 이용한 학생이 가장 적은 요일은 **월요일**입니다.
➡ 그림그래프는 학생 수를 **한눈에 비교**하기 편리합니다.

• **그림그래프가 다른 그래프보다 편리한 점**
그림만 보고도 어떤 주제를 조사하여 나타낸 것인지 한눈에 파악할 수 있습니다.
• **그림그래프에서 주의할 점**
그림의 개수가 많을수록 큰 양을 나타낸다고 생각하면 안 됩니다.
그림의 크기에 주의하여 나타내는 수를 알아봅니다.

개념확인 1 성희네 학교 학생들이 생일 선물로 받고 싶은 선물을 조사하여 그래프로 나타내었습니다. □ 안에 알맞은 수나 말을 써넣으세요.

생일 선물로 받고 싶은 선물

선물	학생 수
자전거	
게임기	
장난감	

🎁 10명 🎁 1명

(1) 왼쪽과 같이 조사한 수를 그림으로 나타낸 그래프를 □라고 합니다.

(2) 🎁은 □명, 🎁은 □명을 나타냅니다.

(3) 게임기를 받고 싶은 학생은 □명입니다.

2 민서네 학교 도서관에 있는 책의 수를 조사하여 그림그래프로 나타내었습니다. 물음에 답하세요.

도서관에 있는 책의 수

종류	책의 수
동화책	
과학책	
위인전	
만화책	

10권 1권

(1) 도서관에 있는 과학책은 몇 권일까요?

( )

(2) 도서관에 어느 종류의 책이 가장 많을까요?

( )

3 마을별 기르고 있는 닭의 수를 그림그래프로 나타내었습니다. 물음에 답하세요.

마을별 닭의 수

마을	닭의 수
튼튼	
햇빛	
구름	
아름	

10마리 1마리

(1) 1개는 몇 개와 같을까요?

( )

(2) 튼튼 마을에서 기르고 있는 닭은 구름 마을에서 기르고 있는 닭보다 몇 마리 더 많을까요?

( )

4 세영이네 반 학생들이 좋아하는 과목을 조사하여 표로 나타내었습니다. 물음에 답하세요.

학생들이 좋아하는 과목

과목	국어	수학	사회	과학	합계
학생 수(명)		11	4	7	27

(1) 국어를 좋아하는 학생은 몇 명일까요?

( )

(2) 수학을 좋아하는 학생은 국어를 좋아하는 학생보다 몇 명 더 많습니까?

( )

5 민규네 학교 3학년 학생들이 하고 싶은 봉사 활동을 조사한 것입니다. 물음에 답하세요.

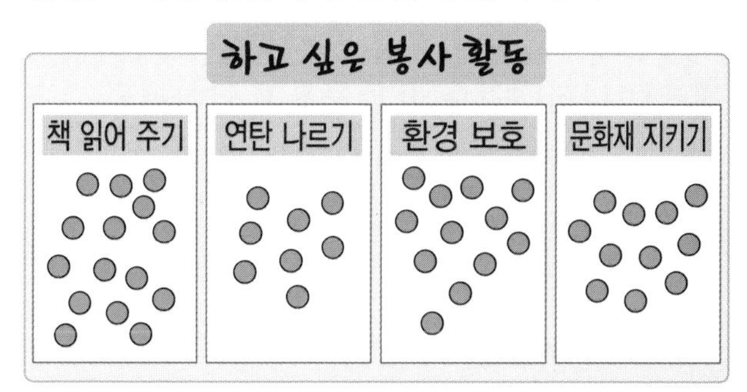

(1) 조사한 자료를 보고 표로 나타내세요.

하고 싶은 봉사 활동

봉사 활동	책 읽어 주기	연탄 나르기	환경 보호	문화재 지키기	합계
학생 수(명)	15				

(2) 가장 많은 학생들이 하고 싶은 봉사 활동과 가장 적은 학생들이 하고 싶은 봉사 활동을 차례로 쓰세요.

( ), ( )

10종

교과 유형 익힘

[01~02] 현우네 반 학생들이 가 보고 싶은 산을 조사하여 표로 나타내었습니다. 물음에 답하세요.

가 보고 싶은 산

산	백두산	한라산	금강산	지리산	합계
학생 수(명)	12		10	5	34

01 한라산을 가 보고 싶은 학생은 몇 명인가요?

( )

02 금강산을 가 보고 싶은 학생 수는 지리산을 가 보고 싶은 학생 수의 몇 배인가요?

( )

[03~04] 목장별 우유 생산량을 조사하여 그림그래프로 나타내었습니다. 물음에 답하세요.

목장별 우유 생산량

목장	생산량
가	
나	
다	
라	

10 kg 1 kg

03 가 목장의 우유 생산량은 몇 kg일까요?

( )

04 우유 생산량이 많은 목장부터 차례로 쓰세요.

( )

[05~07] 윤석이네 학교 3학년 학생들이 좋아하는 간식을 조사하여 그림그래프로 나타내었습니다. 물음에 답하세요.

학생들이 좋아하는 간식

간식	학생 수
피자	
햄버거	
떡볶이	
핫도그	

10명 1명

05 가장 적은 학생들이 좋아하는 간식은 무엇이고, 몇 명일까요?

( ), ( )

06 떡볶이를 좋아하는 학생은 햄버거를 좋아하는 학생보다 몇 명 더 많을까요?

( )

서술형 문제

07 윤석이네 학교 3학년 학생들을 위해 간식을 준비할 때 어떤 간식을 준비하는 것이 좋을지 고르고, 그 까닭을 쓰세요.

준비할 간식 ______________________

까닭 ______________________

____

08 정현이네 학교 3학년 학생들이 키우고 싶은 반려동물을 조사하여 표로 나타내었습니다. 표와 정현이의 일기를 완성하세요.

키우고 싶은 반려동물

반려동물	개	고양이	햄스터	앵무새	합계
학생 수(명)	12		10	5	34

정현이의 일기

날짜: ○월 ○일 ○요일　　날씨: 흐림

우리 학교 3학년 학생들이 키우고 싶은 반려동물을 조사하였다. 조사 결과를 보니 많은 학생이 키우고 싶은 반려동물은 순서대로

____

______________________________였다.

09 윤수네 학교 학생들이 좋아하는 과일을 조사하여 그림그래프로 나타내었습니다. 포도를 좋아하는 학생 수가 310명, 복숭아를 좋아하는 학생 수가 130명일 때 물음에 답하세요.

학생들이 좋아하는 과일

과일	학생 수
사과	☺☺ ☺☺☺☺☺☺
포도	☺☺☺ ☺
귤	☺☺☺ ☺☺☺
복숭아	☺ ☺☺☺

☺ □명　☺10명

(1) 위 그림그래프의 □ 안에 알맞은 수를 써넣으세요.

(2) 좋아하는 학생 수가 복숭아의 2배인 과일은 무엇일까요?

(　　　　　　　　)

서술형 문제

10 추론

마을별 학생 수를 조사하여 나타낸 그림그래프입니다. 잘못된 점을 찾아 그 까닭을 쓰세요.

마을별 살고 있는 학생 수

마을	학생 수
푸름	(큰 잎 4개, 작은 잎 2개)
은하	(큰 별 2개, 작은 별 1개)
연꽃	(큰 연꽃 4개, 작은 연꽃 1개)

(큰 연꽃) 10명　(작은 연꽃) 1명

____

____

서술형 문제

11 정보처리

농장별로 기르고 있는 돼지 수를 조사하여 나타낸 그림그래프입니다. 잘못 말한 친구를 찾고 잘못된 문장을 바르게 고치세요.

농장별 돼지 수

농장	돼지 수
생생	(큰 돼지 2개, 작은 돼지 3개)
미소	(큰 돼지 1개, 작은 돼지 6개)
초원	(큰 돼지 3개, 작은 돼지 1개)

(큰 돼지) 100마리　(작은 돼지) 10마리

민율: 돼지를 가장 많이 기르고 있는 농장은 초원 농장입니다.
지성: 초원 농장에서 기르고 있는 돼지는 31마리입니다.
온서: 생생 농장에서는 미소 농장보다 돼지를 70마리 더 많이 기르고 있습니다.

잘못 말한 친구 ______________________________

바르게 고친 문장 ______________________________

____

6 단원

진도 완료 체크

Step
1
개념 강의

교과 개념

개념1 그림그래프로 나타내기

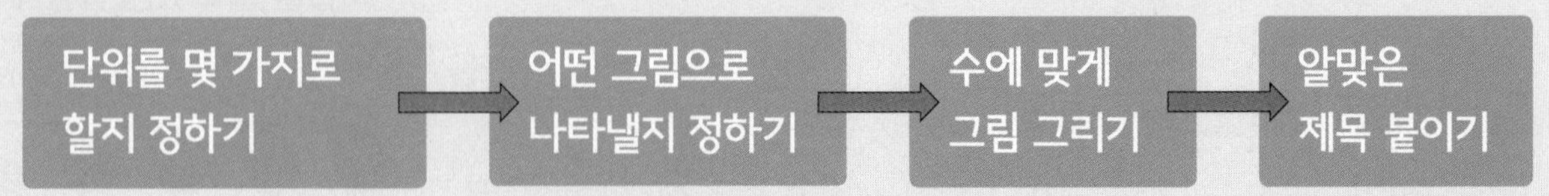

단위를 몇 가지로 할지 정하기
어떤 그림으로 나타낼지 정하기
수에 맞게 그림 그리기
알맞은 제목 붙이기

반별 도서관에서 빌린 책의 수

반	1반	2반	3반	4반	합계
책의 수(권)	45	52	37	28	162

• 단위를 **2가지**로 하여 그리기

반별 도서관에서 빌린 책의 수 ← ④ 제목 붙이기

반	책의 수
1반	◎◎◎◎○○○○○
2반	◎◎◎◎◎○○
3반	◎◎◎○○○○○○○
4반	◎◎○○○○○○○○

③ 그림 그리기

① 단위 정하기

◎10권

○1권

② 그림 정하기

• 단위를 **3가지**로 하여 그리기

반별 도서관에서 빌린 책의 수

반	책의 수
1반	◎◎◎◎◯
2반	◎◎◎◎◎○○
3반	◎◎◎◯○○
4반	◎◎◯○○○

◎10권

◯5권

○1권

• 단위를 3가지로 하여 나타내면 2가지의 단위로 나타낼 때보다

➡ 그림의 **개수가 줄었**습니다.

➡ **더 간단**하게 나타낼 수 있습니다.

표	그림그래프
• 각각의 수와 합계를 쉽게 알 수 있습니다. • 자료를 서로 비교하기 불편합니다.	• 각각의 자료의 수와 크기를 한눈에 비교할 수 있습니다. • 합계를 한눈에 알 수 없습니다.

개념확인 **1** 윤정이네 학교 학생들이 좋아하는 꽃을 조사하여 표로 나타내었습니다. ◎은 10명, ○은 1명으로 하여 그림그래프로 나타내려고 합니다. ◎과 ○을 각각 몇 개씩 그려야 하는지 알아보세요.

학생들이 좋아하는 꽃

꽃	장미	튤립	개나리	합계
학생 수(명)	31	24	43	98

장미 ⇨ ◎ □개, ○ □개

튤립 ⇨ ◎ □개, ○ □개

개나리 ⇨ ◎ □개, ○ □개

2 지혜네 학교 학생들이 여행 가고 싶은 나라를 조사하여 표로 나타내었습니다. 물음에 답하세요.

여행 가고 싶은 나라

나라	영국	미국	베트남	독일	합계
학생 수(명)	21	33	34	12	100

(1) 표를 보고 그림그래프로 나타내려고 합니다. 단위를 ◎과 ○으로 나타낸다면 각각 몇 명으로 나타내는 것이 좋을까요?

◎ (　　　　　　　)

○ (　　　　　　　)

(2) 표를 보고 그림그래프를 완성하세요.

여행 가고 싶은 나라

나라	학생 수
영국	◎◎○
미국	
베트남	
독일	

◎10명 ○1명

3 어느 마을의 과수원별 사과나무 수를 표로 나타내었습니다. 표를 보고 그림그래프로 나타내세요.

과수원별 사과나무 수

과수원	싱싱	햇살	푸른	주렁	합계
나무 수(그루)	43	35	24	32	134

과수원별 사과나무 수

과수원	사과나무 수
싱싱	
햇살	
푸른	
주렁	

(큰 나무)10그루 (작은 나무)1그루

4 영수네 학교 학생들이 생일에 가고 싶은 장소를 조사하여 표로 나타내었습니다. 물음에 답하세요.

생일에 가고 싶은 장소

장소	놀이공원	공연장	영화관	합계
학생 수(명)	69	36	57	162

(1) 표를 보고 그림그래프로 나타내려고 합니다. 학생 수를 3가지 단위로 나타낼 때 □ 안에 알맞은 수를 써넣으세요.

◎ □명, ◯ 5명, ○ □명

(2) 표를 보고 그림그래프를 완성하세요.

생일에 가고 싶은 장소

장소	학생 수
놀이공원	◎◎◎◎◎◎◯○○○○
공연장	
영화관	

◎10명 ◯5명 ○1명

5 초등학교별 학생 수를 조사하여 표로 나타내었습니다. 100명, 10명, 1명을 단위로 하여 표를 그림그래프로 나타내세요.

조능학교별 학생 수

초등학교	가람	노을	하늘	새롬	합계
학생 수(명)	523	340	215	304	1382

초등학교별 학생 수

초등학교	학생 수
가람	
노을	
하늘	
새롬	

◎100명 ◯10명 ○1명

교과 개념

자료를 수집하여 표와 그림그래프로 나타내기

개념1 자료를 수집하여 표와 그림그래프로 나타내기

① **조사할 주제 정하기**

② **자료 수집**
조사 항목, 방법, 대상, 시기 정하기

③ **자료 정리**
표나 그래프로 정리하기

④ **결과 해석**

조사 방법으로는 직접 손들기, 붙임딱지 붙이기, 종이에 적어서 내기, 돌아다니며 묻기 등이 있어요.

조사 계획서

- **주제는 무엇인가요?**
  - 예 학생들이 좋아하는 학교 행사
- **조사 질문은 무엇인가요?**
  - 예 가장 좋아하는 학교 행사는 무엇인가요?
- **누구를 조사하나요?**
  - 예 우리 학교 3학년 학생
- **자료 수집 방법은 무엇인가요?**
  - 예 붙임딱지 붙이기

• 가장 좋아하는 학교 행사는 무엇인가요?

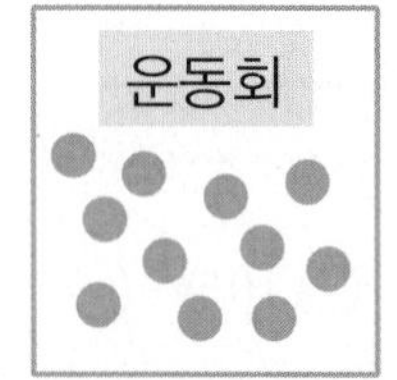

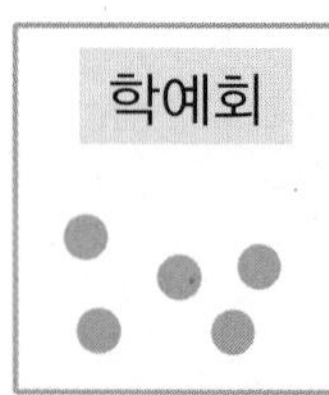

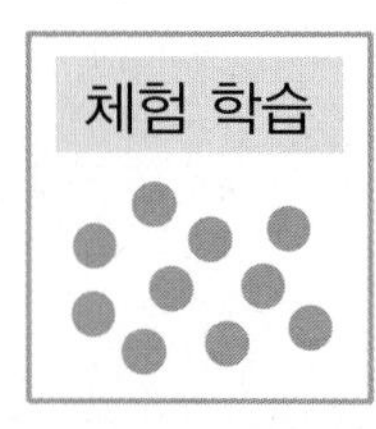

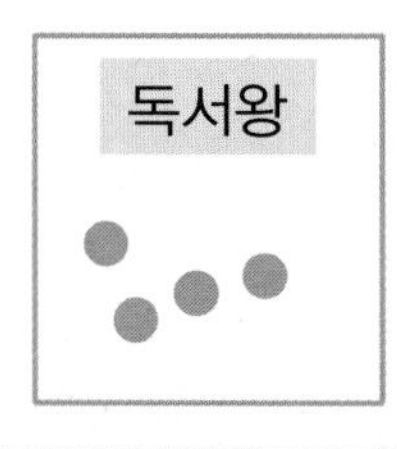

우리 학교 3학년 학생들이 좋아하는 학교 행사

반	운동회	학예회	체험 학습	독서왕	합계
학생 수(명)	11	5	10	4	30

우리 학교 3학년 학생들이 좋아하는 학교 행사

행사	학생 수
운동회	[10명] [1명]
학예회	[1명] [1명] [1명] [1명] [1명]
체험 학습	[10명]
독서왕	[1명] [1명] [1명] [1명]

[10명] 10명 [1명] 1명

우리 학교 3학년 학생들이 **가장 좋아하는 학교 행사는 운동회**입니다.

개념확인 1 조사 질문에 맞는 자료 수집 방법과 고른 까닭을 바르게 연결하세요.

조사 질문	자료 수집 방법	까닭
태어난 달은 언제인가요?	붙임딱지를 붙이기나 직접 손들기	다른 친구들에게 알려지지 않는 것이 좋기 때문입니다.
좋아하는 동물은 무엇인가요?	종이에 적어서 내기	빠르게 조사할 수 있습니다.
반장으로 뽑고 싶은 친구는 누구인가요?		

2 태희네 학교 학생들이 태어난 계절을 조사한 것입니다. 물음에 답하세요.

태어난 계절

봄(3월~5월)	여름(6월~8월)
가을(9월~11월)	**겨울(12월~2월)**

(1) 조사한 자료를 보고 표로 나타내세요.

태어난 계절별 학생 수

계절	봄	여름	가을	겨울	합계
학생 수(명)	12				

(2) 표를 보고 그림그래프로 나타내세요.

태어난 계절별 학생 수

계절	학생 수
봄	
여름	
가을	
겨울	

10명 1명

(3) 가장 많은 학생들이 태어난 계절은 언제일까요?

( )

3 유성이네 학교 3학년 학생들의 혈액형이 무엇인지 수집한 자료입니다. 물음에 답하세요.

혈액형별 학생 수

A형	B형	O형	AB형

(1) 수집한 자료를 보고 표로 나타내세요.

혈액형별 학생 수

혈액형	A형	B형	O형	AB형	합계
학생 수(명)	11				

(2) 표를 보고 그림그래프로 나타내세요.

혈액형별 학생 수

혈액형	학생 수
A형	
B형	
O형	
AB형	

10명 1명

(3) 그림그래프를 분석하려고 합니다. □ 안에 알맞은 혈액형을 써넣으세요.

⇨ 유성이네 학교 3학년 학생들의 혈액형 중에서 학생 수가 가장 많은 혈액형은 □형입니다.

6 단원

10종

교과 유형 익힘

자료를 수집하여 표와 그림그래프로 나타내기

[01~02] 마을별 병원 수를 조사하여 표로 나타내었습니다. 물음에 답하세요.

마을별 병원 수

마을	새싹	별이	푸른	바다	합계
병원 수(개)	42	13	27	24	106

01 표를 보고 그림그래프로 나타내세요.

마을별 병원 수

마을	병원 수

✚ 10개 ✚ 1개

02 병원이 가장 많은 마을은 어느 마을인가요?

( )

03 표와 그림그래프의 편리한 점을 설명하고 있습니다. 민호와 주연이가 설명한 것은 무엇인지 □ 안에 표 또는 그림그래프를 써넣으세요.

조사한 학생 수를 쉽게 알 수 있어요.
자료의 크기를 한눈에 비교할 수 있어요.
민호
주연

[04~06] 성미네 아파트에 사는 초등학생 수를 동별로 조사하였습니다. 자료를 보고 물음에 답하세요.

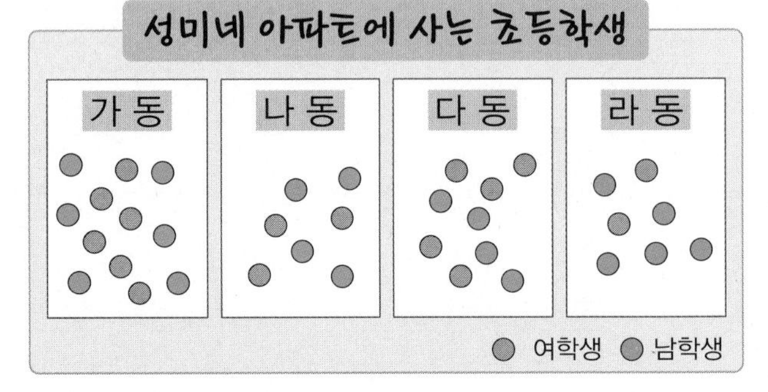

04 조사한 자료를 보고 표를 완성하세요.

성미네 아파트에 사는 초등학생 수

동	가	나	다	라	합계
여학생 수(명)			5		
남학생 수(명)	6		4		

05 여학생 수보다 남학생 수가 더 많은 동은 어느 동인지 모두 쓰세요.

( )

06 수집한 자료를 보고 그림그래프로 나타내세요.

동	학생 수
가	
나	
다	
라	

5명 1명

[07~10] 어느 자동차 대리점에서 1년 동안 팔린 자동차 수를 색깔별로 조사하여 표로 나타내었습니다. 물음에 답하세요.

1년 동안 팔린 자동차 수

색깔	흰색	회색	검은색	빨간색	합계
자동차 수(대)		31	23	14	113

07 이 대리점에서 팔린 흰색 자동차는 몇 대일까요?

( )

08 표를 보고 그림그래프로 나타내세요.

1년 동안 팔린 자동차 수

색깔	자동차 수
흰색	
회색	
검은색	
빨간색	

◎ 10대 ○ 1대

09 1년 동안 가장 많이 팔린 자동차의 색깔은 무엇일까요?

( )

서술형 문제

10 그림그래프를 보고 무엇을 알 수 있는지 두 가지 쓰세요.

11 정보처리

학생들이 좋아하는 악기를 조사한 표를 보고 그림그래프를 완성하세요.

좋아하는 악기

악기	피아노	바이올린	기타	클라리넷	합계
학생 수(명)	46	29	28	37	140

좋아하는 악기

악기	학생 수
피아노	
바이올린	
기타	
클라리넷	

◎ 10명 △ 5명 ○ 1명

6 단원

진도 완료 체크

서술형 문제

12 의사소통

주스 가게에서 이번 주에 팔린 주스의 수를 조사하여 표로 나타내었습니다. 그림그래프로 나타내고 다음 주에는 어떤 주스를 가장 많이 준비하면 좋을지 고른 후 그 까닭을 쓰세요.

이번 주에 팔린 주스의 수

주스	딸기 주스	수박 주스	자두 주스	합계
수(잔)	320	240	140	700

주스	수
딸기 주스	
수박 주스	
자두 주스	

100잔 10잔

재료

까닭

Step 3 문제 해결 (잘 틀리는 문제)

유형1 표에서 모르는 자료의 수 구하기

1 모둠별 받은 칭찬 붙임딱지 수를 조사하여 표로 나타내었습니다. 가을 모둠이 받은 칭찬 붙임딱지는 몇 장일까요?

모둠별 받은 칭찬 붙임딱지 수

모둠	봄	여름	가을	겨울	합계
칭찬 붙임딱지 수(장)	24	33		54	151

( )

Solution 표의 합계에서 각 자료의 수를 빼면 모르는 자료의 수를 구할 수 있습니다.

1-1 현철이네 반에 있는 색깔별 색종이 수를 조사하여 표로 나타내었습니다. 노란색 색종이는 몇 장일까요?

색깔별 색종이 수

색깔	빨간색	노란색	초록색	파란색	합계
색종이 수(장)	36		27	16	122

( )

1-2 성호네 반과 유미네 반 학생들의 취미 활동을 조사하여 표로 나타내었습니다. 성호네 반과 유미네 반에 취미 활동이 게임인 학생은 모두 몇 명일까요?

학생들의 취미 활동

취미	운동	게임	영화	독서	합계
성호네 반 학생 수(명)	8		5	3	27
유미네 반 학생 수(명)	7		3	6	24

( )

유형2 자료의 수의 합과 차 구하기

2 마을별 오렌지 생산량을 조사하여 그림그래프로 나타내었습니다. 오렌지를 가장 많이 생산한 마을과 가장 적게 생산한 마을의 생산량의 차는 몇 상자일까요?

마을별 오렌지 생산량

마을	생산량
장미	◎◎○○
연꽃	◎◎○○○○
백합	◎◎◎○
목련	◎◎○○○

◎ 100상자 ○ 10상자

( )

Solution 큰 그림과 작은 그림이 나타내는 상자 수를 구분하여 각 자료의 수를 먼저 알아봅니다.

2-1 어느 초콜릿 가게의 월별 초콜릿 판매량을 조사하여 그림그래프로 나타내었습니다. 초콜릿이 가장 많이 팔린 달과 가장 적게 팔린 달의 생산량의 합은 몇 상자일까요?

월별 초콜릿 판매량

월	판매량
6월	◎○○○
7월	◎◎◎
8월	◎◎○○○
9월	◎◎○○

◎ 100상자 ○ 10상자

( )

유형3 표를 완성하여 그림그래프로 나타내기

3 표의 빈칸에 알맞은 수를 써넣고 그림그래프를 완성하세요.

학생별 읽은 책의 수

이름	동건	윤정	경진	합계
책의 수(권)	50		120	280

학생별 읽은 책의 수

이름	책의 수
동건	
윤정	
경진	

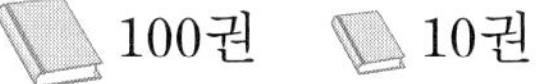

Solution 표에서 빠진 자료의 수를 구한 다음 큰 그림과 작은 그림을 알맞게 그려 그림그래프를 완성합니다.

3-1 표의 빈칸에 알맞은 수를 써넣고 그림그래프를 완성하세요.

마을별 심은 나무 수

마을	푸른	초록	햇살	구름	합계
나무 수(그루)		210	310		880

마을별 심은 나무 수

마을	나무 수
푸른	
초록	
햇살	
구름	

유형4 그림그래프를 보고 예상하기

4 어느 빵 가게에서 일주일 동안 팔린 빵의 수를 조사하여 그림그래프로 나타내었습니다. 내가 빵 가게 주인이라면 다음 주에는 어느 빵을 가장 많이 준비하면 좋을까요?

일주일 동안 팔린 빵의 수

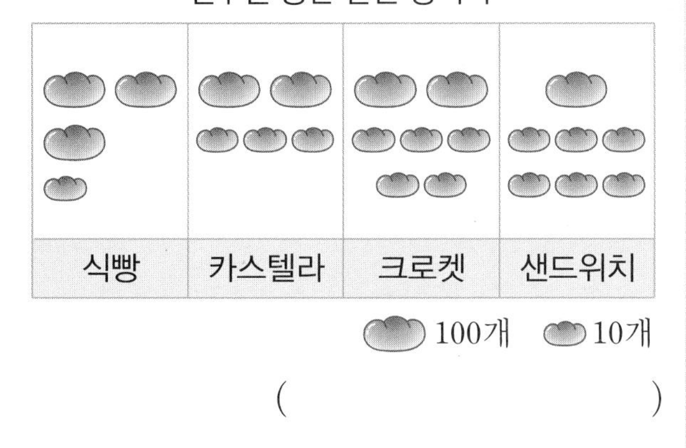

( )

Solution 일주일 동안 가장 많이 판매된 것은 다음 주에도 많이 판매될 것이라고 예상해 볼 수 있습니다.

4-1 은호네 반 학생들이 좋아하는 간식을 조사하여 그림그래프로 나타내었습니다. 은호네 반 학생들이 간식을 한 가지만 만든다면 어떤 음식이 가장 좋겠는지 쓰고 그 까닭을 쓰세요.

좋아하는 간식

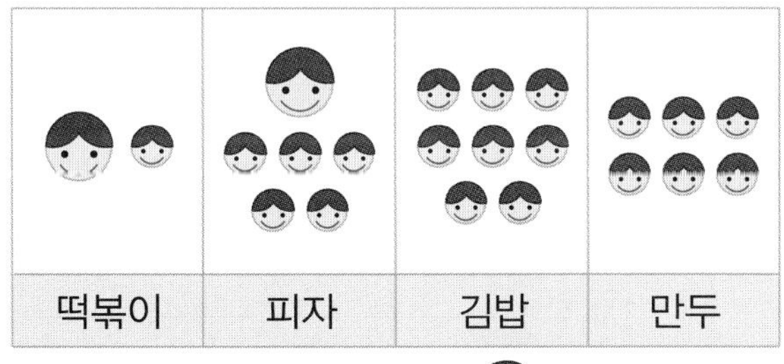

10명 1명

답 ______

까닭 ______

Step 3 문제 해결 서술형 문제

유형5

문제 해결 Key
계절별로 태어난 여학생과 남학생 수의 합을 구한 후 수의 크기를 비교하여 가장 많은 학생이 태어난 계절을 구합니다.

문제 해결 전략
❶ 계절별 태어난 여학생과 남학생 수의 합 구하기
❷ 가장 많은 학생이 태어난 계절 구하기

5 준호네 학교 3학년 학생들의 ❶계절별 태어난 학생 수를 조사하여 표로 나타내었습니다. ❷가장 많은 학생이 태어난 계절은 언제인지 풀이 과정을 보고 □ 안에 알맞게 써넣어 답을 구하세요.

계절별 태어난 남녀 학생 수

계절	봄	여름	가을	겨울	합계
여학생 수(명)	15	22	13	24	74
남학생 수(명)	23	15	12	23	73

풀이 ❶ 봄에 태어난 학생은 $15+23=$□(명), 여름에 태어난 학생은 $22+15=$□(명), 가을에 태어난 학생은 $13+12=$□(명), 겨울에 태어난 학생은 $24+23=$□(명)입니다.

❷ 따라서 가장 많은 학생이 태어난 계절은 □입니다.

답 ________________

5-1 연습 문제

영진이네 학교 3학년 학생들의 혈액형별 학생 수를 조사하여 표로 나타내었습니다. 가장 많은 학생의 혈액형은 무엇인지 풀이 과정을 쓰고 답을 구하세요.

혈액형별 학생 수

혈액형	A	B	O	AB	합계
여학생 수(명)	22	20	15	16	73
남학생 수(명)	18	24	21	14	77

풀이

❶ 혈액형별 여학생과 남학생 수의 합 구하기

❷ 가장 많은 학생의 혈액형 구하기

답 ________________

5-2 실전 문제

유미네 반과 태오네 반 학생들의 장래 희망별 학생 수를 조사하여 표로 나타내었습니다. 가장 많은 학생의 장래 희망은 무엇인지 풀이 과정을 쓰고 답을 구하세요.

장래 희망별 학생 수

장래 희망	선생님	과학자	요리사	의사	합계
유미네 반 학생 수(명)	8	6		13	37
태오네 반 학생 수(명)	7		11	9	35

풀이

답 ________________

유형6

문제 해결 Key

5월과 6월에 읽은 동화책 수를 알아본 후 차를 구합니다.

6 혜진이가 읽은 동화책 수를 조사하여 그림그래프로 나타내었습니다. ❶ 6월은 5월보다 ❷ 몇 권 더 많이 읽었는지 풀이 과정을 보고 □ 안에 알맞은 수를 써넣어 답을 구하세요.

읽은 동화책 수

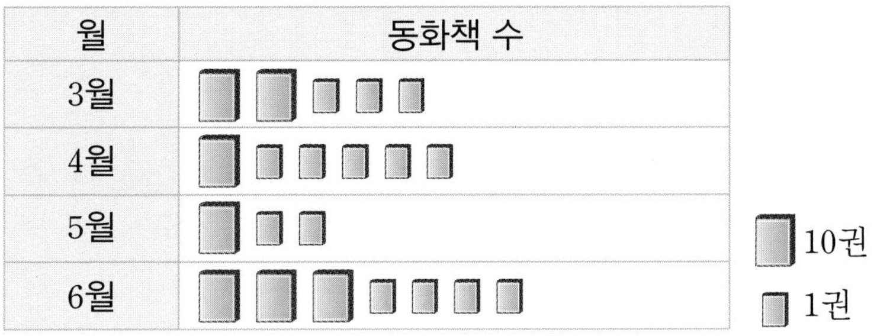

월	동화책 수
3월	
4월	
5월	
6월	

10권, 1권

문제 해결 전략

❶ 5월, 6월에 읽은 동화책 수 구하기

❷ 5월과 6월에 읽은 동화책 수의 차 구하기

풀이 ❶ 5월에 읽은 동화책은 □권, 6월에 읽은 동화책은 □권입니다.

❷ 6월은 5월보다 □ − □ = □(권) 더 많이 읽었습니다.

답 ______________

6-1 연습 문제

농장별 딸기 수확량을 조사하여 그림그래프로 나타내었습니다. 가 농장은 다 농장보다 몇 kg 더 많이 수확했는지 풀이 과정을 쓰고 답을 구하세요.

농장별 딸기 수확량

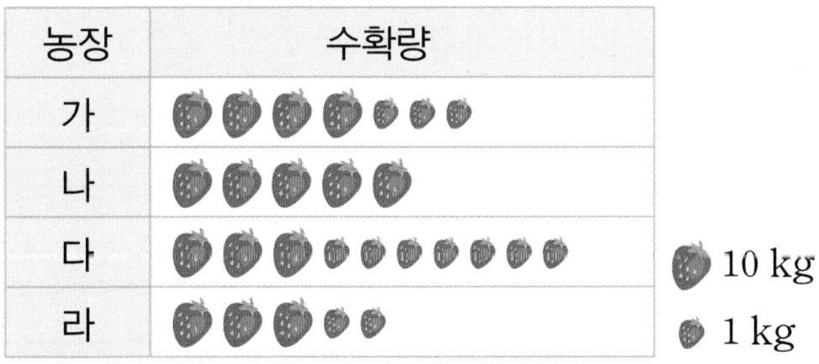

농장	수확량
가	
나	
다	
라	

10 kg, 1 kg

풀이

❶ 가 농장과 다 농장의 딸기 수확량 구하기

❷ 가 농장과 다 농장의 딸기 수확량의 차 구하기

답 ______________

6-2 실전 문제

마을별 밤 수확량을 그림그래프로 나타내었습니다. 수확량이 가장 많은 마을과 가장 적은 마을의 수확량의 차는 몇 kg인지 풀이 과정을 쓰고 답을 구하세요.

마을별 밤 수확량

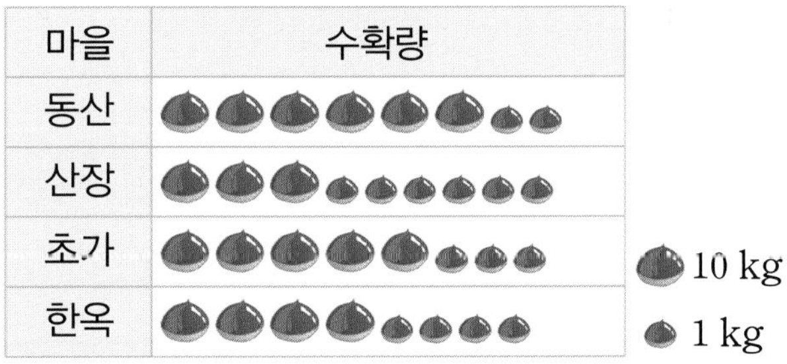

마을	수확량
동산	
산장	
초가	
한옥	

10 kg, 1 kg

풀이

답 ______________

6 단원

진도 완료 체크

실력 UP 문제

[01~03] 마을별 가로등 수를 조사하여 그림그래프로 나타내었습니다. 네 마을의 가로등 수의 합은 84개입니다. 그림그래프를 보고 물음에 답하세요.

마을별 가로등 수

마을	가로등 수
가	
나	
다	
라	

10개
1개

01 다 마을의 가로등은 몇 개일까요?

( )

02 가로등이 가장 많은 마을은 가장 적은 마을보다 몇 개 더 많을까요?

( )

서술형 문제

03 라 마을에서 가로등을 40개로 늘리려고 합니다. 가로등을 몇 개 더 설치해야 하는지 풀이 과정을 쓰고 답을 구하세요.

풀이 ______________________

____

____

____

답 ______________________

[04~05] 재하네 반 학생들이 좋아하는 악기를 조사하여 표로 나타내었습니다. 물음에 답하세요.

좋아하는 악기별 학생 수

악기	리코더	피아노	실로폰	단소	합계
학생 수(명)	14	13		3	42

04 표를 보고 그림그래프를 완성하세요.

좋아하는 악기별 학생 수

악기	학생 수
리코더	
피아노	
실로폰	
단소	

◎ 10명
○ 1명

05 피아노를 좋아하는 학생은 실로폰과 단소를 좋아하는 학생의 합보다 몇 명 더 적을까요?

( )

06 어느 치킨 가게에서 한 달 동안 팔린 치킨의 양을 조사하여 그림그래프로 나타내었습니다. 다음 달에는 판매량이 가장 적은 종류의 치킨을 카레맛 치킨으로 바꾸려고 합니다. 어느 종류의 치킨을 바꾸어야 할까요?

종류별 치킨 판매량

종류	판매량
프라이드	
달콤양념	
매콤양념	
마늘	

100마리 50마리 10마리

( )

[07~08] 친구들이 음료수 속에 들어 있는 설탕에 대해 이야기하고 있습니다. 물음에 답하세요.

07 음료수 속에 들어 있는 설탕의 양을 각설탕의 개수로 각각 나타내세요.

음료수 속에 들어 있는 설탕의 양

음료수	㉮	㉯	㉰	㉱
설탕의 양(개)				

08 음료수 속에 들어 있는 설탕의 양을 그림그래프로 나타내세요.

음료수 속에 들어 있는 설탕의 양

음료수	설탕의 양
㉮	
㉯	
㉰	
㉱	

(큰 각설탕) 10개 (작은 각설탕) 1개

09 창호가 동네 과수원별 살구 생산량을 조사하여 그림그래프로 나타내었습니다. 서쪽과 동쪽 중 어느 쪽 과수원의 생산량이 몇 상자 더 많을까요?

서쪽 과수원의 살구 생산량

과수원	생산량
외길	●●● •••
우정	●●● •••••

동쪽 과수원의 살구 생산량

과수원	생산량
다산	●●●● ••••
한우리	●● •••••

● 100상자 • 10상자

( ), ( )

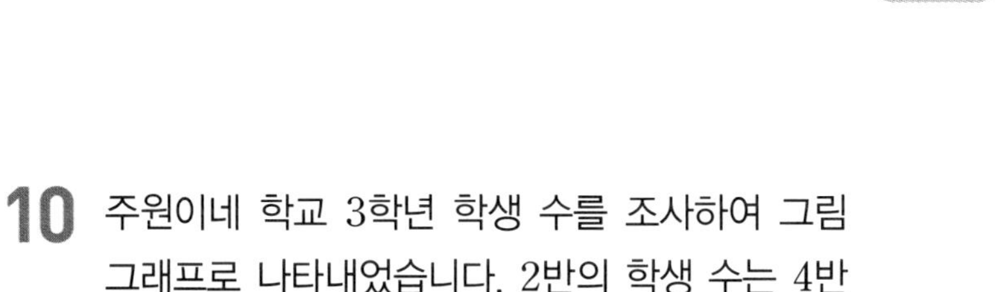

10 주원이네 학교 3학년 학생 수를 조사하여 그림그래프로 나타내었습니다. 2반의 학생 수는 4반의 학생 수의 $\frac{1}{2}$이고, 네 반의 학생 수의 합은 모두 90명입니다. 3반의 학생 수를 구하세요.

반별 학생 수

반	학생 수
1	●● ••••
2	
3	
4	●● ••••••

● 10명 • 1명

( )

6 단원

진도 완료 체크

단원 평가

[01~04] 사랑이네 학교 학생들이 좋아하는 동물을 조사하였습니다. 물음에 답하세요.

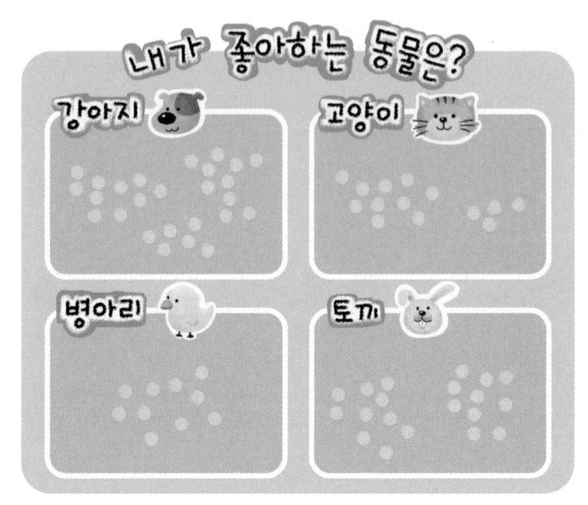

01 조사한 것을 보고 표로 나타내세요.

좋아하는 동물

동물	강아지	고양이	병아리	토끼	합계
학생 수(명)	26				

02 고양이를 좋아하는 학생은 몇 명일까요?

( )

03 가장 많은 학생들이 좋아하는 동물은 무엇일까요?

( )

04 토끼를 좋아하는 학생은 고양이를 좋아하는 학생보다 몇 명 더 많을까요?

( )

[05~07] 유정이네 학교 3학년의 반별 우유를 마시는 학생 수를 조사하여 그림그래프로 나타내었습니다. 물음에 답하세요.

반별 우유를 마시는 학생 수

반	학생 수
1반	[10명] [1명]
2반	[10명] [10명] [1명] [1명] [1명] [1명]
3반	[10명] [10명] [1명] [1명]
4반	[10명] [10명] [10명] [1명] [1명] [1명]

[10명] 10명 [1명] 1명

05 그림 [10명]과 [1명]은 각각 몇 명을 나타낼까요?

[10명] ( ), [1명] ( )

06 우유를 마시는 학생이 가장 많은 반은 몇 반이고, 몇 명일까요?

( ), ( )

07 우유를 마시는 학생 수가 1반의 2배인 반은 어느 반일까요?

( )

[08~11] 정현이네 반 학생들이 사는 마을을 조사하였습니다. 자료를 보고 물음에 답하세요.

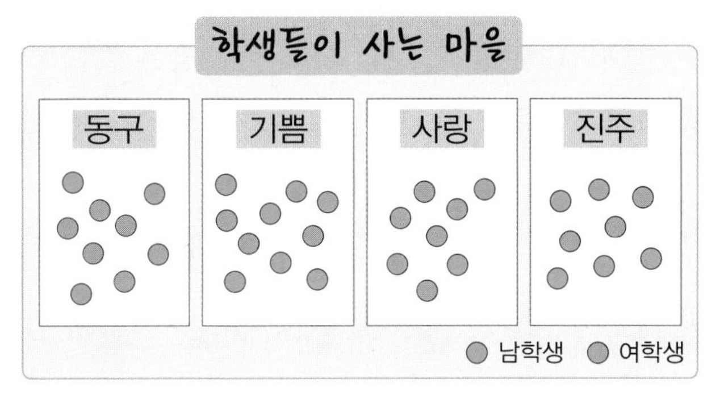

08 조사한 자료를 보고 표를 완성하세요.

남학생과 여학생이 사는 마을

마을	동구	기쁨	사랑	진주	합계
남학생 수(명)	5				
여학생 수(명)		2			

09 정현이네 반 남학생 중에서 가장 많은 학생이 사는 마을은 어느 마을일까요?

( )

10 정현이네 반 여학생이 많이 사는 마을부터 차례로 쓰세요.

( )

11 위의 완성한 표를 보고 알 수 있는 내용을 2가지 쓰세요.

[12~14] 재연이네 마을에서 이번 주 일주일 동안 수확한 사과의 양을 과수원별로 조사하여 표로 나타내었습니다. 물음에 답하세요.

과수원별 사과 수확량

과수원	가	나	다	라	합계
수확량(kg)	83	25	70	54	232

12 표를 보고 그림그래프를 완성하세요.

과수원별 사과 수확량

과수원	수확량
가	◎◎◎◎◎◎◎◎○○○
나	
다	
라	

◎ 10 kg ○ 1 kg

13 사과 수확량이 가장 많은 과수원은 어느 과수원일까요?

( )

14 이번 주 수확량이 가장 적은 농장에서 다음 주에 수확량을 60 kg으로 늘리려고 합니다. 사과 수확량을 이번 주보다 몇 kg 더 늘려야 할까요?

( )

6 단원

[15~17] 수일이는 마을별 가구 수를 조사하여 그림그래프로 나타내었습니다. 물음에 답하세요.

마을별 가구 수

마을	가구 수
가	
나	
다	
라	

10명 1명

15 그림그래프를 보고 각 마을에 사는 가구 수를 □ 안에 써넣으세요.

가 마을: □가구, 나 마을: □가구

다 마을: □가구, 라 마을: □가구

16 가 마을에서 라 마을로 7가구가 이사를 가려고 합니다. 이사를 가면 가 마을과 라 마을은 각각 몇 가구가 될까요?

가 마을 (　　　　　　)

라 마을 (　　　　　　)

17 **16**번처럼 이사를 가고 난 후에 가구 수가 많은 마을부터 차례로 쓰세요.

(　　　　　　　　　　)

[18~20] 민수네 논에서 생산한 농산물을 조사하여 그림그래프로 나타내었습니다. 전체 농산물 생산량은 130가마이고, 현미와 흑미 생산량은 같습니다. 물음에 답하세요.

종류별 농산물 생산량

종류	생산량
백미	
현미	
흑미	
보리	

10가마 1가마

18 현미 생산량은 몇 가마일까요?

(　　　　　　　　　　)

19 위 그림그래프를 완성하세요.

20 백미 한 가마의 무게는 80 kg입니다. 민수네 논에서 생산한 백미의 생산량은 몇 kg일까요?

(　　　　　　　　　　)

문제 생성기

1~20번까지의 단원평가 유사 문제 제공

과정 중심 평가 문제

21 재호네 반 학생들이 좋아하는 민속놀이를 조사하여 표로 나타내었습니다. 연날리기를 좋아하는 학생은 제기차기를 좋아하는 학생의 3배일 때 조사한 학생 수를 구하려고 합니다. 물음에 답하세요.

좋아하는 민속놀이

민속놀이	연날리기	윷놀이	팽이치기	제기차기	합계
학생 수(명)		6	8	4	

(1) 연날리기를 좋아하는 학생은 몇 명일까요?

( )

(2) 조사한 학생은 모두 몇 명일까요?

( )

과정 중심 평가 문제

22 수미네 학교 3학년 학생들이 소풍 가고 싶은 장소를 조사하여 그림그래프로 나타내었습니다. 놀이동산에 가고 싶은 학생은 박물관에 가고 싶은 학생보다 13명 더 많습니다. 물음에 답하세요.

소풍 가고 싶은 장소

장소	학생 수
놀이동산	
미술관	◎ ○ ○ ○ ○
박물관	◎ ◎ ○ ○ ○
동물원	◎ ◎ ◎ ○ ○ ○

◎ 10명 ○ 1명

(1) 놀이동산에 가고 싶은 학생은 몇 명일까요?

( )

(2) 소풍 가는 장소를 한 곳만 정한다면 어느 곳이 좋을지 쓰고, 그 까닭을 쓰세요.

장소

까닭

과정 중심 평가 문제

23 지우네 학교 학생들이 생일에 받고 싶은 선물을 조사하여 그림그래프로 나타내었습니다. 휴대 전화를 받고 싶은 여학생이 15명이면 휴대 전화를 받고 싶은 남학생은 몇 명인지 풀이 과정을 쓰고 답을 구하세요.

생일에 받고 싶은 선물

선물	학생 수
휴대 전화	◎ ◎ ◉ ○ ○
인형	◎ ○ ○
게임기	
블록	

◎ 10명 ◉ 5명 ○ 1명

풀이

답

과정 중심 평가 문제

24 위 **23**의 그래프에서 조사한 학생이 84명이고, 게임기를 받고 싶은 학생은 블록을 받고 싶은 학생의 2배입니다. 게임기를 받고 싶은 학생은 몇 명인지 풀이 과정을 쓰고 답을 구하세요.

풀이

답

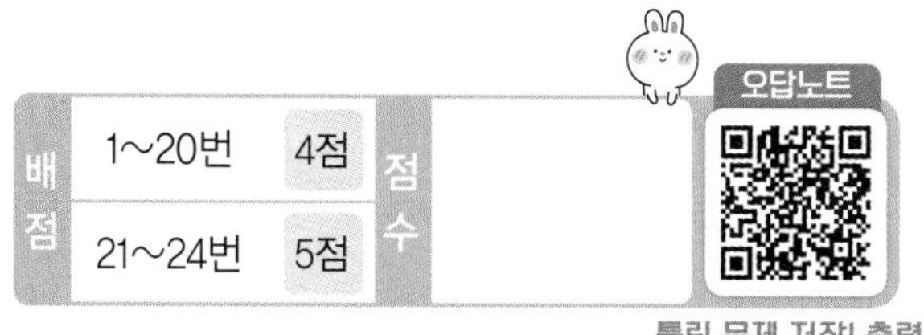

배점
1~20번 4점
21~24번 5점
점수
오답노트
틀린 문제 저장! 출력!

6 단원

진도 완료 체크

마법의 사각형, 마방진

 중국 하나라의 우왕은 홍수가 자주 발생하는 황하에 둑을 쌓으라고 했습니다. 둑을 쌓는 도중에 둑이 무너져 애를 먹고 있는데 큰 거북이 한 마리가 나타났습니다.

마방진은 악마를 물리치는 정사각형이라는 뜻입니다. 그래서 중국에서는 대문이나 방문에 마방진을 붙여 놓았답니다. 서양에서는 마방진을 '매직스퀘어(마법의 사각형)'라고 부른답니다.

정답: 예

8	1	6
3	5	7
4	9	2

10종 교과 평가 자료집
포인트 3가지

- ▶ 지필 평가, 구술 평가 대비
- ▶ 서술형 문제로 과정 중심 평가 대비
- ▶ 기본·실력 단원평가로 학교 시험 대비

10종

검정 교과서

평가 안내 자료

2022년부터 교과서가 달라집니다.

1. 검정 교과서 전환

2022년부터 초등 수학 교과서가 검정 교과서로 바뀝니다.

국정 교과서	검정 교과서
국가가 주도해 의무적으로 사용	학교에서 자율적으로 채택하여 사용!

Q 검정 교과서가 되면 무엇이 달라지나요?

검정 교과서

국정 교과서 보완
수학에서 가장 기본이 되는 사고력과 창의·융합 능력 강화

풍부한 학습 활동
체험, 놀이, 만들기

다양한 평가 방법
다각화된 과정 중심 평가 (수행평가, 동료·자기·교사 평가, 구술·면담평가 등)

실생활 연계 융합 교육
스스로 사고하는 힘을 키우는 융합 교육의 실현 (체육, 음악 등 다양한 분야)

Q 검정 교과서의 목표는 무엇인가요?

첫째, 개인의 선택, 자율성, 다양성 존중

둘째, 학습 방법 다각화로 문제 해결 수행 능력을 키우고 창의·융합 인재 육성

2. 과정 중심 평가

Q 과정 중심 평가는 무엇인가요?

*학습 과정을 중시합니다.

단편적인 지식의 암기, 정답 찾기, 결과 중심 평가를 지양하고 창의·융합형 인재를 양성하고자 합니다.

**학생이 문제를 해결하는 과정에 중점을 둡니다.

학업 우수자 변별이 아닌 학습을 위한 평가로 점수 산출뿐 아니라 평가 결과를 활용하여 교수 학습의 질과 방법 개선에 활용합니다.

"과정 중심 평가, 이렇게 준비하세요."

성취 기준의 명확한 이해

성취 기준을 명확히 이해하여 학습 목표를 성취할 수 있도록 해야 합니다.

기초 수학 능력 향상

기초 수학 능력(연산, 사고하는 힘)이 탄탄하고 학습 결손이 없으며, 평소 수업을 따라갈 수 있어야 합니다.

수행 과정과 결과로 학습 점검

학생의 과제 수행 과정에 관심을 두고, 평가 결과를 통해 학생 자신의 학습을 점검, 성장할 수 있도록 해야 합니다.

3

다각화된 학습법 필요

평소 다양한 방법을 통한 학습으로, 과제 수행에 필요한 지식을 스스로 습득하는 능력을 길러야 합니다.

4

우등생으로 달라지는 교과서에 대비하세요!

#검정교과서 #과정중심평가 #창의+융합

10종 검정 교과서를 대비하여
우등생 수학에서 제공하는
과정 중심 평가 코너

1 과정 중심 단원평가

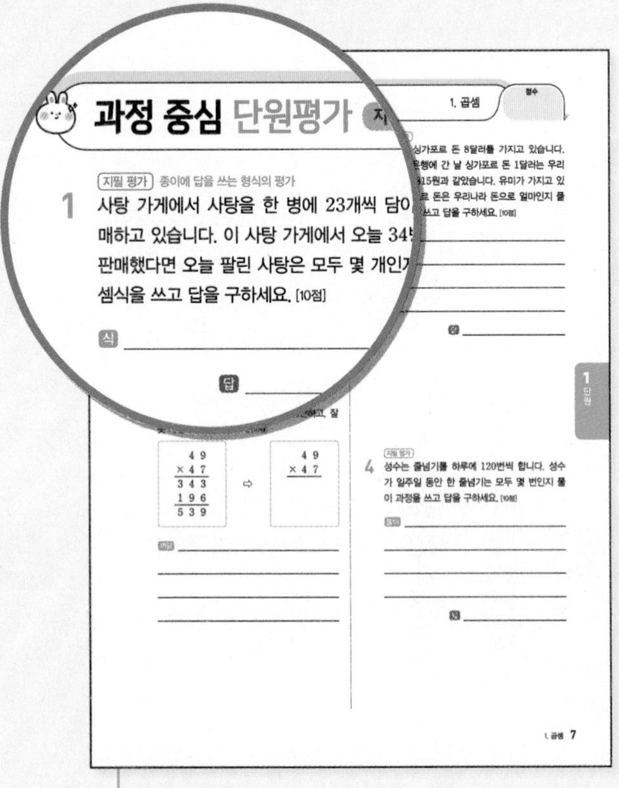

과정 중심 단원평가
1. 곱셈
점수
지필 평가 종이에 답을 쓰는 형식의 평가
1 사탕 가게에서 사탕을 한 병에 23개씩 담아 판매하고 있습니다. 이 사탕 가게에서 오늘 34병을 판매했다면 오늘 팔린 사탕은 모두 몇 개인지 셈식을 쓰고 답을 구하세요. [10점]
식
답
4 성수는 줄넘기를 하루에 120번씩 합니다. 성수가 일주일 동안 한 줄넘기는 모두 몇 번인지 풀이 과정을 쓰고 답을 구하세요. [10점]
1. 곱셈 7

21 재호는 한 장에 350원인 붙임딱지를 7장 사고 3000원을 냈습니다. 재호가 받아야 할 거스름돈은 얼마인지 구하려고 합니다. 물음에 답하세요.

(1) 붙임딱지 7장의 값은 얼마일까요?

(2) 재호가 받아야 할 거스름돈은 얼마일까요?

22 주현이는 매주 화요일, 수요일, 금요일에 달리기를 각각 35분씩 했습니다. 주현이가 한 달 동안 달리기를 한 시간은 모두 몇 분인지 풀이 과정을 쓰고 답을 구하세요.

일	월	화	수	목	금	토
	1	2	3	4	5	6
7	8	9	10	11	12	13
14	15	16	17	18	19	20
21	22	23	24	25	26	27
28	29	30	31			

23 색종이를 한 사람에게 7장씩 136명에게 나누어 주었더니 5장이 남았습니다. 처음에 있던 색종이는 모두 몇 장인지 구하려고 합니다. 물음에 답하세요.

(1) 136명에게 나누어 준 색종이는 몇 장입니까?

(2) 처음에 있던 색종이는 모두 몇 장입니까?

24 수 카드 3, 4, 5, 6 중에서 두 장을 한 번씩만 사용하여 두 자리 수를 만들려고 합니다. 만들 수 있는 수 중에서 가장 큰 두 자리 수와 가장 작은 두 자리 수의 곱은 얼마인지 풀이 과정을 쓰고 답을 구하세요.

1. 곱셈 35

서술형 문제, 수행평가 문제 대비

새 교과서의 주요 평가 방법인 논술, 발표, 토론, 토의 등에 대비하여 문제 풀이 방법을 정확히 서술할 수 있도록 학습!

2 기본 & 실력 단원평가

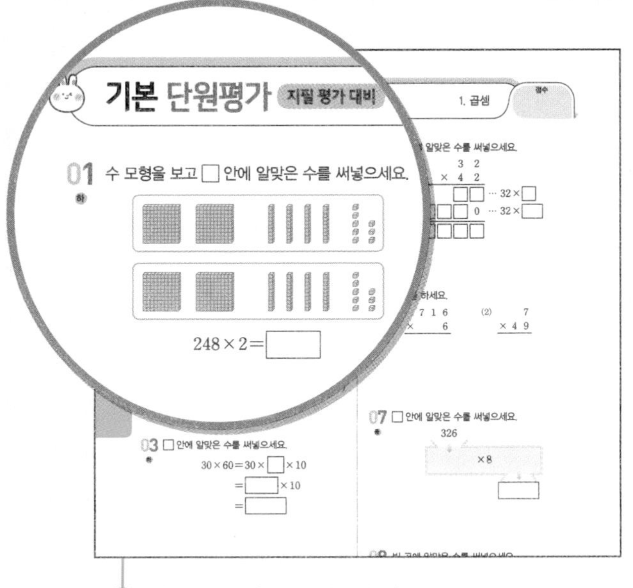

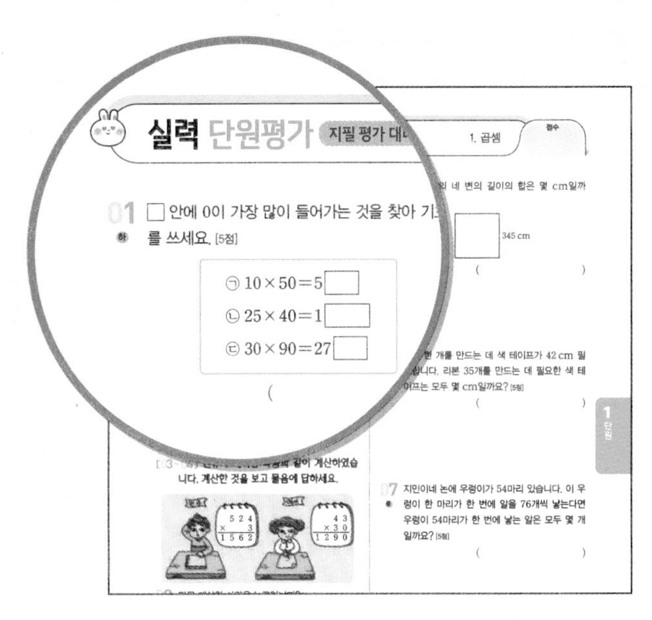

지필 평가 문제 대비

기본 단원평가와 실력 단원평가로 학교 수업 시간 중에 실시될 수 있는 각종 평가 대비!

3 수학 역량을 키우는 10종 교과 문제

4 창의·융합 문제

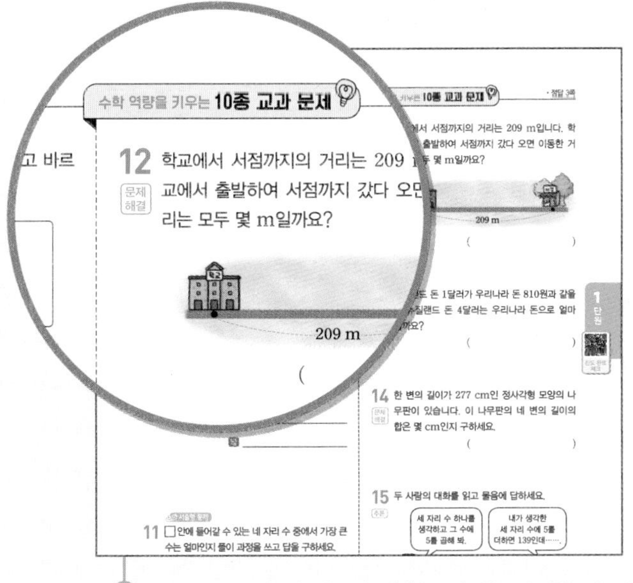

10종 교과서의 실생활 연계 및 창의·융합 문제 대비

창의·융합 인재 양성이라는 목표에 맞게, 10종 교과서를 아우르는 다양한 실생활 연계 및 창의·융합 문제로 수학 역량 UP!

새롭게 바뀌는 10종 검정 교과서!

한눈에 보는 초·중·고 수학 교육과정 계통도

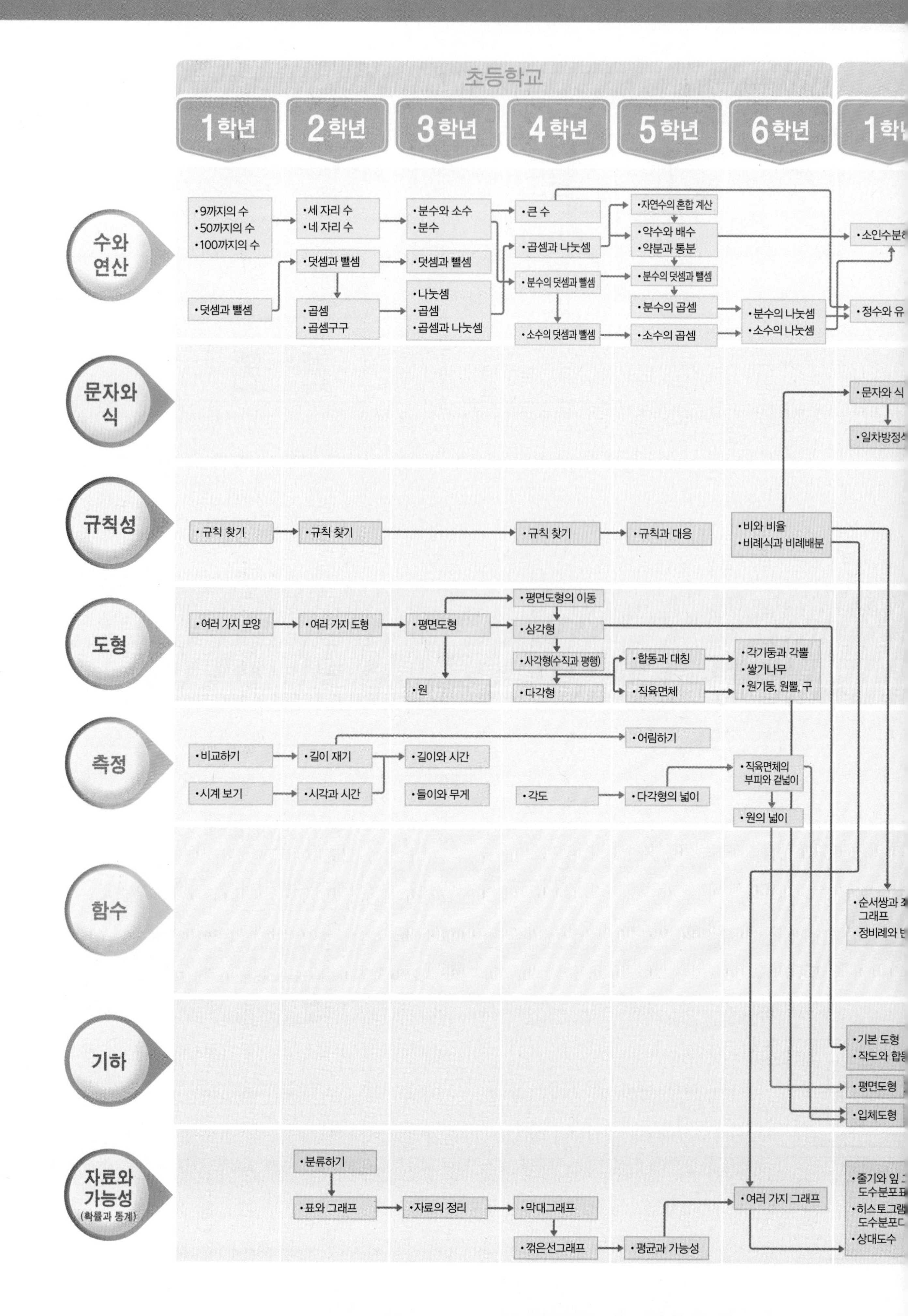
초등학교
1학년
2학년
3학년
4학년
5학년
6학년
1학
수와 연산
•9까지의 수
•50까지의 수
•100까지의 수
•덧셈과 뺄셈
•세 자리 수
•네 자리 수
•덧셈과 뺄셈
•곱셈
•곱셈구구
•분수와 소수
•분수
•덧셈과 뺄셈
•나눗셈
•곱셈
•곱셈과 나눗셈
•큰 수
•곱셈과 나눗셈
•분수의 덧셈과 뺄셈
•소수의 덧셈과 뺄셈
•자연수의 혼합 계산
•약수와 배수
•약분과 통분
•분수의 덧셈과 뺄셈
•분수의 곱셈
•소수의 곱셈
•분수의 나눗셈
•소수의 나눗셈
•소인수분
•정수와 유
문자와 식
•문자와 식
•일차방정
규칙성
•규칙 찾기
•규칙 찾기
•규칙 찾기
•규칙과 대응
•비와 비율
•비례식과 비례배분
도형
•여러 가지 모양
•여러 가지 도형
•평면도형
•원
•평면도형의 이동
•삼각형
•사각형(수직과 평행)
•다각형
•합동과 대칭
•직육면체
•각기둥과 각뿔
•쌓기나무
•원기둥, 원뿔, 구
측정
•비교하기
•시계 보기
•길이 재기
•시각과 시간
•길이와 시간
•들이와 무게
•각도
•어림하기
•다각형의 넓이
•직육면체의 부피와 겉넓이
•원의 넓이
함수
•순서쌍과
그래프
•정비례와
기하
•기본 도형
•작도와 합
•평면도형
•입체도형
자료와 가능성 (확률과 통계)
•분류하기
•표와 그래프
•자료의 정리
•막대그래프
•꺾은선그래프
•평균과 가능성
•여러 가지 그래프
•줄기와 잎
도수분포
•히스토그램
도수분포
•상대도수

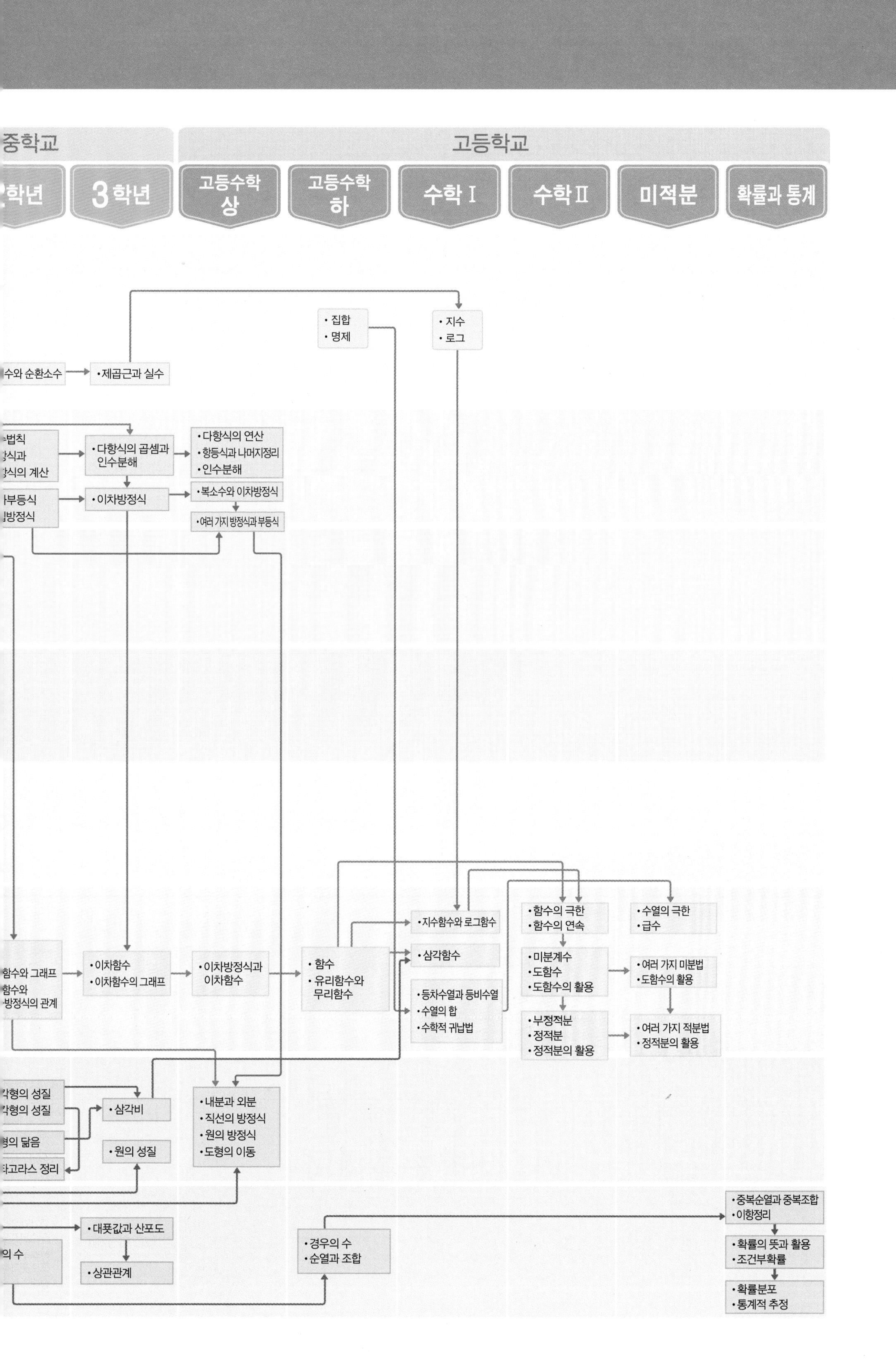

중학교
고등학교
3학년
고등수학 상
고등수학 하
수학 I
수학 II
미적분
확률과 통계
• 집합
• 명제
• 지수
• 로그
• 제곱근과 실수
• 다항식의 곱셈과 인수분해
• 다항식의 연산
• 항등식과 나머지정리
• 인수분해
• 이차방정식
• 복소수와 이차방정식
• 여러 가지 방정식과 부등식
• 지수함수와 로그함수
• 삼각함수
• 등차수열과 등비수열
• 수열의 합
• 수학적 귀납법
• 함수의 극한
• 함수의 연속
• 수열의 극한
• 급수
• 미분계수
• 도함수
• 도함수의 활용
• 여러 가지 미분법
• 도함수의 활용
• 부정적분
• 정적분
• 정적분의 활용
• 여러 가지 적분법
• 정적분의 활용
• 이차함수
• 이차함수의 그래프
• 이차방정식과 이차함수
• 함수
• 유리함수와 무리함수
• 삼각비
• 원의 성질
• 내분과 외분
• 직선의 방정식
• 원의 방정식
• 도형의 이동
• 대푯값과 산포도
• 상관관계
• 경우의 수
• 순열과 조합
• 중복순열과 중복조합
• 이항정리
• 확률의 뜻과 활용
• 조건부확률
• 확률분포
• 통계적 추정

교과서가 달라져도

우등생 수학으로 **수학 교과 공부**와

다양한 학교 평가에 대비할 수 있어요!

10종 교과

평가 자료집

3-2

기본 단원평가 지필 평가 대비

1. 곱셈

점수

01 수 모형을 보고 □ 안에 알맞은 수를 써넣으세요.
하

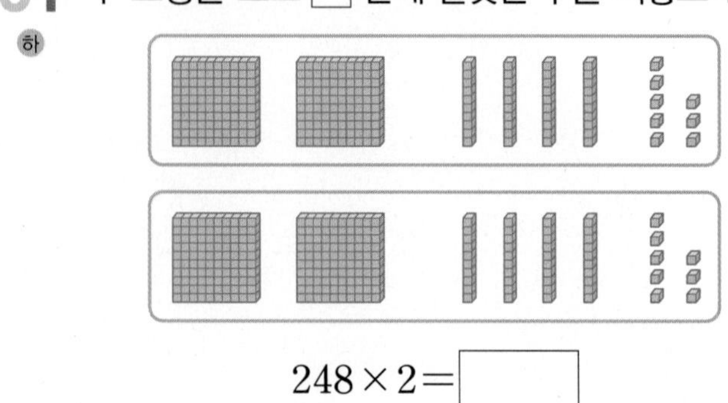

$248 \times 2 =$ □

02 40×90을 계산할 때 $4 \times 9 = 36$에서 3은 어느 자리에 써야 하는지 기호를 쓰세요.
하

```
      4  0
   ×  9  0
 ㉠ ㉡ ㉢ ㉣
```

(　　　　　　　　)

03 □ 안에 알맞은 수를 써넣으세요.
하

$30 \times 60 = 30 \times$ □ $\times 10$

$=$ □ $\times 10$

$=$ □

04 두 가지 방법으로 계산하세요.
하

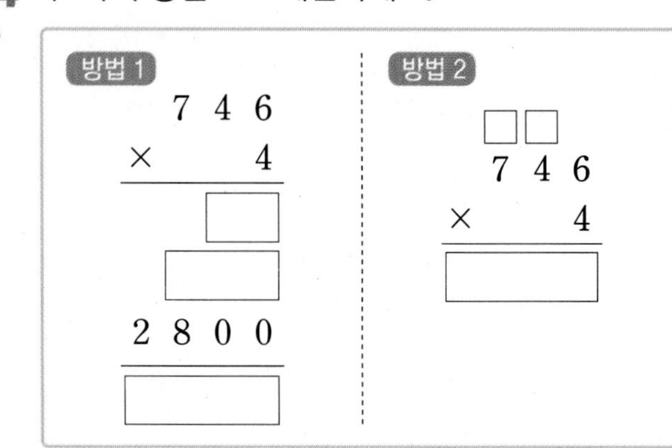

05 □ 안에 알맞은 수를 써넣으세요.
중

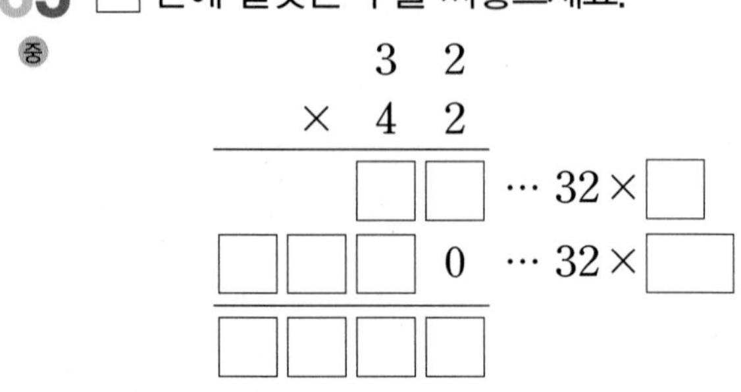

06 계산을 하세요.
중

(1)
```
   7 1 6
 ×     6
```

(2)
```
     7
 ×  4 9
```

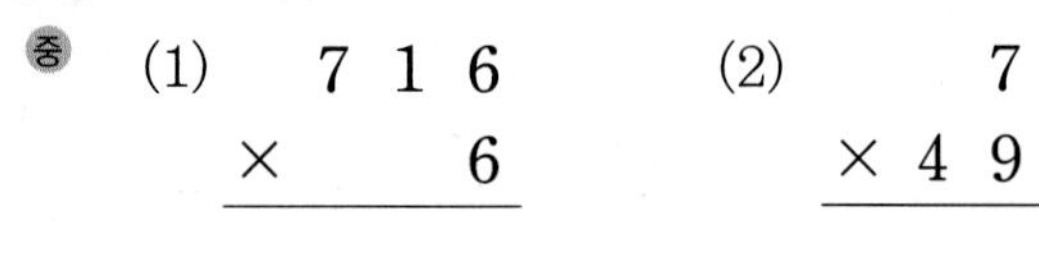

07 □ 안에 알맞은 수를 써넣으세요.
중

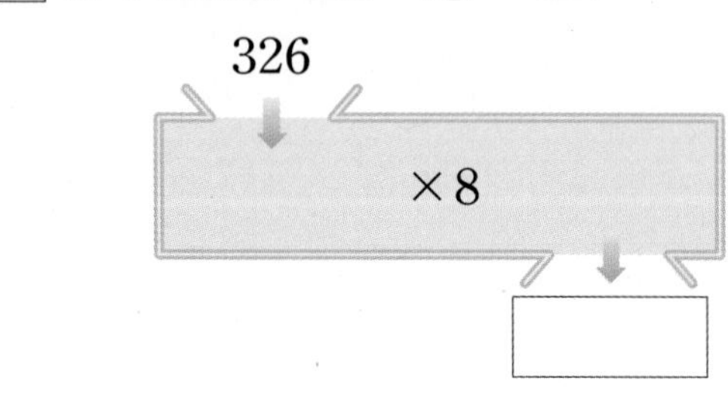

08 빈 곳에 알맞은 수를 써넣으세요.
중

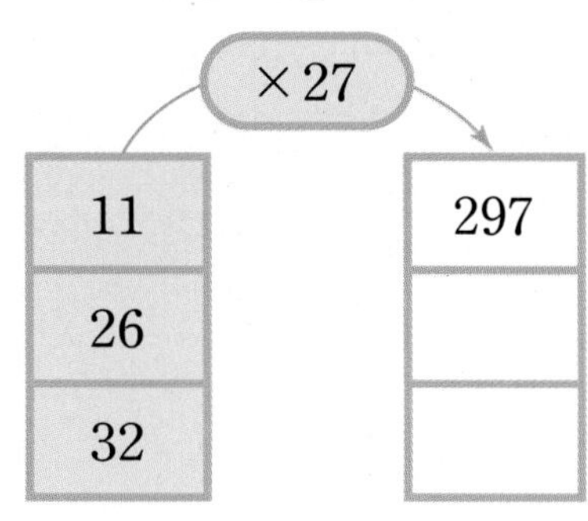

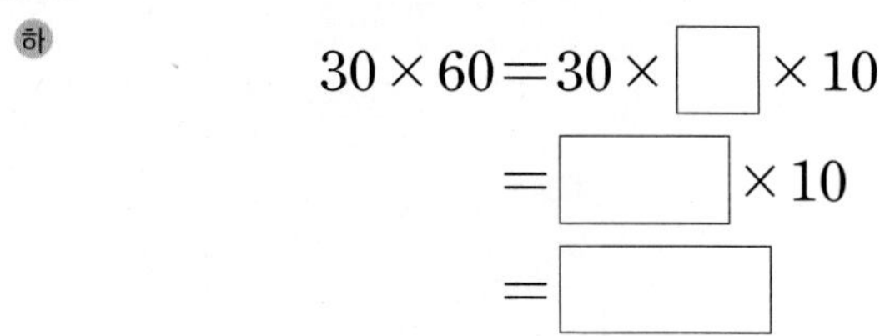

1 단원

09 중 보기 와 같이 곱셈식을 이용하여 계산하세요.

보기

$50+50+50=50\times3=150$

$138+138+138+138$

$=$ ______________________

10  잘못된 곳을 찾아 바르게 계산하세요.

```
    6 1
  × 3 3
  -----
  1 8 3
  1 8 3
  -----
  3 6 6
```

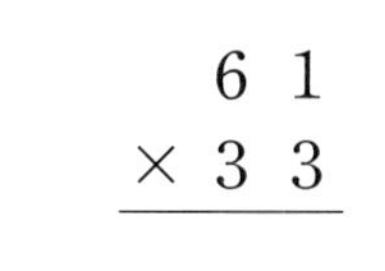

```
    6 1
  × 3 3
  -----
```

11 중 곱의 크기를 비교하여 ◯ 안에 >, =, <를 알맞게 써넣으세요.

47×55 ◯ 53×36

12  곱이 가장 큰 것은 어느 것일까요? ······( )

① 60×70 ② 20×92

③ 40×70 ④ 221×4

⑤ 63×21

13 중 빈 곳에 알맞은 수를 써넣으세요.

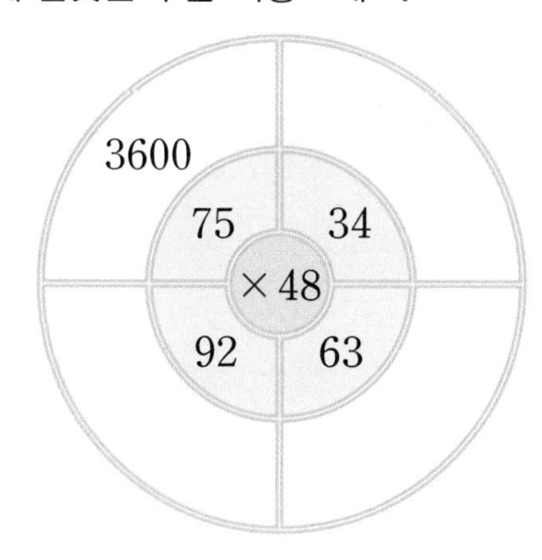

14 중 주연이와 친구들이 다음과 같이 곱셈을 할 때 곱이 다른 사람의 이름을 쓰세요.

( )

15 중 빈 곳에 알맞은 수를 써넣으세요.

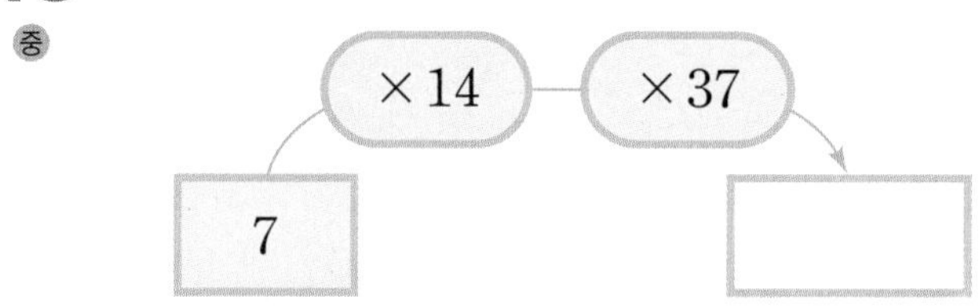

16 중 사과가 한 상자에 25개씩 들어 있습니다. 50상자에 들어 있는 사과는 모두 몇 개인지 식을 쓰고 답을 구하세요.

식 ______________________

답 ______________________

17 중 모눈종이를 이용하여 17×16을 나타내고, 그 곱을 구하세요.

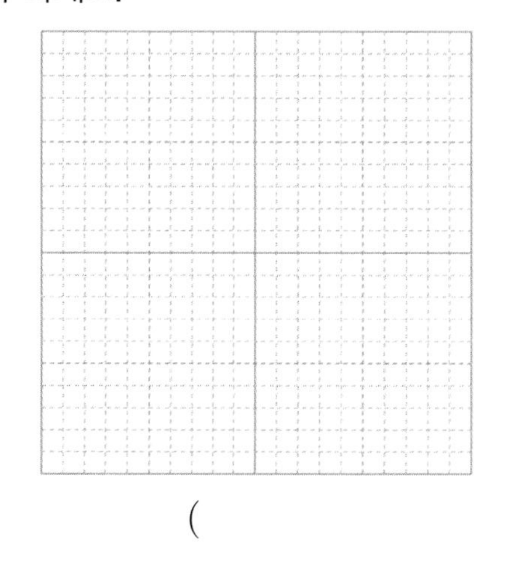

( )

1 단원

• 정답 54쪽

18 중
한 시간에 88 km를 가는 자동차가 있습니다. 같은 빠르기로 이 자동차가 12시간 동안 갈 수 있는 거리는 몇 km일까요? ·············· (　　　　)

① 686 km　　② 716 km
③ 1000 km　　④ 1056 km
⑤ 1065 km

창의·융합

19 중
훈이의 일기를 읽고 장난감을 판 돈은 모두 얼마인지 구하세요.

> ○월 ○일 ○요일
> 오늘 학교에서 이웃 돕기 성금을 마련하기 위해 바자회를 열었다.
> 나는 장난감 7개를 각각 560원에 모두 팔았다. 내가 아끼던 장난감이 좋은 일에 쓰여 뿌듯했다.

(　　　　　　)

추론

20 중
□ 안에 알맞은 수를 써넣으세요.

$$\begin{array}{r} \square \\ \times \ \square\ 3 \\ \hline 1\ 5\ 9 \end{array}$$

문제 해결

21 중
한 봉지에 56개씩 들어 있는 초콜릿이 80봉지 있습니다. 초콜릿은 모두 몇 개인지 알아보세요.

(1) 구하려고 하는 것은 무엇일까요?

____

(2) 필요한 곱셈식을 쓰세요.

____

(3) 초콜릿은 모두 몇 개일까요?

(　　　　　　)

서술형 문제

22 중
어느 박물관의 입장료는 어른이 750원, 어린이가 450원입니다. 어른 7명과 어린이 6명이 입장한다면 입장료는 모두 얼마인지 풀이 과정을 쓰고 답을 구하세요.

풀이 ______________________

____

____

답 ______________

서술형 문제

23 중
23그램짜리 쌓기나무 15개와 35그램짜리 쇠구슬 20개가 있습니다. 쌓기나무와 쇠구슬의 무게의 차는 몇 그램인지 풀이 과정을 쓰고 답을 구하세요.

풀이 ______________________

____

____

____

답 ______________

24 상
경미는 동화책을 하루에 25쪽씩 읽으려고 합니다. 1주일에 7일씩 4주일 동안 읽을 수 있는 동화책은 모두 몇 쪽일까요?

(　　　　　　)

문제 해결

25 상
□ 안에 3, 6, 2를 한 번씩 넣어 계산 결과가 가장 큰 곱셈식을 완성하고 계산 결과를 구하세요.

$\square\square \times 4\square$

(　　　　　　)

01 □ 안에 0이 가장 많이 들어가는 것을 찾아 기호를 쓰세요. [5점]

하

㉠ $10\times50=5$□

㉡ $25\times40=1$□

㉢ $30\times90=27$□

(　　　　　　　　　　)

02 곱의 크기를 비교하여 ○ 안에 >, =, <를 알맞게 써넣으세요. [5점]

하

546×8  45×80

[03~04] **민규와 예서는 다음과 같이 계산하였습니다. 계산한 것을 보고 물음에 답하세요.**

03 잘못 계산한 사람은 누구입니까? [5점]

중

(　　　　　　　　　　)

서술형 문제

04 위 3에서 잘못 계산한 사람은 어느 부분을 잘못 계산하였는지 쓰세요. [5점]

중

____

____

05 정사각형의 네 변의 길이의 합은 몇 cm일까요? [5점]

중

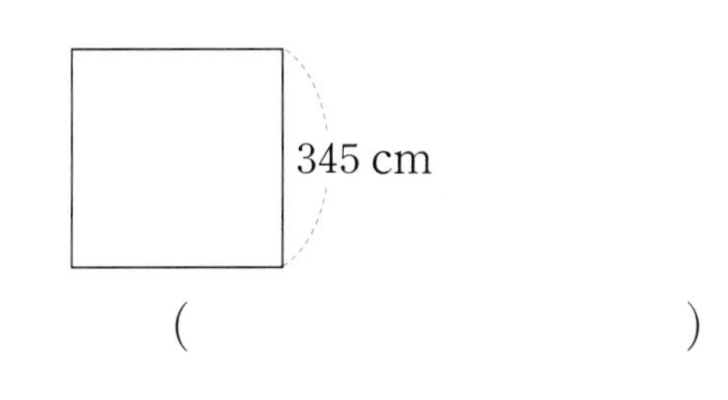

(　　　　　　　　　　)

06 리본 한 개를 만드는 데 색 테이프가 42 cm 필요합니다. 리본 35개를 만드는 데 필요한 색 테이프는 모두 몇 cm일까요? [5점]

중

(　　　　　　　　　　)

07 지민이네 논에 우렁이가 54마리 있습니다. 이 우렁이 한 마리가 한 번에 알을 76개씩 낳는다면 우렁이 54마리가 한 번에 낳는 알은 모두 몇 개일까요? [5점]

중

(　　　　　　　　　　)

08 계산 결과가 500에 가장 가까운 것을 찾아 기호를 쓰세요. [5점]

중

㉠ 268×2	㉡ 34×20
㉢ 155×4	㉣ 34×14

(　　　　　　　　　　)

• 정답 55쪽

09 □ 안에 알맞은 수를 써넣으세요. [5점]

중

$$\begin{array}{r} \square\ 4\ 1 \\ \times \quad\ \ \square \\ \hline 9\ \square\ 4 \end{array}$$

10 71부터 242씩 다음과 같이 뛰어 세기를 하였습니다. ㉠에 알맞은 수를 구하세요. [5점]

중

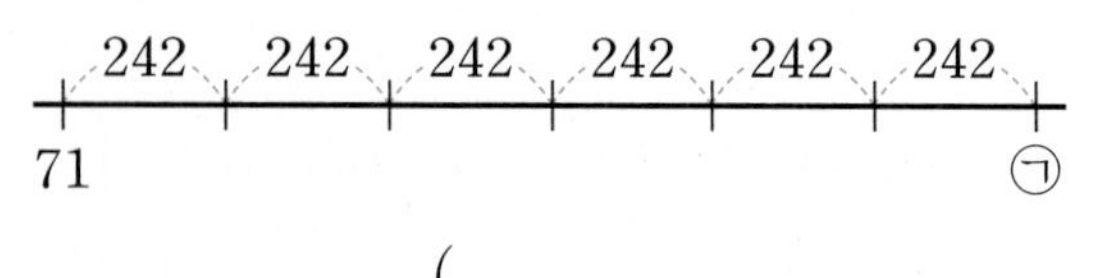

( )

11 □ 안에 들어갈 수 있는 수 중에서 가장 큰 수를 구하세요. [5점]

중

$78 \times \square 0 < 90 \times 60$

( )

정보 처리

12 유미네 학교에서 연필을 3학년 전체 학생에게 한 명당 3자루씩 주려고 합니다. 필요한 연필은 모두 몇 자루일까요? [5점]

중

3학년 반별 학생 수

반	1	2	3	4
학생 수(명)	24	31	26	28

( )

추론

13 □ 안에 알맞은 수를 써넣으세요. [10점]

상

$$\begin{array}{r} 6\ \square \\ \times \ \square\ 8 \\ \hline 5\ 1\ \square \\ 2\ 5\ \square\ 0 \\ \hline 3\ 0\ 7\ 2 \end{array}$$

서술형 문제

14 꽃이 1900송이 있습니다. 이 꽃을 한 다발에 25송이씩 포장하여 72다발을 만들어 모두 팔았습니다. 남은 꽃은 몇 송이인지 풀이 과정을 쓰고 답을 구하세요. [10점]

상

풀이

답

문제 해결

15 어떤 수에 2를 곱해야 할 것을 잘못하여 222를 더했더니 535가 되었습니다. 바르게 계산하면 얼마일까요? [10점]

상

( )

추론

16 수 카드 8, 1, 2, 6 을 모두 한 번씩만 사용하여 다음과 같은 식을 만들 때, 두 번째로 큰 곱을 구하세요. [10점]

상

□□ × □□

( )

과정 중심 단원평가 지필 · 구술 평가 대비

1. 곱셈

점수

지필 평가 종이에 답을 쓰는 형식의 평가

1 사탕 가게에서 사탕을 한 병에 23개씩 담아 판매하고 있습니다. 이 사탕 가게에서 오늘 34병을 판매했다면 오늘 팔린 사탕은 모두 몇 개인지 곱셈식을 쓰고 답을 구하세요. [10점]

식 ______________________

답 ______________________

구술 평가 발표를 통해 이해 정도를 평가

2 계산이 잘못된 부분을 찾아 바르게 계산하고, 잘못 계산한 까닭을 쓰세요. [10점]

$$\begin{array}{r} 4\ 9 \\ \times\ 4\ 7 \\ \hline 3\ 4\ 3 \\ 1\ 9\ 6 \\ \hline 5\ 3\ 9 \end{array}$$

$$\begin{array}{r} 4\ 9 \\ \times\ 4\ 7 \\ \hline \end{array}$$

까닭 ______________________

지필 평가

3 유미는 싱가포르 돈 8달러를 가지고 있습니다. 유미가 은행에 간 날 싱가포르 돈 1달러는 우리나라 돈 815원과 같았습니다. 유미가 가지고 있는 싱가포르 돈은 우리나라 돈으로 얼마인지 풀이 과정을 쓰고 답을 구하세요. [10점]

풀이 ______________________

답 ______________________

지필 평가

4 성수는 줄넘기를 하루에 120번씩 합니다. 성수가 일주일 동안 한 줄넘기는 모두 몇 번인지 풀이 과정을 쓰고 답을 구하세요. [10점]

풀이 ______________________

답 ______________________

1 단원

• 정답 56쪽

지필 평가

5 50원짜리 동전을 민호는 40개 모았고, 민주는 35개 모았습니다. 두 사람이 모은 돈은 모두 얼마인지 풀이 과정을 쓰고 답을 구하세요. [15점]

풀이 ______

답 ______

지필 평가

6 4장의 수 카드 2, 3, 6, 7 중에서 두 장을 한 번씩만 사용하여 두 자리 수를 만들려고 합니다. 만들 수 있는 두 자리 수 중에서 가장 큰 수와 가장 작은 수의 곱은 얼마인지 풀이 과정을 쓰고 답을 구하세요. [15점]

풀이 ______

답 ______

지필 평가

7 어떤 수에 63을 곱해야 할 것을 잘못하여 더했더니 90이 되었습니다. 바르게 계산하면 얼마인지 풀이 과정을 쓰고 답을 구하세요. [15점]

풀이 ______

답 ______

지필 평가

8 길이가 30 cm인 색 테이프 16장을 6 cm씩 겹쳐서 이어 붙이려고 합니다. 16장을 이어 붙인 색 테이프의 전체 길이는 몇 cm인지 풀이 과정을 쓰고 답을 구하세요. [15점]

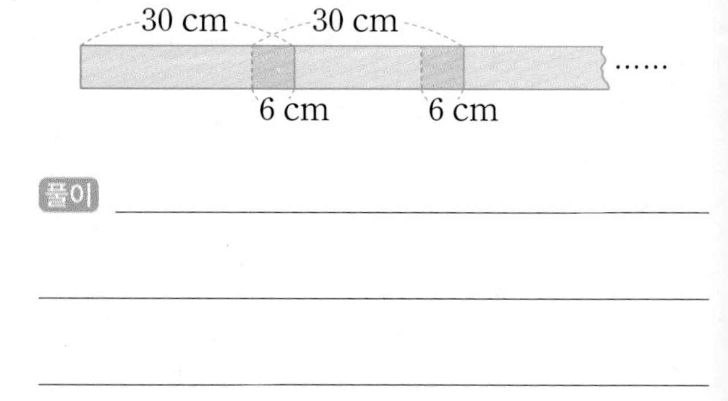

풀이 ______

답 ______

창의 · 융합 문제

[1~3] 물건을 만들거나 사용할 때 나오는 이산화 탄소의 양을 '탄소 발자국'이라고 합니다. 다음을 읽고 물음에 답하세요. (창의 · 융합) (문제 해결)

종류	장바구니	비닐봉지	종이봉투
탄소 발자국 CO_2	0 그램	11 그램	12 그램

1 현진이네 가족은 일주일에 한 번씩 장을 보고 장을 볼 때마다 비닐봉지를 1장씩 사용합니다. 현진이네 가족이 1년 동안 장을 보는 데 사용한 비닐봉지의 탄소 발자국은 몇 그램일까요? (단, 1년은 52주일입니다.)

( )

2 재영이네 가족은 일주일에 한 번씩 장을 보고 장을 볼 때마다 종이봉투를 2장씩 사용합니다. 재영이네 가족이 1년 동안 장을 보는 데 사용한 종이봉투의 탄소 발자국은 몇 그램일까요? (단, 1년은 52주일입니다.)

( )

3 현진이네 가족과 재영이네 가족이 비닐봉지와 종이봉투 대신 장바구니를 사용하면 1년 동안 줄일 수 있는 탄소 발자국은 모두 몇 그램일까요?

( )

01 □ 안에 알맞은 수를 써넣으세요.
하

(1) $6 \div 2 = \square$ ⇨ $60 \div 2 = \square$

(2) $8 \div 4 = \square$ ⇨ $80 \div 4 = \square$

02 수 모형을 보고 □ 안에 알맞은 수를 써넣으세요.
하

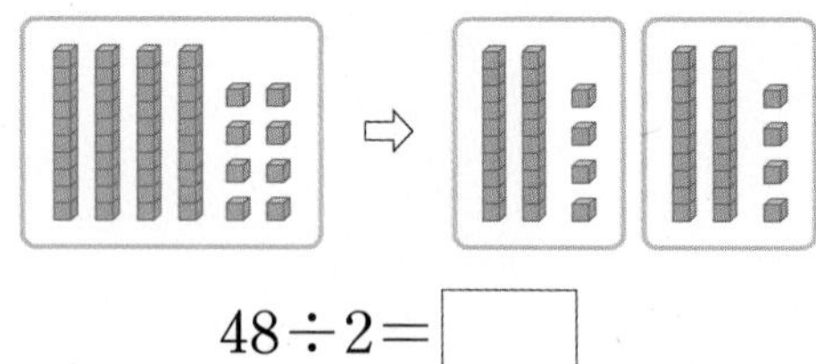

$48 \div 2 = \square$

03 계산을 하세요.
하

(1) $96 \div 3$ (2) $52 \div 2$

04 빈 곳에 알맞은 수를 써넣으세요.
중

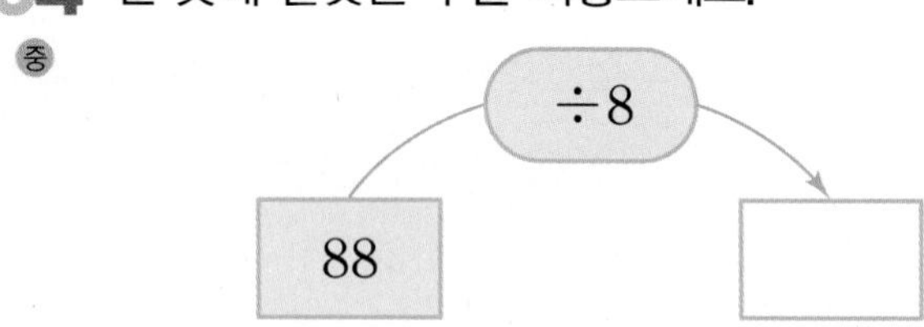

05 나눗셈의 몫과 나머지를 각각 구하세요.
중

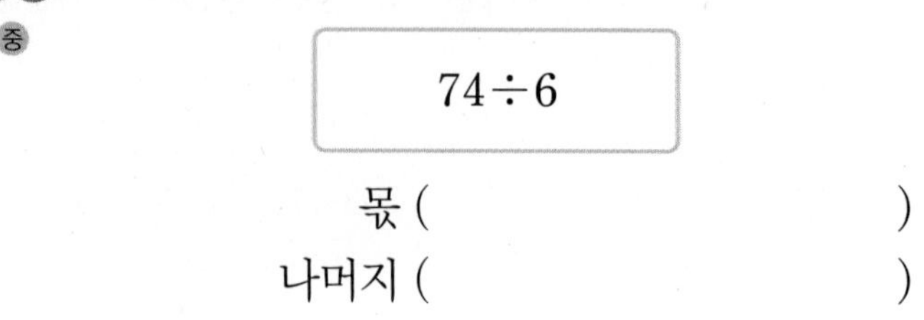

몫 ( )
나머지 ( )

06 계산을 하세요.
중

(1) $3\overline{)393}$ (2) $4\overline{)124}$

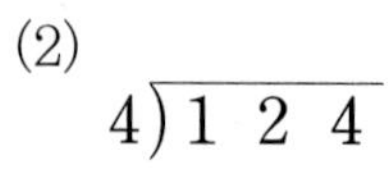

07 나눗셈을 보고 맞게 계산했는지 확인하세요.
중

$87 \div 8 = 10 \cdots 7$

확인 $8 \times \square = \square$, $\square + \square = \square$

08 다음 중 몫이 가장 큰 것은 어느 것일까요? ……………………………………………( )
중

① $39 \div 6$ ② $60 \div 8$ ③ $41 \div 8$
④ $78 \div 9$ ⑤ $36 \div 5$

09 몫의 크기를 비교하여 ○ 안에 >, =, <를 알맞게 써넣으세요.
중

$50 \div 9$ ○ $40 \div 6$

2 단원

10 다음 나눗셈을 맞게 계산했는지 확인하는 식은 어느 것일까요? ······························( )

중

$$\begin{array}{r} 18 \\ 4\overline{)73} \\ 4 \\ \hline 33 \\ 32 \\ \hline 1 \end{array}$$

① $4\times7=28$, $28+45=73$
② $4\times19=76$, $76-3=73$
③ $4\times18=72$, $72+1=73$
④ $4\times17=68$, $68+5=73$
⑤ $4\times18=72$, $72+10=73$

11 나눗셈을 하고 맞게 계산했는지 확인하세요.

중

$$7\overline{)79}$$

확인 ____________________

12 나눗셈식 □□÷□를 계산한 후 맞게 계산했는지 확인하였더니 다음과 같은 식이 되었습니다. 계산한 나눗셈식을 쓰세요.

중

$4\times21=84$, $84+3=87$

나눗셈식 ____________________

13 계산이 잘못된 곳을 찾아 바르게 고치세요.

중

$$\begin{array}{r} 16 \\ 5\overline{)87} \\ 5 \\ \hline 37 \\ 30 \\ \hline 7 \end{array}$$

⇨

14 다음 중 나머지가 가장 큰 것은 어느 것일까요?

중

··( )

① $26\div3$ ② $36\div5$ ③ $48\div5$
④ $56\div8$ ⑤ $57\div4$

15 삼각형의 세 변의 길이의 합은 51 cm입니다. 삼각형의 세 변의 길이가 모두 같을 때 □ 안에 알맞은 수를 써넣으세요.

중

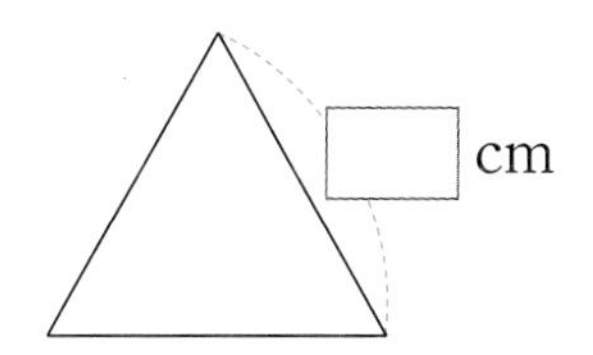

16 어떤 수를 8로 나누었을 때 나머지가 될 수 없는 수에 ○표 하세요.

중

1 3 5 9

의사소통

17 시안이와 은하의 대화를 읽고 사탕을 모두 담으려면 봉지가 몇 개 필요한지 구하세요.

중

( )

2 단원

• 정답 57쪽

18 □ 안에 알맞은 수를 구하세요.
중

$\square \div 3 = 14 \cdots 2$

( )

19 주스 180잔이 있습니다. 한 사람이 2잔씩 마시면 모두 몇 명이 마실 수 있을까요?
중

( )

20 40부터 45까지의 수 중에서 4로 나누었을 때 나머지가 1인 수를 모두 구하세요.
중

( )

21 어떤 수를 8로 나누었더니 몫은 8이고 나머지가 6이었습니다. 어떤 수는 얼마일까요? ( )
중

① 64 ② 68 ③ 70
④ 72 ⑤ 80

22 딸기 579개를 한 접시에 5개씩 담으려고 합니다. 딸기는 몇 접시가 되고, 몇 개가 남는지 식을 쓰고 답을 구하세요.
중

식 ______

답 ______, ______

창의·융합

23 가게에 *월병이 한 상자에 5개씩 15상자 있습니다. 손님 한 명이 월병을 4개씩 산다면 몇 명에게 팔 수 있고 몇 개가 남을까요?
상

* 월병: 중국 사람들이 우리나라의 추석과 같은 명절인 중추절에 먹는 달 모양의 과자

□명에게 팔 수 있고 □개가 남습니다.

24 □ 안에 알맞은 수를 써넣으세요.
상

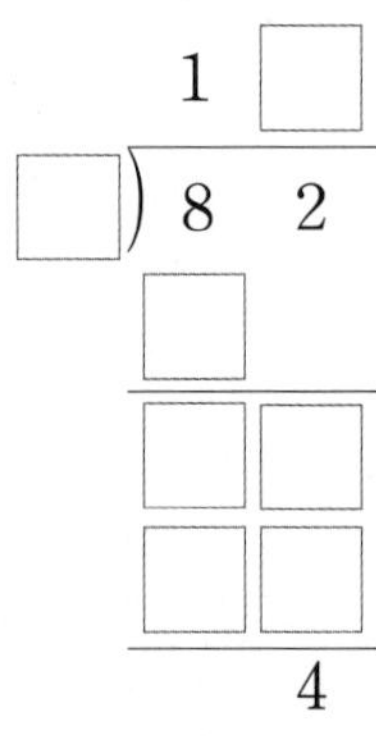

서술형 문제

25 초콜릿이 82개 있습니다. 이것을 한 사람에게 몇 개씩 나누어 주었더니 8명에게 나누어 주고 2개가 남았습니다. 한 사람에게 초콜릿을 몇 개씩 나누어 주었는지 풀이 과정을 쓰고 답을 구하세요.
상

풀이 ______

답 ______

2 단원

01 하 나눗셈의 몫과 나머지를 각각 구하고 맞았는지 확인하세요. [5점]

$45 \div 6$

몫 (　　　　　)
나머지 (　　　　　)

확인 ______________________

02 하 큰 수를 작은 수로 나눈 몫은 얼마일까요? [5점]

968　　8

(　　　　　)

03 중 다음 중 나머지가 4가 될 수 없는 나눗셈은 어느 것일까요? [5점] ································(　　　)

① □÷7　　② □÷8
③ □÷4　　④ □÷5
⑤ □÷9

04 중 다음 중 나머지가 2인 나눗셈을 모두 고르세요. [5점] ································(　　　)

① 47÷6　② 60÷7　③ 74÷8
④ 50÷8　⑤ 66÷9

05 중 4로도 나누어떨어지고 6으로도 나누어떨어지는 수를 찾아 기호를 쓰세요. [5점]

㉠ 70　㉡ 71　㉢ 72　㉣ 78

(　　　　　)

06 중 40÷2와 몫이 같게 되도록 ㉠과 ㉡에 수를 넣을 때 들어갈 수 없는 것을 찾아 기호를 쓰세요. [5점]

40÷2=㉠÷㉡

가	㉠: 20, ㉡: 1	나	㉠: 30, ㉡: 3
다	㉠: 60, ㉡: 3	라	㉠: 80, ㉡: 4

(　　　　　)

07 중 오른쪽 나눗셈을 할 때 가장 먼저 계산해야 하는 식에 ○표 하세요. [5점]

```
   1 6
3) 4 8
   3
   1 8
   1 8
     0
```

40÷3　4−3　8÷3　3×6

08 중 가게에 음료수가 192개 있습니다. 한 묶음에 4개씩 묶어서 판다면 몇 묶음을 팔 수 있는지 나눗셈식을 쓰고 답을 구하세요. [5점]

식 ______________________

답 ______________________

2 단원

• 정답 58쪽

09 중 체육대회에서 88명의 학생이 9명씩 한 팀을 이루어 경기를 하려고 합니다. 모두 몇 팀을 만들 수 있고 몇 명이 남을까요? [5점]

( ), ( )

10 중 학생 29명에게 사탕을 3개씩 똑같이 나누어 주려고 합니다. 사탕 85개가 있을 때 모자라지 않도록 하려면 몇 개가 더 있어야 할까요? [5점]

( )

진도 완료 체크

11 중 계산에서 잘못된 곳을 찾아 바르게 고쳐 계산하고 잘못된 까닭을 쓰세요. [10점]

```
    2 3
 4)9 7
   8
   1 7
   1 2
     5
```

⇨ $4\overline{)9\ 7}$

까닭

12 상 나눗셈이 나누어떨어질 때 □ 안에 들어갈 수 있는 한 자리 수 중 가장 큰 수를 구하세요. [5점]

$8\square \div 3$

( )

추론

13 상 나눗셈에서 ㉠에 들어갈 수 있는 수를 모두 구하세요. [5점]

```
    □ ㉠
 6)9 □
   □
   □ □
   □ □
     3
```

( )

14 상 3장의 수 카드를 한 번씩만 사용하여 가장 작은 세 자리 수를 만들려고 합니다. 만들 수 있는 가장 작은 세 자리 수를 4로 나눈 몫과 나머지를 각각 구하세요. [10점]

0 9 5

몫 ( )

나머지 ( )

15 상 ㉮, ㉯, ㉰는 모두 두 자리 수입니다. 큰 수부터 차례로 기호를 쓰세요. [10점]

㉮를 6으로 나눈 몫은 10이고 나머지는 4보다 큽니다.

㉯를 4로 나눈 몫은 가장 작은 두 자리 수이고 나머지는 3입니다.

㉰는 7로 나누어떨어지고 몫은 10보다 큽니다.

( )

16 상 체육 시간에 98명이 짝 지어 모이기 놀이를 하는데 처음에는 9명씩 짝 지어 모이기를 하고 짝을 지은 학생들만 두 번째에 7명씩 다시 짝을 지었습니다. 두 번째에서 짝을 짓지 못한 학생은 몇 명일까요? [10점]

( )

과정 중심 단원평가 지필 · 구술 평가 대비

2. 나눗셈

점수

지필 평가 종이에 답을 쓰는 형식의 평가

1 귤이 상자에 60개 들어 있습니다. 이 귤을 3명에게 똑같이 나누어 주려면 한 명에게 몇 개씩 나누어 주면 되는지 나눗셈식을 쓰고 답을 구하세요. [10점]

식 ____________________

답 ____________________

지필 평가

2 개미의 다리는 세 쌍입니다. 나무 위로 올라가는 개미의 다리가 84쌍이라면 개미는 모두 몇 마리인지 나눗셈식을 쓰고 답을 구하세요. [10점]

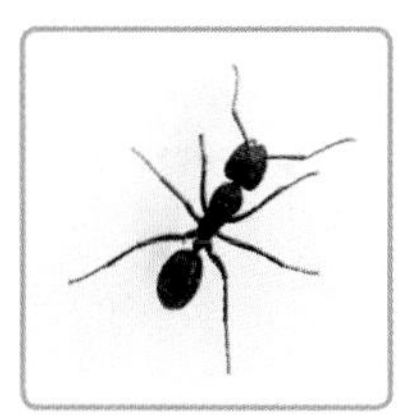

식 ____________________

답 ____________________

지필 평가

3 가장 큰 수를 가장 작은 수로 나누었을 때의 몫과 나머지는 각각 얼마인지 풀이 과정을 쓰고 답을 구하세요. [10점]

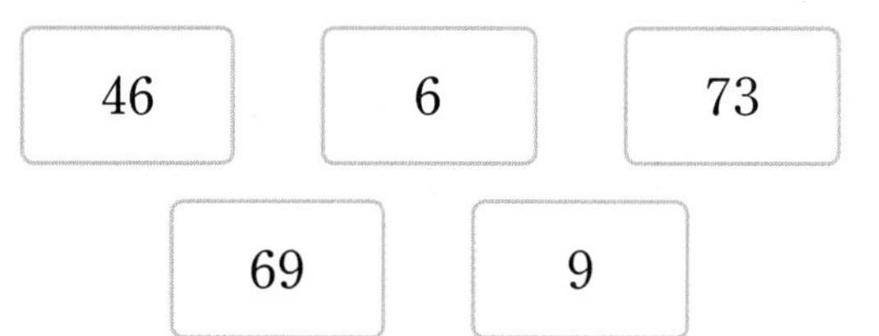

풀이 ____________________

____

____

____

답 ____________________, ____________________

구술 평가 발표를 통해 이해 정도를 평가

4 나눗셈식 $140 \div 4$에 알맞은 문제를 만드세요.

[10점]

풀이 ____________________

____

____

____

• 정답 59쪽

(지필 평가)

5 오이를 50개 땄습니다. 한 봉지에 4개씩 나누어 담았더니 2개가 남았습니다. 오이를 담은 봉지는 몇 봉지인지 풀이 과정을 쓰고 답을 구하세요. [15점]

풀이 ______

답 ______

(지필 평가)

6 색종이가 한 묶음에 15장씩 6묶음 있습니다. 색종이를 한 명이 7장씩 사용한다면 몇 명이 사용하고 몇 장이 남는지 풀이 과정을 쓰고 답을 구하세요. [15점]

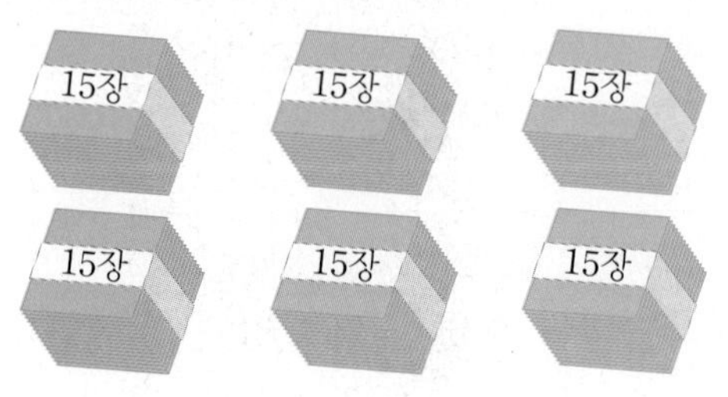

풀이 ______

답 ______, ______

(지필 평가)

7 어떤 수를 5로 나누었더니 몫이 17이고 나머지가 3이 되었습니다. 어떤 수는 얼마인지 풀이 과정을 쓰고 답을 구하세요. [15점]

풀이 ______

답 ______

(지필 평가)

8 어머니께서 민희와 민규에게 사탕 120개를 똑같이 나누어 주셨습니다. 민규가 받은 사탕을 매일 3개씩 먹는다면 며칠 동안 먹을 수 있는지 풀이 과정을 쓰고 답을 구하세요. [15점]

풀이 ______

답 ______

창의 · 융합 문제

[1~3] 점자 블록은 시각 장애자의 보행의 안전이나 유도를 위해 건물의 바닥, 도로 플랫폼 등에 까는 바닥 재료입니다. 보도블록 6개를 ①부터 차례대로 ⑥까지 다음과 같은 순서로 놓았습니다. ⑤와 ⑥은 노란색의 점자 블록이고, ⑦부터는 다시 ①부터 ⑥까지의 과정을 반복한다고 합니다. 물음에 답하세요.

→ 2개씩 나란히 놓되 옆, 위, 아래와 다른 방향으로 놓습니다.

(창의 · 융합) (문제 해결)

① ② ⑤ ⑥ ⑨ ⑩ ⑬ ⑭ ⑰ ⑱ ㉑ ㉒
③ ④ ⑦ ⑧ ⑪ ⑫ ⑮ ⑯ ⑲ ⑳ ㉓ ㉔

1 보도블록을 6개 깔 때마다 노란색 점자 블록은 몇 개씩 사용될까요?

( )

2 단원

진도 완료 체크

2 보도블록을 150개 놓으면 노란색 점자 블록은 몇 개가 사용될까요?

( )

3 보도블록을 320개 놓으면 노란색 점자 블록은 몇 개가 사용될까요?

( )

기본 단원평가 지필 평가 대비

3. 원

점수

01 원의 중심을 찾아 쓰세요.
하

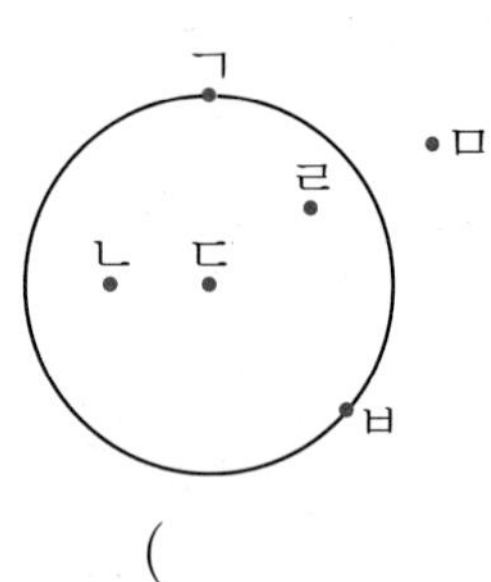

(　　　　　　　　　)

02 □ 안에 알맞은 말을 써넣으세요.
하

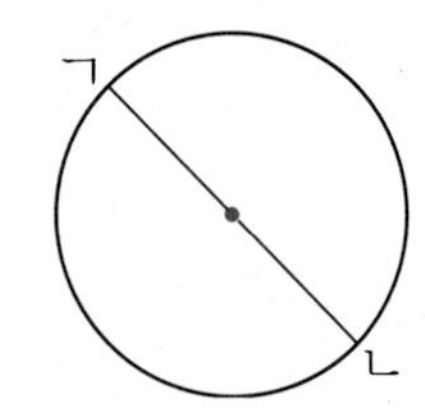

원 위의 두 점을 이은 선분 ㄱㄴ이 원의 중심을 지나면 이 선분을 원의 □(이)라고 합니다.

03 원의 반지름을 모두 찾아 쓰세요.
하

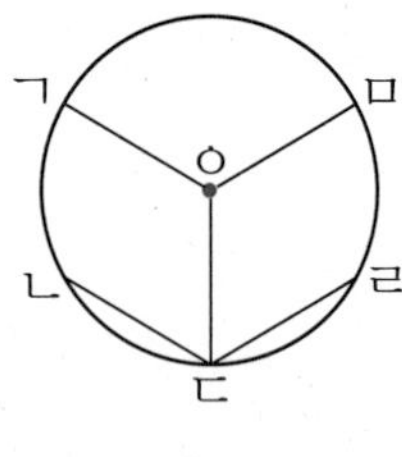

(　　　　　　　　　)

04 원의 반지름은 몇 cm일까요?
하

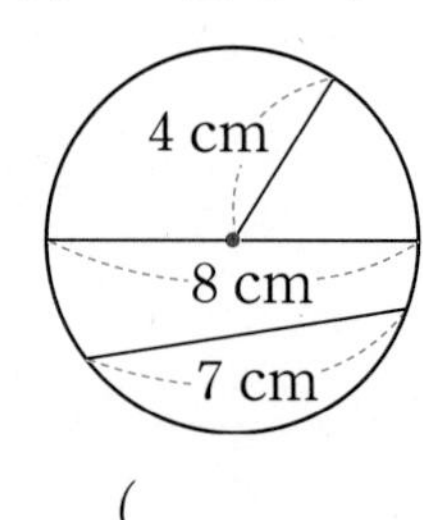

(　　　　　　　　　)

05 □ 안에 알맞은 수를 써넣으세요.
하

한 원에서 원의 중심은 □개입니다.

06 원의 지름에 대하여 잘못 설명한 것을 찾아 기호를 쓰세요.
중

㉠ 원의 중심을 지납니다.
㉡ 한 원에서 지름은 한 개입니다.
㉢ 한 원에서 지름의 길이는 모두 같습니다.
㉣ 원 위의 두 점을 이은 선분 중에서 가장 긴 선분입니다.

(　　　　　　　　　)

07 두 원의 지름의 길이의 차는 몇 cm일까요?
중

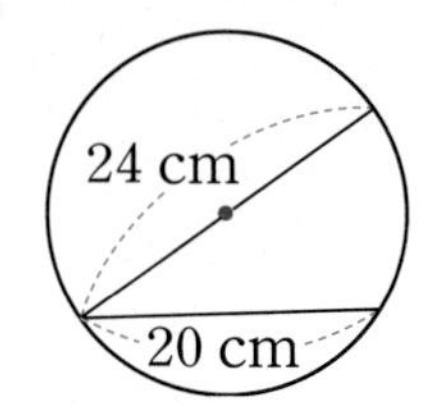

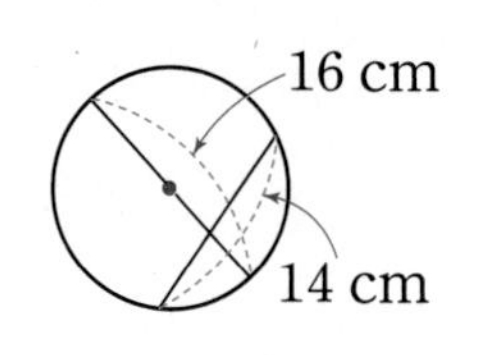

(　　　　　　　　　)

08 □ 안에 알맞은 수를 써넣으세요.
중

(원의 지름)=(원의 반지름)×□

09 □ 안에 알맞은 수를 써넣으세요.
중

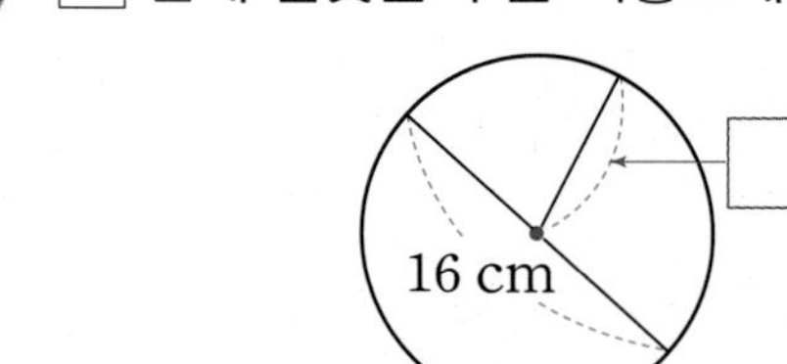

3 단원

10 원을 완성하세요.
중

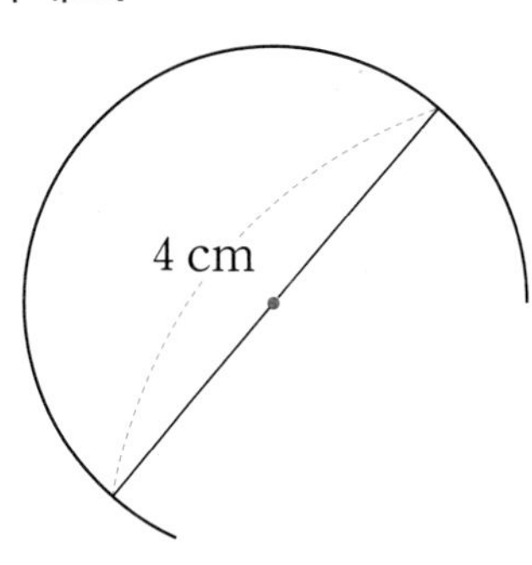

11 원의 지름은 몇 cm인지 구하세요.
중

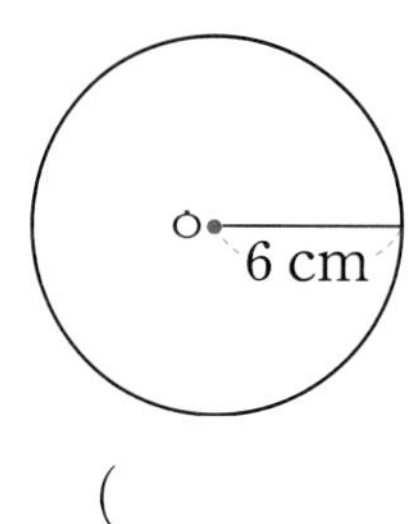

( )

12 그림과 같이 컴퍼스를 벌려서 원을 그리면 지름은 몇 cm가 될까요?
중

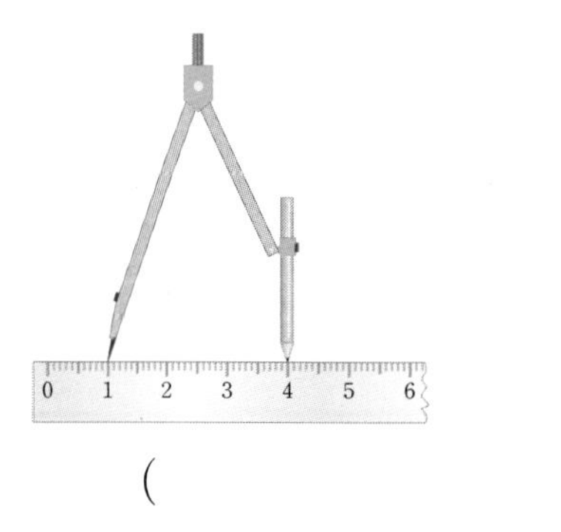

( )

13 다음 중 가장 큰 원은 어느 것일까요?( )
중

① 지름이 14 cm인 원
② 지름이 16 cm인 원
③ 반지름이 7 cm인 원
④ 반지름이 9 cm인 원
⑤ 컴퍼스를 5 cm만큼 벌려서 그린 원

14 오른쪽 원과 크기가 같은 원을 그리기 위해서 컴퍼스를 바르게 벌린 것을 찾아 기호를 쓰세요.
중

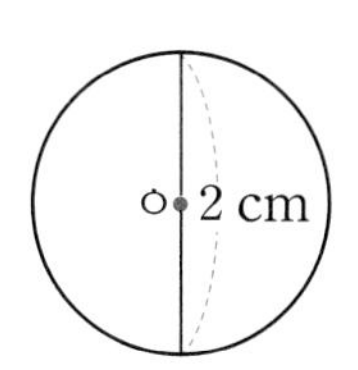

㉠ ㉡ ㉢

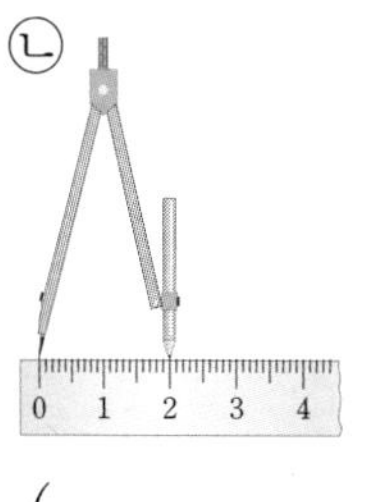

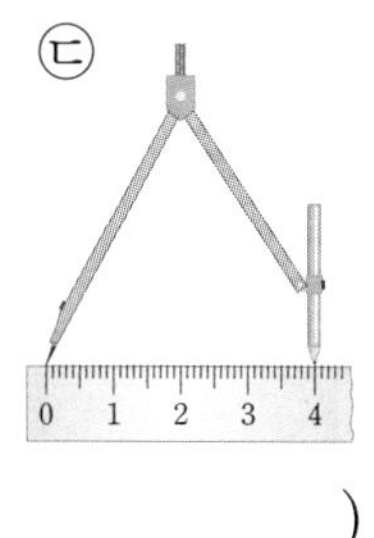

( )

15 선분 ㄱㄴ의 길이를 구하세요.
중

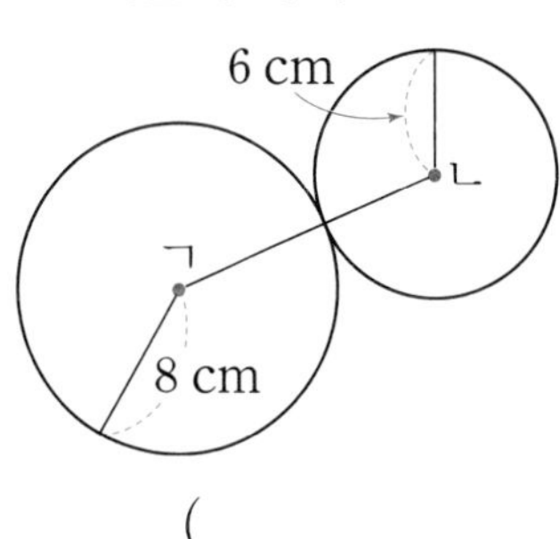

( )

16 반지름이 모두 같고 원의 중심을 옮겨 가며 그린 모양에 모두 ○표 하세요.
중

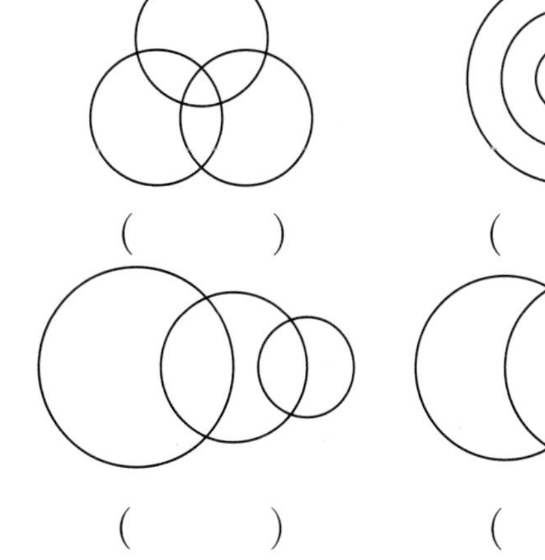

( ) ( )

( ) ( )

• 정답 60쪽

[17~18] 그림을 보고 물음에 답하세요.

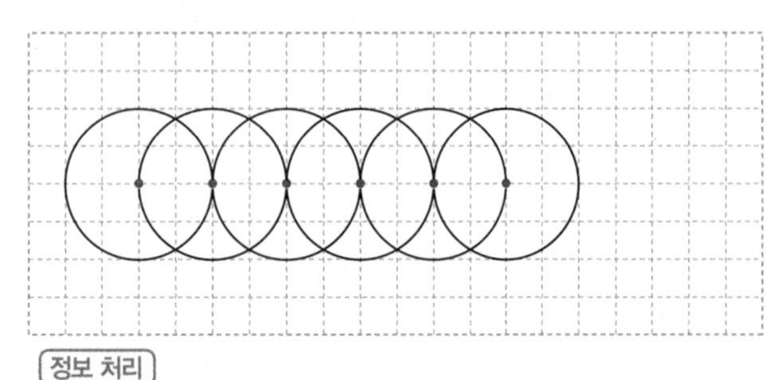

(정보 처리)

17 어떤 규칙이 있는지 알아보고 알맞은 말에 ○표 하세요.
(중)

원의 반지름은 (같고 , 다르고), 원의 중심을 (같게 하여 , 옮겨 가며) 그린 것입니다.

18 위의 그림에 규칙에 따라 원을 2개 더 그리세요.
(중)

19 □ 안에 알맞은 수를 써넣으세요.
(중)

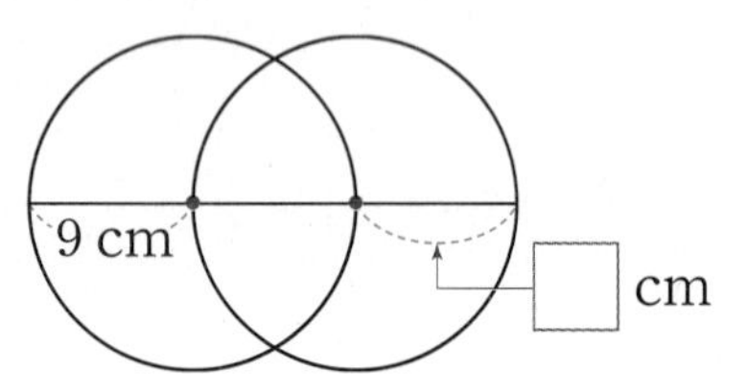

20 선분 ㄱㄴ의 길이는 몇 cm일까요?
(중)

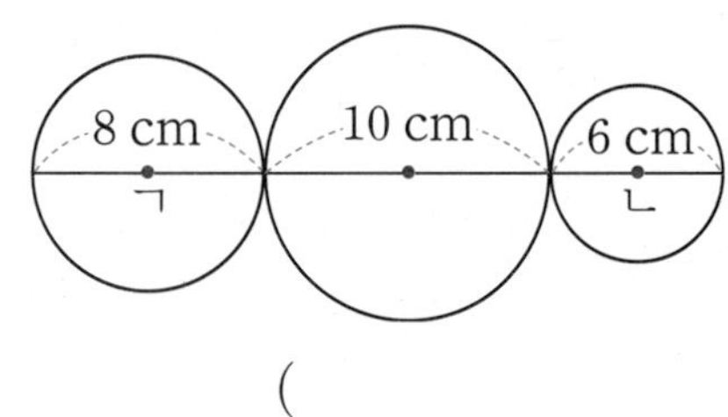

( )

21 주어진 모양을 그리기 위하여 컴퍼스의 침을 꽂아야 할 곳을 모두 찾아 표시하세요.
(중)

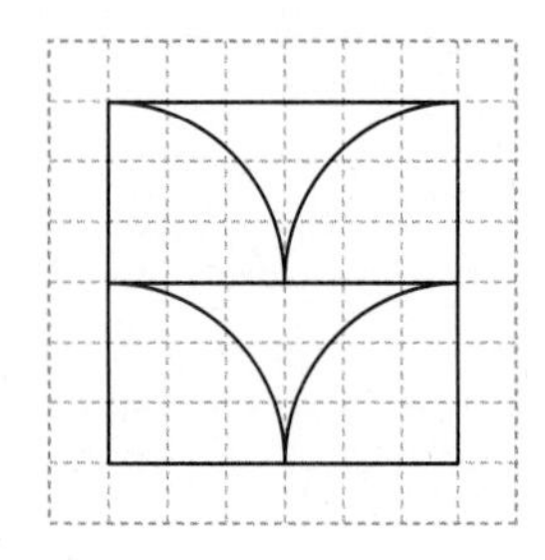

22 원을 이용하여 주어진 모양과 똑같이 그리세요.
(중)

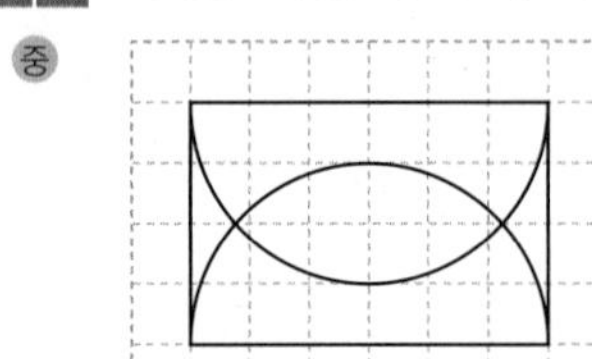 ⇨ 

(창의·융합)

[23~24] 민주는 한 변이 6 cm인 정사각형 모양 종이를 똑같이 넷으로 나누어지도록 접은 후 펼쳐서 접은 선이 만나는 곳에 컴퍼스의 침을 꽂아 그릴 수 있는 가장 큰 원을 그렸습니다. 물음에 답하세요.

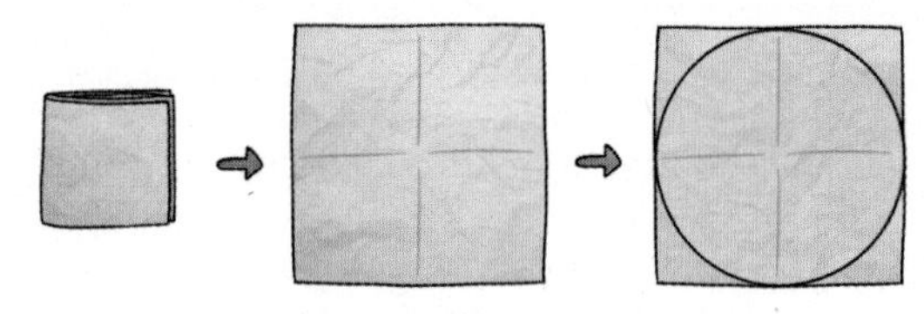

23 민주가 그린 원의 지름은 몇 cm일까요?
(상)

( )

24 민주가 그린 원의 반지름은 몇 cm일까요?
(상)

( )

서술형 문제

25 다트는 점수가 매겨져 있는 원반 모양의 과녁에 화살을 던져 맞힌 점수로 승패를 가리는 놀이입니다. 과녁에 그려진 원을 보고 어떤 규칙이 있는지 설명하세요.
(상)

01 원의 지름을 2개 그으세요. [5점]

하

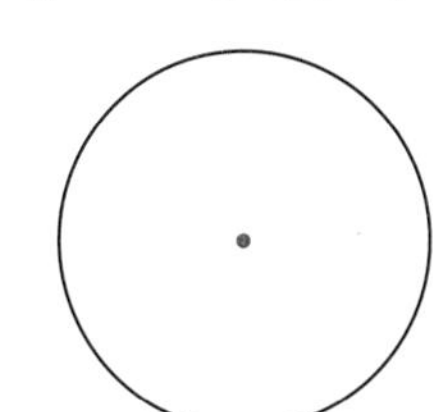

02 선분 ㄴㄹ의 길이는 몇 cm일까요? [5점]

하

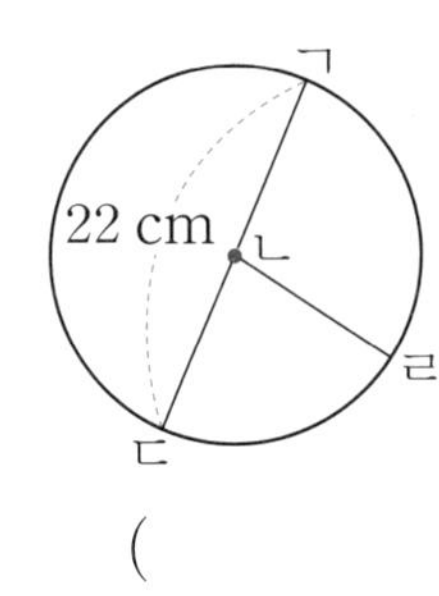

(   )

03 지름이 18 cm인 원을 그리려면 컴퍼스의 침과 연필심 사이가 몇 cm가 되도록 벌려야 할까요? [5점]

하

(   )

의사소통

04 반지름과 지름의 관계를 바르게 말한 사람을 모두 찾아 ○표 하세요. [5점]

중

(   ) (   ) (   ) (   )

추론

05 다음과 같이 원 3개를 그리려고 합니다. 원을 그릴 때마다 달라지는 것을 모두 찾아 기호를 쓰세요. [5점]

중

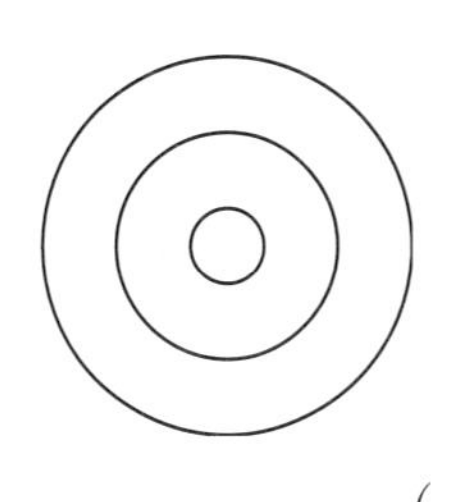

㉠ 원의 중심
㉡ 원의 지름
㉢ 원의 반지름

(   )

06 두 원의 지름의 길이의 차를 구하세요. [5점]

중

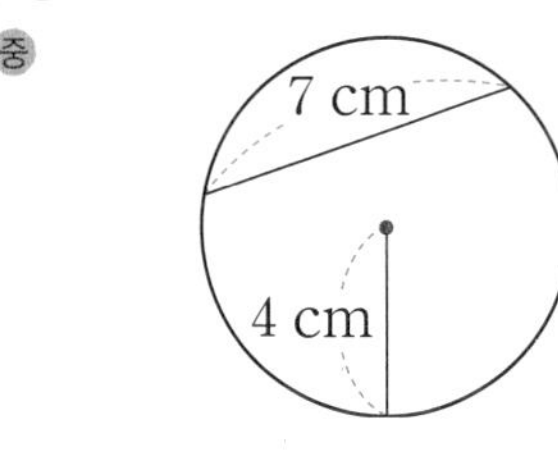

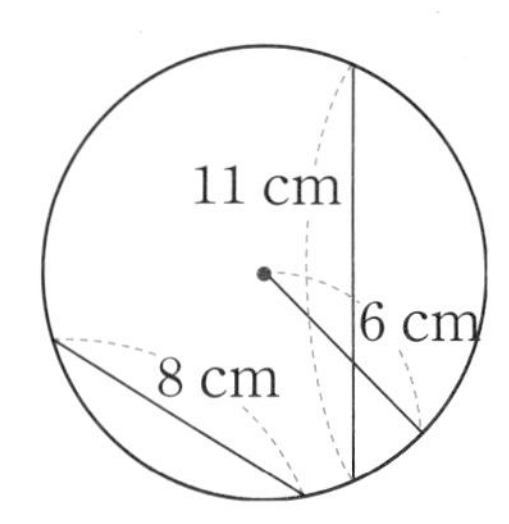

(   )

07 주어진 모양과 똑같이 그릴 때 컴퍼스의 침을 꽂아야 할 곳이 가장 많은 것을 찾아 기호를 쓰세요. [5점]

중

㉠
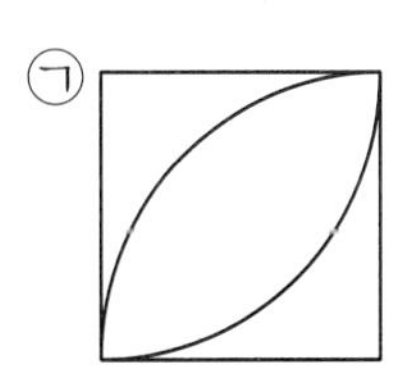
㉡
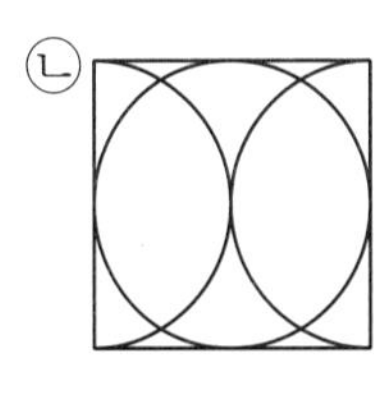
㉢
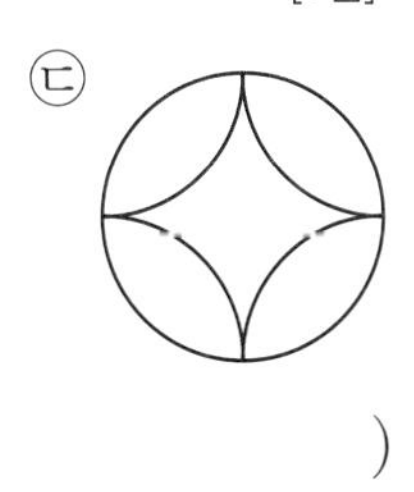

(   )

08 원을 이용하여 주어진 모양과 똑같이 그리세요. [5점]

중

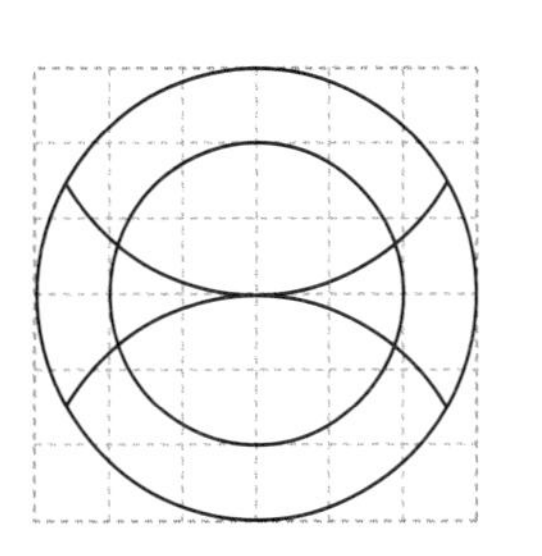
⇨

3 단원

• 정답 61쪽

09 선분 ㄱㄴ의 길이를 구하세요. [8점]
중

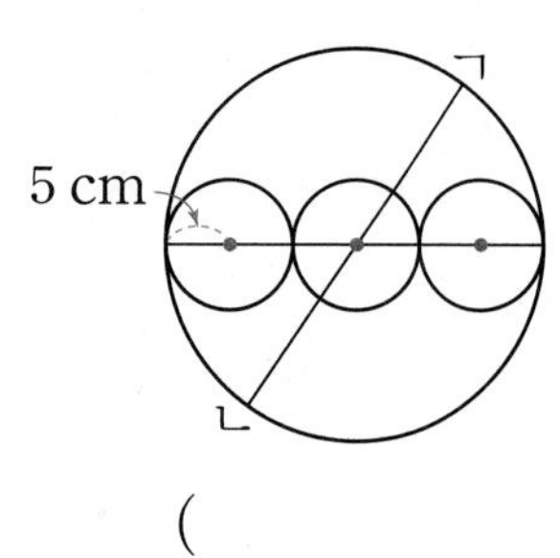

(   )

10 점 ㄱ, 점 ㄴ은 원의 중심입니다. 선분 ㄱㄴ의 길이를 구하세요. [8점]
중

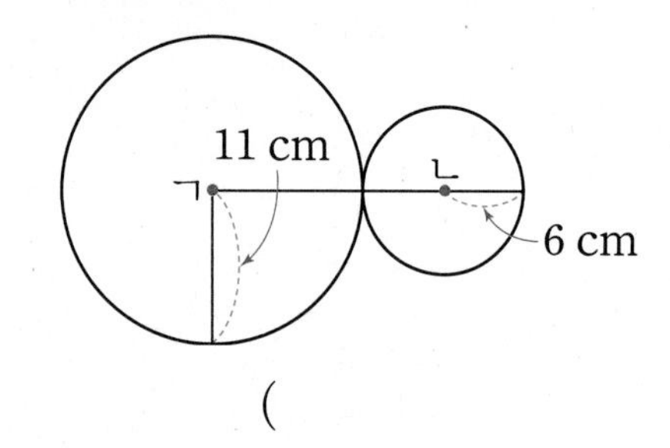

(   )

11 가장 작은 원의 반지름은 5 cm입니다. 가장 큰 원의 지름을 구하세요. [8점]
중

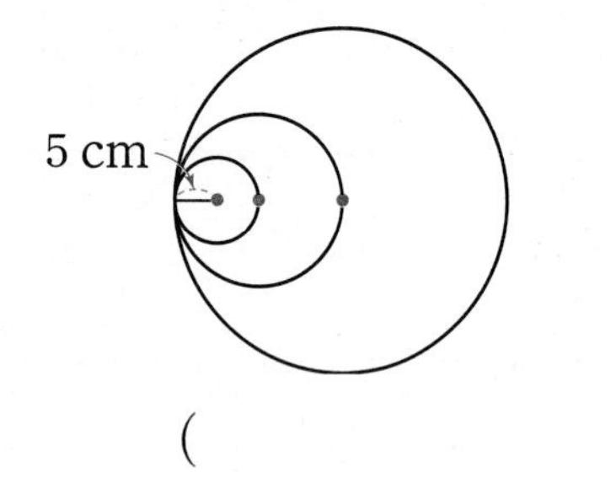

(   )

12 지름이 4 cm인 원 4개를 그림과 같이 붙여 놓고 네 원의 중심을 이었습니다. 이때 만들어진 사각형의 네 변의 길이의 합을 구하세요. [8점]
상

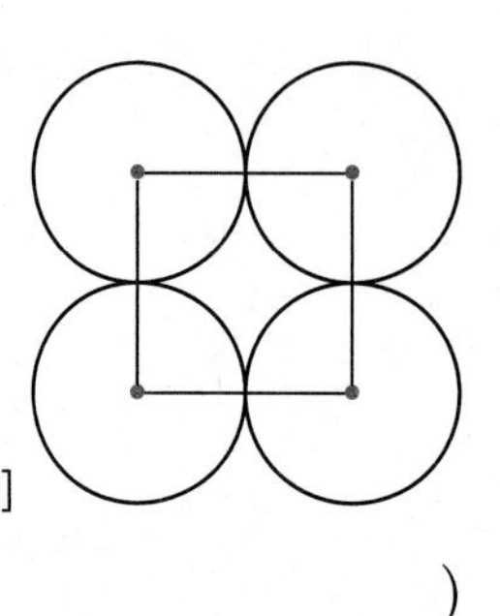

(   )

창의 · 융합

13 반지름이 9 cm인 원을 3개 그리고 각 원에 빨간색, 노란색, 파란색 물감을 색칠하여 색의 혼합을 알아보려고 합니다. 이 세 원의 중심을 이어서 그린 삼각형의 세 변의 길이의 합은 몇 cm일까요? [8점]
상

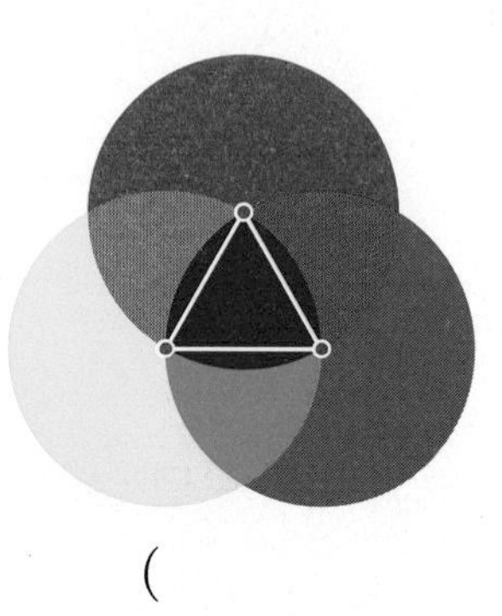

(   )

14 한 변이 18 cm인 정사각형 안에 그릴 수 있는 가장 큰 원을 그렸습니다. 그린 원의 반지름은 몇 cm일까요? [10점]
상

(   )

서술형 문제

15 크기가 같은 원 2개를 겹치게 그렸습니다. 삼각형 ㄱㄴㄷ의 세 변의 길이의 합이 21 cm일 때, 원의 반지름은 몇 cm인지 풀이 과정을 쓰고 답을 구하세요. [10점]
상

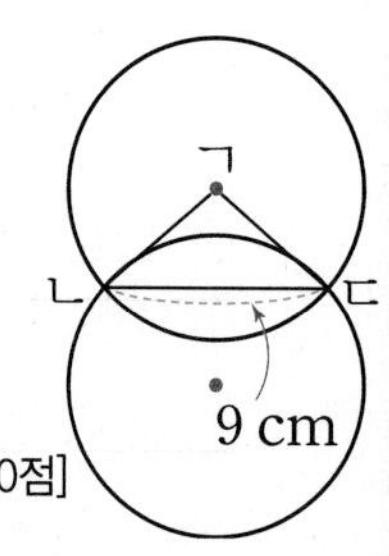

풀이 ____________________

____

____

____

답 ____________________

3 단원

진도 완료 체크

점수

(관찰 평가) 관찰을 통해 이해 정도를 평가

1 원에 반지름을 3개 긋고 반지름이 몇 cm인지 재어 보세요. [10점]

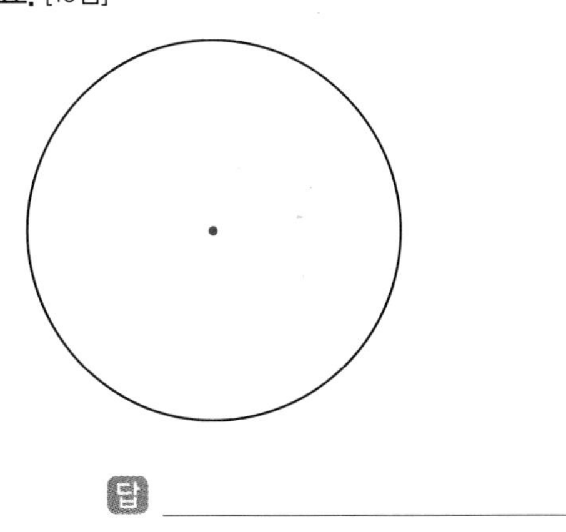

답 ____________

(구술 평가) 발표를 통해 이해 정도를 평가

2 원의 반지름과 지름의 길이를 재고 반지름과 지름 사이의 관계를 설명하세요. [10점]

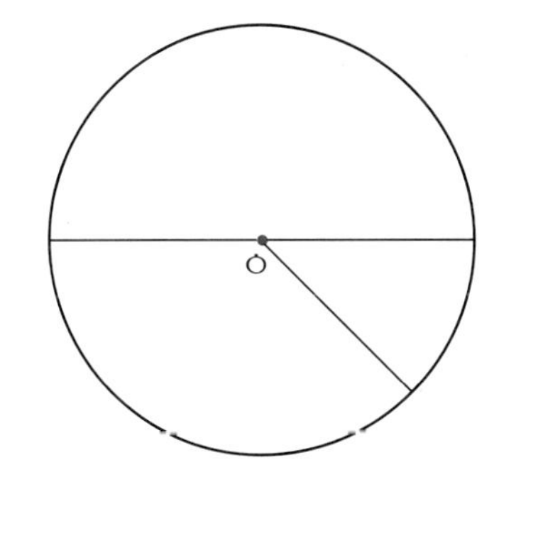

____

(지필 평가) 종이에 답을 쓰는 형식의 평가

3 정사각형 안에 그릴 수 있는 가장 큰 원의 지름은 몇 cm인지 풀이 과정을 쓰고 답을 구하세요. [10점]

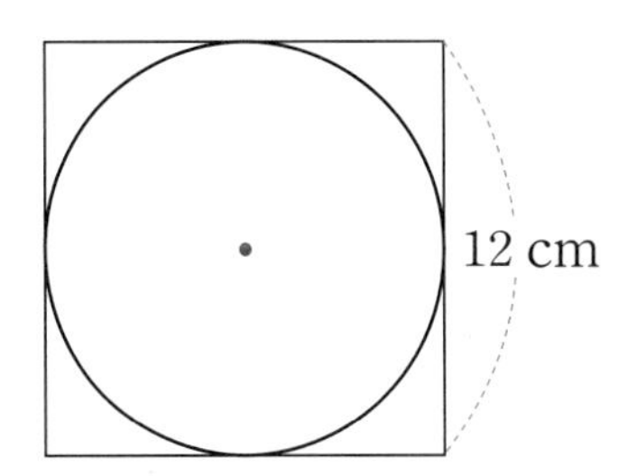

풀이 ____________

답 ____________

(관찰 평가)

4 주어진 모양과 똑같이 그리기 위하여 컴퍼스의 침을 꽂아야 할 곳을 모두 찾아 표시하고 몇 군데인지 쓰세요. [10점]

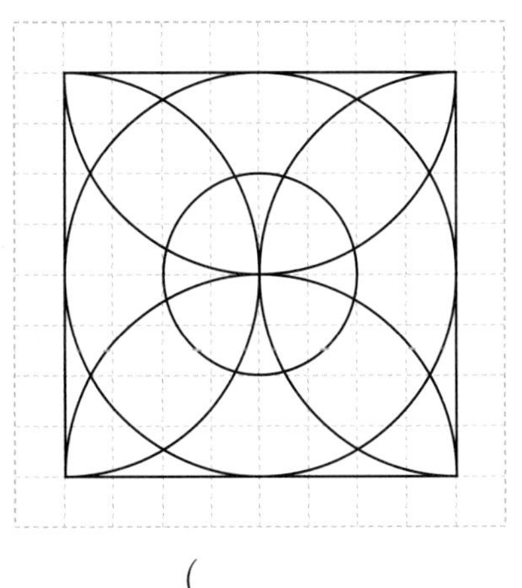

(　　　　　　)

3 단원

• 정답 62쪽

구술 평가

5 원을 그리는 규칙을 설명하세요. [15점]

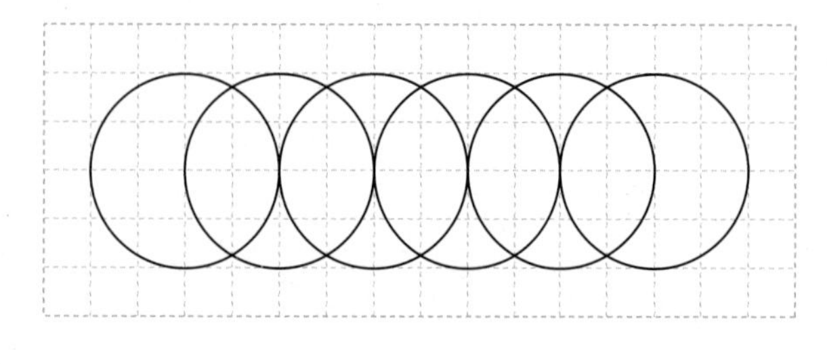

지필 평가

6 점 ㄱ, 점 ㄴ은 원의 중심입니다. 선분 ㄱㄴ의 길이는 몇 cm인지 풀이 과정을 쓰고 답을 구하세요. [15점]

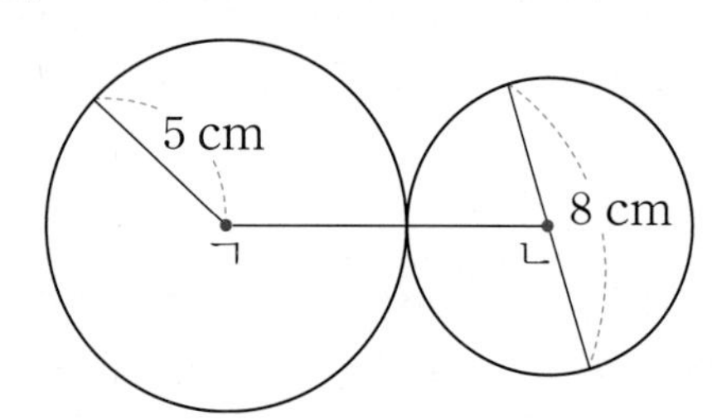

풀이

답

지필 평가

7 나무의*나이테는 1년마다 하나씩 생깁니다. 현재 가장 큰 나이테의 지름이 3 cm이고 매년 지름이 3 cm씩 더 긴 나이테가 생긴다면 5년 후 가장 큰 나이테의 반지름은 몇 cm인지 풀이 과정을 쓰고 답을 구하세요. [15점]

* 나이테: 나무의 줄기나 가지 따위를 가로로 자른 면에 나타나는 둥근 테.

풀이

답

지필 평가

8 반지름이 5 cm인 원 6개를 그림과 같이 맞닿게 그리고, 여섯 원의 중심을 이어 직사각형을 만들었습니다. 직사각형의 네 변의 길이의 합은 몇 cm인지 풀이 과정을 쓰고 답을 구하세요. [15점]

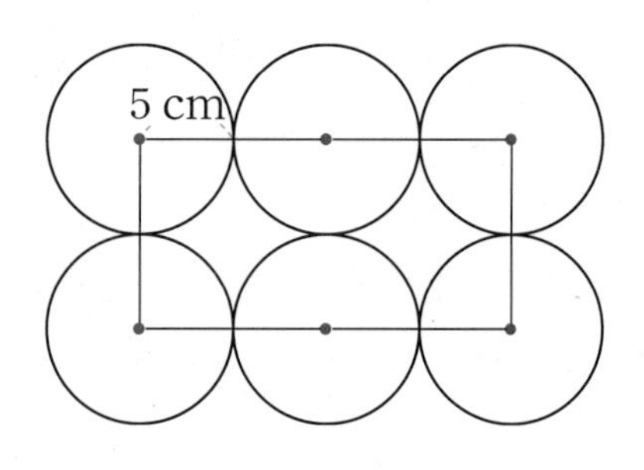

풀이

답

창의·융합 문제

[1~2] 주연이네 마을 지도입니다. 지도를 보고 물음에 답하세요. (창의·융합) (문제 해결)

1 지도에서 주연이네 집은 은행으로부터 4 cm, 학교로부터 5 cm 떨어져 있습니다. ㉠, ㉡, ㉢, ㉣ 중에서 주연이네 집을 찾아 기호를 쓰세요.

( )

2 주연이가 재영이에게 약속 장소를 알려 주는 카드를 보냈습니다. 약속 장소는 병원, 공원, 경찰서, 우체국, 은행, 학교, 문구점, 마트 중 어디인지 찾아 쓰세요.

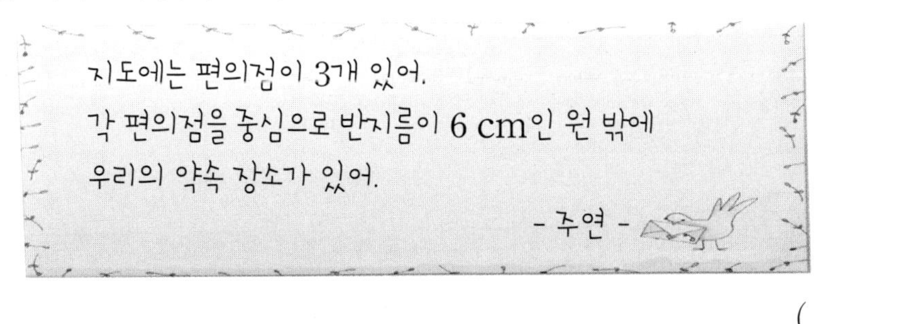

( )

기본 단원평가 지필 평가 대비

4. 분수

점수

[01~03] 분수를 보고 물음에 답하세요.

$\frac{4}{5}$	$\frac{7}{6}$	$3\frac{1}{4}$	$\frac{8}{11}$
$\frac{15}{3}$	$2\frac{1}{6}$	$\frac{11}{11}$	$\frac{12}{15}$

01 진분수를 모두 찾아 쓰세요.
하

( )

02 가분수를 모두 찾아 쓰세요.
하

( )

03 대분수를 모두 찾아 쓰세요.
하

( )

04 색칠한 부분을 분수로 나타내세요.
중

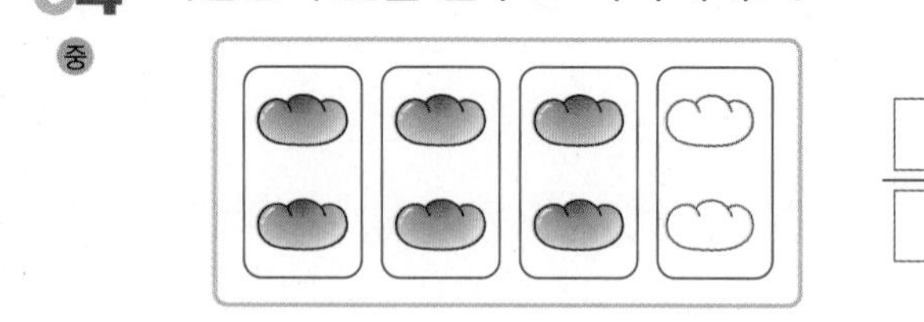

$\frac{\square}{\square}$

05 가분수는 빨간색, 대분수는 초록색으로 색칠하세요.
중

$\frac{8}{8}$	$1\frac{3}{5}$	$\frac{101}{110}$	$21\frac{1}{5}$	$\frac{7}{2}$

06 사탕이 35개 있습니다. □ 안에 알맞은 수를 써넣으세요.
중

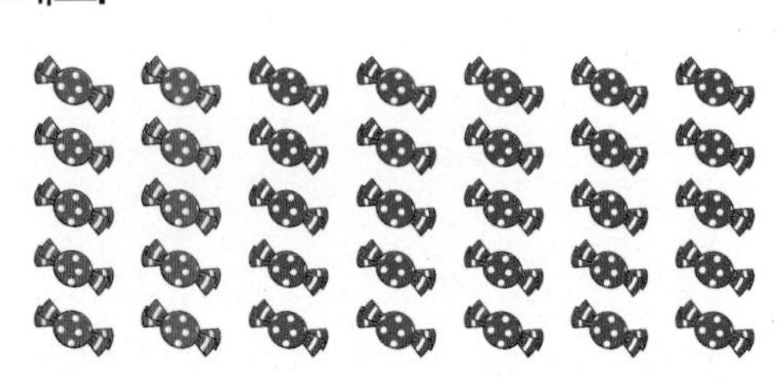

사탕 35개를 5개씩 묶으면 빨간색 사탕 10개는 35개의 $\frac{\square}{\square}$입니다.

07 분모가 8인 진분수는 모두 몇 개일까요?
중

( )

08 색칠한 부분을 대분수로 나타내세요.
중

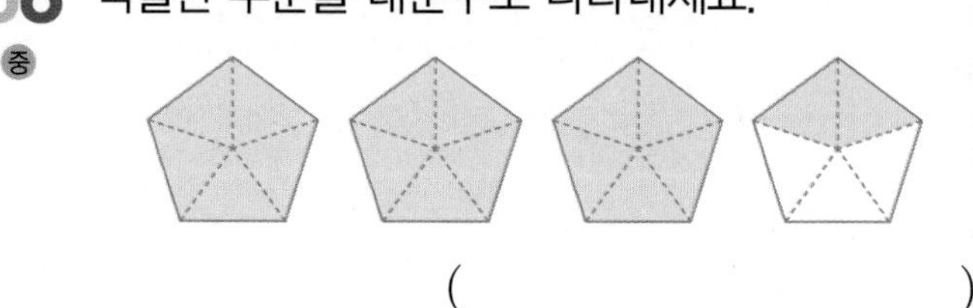

( )

[09~10] □ 안에 알맞은 수를 써넣으세요.

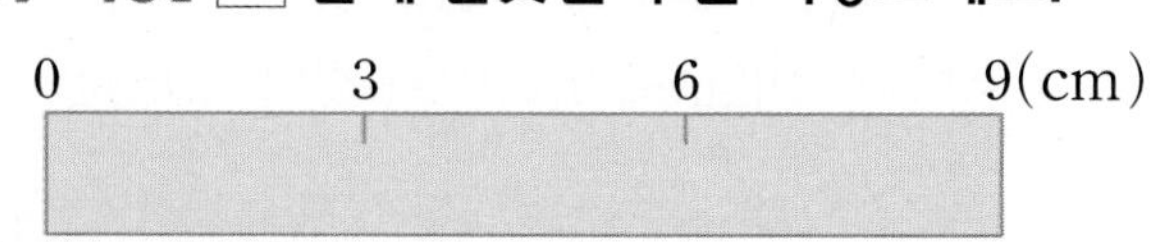

09 9 cm의 $\frac{1}{3}$은 □ cm입니다.
중

10 9 cm의 $\frac{2}{3}$은 □ cm입니다.
중

4 단원

11 크기가 같은 것끼리 선으로 이으세요.

중

$3\frac{4}{7}$ •

$3\frac{1}{7}$ •

• $\frac{22}{7}$

• $\frac{25}{7}$

• $\frac{31}{7}$

[12~13] 겨울 왕국에 사는 안나는 하루를 다음과 같이 보냅니다. 물음에 답하세요.

〈잠을 자는 시간〉	〈공부하는 시간〉	〈노는 시간〉
하루 24시간의 $\frac{1}{3}$	하루 24시간의 $\frac{1}{4}$	하루 24시간의 $\frac{1}{3}$

12 안나가 잠을 자는 시간은 하루 중 몇 시간일까요?

중

(　　　　　　　　)

13 안나가 공부하는 시간은 하루 중 몇 시간일까요?

중

(　　　　　　　　)

14 공책 30권을 10권씩 묶으면 공책 10권은 전체 공책 수의 몇 분의 몇일까요?

중

(　　　　　　　　)

15 가분수를 대분수로 나타내세요.

중

(1) $\frac{11}{4}$ ⇨ (　　　　　　　　)

(2) $\frac{31}{9}$ ⇨ (　　　　　　　　)

16 분모가 6인 분수 중에서 $\frac{11}{6}$보다 작은 가분수는 모두 몇 개일까요?

중

(　　　　　　　　)

정보 처리

17 수직선에서 나타내는 수가 틀린 것을 찾아 기호를 쓰세요.

중

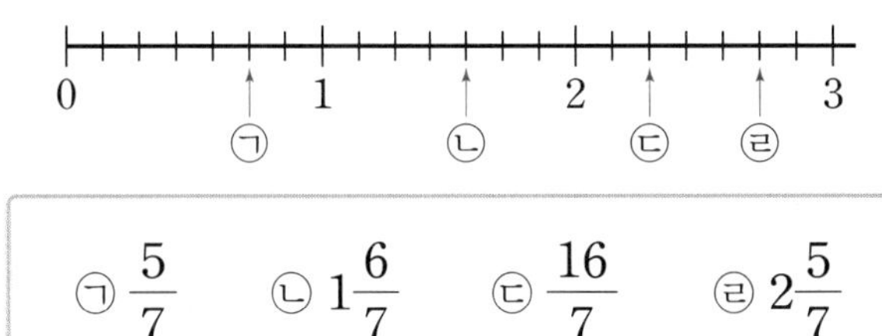

㉠ $\frac{5}{7}$　　㉡ $1\frac{6}{7}$　　㉢ $\frac{16}{7}$　　㉣ $2\frac{5}{7}$

(　　　　　　　　)

18 희영이는 쿠키 10개 중 4개를 먹었습니다. 쿠키 10개를 2개씩 묶었을 때 희영이가 먹은 쿠키는 전체의 몇 분의 몇인지 구하세요.

중

(　　　　　　　　)

4 단원

• 정답 63쪽

19 관희와 희정이는 신문지를 모았습니다. 누가 모은 신문지가 더 무겁습니까?
중

관희 $\frac{12}{5}$ kg

희정 $2\frac{4}{5}$ kg

( )

[20~21] 수 카드 5장이 있습니다. 물음에 답하세요.

3 9 8 5 2

20 수 카드 2장을 사용하여 분모가 5인 가분수 중 가장 큰 가분수를 만드세요.
중

( )

21 수 카드 3장을 사용하여 분모가 8인 대분수 중 가장 작은 대분수를 만드세요.
중

( )

22 준하의 키는 $\frac{11}{8}$ m, 대준이의 키는 $1\frac{2}{8}$ m입니다. 누구의 키가 더 클까요?
중

( )

창의·융합

23 피구는 일정한 구역 안에서 공으로 상대편을 맞히는 공놀이입니다. 28명 중 $\frac{1}{4}$이 공에 맞았습니다. 공에 맞지 않은 학생은 몇 명일까요?
상

( )

추론

24 □ 안에 들어갈 수 있는 자연수를 모두 구하세요.
상

$$\frac{45}{13} > 3\frac{\square}{13}$$

( )

서술형 문제

25 조건 에 맞는 분수를 구하는 풀이 과정을 쓰고 답을 구하세요.
상

조건
- 분모와 분자의 합은 7입니다.
- 가분수입니다.
- 분모와 분자의 차는 3입니다.

풀이

답

4 단원

실력 단원평가 지필 평가 대비

점수

01 □ 안에 알맞은 수를 써넣으세요. [5점]

하

(1) 16의 $\frac{1}{8}$은 □입니다.

(2) 20의 $\frac{2}{5}$는 □입니다.

02 수직선에 분수를 찾아 ↓로 나타내세요. [5점]

하

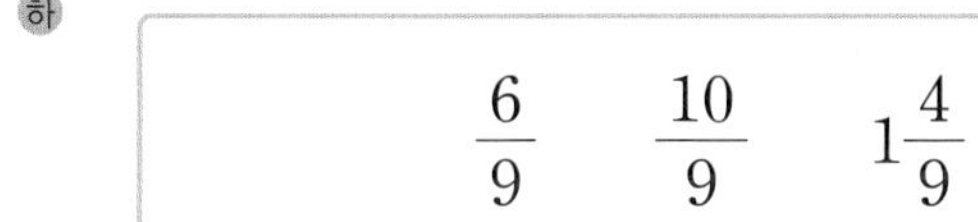

$\frac{6}{9}$ $\frac{10}{9}$ $1\frac{4}{9}$

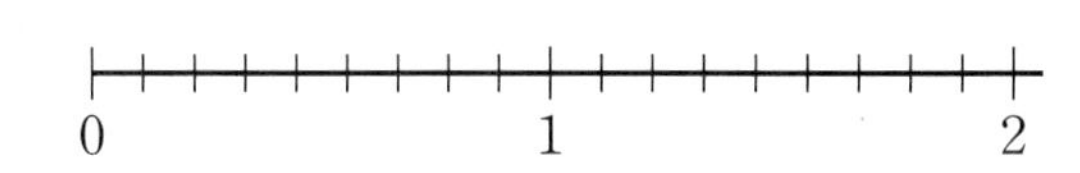

03 그림을 보고 □ 안에 알맞은 수를 써넣으세요. [5점]

중

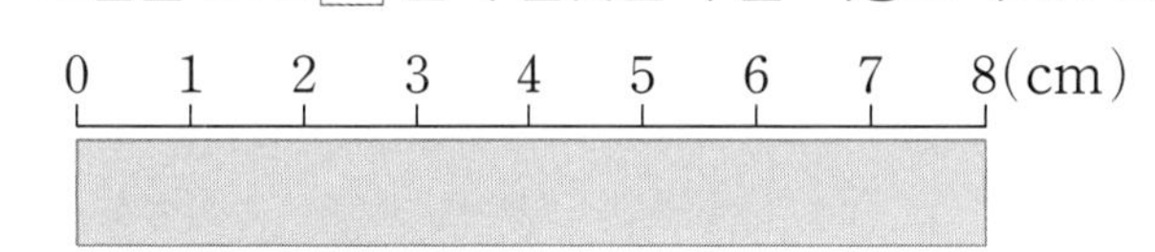

(1) 8 cm의 $\frac{1}{2}$은 □ cm입니다.

(2) 8 cm의 $\frac{3}{4}$은 □ cm입니다.

04 숫자 3, 5, 8을 한 번씩만 사용하여 만들 수 있는 대분수를 모두 쓰세요. [5점]

중

(　　　　　　　　　　)

05 가분수를 대분수로 나타내었을 때 분자가 가장 큰 것은 어느 것일까요? [5점]

중

$\frac{39}{6}$ $\frac{38}{9}$ $\frac{34}{7}$

(　　　　　　　　　　)

06 윤지는 수학 공부를 $\frac{9}{8}$시간, 국어 공부를 $1\frac{2}{8}$시간 했습니다. 윤지는 수학 공부와 국어 공부 중 어느 것을 더 오래 했을까요? [5점]

중

(　　　　　　　　　　)

정보 처리

07 □ 안에 들어갈 수 있는 수를 모두 구하세요. [5점]

중

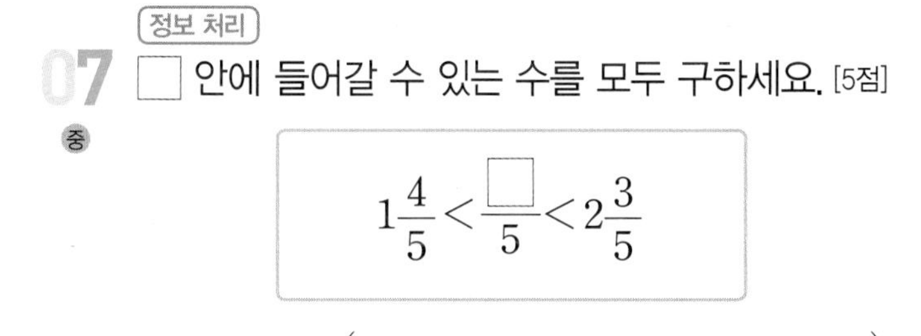

$1\frac{4}{5} < \frac{□}{5} < 2\frac{3}{5}$

(　　　　　　　　　　)

08 작은 분수부터 차례대로 □ 안에 써넣으세요. [5점]

중

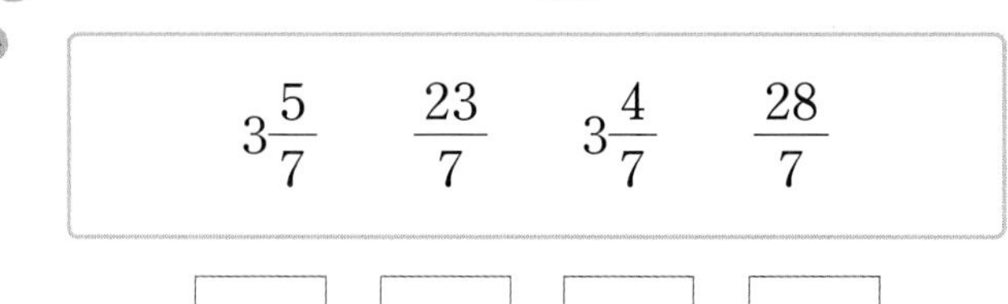

$3\frac{5}{7}$ $\frac{23}{7}$ $3\frac{4}{7}$ $\frac{28}{7}$

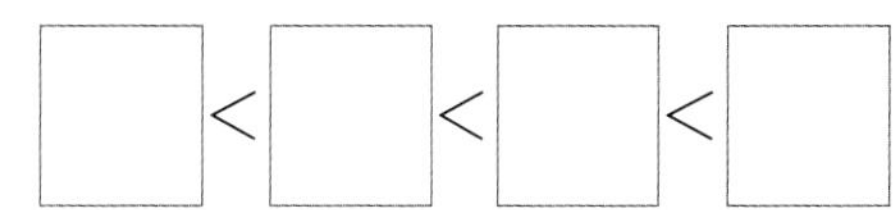

4 단원

• 정답 64쪽

09 중 조건을 모두 만족하는 분수를 쓰세요. [5점]

- 진분수입니다.
- 분자는 2보다 큽니다.
- 분모와 분자의 합은 8입니다.

(　　　　　　　　)

10 중 분모가 7인 대분수 중에서 $\frac{32}{7}$보다 크고 $5\frac{2}{7}$보다 작은 대분수를 모두 구하세요. [5점]

(　　　　　　　　)

11 중 수 카드를 한 번씩만 사용하여 가장 작은 대분수를 만들고 가분수로 나타내세요. [8점]

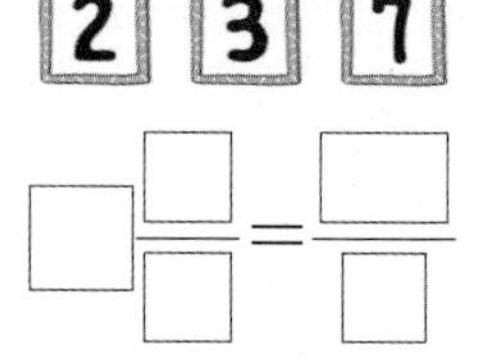

$\square\frac{\square}{\square}=\frac{\square}{\square}$

서술형 문제

12 중 준서는 하루에 $\frac{1}{5}$ km씩 걷기 운동을 하고 있습니다. 준서가 21일 동안 걸은 거리를 대분수로 나타내면 몇 km인지 풀이 과정을 쓰고 답을 구하세요. [10점]

풀이 ____________________

____

____

답 ____________________

13 상 조건에 맞는 가분수 $\frac{●}{■}$를 구하세요. [8점]

●+■=11　　●−■=3

(　　　　　　　　)

14 상 현주는 1시간 동안 텔레비전을 봤습니다. 그중 $\frac{1}{4}$은 교육 방송을 봤다면 현주가 교육 방송을 본 시간은 몇 분일까요? [8점]

(　　　　　　　　)

15 상 떨어진 높이의 $\frac{5}{8}$만큼 튀어 오르는 공이 있습니다. 64 m 높이에서 공을 떨어뜨린다면 두 번째에 튀어 오르는 공의 높이는 몇 m일까요? [8점]

(　　　　　　　　)

문제 해결

16 상 수 카드 5장 중에서 2장을 사용하여 분모가 4인 가분수를 만들었습니다. 이 중에서 2보다 큰 가분수를 구하세요. [8점]

(　　　　　　　　)

점수

지필 평가 종이에 답을 쓰는 형식의 평가

1 가분수는 모두 몇 개인지 풀이 과정을 쓰고 답을 구하세요. [10점]

$\frac{2}{3}$ $\frac{5}{7}$ $\frac{9}{2}$ $1\frac{1}{4}$ $\frac{5}{5}$ $\frac{10}{11}$

풀이

답

지필 평가

2 민주는 피자 한 판을 똑같이 8조각으로 나눈 것 중의 $\frac{1}{4}$을 먹었습니다. 민주가 먹은 피자는 몇 조각인지 풀이 과정을 쓰고 답을 구하세요. [10점]

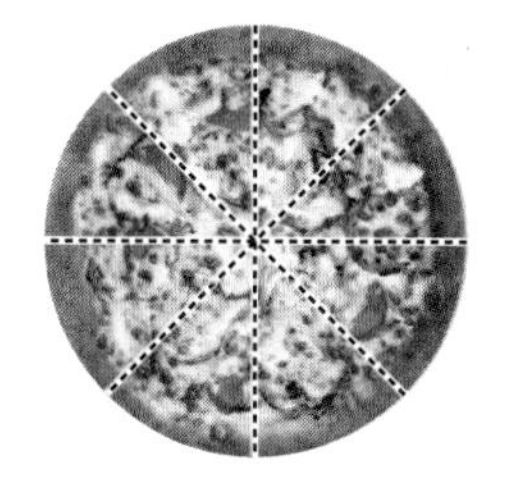

풀이

답

지필 평가

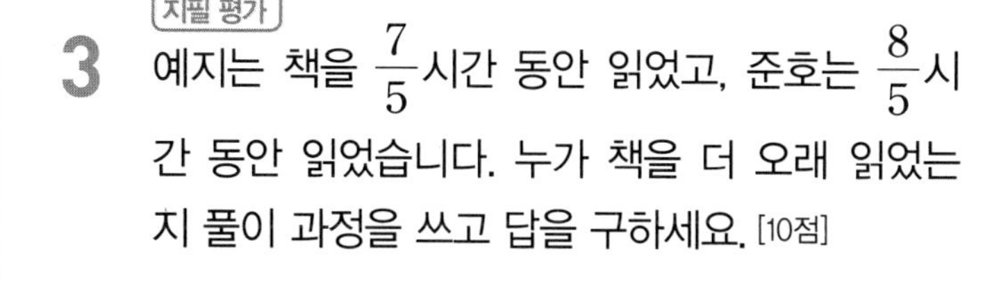

3 예지는 책을 $\frac{7}{5}$시간 동안 읽었고, 준호는 $\frac{8}{5}$시간 동안 읽었습니다. 누가 책을 더 오래 읽었는지 풀이 과정을 쓰고 답을 구하세요. [10점]

풀이

답

지필 평가

4 사탕 21개 중 6개는 딸기 맛 사탕입니다. 사탕을 3개씩 묶으면 딸기 맛 사탕은 전체 사탕의 몇 분의 몇인지 사탕을 3개씩 묶은 뒤 풀이 과정을 쓰고 답을 구하세요. [10점]

풀이

답

4 단원

• 정답 65쪽

지필 평가

5 귤이 12개 있습니다. 훈민이는 전체의 $\frac{2}{6}$만큼 먹었고, 정음이는 전체의 $\frac{3}{6}$만큼 먹었습니다. 두 사람이 먹은 귤은 모두 몇 개인지 풀이 과정을 쓰고 답을 구하세요. [15점]

풀이

답

지필 평가

6 재석이의 책가방 무게는 $3\frac{2}{3}$ kg입니다. 재석이의 책가방 무게를 가분수로 나타내면 몇 kg인지 풀이 과정을 쓰고 답을 구하세요. [15점]

풀이

답

지필 평가

7 분모와 분자의 합이 12인 진분수는 모두 몇 개인지 풀이 과정을 쓰고 답을 구하세요. [15점]

풀이

답

지필 평가

8 수지네 집에서 학교까지의 거리는 $2\frac{4}{7}$ km이고, 문구점까지의 거리는 $\frac{17}{7}$ km입니다. 학교와 문구점 중 수지네 집에서 더 가까운 곳은 어디인지 풀이 과정을 쓰고 답을 구하세요. [15점]

풀이

답

창의 · 융합 문제

[1~4] 딸기 42개를 접시에 내놓았습니다. 아버지께서 42개의 $\frac{2}{7}$만큼을, 어머니께서 42개의 $\frac{1}{6}$만큼을 드시고 나머지는 다나가 먹었습니다. 누가 가장 많이 먹었는지 알아보시오. (창의 · 융합) (의사소통)

1 아버지께서 드신 딸기는 몇 개일까요?

( )

2 어머니께서 드신 딸기는 몇 개일까요?

( )

3 다나가 먹은 딸기는 몇 개일까요?

( )

4 다나네 가족 중에서 딸기를 누가 가장 많이 먹었을까요?

( )

01 하 물병과 주전자에 물을 가득 담은 후 크기가 같은 그릇에 부었습니다. 물병과 주전자 중에서 들이가 더 많은 것은 어느 것일까요?

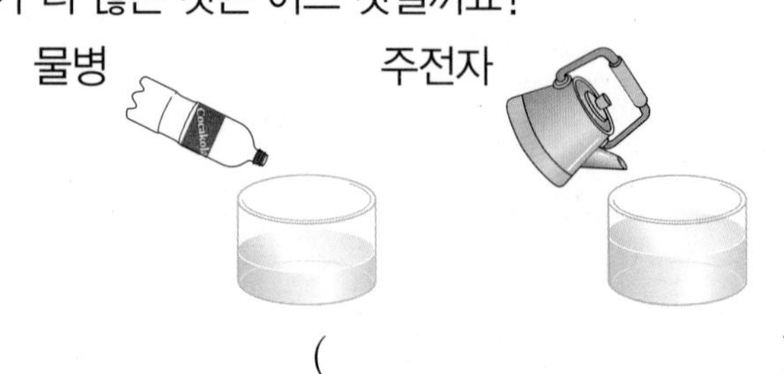

(　　　　　　　　)

02 하 들이가 가장 적은 것은 어느 것일까요? ·····(　　　)

① 1 L　② 10 mL
③ 100 mL　④ 2 L
⑤ 200 mL

03 하 □ 안에 알맞은 수를 써넣으세요.

4 L 570 mL = 4 L + 570 mL
= □ mL + 570 mL
= □ mL

04 하 인형의 무게는 몇 kg 몇 g일까요?

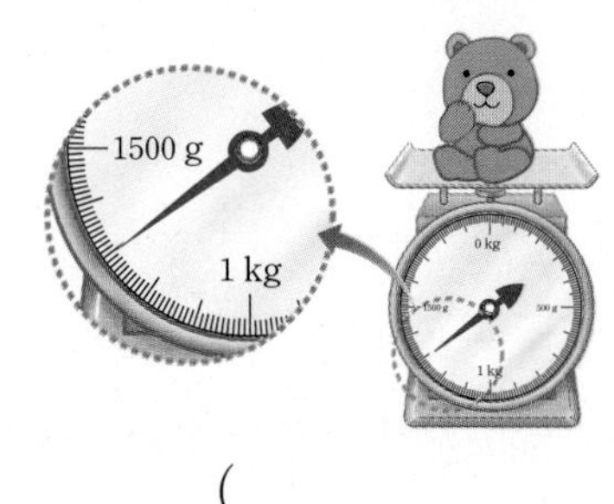

(　　　　　　　　)

05 중 수조에 담긴 물은 몇 L일까요?

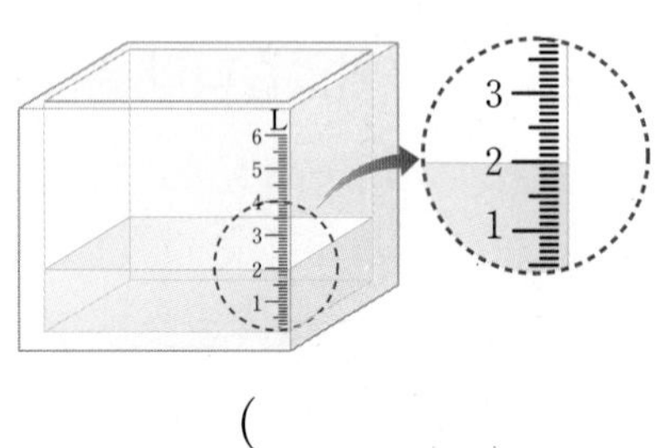

(　　　　　　　　)

06 중 무게가 다른 하나에 ○표 하세요.

4012 g	40 kg 12 g	4 kg 12 g
(　　)	(　　)	(　　)

07 하 주전자에 물을 가득 담았더니 6200 mL가 되었습니다. 주전자의 들이는 몇 L 몇 mL일까요? ·····(　　　)

① 6 L 2 mL　② 62 L
③ 60 L 2 mL　④ 6 L 20 mL
⑤ 6 L 200 mL

08 중 ○ 안에 >, =, <를 알맞게 써넣으세요.

3050 mL ○ 3 L 500 mL

09 중 귤과 사과의 무게를 양팔저울과 공깃돌을 이용하여 재었습니다. 귤의 무게는 공깃돌 42개, 사과의 무게는 공깃돌 56개와 같았습니다. 어느 것이 얼마나 더 무거울까요?

□이/가 □보다 공깃돌 □개 만큼 더 무겁습니다.

10 들이가 2 L에 가장 가까운 것에 ○표 하세요.

중

1900 mL	1200 mL	3200 mL
(　　　)	(　　　)	(　　　)

11 무게가 가벼운 것부터 차례로 기호를 쓰세요.

중

㉠ 8 kg 900 g	㉡ 8 kg 792 g
㉢ 9 t	㉣ 960 g

(　　　　　　　　　　　　　　)

[12~13] 계산을 하세요.

12 중

$$\begin{array}{r} 3\text{ L }\ 400\text{ mL} \\ +\ 5\text{ L }\ 530\text{ mL} \\ \hline \end{array}$$

13 중

$$\begin{array}{r} 6\text{ L }\ 600\text{ mL} \\ -\ 4\text{ L }\ 200\text{ mL} \\ \hline \end{array}$$

14 그릇에 물을 가득 담아 수조에 3번 부었더니 수조가 가득 찼습니다. 수조의 들이는 그릇의 들이의 약 몇 배일까요?

중

(　　　　　　　　　　　　　　)

15 무게가 무거운 것부터 차례로 기호를 쓰세요.

중

㉠ 1700 g+2 kg 150 g
㉡ 6 kg 800 g−1 kg 400 g
㉢ 4650 g

(　　　　　　　　　　　　　　)

의사소통

16 동희네 가족들의 대화를 읽고 바르게 말한 사람은 누구인지 모두 쓰세요.

중

동희
연필의 무게는 g 단위를 사용하여 나타내요.

할머니
텔레비전의 무게는 kg 단위보다 g 단위를 사용하는 것이 더 편리하단다.

아버지: 비행기의 무게를 나타낼 때 t 단위를 사용하면 편리해.

(　　　　　　　　　　　　　　)

17 실제 무게가 11 kg 120 g인 옷장의 무게를 세 사람이 각각 다음과 같이 어림하였습니다. 옷장의 무게에 가장 가깝게 어림한 사람은 누구일까요?

중

지훈	약 11 kg 800 g
민주	약 11 kg 200 g
혜미	약 11 kg 500 g

(　　　　　　　　　　　　　　)

18 □ 안에 알맞은 수를 써넣으세요.

중

4800 g−2 kg 500 g+1300 g
=□ kg □ g

19 종민이는 우유를 어제 1 L 800 mL 마셨고, 오늘 1 L 200 mL 마셨습니다. 종민이가 어제와 오늘 마신 우유는 모두 몇 mL일까요?

중

(　　　　　　　　　　　　　　)

5 단원

• 정답 67쪽

추론

20 중 그릇 ㉮, ㉯, ㉰에 물을 가득 담아 크기가 같은 어항 3개를 각각 채우려고 합니다. 다음 횟수만큼 물을 부으면 어항에 물이 가득 찬다고 할 때 그릇의 들이가 많은 것부터 차례로 기호를 쓰세요.

㉮: 17회　㉯: 15회　㉰: 20회

(　　　　　　)

서술형 문제

21 중 민호와 재영이의 대화를 보고 2000원으로 더 많은 양의 주스를 살 수 있는 마트는 어디인지 구하고 까닭을 쓰세요.

민호: ㉮ 마트의 주스 1병은 2000원이고 양은 1 L 500 mL야.

재영: ㉯ 마트의 주스 1병은 1000원이고 양은 800 mL야.

답 ________________

까닭 ________________

22 중 찹쌀 2 kg 600 g과 누룩 400 g을 사용하여 우리나라 전통 술인 막걸리를 만들었습니다. 막걸리를 만드는 데 사용한 찹쌀과 누룩은 모두 몇 g일까요?

(　　　　　　)

23 중 지현이의 몸무게는 31 kg 450 g이고 책가방의 무게는 2 kg 300 g입니다. 책가방을 멘 지현이의 무게는 몇 kg 몇 g일까요?

(　　　　　　)

문제 해결

24 상 주전자에는 물이 1 L 600 mL 들어 있고 물통에는 주전자에 들어 있는 물보다 물이 500 mL 더 적게 들어 있습니다. 물음에 답하세요.

(1) 물통에 들어 있는 물은 몇 mL일까요?

(　　　　　　)

(2) 주전자와 물통에 들어 있는 물은 모두 몇 mL일까요?

(　　　　　　)

서술형 문제

25 상 다음과 같이 영어 사전의 무게를 재었습니다. 이 영어 사전과 2300 g짜리 백과사전의 무게의 합은 몇 kg 몇 g인지 풀이 과정을 쓰고 답을 구하세요.

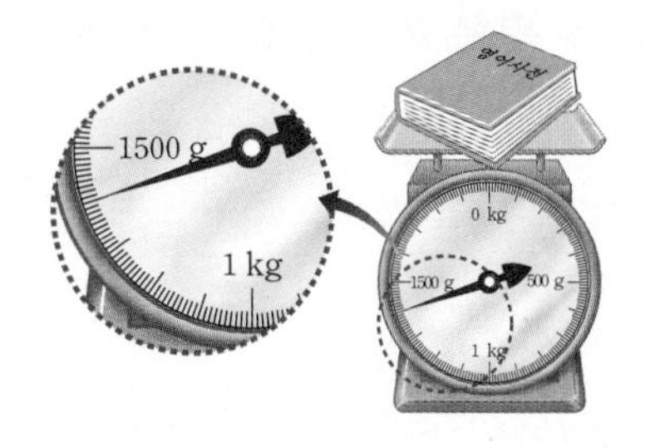

풀이 ________________

답 ________________

5 단원

실력 단원평가 지필 평가 대비

점수

01 무거운 것부터 차례로 기호를 쓰세요. [5점]

하

㉠ 5150 g	㉡ 5050 g
㉢ 5 kg 100 g	㉣ 4 kg 900 g

( )

02 약수터에서 길어 온 물의 양입니다. 길어 온 물이 많은 순서대로 이름을 쓰세요. [5점]

하

지현: 4010 mL
지민: 4 L 110 mL
은수: 4 L 100 mL

( )

03 들이가 가장 많은 것을 찾아 기호를 쓰세요. [5점]

중

㉠ 3 L+4 L 900 mL
㉡ 8 L 500 mL−5 L 100 mL
㉢ 4 L 300 mL−2 L 200 mL
㉣ 6 L 400 mL+600 mL

( )

04 자동차에 휘발유가 2 L 350 mL 들어 있습니다. 주유소에서 5 L 450 mL의 휘발유를 더 넣었다면 자동차에 들어 있는 휘발유는 모두 몇 L 몇 mL인지 식을 쓰고 답을 구하세요. [5점]

중

식 ______

답 ______

05 실제 들이가 1 L 300 mL인 꽃병의 들이를 네 사람이 어림하였습니다. 꽃병의 들이를 실제에 가장 가깝게 어림한 사람은 누구일까요? [5점]

중

주영: 약 900 mL	민석: 약 1 L 200 mL
현화: 약 1 L	정원: 약 1 L 100 mL

( )

06 음력 5월 5일 단오에는 수리취떡을 먹습니다. 어머니께서 만든 수리취떡 3 kg 800 g 중에서 일부를 이웃에게 나누어 주고 1 kg 600 g이 남았습니다. 이웃에게 나누어 준 수리취떡은 몇 kg 몇 g일까요? [5점]

중

◀ 수리취떡

( )

07 은하는 우유를 매일 180 mL씩 마십니다. 은하가 일주일 동안 마신 우유는 모두 몇 L 몇 mL일까요? [5점]

중

( )

08 강아지와 고양이 중에서 어느 동물이 몇 g 더 무거울까요? [5점]

중

3 kg 800 g

1 kg 700 g

( ), ( )

5 단원

• 정답 68쪽

09 중 해인이가 물을 2 L 400 mL로 어림하여 들이가 2 L 400 mL인 비커에 부었더니 110 mL가 모자랐습니다. 물은 실제로 몇 L 몇 mL일까요? [5점]

(　　　　　　　　)

10 중 가장 무거운 것과 가장 가벼운 것의 차는 몇 kg인지 구하세요. [5점]

3500 kg	3100 kg
3 t	3060 kg

(　　　　　　　　)

서술형 문제

11 중 1 kg 800 g인 의자의 무게를 규태는 1 kg 300 g으로 어림하였고 동준이는 2 kg 100 g으로 어림하였습니다. 의자의 무게를 실제에 더 가깝게 어림한 사람은 누구인지 풀이 과정을 쓰고 답을 구하세요. [10점]

풀이 ______________________

답 ______________________

문제 해결

12 중 서연이와 친구들은 나무를 심기 위해 거름흙 9 kg 200 g을 준비했습니다. 나무를 심는 데 거름흙 6 kg 700 g을 사용했다면 남은 거름흙의 양은 몇 kg 몇 g인지 풀이 과정을 쓰고 답을 구하세요. [10점]

(　　　　　　　　)

13 중 욕조에 물이 11 L 700 mL 들어 있었습니다. 이 물을 오전에 3 L 400 mL, 오후에 5 L 200 mL 사용하셨습니다. 남은 물은 몇 L 몇 mL일까요? [10점]

(　　　　　　　　)

추론

14 중 두 물건의 무게의 합이 4 kg이 넘으려면 어떤 물건들을 골라야 하는지 쓰세요. [10점]

배추 2500 g	동화책 800 g	배 2 kg
장난감 1 kg	고기 1000 g	당근 500 g

(　　　　　　　　)

추론

15 상 저울에 100 g짜리 추 12개와 50 g짜리 추 몇 개를 올려놓고 재었더니 1 kg 400 g이었습니다. 저울에 올려놓은 50 g짜리 추는 몇 개일까요? [10점]

(　　　　　　　　)

5 단원

진도 완료 체크

지필 평가 종이에 답을 쓰는 형식의 평가

1 바구니 안에 귤을 담아 무게를 재었더니 2 kg이었습니다. 바구니만의 무게가 600 g이라면 귤의 무게는 몇 kg 몇 g인지 식을 쓰고 답을 구하세요. [10점]

식 ______________________

답 ______________________

지필 평가

2 수조에 물을 가득 채우려면 가, 나, 다 컵으로 각각 다음과 같이 부어야 합니다. 들이가 가장 많은 컵은 어느 것인지 풀이 과정을 쓰고 답을 구하세요. [10점]

컵	가	나	다
부은 횟수(회)	12	15	14

풀이 ______________________

답 ______________________

지필 평가

3 신현이는 들이가 1 L 200 mL인 주스 한 병을 사서 그중 300 mL를 마셨습니다. 신현이가 마시고 남은 주스는 몇 mL인지 풀이 과정을 쓰고 답을 구하세요. [10점]

풀이 ______________________

답 ______________________

지필 평가

4 두 비커에 있는 물을 모두 더하면 몇 L 몇 mL인지 풀이 과정을 쓰고 답을 구하세요. [10점]

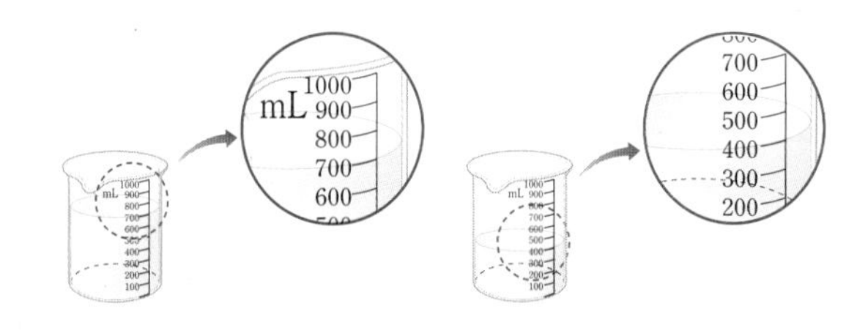

풀이 ______________________

답 ______________________

5 단원

• 정답 69쪽

(지필 평가)

5 감자 캐기 체험 학습에서 진규는 4 kg 220 g, 정호는 3 kg 750 g을 캤습니다. 두 사람이 캔 감자는 모두 몇 kg 몇 g인지 풀이 과정을 쓰고 답을 구하세요. [15점]

풀이 ______

답 ______

(지필 평가)

6 노란색 페인트가 4080 mL, 초록색 페인트가 4 L 400 mL 있습니다. 어느 색 페인트가 몇 mL 더 많이 있는지 풀이 과정을 쓰고 답을 구하세요. [15점]

풀이 ______

답 ______

(지필 평가)

7 정진이가 시장에서 사 온 멜론과 파인애플의 무게를 재어 보니 멜론의 무게는 2 kg 400 g이고, 파인애플의 무게는 2050 g이었습니다. 어느 것이 몇 g 더 가벼운지 풀이 과정을 쓰고 답을 구하세요. [15점]

풀이 ______

답 ______, ______

(지필 평가)

8 고기의 무게를 잴 때 '근'이라는 단위를 사용하였습니다. 고기 한 근이 600 g일 때 고기 3근의 무게는 몇 kg 몇 g인지 풀이 과정을 쓰고 답을 구하세요. [15점]

풀이 ______

답 ______

창의 · 융합 문제

1 슬기는 백과사전에 나와 있는 우리나라의 전통 무게 단위에 대해 조사하고 무게를 주어진 단위로 나타내려고 합니다. □ 안에 알맞은 수를 써넣으세요. (창의 · 융합) (문제 해결)

우리나라에는 옛날부터 물건에 따라 달리 사용해 온 고유의 무게 단위들이 있습니다.
'근'은 육류, 채소, 과일 등의 무게를 재는 단위인데 육류의 경우에는 1근이 600 g이고, 채소나 과일의 경우에는 1근이 375 g입니다.
'관'은 제법 무게가 나가는 고구마, 감자, 양파 등의 무게를 재는 단위로 1관은 3750 g입니다.
그리고 한약재를 재는 무게 단위인 '냥'은 1냥이 37.5 g이며, 크기가 작은 쇠붙이나 귀금속을 재는 무게 단위인 '돈'은 주로 금반지나 은반지의 무게를 재는 데 쓰이는데 1돈은 3.75 g입니다.

육류 1근=600 g

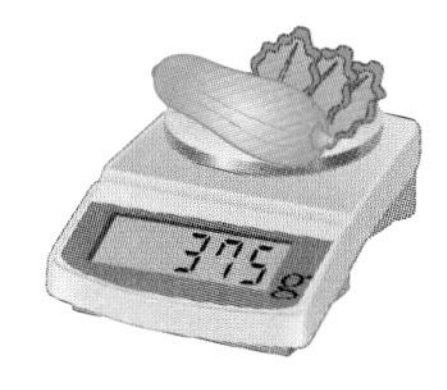

채소, 과일 1근=375 g

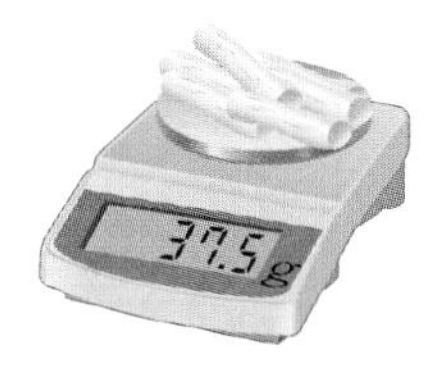

약재 1냥= 37.5 g

금반지 1돈=3.75 g

전통 무게 단위	무게	전통 무게 단위	무게
소고기 2근	□ kg □ g	양파 1관	□ kg □ g
토마토 1근	□ g	돼지고기 4근	□ kg □ g
귤 3근	□ kg □ g	감자 2관	□ kg □ g

5 단원

[01 ~ 05] 철호네 반 학생들이 좋아하는 색깔을 조사한 것입니다. 물음에 답하세요.

좋아하는 색깔

철호 빨강	지선 노랑	석원 빨강	현호 초록
성하 파랑	지은 파랑	지민 파랑	석진 파랑
경태 노랑	영아 파랑	주아 노랑	희정 파랑
가림 초록	수호 노랑	서연 빨강	아진 초록
시내 노랑	아람 파랑	성수 파랑	시연 초록

01 조사한 자료를 보고 표를 완성하세요.
하

좋아하는 색깔

색깔	빨간색	노란색	파란색	초록색	합계
학생 수(명)					

02 조사한 학생은 모두 몇 명일까요?
하

( )

03 가장 많은 학생들이 좋아하는 색깔은 무엇일까요?
하

( )

04 좋아하는 색깔별 학생 수가 적은 색깔부터 차례로 쓰세요.
중

( )

05 파란색을 좋아하는 학생 수는 초록색을 좋아하는 학생 수의 몇 배일까요?
중

( )

[06 ~ 09] 학년별로 체격 측정을 한 학생 수를 조사하여 그림그래프로 나타내었습니다. 물음에 답하세요.

학년별 체격 측정을 한 학생 수

학년	학생 수
1	
2	
3	
4	
5	
6	

10명 1명

06 과 은 각각 몇 명을 나타낼까요?
중

( )

( )

07 체격 측정을 한 3학년 학생은 몇 명일까요?
중

( )

08 체격 측정을 한 학생 수가 가장 적은 학년은 몇 학년일까요?
중

( )

09 체격 측정을 한 5학년 학생은 2학년 학생보다 몇 명 더 많을까요?
중

( )

6 단원

• 정답 70쪽

[10~13] 은수네 학교 학생들이 좋아하는 책을 조사한 것입니다. 물음에 답하세요.

좋아하는 책

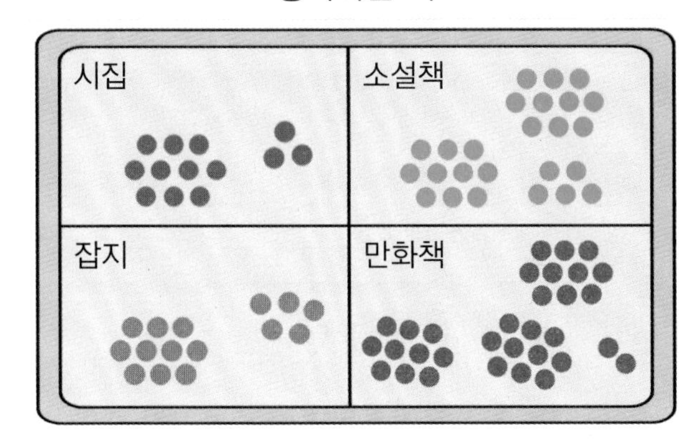

10 그림을 보고 표를 완성하세요.
중

좋아하는 책별 학생 수

책	시집	소설책	잡지	만화책	합계
학생 수(명)					

11 표를 보고 그림그래프를 완성하세요.
중

좋아하는 책별 학생 수

책	학생 수
시집	
소설책	
잡지	
만화책	

10명
1명

12 수의 많고 적음을 한눈에 비교하는 데 표와 그림그래프 중에서 어느 것이 더 편리할까요?
중

( )

13 두 번째로 많은 학생들이 좋아하는 책은 무엇일까요?
중

( )

[14~17] 승연이네 반 학생들이 좋아하는 새를 조사하여 표로 나타내었습니다. 물음에 답하세요.

좋아하는 새별 학생 수

새	앵무새	까치	비둘기	독수리	합계
학생 수(명)	15		6	3	34

14 까치를 좋아하는 학생은 몇 명일까요?
중

( )

15 표를 보고 그림그래프로 나타내세요.
중

좋아하는 새별 학생 수

새	학생 수
앵무새	
까치	
비둘기	
독수리	

◎10명 ○1명

16 많은 학생들이 좋아하는 새부터 차례로 쓰세요.
중

( )

17 앵무새를 좋아하는 학생은 독수리를 좋아하는 학생의 몇 배일까요?
중

( )

6 단원

• 정답 70쪽

[18~21] 마을별 심은 나무 수를 조사하여 그림그래프로 나타내었습니다. 네 마을에서 심은 나무가 모두 2240그루일 때 물음에 답하세요.

마을별 심은 나무 수

마을	나무 수
별	
달	
해	
구름	

100그루 10그루

18 달 마을에서 심은 나무는 몇 그루일까요?
중
( )

19 가장 많은 나무를 심은 마을은 어느 마을이고, 몇 그루를 심었을까요?
중
( ), ( )

20 별 마을보다 나무를 더 적게 심은 마을을 모두 찾아 쓰세요.
중
( )

21 구름 마을에서 심은 나무 수의 2배만큼 나무를 심은 마을은 어느 마을일까요?
중
( )

[22~25] 소진이네 마을의 과수원에서 작년에 수확한 포도 생산량을 조사하여 그림그래프로 나타내었습니다. 물음에 답하세요.

과수원별 포도 생산량

과수원	생산량
푸른	
시원	
행복	
우리	

100상자
10상자

22 시원 과수원의 포도 생산량은 몇 상자일까요?
중
( )

23 작년에 포도를 가장 많이 생산한 과수원은 어느 과수원일까요?
중
( )

문제 해결
24 시원 과수원에서 올해 포도 생산량을 500상자로 늘리려고 합니다. 작년보다 몇 상자를 더 생산해야 할까요?
상
( )

서술형 문제
25 포도를 가장 많이 생산한 과수원과 포도를 가장 적게 생산한 과수원의 포도 생산량의 차는 몇 상자인지 풀이 과정을 쓰고 답을 구하세요.
상

풀이 ______________________

____

____

____

답 ______________

실력 단원평가 지필 평가 대비

6. 자료의 정리(그림그래프)

점수

[01~04] 일영이네 학교 학생들이 좋아하는 놀이 기구를 조사하여 여학생과 남학생으로 나누어 표로 나타내었습니다. 물음에 답하세요.

좋아하는 놀이 기구별 남녀 학생 수

놀이 기구	바이킹	범퍼카	롤러 코스터	회전 그네	합계
여학생 수(명)	38		29	34	113
남학생 수(명)	32	15	42		117

01 위의 빈칸에 알맞은 수를 써넣으세요. [5점]

하

02 가장 많은 여학생들이 좋아하는 놀이 기구는 무엇일까요? [5점]

하

( )

03 일영이네 학교에서 많은 남학생들이 좋아하는 놀이 기구부터 차례로 쓰세요. [8점]

중

( )

04 롤러코스터를 좋아하는 학생은 모두 몇 명일까요? [8점]

중

( )

[05~08] 미나네 모둠 학생들이 일주일 동안 먹은 사탕 수를 조사하여 표로 나타내었습니다. 은정이가 먹은 사탕은 태민이가 먹은 사탕의 2배입니다. 물음에 답하세요.

일주일 동안 먹은 사탕 수

이름	미나	은정	태민	혁수	합계
사탕 수(개)	23		11	8	

05 은정이가 먹은 사탕은 몇 개일까요? [5점]

중

( )

06 미나네 모둠이 일주일 동안 먹은 사탕은 모두 몇 개일까요? [5점]

중

( )

07 표를 보고 그림그래프로 나타내세요. [10점]

중

일주일 동안 먹은 사탕 수

이름	사탕 수
미나	
은정	
태민	
혁수	

10개 1개

문제 해결

08 태민이보다 사탕을 더 많이 먹은 사람은 누구인지 모두 쓰세요. [8점]

중

( )

6 단원

• 정답 71쪽

[09~11] 어느 주스 가게에서 한 달 동안의 판매량을 조사하여 그림그래프로 나타내었습니다. 물음에 답하세요.

주스별 판매량

주스	판매량
딸기 맛	
포도 맛	
망고 맛	
파인애플 맛	

100잔 10잔

09 이 가게에서 한 달 동안 판매량이 가장 많은 음료는 어느 맛일까요? [5점]
중

( )

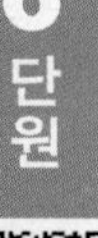

진도 완료 체크

서술형 문제

10 한 달 동안 가장 많이 팔린 주스와 가장 적게 팔린 주스의 판매량의 차는 몇 잔인지 풀이 과정을 쓰고 답을 구하세요. [10점]
중

풀이

답

추론

11 다음 달에는 어떤 주스의 재료를 가장 많이 준비하면 좋을까요? [8점]
중

( )

[12~14] 홍관이가 월별로 받은 칭찬 붙임딱지 수를 조사하여 그림그래프로 나타내었습니다. 12월에 받은 붙임딱지가 11월에 받은 붙임딱지보다 4장 더 적습니다. 물음에 답하세요.

월별 받은 칭찬 붙임딱지 수

월	칭찬 붙임딱지 수
9	
10	
11	
12	

10장 5장 1장

12 12월에 받은 붙임딱지는 몇 장일까요? [5점]
중

( )

문제 해결

13 10월에 받은 붙임딱지는 9월에 받은 붙임딱지보다 몇 장 더 많을까요? [8점]
상

( )

서술형 문제

14 칭찬 붙임딱지 9장을 공책 한 권으로 바꿀 수 있습니다. 홍관이가 가지고 있는 칭찬 붙임딱지를 공책으로 바꾼다면 몇 권까지 바꿀 수 있는지 풀이 과정을 쓰고 답을 구하세요. [10점]
상

풀이

답

과정 중심 단원평가 지필·구술 평가 대비

6. 자료의 정리 (그림그래프)

점수

[1~2] 효주네 학교 학생들이 좋아하는 운동을 조사하여 그림그래프로 나타내었습니다. 물음에 답하세요.

좋아하는 운동별 학생 수

운동	학생 수
축구	◎◎○○○○○
농구	◎○○○○○○○○○
야구	◎○○○
피구	◎◎◎○○

◎ 10명 ○ 1명

(지필 평가) 종이에 답을 쓰는 형식의 평가

1 농구를 좋아하는 학생은 몇 명인지 풀이 과정을 쓰고 답을 구하세요. [10점]

풀이

답

(지필 평가)

2 가장 많은 학생들이 좋아하는 운동은 무엇인지 풀이 과정을 쓰고 답을 구하세요. [10점]

풀이

답

[3~4] 미경이네 학교 3학년 학생들이 소풍 가고 싶은 장소를 조사하여 그림그래프로 나타내었습니다. 박물관에 가고 싶은 학생은 동물원에 가고 싶은 학생보다 7명 더 적습니다. 물음에 답하세요.

소풍 가고 싶은 장소별 학생 수

장소	학생 수
고궁	◎◎○○○
동물원	◎◎◎○○
박물관	
놀이동산	◎◎◎◎○

◎ 10명 ○ 1명

(지필 평가)

3 박물관에 가고 싶은 학생은 몇 명인지 풀이 과정을 쓰고 답을 구하세요. [10점]

풀이

답

(구술 평가) 발표를 통해 이해 정도를 평가

4 그림그래프를 보고 소풍 가는 장소를 정할 때 어느 곳으로 정하면 좋을지 쓰고, 그 까닭을 쓰세요. [15점]

답

까닭

6 단원

• 정답 72쪽

[5~6] 각 마을별 버섯 생산량을 조사하여 그림그래프로 나타내었습니다. 물음에 답하세요.

마을별 버섯 생산량

마을	생산량
가	
나	
다	
라	

100 kg 50 kg 10 kg

지필 평가

5 버섯 생산량이 가장 적은 마을의 버섯 생산량은 몇 kg인지 풀이 과정을 쓰고 답을 구하세요. [10점]

풀이

답

지필 평가

6 네 마을의 버섯 생산량은 모두 몇 kg인지 풀이 과정을 쓰고 답을 구하세요. [15점]

풀이

답

[7~8] 승하네 반 학생들이 도서관에서 빌려 간 책의 수를 그림그래프로 나타내었습니다. 9월부터 12월까지 도서관에서 빌려 간 책은 모두 165권입니다. 물음에 답하세요.

도서관에서 빌려 간 책의 수

월	책의 수
9월	
10월	
11월	
12월	

10권 1권

지필 평가

7 10월에 빌려 간 책은 몇 권인지 풀이 과정을 쓰고 답을 구하세요. [15점]

풀이

답

지필 평가

8 가장 많이 빌려 간 달과 가장 적게 빌려 간 달의 책의 수의 차는 몇 권인지 풀이 과정을 쓰고 답을 구하세요. [15점]

풀이

답

6 단원

진도 완료 체크

꼼꼼 풀이집

정답과 풀이

3-2

1단원 곱셈

Step 1 교과 개념 8~9쪽

1 200, 60, 12 | 200, 60, 12, 272

2 2, 486

3 372

4 (1)

	2	2	8	
×			3	
		2	4	… 8 ×3
		6	0	… 20 ×3
	6	0	0	… 200 ×3
	6	8	4	

(2)

	4	2	3
×			2
			6
		4	0
	8	0	0
	8	4	6

(3)

	3	2	7
×			3
		2	1
		6	0
	9	0	0
	9	8	1

5 (1)

		2	
	1	2	9
×			3
	3	8	7

(2)

		3	
	1	1	8
×			4
	4	7	2

(3)

		1	
	3	2	8
×			2
	6	5	6

6 (1) 488 (2) 868

7 675

8 예 500▸2점 ; $114\times5=570$▸4점, 570▸4점

2 백 모형 2개, 십 모형 4개, 일 모형 3개가 2묶음 있으므로 243×2로 나타낼 수 있습니다.
⇨ $243\times2=486$

5 (1) ① 일의 자리를 계산한 $9\times3=27$에서 20을 십의 자리로 올림하여 십의 자리 위에 2를 작게 씁니다.
② 십의 자리를 계산한 $2\times3=6$에 일의 자리에서 올림한 수 2를 더하여 8을 십의 자리에 씁니다.
③ $1\times3=3$이므로 3을 백의 자리에 씁니다.
(2) 일의 자리를 계산한 $8\times4=32$에서 30을 십의 자리로 올림하여 십의 자리 위에 3을 작게 씁니다.

6 (2) 일의 자리 수 7에 4를 곱하면 28이므로 20을 십의 자리로 올림하여 십의 자리 위에 2를 작게 씁니다.

주의
일의 자리 계산에서 20을 십의 자리로 올림하지 않아 848이라고 써서 틀리지 않도록 합니다.

7

		1	
	2	2	5
×			3
	6	7	5

8 114를 100으로 생각하여 계산하면 $100\times5=500$으로 어림할 수 있습니다.

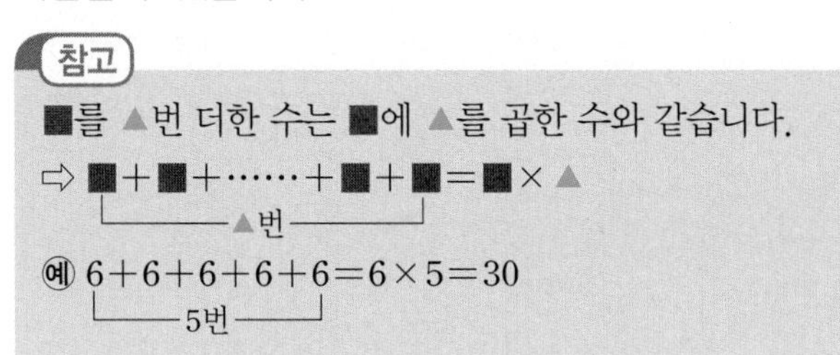
참고
■를 ▲번 더한 수는 ■에 ▲를 곱한 수와 같습니다.
⇨ ■+■+……+■+■=■×▲ (▲번)
예 $6+6+6+6+6=6\times5=30$ (5번)

Step 1 교과 개념 10~11쪽

1 4 ; 1, 0

2 2, 546

3 (1)

		5	2	3
×				3
				9
			6	0
	1	5	0	0
	1	5	6	9

(2)

		3	7	1
×				4
				4
			2	8	0
	1	2	0	0
	1	4	8	4

4

	1	2	3
×			8
		2	4
	1	6	0
	8	0	0
	9	8	4

	1	2	
	1	2	3
×			8
	9	8	4

5 (1)

	3		
	1	8	2
×			4
	7	2	8

(2)

	1		
	4	5	2
×			3
1	3	5	6

6 40×6에 ○표

7 (1) 459 (2) 1448

8 $230\times5=1150$▸5점 ; 1150▸5점

2 백 모형 $2\times2=4$(개), 십 모형 $7\times2=14$(개), 일 모형 $3\times2=6$(개)이고, 십 모형 14개는 백 모형 1개, 십 모형 4개와 같습니다. ⇨ $273\times2=546$

5 (1) 십의 자리 계산: $8\times4=32$이므로 올림하여 백의 자리 위에 3을 작게 씁니다.
(2) 십의 자리 계산: $5\times3=15$이므로 백의 자리 위에 1을 작게 씁니다.
백의 자리 계산: $4\times3=12$에 올림한 1을 더하여 13을 씁니다.

6 542에서 4는 40을 나타내므로 실제 $40\times6=240$을 나타냅니다.

주의
542에서 숫자 4는 십의 자리이므로 40을 나타낸다는 것에 주의합니다.

8 $\underbrace{230+230+230+230+230}_{5번}$
⇨ $230\times5=1150$

Step 2 교과 유형 익힘 12~13쪽

01 (1) 516 (2) 1074

02

844	884	699
268	906	628
669	286	488

03 (위에서부터) 540, 675

04 237×2에 ○표

05 >

06 548

07 9

08 604, 3624

09 $\begin{array}{r} 3\,1\,9 \\ \times\quad 2 \\ \hline 6\,3\,8 \end{array}$ ▸5점 ; 예 일의 자리에서 올림한 수를 십의 자리 계산 결과에 더하지 않았습니다. ▸5점

10 $264\times5=1320$ ▸5점 ; 1320명 ▸5점

11 예 $374\times4=1496$이고, ▸3점
1496>□이므로 □ 안에 들어갈 수 있는 가장 큰 네 자리 수는 1496보다 1만큼 더 작은 수인 1495입니다. ▸3점 ; 1495 ▸4점

12 418 m

13 3240원

14 1108 cm

15 (1) 134 (2) 670

01 (1) $\begin{array}{r} {\scriptstyle 1\ 3}\ \ \\ 1\,2\,9 \\ \times\quad 4 \\ \hline 5\,1\,6 \end{array}$ (2) $\begin{array}{r} {\scriptstyle 1}\ \ \ \ \\ 5\,3\,7 \\ \times\quad 2 \\ \hline 1\,0\,7\,4 \end{array}$

02 $134\times2=268$, $223\times3=669$, $221\times4=884$
⇨ 268, 669, 884가 있는 칸에 색칠합니다.

03 $\begin{array}{r} {\scriptstyle 1\ 2}\ \ \\ 1\,3\,5 \\ \times\quad 4 \\ \hline 5\,4\,0 \end{array}$, $\begin{array}{r} {\scriptstyle 1\ 2}\ \ \\ 1\,3\,5 \\ \times\quad 5 \\ \hline 6\,7\,5 \end{array}$

04 $237\times2=474$, $161\times6=966$, $421\times2=842$
⇨ $474<842<966$이므로 계산 결과가 가장 작은 것은 237×2입니다.

05 $281\times4=1124$, $351\times2=702$ ⇨ $1124>702$

06 100이 1개, 10이 3개, 1이 7개인 수는 137입니다.
⇨ $137\times4=548$

07 □×4의 일의 자리 수가 6이므로 □는 4 또는 9입니다.
• □=4일 때 ⇨ $114\times4=456$
• □=9일 때 ⇨ $119\times4=476$
따라서 □ 안에 알맞은 수는 9입니다.

08 $151\times4=604$, $604\times6=3624$

10 (서울에서 대구까지 하루에 갈 수 있는 승객 수)
=(한 번에 탈 수 있는 승객 수)×(하루 운행 수)
$=264\times5=1320$(명)

11 1496>□에서 □ 안에 들어갈 수 있는 네 자리 수는 1495, 1494, 1493, ...입니다. 이 중에서 가장 큰 수는 1495입니다.

채점 기준		
374×4의 값을 구한 경우	3점	10점
□ 안에 들어갈 수 있는 가장 큰 네 자리 수를 구한 경우	3점	
답을 바르게 쓴 경우	4점	

12 $209\times2=418$ (m)

13 $810\times4=3240$(원)

14 $\begin{array}{r} {\scriptstyle 2}\ \ \\ 2\,7\,7 \\ \times\quad 4 \\ \hline 8 \end{array}$ ⇨ $\begin{array}{r} {\scriptstyle 3\ 2}\ \ \\ 2\,7\,7 \\ \times\quad 4 \\ \hline 0\,8 \end{array}$ ⇨ $\begin{array}{r} {\scriptstyle 3\ 2}\ \ \\ 2\,7\,7 \\ \times\quad 4 \\ \hline 1\,1\,0\,8 \end{array}$

15 (1) $139-5=134$
(2) $134\times5=670$

Step 1 교과 개념 14~15쪽

1 26, 260
2 (1) 56, 56 (2) 78, 78
3 (1) 360 (2) 920
4 (1) 10, 10, 2080 (2) 4, 4, 2080
5 (1) 3600 (2) 3720 (3) 2300 (4) 1660
6 (1) 2400 (2) 2640 (3) 2100 (4) 2310
7 (1) 4200 (2) 3780 (3) 4000 (4) 3700

6 (1) $4\times6=24$이므로 $40\times60=2400$입니다.
(2) $44\times6=264$이므로 $44\times60=2640$입니다.
(3) $7\times3=21$이므로 $70\times30=2100$입니다.
(4) $77\times3=231$이므로 $77\times30=2310$입니다.

7 (1) $6\times7=42$ ⇨ $60\times70=4200$
(2) $54\times7=378$ ⇨ $54\times70=3780$
(3) $5\times8=40$ ⇨ $50\times80=4000$
(4) $74\times5=370$ ⇨ $74\times50=3700$

Step 1 교과 개념 16~17쪽

1 (1) 70 (2) 35 (3) 105
2 (1)
$$\begin{array}{r} 6 \\ \times\ 18 \\ \hline \boxed{4}\boxed{8} \cdots 6\times8 \\ \boxed{6}\boxed{0} \cdots 6\times10 \\ \hline \boxed{1}\boxed{0}\boxed{8} \end{array}$$
(2)
$$\begin{array}{r} 9 \\ \times\ 25 \\ \hline \boxed{4}\boxed{5} \cdots 9\times5 \\ \boxed{1}\boxed{8}\boxed{0} \cdots 9\times20 \\ \hline \boxed{2}\boxed{2}\boxed{5} \end{array}$$
3 18, 120, 138
4 (1)
$$\begin{array}{r} \boxed{1}\ \ \\ 4 \\ \times\ 23 \\ \hline \boxed{2} \end{array} \Rightarrow \begin{array}{r} 1\ \ \\ 4 \\ \times\ 23 \\ \hline \boxed{9}2 \end{array}$$
(2)
$$\begin{array}{r} \boxed{2}\ \ \\ 7 \\ \times\ 34 \\ \hline \boxed{8} \end{array} \Rightarrow \begin{array}{r} 2\ \ \\ 7 \\ \times\ 34 \\ \hline \boxed{2}\boxed{3}8 \end{array}$$
5 (1) 108 (2) 288 (3) 207 (4) 413
6 (1) 140 (2) 288 **7** 156, 208, 260

1 (1) ▢ 모눈의 수: $7\times10=70$,
(2) ▢ 모눈의 수: $7\times5=35$
(3) $7\times15=70+35=105$

2 (1) 일의 자리 계산: $6\times8=48$,
십의 자리 계산: $6\times10=60$ ⇨ $48+60=108$
(2) 일의 자리 계산: $9\times5=45$,
십의 자리 계산: $9\times20=180$ ⇨ $45+180=225$

3 $18+120=138$

4 (2) 7과 4의 곱은 28이므로 20을 십의 자리로 올림하여 계산합니다.

5 (1)
$$\begin{array}{r} 4 \\ \times27 \\ \hline 28 \\ 80 \\ \hline 108 \end{array}$$
(2)
$$\begin{array}{r} 8 \\ \times36 \\ \hline 48 \\ 240 \\ \hline 288 \end{array}$$
(3)
$$\begin{array}{r} 3 \\ \times69 \\ \hline 27 \\ 180 \\ \hline 207 \end{array}$$
(4)
$$\begin{array}{r} 7 \\ \times59 \\ \hline 63 \\ 350 \\ \hline 413 \end{array}$$

6 (1) $5\times28=140$ (2) $9\times32=288$

7 $3\times52=156$, $4\times52=208$, $5\times52=260$

Step 2 교과 유형 익힘 18~19쪽

01 (1) 2560 (2) 168
02 6400, 4960
03 예 같습니다.
04

05 <
06

07
$$\begin{array}{r} 9 \\ \times15 \\ \hline 45 \\ 9\boxed{0} \\ \hline 135 \end{array}$$
← 안 써도 정답입니다.
08 ⑤
09 ㉢, ㉡, ㉠
10 266명
11 $5\times52=260$ ▸5점 ; 260개 ▸5점
12 3600초
13
$$\begin{array}{r} 6 \\ \times\ 2\boxed{3} \\ \hline 1\boxed{3}8 \end{array}, \quad \begin{array}{r} 6 \\ \times\ 2\boxed{8} \\ \hline 1\boxed{6}8 \end{array}$$
14 8
15 (1) 380장, 420장 (2) 호민, 40

02 • $8\times8=64$ ⇨ $80\times80=6400$
• $62\times8=496$ ⇨ $62\times80=4960$

04 $40\times80=3200$, $20\times90=1800$, $63\times20=1260$, $60\times30=1800$, $80\times40=3200$, $18\times70=1260$

05 $90\times50=4500$, $86\times60=5160$ ⇨ $4500<5160$

06 $78\times40=3120$, $70\times30=2100$, $40\times70=2800$, $54\times60=3240$, $36\times50=1800$
⇨ 2500보다 큰 곱셈식은 78×40, 40×70, 54×60입니다.

07 9×15는 9×5와 9×10의 합으로 계산해야 하는데 9×5와 9×1의 합을 계산해서 틀렸습니다.

08 $24\times50=1200$
① $60\times20=1200$ ② $40\times30=1200$
③ $24\times5\times10$은 24×5의 10배와 같습니다.
⇨ $24\times5=120$이므로 120의 10배는 1200입니다.
④ $240\times5=1200$ ⑤ $2\times4\times50=400$

09 ㉠ $6\times25=150$, ㉡ $7\times23=161$, ㉢ $8\times22=176$
⇨ $176>161>150$

10 (운동장에 줄을 선 학생 수)
=(한 줄에 서 있는 학생 수)×(줄 수)
$=7\times38=266$(명)

12 1시간은 1분의 60배입니다.
따라서 1시간은 60초의 60배이므로
$60\times60=3600$(초)입니다.

참고
• 1시간은 60분이므로 1분의 60배입니다.
• 1분은 60초이므로 1초의 60배입니다.

13
$$\begin{array}{r} 6 \\ \times\ 2㉠ \\ \hline 1㉡8 \end{array}$$
$6\times㉠$의 일의 자리 숫자가 8이므로 ㉠은 3이거나 8입니다.
㉠이 3일 경우 ㉡은 3이 됩니다.
㉠이 8일 경우 ㉡은 6이 됩니다.

14 □ 안에 수를 넣어 계산해 부면 $4\times61=244$, $4\times62=248$, $4\times63=252$, $4\times64=256$, $4\times65=260$, $4\times66=264$, $4\times67=268$, $4\times68=272$, ...입니다.
따라서 □ 안에 들어갈 수 있는 가장 작은 수는 8입니다.

15 (1) 연정이네 반: $20\times19=19\times20=380$(장)
호민이네 반: $30\times14=14\times30=420$(장)
(2) $420-380=40$(장)

Step 1 교과 개념 20~21쪽

1 350, 70,
$$\begin{array}{r} 3\ 5 \\ \times\ 1\ 2 \\ \hline 7\ 0 \\ 3\ 5\ 0 \\ \hline 4\ 2\ 0 \end{array}$$

2 860, 129, 989

3
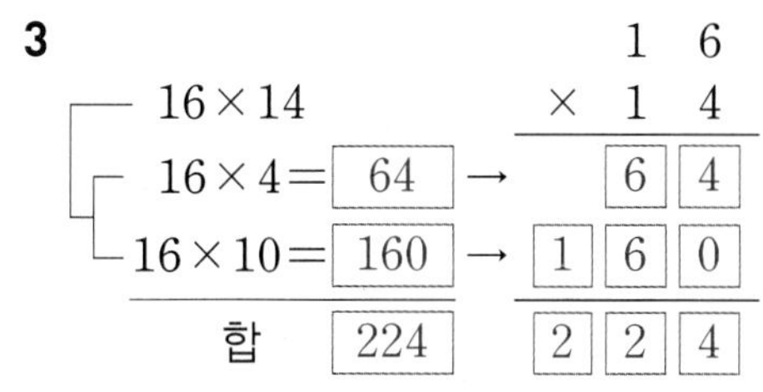

4 (1)
$$\begin{array}{r} 6\ 3 \\ \times\ 1\ 2 \\ \hline 1\ 2\ 6 \\ 6\ 3\ 0 \\ \hline 7\ 5\ 6 \end{array}$$
(2)
$$\begin{array}{r} 2\ 8 \\ \times\ 1\ 3 \\ \hline 8\ 4 \\ 2\ 8\ 0 \\ \hline 3\ 6\ 4 \end{array}$$

5 2232

6 (1) 325 (2) 312 (3) 676 (4) 1281

7
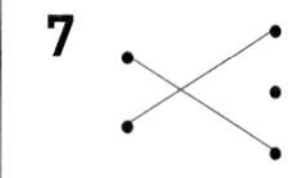

8 예
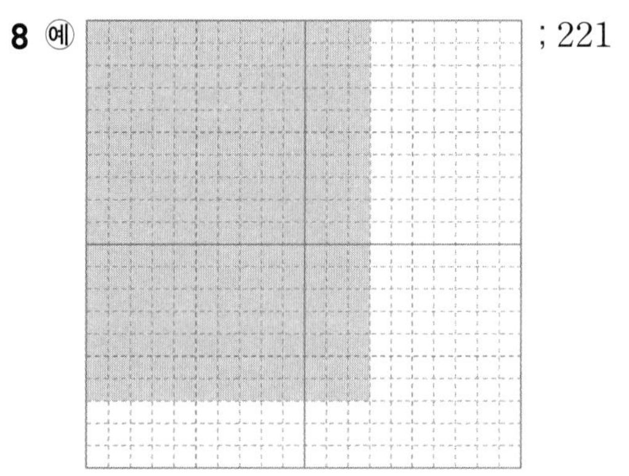
; 221

2 43×23은 43×20과 43×3의 합입니다.

5 $72\times31=2232$

7
$$\begin{array}{r} 1\ 4 \\ \times\ 1\ 7 \\ \hline 9\ 8 \\ 1\ 4\ \ \\ \hline 2\ 3\ 8 \end{array} \qquad \begin{array}{r} 4\ 6 \\ \times\ 2\ 1 \\ \hline 4\ 6 \\ 9\ 2\ \ \\ \hline 9\ 6\ 6 \end{array}$$

8 13칸씩 17줄을 색칠하고 색칠한 모눈의 칸 수를 구합니다.
$10\times10=100$, $3\times10=30$, $10\times7=70$, $3\times7=21$
⇨ $13\times17=100+30+70+21=221$

Step 1 교과 개념 22~23쪽

1 3 ; 2 ; 5 ; 1, 1 ; 1, 1, 7, 3

2 920, 184, 1104

3

$$\begin{array}{rl} 56 & \\ \times\ 67 & \\ \hline \boxed{3}\boxed{9}\boxed{2} & \cdots 56\times\boxed{7} \\ \boxed{3}\boxed{3}\boxed{6}0 & \cdots 56\times\boxed{60} \\ \hline \boxed{3}\boxed{7}\boxed{5}\boxed{2} & \end{array}$$

4 (1)
$$\begin{array}{r} 63 \\ \times\ 32 \\ \hline \boxed{1}\boxed{2}\boxed{6} \\ \boxed{1}\boxed{8}\boxed{9}0 \\ \hline \boxed{2}\boxed{0}\boxed{1}\boxed{6} \end{array}$$
(2)
$$\begin{array}{r} 81 \\ \times\ 74 \\ \hline \boxed{3}\boxed{2}\boxed{4} \\ \boxed{5}\boxed{6}\boxed{7}0 \\ \hline \boxed{5}\boxed{9}\boxed{9}\boxed{4} \end{array}$$
(3)
$$\begin{array}{r} 28 \\ \times\ 69 \\ \hline \boxed{2}\boxed{5}\boxed{2} \\ \boxed{1}\boxed{6}\boxed{8}0 \\ \hline \boxed{1}\boxed{9}\boxed{3}\boxed{2} \end{array}$$
(4)
$$\begin{array}{r} 77 \\ \times\ 54 \\ \hline \boxed{3}\boxed{0}\boxed{8} \\ \boxed{3}\boxed{8}\boxed{5}0 \\ \hline \boxed{4}\boxed{1}\boxed{5}\boxed{8} \end{array}$$

5 ③

6 (1) 1677 (2) 1344 (3) 1976 (4) 5628

7 3040 **8** 4526

2 46×24는 46×20의 값과 46×4의 값을 더하여 구합니다.

3 56과 일의 자리의 7을 먼저 곱하고, 56과 십의 자리의 60을 곱한 값을 더합니다.
⇨ $56\times7=392$, $56\times60=3360$
$56\times67=392+3360=3752$

4 (1) $63\times2=126$, $63\times30=1890$
⇨ $63\times32=126+1890=2016$
(2) $28\times9=252$, $28\times60=1680$
⇨ $28\times69=252+1680=1932$

5 □ 안의 수는 29와 십의 자리의 20을 곱한 값이므로 $29\times20=580$입니다.

6 (1)
$$\begin{array}{r} 43 \\ \times\ 39 \\ \hline 387 \\ 1290 \\ \hline 1677 \end{array}$$
(2)
$$\begin{array}{r} 56 \\ \times\ 24 \\ \hline 224 \\ 1120 \\ \hline 1344 \end{array}$$
(3)
$$\begin{array}{r} 52 \\ \times\ 38 \\ \hline 416 \\ 1560 \\ \hline 1976 \end{array}$$
(4)
$$\begin{array}{r} 67 \\ \times\ 84 \\ \hline 268 \\ 5360 \\ \hline 5628 \end{array}$$

7
$$\begin{array}{r} 32 \\ \times\ 95 \\ \hline 160 \\ 2880 \\ \hline 3040 \end{array}$$

8
$$\begin{array}{r} 73 \\ \times\ 62 \\ \hline 146 \\ 4380 \\ \hline 4526 \end{array}$$

Step 2 교과 유형 익힘 24~25쪽

01 (1) (2)

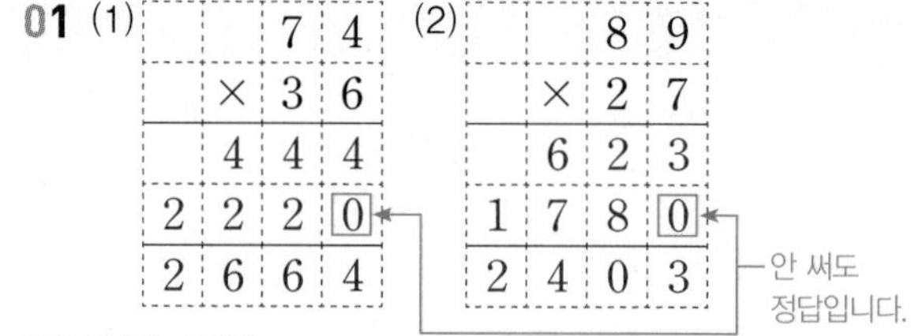

02 208, 533

03 (선 잇기)

04 1007

05 (1) > (2) =

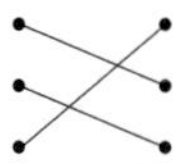

06
$$\begin{array}{rl} 35 & \\ \times\ 63 & \\ \hline 105 & \\ 210\boxed{0} & \leftarrow \text{안 써도 정답입니다.} \\ \hline 2205 & \end{array}$$

07 780킬로그램

08 $24\times49=1176$ ▶5점 ; 1176마리 ▶5점

09 728쪽

10 예 상자에 넣은 과자는 $27\times19=513$(개)이고 넣고 남은 과자는 22개입니다. ▶3점
따라서 하루 동안 만든 과자는
$513+22=535$(개)입니다. ▶3점
; 535개 ▶4점

11 40개

12

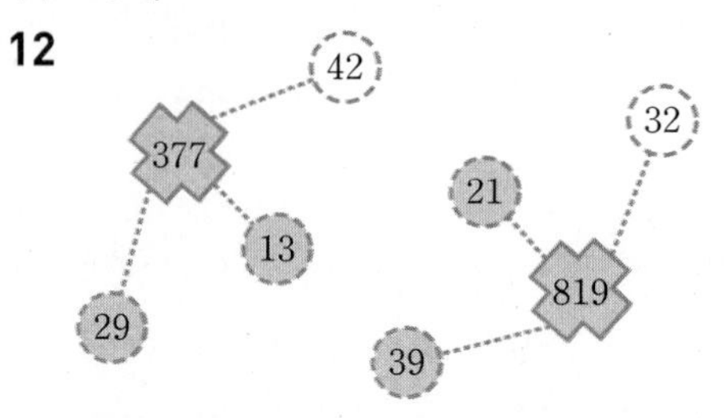

13 238 cm

14 7, 2, 4

03

$$\begin{array}{r} 45 \\ \times\ 63 \\ \hline 135 \\ 2700 \\ \hline 2835 \end{array} \qquad \begin{array}{r} 27 \\ \times\ 24 \\ \hline 108 \\ 540 \\ \hline 648 \end{array} \qquad \begin{array}{r} 63 \\ \times\ 18 \\ \hline 504 \\ 630 \\ \hline 1134 \end{array}$$

04 가장 큰 수: 53, 가장 작은 수: 19
⇨ $53 \times 19 = 1007$

05 (1) $46 \times 39 = 1794$, $71 \times 13 = 923$
⇨ $1794 > 923$
(2) $12 \times 42 = 504$, $21 \times 24 = 504$

06 35와 곱하는 수의 십의 자리의 60을 곱한 값은 $35 \times 60 = 2100$입니다.

07 (승강기에 실을 수 있는 최대 무게)
=(한 사람의 몸무게)×(최대 정원)
$= 65 \times 12 = 780$ (킬로그램)

08 (전체 열대어의 수)
=(어항 한 개에 있는 열대어의 수)×(어항 수)
$= 24 \times 49 = 1176$(마리)

09 1주일은 7일이므로 4주일은 $7 \times 4 = 28$(일)입니다.
따라서 현수가 4주일 동안 읽을 수 있는 동화책은 $26 \times 28 = 728$(쪽)입니다.

10 (하루 동안 만든 과자의 수)
=(상자에 넣은 과자의 수)+(남은 과자의 수)

채점 기준		
상자에 넣은 과자의 수를 구한 경우	3점	10점
하루 동안 만든 과자의 수를 구한 경우	3점	
답을 바르게 쓴 경우	4점	

11 $39 \times 22 = 858$, $43 \times 19 = 817$입니다.
817과 858 사이에 있는 세 자리 수는 $858 - 817 - 1 = 40$(개)입니다.

12 $\underline{29 \times 13 = 377}$, $13 \times 42 = 546$, $29 \times 42 = 1218$
$32 \times 21 = 672$, $\underline{21 \times 39 = 819}$, $39 \times 32 = 1248$

13 굵은 선은 17 cm가 14개이므로 $17 \times 14 = 238$ (cm)입니다.

14 계산 결과가 가장 크게 되기 위해서는 곱해지는 수의 십의 자리에 가장 큰 수인 7을 놓아야 합니다.
$72 \times 64 = 4608$, $74 \times 62 = 4588$
⇨ $4608 > 4588$
따라서 계산 결과가 가장 큰 곱셈식은 72×64입니다.

Step 3 문제 해결 26~29쪽

1 200
1-1 ③
1-2 [60] × [7]
2 9
2-1 (1) 1, 6 (2) 6
2-2 (위에서부터) 5, 6
3 51
3-1 3
3-2 4
3-3 15, 16
4 [7] × [5][3] = [371]

4-1

$$\begin{array}{r} \boxed{9} \\ \times\ \boxed{4}\boxed{2} \\ \hline \boxed{3\ 7\ 8} \end{array}$$

4-2

$$\begin{array}{r} \boxed{3} \\ \times\ \boxed{6}\boxed{8} \\ \hline \boxed{2\ 0\ 4} \end{array}$$

5 ❶ 12, 336 ▸2점 ❷ 30, 300 ▸2점
❸ 336, 300, 636 ▸2점
; 636개 ▸4점

5-1 예 ❶ (상자에 담은 귤의 수)
$= 60 \times 14 = 840$(개) ▸2점
❷ (상자에 담은 대추의 수)
$= 230 \times 3 = 690$(개) ▸2점
❸ (상자에 담은 귤과 대추의 수)
$= 840 + 690 = 1530$(개) ▸2점
; 1530개 ▸4점

5-2 예 (수영이가 걸은 거리) $= 473 \times 5 = 2365$ (m) ▸2점
(주혁이가 걸은 거리) $= 549 \times 4 = 2196$ (m) ▸2점
따라서 $2365 > 2196$이므로 수영이가 $2365 - 2196 = 169$ (m) 더 걸었습니다. ▸2점
; 수영, 169 m ▸각 2점

6 ❶ 20, 300 ▸2점 ❷ 19, 76 ▸2점
❸ 300, 76, 224 ▸2점
; 224 cm ▸4점

6-1 예 ❶ (색 테이프 16장의 길이의 합)
$= 35 \times 16 = 560$ (cm) ▸2점
❷ (겹친 부분의 길이의 합)
$= 7 \times 15 = 105$ (cm) ▸2점
❸ (이어 붙인 색 테이프의 전체 길이)
$= 560 - 105 = 455$ (cm) ▸2점
; 455 cm ▸4점

6-2 예 막대 24개의 길이의 합은 $42 \times 24 = 1008$ (cm)이고, ▸2점
겹친 부분의 길이의 합은 $10 \times 23 = 230$ (cm)입니다. ▸2점
따라서 이어 묶은 막대의 전체 길이는 $1008 - 230 = 778$ (cm)입니다. ▸2점
; 778 cm ▸4점

1 [2]는 십의 자리 계산 $80\times3+20=260$에서 백의 자리로 올림한 수입니다.
따라서 실제로 나타내는 값은 200입니다.

1-1 [2]는 일의 자리 계산 $6\times4=24$에서 십의 자리로 올림한 수입니다. 따라서 실제로 나타내는 값은 20입니다.

2 □×4의 일의 자리 숫자가 6인 경우는 □=4일 때와 □=9일 때입니다.
□=4일 때 $684\times4=2736$,
□=9일 때 $689\times4=2756$입니다.
따라서 □ 안에 알맞은 수는 9입니다.

2-1 (1) $1\times6=\underline{6}$, $6\times6=3\underline{6}$
(2) □=1일 때 $571\times6=3426$,
□=6일 때 $576\times6=3456$입니다.
따라서 □는 6입니다.

2-2

		㉠
×	㉡	3
3	1	5

• ㉠×3의 일의 자리 숫자가 5이므로 ㉠=5입니다.
• $5\times3=15$에서 10을 십의 자리로 올림했으므로 5×㉡0=300이 되어야 합니다. 따라서 ㉡=6입니다.

3 $83\times50=4150$ (<) 4300,
$83\times51=4233$ (<) 4300,
$83\times52=4316$ (>) 4300
⇨ □ 안에 들어갈 수 있는 가장 큰 수는 51입니다.

3-1 531을 500으로 생각하면 $500\times3=1500<1600$, $500\times4=2000>1600$이므로 □ 안에 3을 넣어 계산해 봅니다.
$531\times3=1593<1600$이므로 □ 안에 들어갈 수 있는 가장 큰 수는 3입니다.

3-2 $612\times2=1224$, $612\times3=1836$, $612\times4=2448$, ... 에서 $2448>1900$이므로 □ 안에 들어갈 수 있는 가장 작은 수는 4입니다.

3-3 $15\times10=150$, $15\times20=300$이므로 □ 안에 들어갈 수의 십의 자리 숫자는 1입니다.
$15\times14=210$, $15\times15=225$, $15\times16=240$, $15\times17=255$이므로 □ 안에 들어갈 수 있는 두 자리 수는 15, 16입니다.

4 계산 결과가 가장 큰 곱셈식을 만들려면 가장 큰 수는 한 자리 수에 놓고 두 번째로 큰 수는 두 자리 수의 십의 자리에 놓아야 합니다.
⇨ $7>5>3$이므로 $7\times53=371$입니다.

4-1 가장 큰 수 9를 한 자리 수에 놓고 나머지 수로 가장 큰 두 자리 수를 만듭니다.
⇨ $9>4>2$이므로 $9\times42=378$입니다.

4-2 가장 작은 수 3을 한 자리 수에 놓고 나머지 수로 가장 작은 두 자리 수를 만듭니다.
⇨ $3<6<8$이므로 $3\times68=204$입니다.

참고
계산 결과가 가장 작은 곱셈식을 만들려면 가장 작은 수는 한 자리 수에 놓고 두 번째로 작은 수는 두 자리 수의 십의 자리에 놓아야 합니다.
⇨ ㉠<㉡<㉢이면 ㉠×㉡㉢의 계산 결과가 가장 작습니다.

5-1

채점 기준		
상자에 담은 귤의 수를 구한 경우	2점	10점
상자에 담은 대추의 수를 구한 경우	2점	
상자에 담은 귤과 대추의 수의 합을 구한 경우	2점	
답을 바르게 쓴 경우	4점	

5-2

채점 기준		
수영이가 걸은 거리를 구한 경우	2점	10점
주혁이가 걸은 거리를 구한 경우	2점	
누가 얼마나 더 걸었는지 구한 경우	2점	
답을 바르게 쓴 경우	각 2점	

6-1

채점 기준		
색 테이프 16장의 길이의 합을 구한 경우	2점	10점
겹친 부분의 길이의 합을 구한 경우	2점	
이어 붙인 색 테이프의 전체 길이를 구한 경우	2점	
답을 바르게 쓴 경우	4점	

6-2

채점 기준		
막대 24개의 길이의 합을 구한 경우	2점	10점
겹친 부분의 길이의 합을 구한 경우	2점	
어어 묶은 막대의 전체 길이를 구한 경우	2점	
답을 바르게 쓴 경우	4점	

Step 4 실력 UP 문제 30~31쪽

01 560개　02 6개
03 1280 킬로칼로리
04 (위에서부터) 4, 5, 2, 5
05 나누어 줄 수 있습니다. ▸5점
; 예 $30\times55=1650$이므로 기념 주화가 1600개보다 많이 있기 때문입니다. ▸5점
06 예 1주일이 7일이므로 2주일은 14일입니다. ▸2점
14일 동안 온 비의 양은 $25\times14=350$ (mm)이고, ▸2점
10 mm$=$1 cm이므로
350 mm$=$35 cm입니다. ▸2점
; 35 cm ▸4점
07 귤, 5개　08 2039그루
09 756쪽
10 420 cm
11 예 어떤 수를 □라 하면 □$+35=112$,
□$=112-35=77$입니다. ▸3점
따라서 바르게 계산하면 $77\times35=2695$입니다. ▸3점
; 2695 ▸4점
12 1300

01 객실 한 칸에 있는 좌석은 4개씩 10줄이므로
$4\times10=40$(개)입니다.
따라서 고속 열차 객실 14칸에 있는 좌석은 모두
$40\times14=560$(개)입니다.

02 [3]$3\times12=396$ ⇨ $396<500$
[4]$3\times12=516$ ⇨ $516>500$
따라서 4, 5, 6, 7, 8, 9가 들어갈 수 있습니다.

03 (새우튀김 13개의 열량)
$=68\times13=884$ (킬로칼로리)
(치즈 케이크 2조각의 열량)
$=198\times2=396$ (킬로칼로리)
⇨ $884+396=1280$ (킬로칼로리)

04

```
      ㉠  3
  ×   3  ㉡
 ----------
      2  1  5
  1  ㉢  9  0
 ----------
  1  ㉣  0  5
```

• ㉠$3\times$㉡$=215$에서 $3\times$㉡의 일의 자리 숫자가 5이므로 ㉡$=5$이고, $3\times5=15$이므로 ㉠$0\times5=200$, ㉠$=4$입니다.
• $43\times30=1$㉢90이고 $43\times30=1$[2]90이므로 ㉢$=2$입니다.
• $215+1290=1505$이므로 ㉣$=5$입니다.

06

채점 기준		
2주일이 14일임을 쓴 경우	2점	10점
2주일 동안 온 비의 양을 구한 경우	2점	
mm 단위를 cm 단위로 나타낸 경우	2점	
답을 바르게 쓴 경우	4점	

07 (귤의 수)$=7\times29=203$(개)
(감의 수)$=6\times33=198$(개)
⇨ 귤이 $203-198=5$(개) 더 많습니다.

08 (녹색 지구에서 심은 나무 수)$=52\times5=260$(그루)
(희망 지킴에서 심은 나무 수)$=76\times13=988$(그루)
(환경 사랑에서 심은 나무 수)$=113\times7=791$(그루)
⇨ $260+988+791=2039$(그루)

09 (12일 동안 읽은 쪽수)$=27\times12=324$(쪽),
(18일 동안 읽은 쪽수)$=24\times18=432$(쪽)
따라서 민지가 30일 동안 읽은 책은 모두
$324+432=756$(쪽)입니다.

10 색 테이프 16장의 길이의 합은
$30\times16=16\times30=480$ (cm)이고,
색 테이프 16장을 이어 붙이면 겹친 부분은 15군데이므로 겹쳐진 부분의 길이의 합은 $4\times15=60$ (cm)입니다.
따라서 이어 붙인 색 테이프의 전체 길이는
$480-60=420$ (cm)입니다.

11

```
     7 7
   × 3 5
  ------
     3 8 5
   2 3 1 0
  ------
   2 6 9 5
```

채점 기준		
잘못 계산한 식을 이용하여 어떤 수를 구한 경우	3점	10점
바르게 계산한 값을 구한 경우	3점	
답을 바르게 쓴 경우	4점	

12 $38-12=26$이고, $38+12=50$입니다.
⇨ $38\star12=26\times50=1300$

본책 26~31쪽

단원 평가 32~35쪽

01 432, 2, 864
02 (1) 1 ; 1, 2, 7, 5 (2) 2 ; 5, 7
03 (1) 35 (2) 340
04 4, 320, 128, 448
05 $834\times6=5004$ ▸2점 ; 5004 ▸2점
06 (1) 408 (2) 2156
07 (선 잇기)
08 544, 4896
09 (위에서부터) 876, 660, 2117
10
$$\begin{array}{r} 5\ 7 \\ \times\ 6\ 4 \\ \hline 2\ 2\ 8 \\ 3\ 4\ 2\ \boxed{0} \\ \hline 3\ 6\ 4\ 8 \end{array}$$
← 안 써도 정답입니다.
11 <
12 ㉢, ㉡, ㉠
13 472 cm
14 $90\times16=1440$ ▸2점 ; 1440원 ▸2점
15 $16\times24=384$ ▸2점 ; 384 ▸2점
16 1410번
17 재영
18 4100원
19 4
20 (위에서부터) 2, 3
21 (1) 2450원 ▸2점 (2) 550원 ▸3점
22 예 한 달 동안 달리기를 한 날은 모두 14일입니다. ▸1점 따라서 주현이가 한 달 동안 달리기를 한 시간은 모두 $35\times14=490$(분)입니다. ▸2점
; 490분 ▸2점
23 (1) 952장 ▸2점 (2) 957장 ▸3점
24 예 만들 수 있는 가장 큰 두 자리 수는 65이고, 만들 수 있는 가장 작은 두 자리 수는 34입니다. ▸1점
따라서 두 수의 곱은 $65\times34=2210$입니다. ▸2점
; 2210 ▸2점

01 백 모형 4개, 십 모형 3개, 일 모형 2개가 2묶음 있으므로 432×2로 나타낼 수 있습니다. ⇨ $432\times2=864$

03 (1) 50×70의 곱은 5×7의 곱의 뒤에 0을 2개 붙인 것과 같습니다.
(2) 68×50의 곱은 68×5의 곱의 뒤에 0을 1개 붙인 것과 같습니다.

04 32×14는 32×10과 32×4의 합입니다.
$32\times10=320$, $32\times4=128$이므로
$32\times14=320+128=448$입니다.

05 $\underbrace{834+834+834+834+834+834}_{6번}=834\times6=5004$

06 (1) 24와 일의 자리의 7을 먼저 곱하고, 24와 십의 자리의 10을 곱한 값을 더합니다.

07 $40\times70=2800$, $124\times5=620$,
$31\times20=620$, $35\times80=2800$,
$60\times50=3000$, $75\times40=3000$

08 $34\times16=544$, $544\times9=4896$

09 $12\times73=876$, $55\times12=660$, $29\times73=2117$

10 57×64는 57×4와 57×60의 합으로 계산해야 하는데 57×4와 57×6의 합을 계산했습니다.

11 $476\times3=1428$, $47\times35=1645$ ⇨ $1428<1645$

12 ㉠ $342\times2=684$
㉡ $17\times30=510$
㉢ $12\times34=408$
⇨ $408<510<684$

13 정사각형은 네 변의 길이가 모두 같으므로 네 변의 길이의 합은 $118\times4=472$ (cm)입니다.

14 90원씩 16권 ⇨ $90\times16=1440$(원)

15 색칠된 모눈의 수는 $10\times20=200$, $6\times20=120$, $10\times4=40$, $6\times4=24$로 모두 $200+120+40+24=384$입니다.
⇨ $16\times24=384$

16 9월은 30일까지 있으므로 다현이가 9월 한 달 동안 한 윗몸일으키기는 모두 $47\times30=1410$(번)입니다.

17 주연: 1시간은 60분이고 하루는 24시간이므로 하루는 $60\times24=1440$(분)입니다.
재영: 1분은 60초이고 1시간은 60분이므로 1시간은 $60\times60=3600$(초)입니다.

18 $10\times60=600$(원), $50\times70=3500$(원)
⇨ $600+3500=4100$(원)

19 $87\times\boxed{3}0=2610<3400$, $87\times\boxed{4}0=3480>3400$이므로 □ 안에 들어갈 수 있는 가장 작은 수는 4입니다.

20
$$\begin{array}{r} 5\ \boxed{㉠}\ 7 \\ \times\ \ \ \ \boxed{㉡} \\ \hline 1\ 5\ 8\ 1 \end{array}$$
• $7\times$㉡의 일의 자리 숫자가 1이므로 ㉡$=3$입니다.
• $7\times3=21$에서 20을 십의 자리로 올림했으므로 ㉠$0\times3=60$이어야 합니다. 따라서 ㉠$=2$입니다.

21 (1) (붙임딱지 7장의 값)

=(붙임딱지 한 장의 값)×(붙임딱지의 수)

$=350\times7=2450$(원)

(2) (거스름돈)$=3000-2450=550$(원)

틀린 과정을 분석해 볼까요?

틀린 이유	이렇게 지도해 주세요
붙임딱지 7장의 값이 얼마인지 구하는 곱셈식을 쓰지 못하는 경우	붙임딱지 한 장 값의 7배를 구하려면 한 장 값에 7을 곱하는 곱셈식을 써서 구해야 하는 것을 알려 줍니다. 덧셈보다 곱셈으로 구하는 것이 간단하다는 것을 알게 하고 곱셈을 바르게 계산하도록 지도합니다.
(세 자리 수)×(몇)의 계산을 하지 못하는 경우	곱셈을 하는 방법을 다시 알아보고 올림에 주의하여 계산하도록 지도합니다.
거스름돈이 얼마인지 구하지 못하는 경우	거스름돈은 낸 돈에서 물건값을 뺀 금액이라는 것을 알려 주고 낸 돈인 3000원에서 붙임딱지 7장의 값인 2450원을 빼는 뺄셈식을 만들어 계산하도록 지도합니다.

22

채점 기준		
한 달 동안 달리기를 한 날수를 구한 경우	1점	5점
주현이가 한 달 동안 달리기를 한 시간을 구한 경우	2점	
답을 바르게 쓴 경우	2점	

틀린 과정을 분석해 볼까요?

틀린 이유	이렇게 지도해 주세요
한 달 동안 화요일, 수요일, 금요일이 모두 며칠인지 구하지 못한 경우	달력에서 세로로 놓인 날은 같은 요일인 점을 알려 주고 화요일, 수요일, 금요일인 날은 모두 며칠인지 세어 보도록 지도합니다.
(몇십몇)×(몇십몇)의 계산을 하지 못하는 경우	곱셈을 하는 방법을 다시 알아보고 올림에 주의하여 계산하도록 지도합니다.
문제를 이해하지 못하는 경우	화요일, 수요일, 금요일에 달리기를 35분씩 했으므로 해당하는 요일이 며칠인지 알아보고 35에 곱하여 달리기를 한 시간은 모두 몇 시간인지 알아보는 문제입니다. 구하려고 하는 것이 무엇인지 알아본 다음 날짜가 며칠인지 찾아 곱셈식을 쓰고 계산하도록 지도합니다.

23 (1) $7\times136=136\times7=952$(장)

(2) (처음에 있던 색종이 수)$=952+5=957$(장)

틀린 과정을 분석해 볼까요?

틀린 이유	이렇게 지도해 주세요
136명에게 나누어 준 색종이 수를 구하지 못하는 경우	7장씩 136명에게 나누어 준 색종이는 7×136으로 구할 수 있습니다. 곱셈은 두 수를 바꾸어 곱해도 되므로 136×7로 바꾸어 계산할 수 있다는 점을 지도합니다.
처음에 있던 색종이 수를 구하지 못하는 경우	처음에 있던 색종이 수는 나누어 주기 전에 가지고 있던 색종이 수이므로 나누어 준 색종이 수와 남은 색종이 수를 더하여 구할 수 있다는 것을 알려 줍니다.

24

채점 기준		
가장 큰 두 자리 수와 가장 작은 두 자리 수를 만든 경우	1점	5점
두 수의 곱을 구한 경우	2점	
답을 바르게 쓴 경우	2점	

틀린 과정을 분석해 볼까요?

틀린 이유	이렇게 지도해 주세요
가장 큰 수 또는 가장 작은 수를 만들지 못하는 경우	가장 큰 두 자리 수는 십의 자리에 가장 큰 수를, 일의 자리에 두 번째로 큰 수를 사용하여 만들도록 지도합니다. 가장 작은 수는 십의 자리에 가장 작은 수를, 일의 자리에 두 번째로 작은 수를 사용하여 만들도록 지도합니다.
두 수의 곱셈을 하지 못하는 경우	(몇십몇)×(몇십몇)을 계산하는 방법을 다시 살펴보고 실수하지 않고 계산하도록 지도합니다.
문제를 이해하지 못하는 경우	구하려는 것이 무엇인지 먼저 알아보고 가장 큰 두 자리 수와 가장 작은 두 자리 수를 차례로 만들고 곱하도록 지도합니다.

2단원 나눗셈

Step 1 교과 개념 38~39쪽

1 (1) 예 (10 10) (10 10) (10 10)

(2) 2, 20

2 40

3 (1) 예 (바둑돌 20개씩 두 묶음)

(2) 20 (3) 20

4 25

5 (1) 1, 10 (2) 3, 30

6 (1) 6 ; 5, 3, 3, 0 (2) 1 ; 4, 2, 2, 0

7 (1) 30 (2) 15

8 (1) 10 (2) 15

3 (3) 바둑돌이 한 묶음에 20개이므로 $40 \div 2 = 20$입니다.

4 수 모형 50을 2묶음으로 나누면 한 묶음에 25씩입니다.

5 나누어지는 수가 10배가 되면 몫도 10배가 됩니다.

7 (2)
```
    1 5
6 ) 9 0
    6
    ---
    3 0
    3 0
    ---
      0
```

8 (2)
```
    1 5
2 ) 3 0
    2
    ---
    1 0
    1 0
    ---
      0
```

Step 1 교과 개념 40~41쪽

1 (1) 2, 2 (2) 22

2 (1) 11 (2) 2

3 (1) 2, 1 ; 8, 4, 4 (2) 1, 2 ; 3, 6, 6

4 (1) 11 (2) 13

5 (○)( )

6 (○)( )

7 (1) 31 (2) 23

8

39÷3	42÷2	62÷2
○		

9 32, 33

3 십의 자리 수를 나눈 몫을 몫의 십의 자리에, 일의 자리 수를 나눈 몫을 몫의 일의 자리에 씁니다.

5
```
    2 1
4 ) 8 4
    8
    ---
      4
      4
    ---
      0
```

6
```
    4 3          2 3
2 ) 8 6      2 ) 4 6
    8            4
    ---          ---
      6            6
      6            6
    ---          ---
      0            0
```

7 (1), (2)
```
    3 1          2 3
3 ) 9 3      3 ) 6 9
    9            6
    ---          ---
      3            9
      3            9
    ---          ---
      0            0
```

8
```
    1 3          2 1          3 1
3 ) 3 9      2 ) 4 2      2 ) 6 2
    3            4            6
    ---          ---          ---
      9            2            2
      9            2            2
    ---          ---          ---
      0            0            0
```

9 $96 \div 3 = 32$, $99 \div 3 = 33$

Step 2 교과 유형 익힘 42~43쪽

01 (1) 10 (2) 30

02 <

03 ㉢

04 (선 잇기)

05 11

06 44÷4, 22÷2, 66÷6, (70÷7에 ○표)

07 15마리

08 10개

09 11 cm

10
```
    1 1
7 ) 7 7
    7
    ---
      7
      7
    ---
      0
```
▶5점 ; 예 일의 자리 수 7을 7로 나누어야 하는데 나누지 않아서 잘못되었습니다. ▶5점

11 $84 \div 4 = 21$; 21명

12

20÷2	30÷2	60÷3
60÷6	80÷4	80÷2
70÷7	40÷4	90÷9

, ㄴ

13 하, 늬, 바, 람

14 13, 14, 15에 ○표

01 (1) $4 \div 4 = 1$ ⇨ $40 \div 4 = 10$

02 $90 \div 9 = 10$, $80 \div 4 = 20$ ⇨ $10 < 20$

03 ㉠ $80 \div 8 = 10$ ㉡ $40 \div 2 = 20$ ㉢ $80 \div 2 = 40$
10, 20, 40 중 40이 가장 큽니다.

04 $66 \div 2 = 33$, $36 \div 3 = 12$, $48 \div 4 = 12$, $99 \div 3 = 33$

05 $93\div3=31$, $84\div2=42$이므로 나눗셈의 두 몫의 차는 $42-31=11$입니다.

06 $44\div4=\underline{11}$, $22\div2=\underline{11}$, $66\div6=\underline{11}$, $70\div7=\underline{10}$

07 $90\div6=15$(마리)

08 (한 봉지에 담는 귤의 수)=(전체 귤의 수)÷(봉지의 수)
$=20\div2=10$(개)

09 $44\div4=11$ (cm)

11 $84\div4=21$이므로 21명에게 나누어 줄 수 있습니다.

12 $20\div2=\underline{10}$, $30\div2=15$, $60\div3=20$,
$60\div6=\underline{10}$, $80\div4=20$, $80\div2=40$,
$70\div7=\underline{10}$, $40\div4=\underline{10}$, $90\div9=\underline{10}$

13 $63\div3=21$, $24\div2=12$, $90\div3=30$, $77\div7=11$
⇨ $11<12<21<30$
하 늬 바 람

참고
하늬바람: 서쪽에서 부는 바람. 주로 농촌이나 어촌에서 이르는 말

14 $80\div5=16$
□ 안에는 16보다 작은 수가 들어갈 수 있으므로 13, 14, 15입니다.

Step 1 교과 개념 44~45쪽

1 (1) 4, 1 (2) 4, 1, 나머지

2 (1) 예 (2) 7, 1 (3) 7, 1

3 (1) 4 ; 1, 2, 2 (2) 6 ; 3, 6, 2

4
```
(1)     1 9        (2)     3 6
     5)9 5              2)7 2
       5 0                6 0
       4 5                1 2
       4 5                1 2
         0                  0
```

5 (1) 16 (2) 23 (3) 18

6 (1) 15 (2) 17 **7** (1) 6, 2 (2) 7, 5

5
```
(1)    1 6     (2)    2 3     (3)    1 8
     3)4 8          4)9 2          2)3 6
       3              8              2
       1 8            1 2            1 6
       1 8            1 2            1 6
         0              0              0
```

6
```
(1)    1 5     (2)    1 7
     5)7 5          4)6 8
       5              4
       2 5            2 8
       2 5            2 8
         0              0
```

7
```
(1)      6 ← 몫        (2)      7 ← 몫
     4)2 6                  6)4 7
       2 4                    4 2
         2 ← 나머지             5 ← 나머지
```

Step 1 교과 개념 46~47쪽

1 (1) 예 (2) 1, 4, 2 (3) 14, 2

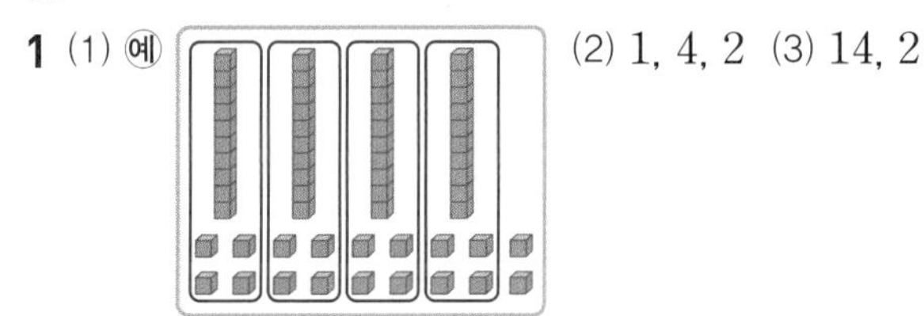

2 14, 1, 나머지

3
```
    1             1             1 6
 3)4 9    ⇨   3)4 9    ⇨   3)4 9
   3             3             3
   1             1 9           1 9
                               1 8
                                 1
```

4
```
(1)    1 4      (2)    4 6
     4)5 9           2)9 3
       4               8
       1 9             1 3
       1 6             1 2
         3               1
```

5 (1) 18, 3 (2) 16, 2

6 (1) 16…2 (2) 15…2 (3) 16…3 (4) 13…2

7 (○)(　)

8 (1) 18, 2 (2) 18, 1

본책 38~47쪽

2
$$\begin{array}{r} 14 \\ 3\overline{)43} \\ 3 \\ \hline 13 \\ 12 \\ \hline 1 \end{array} \quad \begin{array}{l} \leftarrow \text{몫} \\ \\ \\ \\ \\ \\ \leftarrow \text{나머지} \end{array}$$

5 (1)
$$\begin{array}{r} 18 \\ 4\overline{)75} \\ 4 \\ \hline 35 \\ 32 \\ \hline 3 \end{array}$$
(2)
$$\begin{array}{r} 16 \\ 5\overline{)82} \\ 5 \\ \hline 32 \\ 30 \\ \hline 2 \end{array}$$

6 (1)
$$\begin{array}{r} 16 \\ 3\overline{)50} \\ 3 \\ \hline 20 \\ 18 \\ \hline 2 \end{array}$$
(2)
$$\begin{array}{r} 15 \\ 6\overline{)92} \\ 6 \\ \hline 32 \\ 30 \\ \hline 2 \end{array}$$
(3)
$$\begin{array}{r} 16 \\ 5\overline{)83} \\ 5 \\ \hline 33 \\ 30 \\ \hline 3 \end{array}$$
(4)
$$\begin{array}{r} 13 \\ 7\overline{)93} \\ 7 \\ \hline 23 \\ 21 \\ \hline 2 \end{array}$$

7
$$\begin{array}{r} 14 \\ 5\overline{)74} \\ 5 \\ \hline 24 \\ 20 \\ \hline 4 \end{array} \qquad \begin{array}{r} 12 \\ 8\overline{)98} \\ 8 \\ \hline 18 \\ 16 \\ \hline 2 \end{array}$$
⇨ $14>12$

8 (1)
$$\begin{array}{r} 18 \\ 3\overline{)56} \\ 3 \\ \hline 26 \\ 24 \\ \hline 2 \end{array} \quad \begin{array}{l} \leftarrow \text{몫} \\ \\ \\ \\ \\ \\ \leftarrow \text{나머지} \end{array}$$
(2)
$$\begin{array}{r} 18 \\ 4\overline{)73} \\ 4 \\ \hline 33 \\ 32 \\ \hline 1 \end{array} \quad \begin{array}{l} \leftarrow \text{몫} \\ \\ \\ \\ \\ \\ \leftarrow \text{나머지} \end{array}$$

Step 2 교과 유형 익힘 48~49쪽

01 38, 19
02 >
03 (위에서부터) 11, 5 ; 12, 2
04 (   ) (○) (   )
05
$$\begin{array}{r} 16 \\ 4\overline{)65} \\ 4 \\ \hline 25 \\ 24 \\ \hline 1 \end{array}$$
06 15, 5
07 ③, ④
08 ㉣
09 (나)
10 (1) 12마리 (2) 14마리
11 $84 \div 7=12$; 12개
12 $61 \div 5=12 \cdots 1$; 12, 1
13 28
14 27개

02 $92 \div 4=23$, $78 \div 6=13$ ⇨ $23>13$

03 $64 \div 5=12 \cdots 4$, $93 \div 8=11 \cdots 5$, $86 \div 7=12 \cdots 2$

04 나머지는 나누는 수보다 작아야 합니다.
□÷6은 나머지가 6보다 작아야 합니다.
□÷4는 나머지가 4보다 작아야 합니다.
□÷7은 나머지가 7보다 작아야 합니다.
따라서 나머지가 4가 될 수 없는 식은 □÷4입니다.

05 십의 자리에서 내림을 하지 않고 계산하여 잘못되었습니다.

06
$$\begin{array}{r} 15 \\ 4\overline{)62} \\ 4 \\ \hline 22 \\ 20 \\ \hline 2 \end{array} \quad \begin{array}{l} \leftarrow ㉠ \\ \\ \\ \\ \\ \\ \\ \end{array} \qquad \begin{array}{r} 10 \\ 7\overline{)75} \\ 7 \\ \hline 5 \end{array} \quad \begin{array}{l} \\ \\ \\ \leftarrow ㉡ \end{array}$$

07 ① $48 \div 6=8$ ② $60 \div 6=10$
③ $38 \div 6=6 \cdots 2$ ④ $50 \div 6=8 \cdots 2$
⑤ $96 \div 6=16$

08 ㉠ $69 \div 4=17 \cdots \underline{1}$ ㉡ $53 \div 3=17 \cdots \underline{2}$
㉢ $43 \div 5=8 \cdots \underline{3}$ ㉣ $60 \div 8=7 \cdots \underline{4}$
따라서 ㉣의 나머지가 4로 가장 큽니다.

09 $44 \div 6=7 \cdots 2$, $44 \div 4=11$이므로 탁구공 44개를 남김없이 바구니의 각 칸에 똑같이 나누어 넣으려면 (나)에 넣어야 합니다.

10 (1) $72 \div 6=12$(마리)
(2) $56 \div 4=14$(마리)

11
$$\begin{array}{r} 12 \\ 7\overline{)84} \\ 7 \\ \hline 14 \\ 14 \\ \hline 0 \end{array} \quad \begin{array}{l} \leftarrow \text{몫} \\ \\ \\ \\ \\ \\ \\ \end{array}$$

12
$$\begin{array}{r} 12 \\ 5\overline{)61} \\ 5 \\ \hline 11 \\ 10 \\ \hline 1 \end{array} \quad \begin{array}{l} \leftarrow \text{몫} \\ \\ \\ \\ \\ \\ \leftarrow \text{나머지} \end{array}$$

13 만들 수 있는 가장 큰 두 자리 수는 84이므로 84를 남은 수 3으로 나누면 몫은 $84 \div 3=28$입니다.

14 바둑돌 54개를 똑같이 양쪽에 나누면 한쪽에 $54 \div 2=27$(개)씩입니다.

1 Step 교과 개념 50~51쪽

1 (1)
[3] 0 0
3)9 0 0
[9] 0 0 ← 3×300
0

(2)
[2][0][0]
2)4 0 0
[4] 0 0
0

2 (1)
[1][5][0]
3)4 5 0
[3]
[1][5]
[1][5]
0

(2)
[4][9]
5)2 4 5
[2][0]
[4][5]
[4][5]
0

(3) 200 (4) 200

3 (1) 390 (2) 244
4 (1) 360 (2) 79
5 280
6 89
7 (선 잇기)
8 ㉡

1 Step 교과 개념 52~53쪽

1 나누는 수, 몫, 나머지, 나누어지는 수
2 4, 16, 16
3 (1)
[5][1]
5)2 5 7
[2][5]
[7]
[5]
[2]

(2)
[9][2]
4)3 6 9
[3][6]
[9]
[8]
[1]

(3)
[1][0][2]
2)2 0 5
[2]
[5]
[4]
[1]

(4)
[1][3][4]
4)5 3 7
[4]
[1][3]
[1][2]
[1][7]
[1][6]
[1]

4 (1) 102, 1 (2) 100, 3
5 (1) 43⋯1 (2) 49⋯3
6 7 ; 4, 9, 1 ; 7, 49, 49, 50
7 ( )(○)
8 (위에서부터) 133, 1 ; 68, 6

2 (3)
200
4)800
8
0

(4)
200
3)600
6
0

4 (1)
360
2)720
6
12
12
0

(2)
79
5)395
35
45
45
0

5
280
3)840
6
24
24
0

6
89
5)445
40
45
45
0

7
160
3)480
3
18
18
0

260
2)520
4
12
12
0

300
2)600
6
0

8
97
3)291
27
21
21
0

⇨ 몫이 90보다 크고 나누어떨어집니다.

3
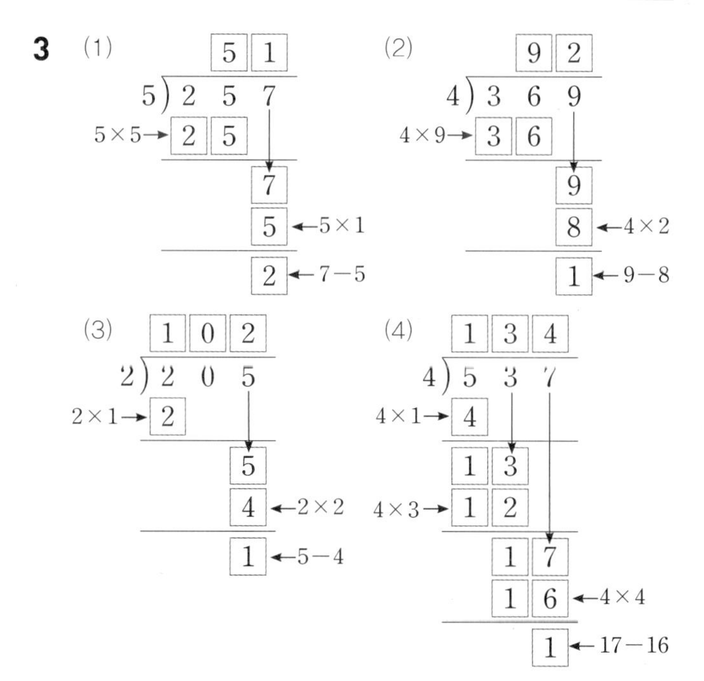

5
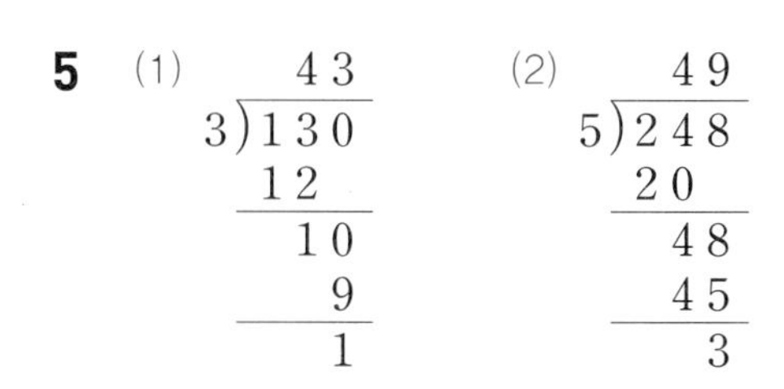

본책 47~53쪽

7

$$\begin{array}{r} 119 \\ 3\overline{)358} \\ 3 \\ \hline 5 \\ 3 \\ \hline 28 \\ 27 \\ \hline 1 \end{array} \qquad \begin{array}{r} 130 \\ 5\overline{)654} \\ 5 \\ \hline 15 \\ 15 \\ \hline 4 \end{array} \Rightarrow 1<4$$

8

$$\begin{array}{r} 133 \\ 3\overline{)400} \\ 3 \\ \hline 10 \\ 9 \\ \hline 10 \\ 9 \\ \hline 1 \end{array} \qquad \begin{array}{r} 68 \\ 9\overline{)618} \\ 54 \\ \hline 78 \\ 72 \\ \hline 6 \end{array}$$

2 교과 유형 익힘 54~55쪽

01 (1) 130 (2) 62

02 $18 \cdots 1$; 18, 1 ; $4\times18=72$, $72+1=73$

03 (선 잇기)

04 $=$

05 ㉡

06

$$\begin{array}{r} 288 \\ 2\overline{)576} \\ 4 \\ \hline 17 \\ 16 \\ \hline 16 \\ 16 \\ \hline 0 \end{array}$$

07 35

08 $875\div7=125$; 125자루

09 123

10 예 전체 고무찰흙은 $5\times32=160$(개)입니다. ▸3점
따라서 한 명에게 $160\div4=40$(개)씩 나누어 줄 수 있습니다. ▸3점
; 40개 ▸4점

11 $167\div5=33\cdots2$; 33, 2

12

출발, 257÷4, 406÷4, 278÷6, 326÷5, 134÷3, 도착, 357÷7, 501÷3

13 $79\div3=26\cdots1$; 26, 1

---

01 (1)

$$\begin{array}{r} 130 \\ 5\overline{)650} \\ 5 \\ \hline 15 \\ 15 \\ \hline 0 \end{array}$$

(2)

$$\begin{array}{r} 62 \\ 7\overline{)434} \\ 42 \\ \hline 14 \\ 14 \\ \hline 0 \end{array}$$

02

$$\begin{array}{r} 18 \\ 4\overline{)73} \\ 4 \\ \hline 33 \\ 32 \\ \hline 1 \end{array}$$

03 $55\div3=18\cdots1$, $49\div5=9\cdots4$, $66\div8=8\cdots2$
나누는 수에 몫을 곱한 후 나머지를 더한 것을 찾아 잇습니다.

04 $738\div3=246$ ㊁ $492\div2=246$

05 ㉠ $216\div3=72$ ㉡ $305\div5=61$ ㉢ $560\div8=70$
72, 61, 70 중 61이 가장 작습니다.

07 $720\div8=90$, $625\div5=125$ ⇨ $125-90=35$

08 (한 반에 나누어 줄 수 있는 색연필 수)
=(전체 색연필 수)÷(반 수)$=875\div7=125$(자루)

09 (어떤 수)$\div9=13\cdots6$
⇨ $9\times13=117$, $117+6=123$이므로 어떤 수는 123입니다.

10 다른 풀이
32묶음을 4명에게 똑같이 나누어 주면 한 사람이 $32\div4=8$(묶음)씩 가지게 됩니다. 한 묶음이 5개씩이므로 $5\times8=40$(개)씩 나누어 줄 수 있습니다.

채점 기준		
전체 고무찰흙의 수를 구한 경우	3점	10점
한 명에게 몇 개씩 나누어 줄 수 있는지 구한 경우	3점	
답을 바르게 쓴 경우	4점	

11 한 상자에 33개씩 담을 수 있고, 2개가 남습니다.
(33 → 몫, 2 → 나머지)

12 $406\div4=101\cdots\underline{2}$, $257\div4=64\cdots1$,
$278\div6=46\cdots\underline{2}$, $326\div5=65\cdots1$,
$134\div3=44\cdots\underline{2}$, $357\div7=51$, $501\div3=167$

13 $3\times26=78$, $78+1=79$
(3 → 나누는 수, 26 → 몫, 1 → 나머지, 79 → 나누어지는 수)

3 Step 문제 해결 56~59쪽

1 6에 ○표
1-1 1, 2, 4
1-2 8
1-3 ③, ④

2
$$\begin{array}{r} 13 \\ 5\overline{)67} \\ 5 \\ \hline 17 \\ 15 \\ \hline 2 \end{array}$$

2-1
$$\begin{array}{r} 14 \\ 6\overline{)84} \\ 6 \\ \hline 24 \\ 24 \\ \hline 0 \end{array}$$

2-2
$$\begin{array}{r} 12 \\ 7\overline{)88} \\ 7 \\ \hline 18 \\ 14 \\ \hline 4 \end{array}$$

3 0, 6
3-1 (1) $7\times\square=8★$ (2) $7\times12=84$ (3) 4
3-2 2, 8
4 74
4-1 111
4-2 49
4-3 80
5 ❶ 8, 7, 7 ▸4점 ❷ 7 ▸2점 ; 7명 ▸4점
5-1 예 ❶ 학생 85명이 6명씩 짝 짓는 것을 나눗셈식으로 나타내면 $85\div6=14\cdots1$입니다. ▸4점
❷ 나머지가 1이므로 짝을 짓지 못한 학생은 1명입니다. ▸2점
; 1명 ▸4점
5-2 예 건전지 75개를 한 상자에 4개씩 담는 것을 나눗셈식으로 나타내면 $75\div4=18\cdots3$입니다. ▸4점
따라서 상자에 담고 남은 건전지는 3개입니다. ▸2점
; 3개 ▸4점
6 ❶ 3, 69 ▸2점 ❷ 69, 3, 23 ▸3점
❸ 23, 7, 2, 7, 2 ▸2점 ; 7, 2 ▸3점
6-1 예 ❶ 잘못 계산한 식은 (어떤 수)$\times6=78$입니다. ▸2점
❷ 나눗셈식으로 나타내면 $78\div6=$(어떤 수)이므로 어떤 수는 13입니다. ▸3점
❸ 바르게 계산한 식은 $13\div6=2\cdots1$이므로 몫은 2, 나머지는 1입니다. ▸2점
; 2, 1 ▸3점
6-2 예 잘못 계산한 식 (어떤 수)$\times4=164$를 ▸2점
나눗셈식으로 나타내면 $164\div4=$(어떤 수)이므로 어떤 수는 41입니다. ▸3점
바르게 계산한 식은 $41\div4=10\cdots1$이므로 몫은 10, 나머지는 1입니다. ▸2점
; 10, 1 ▸3점

1 6으로 나누었을 때 나머지가 될 수 있는 수는 6보다 작은 수이므로 6은 나머지가 될 수 없습니다.

1-1 나머지는 나누는 수보다 작아야 하므로 5보다 작은 수를 모두 찾으면 1, 2, 4입니다.

1-2 어떤 수를 9로 나누면 나머지는 9보다 작아야 하므로 나머지 중 가장 큰 수는 8입니다.

1-3 나누는 수는 나머지보다 커야 하므로 7 또는 7보다 작은 수로 나누는 식을 찾습니다.

2 십의 자리 수를 5로 나누고 남은 수를 내림하지 않았습니다. 내려 쓴 17을 5로 나눈 몫 3을 일의 자리에 쓰면 나머지가 2입니다.

2-1 십의 자리, 일의 자리의 순서로 자리를 맞추어 몫을 씁니다.

2-2 나머지가 나누는 수보다 작아야 합니다.

3 몫을 □로 놓으면 $6\times\square=6★$입니다. $6\times10=60$, $6\times11=66$이므로 ★에 알맞은 수는 0, 6입니다.

3-2 몫을 □로 놓으면 $6\times\square=7★$입니다.
□=12일 때, $6\times12=72$에서 ★=2입니다.
□=13일 때, $6\times13=78$에서 ★=8입니다.
따라서 ★에 알맞은 수는 2, 8입니다.

4 (어떤 수)$\div4=18\cdots2$에서 어떤 수를 구하려면 나누는 수와 몫을 곱한 후 나머지를 더합니다.
⇨ $4\times18=72$, $72+2=74$

4-1 (어떤 수)$\div9=12\cdots3$에서 어떤 수를 구하려면 나누는 수와 몫을 곱한 후 나머지를 더합니다.
⇨ $9\times12=108$, $108+3=111$

4-2 $6\times8=48$, $48+▲=\square$
▲=1, 2, 3, 4, 5가 될 수 있으므로 □ 안에 들어갈 수 있는 가장 작은 수는 $48+1=49$입니다.

4-3 $3\times26=78$, $78+★=\square$
나머지는 나누는 수보다 작아야 하므로 ★이 될 수 있는 수 중에서 가장 큰 수는 2입니다. 따라서 □ 안에 들어갈 수 있는 수 중에서 가장 큰 수는 $78+2=80$입니다.

5-1

채점 기준		
나눗셈식으로 나타내고 계산한 경우	4점	10점
짝을 짓지 못한 학생 수를 구한 경우	2점	
답을 바르게 쓴 경우	4점	

5-2

채점 기준		
나눗셈식으로 나타내고 계산한 경우	4점	10점
4개씩 담고 남은 건전지의 수를 구한 경우	2점	
답을 바르게 쓴 경우	4점	

6-1

채점 기준		
잘못 계산한 식을 쓴 경우	2점	10점
어떤 수를 구한 경우	3점	
바르게 계산한 몫과 나머지를 구한 경우	2점	
답을 바르게 쓴 경우	3점	

6-2

채점 기준		
잘못 계산한 식을 쓴 경우	2점	10점
어떤 수를 구한 경우	3점	
바르게 계산한 몫과 나머지를 구한 경우	2점	
답을 바르게 쓴 경우	3점	

Step 4 실력UP문제 60~61쪽

01 8, 6, 4, 2 ; 432　**02** 16일
03 9, 7, 5 ; 19, 2　**04** 17개
05 7, 8, 9　**06** 64, 5
07 예 14쪽씩 12일 동안 읽은 쪽수는 $14\times12=168$(쪽)이고 남은 쪽수는 $240-168=72$(쪽)입니다. ▸4점
따라서 4일 동안 읽으려면 하루에 $72\div4=18$(쪽)씩 읽어야 합니다. ▸3점 ; 18쪽 ▸3점
08 예 색종이를 한 사람에게 6장씩 나누어 주었더니 13명에게 주고 3장이 남았습니다. 처음에 있던 색종이는 모두 몇 장일까요? ▸3점
예 $\square\div6=13\cdots3$이므로 $6\times13=78$, $78+3=\square$, $\square=81$입니다. ▸3점
; 예 81장 ▸4점
09 651　**10** 87
11 2개

01 만들 수 있는 가장 큰 세 자리 수 864를 가장 작은 한 자리 수 2로 나눕니다. ⇨ $864\div2=432$

02 4쪽씩 35일 동안 읽었으므로 책은 모두 $4\times35=140$(쪽)입니다.
140쪽짜리 책을 하루에 9쪽씩 읽으면 $140\div9=15\cdots5$이므로 모두 읽는 데 적어도 16일이 걸립니다.

03 $57\div9=6\cdots\underline{3}$, $59\div7=8\cdots\underline{3}$, $75\div9=8\cdots\underline{3}$,
$79\div5=15\cdots\underline{4}$, $95\div7=13\cdots\underline{4}$, $97\div5=19\cdots\underline{2}$

04 14명에게 6개씩 똑같이 나누어 준 사탕은 $14\times6=84$(개)이고, 1개가 남았으므로 전체 사탕은 $84+1=85$(개)입니다.
따라서 사탕 85개를 5명에게 똑같이 나누어 주려면 한 사람에게 $85\div5=17$(개)씩 주면 된니다.

05

```
    1 7         1 8         1 9
 3)5 2       3)5 5       3)5 8
   3           3           3
   2 2         2 5         2 8
   2 1         2 4         2 7
     1           1           1
```

06 ㉠÷㉡=12⋯4에서 ㉡은 나머지인 4보다 커야 하므로 ㉡이 될 수 있는 가장 작은 수는 5입니다.
㉡=5이면 ㉠÷5=12⋯4이므로 확인하는 식을 이용하면 $5\times12=60$, $60+4=$㉠, ㉠=64입니다.

07

채점 기준		
12일 동안 읽은 쪽수를 이용하여 남은 쪽수를 구한 경우	4점	10점
하루에 읽어야 하는 쪽수를 구한 경우	3점	
답을 바르게 쓴 경우	3점	

08 다른 풀이
여러 가지 문제를 만들 수 있습니다.
문제 사과를 한 접시에 6개씩 놓았더니 모두 13접시에 놓고 3개가 남았습니다. 사과는 모두 몇 개일까요?
답 81개

채점 기준		
나눗셈식을 보고 알맞은 문제를 만든 경우	3점	10점
나눗셈식에서 □의 값을 구한 경우	3점	
답을 바르게 쓴 경우	4점	

09 어떤 수를 □라 하면 $\square\div7=13\cdots2$이므로 □는 $7\times13=91$, $91+2=93$입니다.
따라서 $\square\times7=93\times7=651$입니다.

10 ㉠ 80<★<90이므로 ★=8□입니다.
㉡

```
    1 3                1 4
 6)8 1              6)8 7
   6                  6
   2 1  ┐              2 7  ┐
   1 8  │ 18+3=21      2 4  │ 24+3=27
     3  ┘                3  ┘
```

⇨ ★=81 또는 ★=87입니다.
㉢ $81\div9=9$, $87\div9=9\cdots6$
따라서 조건을 모두 만족하는 ★은 87입니다.

11 $80\div8=10$으로 나누어떨어지므로 $8\times10=80$, $80+6=\boxed{86}$입니다.
$88\div8=11$로 나누어떨어지므로 $8\times11=88$, $88+6=\boxed{94}$입니다.
따라서 86, 94로 모두 2개입니다.

단원 평가 62~65쪽

01	11, 2	02	13
03	(1) 60 (2) 37	04	②
05	32, 16	06	㉠, ㉡, ㉢
07	푸, 른, 바, 다	08	㉢
09	18명	10	$52 \div 4 = 13$; 13바퀴
11	20 cm		
12	$745 \div 4$: 몫 186, 4, 34, 32, 25, 24, 나머지 1	13	10장
		14	16개
		15	$100 \div 7 = 14 \cdots 2$; 14주일, 2일
		16	1, 2, 3, 4, 6, 8
		17	11명, 2송이
18	77	19	2, 8
20	5		

21 (1) 126쪽 ▸2점 (2) 21일 ▸3점

22 (1) 106개 ▸2점 (2) 21, 1 ▸3점

23 예 $90 \div 3 = 30$이므로 30을 가운데 수로 하면 연속한 세 수의 합으로 나타낼 수 있습니다. ▸2점
따라서 연속한 세 수의 합은 $29 + 30 + 31 = 90$입니다. ▸1점
; $29 + 30 + 31 = 90$ ▸2점

24 예 가로 80 cm를 4 cm씩 자르면 $80 \div 4 = 20$(장)씩이고, ▸1점
세로 60 cm를 6 cm씩 자르면 $60 \div 6 = 10$(장)씩입니다. ▸1점
따라서 만들 수 있는 카드는 $20 \times 10 = 200$(장)입니다. ▸1점
; 200장 ▸2점

01 일 모형 46개를 4개씩 묶으면 11묶음이 되고, 2개가 남습니다.

02 $65 \div 5$: 몫 13
5
15
15
0

03 (1) $480 \div 8$: 몫 60
48
0

(2) $185 \div 5$: 몫 37
15
35
35
0

04 ① $7 \div 7 = 1$, $70 \div 7 = 10$ ⇨ $1 < 10$
② $55 \div 5 = 11$, $77 \div 7 = 11$ ⇨ $11 = 11$
③ $93 \div 3 = 31$, $63 \div 3 = 21$ ⇨ $31 > 21$
④ $48 \div 4 = 12$, $84 \div 4 = 21$ ⇨ $12 < 21$
⑤ $42 \div 2 = 21$, $33 \div 3 = 11$ ⇨ $21 > 11$

05 $96 \div 3 = 32$, $32 \div 2 = 16$

06 ㉠ $63 \div 6 = 10 \cdots 3$ ㉡ $50 \div 4 = 12 \cdots 2$
㉢ $97 \div 8 = 12 \cdots 1$
⇨ 나머지의 크기: ㉠ > ㉡ > ㉢

07 $46 \div 2 = 23$(푸), $24 \div 2 = 12$(른), $88 \div 8 = 11$(바), $88 \div 4 = 22$(다)

08 나머지가 0일 때 나누어떨어진다고 합니다.
㉠ $68 \div 6 = 11 \cdots 2$ ㉡ $62 \div 6 = 10 \cdots 2$
㉢ $78 \div 6 = 13$ ⇨ 나누어떨어집니다.
㉣ $67 \div 6 = 11 \cdots 1$

09 (약과를 먹을 수 있는 사람 수)
$= 72 \div 4 = 18$(명)
(72: 전체 약과 수, 4: 한 사람이 먹는 약과의 수)

10 (운동장을 하루에 돈 바퀴 수) $= 52 \div 4 = 13$(바퀴)

11 정사각형의 네 변의 길이는 모두 같으므로 한 변의 길이는 $80 \div 4 = 20$ (cm)입니다.

12 나머지는 나누는 수보다 작아야 하는데 5는 나누는 수인 4보다 큽니다.

13 (전체 엽서의 수)
=(빨간 엽서의 수)+(파란 엽서의 수)
$= 26 + 34 = 60$(장)
(한 명에게 나누어 줄 수 있는 엽서의 수)
=(전체 엽서의 수)÷(사람 수)
$= 60 \div 6 = 10$(장)

14 $127 \div 8 = 15 \cdots 7$
(15: 상자의 수, 7: 남은 사과의 수)
⇨ 남은 사과 7개도 상자에 담아야 하므로 상자는 적어도 $15 + 1 = 16$(개) 필요합니다.

15 1주일=7일이므로 100일을 7로 나누어 알아봅니다.

16 $48 \div 1 = 48$, $48 \div 2 = 24$, $48 \div 3 = 16$, $48 \div 4 = 12$,
$48 \div 5 = 9 \cdots 3$, $48 \div 6 = 8$, $48 \div 7 = 6 \cdots 6$,
$48 \div 8 = 6$, $48 \div 9 = 5 \cdots 3$

17 10송이씩 9묶음: 90송이 ⇨ $90 \div 8 = 11 \cdots 2$이므로 11명에게 나누어 줄 수 있고, 2송이가 남습니다.

18 65보다 크고 80보다 작은 수 중에서 7로 나누어떨어지는 수는 70, 77입니다. $70 \div 5 = 14$, $77 \div 5 = 15 \cdots 2$이므로 5로 나누면 나머지가 2인 수는 77입니다.

19 6)6□ 에서 몫 1, 6을 빼면 □

① 몫의 일의 자리가 0인 경우

6)6[2] → 몫 1 0, 6을 빼면 [2]

② 몫의 일의 자리가 1인 경우

6)6[8] → 몫 1 1, 6을 빼면 [8], 6을 빼면 2

20 몫 2 [㉠], 나누는 수 [3], 나뉠 수 7 [7]

⑥ $3 \times \square = 15$, $\square = 5$

⑤ $\square \times 2 = 6$, $\square = 3$ → [3]

④ $7 - \square = 1$, $\square = 6$ → [6]

① 7을 내림

③ $\square - 1 = 0$, $\square = 1$ → [1] 7

② $7 - \square = 2$, $\square = 5$ → 1 [5]

나머지 2

21 (1) 도훈이가 하루에 읽은 쪽수에 읽은 날수를 곱합니다.

⇨ $18 \times 7 = 126$(쪽)

(2) 전체 쪽수를 성하가 하루에 읽는 쪽수로 나눕니다.

⇨ $126 \div 6 = 21$(일)

틀린 과정을 분석해 볼까요?

틀린 이유	이렇게 지도해 주세요
동화책의 쪽수를 구하지 못한 경우	하루에 읽은 쪽수와 읽은 날수를 곱하여 동화책의 쪽수를 구해야 한다는 것을 지도합니다.
나눗셈식을 세우고 계산하지 못하는 경우	전체 쪽수를 하루에 읽는 쪽수로 나누는 나눗셈식을 세우고 계산하도록 지도합니다.

22 (1) 15개씩 7상자에 담고 1개가 남았으므로 모두 $15 \times 7 = 105$, $105 + 1 = 106$(개)입니다.

(2) 전체 쿠키 수를 나누어 주려는 사람 수로 나누면 $106 \div 5 = 21 \cdots 1$입니다. 따라서 한 사람에게 21개씩 주면 되고 남은 쿠키는 1개입니다.

틀린 과정을 분석해 볼까요?

틀린 이유	이렇게 지도해 주세요
나눗셈을 맞게 계산했는지 확인하는 방법을 알지 못하는 경우	나눗셈을 맞게 계산했는지 확인하는 방법을 이용하여 쿠키의 수를 구하도록 지도합니다.
나눗셈식을 세우고 계산하지 못하는 경우	전체 쿠키 수를 나누어 주려는 사람 수로 나누어 몫과 나머지를 구하도록 지도합니다.

23

채점 기준		
세 자연수 중 가운데 수를 구한 경우	2점	5점
세 자연수의 합으로 나타낸 경우	1점	
답을 바르게 쓴 경우	2점	

참고

가운데 자연수를 □라 하면 연속한 세 자연수의 합을 (□−1)+□+(□+1)로 나타낼 수 있고 세 자연수의 합은 가운데 자연수의 3배입니다.

틀린 과정을 분석해 볼까요?

틀린 이유	이렇게 지도해 주세요
나눗셈을 계산하여 가운데 수를 구하지 못하는 경우	$90 \div 3$을 계산하여 가운데 수를 구하도록 지도합니다.
가운데 수를 이용하여 연속한 세 수를 구하지 못하는 경우	가운데 수가 □일 때 연속한 세 수는 □−1, □, □+1임을 알도록 지도합니다.

24

채점 기준		
가로로 몇 장씩 만들 수 있는지 구한 경우	1점	5점
세로로 몇 장씩 만들 수 있는지 구한 경우	1점	
만들 수 있는 카드 수를 구한 경우	1점	
답을 바르게 쓴 경우	2점	

틀린 과정을 분석해 볼까요?

틀린 이유	이렇게 지도해 주세요
가로, 세로로 각각 몇 장씩 카드를 만들 수 있는지 구하지 못하는 경우	도화지의 가로와 세로를 카드의 가로와 세로로 나누어 가로, 세로로 만들 수 있는 카드의 수를 구하도록 지도합니다.
만들 수 있는 전체 카드 수를 구하지 못하는 경우	가로, 세로로 만들 수 있는 카드의 수를 곱하여 만들 수 있는 전체 카드의 수를 구하도록 지도합니다.

3단원 원

1 교과 개념 68~69쪽

1

2 중심, 같습니다

3 (위에서부터) 반지름, 중심

4 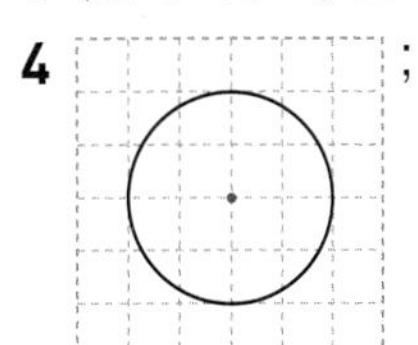 ; 1

5 선분 ㅇㄱ

6 예 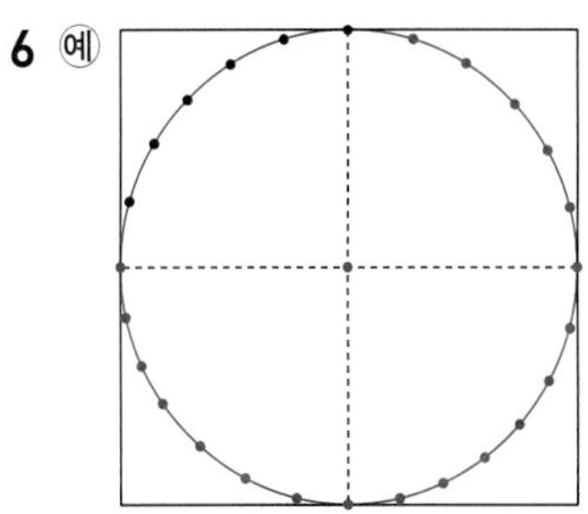

7 예

8 예 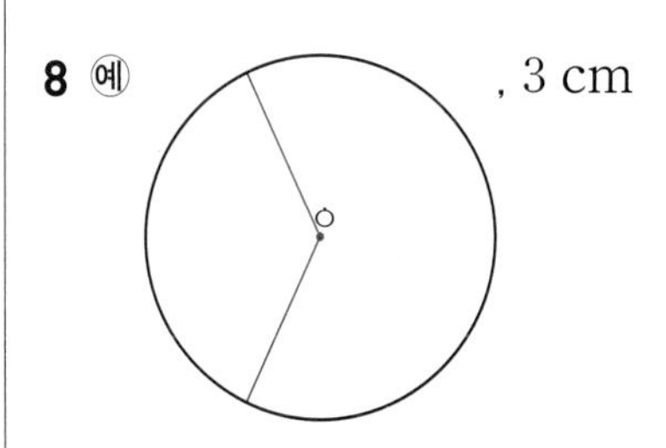 , 3 cm

1 원의 가장 안쪽에 있는 점 ㅇ은 원의 중심이고, 원의 중심 ㅇ과 원 위의 한 점을 이은 선분 ㅇㄱ, 선분 ㅇㄴ은 원의 반지름입니다.

2 띠 종이를 돌려 원을 그릴 때 누름 못과 연필 사이의 길이는 변하지 않으므로 누름 못이 꽂힌 점에서 원 위의 한 점까지의 길이는 모두 같습니다.

3 원의 가장 안쪽에 있는 점은 원의 중심, 원의 중심과 원 위의 한 점을 이은 선분은 원의 반지름입니다.

4 원의 가장 안쪽에 원의 중심을 표시합니다.

5 원의 중심 ㅇ과 원 위의 한 점을 이은 선분을 원의 반지름이라고 합니다.

6 자를 이용하여 원의 중심에서 2 cm 떨어진 곳에 여러 개의 점을 찍고 원을 그려 봅니다.

7 원의 가장 안쪽에 점을 찍고, 원의 중심과 원 위의 한 점을 이어 원의 반지름을 표시합니다.

> 참고
> 원의 중심은 고정된 부분이고 원의 반지름은 원의 중심과 원 위의 한 점을 이은 선분입니다.

8 위치나 방향에 관계없이 원의 중심 ㅇ과 원 위의 한 점을 잇는 선분 2개를 긋습니다.

1 교과 개념 70~71쪽

1 (1) 6 cm, 3 cm (2) 2배

2 (1) 선분 ㅁㅂ (2) 선분 ㅁㅂ (3) 지름

3 (1) 2 cm, 2 cm, 2 cm (2) 같습니다에 ○표
(3) 2 cm, 1 cm (4) 반에 ○표

4 예 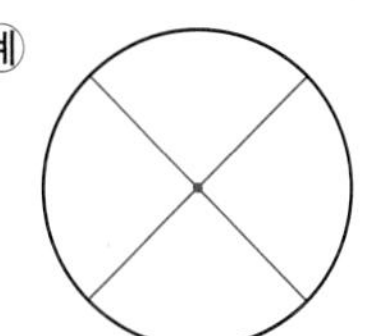 ; 3 cm

5 (1) 4 cm, 2 cm (2) 8 cm, 4 cm (3) 2배

1 (1) 선분 ㄱㄷ이 원의 지름이고 그 길이는 6 cm입니다.
선분 ㅇㄴ이 원의 반지름이고 그 길이는 3 cm입니다.
(2) 6=3×2이므로 지름은 반지름의 2배입니다.
(6: 지름, 3: 반지름)

2 (1) 선분 ㅁㅂ의 길이가 가장 깁니다.
(2) 원의 중심 ㅇ을 지나는 선분 ㅁㅂ이 원의 지름입니다.

3 (2) 원의 지름인 선분 ㄱㄹ, 선분 ㄴㅁ, 선분 ㄷㅂ의 길이가 모두 2 cm로 같습니다.
(3) 원의 지름은 모두 2 cm이고 원의 반지름(선분 ㅇㄱ, 선분 ㅇㄴ, 선분 ㅇㄷ, 선분 ㅇㄹ, 선분 ㅇㅁ, 선분 ㅇㅂ)은 모두 1 cm입니다.
(4) 원의 반지름은 1 cm로 지름인 2 cm의 반입니다.

> 참고
> (원의 지름)=(원의 반지름)×2
> (원의 반지름)=(원의 지름)÷2

본책 64~71쪽

4 원의 중심을 지나도록 원 위의 두 점을 잇는 선분을 긋습니다.

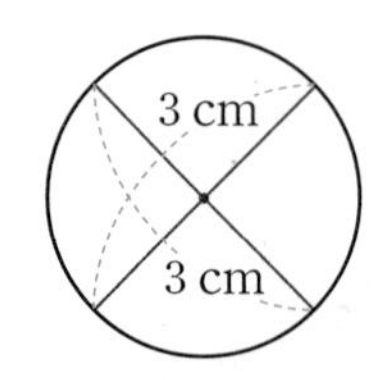

5 (1) 원의 지름은 모눈 4칸으로 4 cm이고, 반지름은 모눈 2칸으로 2 cm입니다.
(2) 원의 지름은 모눈 8칸으로 8 cm이고, 반지름은 모눈 4칸으로 4 cm입니다.
(3) $4=2\times 2$, $8=4\times 2$ ⇨ 지름은 반지름의 2배입니다.
지름 반지름 지름 반지름

Step 2 교과 유형 익힘 72~73쪽

01 ④ **02** 선분 ㄴㄱ, 선분 ㄴㅂ
03 ㉡ **04** 4, 2
05 (왼쪽에서부터) 10, 5, 5
06 예 원의 지름은 원의 중심을 지나는 원 위의 두 점을 이은 선분입니다. 주어진 선분은 원의 중심을 지나지 않으므로 잘못 그었습니다.▸10점
07 20 cm
08

지름	길이(cm)
선분 ㄱㅁ	4
선분 ㄷㅂ	4
선분 ㄹㅅ	4

; 같습니다
→ 순서를 바꿔 써도 정답입니다.
09 50 cm **10** ㉡, ㉠, ㉢
11 지름, 원의 중심, 무수히 많아에 ○표
12 예 작은 원의 반지름이 6 cm이므로 작은 원의 지름은 12 cm입니다.▸3점
따라서 큰 원의 반지름은 12 cm이고 큰 원의 지름은 24 cm입니다.▸3점
; 24 cm▸4점
13 9 cm

01 누름 못이 꽂혔던 점이 원의 중심이 됩니다.

02 원의 중심인 점 ㄴ과 원 위의 한 점을 이은 선분이 반지름입니다. 따라서 반지름을 모두 찾으면 선분 ㄴㄱ, 선분 ㄴㅂ입니다.

03 한 원에서 반지름은 셀 수 없이 많이 그을 수 있고 그 길이는 모두 같습니다.

04 원 위의 두 점을 이어 원의 중심을 지나는 선분의 길이를 재면 4 cm입니다.
원의 지름은 4 cm로 2 cm인 반지름의 2배입니다.

05

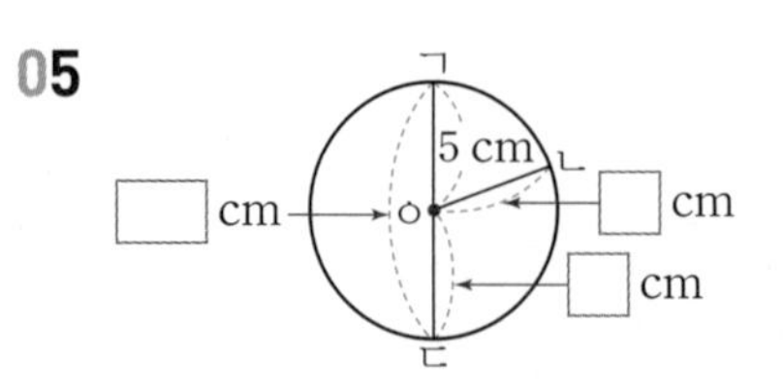

한 원에서 원의 반지름은 모두 같습니다.
선분 ㅇㄱ, 선분 ㅇㄴ, 선분 ㅇㄷ이 모두 반지름이고, 선분 ㅇㄱ이 5 cm이므로 모두 5 cm입니다.
(선분 ㄱㄷ)=(선분 ㄱㅇ)+(선분 ㅇㄷ)
$=5+5=10$ (cm)

07 원 안에 그을 수 있는 가장 긴 선분은 원의 지름이므로 반지름이 10 cm인 원 모양 종이에 그을 수 있는 가장 긴 선분은 $10\times 2=20$ (cm)입니다.

08 원의 지름을 나타내는 선분의 길이를 모두 재어 보면 4 cm로 모두 같습니다.

09 1 m=100 cm이고, 원의 반지름은 지름의 반이므로 100 cm의 반인 50 cm입니다.

10 ㉠ 지름: $11\times 2=22$ (cm)
㉢ 지름: $15\times 2=30$ (cm)
⇨ $20<22<30$이므로 ㉡<㉠<㉢입니다.

11

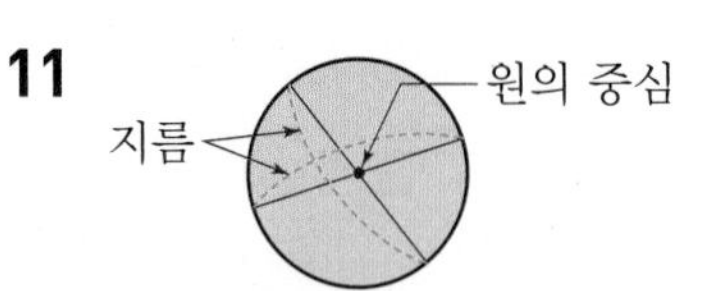

⇨ 거름종이를 또 다른 방향으로 접어서 무수히 많은 지름을 나타낼 수 있습니다.

12

채점 기준		
작은 원의 반지름과 지름을 구한 경우	3점	10점
큰 원의 반지름과 지름을 구한 경우	3점	
답을 바르게 쓴 경우	4점	

13 선분 ㄱㄷ의 길이는 큰 원의 반지름과 작은 원의 지름을 더한 길이입니다. 큰 원의 반지름은 5 cm이고 작은 원의 지름은 4 cm이므로 선분 ㄱㄷ의 길이는 $5+4=9$ (cm)입니다.

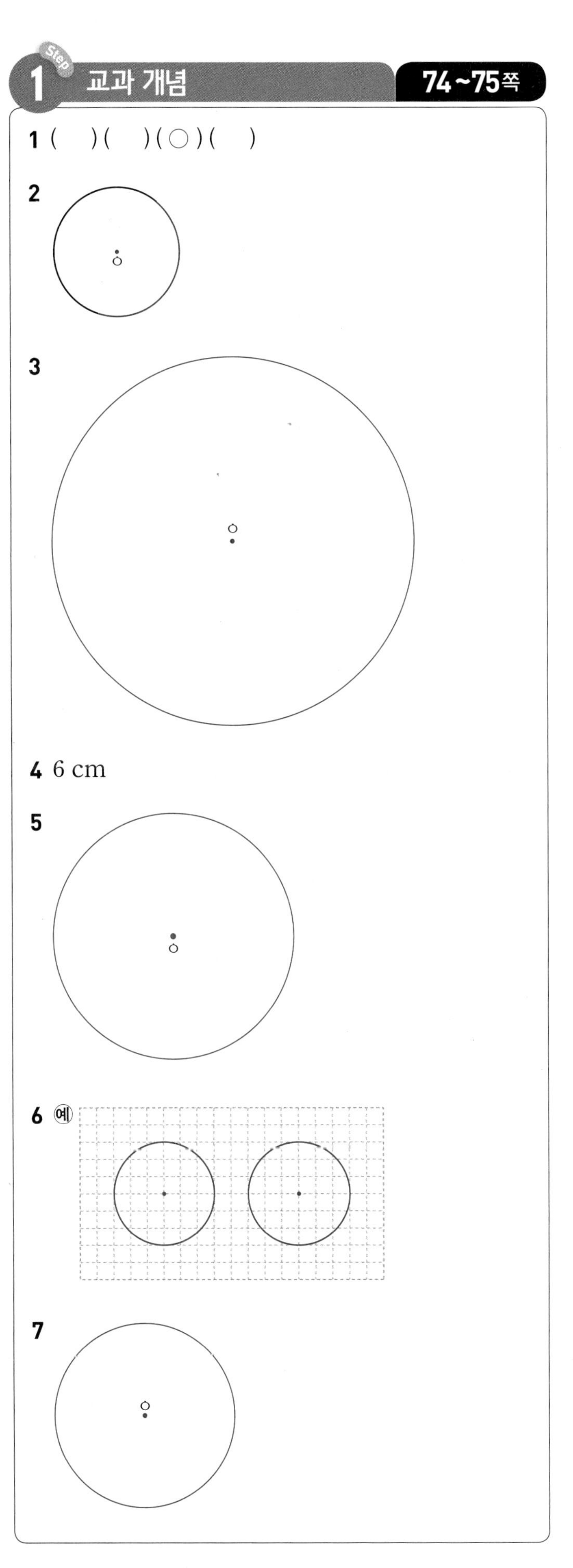

Step 1 교과 개념 74~75쪽
1 ( )( )(○)( )
2
3
4 6 cm
5
6 예
7

1 반지름이 4 cm인 원을 그리려면 컴퍼스를 4 cm만큼 벌려야 합니다.

2 컴퍼스의 침을 점 ㅇ에 꽂고 원의 일부분의 한 점까지의 거리만큼 벌려 원을 완성합니다.

3 컴퍼스를 3 cm만큼 벌리고 컴퍼스의 침을 점 ㅇ에 꽂아 원을 그립니다.

4 컴퍼스를 3 cm만큼 벌려서 원을 그리면 그린 원의 반지름이 3 cm가 되므로 지름은 반지름의 2배인 6 cm가 됩니다.

5 컴퍼스를 주어진 선분만큼 벌리고, 컴퍼스의 침을 점 ㅇ에 꽂아 원을 그립니다.

6 원의 중심을 정하고 반지름이 서로 같은 원을 2개 그립니다.

7 컴퍼스를 주어진 원의 반지름만큼 벌리고 컴퍼스의 침을 점 ㅇ에 꽂아 원을 그립니다.

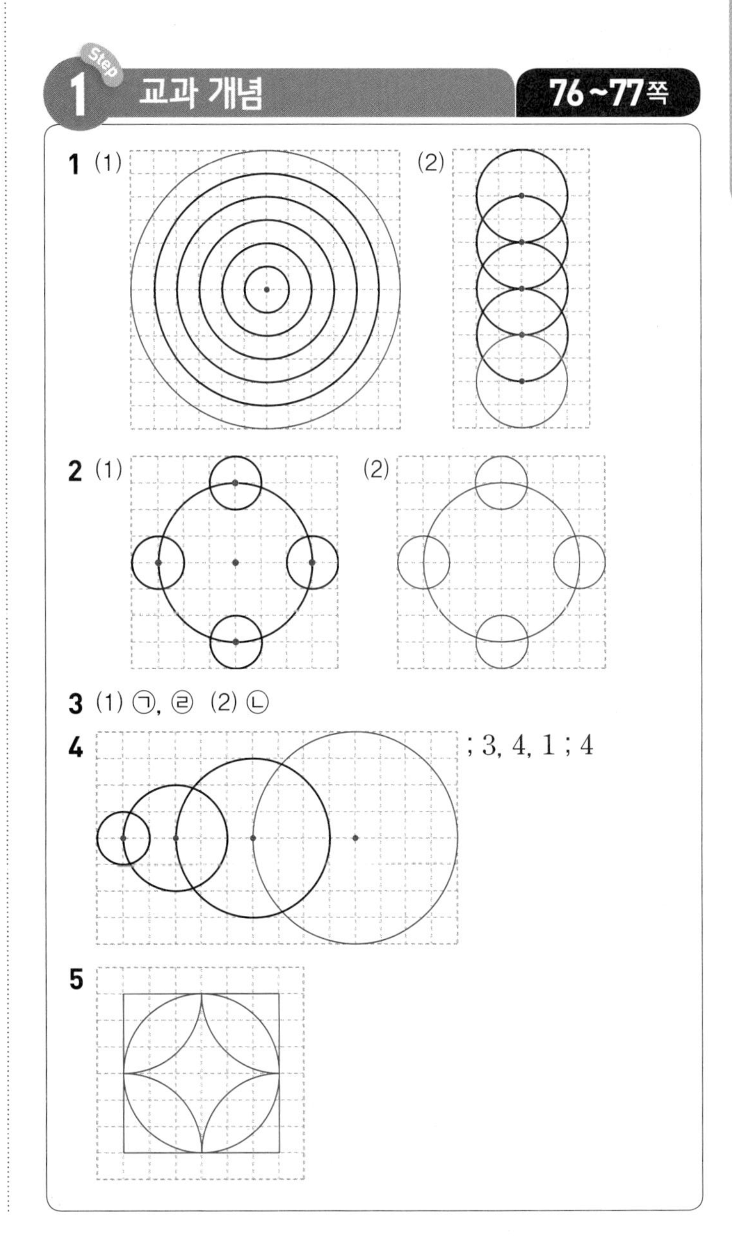

1 (1) 원의 중심은 같고 원의 반지름이 6칸인 원을 그립니다.
(2) 원의 중심을 2칸씩 옮겨 크기가 같은 원을 1개 더 그립니다.

2 (1) 원 5개의 중심을 모두 찾아 표시합니다.

3 원의 중심을 모두 찾아 표시하면 다음과 같습니다.

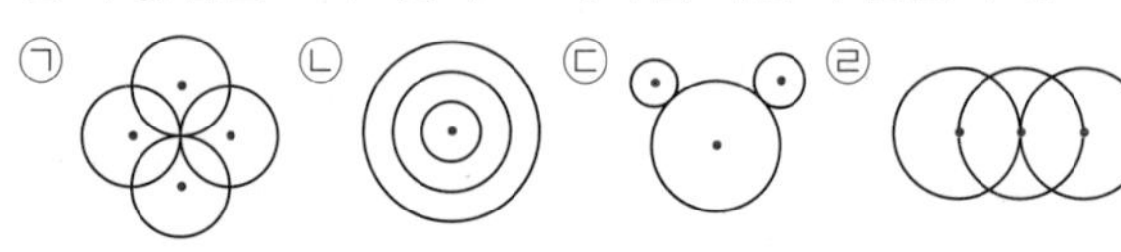

(1) 원의 중심을 옮겨 가며 그린 것은 ㉠, ㉢, ㉣이고 이 중에서 반지름이 변하지 않은 것은 ㉠, ㉣입니다.

4 왼쪽에서 3번째에 있는 반지름이 모눈 3칸인 원에서 원의 중심을 오른쪽으로 모눈 4칸만큼 옮겨 반지름이 모눈 4칸인 원을 그립니다.

5 한 변이 모눈 6칸인 정사각형을 그리고 이 정사각형에 꼭 맞는 반지름이 모눈 3칸인 원을 그립니다. 또 정사각형의 꼭짓점을 원의 중심으로 하는 원의 일부분을 4개 그립니다.

Step 2 교과 유형 익힘 78~79쪽

01 (1) 예 ; 2 cm
(2)
02
03

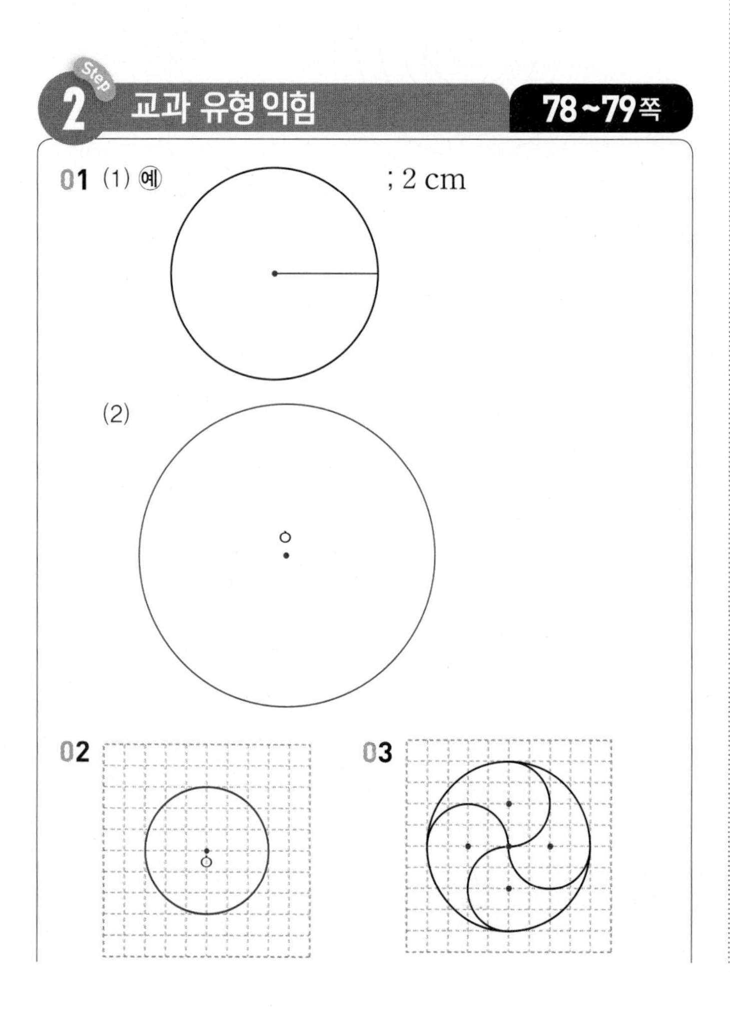

04

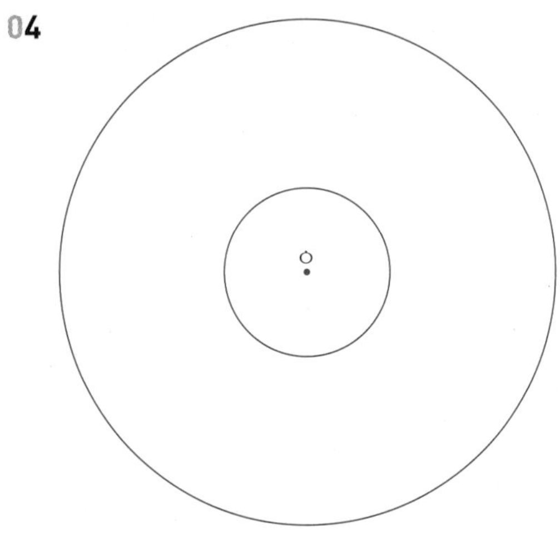

05 5 cm

06

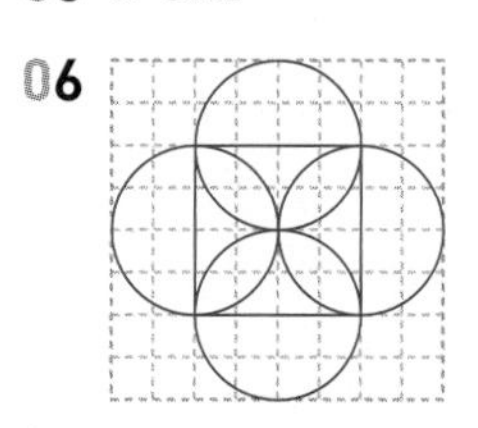

07

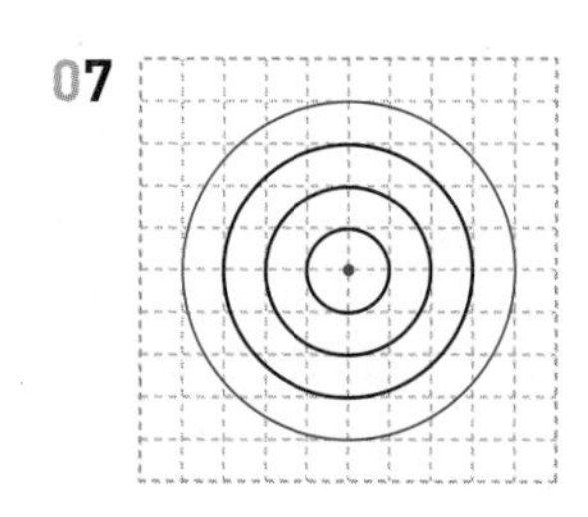

08 (1) 예 원의 중심이 오른쪽으로 모눈 5칸, 4칸, 3칸 이동하고 반지름이 모눈 1칸씩 줄어듭니다.
(2)

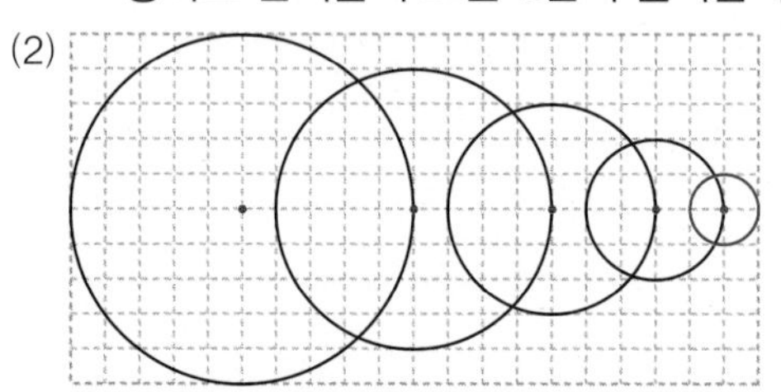

09

10

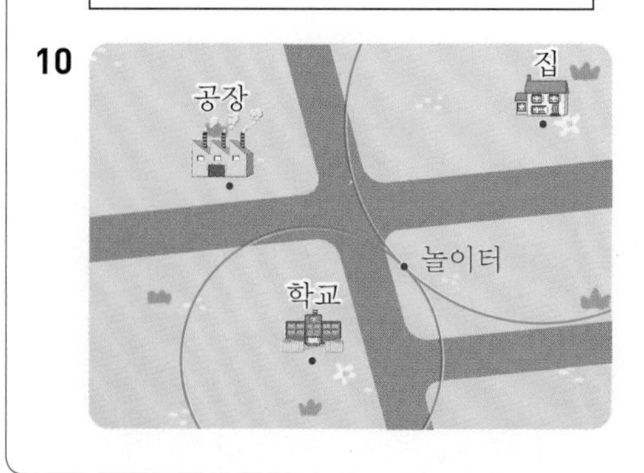

01 (1) 원의 중심에서 원 위의 한 점을 이은 선분을 긋고 그 선분의 길이를 잽니다.
(2) 컴퍼스를 2 cm만큼 벌려 반지름이 2 cm인 원을 그립니다.

02 반지름이 모눈 3칸인 원을 그릴 때에는 컴퍼스를 모눈 3칸만큼 벌려서 그립니다.

03 가장 큰 원 1개와 큰 원의 반지름을 지름으로 하는 원의 $\frac{1}{2}$ 만큼을 4개 그렸습니다.

04 컴퍼스를 1 cm만큼 벌려서 반지름이 1 cm인 원을 그리고, 컴퍼스를 3 cm만큼 벌려서 반지름이 3 cm인 원을 그립니다.

05 컴퍼스를 원의 반지름인 $10 \div 2 = 5$ (cm)만큼 벌려야 합니다.

06 ① 컴퍼스의 침을 꽂아야 할 곳을 알아봅니다.

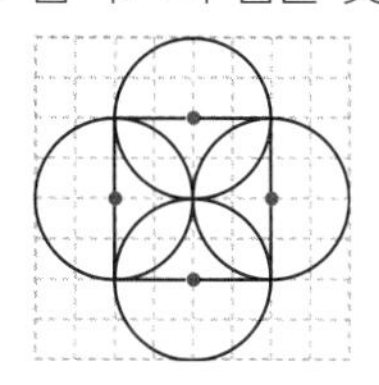

② 한 변이 모눈 4칸인 정사각형을 그리고 각 변의 한가운데를 중심으로 하고 반지름이 모눈 2칸인 원을 차례로 그립니다.

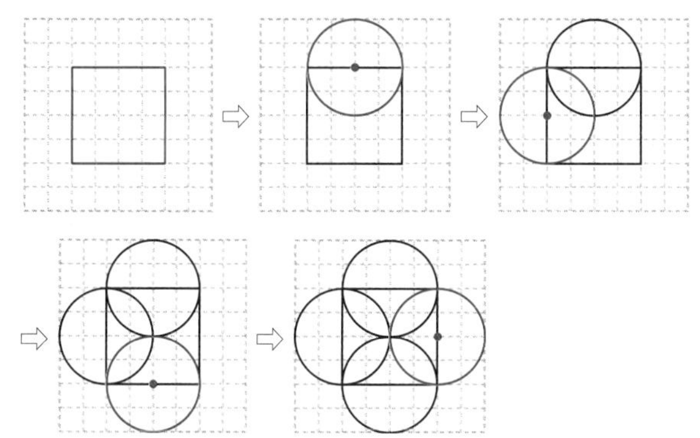

07 원의 반지름이 늘어나는 규칙으로 원을 1개 더 그립니다.

08 (2) 원의 중심을 오른쪽으로 2칸 이동하고 반지름이 모눈 1칸인 원을 그립니다.

09 오륜기의 원 모양을 살펴보고 주어진 점을 원의 중심으로 하는 원을 그려 오륜기를 완성합니다.

참고

오륜기

올림픽을 상징하는 기. 5개의 원은 5대륙을 상징하고 세계를 뜻하는 월드(World)의 W 모양으로 배치하였습니다.

10 학교를 원의 중심으로 하고 반지름이 2 cm인 원을 그리고, 집을 원의 중심으로 하고 반지름이 3 cm인 원을 그려 만나는 점을 찾습니다.

3 Step 문제 해결 80~83쪽

1 ㉢ **1-1** ㉡

1-2 ㉠, ㉡

2

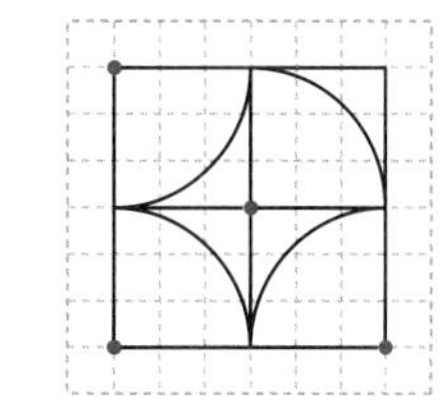

2-1

2-2 8군데

3 3 cm **3-1** 36 cm **3-2** 14 cm

4 35 cm **4-1** 46 cm **4-2** 24 cm

5 ❶ 반지름, 지름 ▸2점 15, 6, 6, 12 ▸3점

❷ 15, 12, 27 ▸2점

; 27 cm ▸3점

5-1 예 ❶ 선분 ㄱㄷ의 길이는 작은 원의 지름과 큰 원의 반지름을 더한 길이입니다.▸2점

작은 원의 반지름은 4 cm이므로

지름은 $4 \times 2 = 8$ (cm)이고 큰 원의 반지름은 7 cm입니다.▸3점

❷ 선분 ㄱㄷ은 $8 + 7 = 15$ (cm)입니다.▸2점

; 15 cm ▸3점

5-2 예 선분 ㄱㄷ의 길이는 큰 원의 반지름과 작은 원의 지름을 더한 길이입니다.▸2점 큰 원의 반지름은 10 cm이고 작은 원의 반지름은 3 cm이므로 작은 원의 지름은 $3 \times 2 = 6$ (cm)입니다. ▸3점

따라서 선분 ㄱㄷ은 $10 + 6 = 16$ (cm)입니다. ▸2점

; 16 cm ▸3점

6 ❶ 반지름 ▸2점 2, 12, 12, 12 ▸3점

❷ 12, 12, 15, 39 ▸2점 ; 39 cm ▸3점

6-1 예 ❶ 변 ㄱㄴ과 변 ㄱㄷ의 길이는 원의 반지름과 같습니다.▸2점 원의 지름이 34 cm이므로 반지름은 $34 \div 2 = 17$ (cm)이고 오려 낸 삼각형의 세 변의 길이는 각각 17 cm, 17 cm, 20 cm입니다.▸3점

❷ 세 변의 길이의 합은 $17 + 17 + 20 = 54$ (cm)입니다.▸2점

; 54 cm ▸3점

6-2 예 삼각형 모양 색종이는 세 변의 길이가 모두 원의 반지름과 같습니다.▸2점 원의 지름이 30 cm이므로 반지름은 15 cm이고 삼각형 모양 색종이의 세 변의 길이는 모두 15 cm입니다.▸3점

따라서 세 변의 길이의 합은

$15 + 15 + 15 = 45$ (cm)입니다.▸2점

; 45 cm ▸3점

1 원의 지름을 구하여 비교합니다.
㉠ 반지름: 4 cm ⇨ 지름: 8 cm ㉡ 지름: 6 cm
㉢ 반지름: 5 cm ⇨ 지름: 10 cm ㉣ 지름: 9 cm
따라서 ㉢의 원이 가장 큽니다.

1-1 원의 지름을 비교하면 ㉠ 6 cm, ㉡ 5 cm, ㉢ 9 cm, ㉣ 8 cm로 ㉡의 원이 가장 작습니다.

1-2 원의 지름을 비교하면 ㉠ 8 cm, ㉡ 8 cm, ㉢ 4 cm, ㉣ 16 cm로 ㉠과 ㉡의 원의 크기가 같습니다.

2 $\frac{1}{4}$ 만큼만 그려진 원의 일부분이 4개 있습니다.

2-1 그려야 하는 원 또는 원의 일부분이 4개이므로 원의 중심을 4번 찾아야 합니다.

2-2 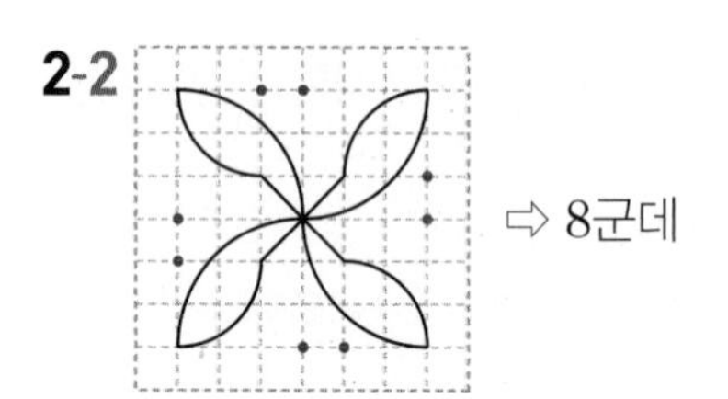 ⇨ 8군데

3 (큰 원의 반지름)$=12\div2=6$ (cm), 작은 원의 지름은 큰 원의 반지름과 같으므로 6 cm이고
(작은 원의 반지름)$=6\div2=3$ (cm)입니다.

다른 풀이
큰 원의 지름은 작은 원의 반지름의 4배이므로
(작은 원의 반지름)$=12\div4=3$ (cm)입니다.

3-1 (작은 원의 지름)$=6\times2=12$ (cm)
큰 원의 지름은 작은 원의 지름의 3배이므로
(큰 원의 지름)$=12\times3=36$ (cm)입니다.

3-2 (큰 원의 반지름)=(작은 원의 반지름)$+4$
$=3+4=7$ (cm)
따라서 큰 원의 지름은 $7\times2=14$ (cm)입니다.

4 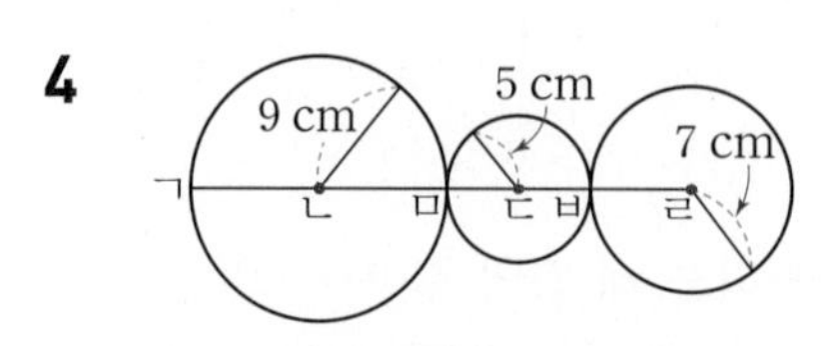

왼쪽 원의 반지름이 9 cm이므로 지름은
$9\times2=18$ (cm), 가운데 원의 반지름이 5 cm이므로 지름은 $5\times2=10$ (cm), 오른쪽 원의 반지름은 7 cm입니다.
⇨ (선분 ㄱㄹ)=(선분 ㄱㅁ)+(선분 ㅁㅂ)+(선분 ㅂㄹ)
$=18+10+7=35$ (cm)

4-1 선분 ㄱㄷ의 길이는 왼쪽 원의 반지름과 가운데 원의 지름, 오른쪽 원의 반지름의 합과 같습니다.
왼쪽 원의 반지름은 11 cm, 가운데 원의 지름은
$13\times2=26$ (cm), 오른쪽 원의 반지름은 9 cm이므로
(선분 ㄱㄷ)$=11+26+9=46$ (cm)입니다.

4-2 선분 ㄱㄹ의 길이는 반지름을 6번 더한 길이입니다.
원의 반지름은 지름의 반이므로 8 cm의 반인 4 cm이고
(선분 ㄱㄹ)$=4+4+4+4+4+4=24$ (cm)입니다.

5-1

채점 기준		
선분 ㄱㄷ의 길이는 작은 원의 지름과 큰 원의 반지름의 합이라고 쓴 경우	2점	10점
작은 원의 지름과 큰 원의 반지름을 구한 경우	3점	
선분 ㄱㄷ의 길이를 구한 경우	2점	
답을 바르게 쓴 경우	3점	

5-2

채점 기준		
선분 ㄱㄷ의 길이는 큰 원의 반지름과 작은 원의 지름의 합이라고 쓴 경우	2점	10점
큰 원의 반지름과 작은 원의 지름을 구한 경우	3점	
선분 ㄱㄷ의 길이를 구한 경우	2점	
답을 바르게 쓴 경우	3점	

6-1

채점 기준		
변 ㄱㄴ, 변 ㄱㄷ의 길이가 원의 반지름과 같음을 아는 경우	2점	10점
원의 반지름을 구하여 세 변의 길이를 각각 구한 경우	3점	
세 변의 길이의 합을 구한 경우	2점	
답을 바르게 쓴 경우	3점	

6-2

채점 기준		
삼각형 모양 색종이의 세 변의 길이가 모두 원의 반지름과 같음을 아는 경우	2점	10점
원의 반지름을 구하여 세 변의 길이를 구한 경우	3점	
세 변의 길이의 합을 구한 경우	2점	
답을 바르게 쓴 경우	3점	

Step 4 실력UP문제 84~85쪽

01 연우　　02 정사각형

03 5 cm　　04 호준

05 37 cm　　06 예  ; 5개

07 예 원의 중심이 모눈 3칸씩 옮겨지면서▶4점
반지름이 모눈 1칸인 원과 반지름이 3칸인 원이 반복되어 나타나는 규칙입니다.▶6점

08 예 윤호는 집 $\xrightarrow{200\text{ m}}$ 도서관 $\xrightarrow{300\text{ m}}$ 우체국 $\xrightarrow{300\text{ m}}$ 약국 $\xrightarrow{200\text{ m}}$ 집을 차례로 이동했습니다.▶3점
따라서 움직인 거리는 모두
$200+300+300+200=1000$ (m)이고
$1000\text{ m}=1\text{ km}$입니다.▶3점
; 1 km▶4점

09 80 cm　　10 44 cm

11 48 cm

01 컴퍼스의 침은 다음과 같이 꽂아야 합니다.

⇨ 3군데

02 사각형 ㄱㄴㄷㄹ의 각 변은 반지름 2개와 같으므로 원의 지름과 길이가 같습니다.
따라서 사각형 ㄱㄴㄷㄹ은 네 각이 모두 직각이고 네 변의 길이가 모두 같으므로 정사각형입니다.

03 그릴 수 있는 가장 큰 원의 지름은 10 cm이고, 지름이 10 cm이므로 반지름은 $10\div2=5$ (cm)입니다.

04 원의 지름을 각각 구하여 비교하면 지민이의 접시는 30 cm, 호준이의 튜브는 $40\times2=80$ (cm), 주은이의 시계는 $18\times2=36$ (cm), 성재의 훌라후프는 110 cm입니다. $110>80>36>30$이므로 두 번째로 큰 원 모양을 잦은 사람은 호준입니다.

05 (선분 ㄱㄴ)$=10$ cm, (선분 ㄱㄷ)$=10$ cm,
(선분 ㄴㄷ)$=10+10-3=17$ (cm)
⇨ (삼각형 ㄱㄴㄷ의 세 변의 길이의 합)
$=10+10+17=37$ (cm)

06 2개의 원이 서로 겹치면서 주어진 원과 닿게 그렸을 때 가장 많게 나누어집니다.

참고
원 안에 원을 그려 부분 나누기

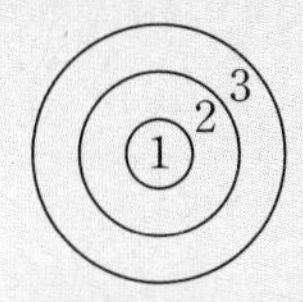

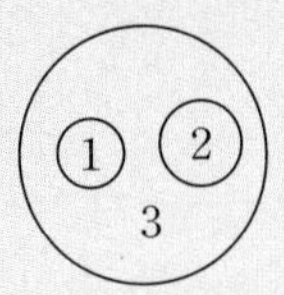

원끼리 닿지 않을 때 나누어지는 부분의 수가 가장 적습니다.

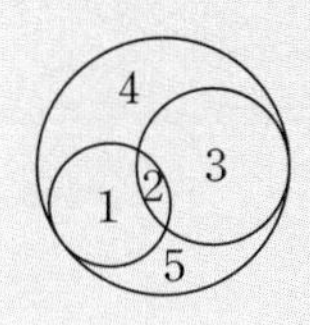

원 안에 있는 작은 원끼리 겹쳐지면 나누어지는 부분의 수가 늘어납니다.

작은 원끼리 겹쳐지면서 큰 원에 닿으면 나누어지는 부분의 수가 더 늘어납니다.

07

채점 기준		
원의 중심이 옮겨지는 규칙을 쓴 경우	4점	10점
원이 반복되는 규칙을 쓴 경우	6점	

08 참고
- 집에서 약국까지의 거리와 집에서 도서관까지의 거리는 원의 중심이 집이면서 반지름이 200 m인 원의 반지름입니다.
- 도서관에서 우체국까지의 거리와 우체국에서 약국까지의 거리는 원의 중심이 우체국이면서 반지름이 300 m인 원의 반지름입니다.

채점 기준		
윤호가 이동한 길의 거리를 각각 구한 경우	3점	10점
움직인 거리의 합을 구한 경우	3점	
답을 바르게 쓴 경우	4점	

09 (원의 지름)=(원의 반지름)$\times2=4\times2=8$ (cm)
굵은 선의 길이는 원의 지름의 10배이므로
(굵은 선의 길이)$=8\times10=80$ (cm)입니다.

10 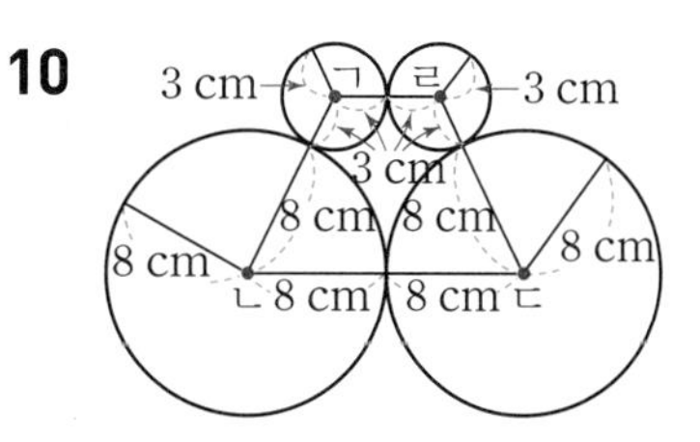

(사각형 ㄱㄴㄷㄹ의 네 변의 길이의 합)
=(선분 ㄱㄴ)+(선분 ㄴㄷ)+(선분 ㄷㄹ)+(선분 ㄱㄹ)
$=11+16+11+6=44$ (cm)

11 가장 작은 원의 반지름이 4 cm이고 반지름이 4 cm씩 늘어납니다. 따라서 초록색으로 표시한 원의 반지름은 $4\times6=24$ (cm)이고 지름은 $24\times2=48$ (cm)입니다.

단원 평가 86~89쪽

01 원의 중심 **02** 3 cm

03 선분 ㄷㄹ

04 선분 ㄴㄷ, 선분 ㄴㄹ, 선분 ㄴㅂ

05 예

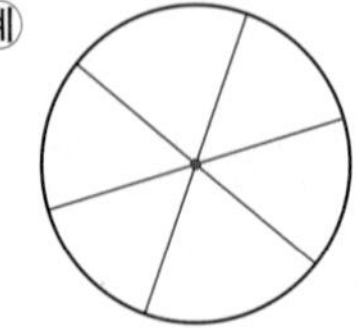

06 무수히 많이에 ○표

07 2

08 현우, 다희

09 16 **10** 8 cm

11

12 ⑤

13 ㉡

14 예 모두 같습니다.

15

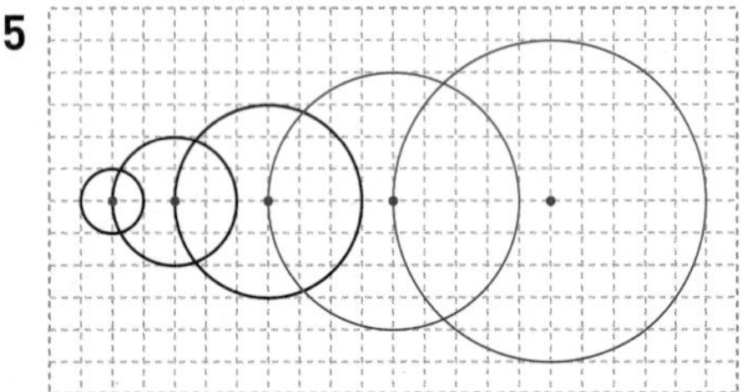

16 4 cm **17** 준석, 호영

18 36 mm, 18 mm **19** 30 cm

20 18 cm

21 (1) 3 cm ▸3점 (2) 9 cm ▸2점

22 (1) 6개 ▸1점 (2) 12 cm ▸2점 (3) 6 cm ▸2점

23 예 변 ㅇㄱ, 변 ㅇㄴ은 원의 반지름이므로
(변 ㅇㄱ)=(변 ㅇㄴ)=5 cm입니다.▸2점
따라서 삼각형 ㄱㅇㄴ의 세 변의 길이의 합은
$5+5+7=17$ (cm)입니다.▸1점
; 17 cm▸2점

24 예 원의 중심이 아래로 1칸씩 옮겨 가고▸2점
원의 반지름이 1칸씩 늘어나는 규칙입니다.▸3점

07 지름 10 cm는 반지름 5 cm의 2배입니다.

08 민영: 한 원에서 원의 중심은 1개입니다.
서후: 한 원에서 반지름은 무수히 많이 그을 수 있습니다.

09 원의 지름은 반지름의 2배이므로 $\square=8\times2=16$입니다.

10 컴퍼스를 4 cm만큼 벌렸으므로 원의 반지름은 4 cm이고 지름은 $4\times2=8$ (cm)입니다.

12 ① 지름: $8\times2=16$ (cm) ② 지름: $7\times2=14$ (cm)
③ 지름: 18 cm ④ 지름: $6\times2=12$ (cm)
⑤ 지름: 20 cm

13 ㉠ ㉡ 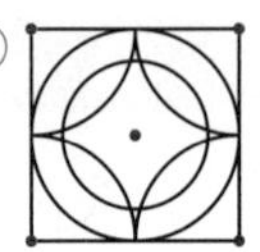 ㉢ 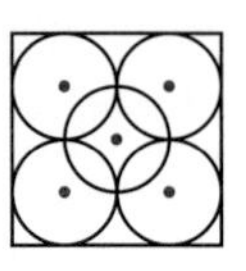

14 반지름은 모두 2 cm로 같습니다.

15 왼쪽에서부터 원의 반지름이 1칸, 2칸, 3칸이고 원의 중심이 오른쪽으로 2칸, 3칸 옮겨졌습니다.
따라서 세 번째 원에서 원의 중심을 오른쪽으로 4칸 옮겨서 반지름이 4칸인 원을 그리고, 이 원에서 원의 중심을 오른쪽으로 5칸 옮겨서 반지름이 5칸인 원을 그립니다.

16 작은 원의 지름은 큰 원의 반지름과 같으므로
$16\div2=8$ (cm)이고, 작은 원의 지름이 8 cm이므로 반지름은 $8\div2=4$ (cm)입니다.

17 원 위의 두 점을 이었을 때 가장 긴 선분은 원의 중심을 지나는 지름입니다.
집끼리 이었을 때 원의 중심을 지나는 준석이네 집과 호영이네 집 사이의 거리가 가장 멉니다.

18 상자의 세로에는 동전의 지름이 한 번 들어가므로 18 mm이고 상자의 가로에는 지름이 2번 들어가므로 $18+18=36$ (mm)입니다.

19 원의 반지름이 5 cm이고 반지름 6개로 만들어진 삼각형입니다. 따라서 삼각형의 세 변의 길이의 합은
$5\times6=30$ (cm)입니다.

20 (가장 큰 원의 지름)
=(가장 작은 원의 지름)+(중간 크기인 원의 지름)
$=8+10=18$ (cm)

21 (1) 가장 큰 원의 반지름이 12 cm이므로 선분 ㄱㄴ의 길이는 6 cm, 선분 ㄴㄷ의 길이는 3 cm입니다.
(2) 선분 ㄱㄷ의 길이는 $6+3=9$ (cm)입니다.

틀린 과정을 분석해 볼까요?

틀린 이유	이렇게 지도해 주세요
중간 원의 지름과 큰 원의 반지름의 관계를 알지 못하는 경우	중간 원의 지름이 큰 원의 반지름과 같음을 알 수 있도록 지도합니다.
중간 원의 반지름과 작은 원의 지름의 관계를 알지 못하는 경우	중간 원의 반지름이 작은 원의 지름과 같음을 알 수 있도록 지도합니다.
원의 지름과 반지름의 관계를 알지 못하는 경우	원의 지름은 반지름의 2배임을 알 수 있도록 지도합니다.

22 (1) 직사각형의 세로는 원의 지름과 같고 가로는 원의 지름 2개와 같습니다.
따라서 직사각형의 네 변의 길이의 합은 원의 지름이 $1+2+1+2=6$(개) 있는 것과 같습니다.
(2) 원의 지름은 $72 \div 6=12$ (cm)입니다.
(3) 원의 반지름은 $12 \div 2=6$ (cm)입니다.

틀린 과정을 분석해 볼까요?

틀린 이유	이렇게 지도해 주세요
직사각형의 변이 원의 지름 몇 개인지 알지 못하는 경우	원의 지름은 원 위의 두 점을 이은 가장 긴 선분임을 알 수 있도록 지도합니다.
원의 지름과 반지름의 관계를 알지 못하는 경우	원의 지름은 반지름의 2배임을 알 수 있도록 지도합니다.

23

채점 기준		
변 ㅇㄱ, 변 ㅇㄴ의 길이를 구한 경우	2점	5점
삼각형 ㄱㅇㄴ의 세 변의 길이의 합을 구한 경우	1점	
답을 바르게 쓴 경우	2점	

틀린 과정을 분석해 볼까요?

틀린 이유	이렇게 지도해 주세요
선분 ㅇㄱ과 선분 ㅇㄴ이 원의 반지름임을 알지 못하는 경우	선분 ㅇㄱ과 선분 ㅇㄴ은 원의 중심과 원 위의 한 점을 이은 선분이므로 원의 반지름임을 알고 그 길이가 5 cm임을 알 수 있도록 지도합니다.
삼각형의 세 변의 길이의 합을 구하지 못하는 경우	각 변의 길이를 구할 수 있도록 지도합니다.

24

채점 기준		
원의 중심이 옮겨 가는 규칙을 쓴 경우	2점	5점
원의 반지름이 늘어나는 규칙을 쓴 경우	3점	

틀린 과정을 분석해 볼까요?

틀린 이유	이렇게 지도해 주세요
원의 중심이 어떻게 변하는지 알지 못하는 경우	원의 중심이 아래쪽으로 1칸씩 이동하고 있음을 알 수 있도록 지도합니다.
원의 반지름이 어떻게 변하는지 알지 못하는 경우	원의 반지름이 1칸씩 늘어나고 있음을 알 수 있도록 지도합니다.

4단원 분수

Step 1 교과 개념 92~93쪽

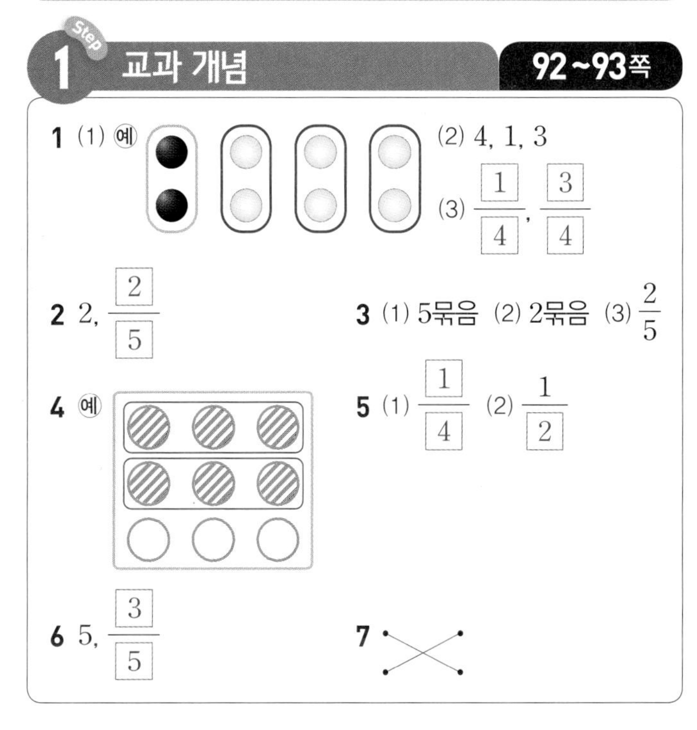

2 $\frac{(\text{색칠한 부분의 묶음의 수})}{(\text{전체 묶음의 수})}=\frac{2}{5}$

3 (1) ⇨ 5묶음

(3) 6은 5묶음 중에서 2묶음이므로 전체의 $\frac{2}{5}$입니다.

4 전체를 3묶음으로 묶은 것 중의 2묶음을 색칠해야 하므로 3씩 묶은 다음 2묶음에 색칠합니다.

5 (1) 색칠한 부분은 4묶음 중에서 1묶음입니다. ⇨ $\frac{1}{4}$

(2) 색칠한 부분은 2묶음 중에서 1묶음입니다. ⇨ $\frac{1}{2}$

6

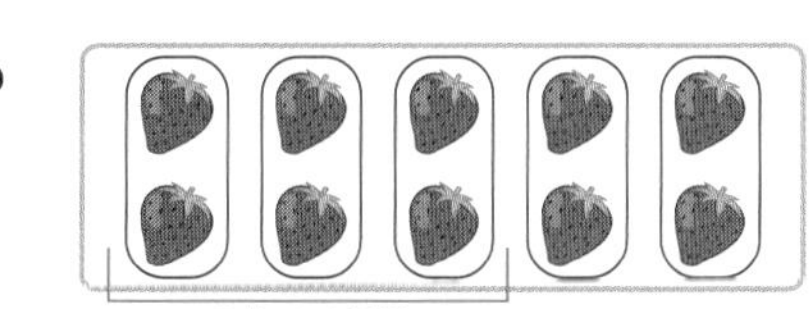

10을 2씩 묶으면 5묶음이고 6은 3묶음입니다.

6은 5묶음 중에서 3묶음이므로 10의 $\frac{3}{5}$입니다.

7 • 색칠한 부분은 2묶음 중에서 1묶음이므로 $\frac{1}{2}$입니다.

• 색칠한 부분은 4묶음 중에서 3묶음이므로 $\frac{3}{4}$입니다.

본책 86~93쪽

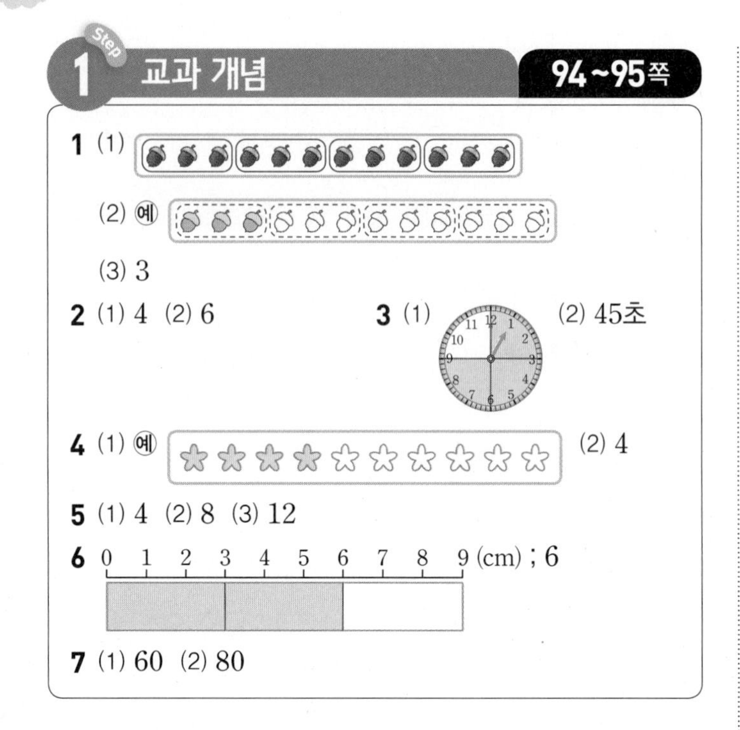

Step 1 교과 개념 94~95쪽

1 (1) (그림)
(2) 예 (그림)
(3) 3

2 (1) 4 (2) 6

3 (1) (그림) (2) 45초

4 (1) 예 (그림) (2) 4

5 (1) 4 (2) 8 (3) 12

6 0 1 2 3 4 5 6 7 8 9 (cm) ; 6

7 (1) 60 (2) 80

3 60초의 $\frac{3}{4}$은 60초를 똑같이 4로 나눈 것 중의 3입니다. 60초를 똑같이 4로 나눈 것 중의 1은 15초이므로 3배는 45초입니다.

4 (1) (그림)
2묶음인 4개에 색칠합니다.
10개는 2개씩 5묶음으로 나눌 수 있으므로 똑같이 5묶음으로 나눈 것 중의 2묶음인 4개에 색칠합니다.

5 16 cm는 4 cm씩 4부분으로 나눌 수 있습니다.

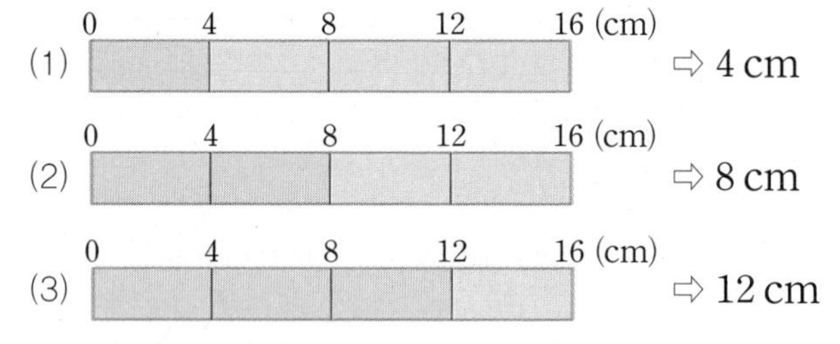

6 0 1 2 3 4 5 6 7 8 9 (cm) ⇨ 0 1 2 3 4 5 6 7 8 9 (cm)
9 cm는 3 cm씩 3부분으로 나눌 수 있습니다.
9 cm의 $\frac{2}{3}$는 똑같이 3으로 나눈 것 중의 2이므로 6 cm입니다.

7 1 m의 $\frac{1}{5}$은 1 m를 똑같이 5로 나눈 것 중의 1이므로 20 cm입니다.
(1) 1 m의 $\frac{3}{5}$은 1 m를 똑같이 5로 나눈 것 중의 3이므로 60 cm입니다.

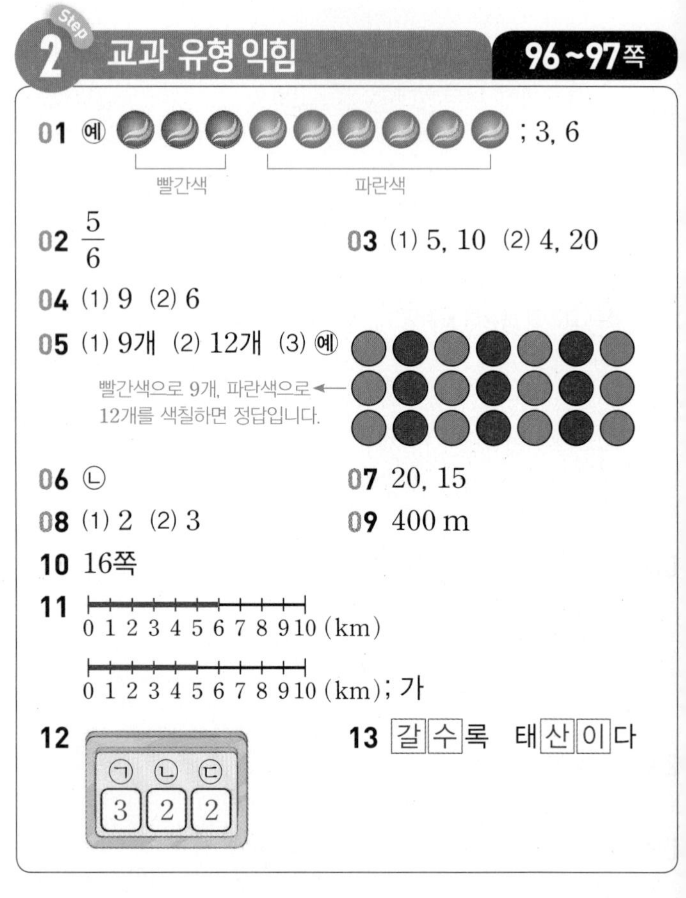

Step 2 교과 유형 익힘 96~97쪽

01 예 (그림) ; 3, 6
빨간색 파란색

02 $\frac{5}{6}$

03 (1) 5, 10 (2) 4, 20

04 (1) 9 (2) 6

05 (1) 9개 (2) 12개 (3) 예 (그림)
빨간색으로 9개, 파란색으로 12개를 색칠하면 정답입니다.

06 ㉡

07 20, 15

08 (1) 2 (2) 3

09 400 m

10 16쪽

11 0 1 2 3 4 5 6 7 8 9 10 (km)
0 1 2 3 4 5 6 7 8 9 10 (km) ; 가

12 ㉠ ㉡ ㉢ 3 2 2

13 갈수록 태산이다

02 36을 6씩 묶으면 30은 6묶음 중의 5묶음이므로 구슬 30개는 전체 36개의 $\frac{5}{6}$입니다.

03 (1) 25를 똑같이 5묶음으로 나눈 것 중의 1묶음은 5이고 2묶음은 10이므로 25의 $\frac{1}{5}$은 5이고 25의 $\frac{2}{5}$는 10입니다.
(2) 32를 똑같이 8묶음으로 나눈 것 중의 1묶음은 4이고 5묶음은 20이므로 32의 $\frac{1}{8}$은 4이고 32의 $\frac{5}{8}$는 20입니다.

04

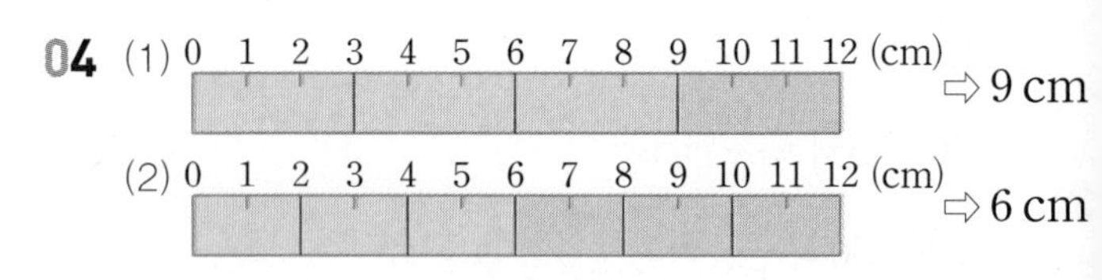

05 (1) 21의 $\frac{3}{7}$은 9이므로 빨간색 ○는 9개입니다.
(2) 21의 $\frac{4}{7}$는 12이므로 파란색 ○는 12개입니다.

06 ㉠ 9를 3씩 묶으면 3묶음입니다. 6은 3묶음 중의 2묶음이므로 6은 9의 $\frac{2}{3}$입니다. ⇨ □=2
㉡ 25를 5씩 묶으면 5묶음입니다. 20은 5묶음 중의 4묶음이므로 20은 25의 $\frac{4}{5}$입니다. ⇨ □=4

07 1시간은 긴바늘이 숫자 눈금 12칸을 지나는 시간입니다. 따라서 1시간의 $\frac{1}{3}$은 숫자 눈금 4칸을 지나는 시간으로 20분이고 1시간의 $\frac{1}{4}$은 숫자 눈금 3칸을 지나는 시간으로 15분입니다.

(4칸 → 12칸의 $\frac{1}{3}$, 3칸 → 12칸의 $\frac{1}{4}$)

다른 풀이

1시간은 60분입니다.

1시간의 $\frac{1}{3}$ ⇨ 60분의 $\frac{1}{3}$ ⇨ 20분

1시간의 $\frac{1}{4}$ ⇨ 60분의 $\frac{1}{4}$ ⇨ 15분

08 (1) 18을 9씩 묶으면 9는 2묶음 중의 1묶음이므로 18의 $\frac{1}{2}$입니다.

(2) 18을 6씩 묶으면 6은 3묶음 중의 1묶음이므로 18의 $\frac{1}{3}$입니다.

09 집에서 학교까지의 거리는 900 m의 $\frac{4}{9}$이므로 400 m입니다.

10 56쪽의 $\frac{1}{7}$은 8쪽이므로 56쪽의 $\frac{5}{7}$는 8쪽의 5배인 40쪽입니다. 지금까지 읽은 쪽수가 40쪽이므로 앞으로 더 읽어야 할 쪽수는 $56-40=16$(쪽)입니다.

11 • 가: 10 km의 $\frac{1}{5}$은 2 km이므로 $\frac{3}{5}$은 6 km입니다.

• 나: 10 km의 $\frac{1}{10}$은 1 km이므로 $\frac{5}{10}$는 5 km입니다.

12 • 30을 3씩 묶으면 10묶음이고 이 중 9는 3묶음이므로 9는 30의 $\frac{3}{10}$입니다. ⇨ ㉠=3

• 30을 5씩 묶으면 6묶음이고 이 중 10은 2묶음이므로 10은 30의 $\frac{2}{6}$입니다. ⇨ ㉡=2

• 30을 10씩 묶으면 3묶음이고 이 중 20은 2묶음이므로 20은 30의 $\frac{2}{3}$입니다. ⇨ ㉢=2

13 ㉠ ㉡ 록 태 ㉢ ㉣ 다

0 1 2 3 4 5 6 7 8 9 10 11 12

수: 12의 $\frac{1}{3}$은 4 ⇨ ㉡ 산: 12의 $\frac{2}{3}$는 8 ⇨ ㉢

갈: 12의 $\frac{1}{4}$은 3 ⇨ ㉠ 이: 12의 $\frac{3}{4}$은 9 ⇨ ㉣

Step 1 교과 개념 98~99쪽

1 $\frac{2}{4}$ $\frac{3}{4}$ $\frac{4}{4}$ $\frac{5}{4}$ $\frac{6}{4}$ $\frac{7}{4}$ $\frac{8}{4}$

(△) (△) (▽) (▽) (▽) (▽) (▽)

2 $\frac{5}{3}$

3 △$\frac{9}{4}$ △$\frac{5}{5}$ ○$\frac{1}{2}$ △$\frac{10}{3}$ ○$\frac{2}{6}$

4 $\frac{17}{6}$

5 (1) × (2) ○ (3) ○

6 (1) 18개, 5개 (2) 23개, $\frac{23}{6}$

7 (1), (2)

수직선: 0, $\frac{1}{5}$, $\frac{2}{5}$, $\frac{3}{5}$, $\frac{4}{5}$, 1 ($\frac{5}{5}$ ↓), $\frac{6}{5}$, $\frac{7}{5}$, $\frac{8}{5}$, $\frac{9}{5}$, 2

8 예 ; $2\frac{2}{3}$

3 분자가 분모보다 작은 분수를 진분수라고 합니다.

진분수: $\frac{1}{2}$, $\frac{2}{6}$ 가분수: $\frac{9}{4}$, $\frac{5}{5}$, $\frac{10}{3}$

4 $\frac{1}{6}$씩 17칸 색칠했으므로 $\frac{17}{6}$로 나타낼 수 있습니다.

5 (1) $\frac{4}{4}$는 가분수입니다.

6 (1) 3은 $\frac{18}{6}$이므로 $\frac{1}{6}$이 18개이고, $\frac{5}{6}$는 $\frac{1}{6}$이 5개입니다.

(2) $3\frac{5}{6}$는 $\frac{1}{6}$이 $18+5=23$(개)이므로 $\frac{23}{6}$으로 나타낼 수 있습니다.

7 (1) 수직선에서 눈금 한 칸의 크기는 $\frac{1}{5}$이므로 첫 번째 칸은 $\frac{1}{5}$, 4번째 칸은 $\frac{4}{5}$, 7번째 칸은 $\frac{7}{5}$입니다.

(2) 자연수 1과 $\frac{5}{5}$가 같으므로 수직선에서 1인 곳에 ↓로 나타냅니다.

8 $\frac{1}{3}$씩 8칸을 색칠하면 큰 사각형 2개와 $\frac{1}{3}$씩 2칸이 색칠됩니다. ⇨ $\frac{8}{3}=2\frac{2}{3}$

본책 94~99쪽

1 교과 개념 100~101쪽

1 (1)

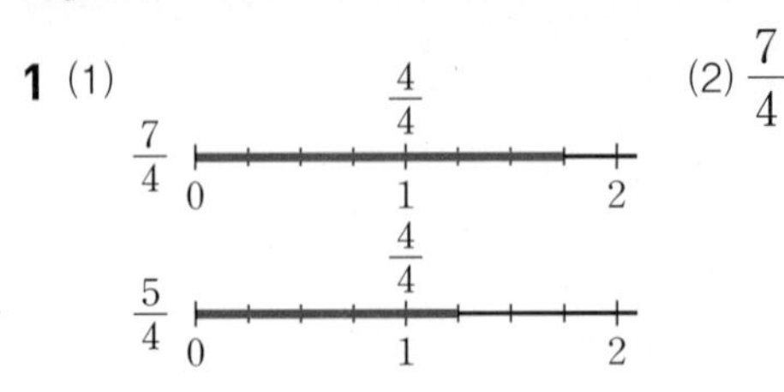

(2) $\frac{7}{4}$

2 ( )(○)

3 <

4 (1) > (2) >

5 예 $1\frac{2}{3}$, $2\frac{1}{3}$

6 > ; 큽니다에 ○표

7 (1) < (2) >

8 (1) $3\frac{4}{5}$ (2) $\frac{19}{5}$

2 $15<19$이므로 $\frac{1}{7}$이 15개인 수보다 $\frac{1}{7}$이 19개인 수가 더 큽니다.

3 색칠한 부분을 비교하면 $1\frac{4}{5}$가 더 큽니다.

4 분자가 클수록 더 큰 분수입니다.

(1) $\frac{7}{3}>\frac{4}{3}$ ($7>4$) (2) $\frac{10}{2}>\frac{9}{2}$ ($10>9$)

5 $2\frac{1}{3}$이 색칠한 부분이 더 많으므로 $1\frac{2}{3}$와 $2\frac{1}{3}$ 중에서 $2\frac{1}{3}$이 더 큽니다.

6 분모가 같은 대분수의 크기를 비교할 때는 먼저 자연수의 크기를 비교하고 자연수가 같으면 분자의 크기를 비교합니다.

① 같습니다. ② 7>3 ③

$5\frac{7}{10}$ ○ $5\frac{3}{10}$ ⇨ $5\frac{7}{10}$ ○ $5\frac{3}{10}$ ⇨ $5\frac{7}{10}$ ⓢ> $5\frac{3}{10}$

7 (1) $1\frac{2}{4}<3\frac{1}{4}$ ($1<3$) (2) $2\frac{7}{9}>2\frac{5}{9}$ ($7>5$)

8 (1) $\frac{19}{5}$에서 $\frac{15}{5}$는 3으로 나타내고 나머지 $\frac{4}{5}$는 진분수로 하여 $3\frac{4}{5}$로 나타낼 수 있습니다.

(2) $3\frac{4}{5}>2\frac{4}{5}$ ($3>2$)이므로 $\frac{19}{5}>2\frac{4}{5}$입니다.

2 교과 유형 익힘 102~103쪽

01

진분수	가분수	대분수
$\frac{11}{12}$	$\frac{3}{3}$, $\frac{10}{9}$	$1\frac{1}{8}$

02 (○)(○)(×)(×)

03 (1) 예 (2) $2\frac{3}{4}$

04 (선 잇기)

05 $\frac{8}{3}$

06 민호

07 (1) $1\frac{5}{6}$ (2) $\frac{7}{2}$

08 (선 잇기)

09 (1) > (2) >

10 $5\frac{3}{6}$, $\frac{31}{6}$, $4\frac{5}{6}$

11 $3\frac{2}{4}$, $3\frac{1}{4}$, $\frac{12}{4}$에 ○표

12 $\frac{7}{3}$에 ○표

13 (위에서부터) $\frac{19}{8}$, $\frac{19}{8}$, $2\frac{5}{8}$

14 (1) $\frac{6}{5}$, $\frac{7}{5}$, $\frac{7}{6}$ (2) $1\frac{1}{5}$, $1\frac{2}{5}$, $1\frac{1}{6}$

02

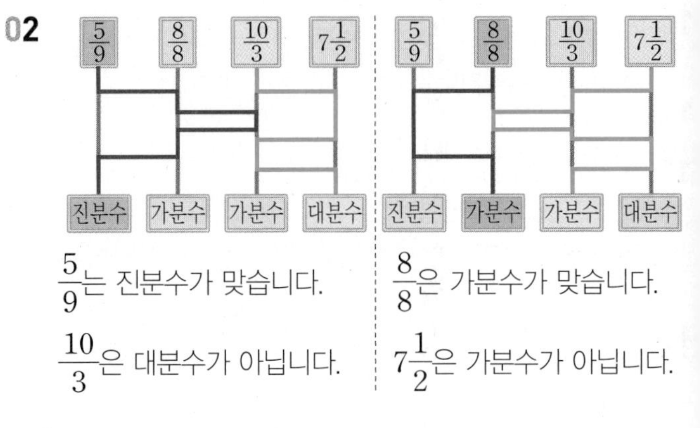

$\frac{5}{9}$는 진분수가 맞습니다.

$\frac{10}{3}$은 대분수가 아닙니다.

$\frac{8}{8}$은 가분수가 맞습니다.

$7\frac{1}{2}$은 가분수가 아닙니다.

03 작은 사각형 4개를 모두 색칠한 큰 사각형은 2개이고, 색칠한 나머지 작은 사각형을 분수로 나타내면 $\frac{3}{4}$입니다.

따라서 색칠한 부분은 $\frac{11}{4}=2\frac{3}{4}$입니다.

05 분자가 클수록 더 큰 분수이므로 $\frac{8}{3}>\frac{5}{3}>\frac{3}{3}$입니다.

06 먼저 자연수의 크기를 비교합니다. 자연수가 클수록 더 큰 분수입니다. $2>1$이므로 $2\frac{4}{7}>1\frac{6}{7}$입니다.

07 (1) $\frac{11}{6}$에서 $\frac{6}{6}$은 1로 나타내고 나머지 $\frac{5}{6}$는 진분수로 하여 $1\frac{5}{6}$로 나타낼 수 있습니다.

(2) 3은 $\frac{1}{2}$이 6개, $\frac{1}{2}$은 $\frac{1}{2}$이 1개이므로 $3\frac{1}{2}$은 $\frac{1}{2}$이 $6+1=7$(개)인 $\frac{7}{2}$입니다.

08 $\frac{25}{7}$에서 $\frac{21}{7}$을 자연수 3으로 나타내고, 나머지 $\frac{4}{7}$를 진분수로 하여 $3\frac{4}{7}$로 나타낼 수 있습니다.

$3\frac{2}{7}$에서 자연수 3은 $\frac{1}{7}$이 21개, $\frac{2}{7}$는 $\frac{1}{7}$이 2개이므로 $3\frac{2}{7}$는 $\frac{1}{7}$이 23개, $\frac{23}{7}$입니다.

$\frac{31}{7}$에서 $\frac{28}{7}$은 자연수 4로 나타내고, 나머지 $\frac{3}{7}$을 진분수로 하여 $4\frac{3}{7}$으로 나타낼 수 있습니다.

09 (1) $4\frac{5}{8}=\frac{37}{8}$이고 $\frac{37}{8}>\frac{33}{8}$이므로 $4\frac{5}{8}>\frac{33}{8}$입니다.

(2) $\frac{51}{7}=7\frac{2}{7}$이고 $7\frac{2}{7}>6\frac{6}{7}$이므로 $\frac{51}{7}>6\frac{6}{7}$입니다.

10 $\frac{31}{6}=5\frac{1}{6}$이므로 $5\frac{3}{6}>\frac{31}{6}\left(=5\frac{1}{6}\right)>4\frac{5}{6}$입니다.

11 $2\frac{3}{4}\left(=\frac{11}{4}\right)$보다 크고 $\frac{15}{4}$보다 작은 가분수는 $\frac{12}{4}$, $\frac{13}{4}$, $\frac{14}{4}$입니다. $2\frac{3}{4}$보다 크고 $\frac{15}{4}\left(=3\frac{3}{4}\right)$보다 작은 대분수는 $3\frac{1}{4}$, $3\frac{2}{4}$입니다. ⇨ $3\frac{2}{4}$, $3\frac{1}{4}$, $\frac{12}{4}$

12 첫째 조건에 따라 분모와 분자의 합이 10인 수를 찾으면 $\frac{4}{6}$, $\frac{7}{3}$입니다.

둘째 조건에 따라 가분수인 것을 찾으면 $\frac{7}{3}$입니다.

13 ㉡ $\frac{19}{8}<\frac{42}{8}$ (19<42), ㉢ $5\frac{1}{8}>2\frac{5}{8}$ (5>2),

㉠ $\frac{19}{8}=2\frac{3}{8}$, $2\frac{3}{8}<2\frac{5}{8}$ (3<5) ⇨ $\frac{19}{8}<2\frac{5}{8}$

14 (1) 수 카드 2장을 골라 작은 수를 분모에, 큰 수를 분자에 놓아 가분수를 만들 수 있습니다.

(2) $\frac{6}{5}=1\frac{1}{5}$, $\frac{7}{5}=1\frac{2}{5}$, $\frac{7}{6}=1\frac{1}{6}$

Step 3 문제 해결 104~107쪽

1 $\frac{9}{5}$, $\frac{5}{5}$, $\frac{11}{2}$

1-1 $\frac{10}{7}$, $\frac{8}{8}$, $\frac{11}{10}$, $\frac{9}{6}$

1-2

진분수	가분수
$\frac{1}{2}$, $\frac{98}{99}$, $\frac{8}{9}$	$\frac{23}{23}$, $\frac{5}{4}$

1-3

진분수	㉠, ㉡
가분수	㉢, ㉣, ㉤, ㉥
자연수	㉦, ㉧
대분수	㉨, ㉩

2 $\frac{5}{6}$

2-1 (1) $\frac{1}{5}$ (2) $\frac{3}{5}$

2-2 $\frac{3}{8}$

2-3 (1) 4 (2) 6

3 12시간 **3-1** (1) 4권, 12권 (2) 4권 **3-2** 7 m

4 (위에서부터) $\frac{11}{8}$, $\frac{11}{8}$, $2\frac{7}{8}$

4-1 (위에서부터) $\frac{23}{5}$, $4\frac{2}{5}$, $\frac{23}{5}$

5 ❶ 5, 3, 4, 12 ▸4점 ❷ 20, 12, 8 ▸2점 ; 8개 ▸4점

5-1 예 ❶ 63개의 $\frac{5}{7}$는 63개를 7묶음으로 나눈 것 중의 5묶음입니다. 63개를 똑같이 7묶음으로 나누면 한 묶음은 9개이므로 팔린 학용품 세트는 45개입니다. ▸4점

❷ 문구점에 남은 학용품 세트는 $63-45=18$(개)입니다. ▸2점 ; 18개 ▸4점

5-2 예 72장의 $\frac{5}{9}$는 72장을 9묶음으로 나눈 것 중의 5묶음입니다. 72장을 똑같이 9묶음으로 나누면 한 묶음은 8장이므로 떼어 낸 붙임딱지는 40장입니다. ▸4점

따라서 벽에 남은 붙임딱지는 $72-40=32$(장)입니다. ▸2점 ; 32장 ▸4점

6 ❶ 9 ▸3점 ❷ 9, 9, 7, 민주 ▸3점 ; 민주 ▸4점

6-1 예 ❶ 시원이가 잔 시간을 가분수로 나타내면 $9\frac{1}{4}=\frac{37}{4}$(시간)입니다. ▸3점

❷ $\frac{37}{4}$과 $\frac{38}{4}$의 분자를 비교하면 $\frac{37}{4}<\frac{38}{4}$이므로 은성이가 더 오래 잤습니다. ▸3점 ; 은성 ▸4점

6-2 예 넣은 레몬청의 양을 가분수로 나타내면 $3\frac{1}{2}=\frac{7}{2}$(숟가락)입니다. ▸3점

$\frac{7}{2}$과 $\frac{9}{2}$의 분자를 비교하면 $\frac{7}{2}<\frac{9}{2}$이므로 자몽청을 더 많이 넣었습니다. ▸3점 ; 자몽청 ▸4점

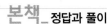

2 사탕 12개를 2개씩 묶으면 6묶음이고 10개는 6묶음 중의 5묶음이므로 12개의 $\frac{5}{6}$입니다.

2-1 빵 20개를 4개씩 묶으면 5묶음입니다.

(1) 4개는 5묶음 중의 1묶음이므로 20개의 $\frac{1}{5}$입니다.

(2) 12개는 5묶음 중의 3묶음이므로 20개의 $\frac{3}{5}$입니다.

2-2 초콜릿 24개를 3개씩 묶으면 8묶음이고 9개는 8묶음 중의 3묶음입니다. 따라서 9개는 24개의 $\frac{3}{8}$입니다.

2-3 (1) 6이 1묶음이므로 24를 6씩 묶으면 4묶음입니다.
따라서 6은 4묶음 중의 1묶음이고 24의 $\frac{1}{4}$입니다.
(2) 4가 1묶음이므로 24를 4씩 묶으면 6묶음입니다.
따라서 4는 6묶음 중의 1묶음이고 24의 $\frac{1}{6}$입니다.

3 24시간의 $\frac{1}{8}$은 3시간, 24시간의 $\frac{3}{8}$은 9시간이므로 남은 시간은 $24-3-9=12$(시간)입니다.

3-1 (1) 20의 $\frac{1}{5}$은 4이고, $\frac{3}{5}$은 $\frac{1}{5}$이 3개이므로 20의 $\frac{3}{5}$은
$\underline{4\times3}=12$입니다.
└▶ 20의 $\frac{1}{5}$의 3배

(2) (남은 공책 수)$=20-4-12=4$(권)

3-2 28 m의 $\frac{1}{4}$은 7 m이고 $\frac{2}{4}$는 14 m입니다.
⇨ (남은 색 테이프의 길이)$=28-14-7=7$ (m)

4 • $\frac{9}{8}<\frac{11}{8}$ (9<11) ⇨ 큰 $\frac{11}{8}$ • $2\frac{7}{8}<4\frac{1}{8}$ (2<4) ⇨ 작 $2\frac{7}{8}$

• $2\frac{7}{8}=\frac{23}{8}$, $\frac{11}{8}<\frac{23}{8}$ (11<23), $\frac{11}{8}<2\frac{7}{8}$ ⇨ 작 $\frac{11}{8}$

4-1 • $5\frac{1}{5}>4\frac{2}{5}$ (5>4) ⇨ 작 $4\frac{2}{5}$ • $\frac{19}{5}<\frac{23}{5}$ (19<23) ⇨ 큰 $\frac{23}{5}$

• $4\frac{2}{5}=\frac{22}{5}$, $\frac{22}{5}<\frac{23}{5}$ (22<23), $4\frac{2}{5}<\frac{23}{5}$ ⇨ 큰 $\frac{23}{5}$

5-1

채점 기준		
팔린 학용품 세트의 수를 구한 경우	4점	10점
남은 학용품 세트의 수를 구한 경우	2점	
답을 바르게 쓴 경우	4점	

5-2

채점 기준		
떼어 낸 붙임딱지의 수를 구한 경우	4점	10점
벽에 남은 붙임딱지의 수를 구한 경우	2점	
답을 바르게 쓴 경우	4점	

6-1 ~ 6-2

채점 기준		
대분수를 가분수로 나타내거나 가분수를 대분수로 나타낸 경우	3점	10점
두 분수의 크기 비교한 경우	3점	
답을 바르게 쓴 경우	4점	

Step 4 실력UP문제 108~109쪽

01 예

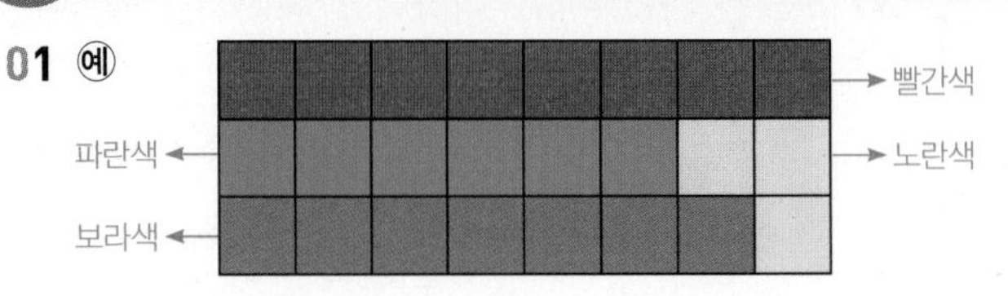

; (1) 8 (2) 6 (3) 3 (4) 7

02 (1) 16장 (2) $\frac{1}{16}$ **03** $5\frac{6}{9}$, $5\frac{7}{9}$, $5\frac{8}{9}$

04 (1) 수성, 금성, 화성 (2) 목성, 토성, 천왕성

05 예 주연이가 어제 사용한 끈의 길이는 80 cm의 $\frac{1}{5}$인 16 cm이고 남은 길이는 $80-16=64$ (cm)입니다.▸3점

오늘은 64 cm의 $\frac{3}{4}$인 48 cm를 사용했습니다. 따라서 사용하고 남은 길이는 $64-48=16$ (cm)입니다.▸3점

; 16 cm▸4점

06 15, 16 **07** 20

08 오후 3시 54분

09 예 $\frac{14}{5}$를 대분수로 나타내면 $2\frac{4}{5}$이고, $1\frac{3}{5}$보다 크고 $2\frac{4}{5}$보다 작은 대분수는 $1\frac{4}{5}$, $2\frac{1}{5}$, $2\frac{2}{5}$, $2\frac{3}{5}$입니다.▸3점

이 중 수 카드로 만들 수 있는 분수는 $1\frac{4}{5}$, $2\frac{1}{5}$, $2\frac{3}{5}$으로 3개입니다.▸3점

; 3개▸4점

01 (4) $24-8-6-3=7$(시간)

02 (1) A0 용지는 A4 용지 16장으로 자를 수 있습니다.
(2) A4 용지는 A0 용지를 똑같이 16으로 나눈 것 중의 1이므로 $\frac{1}{16}$입니다.

03 $5\frac{\square}{9}$에서 $9-\square<4$이므로 $\square=6, 7, 8$입니다. 따라서 조건 을 모두 만족하는 분수는 $5\frac{6}{9}, 5\frac{7}{9}, 5\frac{8}{9}$입니다.

04 (1) $\frac{4}{10}<\frac{5}{10}<\frac{9}{10}<1$
(수성) (화성) (금성)
(2) 자연수가 클수록 더 큰 분수이므로
$11\frac{1}{5} > 9\frac{2}{5} > 4 > 3\frac{9}{10}$입니다.
(목성) (토성) (천왕성) (해왕성)
따라서 해왕성보다 크기가 큰 행성은 목성, 토성, 천왕성입니다.

05

채점 기준		
어제 사용하고 남은 끈의 길이를 구한 경우	3점	10점
오늘 사용하고 남은 끈의 길이를 구한 경우	3점	
답을 바르게 쓴 경우	4점	

06 $1\frac{6}{8}=\frac{14}{8}, 2\frac{1}{8}=\frac{17}{8}$
$\frac{14}{8}<\frac{\square}{8}<\frac{17}{8}$이므로 $14<\square<17$입니다.
따라서 □ 안에 들어갈 수 있는 자연수는 15, 16입니다.

07 어떤 수의 $\frac{4}{5}$가 24이면 어떤 수의 $\frac{1}{5}$은 6입니다.
6은 어떤 수를 똑같이 5로 나눈 것 중의 1이므로 어떤 수는 $6\times5=30$입니다.
30의 $\frac{4}{6}$는 20입니다.

08 $\frac{9}{10}$시간은 60분을 똑같이 10으로 나눈 것 중의 9로 54분이므로 $1\frac{9}{10}$시간은 1시간 54분입니다. 따라서 서울역에서 오후 2시에 출발하면 강릉역에 오후 3시 54분에 도착합니다.

09

채점 기준		
$1\frac{3}{5}$보다 크고 $\frac{14}{5}$보다 작은 대분수를 모두 찾은 경우	3점	10점
수 카드로 만들 수 있는 분수를 찾은 경우	3점	
답을 바르게 쓴 경우	4점	

단원 평가 110~113쪽

01 $\frac{\boxed{1}}{\boxed{4}}$
02 8
03 $\frac{2}{3}, \frac{1}{8}, \frac{3}{7}, \frac{4}{11}$에 ○표
04 $\frac{13}{13}, \frac{11}{9}, \frac{3}{2}$에 ○표
05

$\frac{1}{2}$	$2\frac{2}{5}$	$4\frac{1}{3}$	$8\frac{4}{10}$	$\frac{29}{6}$
$\frac{12}{13}$	$1\frac{3}{7}$	$\frac{9}{9}$	$\frac{5}{6}$	$\frac{5}{4}$
$\frac{11}{5}$	$3\frac{1}{4}$	$6\frac{5}{8}$	$1\frac{2}{10}$	$\frac{17}{24}$

; ㄷ

06 $1\frac{3}{5}, \frac{8}{5}$
07 (1) $\frac{\boxed{1}}{\boxed{4}}$ (2) 6
08 $\frac{\boxed{10}}{\boxed{3}}$
09 $\boxed{1}\frac{\boxed{1}}{\boxed{3}}$
10 6개
11 (1) $\frac{25}{3}$ (2) $2\frac{9}{12}$
12 ②
13 (1) $\frac{3}{2}, \frac{4}{2}, \frac{4}{3}$ (2) $2\frac{3}{4}, 3\frac{2}{4}, 4\frac{2}{3}$
14 9 kg
15 민주
16 (위에서부터) $\frac{20}{7}, 2\frac{5}{7}, \frac{20}{7}$
17 6개
18 2개
19 $\frac{41}{7}, \frac{16}{7}, 2\frac{1}{7}, 1\frac{4}{7}$
20 박력분
21 (1) 4개▸3점 (2) 8개▸2점
22 (1) $\frac{1}{8}, \frac{2}{7}, \frac{3}{6}, \frac{4}{5}$▸3점 (2) $\frac{2}{7}$▸1점 (3) $\frac{2}{7}$▸1점
23 예 $\frac{7}{\square}$이 가분수가 되려면 □는 7과 같거나 7보다 작아야 합니다.▸1점
따라서 분모 □는 2, 3, 4, 5, 6, 7이 될 수 있으므로 모두 6개입니다.▸1점
; 6개▸3점
24 $\frac{7}{5}>1\frac{\boxed{1}}{5}$▸2점 ; 예 가분수 $\frac{7}{5}$을 대분수로 나타내면 $1\frac{2}{5}$이고 $1\frac{2}{5}$보다 작은 $1\frac{\square}{5}$는 $1\frac{1}{5}$뿐이므로 □ 안에 알맞은 수는 1입니다.▸3점

06 모두 색칠한 원이 1개이고 $\frac{1}{5}$씩 3칸 색칠했으므로 $1\frac{3}{5}$으로, $\frac{1}{5}$씩 8칸 색칠했으므로 $\frac{8}{5}$로 나타낼 수 있습니다.

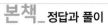

07 (1) 2 m는 4부분 중의 1부분이므로 8 m의 $\frac{1}{4}$입니다.

(2) 4부분 중의 3부분은 6 m입니다.

10 $\frac{1}{7}$, $\frac{2}{7}$, $\frac{3}{7}$, $\frac{4}{7}$, $\frac{5}{7}$, $\frac{6}{7}$ ⇨ 6개

11 (1) 8은 $\frac{1}{3}$이 24개, $\frac{1}{3}$은 $\frac{1}{3}$이 1개이므로 $8\frac{1}{3}$은 $\frac{1}{3}$이 $24+1=25$(개)입니다. ⇨ $8\frac{1}{3}=\frac{25}{3}$

(2) $\frac{33}{12}$에서 $\frac{24}{12}$는 2로 나타내고 나머지 $\frac{9}{12}$는 진분수로 하여 $2\frac{9}{12}$로 나타낼 수 있습니다.

12 ① 18 ② 6 ③ 28 ④ 30 ⑤ 27

13 (1) 수 카드 2장을 골라 분모에는 작은 수, 분자에는 큰 수를 놓아 가분수를 만듭니다.

(2) 자연수 부분에 수 카드 1장을 놓고 나머지 2장으로 진분수를 만듭니다.

14 54의 $\frac{1}{6}$은 9이므로 몸무게가 54 kg인 사람이 달에서 몸무게를 재면 9 kg입니다.

15 $1\frac{7}{12}=\frac{19}{12}$이고 $\frac{19}{12}>\frac{17}{12}$이므로 민주가 책을 더 오래 읽었습니다.

17 12개의 $\frac{1}{6}$은 2개, 12개의 $\frac{2}{6}$는 4개이므로 남은 사탕은 $12-2-4=6$(개)입니다.

18 $\frac{12}{5}=2\frac{2}{5}$이고 $2\frac{2}{5}$보다 큰 $2\frac{\square}{5}$는 $2\frac{3}{5}$, $2\frac{4}{5}$이므로 □ 안에 들어갈 수 있는 수는 3, 4로 2개입니다.

19 $\frac{41}{7}>\frac{16}{7}>2\frac{1}{7}\left(=\frac{15}{7}\right)>1\frac{4}{7}\left(=\frac{11}{7}\right)$

20 설탕: $3\frac{2}{3}$큰술, 박력분: $\frac{14}{3}$큰술

⇨ $3\frac{2}{3}=\frac{11}{3}$이고 $\frac{11}{3}<\frac{14}{3}$이므로 박력분이 더 많습니다.

21 (1) 12개의 $\frac{1}{3}$은 12개를 똑같이 3묶음으로 나눈 것 중의 1묶음이므로 4개입니다.

(2) $12-4=8$(개)

틀린 과정을 분석해 볼까요?

틀린 이유	이렇게 지도해 주세요
12의 $\frac{1}{3}$만큼을 알지 못하는 경우	12의 $\frac{1}{3}$은 12를 똑같이 3묶음으로 나눈 것 중의 1묶음임을 알 수 있도록 지도합니다.
남은 간식을 구하지 못하는 경우	12개에서 강아지에게 준 간식 수만큼 빼어 남은 간식의 수를 구하도록 지도합니다.

22 (2) 분모와 분자의 차를 구해 보면

$\frac{1}{8}$ ⇨ 7, $\frac{2}{7}$ ⇨ 5, $\frac{3}{6}$ ⇨ 3, $\frac{4}{5}$ ⇨ 1입니다.

틀린 과정을 분석해 볼까요?

틀린 이유	이렇게 지도해 주세요
진분수를 알지 못하는 경우	진분수는 분자가 분모보다 작은 분수임을 알 수 있도록 지도합니다.
분모와 분자의 합이 9, 차가 5인 진분수를 구하지 못하는 경우	합이 9인 두 수를 구한 다음 두 수의 차가 4인 경우를 찾도록 지도합니다.

23

채점 기준		
가분수를 알고 분모가 될 수 있는 수의 조건을 쓴 경우	1점	5점
분모가 될 수 있는 수를 모두 센 경우	1점	
답을 바르게 쓴 경우	3점	

틀린 과정을 분석해 볼까요?

틀린 이유	이렇게 지도해 주세요
가분수를 알지 못하는 경우	가분수는 분자가 분모와 같거나 분모보다 큰 분수임을 알 수 있도록 지도합니다.
분모가 될 수 있는 모든 수를 구하지 못하는 경우	분자가 7인 가분수이므로 분모는 7 또는 7보다 작은 수임을 알 수 있도록 지도합니다.

24 **틀린 과정을 분석해 볼까요?**

틀린 이유	이렇게 지도해 주세요
가분수와 대분수의 크기 비교 방법을 알지 못하는 경우	가분수를 대분수로 나타내어 크기 비교를 하도록 지도합니다.
대분수의 크기 비교를 하지 못하는 경우	대분수의 크기 비교를 할 때는 자연수의 크기를 먼저 비교한 다음 분수의 크기를 비교할 수 있도록 지도합니다.

5단원 들이와 무게

Step 1 교과 개념 116~117쪽

1 많습니다에 ○표　2 분무기, 어항, 물병
3 1　4 재영
5 나　6 3배
7 (　)
(○)

1 수조에 물이 가득 차지 않았으므로 수조의 들이가 음료수 병의 들이보다 더 많습니다.

2 수조의 물의 높이가 낮은 것부터 차례로 씁니다.

3 가 냄비: 7컵, 나 냄비: 8컵

4 오른쪽 물병은 옆 부분이 볼록하므로 물의 높이가 높을수록 들이가 더 많다고는 할 수 없습니다.

5 부은 횟수가 가장 많은 나 컵의 들이가 가장 적습니다.

6 가 아이스크림 통의 들이: 6컵,
나 아이스크림 통의 들이: 2컵
⇨ $6 \div 2 = 3$이므로 가 아이스크림 통의 들이는 나 아이스크림 통의 들이의 3배입니다.

7
- ㉮ 컵으로 주전자에 3개, 양동이에 6개 부어야 하므로 주전자보다 양동이에 물을 더 많이 담을 수 있습니다.
- 주전자에 ㉮ 컵으로 3개, ㉯ 컵으로 5개 부어야 하므로 ㉯ 컵이 ㉮ 컵보다 들이가 더 적습니다.

Step 1 교과 개념 118~119쪽

1 1, 300, 1300　2 (1) 3 (2) 200
3 (1) L (2) mL　4 ㉡
5 8200
6 (1) 4300 (2) 6100 (3) 1, 900 (4) 2, 40
7 (1) $<$ (2) $<$
8

1 1 L=1000 mL이므로
1 L 300 mL=1300 mL입니다.

2 (1) 그릇의 눈금을 읽으면 3 L입니다.
(2) 그릇의 눈금을 읽으면 200 mL입니다.

3 (1) 세제통의 들이는 5 mL보다 5 L가 더 알맞습니다.
(2) 우유갑의 들이는 500 L보다 500 mL가 더 알맞습니다.

4 들이가 1 L인 주스병보다 들이가 많은 물건을 찾습니다.

5 8 L=8000 mL
8 L보다 200 mL 더 많은 들이는
8000 mL+200 mL=8200 mL입니다.

6 (1) 4 L 300 mL=4000 mL+300 mL
=4300 mL
(2) 6 L 100 mL=6000 mL+100 mL
=6100 mL
(3) 1900 mL=1000 mL+900 mL
=1 L 900 mL
(4) 2040 mL=2 L 40 mL
2000 mL

7 (1) 1 L 200 mL는 1 L보다 200 mL 더 많은 들이이므로 1 L $<$ 1 L 200 mL입니다.
(2) 4 L=4000 mL이므로 3980 mL $<$ 4000 mL입니다.

8 3000 mL=3 L
3003 mL=3000 mL+3 mL=3 L 3 mL
3300 mL=3000 mL+300 mL=3 L 300 mL

Step 1 교과 개념 120~121쪽

1 3, 500　2 1, 200
3 (1) 8, 700 (2) 4, 700
4 2, 200
5 (1) 6 L 600 mL (2) 6 L 900 mL
(3) 2 L 300 mL (4) 2 L 100 mL
6 3 L
7 9 L 700 mL, 700 mL

2 3 L 300 mL에서 2 L 100 mL를 빼면 1 L 200 mL가 남습니다.

3 같은 단위끼리 계산합니다.

4 처음 들어 있던 양에서 사용한 양을 뺍니다.

5 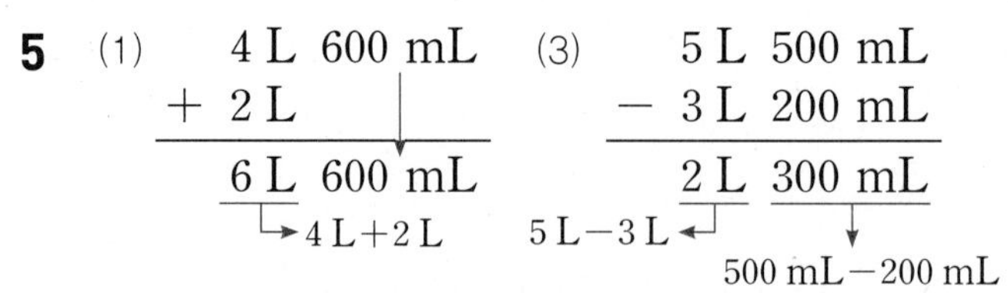

6 1 L 500 mL+1 L 500 mL
=2 L+1000 mL=3 L

7

$$\begin{array}{r} 5\text{ L } 200\text{ mL} \\ +\ 4\text{ L } 500\text{ mL} \\ \hline 9\text{ L } 700\text{ mL} \end{array} \qquad \begin{array}{r} \overset{4}{\cancel{5}}\text{ L } \overset{1000}{200}\text{ mL} \\ -\ 4\text{ L } 500\text{ mL} \\ \hline 700\text{ mL} \end{array}$$

Step 2 교과 유형 익힘 122~123쪽

01 적습니다에 ○표 **02** 2 L
03 민호
04 (1) 200에 ○표 (2) 5에 ○표
05 (1) > (2) > (3) =
06 물병 ▸5점
; 예 물병의 들이인 1 L 300 mL를 1300 mL로 단위를 바꾼 후 세 물건의 들이를 비교하면 물병의 들이가 가장 많습니다. ▸5점
07 (1) 9 L 100 mL (2) 4 L 800 mL
08 수족관, 음료수 캔, 냄비
09 5 L 200 mL **10** 2 L 400 mL
11 가, 나
12 약 1 L 500 mL ▸5점
; 예 1 L의 반은 500 mL입니다. 물이 약 500 mL씩 3개이므로 약 1 L 500 mL입니다. ▸5점
13 2 L 600 mL

02 1 L의 2배이므로 2 L입니다.

03 요구르트와 주사기의 약은 mL 단위를 사용하는 것이 적당하고 욕조의 들이는 L 단위를 사용하는 것이 적당합니다.

05 (2) 2 L 800 mL=2000 mL+800 mL
=2800 mL
(3) 4 L 600 mL=4000 mL+600 mL
=4600 mL

07 (1) 6 L 800 mL+2 L 300 mL
=8 L 1100 mL=9 L 100 mL
(2) 9 L 500 mL−4 L 700 mL
=8 L 1500 mL−4 L 700 mL
=4 L 800 mL

08 들이에 알맞은 물건을 찾아봅니다.
수족관의 들이는 약 130 L, 음료수 캔의 들이는 약 200 mL, 냄비의 들이는 약 5 L입니다.

09 2600 mL+2600 mL=5200 mL=5 L 200 mL

10 3 L 800 mL−1 L 400 mL=2 L 400 mL

11 (가+나)=2100 mL+1 L 400 mL
=2 L 100 mL+1 L 400 mL
=3 L 500 mL
(나+다)=1 L 400 mL+1 L 700 mL
=2 L 1100 mL=3 L 100 mL
(가+다)=2100 mL+1 L 700 mL
=2 L 1000 mL+1 L 700 mL
=3 L 800 mL

12 500 mL+500 mL+500 mL
=1000 mL+500 mL=1 L 500 mL

13 (②에서 양동이에 부은 물의 양)
=1 L 400 mL−200 mL
=1 L 200 mL
⇨ 1 L 400 mL+1 L 200 mL=2 L 600 mL

Step 1 교과 개념 124~125쪽

1 3 **2** 나, 가, 10
3 지우개 **4** 식빵
5 상추, 오이, 호박
6 (1) 다르기에 ○표, 다릅니다에 ○표
(2) 나
7 망고, 토마토, 귤

3 100원짜리 동전의 개수가 자보다 지우개가 더 많으므로 지우개가 더 무겁습니다.

4 42>38이므로 식빵이 더 무겁습니다.

5 상추는 오이보다 가볍고, 오이는 호박보다 가볍습니다.

6 (1) 단위로 사용한 물건이 서로 다릅니다.
(2) 동전의 개수가 같으므로 500원짜리 동전을 단위로 사용한 공 나가 더 무겁습니다.

7 망고 1개는 토마토 1개보다 무겁고, 토마토의 무게는 귤 무게의 2배입니다.
따라서 망고가 가장 무겁고 귤이 가장 가볍습니다.

Step 1 교과 개념 126~127쪽

1 100 ; 1000, 1　**2** (1) 1 (2) 2, 300
3 (1) g (2) t
4 (1) 2, 70 (2) 10, 200
5 (1) 3200 (2) 7, 90 (3) 6000 (4) 3
6 (1) $>$ (2) $>$
7 2 kg 500 g　**8** 10

2 (2) 작은 눈금 한 칸의 크기는 100 g이므로 2 kg에서 작은 눈금 3칸 더 간 곳은 2 kg 300 g입니다.

4 (1) 2 kg$+$70 g$=$2 kg 70 g
(2) 10 kg$+$200 g$=$10 kg 200 g

5 (1) 1 kg$=$1000 g임을 이용하여 단위를 바꿉니다.
3 kg은 3000 g이므로 3 kg 200 g은 3000 g에 200 g을 더해 3200 g으로 나타냅니다.
(2) 7090 g$=$7000 g$+$90 g$=$7 kg 90 g
(3) 1 t$=$1000 kg이므로 6 t$=$6000 kg입니다.
(4) 1000 kg$=$1 t이므로 3000 kg$=$3 t입니다.

참고
1 t$=$1000 kg, 1 kg$=$1000 g이므로 1 t$=$1000000 g (백만) 입니다.

6 (1) 3 kg$=$3000 g ⇨ 3000 g$>$2125 g
(2) 3 kg 100 g$=$3100 g ⇨ 3100 g$>$3030 g

7 2 kg보다 500 g 더 무거운 무게는 2 kg 500 g입니다.

8 1 kg은 1000 g이므로 100 g씩 10개가 모인 무게입니다.

Step 1 교과 개념 128~129쪽

1 3, 900　**2** 2, 500
3 (1) 9, 800 (2) 2, 100
4 (1) 9 kg 900 g (2) 6 kg 800 g
(3) 1 kg 300 g (4) 4 kg 600 g
5 (1) $>$ (2) $<$　**6** 1, 300
7 4 kg 400 g

2 3 kg 700 g에서 1 kg 200 g을 빼면 2 kg 500 g이 남습니다.

5 (1) 7 kg 300 g$>$7 kg 100 g
(2) 5 kg 600 g$<$5 kg 900 g

6 음식이 담긴 접시의 무게에서 접시의 무게를 빼면 음식의 무게가 됩니다.

7 2 kg 200 g$+$2 kg 200 g$=$4 kg 400 g

Step 2 교과 유형 익힘 130~131쪽

01 필통　**02** ㉡
03 (1) 2, 900 (2) 1
04 (1) $<$ (2) $>$
05 (1) 7 kg 200 g (2) 15 kg 500 g
06 (1) 땅콩 (2) 자동차
07 고구마 상자▸5점
; 예 고구마는 2500 g, 감자는 2600 g, 옥수수는 3000 g으로 고구마 상자가 가장 가볍습니다.▸5점
08 900, 3　**09** 8 kg 300 g
10 9 kg 100 g　**11** 900 g
12 예 옷핀 한 개의 무게는 약 1 g입니다.
13 ×▸5점
; 예 1000 g$=$1 kg이므로 1600 g은 1 kg 600 g 입니다.▸5점
14 갖고 탈 수 없습니다.

01 지우개는 바둑돌 4개의 무게와 같고, 필통은 바둑돌 7개의 무게와 같으므로 필통이 바둑돌 $7-4=3$(개)만큼 더 무겁습니다.

02 축구공의 무게는 450 kg보다 가볍습니다.
⇨ 축구공의 무게는 4 g보다 450 g에 더 가깝습니다.

03 (2) 800 kg보다 200 kg 더 무거우면 1000 kg입니다.
⇨ 1000 kg$=$1 t

04 (1) 3 kg 800 g$=$3000 g$+$800 g$=$3800 g
⇨ 3500 g$<$3800 g
(2) 9 kg 60 g$=$9000 g$+$60 g$=$9060 g
⇨ 9600 g$>$9060 g

05 (1) 400 g+800 g=1200 g이므로 받아올림하여 계산합니다.

$$\begin{array}{rrr} & 1 & \\ & 3\text{ kg} & 400\text{ g} \\ + & 3\text{ kg} & 800\text{ g} \\ \hline & 7\text{ kg} & 200\text{ g} \end{array}$$

(2) 100 g에서 600 g을 뺄 수 없으므로 16 kg에서 1 kg을 받아내림하여 계산하면 1100 g−600 g=500 g입니다.

$$\begin{array}{rrr} & 15 & 1000 \\ & \not{16}\text{ kg} & 100\text{ g} \\ - & & 600\text{ g} \\ \hline & 15\text{ kg} & 500\text{ g} \end{array}$$

06 (1) 땅콩은 g으로 나타내는 것이 알맞습니다.
(2) 자동차는 매우 무거우므로 t으로 나타내는 것이 알맞습니다.

08 g 단위의 계산: □g+300 g은 200 g이 될 수 없으므로 □g+300 g은 1200 g이 되고 kg 단위로 받아올림합니다. □+300=1200, □=900
kg 단위의 계산: 1+4+□=8, □=3

09 가장 무거운 물건: 전자레인지, 가장 가벼운 물건: 주전자
⇨ 9 kg 100 g−800 g=8 kg 300 g

10

$$\begin{array}{rrr} & 1 & \\ & 3\text{ kg} & 500\text{ g} \\ + & 5\text{ kg} & 600\text{ g} \\ \hline & 9\text{ kg} & 100\text{ g} \end{array}$$

11 (포도 주스의 무게)=2300 g−1 kg 100 g
=2 kg 300 g−1 kg 100 g=1 kg 200 g
(오렌지 주스의 무게)=2100 g−1 kg 200 g
=2 kg 100 g−1 kg 200 g=900 g

다른 풀이
2300 g−2100 g=200 g이므로 콜라가 오렌지 주스보다 200 g 더 무겁습니다. 따라서 오렌지 주스의 무게는 1 kg 100 g−200 g=900 (g)입니다.

12 옷핀 한 개의 무게는 1 kg보다 가벼우므로 g 단위로 나타내는 것이 알맞습니다.

14 2 kg 500 g+7 kg 600 g=9 kg 1100 g
=10 kg 100 g
⇨ 10 kg이 넘으므로 갖고 탈 수 없습니다.

Step 3 문제 해결 132~135쪽

1 ㉡　**1-1** 할머니
1-2 지애　**2** 7 L 400 mL
2-1 6 L 700 mL
2-2 10 L 50 mL
3 1 kg 400 g　**3-1** 800 g
3-2 민정, 1 kg 550 g　**3-3** 600 g
4 2 kg 400 g
4-1 1 kg 800 g
4-2 1 kg 200 g
5 ❶ 6080 ▸3점 ❷ 6080, <, 밀가루 ▸3점 ; 밀가루 ▸4점
5-1 예 ❶ 3 kg 500 g=3500 g ▸3점
❷ 헌 종이의 무게를 비교하면
3500 g>3490 g입니다.
따라서 모은 헌 종이의 무게가 더 무거운 사람은 준호입니다. ▸3점
; 준호 ▸4점
5-2 예 고추장은 4 kg 600 g=4600 g입니다. ▸3점
된장과 고추장의 무게를 비교하면
4080 g<4600 g입니다.
따라서 된장과 고추장 중에서 더 많이 담은 것은 고추장입니다. ▸3점
; 고추장 ▸4점
6 ❶ 2 ▸3점 ❷ 500 ▸3점 ; 500 mL ▸4점
6-1 예 ❶ 2 L짜리 물을 2통 샀으므로 은재가 산 물의 양은 2 L+2 L=4 L입니다. ▸3점
❷ 은재가 김치찌개를 끓이는 데 사용하고 남은 물의 양은 4 L−1 L 200 mL=2 L 800 mL입니다. ▸3점
; 2 L 800 mL ▸4점
6-2 예 1 L 500 mL짜리 콜라를 2병 샀으므로 지윤이가 산 콜라의 양은 1 L 500 mL+1 L 500 mL
=3 L=3000 mL입니다. ▸3점
지윤이가 마신 콜라의 양은 700 mL이므로 지윤이가 마시고 남은 콜라의 양은 3000 mL−700 mL
=2300 mL=2 L 300 mL입니다. ▸3점
; 2 L 300 mL ▸4점

1 실제 들이와 어림한 들이의 차는 ㉠ 300 mL ㉡ 200 mL ㉢ 700 mL이므로 가장 가깝게 어림한 것은 ㉡입니다.

참고
실제 무게와 어림한 무게의 차가 더 작을수록 더 가깝게 어림한 것입니다.

1-1 1 L=1000 mL이므로 물병의 실제 들이는 2300 mL=2 L 300 mL입니다. 실제 들이와 어림한 들이의 차는 할머니가 200 mL, 아버지가 270 mL이므로 물병의 들이를 더 가깝게 어림한 사람은 할머니입니다.

1-2 1 kg=1000 g이므로 양배추의 실제 무게는 1200 g=1 kg 200 g입니다.
실제 무게와 어림한 무게의 차를 구해 보면
지애: 1 kg 300 g−1 kg 200 g=100 g,
혜연: 1 kg 200 g−1 kg=200 g
따라서 양배추의 무게를 더 가깝게 어림한 사람은 지애입니다.

2 (두 사람이 받아 온 물의 양)
=(시내가 받아 온 물의 양)+(지선이가 받아 온 물의 양)
=3 L 600 mL+3 L 800 mL
=6 L 1400 mL=7 L 400 mL

2-1 (양동이의 들이)
=(처음에 있던 물의 양)+(더 부은 물의 양)
=2 L 800 mL+3 L 900 mL
=5 L 1700 mL=6 L 700 mL

2-2 (3분 동안 받을 수 있는 물의 양)
=3 L 350 mL+3 L 350 mL+3 L 350 mL
=6 L 700 mL+3 L 350 mL
=9 L 1050 mL=10 L 50 mL

3 (남은 밀가루의 무게)
=(처음에 있던 밀가루의 무게)
−(사용한 밀가루의 무게)
=3 kg 200 g−1 kg 800 g
=2 kg 1200 g−1 kg 800 g=1 kg 400 g

3-1 1 kg=1000 g이므로 사탕의 무게는
1 kg 400 g−600 g=1400 g−600 g=800 g입니다.

3-2 3 kg 650 g<5 kg 200 g이므로 민정이가 감자를
5 kg 200 g−3 kg 650 g
=4 kg 1200 g−3 kg 650 g=1 kg 550 g 더 많이 캤습니다.

3-3 (위인전의 무게)
=(위인전과 국어사전의 무게의 합)−(국어사전의 무게)
=1 kg 900 g−1 kg 100 g=800 g
(동화책의 무게)
=(동화책과 위인전의 무게의 합)−(위인전의 무게)
=1 kg 400 g−800 g=600 g

4 (주문한 밀가루의 무게)
=700 g+700 g=1400 g=1 kg 400 g
(주문한 찹쌀가루의 무게)
=500 g+500 g=1000 g=1 kg
⇨ 1 kg 400 g+1 kg=2 kg 400 g

4-1 삼겹살 1인분의 무게는 300 g이고 4인분을 주문하였으므로 (주문한 삼겹살의 무게)=300×4=1200 (g)입니다.
목살 1인분의 무게는 200 g이고 3인분을 주문하였으므로 (주문한 목살의 무게)=200×3=600 (g)입니다.
⇨ (주문한 삼겹살과 목살의 무게)
=1200 g+600 g=1800 g=1 kg 800 g

4-2 (오늘 산 소금의 무게)=400×5=2000 (g) ⇨ 2 kg
(오늘 사용하기 전의 소금의 무게)
=(어제 남아 있던 소금의 무게)+(오늘 산 소금의 무게)
=700 g+2 kg=2 kg 700 g
(오늘 남은 소금의 무게)=2 kg 700 g−1 kg 500 g
=1 kg 200 g

5-1

채점 기준		
준호가 모은 헌 종이의 무게를 g 단위로 나타낸 경우 또는 재연이가 모은 헌 종이의 무게를 몇 kg 몇 g 단위로 나타낸 경우	3점	10점
모은 헌 종이의 무게가 더 무거운 사람을 쓴 경우	3점	
답을 바르게 쓴 경우	4점	

5-2

채점 기준		
고추장의 무게를 g 단위로 나타낸 경우 또는 된장의 무게를 몇 kg 몇 g 단위로 나타낸 경우	3점	10점
할머니께서 더 많이 담은 것을 쓴 경우	3점	
답을 바르게 쓴 경우	4점	

6-1

채점 기준		
은재가 산 물의 양을 구한 경우	3점	10점
은재가 김치찌개를 끓이는 데 사용하고 남은 물의 양을 구한 경우	3점	
답을 바르게 쓴 경우	4점	

6-2 3 L−700 mL=2 L 1000 mL−700 mL
=2 L 300 mL로 계산해도 됩니다.

채점 기준		
지윤이가 산 콜라의 양을 구한 경우	3점	10점
지윤이가 마시고 남은 콜라의 양을 구한 경우	3점	
답을 바르게 쓴 경우	4점	

본책 130~135쪽

Step 4 실력UP 문제 136~137쪽

01 약 300 g **02** 5 L 100 mL
03 4 L 800 mL
04 (1) 2개 (2) 6개 (3) 참외, 복숭아, 키위
05 3 kg 300 g **06** 1 kg 600 g
07 8 kg 300 g **08** 10 kg
09 예 3 L=3000 mL이고 3000 mL는 300 mL의 10배이므로 들이가 300 mL인 컵에 물을 가득 채워 10번을 부어야 합니다.▸3점
따라서 3번 부었으므로 적어도 10−3=7(번)을 더 부어야 가득 찹니다.▸3점
; 7번▸4점
10 예 과일 바구니를 들고 잰 무게에서 과일 바구니를 들지 않고 잰 무게를 빼면 과일 바구니의 무게를 구할 수 있습니다.▸3점
따라서 과일 바구니의 무게는
42 kg 400 g−38 kg 300 g=4 kg 100 g 입니다.▸3점
; 4 kg 100 g▸4점

01 배 2개의 무게가 600 g이므로 배 1개의 무게는 600 g의 반인 약 300 g으로 어림할 수 있습니다.

02 2 L 600 mL+2 L 500 mL
=4 L 1100 mL=5 L 100 mL

03 가장 큰 장독의 들이 10 L 600 mL에서 가장 작은 장독의 들이 5 L 800 mL를 뺍니다. 두 장독의 들이의 차는 10 L 600 mL−5 L 800 mL=4 L 800 mL입니다.

04 (1) (참외 2개의 무게)=(복숭아 4개의 무게)
⇨ (참외 1개의 무게)=(복숭아 2개의 무게)
(2) (참외 1개의 무게)=(복숭아 2개의 무게)
=(키위 6개의 무게)
(3) 참외 무게는 복숭아 무게의 2배이고 복숭아 무게는 키위 무게의 3배입니다. 따라서 참외가 가장 무겁고 복숭아, 키위 순서대로 무겁습니다.

05 (토마토 5개의 무게)
=(토마토 5개가 담긴 바구니의 무게)
−(빈 바구니의 무게)
=4 kg 600 g−1 kg 300 g=3 kg 300 g

06 3800 g=3 kg 800 g이므로 얻어 낸 꿀은 모두 5 kg 400 g+3 kg 800 g=9 kg 200 g입니다.
따라서 팔고 남은 꿀은
9 kg 200 g−7 kg 600 g=1 kg 600 g입니다.

07 (물통의 반만큼 채운 물만의 무게)
=4 kg 800 g−1 kg 300 g=3 kg 500 g
(물을 가득 채운 물통의 무게)
=4 kg 800 g+3 kg 500 g=8 kg 300 g

08

은서(kg)	5	6	7	8	9	10
정수(kg)	1	2	3	4	5	6
전체(kg)	6	8	10	12	14	16

따라서 은서가 딴 한라봉의 무게는 10 kg입니다.

09

채점 기준		
주전자에 물을 가득 채우려면 컵으로 몇 번을 부어야 하는지 구한 경우	3점	10점
적어도 몇 번을 더 부어야 하는지 구한 경우	3점	
답을 바르게 쓴 경우	4점	

10

채점 기준		
과일 바구니의 무게 재는 방법을 아는 경우	3점	10점
과일 바구니의 무게를 구한 경우	3점	
답을 바르게 쓴 경우	4점	

단원 평가 138~141쪽

01 (1) 6 (2) 100
02 (1) 7300 (2) 3, 80
03 (1) kg에 ○표 (2) t에 ○표 (3) g에 ○표
04 (선 잇기: 첫째 점–셋째 점, 둘째 점–둘째 점, 셋째 점–첫째 점)
05 필통에 ○표, 수첩에 ○표, 3
06 3, 800 **07** ㉣, ㉡, ㉢, ㉠
08 (1) 15 L 100 mL (2) 6 L 600 mL
09 (1) $<$ (2) $<$
10 (1) 16 kg 400 g (2) 8 kg 700 g
11 (○)( ) **12** 5, 600
13 1 kg 700 g **14** 민호
15 (1) 가위 (2) 테이프
16 1 L 200 mL
17 13 L 100 mL
18 (1) 17 kg 800 g (2) 민준, 3 kg 200 g
19 3 kg 600 g−850 g=2 kg 750 g
; 2 kg 750 g

20 450 mL

21 (1) 1 L 600 mL ▸2점 (2) 사과 주스 ▸3점

22 ㉮ 감자 5개의 무게는 7 kg 400 g이고, 당근 4개의 무게는 5 kg 600 g입니다. ▸1점
따라서 감자 5개와 당근 4개의 무게의 합은
7 kg 400 g+5 kg 600 g=13 kg입니다. ▸2점
; 13 kg ▸2점

23 (1) 420 g ▸3점 (2) 840 g ▸2점

24 ㉮ 장우가 산 음료의 들이:
1 L 800 mL+750 mL=2 L 550 mL
현빈이가 산 음료의 들이:
1 L 50 mL+1 L 150 mL=2 L 200 mL ▸1점
장우가 산 음료가 2 L 550 mL−2 L 200 mL
=350 mL 더 많습니다. ▸2점
; 장우, 350 mL ▸2점

01 (1) 물이 눈금 6까지 채워져 있고 단위가 L이므로 6 L입니다.
(2) 물이 눈금 100까지 채워져 있고 단위가 mL이므로 100 mL입니다.

02 (1) 7 L 300 mL=7000 mL+300 mL
=7300 mL
(2) 3080 mL=3000 mL+80 mL
=3 L 80 mL

03 참고
kg 단위를 사용하여 무게를 나타내기 알맞은 물건으로 책상, 텔레비전, 과일 상자 등이 있습니다.

04 1 t=1000 kg이므로 6 t=6000 kg입니다.
6 kg 10 g=6000 g+10 g=6010 g
6 kg 100 g=6000 g+100 g=6100 g

05 필통이 수첩보다 동전 72−69=3(개)만큼 더 무겁습니다.

06 1 kg 300 g+2 kg 500 g=3 kg 800 g

07 같은 단위로 고쳐서 들이를 비교합니다.
㉠ 6 L 940 mL=6000 mL+940 mL
=6940 mL
㉣ 8 L 50 mL=8000 mL+50 mL
=8050 mL
⇨ 8050 mL(㉣)>7100 mL(㉡)>7030 mL(㉢)>6940 mL(㉠)

08 (1) 500 mL+600 mL=1100 mL
=1 L 100 mL

```
     1
   6 L  500 mL
+  8 L  600 mL
---------------
  15 L  100 mL
```

(2) 1000 mL+300 mL−700 mL
=1300 mL−700 mL=600 mL

```
  22    1000
  23 L  300 mL
− 16 L  700 mL
---------------
   6 L  600 mL
```

09 (1) 2 kg 800 g=2800 g이므로 2800 g<3000 g입니다.
(2) 7 kg 800 g=7800 g이므로 7080 g<7800 g입니다.

10 (1) 900 g+500 g=1400 g=1 kg 400 g

```
     1
   9 kg  900 g
+  6 kg  500 g
---------------
  16 kg  400 g
```
1+9+6=16

(2) 1000 g+300 g−600 g=1300 g−600 g
=700 g

```
  15     1000
  16 kg  300 g
−  7 kg  600 g
---------------
   8 kg  700 g
```
16−1−7=8

11

```
  5 kg 500 g        3 kg 600 g
+ 2 kg 400 g      + 4 kg 100 g
-------------     -------------
  7 kg 900 g        7 kg 700 g
```

⇨ 7 kg 900 g>7 kg 700 g

12 • 300+㉡=900 ⇨ ㉡=600
• ㉠+2=7 ⇨ ㉠=5

13 1700 g=1 kg 700 g

본책 136~141쪽

14 어림한 무게와 실제 무게의 차가 민호는
1 kg 700 g−1 kg 500 g=200 g,
주연이는 2 kg−1 kg 700 g=300 g입니다.
200 g<300 g이므로 민호가 수박의 무게를 실제 무게와 더 가깝게 어림했습니다.

참고
어림한 무게와 실제 무게의 차가 적을수록 더 가깝게 어림한 것입니다.

15 (1) (가위 1개의 무게)=(테이프 2개의 무게)
⇨ (가위 1개의 무게)>(테이프 1개의 무게)
(2) (지우개 3개의 무게)=(테이프 2개의 무게)
⇨ (지우개 1개의 무게)<(테이프 1개의 무게)

16
  2 L 500 mL
− 1 L 300 mL
  1 L 200 mL

17
   1
  8 L 300 mL ← 빨간색 페인트의 양
+ 4 L 800 mL ← 파란색 페인트의 양
 13 L 100 mL ← 양동이에 부은 페인트의 양

18 (1) (두 사람이 모은 헌 신문의 무게)
=(예원이가 모은 헌 신문의 무게)
+(민준이가 모은 헌 신문의 무게)
=7 kg 300 g+10 kg 500 g=17 kg 800 g
(2) 7 kg 300 g<10 kg 500 g이므로 민준이가
10 kg 500 g−7 kg 300 g=3 kg 200 g 더 많이 모았습니다.

19 (과일의 무게)
=(바구니와 과일의 무게)−(바구니만의 무게)
=3 kg 600 g−850 g
=2 kg 1600 g−850 g=2 kg 750 g

20 수호와 려원이가 마신 주스는
250 mL+300 mL=550 mL입니다.
처음에 있던 주스에서 수호와 려원이가 마신 주스를 빼면 남은 주스는 1000 mL−550 mL=450 mL입니다.

21 (1) 800 mL+800 mL=1600 mL=1 L 600 mL
(2) 2000원으로 살 수 있는 양을 비교하면
1 L 200 mL<1 L 600 mL이므로 사과 주스를 사면 됩니다.

틀린 과정을 분석해 볼까요?

틀린 이유	이렇게 지도해 주세요
2000원으로 살 수 있는 사과 주스의 양을 구하지 못하는 경우	사과 주스는 1000원으로 800 mL를 살 수 있습니다. 2000원은 1000원의 2배이므로 800 mL를 두 번 더한 양만큼 살 수 있다는 점을 지도합니다. 따라서 800 mL+800 mL로 구할 수 있습니다.
더 많은 양의 주스를 사려면 어떤 주스를 사야 하는지 구하지 못하는 경우	2000원으로 살 수 있는 오렌지 주스의 양은 1 L 200 mL이고, 사과 주스의 양은 1 L 600 mL입니다. 들이를 비교하여 바르게 답하도록 지도합니다.
mL와 L의 관계를 알지 못하는 경우	800 mL+800 mL=1600 mL로 바르게 구하였지만 L와 mL의 관계를 알지 못하면 들이를 비교할 수 없습니다. 1 L=1000 mL임을 이용하여 1600 mL는 1 L 600 mL로 바꿀 수 있다는 것을 지도합니다.

22

채점 기준		
감자 5개와 당근 4개의 무게를 각각 구한 경우	1점	5점
감자 5개와 당근 4개의 무게의 합을 구한 경우	2점	
답을 바르게 쓴 경우	2점	

틀린 과정을 분석해 볼까요?

틀린 이유	이렇게 지도해 주세요
저울의 눈금을 읽지 못하는 경우	저울의 눈금 한 칸이 나타내는 무게를 알아보고 눈금을 읽도록 지도합니다. 문제에서 주어진 저울은 1 kg 사이를 10칸으로 나누었으므로 작은 눈금 한 칸은 100 g을 나타냅니다.
무게의 덧셈을 하지 못하는 경우	무게의 덧셈은 같은 단위끼리 계산해야 하는 것을 지도합니다. 1000 g은 kg 단위로 받아올림할 수 있습니다.
문제를 이해하지 못하는 경우	저울에 각각 감자 5개와 당근 4개가 놓여 있으므로 두 저울이 나타내는 무게의 합을 구하면 됩니다. 5개와 4개는 문제를 해결하는 데 필요한 조건이 아니라는 것을 지도합니다.

23 (1) $1\text{ kg }410\text{ g}-990\text{ g}=1410\text{ g}-990\text{ g}=420\text{ g}$
(2) $420\text{ g}+420\text{ g}=840\text{ g}$

틀린 과정을 분석해 볼까요?

틀린 이유	이렇게 지도해 주세요
달걀 5개의 무게를 구하지 못하는 경우	달걀 10개가 들어 있는 바구니의 무게와 달걀 5개를 뺀 후의 무게가 주어져 있으므로 달걀 5개의 무게는 두 무게의 차와 같다는 점을 지도합니다.
무게의 덧셈, 뺄셈을 하지 못하는 경우	무게의 덧셈, 뺄셈은 같은 단위끼리 계산한다는 점을 지도합니다. 1 kg은 1000 g으로 받아내림할 수 있고, 1000 g은 1 kg으로 받아올림할 수 있습니다.
달걀 10개의 무게를 구하지 못하는 경우	$5+5=10$이므로 달걀 5개의 무게를 두 번 더하면 달걀 10개의 무게가 되는 점을 지도합니다. 따라서 달걀 5개의 무게를 두 번 더합니다.

24

채점 기준		
장우와 현빈이가 각각 산 음료의 양을 구한 경우	1점	5점
누가 몇 mL 더 샀는지 구한 경우	2점	
답을 바르게 쓴 경우	2점	

틀린 과정을 분석해 볼까요?

틀린 이유	이렇게 지도해 주세요
들이의 덧셈, 뺄셈을 하지 못하는 경우	들이의 덧셈, 뺄셈은 같은 단위끼리 계산합니다. 1 L=1000 mL를 이용하여 받아내림하거나 받아올림할 수 있습니다.
문제를 이해하지 못하는 경우	장우가 산 음료의 양의 합, 현빈이가 산 음료의 양의 합을 각각 구하고, 두 합의 차를 구합니다. 구하려는 것을 먼저 알아보고 차례로 식을 써서 계산하도록 지도합니다.

6단원 자료의 정리(그림그래프)

Step 1 교과 개념 144~145쪽

1 (1) 그림그래프 (2) 10, 1 (3) 36
2 (1) 35권 (2) 동화책
3 (1) 10개 (2) 28마리
4 (1) 5명 (2) 6명
5 (1)

하고 싶은 봉사 활동

봉사 활동	책 읽어 주기	연탄 나르기	환경 보호	문화재 지키기	합계
학생 수(명)	15	8	12	11	46

(2) 책 읽어 주기, 연탄 나르기

1 (1) 알려고 하는 수(조사한 수)를 그림으로 나타낸 그래프를 그림그래프라고 합니다.
(2) 그림그래프에서 (큰 그림)은 10명, (작은 그림)은 1명을 나타냅니다.
(3) 게임기를 받고 싶은 학생은 (큰 그림) 3개, (작은 그림) 6개이므로 36명입니다.

2 (1) (큰 그림) 3개, (작은 그림) 5개이므로 과학책은 35권입니다.
(2) 10권을 나타내는 그림이 가장 많은 책은 동화책입니다. 따라서 동화책이 가장 많습니다.

3 튼튼 마을: (큰 그림) 4개, (작은 그림) 4개 ⇨ 44마리
구름 마을: (큰 그림) 1개, (작은 그림) 6개 ⇨ 16마리
따라서 튼튼 마을이 구름 마을보다 $44-16=28$(마리) 더 많이 기르고 있습니다.

4 (1) 국어: $27-11-4-7=5$(명)
(2) 수학: 11명, 국어: 5명
⇨ 수학을 좋아하는 학생은 국어를 좋아하는 학생보다 $11-5=6$(명) 더 많습니다.

5 (1) 합계: $15+8+12+11=46$(명)
(2) $15>12>11>8$이므로 하고 싶은 학생이 많은 것부터 쓰면 책 읽어 주기, 환경 보호, 문화재 지키기, 연탄 나르기입니다.

Step 2 교과 유형 익힘 146~147쪽

01 7명　**02** 2배
03 22 kg
04 라 목장, 다 목장, 가 목장, 나 목장
05 햄버거, 35명　**06** 10명
07 피자 ▸5점
; 예 가장 많은 학생들이 좋아하는 간식이 피자이므로 피자를 준비하는 것이 좋습니다. ▸5점
08 7; 개, 햄스터, 고양이, 앵무새
09 (1) 100 (2) 사과
10 예 그림의 종류가 달라서 학생 수를 알기 어렵습니다. ▸10점
11 지성 ▸5점 ; 예 초원 농장에서 기르고 있는 돼지는 310마리입니다. ▸5점

01 한라산: $34-12-10-5=7$(명)

다른 풀이
백두산, 금강산, 지리산을 가 보고 싶어하는 학생이 $12+10+5=27$(명)이므로 한라산을 가 보고 싶어하는 학생은 $34-27=7$(명)입니다.

02 10은 5의 2배이므로 금강산을 가 보고 싶은 학생 수는 지리산을 가 보고 싶은 학생 수의 2배입니다.

다른 풀이
$10 \div 5=2$이므로 금강산을 가 보고 싶은 학생 수는 지리산을 가 보고 싶은 학생 수의 2배입니다.

03 (큰 우유) 2개와 (작은 우유) 2개이므로 가 목장의 우유 생산량은 22 kg입니다.

04 10 kg을 나타내는 그림의 수를 먼저 비교하고 1 kg을 나타내는 그림의 수를 비교합니다.

참고
가 목장: 22 kg, 나 목장: 14 kg,
다 목장: 30 kg, 라 목장: 35 kg

05 10명을 나타내는 그림 수가 가장 적은 간식은 햄버거입니다.

참고
피자: (큰 그림) 5개, (작은 그림) 4개 ⇨ 54명
햄버거: (큰 그림) 3개, (작은 그림) 5개 ⇨ 35명
떡볶이: (큰 그림) 4개, (작은 그림) 5개 ⇨ 45명
핫도그: (큰 그림) 4개, (작은 그림) 3개 ⇨ 43명

06 떡볶이를 좋아하는 학생은 45명입니다.
⇨ $45-35=10$(명)

08 키우고 싶은 학생 수가 많은 반려동물부터 차례로 씁니다.

09 (1) 포도를 좋아하는 학생 수가 310명, 복숭아를 좋아하는 학생 수가 130명이고 작은 그림은 10명을 나타내므로 큰 그림은 100명을 나타냅니다.
(2) 복숭아를 좋아하는 학생 수가 130명이므로 좋아하는 학생 수가 $130 \times 2=260$(명)인 과일을 찾습니다.

Step 1 교과 개념 148~149쪽

1 3, 1, 2, 4, 4, 3

2 (1) 10명, 1명
(2) 여행 가고 싶은 나라

나라	학생 수
영국	◎◎∘
미국	◎◎◎∘∘∘
베트남	◎◎◎∘∘∘∘
독일	◎∘∘

◎ 10명 ∘ 1명

3 과수원별 사과나무 수

과수원	사과나무 수
싱싱	🌳🌳🌳🌳🌱🌱🌱
햇살	🌳🌳🌳🌱🌱🌱🌱🌱
푸른	🌳🌳🌱🌱🌱🌱
주렁	🌳🌳🌳🌱🌱

🌳 10그루 🌱 1그루

4 (1) 10, 1
(2) 생일에 가고 싶은 장소

장소	학생 수
놀이공원	◎◎◎◎◎◎○∘∘∘∘
공연장	◎◎◎○∘
영화관	◎◎◎◎◎○∘∘

◎ 10명 ○ 5명 ∘ 1명

5 초등학교별 학생 수

초등학교	학생 수
가람	◎◎◎◎◎○○∘∘∘
노을	◎◎◎○○○○
하늘	◎◎○∘∘∘∘∘∘
새롬	◎◎◎∘∘∘∘

◎ 100명 ○ 10명 ∘ 1명

1 장미를 좋아하는 학생이 31명이므로 10명을 나타내는 그림 3개와 1명을 나타내는 그림 1개를 그려야 합니다.

2 (1) 학생 수가 두 자리 수이므로 십의 자리는 큰 그림, 일의 자리는 작은 그림을 나타내는 것이 좋습니다.

(2) ◎이 10명을 나타내고 ∘이 1명을 나타내므로 십의 자리 수만큼 ◎을 그리고, 일의 자리 수만큼 ∘을 그립니다.

미국: 33명 ⇨ ◎ 3개, ∘ 3개
베트남: 34명 ⇨ ◎ 3개, ∘ 4개
독일: 12명 ⇨ ◎ 1개, ∘ 2개

3 큰 나무 그림이 10그루를 나타내고, 작은 나무 그림이 1그루를 나타내면 과수원별 사과나무 수의 십의 자리 수만큼 큰 나무 그림을 그리고 일의 자리 수만큼 작은 나무 그림을 그립니다.

싱싱 과수원: 43그루 ⇨ 큰 그림 4개, 작은 그림 3개
햇살 과수원: 35그루 ⇨ 큰 그림 3개, 작은 그림 5개
푸른 과수원: 24그루 ⇨ 큰 그림 2개, 작은 그림 4개
주렁 과수원: 32그루 ⇨ 큰 그림 3개, 작은 그림 2개

4 (1) 일의 자리 수가 모두 5보다 크므로 ◎은 10명, ○은 5명, ∘은 1명을 나타내는 것이 좋습니다.

(2) 공연장: 36명 ⇨ ◎ 3개, ○ 1개, ∘ 1개
영화관: 57명 ⇨ ◎ 5개, ○ 1개, ∘ 2개

5 ◎이 100명을 나타내고, ○이 10명을 나타내고, ∘이 1명을 나타내므로 백의 자리 수만큼 ◎을 그리고, 십의 자리 수만큼 ○을 그리고, 일의 자리 수만큼 ∘을 그립니다.

가람 초등학교: 523명 ⇨ ◎ 5개, ○ 2개, ∘ 3개
노을 초등학교: 340명 ⇨ ◎ 3개, ○ 4개
하늘 초등학교: 215명 ⇨ ◎ 2개, ○ 1개, ∘ 5개
새롬 초등학교: 304명 ⇨ ◎ 3개, ∘ 4개

학부모 지도 가이드

• 그림그래프로 꼭 나타내어야 할까요?
표에 나타낸 수량의 크기를 보고 조사한 양의 크기를 알 수 있지만 각각의 자료들을 서로 비교하기에는 불편함이 있습니다. 그래서 그림그래프를 그려 직관적으로 수량을 비교합니다. 그림그래프와 표를 비교하면서 자료의 크기가 클수록 표보다는 그림그래프가 수량의 크기를 비교할 때 편리함을 알 수 있도록 지도합니다.

Step 1 교과 개념 150~151쪽

1 (선 잇기)

2 (1) 태어난 계절별 학생 수

계절	봄	여름	가을	겨울	합계
학생 수(명)	12	24	31	33	100

(2) 태어난 계절별 학생 수

계절	학생 수
봄	
여름	
가을	
겨울	

10명 1명

(3) 겨울

3 (1) 혈액형별 학생 수

혈액형	A형	B형	O형	AB형	합계
학생 수(명)	11	12	14	8	45

(2) 혈액형별 학생 수

혈액형	학생 수
A형	
B형	
O형	
AB형	

10명 1명

(3) O

2 (1)

봄(3월~5월)	여름(6월~8월)
가을(9월~11월)	**겨울(12월~2월)**

각 계절별로 붙임딱지의 수를 세어 봅니다.
⇨ 봄: 12명, 여름: 24명, 가을: 31명, 겨울: 33명
합계: $12+24+31+33=100$(명)

3 (3) (1)의 표에서 학생 수가 가장 많은 혈액형을 찾으면 O형입니다.
(2)의 그림그래프에서 큰 그림이 1개로 같은 혈액형 중에서 작은 그림이 가장 많은 혈액형을 찾으면 O형입니다.

Step 2 교과 유형 익힘 152~153쪽

01 마을별 병원 수

마을	병원 수
새싹	✚✚✚✚ ＋＋
별이	✚ ＋＋＋
푸른	✚✚ ＋＋＋＋＋＋＋
바다	✚✚ ＋＋＋＋

✚ 10개 ＋ 1개

02 새싹 마을

03 표, 그림그래프

04 성미네 아파트에 사는 초등학생 수

동	가	나	다	라	합계
여학생 수(명)	6	3	5	2	16
남학생 수(명)	6	4	4	5	19

05 나 동, 라 동

06

동	학생 수
가	큰 그림 2개, 작은 그림 2개
나	큰 그림 1개, 작은 그림 2개
다	큰 그림 1개, 작은 그림 4개
라	큰 그림 1개, 작은 그림 2개

(큰 그림) 5명 (작은 그림) 1명

07 45대

08 1년 동안 팔린 자동차 수

색깔	자동차 수
흰색	◎◎◎◎○○○○○
회색	◎◎◎○
검은색	◎◎○○○
빨간색	◎○○○○

◎10대 ○1대

09 흰색

10 예 두 번째로 많이 팔린 자동차의 색깔은 회색입니다. ▸5점
검은색 자동차는 빨간색 자동차보다 더 많이 팔렸습니다. ▸5점
회색 자동차가 검은색 자동차보다 8대 더 많이 팔렸습니다. → 알 수 있는 내용 두 가지를 쓰면 정답입니다.

11 좋아하는 악기

악기	학생 수
피아노	◎◎◎◎△○
바이올린	◎◎△○○○○
기타	◎◎△○○○
클라리넷	◎◎◎△○○

◎10명 △5명 ○1명

12

주스	수
딸기 주스	큰 컵 3개, 작은 컵 2개
수박 주스	큰 컵 2개, 작은 컵 4개
자두 주스	큰 컵 1개, 작은 컵 4개

(큰 컵) 100잔 (작은 컵) 10잔 ▸4점

딸기주스 ▸3점
; 예 이번 주에 가장 많이 팔린 주스이기 때문입니다. ▸3점

01 ✚이 10개를 나타내고 ＋이 1개를 나타내므로 마을별 병원 수의 십의 자리 수만큼 ✚을 그리고 일의 자리 수만큼 ＋을 그립니다.

02 그림그래프에서 10개를 나타내는 그림이 가장 많은 마을을 찾으면 새싹 마을입니다.

03 • 표는 항목별 조사한 수와 합계를 쉽게 알 수 있습니다.
• 그림그래프는 각 자료의 크기를 한눈에 비교할 수 있습니다.

04 동별로 여학생과 남학생을 구분하여 수를 세어 봅니다.

05 가 동은 여학생 수와 남학생 수가 같습니다.
나 동과 라 동은 남학생 수가 더 많고, 다 동은 여학생 수가 더 많습니다.

06 **04**번의 표에서 여학생 수와 남학생 수를 더하여 그림그래프를 그릴 수 있습니다.
가 동: $6+6=12$(명), 나 동: $3+4=7$(명)
다 동: $5+4=9$(명), 라 동: $2+5=7$(명)

07 흰색: $113-31-23-14=45$(대)

08 흰색: 45대 ⇨ ◎ 4개, ○ 5개
회색: 31대 ⇨ ◎ 3개, ○ 1개
검은색: 23대 ⇨ ◎ 2개, ○ 3개
빨간색: 14대 ⇨ ◎ 1개, ○ 4개

09 그림그래프에서 10개 그림이 가장 많은 흰색 자동차가 가장 많이 팔렸습니다.

11 피아노: 46명 ⇨ ◎ 4개, △ 1개, ○ 1개
바이올린: 29명 ⇨ ◎ 2개, △ 1개, ○ 4개
기타: 28명 ⇨ ◎ 2개, △ 1개, ○ 3개
클라리넷: 37명 ⇨ ◎ 3개, △ 1개, ○ 2개

Step 3 문제 해결 154~157쪽

1 40장
1-1 43장
1-2 19명
2 90상자
2-1 430상자
3 110;

학생별 읽은 책의 수

이름	책의 수
동건	
윤정	
경진	

100권 10권

3-1 220, 140 ;

마을별 심은 나무 수

마을	나무 수
푸른	
초록	
햇살	
구름	

100그루 10그루

4 예 식빵
4-1 예 피자 ▸5점
; 예 가장 많은 학생들이 좋아하는 간식은 피자이므로 간식으로 피자를 만드는 것이 가장 좋을 것 같습니다. ▸5점

5 ❶ 38, 37, 25, 47 ▸3점 ❷ 겨울 ▸3점
; 겨울 ▸4점

5-1 예 ❶ A형인 학생은 $22+18=40$(명),
B형인 학생은 $20+24=44$(명),
O형인 학생은 $15+21=36$(명),
AB형인 학생은 $16+14=30$(명)입니다. ▸3점
❷ 가장 많은 학생의 혈액형은 44명으로 B형입니다. ▸3점
; B형 ▸4점

5-2 예 유미네 반 학생 중 장래 희망이 요리사인 학생은 $37-8-6-13=10$(명)이고,
태오네 반 학생 중 장래 희망이 과학자인 학생은 $35-7-11-9=8$(명)입니다. ▸2점
장래 희망별 유미네 반과 태오네 반 학생 수의 합을 알아보면 선생님은 $8+7=15$(명),
과학자는 $6+8=14$(명),
요리사는 $10+11=21$(명),
의사는 $13+9=22$(명)입니다. ▸2점
따라서 가장 많은 학생의 장래 희망은 22명으로 의사입니다. ▸2점
; 의사 ▸4점

6 ❶ 12, 34 ▸3점 ❷ 34, 12, 22 ▸3점
; 22권 ▸4점

6-1 예 ❶ 가 농장의 딸기 수확량은 43 kg이고, 다 농장의 딸기 수확량은 37 kg입니다. ▸3점
❷ 가 농장은 다 농장보다 $43-37=6$ (kg) 더 많이 수확했습니다. ▸3점
; 6 kg ▸4점

6-2 예 수확량이 가장 많은 마을은 동산 마을로 62 kg이고, ▸2점
수확량이 가장 적은 마을은 산장 마을로 36 kg입니다. ▸2점
따라서 두 마을의 수확량의 차는 $62-36=26$ (kg)입니다. ▸2점
; 26 kg ▸4점

1 (가을 모둠이 받은 칭찬 붙임딱지의 수)
$=151-24-33-54=40$(장)

1-1 (노란색 색종이 수)$=122-36-27-16$
$=43$(장)

1-2 성호네 반 학생 중 취미 활동이 게임인 학생은 $27-8-5-3=11$(명)이고, 유미네 반 학생 중 취미 활동이 게임인 학생은 $24-7-3-6=8$(명)입니다.
따라서 취미 활동이 게임인 학생은 $11+8=19$(명)입니다.

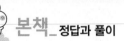

2 장미 마을: 220상자, 연꽃 마을: 240상자,
백합 마을: 310상자, 목련 마을: 230상자
따라서 생산량이 가장 많은 마을과 가장 적은 마을의 생산량의 차는 $310-220=90$(상자)입니다.

2-1 6월: 130상자, 7월: 300상자,
8월: 230상자, 9월: 220상자
따라서 판매량이 가장 많은 달과 가장 적은 달의 생산량의 합은 $300+130=430$(상자)입니다.

3 윤정이가 읽은 책은 $280-50-120=110$(권)입니다.
동건이는 작은 그림 5개, 윤정이는 큰 그림 1개와 작은 그림 1개, 경진이는 큰 그림 1개와 작은 그림 2개로 나타냅니다.

3-1 그림그래프에서 보면 푸른 마을에 심은 나무는 220그루입니다.
(구름 마을에 심은 나무 수)
$=880-220-210-310$
$=140$(그루)

4 일주일 동안 가장 많이 팔린 빵은 식빵이므로 다음 주에는 식빵을 가장 많이 준비하는 것이 좋을 것 같습니다.

4-1 참고
가장 많은 학생들이 좋아하는 간식인 피자를 답으로 적지 않았더라도 타당한 이유로 다른 간식을 썼다면 정답이 될 수 있습니다.

5 계절별 태어난 학생 수의 크기를 비교하면
$47>38>37>25$이므로 가장 많은 학생이 태어난 계절은 겨울입니다.

5-1

채점 기준		
혈액형별 여학생과 남학생 수의 합을 구한 경우	3점	10점
가장 많은 학생의 혈액형을 구한 경우	3점	
답을 바르게 쓴 경우	4점	

5-2

채점 기준		
유미네 반 학생 중 장래 희망이 요리사인 학생과 태오네 반 학생 중 장래 희망이 과학자인 학생 수를 구한 경우	2점	10점
장래 희망별 학생 수의 합을 구한 경우	2점	
가장 많은 학생의 장래 희망을 구한 경우	2점	
답을 바르게 쓴 경우	4점	

6-1

채점 기준		
가 농장과 다 농장의 딸기 수확량을 구한 경우	3점	10점
가 농장과 다 농장의 딸기 수확량의 차를 구한 경우	3점	
답을 바르게 쓴 경우	4점	

6-2

채점 기준		
수확량이 가장 많은 마을의 수확량을 구한 경우	2점	10점
수확량이 가장 적은 마을의 수확량을 구한 경우	2점	
두 마을의 수확량의 차를 구한 경우	2점	
답을 바르게 쓴 경우	4점	

Step 4 실력UP 문제 158~159쪽

01 14개 **02** 19개

03 예 라 마을의 가로등은 25개입니다. ▶3점
따라서 라 마을에서 가로등을 40개로 늘리려면 더 설치해야 하는 가로등은 $40-25=15$(개)입니다. ▶3점
; 15개 ▶4점

04 좋아하는 악기별 학생 수

악기	학생 수
리코더	◎ ○ ○ ○ ○
피아노	◎ ○ ○ ○
실로폰	◎ ○ ○
단소	○ ○ ○

◎ 10명 ○ 1명

05 2명 **06** 마늘 치킨

07 15, 13, 10, 7

08 음료수 속에 들어 있는 설탕의 양

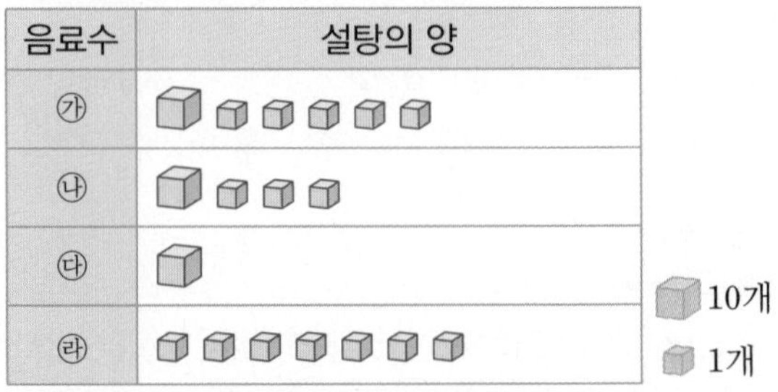

음료수	설탕의 양
㉮	■ ▪ ▪ ▪ ▪ ▪
㉯	■ ▪ ▪ ▪
㉰	■
㉱	▪ ▪ ▪ ▪ ▪ ▪ ▪

■ 10개 ▪ 1개

09 동쪽 과수원, 10상자 **10** 27명

01 가 마을: 1개, 3개 ⇨ 13개

나 마을: 3개, 2개 ⇨ 32개

라 마을: 2개, 5개 ⇨ 25개

네 마을의 가로등 수의 합이 84개이므로 다 마을의 가로등은 $84-13-32-25=14$(개)입니다.

02 가로등이 가장 많은 마을은 나 마을로 32개이고, 가로등이 가장 적은 마을은 가 마을로 13개입니다.
따라서 가로등이 가장 많은 마을은 가장 적은 마을보다 $32-13=19$(개) 더 많습니다.

03

채점 기준		
라 마을의 가로등 수를 구한 경우	3점	10점
라 마을에 더 설치해야 하는 가로등 수를 구한 경우	3점	
답을 바르게 쓴 경우	4점	

05 실로폰과 단소를 좋아하는 학생 수의 합은 $12+3=15$(명)입니다.
⇨ $15-13=2$(명)

06 이달 판매량이 가장 적은 치킨은 140마리인 마늘 치킨입니다. 따라서 마늘 치킨을 카레 맛 치킨으로 바꾸어야 합니다.

07 음료수별로 접시에 놓여 있는 각설탕의 개수를 세어 봅니다.
㉮ 음료수: 15개, ㉯ 음료수: 13개,
㉰ 음료수: 10개, ㉱ 음료수: 7개

08 이 10개를 나타내고, 이 1개를 나타내므로 십의 자리 수만큼 을 그리고, 일의 자리 수만큼 을 그립니다.

㉮ 음료수: 15개 ⇨ 1개, 5개

㉯ 음료수: 13개 ⇨ 1개, 3개

㉰ 음료수: 10개 ⇨ 1개

㉱ 음료수: 7개 ⇨ 7개

학부모 지도 가이드

설탕을 너무 많이 먹게 되면 충치가 생기고 비만이 될 수 있습니다. 따라서 음료수 속에 들어 있는 각설탕의 양을 그림그래프로 나타내는 활동을 통하여 평소에 설탕이 많이 들어 있는 음료수를 얼마나 자주 마시는지 생각해 보게 합니다.

09 서쪽 과수원: $330+350=680$(상자),
동쪽 과수원: $440+250=690$(상자)
⇨ 동쪽 과수원이 $690-680=10$(상자) 더 많이 생산했습니다.

10 2반 학생 수는 4반 학생 수의 $\frac{1}{2}$이므로 26의 $\frac{1}{2}$인 13명입니다.
3반: $90-24-13-36=27$(명)

단원 평가 160~163쪽

01 좋아하는 동물

동물	강아지	고양이	병아리	토끼	합계
학생 수(명)	26	14	10	20	70

02 14명　**03** 강아지

04 6명　**05** 10명, 1명

06 4반, 33명　**07** 3반

08 남학생과 여학생이 사는 마을

마을	동구	기쁨	사랑	진주	합계
남학생 수(명)	5	8	3	5	21
여학생 수(명)	4	2	5	3	14

09 기쁨 마을

10 사랑 마을, 동구 마을, 진주 마을, 기쁨 마을

11 예 징현이네 빈 어학생이 가장 많이 사는 마을은 사랑 마을입니다. ▸2점
정현이네 반 여학생은 14명입니다. ▸2점

12 과수원별 사과 수확량

과수원	수확량
가	◎◎◎◎◎◎◎◎○○○
나	◎◎○○○○○
다	◎◎◎◎◎◎◎
라	◎◎◎◎◎○○○○

◎ 10 kg　○ 1 kg

13 가 과수원　**14** 35 kg

15 23, 32, 15, 28　**16** 16가구, 35가구

17 라 마을, 나 마을, 가 마을, 다 마을

18 36가마

19 종류별 농산물 생산량

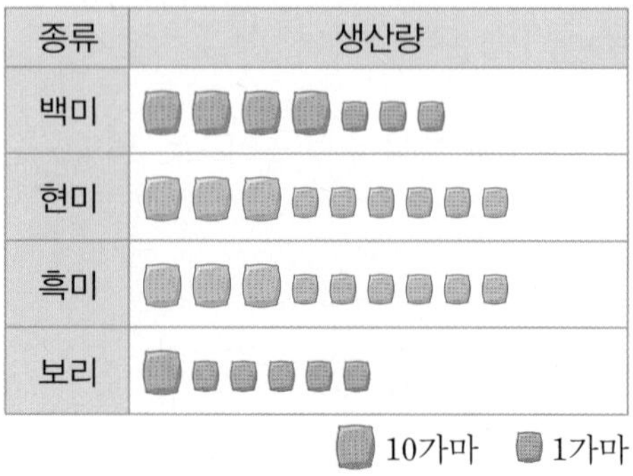

종류	생산량
백미	(10가마 4개, 1가마 3개)
현미	(10가마 3개, 1가마 6개)
흑미	(10가마 3개, 1가마 6개)
보리	(10가마 1개, 1가마 5개)

10가마 1가마

20 3440 kg

21 (1) 12명 ▸2점 (2) 30명 ▸3점

22 (1) 36명 ▸2점

(2) 예 놀이동산 ▸1점

; 예 가장 많은 학생들이 가고 싶은 곳은 놀이동산이므로 소풍 가는 장소는 놀이동산이 좋을 것 같습니다. ▸2점

23 예 휴대 전화를 받고 싶은 학생은 27명입니다. ▸1점
휴대 전화를 받고 싶은 여학생이 15명이므로 휴대 전화를 받고 싶은 남학생은 $27-15=12$(명)입니다. ▸2점

; 12명 ▸2점

24 예 조사한 학생이 84명이므로 게임기와 블록을 받고 싶은 학생은 $84-27-12=45$(명)입니다. ▸1점
게임기를 받고 싶은 학생은 블록을 받고 싶은 학생의 2배이므로 45명을 3으로 나눈 것 중의 2만큼인 30명입니다. ▸2점

; 30명 ▸2점

01 각 동물별로 붙임딱지의 수를 세어 봅니다.
합계: $26+14+10+20=70$

02 고양이에 붙여진 붙임딱지의 수가 14이므로 고양이를 좋아하는 학생은 14명입니다.

03 가장 많은 학생들이 좋아하는 동물은 26명으로 강아지입니다.

04 토끼: 20명, 고양이: 14명 ⇨ $20-14=6$(명)

05 그림그래프에서 (큰 그림)은 10명, (작은 그림)은 1명을 나타냅니다.

06 10명을 나타내는 그림이 많을수록 우유를 마시는 학생이 많은 것입니다. (큰 그림)이 가장 많은 반은 4반이고 (큰 그림) 3개와 (작은 그림) 3개이므로 33명입니다.

07 1반은 우유를 마시는 학생이 11명이고 11명의 2배는 22명입니다. 따라서 우유를 마시는 학생이 22명인 반을 찾으면 3반입니다.

09 마을별로 남학생 수가 가장 많은 마을은 8명으로 기쁨 마을입니다.

10 마을별로 여학생 수를 비교하여 여학생 수가 많은 마을부터 차례로 씁니다.

11 정현이네 반 남학생은 여학생보다 7명이 더 많습니다. 등 여러 가지 내용을 쓸 수 있습니다.

12 나: 25 kg ⇨ ◎ 2개, ○ 5개
다: 70 kg ⇨ ◎ 7개
라: 54 kg ⇨ ◎ 5개, ○ 4개

13 83 kg으로 가 과수원의 사과 수확량이 가장 많습니다.

14 이번 주 사과 수확량이 가장 적은 과수원은 나 과수원으로 25 kg입니다.
따라서 다음 주 사과 수확량을 60 kg으로 늘리려면 이번 주보다 $60-25=35$ (kg) 더 늘려야 합니다.

15 가: (큰 그림) 2개, (작은 그림) 3개 ⇨ 23가구
나: (큰 그림) 3개, (작은 그림) 2개 ⇨ 32가구
다: (큰 그림) 1개, (작은 그림) 5개 ⇨ 15가구
라: (큰 그림) 2개, (작은 그림) 8개 ⇨ 28가구

16 가 마을은 23가구에서 $23-7=16$(가구)가 되고,
라 마을은 28가구에서 $28+7=35$(가구)가 됩니다.

17 이사를 가고 난 후의 가구 수는 가 마을: 16가구
나 마을: 32가구, 다 마을: 15가구, 라 마을: 35가구입니다.
따라서 가구 수가 많은 마을부터 차례로 쓰면 라 마을, 나 마을, 가 마을, 다 마을입니다.

18 현미와 흑미의 생산량의 합은 $130-43-15=72$(가마)입니다. 따라서 현미와 흑미의 생산량이 같으므로 현미 생산량은 $72\div2=36$(가마)입니다.

19 현미와 흑미의 생산량이 같으므로 현미와 흑미는 각각 36가마입니다. 따라서 현미와 흑미에 각각 (큰 그림) 3개, (작은 그림) 6개를 그립니다.

20 민수네 논에서 생산한 백미는 43가마이고, 백미 한 가마의 무게는 80 kg이므로 백미 43가마의 무게는 $80\times43=3440$ (kg)입니다.

21 (1) 연날리기를 좋아하는 학생은 제기차기를 좋아하는 학생의 3배이므로 $4 \times 3 = 12$(명)입니다.

(2) 합계: $12 + 6 + 8 + 4 = 30$(명)

틀린 과정을 분석해 볼까요?

틀린 이유	이렇게 지도해 주세요
연날리기를 좋아하는 학생 수를 구하지 못하는 경우	연날리기를 좋아하는 학생은 제기차기를 좋아하는 학생의 3배이므로 4의 3배를 구하도록 지도합니다.
조사한 학생 수가 모두 몇 명인지 구하지 못하는 경우	조사한 학생 수는 연날리기, 윷놀이, 팽이치기, 제기차기를 좋아하는 학생 수의 합으로 구하도록 지도합니다.

22 (1) 놀이동산에 가고 싶은 학생은 박물관에 가고 싶은 학생보다 13명 더 많으므로 $23 + 13 = 36$(명)입니다.

틀린 과정을 분석해 볼까요?

틀린 이유	이렇게 지도해 주세요
놀이동산에 가고 싶은 학생 수를 구하지 못하는 경우	놀이동산에 가고 싶은 학생 수는 박물관에 가고 싶은 학생 수보다 13명 더 많습니다. 따라서 박물관에 가고 싶은 학생 수에 13을 더하도록 지도합니다. 그림그래프의 그림이 나타내는 단위를 먼저 살펴보고 박물관에 가고 싶어 하는 학생 수를 구합니다.
박물관에 가고 싶은 학생 수를 구하지 못하는 경우	그림그래프에서는 그림이 나타내는 단위가 각각 몇 명인지 알아보고 큰 그림과 작은 그림의 수를 세어 전체가 몇 명을 나타내는 그림인지 알아보도록 지도합니다.
소풍 가고 싶은 장소와 그렇게 답한 까닭을 쓰지 못하는 경우	소풍 가고 싶은 장소를 조사하여 나타낸 그림그래프이므로 가장 많은 학생들이 가고 싶어 하는 장소를 쓰고, 그렇게 쓴 까닭으로는 가장 많은 학생들이 가고 싶어 하는 곳이기 때문이라고 쓰도록 지도합니다. 그 외에 다른 장소를 답하고 까닭을 바르게 적어도 옳은 답이 될 수 있습니다.

23

채점 기준		
휴대 전화를 받고 싶은 학생 수를 구한 경우	1점	5점
휴대 전화를 받고 싶은 남학생 수를 구한 경우	2점	
답을 바르게 쓴 경우	2점	

틀린 과정을 분석해 볼까요?

틀린 이유	이렇게 지도해 주세요
휴대 전화를 받고 싶은 학생 수를 구하지 못하는 경우	그림그래프에서 학생 수를 나타내는 단위 그림은 3가지입니다. 그림의 크기에 따라 몇 개씩 있는지 세어 보고 덧셈을 하여 학생 수를 바르게 구하도록 지도합니다.
휴대 전화를 받고 싶은 남학생 수를 구하지 못하는 경우	휴대 전화를 받고 싶은 학생 수에서 휴대 전화를 받고 싶은 여학생 수를 빼면 된다는 것을 알려줍니다. 문제에서 휴대 전화를 받고 싶은 여학생 수가 주어져 있으므로 뺄셈식을 세워 구할 수 있습니다.

24

채점 기준		
게임기와 블록을 받고 싶은 학생 수의 합을 구한 경우	1점	5점
게임기를 받고 싶은 학생 수를 구한 경우	2점	
답을 바르게 쓴 경우	2점	

틀린 과정을 분석해 볼까요?

틀린 이유	이렇게 지도해 주세요
게임기와 블록을 받고 싶은 학생이 모두 몇 명인지 구하지 못하는 경우	조사한 전체 학생 수에서 휴대 전화와 인형을 받고 싶은 학생 수를 빼면 구할 수 있다는 점을 지도합니다.
게임기를 받고 싶은 학생이 몇 명인지 구하지 못하는 경우	게임기를 받고 싶은 학생 수는 블록을 받고 싶은 학생 수의 2배입니다. 게임기와 블록을 받고 싶은 학생 수 전체를 3으로 나누었을 때 한 부분은 블록을 받고 싶은 학생 수라고 하면 나머지 두 부분은 게임기를 받고 싶은 학생 수라고 할 수 있습니다. 따라서 45를 3으로 나눈 몫을 구하면 이 수는 블록을 받고 싶은 학생 수라는 점을 지도합니다. 게임기를 받고 싶은 학생 수는 블록을 받고 싶은 학생 수에 2를 곱하여 구할 수 있습니다.

본책 160~163쪽

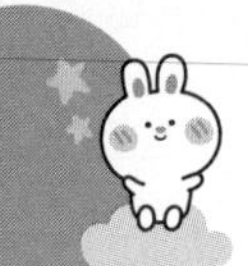

1단원 곱셈

기본 단원평가 2~4쪽

01 496

02 ㉠

03 6, 180, 1800

04 방법 1

$$\begin{array}{r} 7\ 4\ 6 \\ \times \quad\ 4 \\ \hline \boxed{2\ 4} \\ \boxed{1\ 6\ 0} \\ 2\ 8\ 0\ 0 \\ \hline \boxed{2\ 9\ 8\ 4} \end{array}$$

방법 2

$$\begin{array}{r} \boxed{1}\boxed{2}\ \ \\ 7\ 4\ 6 \\ \times \quad\ 4 \\ \hline \boxed{2\ 9\ 8\ 4} \end{array}$$

05

$$\begin{array}{r} 3\ 2 \\ \times\ 4\ 2 \\ \hline \boxed{6}\boxed{4} \\ \boxed{1}\boxed{2}\boxed{8}\ 0 \\ \hline \boxed{1}\boxed{3}\boxed{4}\boxed{4} \end{array}$$

$\cdots\ 32\times\boxed{2}$, $\cdots\ 32\times\boxed{40}$

06 (1) 4296 (2) 343

07 2608

08 (위에서부터) 702, 864

09 $138\times4=552$

10

$$\begin{array}{r} 6\ 1 \\ \times\ 3\ 3 \\ \hline 1\ 8\ 3 \\ 1\ 8\ 3\ 0 \\ \hline 2\ 0\ 1\ 3 \end{array}$$

← 계산 과정 중간에서 0은 생략할 수도 있습니다.

11 >

12 ①

13 (위에서부터) 1632, 4416, 3024

14 민주

15 3626

16 $25\times50=1250$; 1250개

17 예 ; 272

18 ④

19 3920원

20 (위에서부터) 3, 5

21 (1) 예 80봉지에 들어 있는 초콜릿의 수
(2) $56\times80=4480$ (3) 4480개

22 예 어른 입장료는 $750\times7=5250$(원)이고, 어린이 입장료는 $450\times6=2700$(원)입니다.▸1점
따라서 입장료는 모두 $5250+2700=7950$(원)입니다.▸1점 ; 7950원▸2점

23 예 (쌓기나무의 무게)$=23\times15=345$ (그램)
(쇠구슬의 무게)$=35\times20=700$ (그램)▸1점
따라서 쌓기나무와 쇠구슬의 무게의 차는
$700-345=355$ (그램)입니다.▸1점
; 355 그램▸2점

24 700쪽

25 $\boxed{6}\boxed{2}\times4\boxed{3}$; 2666

01 백 모형이 2개씩 2묶음: $200\times2=400$
십 모형이 4개씩 2묶음: $40\times2=80$
일 모형이 8개씩 2묶음: $8\times2=16$
⇨ $248\times2=400+80+16=496$

02

$$\begin{array}{r} 4\ 0 \\ \times\ 9\ 0 \\ \hline 3\ 6\ 0\ 0 \end{array}$$

⇨ (몇십)×(몇십)의 계산은 (몇)×(몇)의 곱의 뒤에 0을 2개 붙입니다.

03 60은 6의 10배이므로 30×60은 30×6의 10배와 같습니다.

참고

$30\times60=1800$, $3\times6=18$

30은 3의 10배이고 60은 6의 10배이므로 30×60은 3×6의 100배와 같습니다.

04 방법 1은 $6\times4=24$, $40\times4=160$, $700\times4=2800$을 각각 구하여 곱을 더하는 방법이고, 방법 2는 올림이 있는 수를 위에 적어 한번에 계산하는 방법입니다.

06 (1)

$$\begin{array}{r} {}^{3}\ \ \ \\ 7\ 1\ 6 \\ \times \quad\ 6 \\ \hline 4\ 2\ 9\ 6 \end{array}$$

(2)

$$\begin{array}{r} 7 \\ \times\ 4\ 9 \\ \hline 6\ 3 \\ 2\ 8\ 0 \\ \hline 3\ 4\ 3 \end{array}$$

07 $326\times8=2608$

08

$$\begin{array}{r} 2\ 6 \\ \times\ 2\ 7 \\ \hline 1\ 8\ 2 \\ 5\ 2\ 0 \\ \hline 7\ 0\ 2 \end{array}, \quad \begin{array}{r} 3\ 2 \\ \times\ 2\ 7 \\ \hline 2\ 2\ 4 \\ 6\ 4\ 0 \\ \hline 8\ 6\ 4 \end{array}$$

10 61과 곱하는 수의 십의 자리 3의 계산은 61×30이므로 1830입니다.

11 $47\times55=2585$, $53\times36=1908$
⇨ $2585>1908$

12 ① $60\times70=4200$ ② $20\times92=1840$
③ $40\times70=2800$ ④ $221\times4=884$
⑤ $63\times21=1323$
따라서 곱이 가장 큰 것은 ① 4200입니다.

13 • $34\times48=1632$ • $63\times48=3024$
• $92\times48=4416$

14 주연: $128\times3=384$, 민호: $24\times16=384$,
민주: $19\times20=380$
따라서 곱이 다른 사람은 민주입니다.

15 $7\times14=98$, $98\times37=3626$

16 (사과 전체의 수)
=(한 상자에 들어 있는 사과 수)×(상자 수)
$=25\times50=1250$(개)

17 17개씩 16줄을 색칠하면 색칠한 모눈은 모두 272칸이므로 $17\times16=272$입니다.

18 (자동차가 갈 수 있는 거리)
=(한 시간에 갈 수 있는 거리)×(시간)
$=88\times12=1056$ (km)

19 $560\times7=3920$(원)

20
```
      [㉠]
 × [㉡] 3
 ---------
   1  5  9
```
• ㉠×3=9 ⇨ ㉠=3
• 3×㉡0=150 ⇨ ㉡=5

21 (2) (전체 초콜릿 수)
=(한 봉지에 들어 있는 초콜릿 수)×(봉지 수)
$=56\times80=4480$(개)

22

채점 기준		
어른 입장료와 어린이 입장료를 각각 구한 경우	1점	4점
어른 입장료와 어린이 입장료의 합을 구한 경우	1점	
답을 바르게 쓴 경우	2점	

23

채점 기준		
쌓기나무의 무게와 쇠구슬의 무게를 각각 구한 경우	1점	4점
쌓기나무와 쇠구슬의 무게의 차를 구한 경우	1점	
답을 바르게 쓴 경우	2점	

24 1주일은 7일이므로 4주일은 $7\times4=28$(일)입니다.
따라서 4주일 동안 읽을 수 있는 동화책은 모두 $25\times28=700$(쪽)입니다.

25 곱이 가장 큰 곱셈식을 만들려면 십의 자리에 가장 큰 수인 6을 놓아야 합니다.
$62\times43=2666$, $63\times42=2646$이므로 계산 결과가 가장 큰 곱셈식은 $62\times43=2666$입니다.

참고
• ㉠>㉡>㉢>㉣의 수로 곱이 가장 큰 식 만들기
(두 자리 수)×(두 자리 수)
⇨ ㉠㉣×㉡㉢ 또는 ㉡㉢×㉠㉣
• ㉠>㉡>㉢>㉣의 수로 곱이 가장 작은 식 만들기
(두 자리 수)×(두 자리 수)
⇨ ㉣㉡×㉢㉠ 또는 ㉢㉠×㉣㉡

실력 단원평가 5~6쪽

01 ㉡ 02 >
03 민규
04 예 곱셈에서 올림한 수를 더해 주어야 하는데▸2점
민규는 올림한 수를 더하지 않았습니다.▸3점
05 1380 cm
06 1470 cm 07 4104개
08 ㉣ 09 (위에서부터) 2, 4, 6
10 1523 11 6
12 327자루 13 (위에서부터) 4, 4, 2, 6
14 예 (판 꽃의 수)
=(한 다발의 꽃의 수)×(판 다발 수)
$=25\times72=1800$(송이)▸3점
(남은 꽃의 수)=(처음 꽃의 수)−(판 꽃의 수)
$=1900-1800=100$(송이)▸3점
; 100송이▸4점
15 626 16 5002

01 ㉠ $1\times5=5$ ⇨ $10\times50=5\boxed{00}$
㉡ $25\times4=100$ ⇨ $25\times40=1\boxed{000}$
㉢ $3\times9=27$ ⇨ $30\times90=27\boxed{00}$

02 $546\times8=4368$, $45\times80=3600$ ⇨ $4368>3600$

03
```
    1
  5 2 4
×     3
-------
1 5 7 2
```
⇨ 올림한 수를 더하지 않았으므로 민규가 잘못 계산하였습니다.

05 정사각형은 네 변의 길이가 모두 같습니다.
(정사각형의 네 변의 길이의 합)
$=345\times4=1380$ (cm)

06 (필요한 색 테이프의 길이)
=(리본 한 개를 만드는 데 필요한 색 테이프의 길이)
×(리본의 수)
$=42\times35=1470$ (cm)

평가 자료집 2~6쪽

07 $76\times54=4104$(개)

08

	곱	500과의 차
㉠ 268×2	536	36
㉡ 34×20	680	180
㉢ 155×4	620	120
㉣ 34×14	476	24

500과의 차가 작을수록 500에 가까운 것이므로 500에 가장 가까운 것은 ㉣입니다.

09 일의 자리 계산: $1\times\square=4$, $\square=4$
십의 자리 계산: $40\times4=160$, $\square=6$
백의 자리 계산: □00×4에 십의 자리에서 올림한 100을 더하면 900이므로 □00×4=800, □=2입니다.

10 71부터 242씩 6번 뛰어 세기 한 것입니다.
$242\times6=1452$이므로 ㉠$=71+1452=1523$입니다.

11 $90\times60=5400$이므로 78×□0<5400입니다.
$78\times60=4680$, $78\times70=5460$이므로 □ 안에 들어갈 수 있는 수 중에서 가장 큰 수는 6입니다.

12 3학년 전체 학생은 $24+31+26+28=109$(명)입니다.
따라서 필요한 연필은 모두 $109\times3=327$(자루)입니다.

13

```
      6 ㉠
  ×  ㉡ 8
  --------
    5 1 ㉢
  2 5 ㉣ 0
  --------
  3 0 7 2
```

㉢=2이고 6㉠×8=512에서 ㉠=4입니다.
1+㉣=7에서 ㉣=6이고
64×㉡0=2560에서 ㉡=4입니다.

14

채점 기준		
판 꽃의 수를 구한 경우	3점	10점
남은 꽃의 수를 구한 경우	3점	
답을 바르게 쓴 경우	4점	

15 어떤 수를 □라고 하면 □+222=535,
□=535−222=313입니다.
따라서 바르게 계산하면 $313\times2=626$입니다.

16 작은 수부터 ㉠, ㉡, ㉢, ㉣라고 하면 다음과 같이 곱셈식을 만들 수 있습니다.

〈곱이 가장 큰 식〉

```
   ㉣㉠          8 1
 × ㉢㉡   ⇨   × 6 2
             -------
               1 6 2
             4 8 6 0
             -------
             5 0 2 2
```

〈곱이 두 번째로 큰 식〉

```
   ㉣㉡          8 2
 × ㉢㉠   ⇨   × 6 1
             -------
                 8 2
             4 9 2 0
             -------
             5 0 0 2
```

과정 중심 단원평가 7~8쪽

1 $23\times34=782$ ▸5점
; 782개 ▸5점

2

```
      4 9
    × 4 7
    -----
    3 4 3
  1 9 6 0
  -------
  2 3 0 3
```
▸5점

; 예 49×40의 계산에서 자리를 잘못 맞추어 더했습니다. ▸5점

3 예 싱가포르 돈 1달러가 우리나라 돈으로 815원이므로 싱가포르 돈 8달러는 우리나라 돈으로 815원의 8배인 $815\times8=6520$(원)입니다. ▸5점
; 6520원 ▸5점

4 예 일주일은 7일이므로 ▸3점 성수가 일주일 동안 한 줄넘기는 모두 $120\times7=840$(번)입니다. ▸3점
; 840번 ▸4점

5 예 (민호가 모은 돈)$=50\times40=2000$(원), ▸3점
(민주가 모은 돈)$=50\times35=1750$(원) ▸3점
⇨ (두 사람이 모은 돈)$=2000+1750$
$=3750$(원) ▸2점
; 3750원 ▸7점

6 예 가장 큰 두 자리 수는 76이고 ▸2점
가장 작은 두 자리 수는 23입니다. ▸2점
따라서 곱은 $76\times23=1748$입니다. ▸4점
; 1748 ▸7점

7 예 어떤 수를 □라고 하면 □+63=90,
□=90−63=27입니다. ▸4점
따라서 바르게 계산하면 $27\times63=1701$입니다. ▸4점
; 1701 ▸7점

8 예 색 테이프 16장을 겹쳐서 이어 붙이면 겹친 부분은 15군데입니다. ▸3점
색 테이프 16장의 길이의 합은
$30\times16=480$(cm)이고,
겹친 부분의 길이의 합은 $6\times15=90$(cm)입니다. ▸3점
따라서 이어 붙인 색 테이프의 전체 길이는
$480-90=390$ (cm)입니다. ▸2점
; 390 cm ▸7점

3

채점 기준		
곱셈식을 바르게 쓴 경우	5점	10점
답을 바르게 쓴 경우	5점	

4

채점 기준		
일주일이 며칠인지 아는 경우	3점	10점
곱셈식을 바르게 쓴 경우	3점	
답을 바르게 쓴 경우	4점	

5

채점 기준		
민호가 모은 돈이 얼마인지 구한 경우	3점	15점
민주가 모은 돈이 얼마인지 구한 경우	3점	
두 사람이 모은 돈이 얼마인지 구한 경우	2점	
답을 바르게 쓴 경우	7점	

6

채점 기준		
가장 큰 수와 가장 작은 수를 각각 구한 경우	각 2점	15점
곱을 바르게 구한 경우	4점	
답을 바르게 쓴 경우	7점	

7

채점 기준		
어떤 수를 구한 경우	4점	15점
바르게 계산한 경우	4점	
답을 바르게 쓴 경우	7점	

8

채점 기준		
겹친 부분이 몇 군데인지 아는 경우	3점	15점
색 테이프 16장의 길이의 합과 겹친 부분의 길이의 합을 구한 경우	3점	
이어 붙인 색 테이프의 전체 길이를 구한 경우	2점	
답을 바르게 쓴 경우	7점	

창의·융합 문제 9쪽

1 572 그램　　2 1248 그램
3 1820 그램

1 (현진이네 가족이 장을 보는 데 1년 동안 사용한 비닐봉지의 탄소 발자국)$=11\times52=572$ (그램)

2 (종이봉투 2장의 탄소 발자국)$=12\times2=24$ (그램)
(재영이네 가족이 장을 보는 데 1년 동안 사용한 종이봉투의 탄소 발자국)$=24\times52=1248$ (그램)

3 현진이네 가족과 재영이네 가족이 1년 동안 사용하는 탄소 발자국을 더하여 구합니다.
⇨ $572+1248=1820$ (그램)

2단원 나눗셈

기본 단원평가 10~12쪽

01 (1) 3, 30 (2) 2, 20　　02 24
03 (1) 32 (2) 26　　04 11
05 12, 2　　06 (1) 131 (2) 31
07 10, 80 ; 80, 7, 87　　08 ④
09 <　　10 ③

11
$$\begin{array}{r} 11 \\ 7\overline{)79} \\ \underline{7} \\ 9 \\ \underline{7} \\ 2 \end{array}$$
확인 $7\times11=77$, $77+2=79$

12 $87\div4=21\cdots3$

13
$$\begin{array}{r} 17 \\ 5\overline{)87} \\ \underline{5} \\ 37 \\ \underline{35} \\ 2 \end{array}$$

14 ③　　15 17
16 9에 ○표　　17 21개
18 44　　19 90명
20 41, 45　　21 ③
22 $579\div5=115\cdots4$; 115접시, 4개
23 18, 3

24
$$\begin{array}{r} 1\boxed{3} \\ \boxed{6}\overline{)8\ 2} \\ \underline{\boxed{6}} \\ \boxed{2}\boxed{2} \\ \underline{\boxed{1}\boxed{8}} \\ 4 \end{array}$$

25 예 $82\div\square=8\cdots2$이므로 ▸1점
82에서 나머지 2를 빼면 80이 되고 80은 8로 나누어떨어지므로 $\square\times8=80$, $\square=10$입니다.
따라서 한 사람에게 초콜릿을 10개씩 나누어 주었습니다. ▸1점
; 10개 ▸2점

01 (1) $6\div2=3$이므로 $60\div2=30$입니다.
(2) $8\div4=2$이므로 $80\div4=20$입니다.

02 48을 2묶음으로 똑같이 나누면 한 묶음에 24입니다.

05
$$\begin{array}{r} 12 \leftarrow \text{몫} \\ 6\overline{)74} \\ \underline{6} \\ 14 \\ \underline{12} \\ 2 \leftarrow \text{나머지} \end{array}$$

07 나누는 수와 몫의 곱에 나머지를 더하여 나누어지는 수가 나오는지 확인합니다.

08 ① $39\div6=6\cdots3$ ② $60\div8=7\cdots4$
③ $41\div8=5\cdots1$ ④ $78\div9=8\cdots6$
⑤ $36\div5=7\cdots1$

09 $50\div9=5\cdots5$, $40\div6=6\cdots4$
⇨ 5 ⓒ< 6

10

$$\begin{array}{r} 18 \\ 4\overline{)73} \\ \underline{4} \\ 33 \\ \underline{32} \\ 1 \end{array}$$

나눗셈식 $73\div4=18\cdots1$
확인 $4\times18=72$,
$72+1=73$

12 $4\times21=84$, $84+3=87$ ⇨ $87\div4=21\cdots3$
(4: 나누는 수, 21: 몫, 3: 나머지, 87: 나누어지는 수)

13 나머지는 나누는 수보다 작아야 하는데 7은 나누는 수인 5보다 크므로 계산이 잘못되었습니다.

14 ① $26\div3=8\cdots2$ ② $36\div5=7\cdots1$
③ $48\div5=9\cdots3$ ④ $56\div8=7$ → 나머지가 0
⑤ $57\div4=14\cdots1$

15 $51\div3=17$ (cm)

16 어떤 수를 8로 나누면 나머지가 될 수 있는 수는 8보다 작은 수인 0, 1, 2, 3, 4, 5, 6, 7입니다.

17 $84\div4=21$(개)

18 $\square\div3=14\cdots2$
확인 $3\times14=42$, $42+2=44$

19 $180\div2=90$(명)

20 $40\div4=10$, $41\div4=10\cdots1$, $42\div4=10\cdots2$, $43\div4=10\cdots3$, $44\div4=11$, $45\div4=11\cdots1$

다른 풀이
$4\times10=40$, $4\times11=44$이므로 40과 44에 각각 1을 더한 $40+1=41$, $44+1=45$는 4로 나누었을 때 나머지가 1인 수입니다.

21 나눗셈식으로 나타내면 (어떤 수)$\div8=8\cdots6$이므로 확인하는 식을 이용하면 $8\times8=64$, $64+6=70$입니다.
따라서 어떤 수는 70입니다.

22 $579\div5=115\cdots4$
(115: 접시 수, 4: 남는 딸기 수)
⇨ 115접시가 되고, 4개가 남습니다.

23 월병은 모두 $5\times15=75$(개)이고 한 명이 4개씩 사므로 $75\div4=18\cdots3$입니다.
따라서 18명에게 팔 수 있고 3개가 남습니다.

24 나머지가 4이므로 4보다 큰 수로 나누어 봅니다.
따라서 나누는 수가 될 수 있는 수는 5, 6, 7입니다.

$$\begin{array}{r} 16 \\ 5\overline{)82} \\ \underline{5} \\ 32 \\ \underline{30} \\ 2 \end{array} \qquad \begin{array}{r} 13 \\ 6\overline{)82} \\ \underline{6} \\ 22 \\ \underline{18} \\ 4 \end{array} \qquad \begin{array}{r} 11 \\ 7\overline{)82} \\ \underline{7} \\ 12 \\ \underline{7} \\ 5 \end{array}$$

2 ← 조건에 맞지 않음. 4 ← 조건에 맞음. 5 ← 조건에 맞지 않음.

25

채점 기준		
한 사람에게 나누어 준 초콜릿 수를 □라 하여 나눗셈식을 세운 경우	1점	4점
확인하는 식을 이용하여 한 사람에게 나누어 준 초콜릿 수를 구한 경우	1점	
답을 바르게 쓴 경우	2점	

실력 단원평가 13~14쪽

01 7, 3 ; $6\times7=42$, $42+3=45$
02 121 **03** ③
04 ③, ④ **05** ⓒ
06 나 **07** $40\div3$에 ○표
08 $192\div4=48$; 48묶음
09 9팀, 7명 **10** 2개
11

$$\begin{array}{r} 24 \\ 4\overline{)97} \\ \underline{8} \\ 17 \\ \underline{16} \\ 1 \end{array}$$

▸5점 ; 예 나머지인 5가 나누는 수인 4보다 크므로 계산이 잘못되었습니다. ▸5점

12 7 **13** 5, 6
14 127, 1 **15** ㉰, ㉮, ㉯
16 6명

01

$$\begin{array}{r} 7 \\ 6\overline{)45} \\ \underline{42} \\ 3 \end{array}$$

(7 ← 몫, 3 ← 나머지)

02 $968 \div 8 = 121$

03 나머지는 나누는 수보다 작아야 합니다.
③ □÷4의 나머지는 4보다 작아야 하므로 0, 1, 2, 3이 될 수 있습니다.

04 ① $47 \div 6 = 7 \cdots 5$ ② $60 \div 7 = 8 \cdots 4$
③ $74 \div 8 = 9 \cdots 2$ ④ $50 \div 8 = 6 \cdots 2$
⑤ $66 \div 9 = 7 \cdots 3$

05 ㉠ $70 \div 4 = 17 \cdots 2$, $70 \div 6 = 11 \cdots 4$
㉡ $71 \div 4 = 17 \cdots 3$, $71 \div 6 = 11 \cdots 5$
㉢ $72 \div 4 = 18$, $72 \div 6 = 12$
㉣ $78 \div 4 = 19 \cdots 2$, $78 \div 6 = 13$

06 $40 \div 2 = 20$,
가: $20 \div 1 = 20$, 나: $30 \div 3 = 10$,
다: $60 \div 3 = 20$, 라: $80 \div 4 = 20$

07 가장 먼저 계산해야 하는 식은 십의 자리 수인 40을 3으로 나누는 식입니다.

08 (필 수 있는 묶음 수)
=(전체 음료수 수)÷(한 묶음의 음료수 수)
$= 192 \div 4 = 48$(묶음)

09 한 팀의 사람 수는 9명이므로 88명을 똑같이 9명씩 묶으면 $88 \div 9 = 9 \cdots 7$입니다.
따라서 9팀을 만들 수 있고 7명이 남습니다.

10 필요한 전체 사탕을 □개라 하면 □$\div 3 = 29$입니다. 확인하는 식을 이용하면 □$= 3 \times 29 = 87$입니다.
따라서 사탕은 $87 - 85 = 2$(개) 더 있어야 합니다.

12
```
    2
 3)8 □
   6
   2 □ ← 2□가 3으로 나누어떨어지려면 □가 1, 4, 7이어야 합니다.
```
⇨ $3 \times 7 = 2\boxed{1}$, $3 \times 8 = 2\boxed{4}$, $3 \times 9 = 2\boxed{7}$
따라서 □ 안에 들어갈 수 있는 가장 큰 수는 7입니다.

13
```
    1 5              1 6
 6)9 □            6)9 □
   6                6
   3 □ ←            3 □ ←
   3 0   30+3=33    3 6   36+3=39
     3                3
```

14 0, 9, 5로 만들 수 있는 가장 작은 세 자리 수는 509이므로 $509 \div 4 = 127 \cdots 1$입니다.

15 • 나머지는 4보다 크고 나누는 수인 6보다 작으므로 5입니다. ⇨ ㉮$\div 6 = 10 \cdots 5$
⇨ ㉮는 $6 \times 10 = 60$, $60 + 5 = 65$입니다.
• 가장 작은 두 자리 수는 10입니다.
⇨ ㉯$\div 4 = 10 \cdots 3$
⇨ ㉯는 $4 \times 10 = 40$, $40 + 3 = 43$입니다.
• $7 \times 11 = 77$이므로 ㉰는 77이거나 77보다 큰 수입니다.
따라서 ㉰>㉮>㉯입니다.

16 처음에 9명씩 짝을 지으면 $98 \div 9 = 10 \cdots 8$이므로 두 번째에 $9 \times 10 = 90$(명)이 짝 지어 모이기를 합니다.
$90 \div 7 = 12 \cdots 6$이므로 두 번째에서 짝을 짓지 못한 학생은 6명입니다.

과정 중심 단원평가 15~16쪽

1 $60 \div 3 = 20$ ▸5점 ; 20개 ▸5점

2 $84 \div 3 = 28$ ▸5점 ; 28마리 ▸5점

3 예 $73 > 69 > 46 > 9 > 6$이므로 가장 큰 수는 73이고 가장 작은 수는 6입니다. ▸2점
$73 \div 6 = 12 \cdots 1$이므로 ▸2점
몫은 12이고 나머지는 1입니다. ▸2점
; 12, 1 ▸4점

4 예 공책이 140권 있습니다. 공책을 한 명에게 4권씩 나누어 주려고 합니다. 몇 명에게 나누어 줄 수 있을까요? ▸10점

5 예 오이 50개를 한 봉지에 4개씩 나누어 담으면
$50 \div 4 = 12 \cdots 2$이므로 ▸3점
12봉지에 담고 2개가 남습니다. ▸3점
따라서 오이를 담은 봉지는 12봉지입니다. ▸2점
; 12봉지 ▸7점

6 예 색종이는 모두 $15 \times 6 = 90$(장)입니다. ▸3점
한 명이 7장씩 사용하면 $90 \div 7 = 12 \cdots 6$이므로 ▸3점
12명이 사용하고 6장이 남습니다. ▸2점
; 12명, 6장 ▸7점

7 예 어떤 수를 □라 하면 □$\div 5 = 17 \cdots 3$입니나. ▸4점
확인하는 식을 이용하면 $5 \times 17 = 85$,
$85 + 3 = 88$이므로 □$= 88$입니다. ▸4점
; 88 ▸7점

8 예 민규가 받은 사탕은 $120 \div 2 = 60$(개)입니다. ▸4점
따라서 민규가 사탕 60개를 매일 3개씩 먹는다면 $60 \div 3 = 20$(일) 동안 먹을 수 있습니다. ▸4점
; 20일 ▸7점

평가 자료집 10~16쪽

3

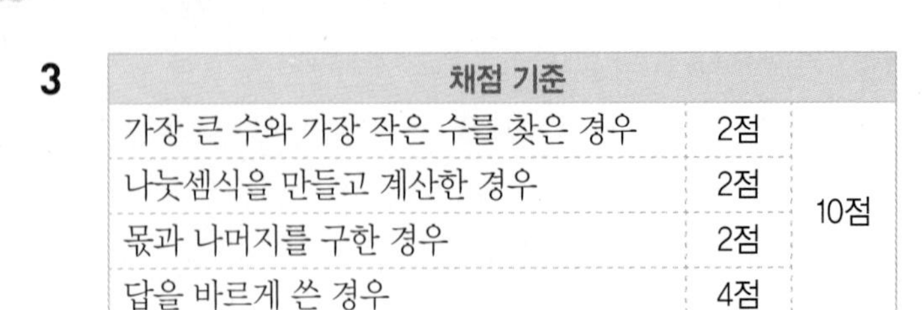

채점 기준		
가장 큰 수와 가장 작은 수를 찾은 경우	2점	10점
나눗셈식을 만들고 계산한 경우	2점	
몫과 나머지를 구한 경우	2점	
답을 바르게 쓴 경우	4점	

5

채점 기준		
나눗셈식을 만들고 계산한 경우	3점	15점
몫과 나머지를 구한 경우	3점	
오이를 담은 봉지가 몇 봉지인지 구한 경우	2점	
답을 바르게 쓴 경우	7점	

6

채점 기준		
색종이의 수를 구한 경우	3점	15점
나눗셈식을 만들고 계산한 경우	3점	
몇 명이 사용하고 몇 장이 남는지 구한 경우	2점	
답을 바르게 쓴 경우	7점	

7

채점 기준		
나눗셈식을 쓴 경우	4점	15점
어떤 수를 구한 경우	4점	
답을 바르게 쓴 경우	7점	

8

채점 기준		
민규가 받은 사탕의 수를 구한 경우	4점	15점
며칠 동안 먹을 수 있는지 구한 경우	4점	
답을 바르게 쓴 경우	7점	

창의·융합 문제 17쪽

1 2개 **2** 50개
3 106개

1 보도블록을 6개 깔 때마다 노란색 점자 블록은 2개씩 사용됩니다.

2 $150 \div 6 = 25$이므로 6개씩 25번 깔면 됩니다.
따라서 노란색 점자 블록은 2개씩 25번 놓이게 되므로 $25 \times 2 = 50$(개) 사용됩니다.

3 $320 \div 6 = 53 \cdots 2$이므로 6개씩 53번 깔고 2개는 보도블록 ①, ②와 같은 위치에 놓이게 됩니다.
따라서 노란색 점자 블록은 2개씩 53번 놓이게 되므로 $53 \times 2 = 106$(개) 사용됩니다.

3단원 원

기본 단원평가 18~20쪽

01 점 ㄷ **02** 지름
03 선분 ㅇㄱ, 선분 ㅇㄷ, 선분 ㅇㅁ
04 4 cm **05** 1
06 ㉡ **07** 8 cm
08 2 **09** 8
10 4 cm
11 12 cm
12 6 cm
13 ④
14 ㉠
15 14 cm
16 (○) ( ) ( ) (○)
17 같고에 ○표, 옮겨 가며에 ○표
18

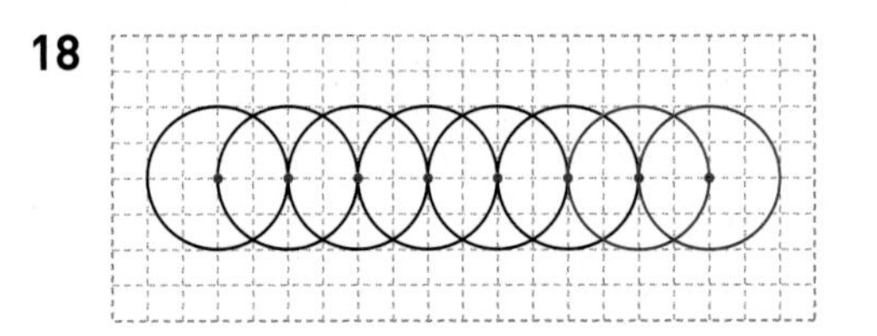

19 9 **20** 17 cm
21 **22**
23 6 cm **24** 3 cm
25 ㉮ 원의 중심은 같고▸2점 바깥쪽으로 갈수록 원의 반지름이 길어지는 규칙입니다.▸2점

01 원의 가장 안쪽에 있는 점 ㄷ이 원의 중심입니다.

03 원의 중심과 원 위의 한 점을 이은 선분을 모두 찾아 씁니다.

04 원의 중심과 원 위의 한 점을 이은 선분을 원의 반지름이라 하고 이 선분의 길이가 4 cm입니다.

06 ㉡ 한 원에서 지름은 셀 수 없이 많이 그을 수 있습니다.

07 큰 원의 지름은 24 cm, 작은 원의 지름은 16 cm입니다. 따라서 지름의 길이의 차는 $24 - 16 = 8$ (cm)입니다.

08 원의 지름은 반지름의 2배입니다.

09 지름이 16 cm이면 반지름은 $16 \div 2 = 8$ (cm)입니다.

10 컴퍼스를 사용하여 지름이 4 cm인 원을 완성합니다.
지름이 4 cm이면 반지름은 2 cm입니다.
따라서 컴퍼스를 2 cm만큼 벌려서 원을 그립니다.

11 (원의 지름)=(원의 반지름)$\times 2 = 6 \times 2 = 12$ (cm)

12 컴퍼스를 3 cm만큼 벌려서 원을 그리면 반지름이 3 cm인 원이 그려지므로 원의 지름은 $3 \times 2 = 6$ (cm)입니다.

13 지름이 가장 긴 원을 찾습니다.
① 지름 14 cm　　② 지름 16 cm
③ 반지름 7 cm ⇨ 지름 14 cm
④ 반지름 9 cm ⇨ 지름 18 cm
⑤ 컴퍼스 5 cm ⇨ 반지름 5 cm ⇨ 지름 10 cm
따라서 가장 큰 원은 ④입니다.

14 지름이 2 cm이면 반지름은 1 cm이므로
컴퍼스를 1 cm만큼 벌려야 합니다.

15 큰 원의 반지름은 8 cm, 작은 원의 반지름은 6 cm입니다.
(선분 ㄱㄴ)=(큰 원의 반지름)+(작은 원의 반지름)
$= 8 + 6 = 14$ (cm)

16

→ 반지름이 모두 같고 원의 중심이 옮겨졌습니다.

→ 반지름이 모두 다르고 원의 중심이 같습니다.

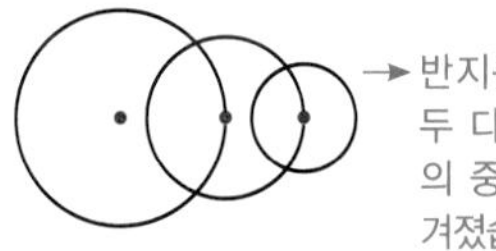
→ 반지름이 모두 다르고 원의 중심이 옮겨졌습니다.

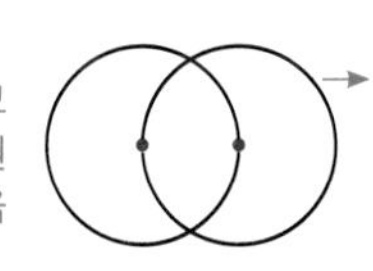
→ 반지름이 모두 같고 원의 중심이 옮겨졌습니다.

18 원의 중심을 오른쪽으로 2칸씩 옮겨 가며 반지름이 모눈 2칸인 원을 2개 그립니다.

19

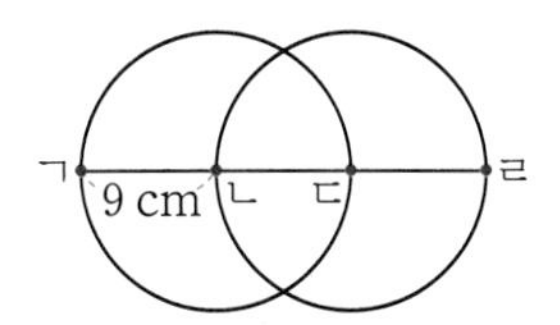
ㄱ
9 cm
ㄴ
ㄷ
ㄹ

선분 ㄱㄴ과 선분 ㄴㄷ은 왼쪽 원의 반지름이므로
(선분 ㄴㄷ)=(선분 ㄱㄴ)=9 cm이고,
선분 ㄴㄷ과 선분 ㄷㄹ은 오른쪽 원의 반지름이므로
(선분 ㄷㄹ)=(선분 ㄴㄷ)=9 cm입니다.

20 선분 ㄱㄴ의 길이는 왼쪽 원의 반지름과 가운데 원의 지름, 오른쪽 원의 반지름을 합한 것과 같습니다.
⇨ (선분 ㄱㄴ)$= 4 + 10 + 3$
$= 17$ (cm)

22 직사각형을 그리고 반지름이 모눈 3칸인 원의 일부를 2개 그립니다.

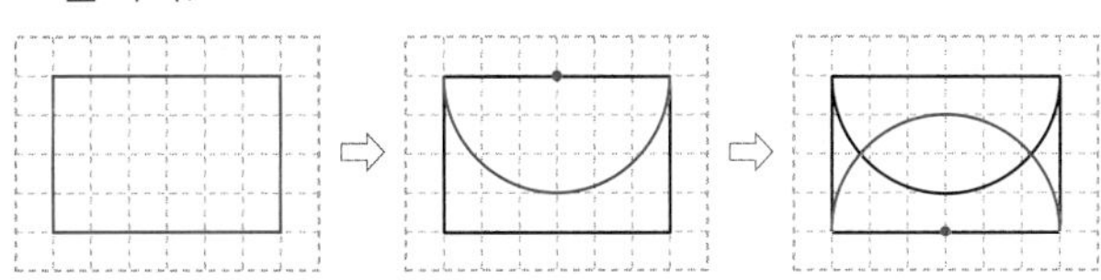

23 정사각형에 꼭 맞는 원을 그리면 원의 지름은 정사각형의 한 변의 길이와 같습니다. 따라서 민주가 그린 원의 지름은 6 cm입니다.

24 원의 지름이 6 cm이면 반지름은 $6 \div 2 = 3$ (cm)입니다.

25

채점 기준		
원의 중심이 같다고 쓴 경우	2점	4점
원의 반지름이 변화가 있다고 쓴 경우	2점	

실력 단원평가　21~22쪽

01 예

02 11 cm
03 9 cm
04 (○)(　)(　)(○)
05 ㉡, ㉢
06 4 cm
07 ㉢
08

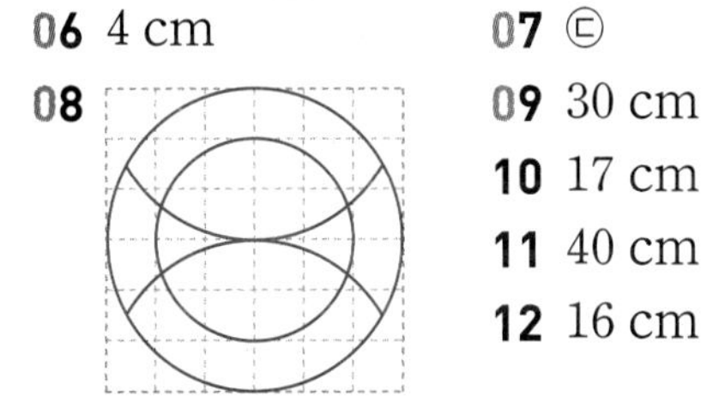

09 30 cm
10 17 cm
11 40 cm
12 16 cm
13 27 cm
14 9 cm
15 예 (변 ㄱㄴ)+(변 ㄱㄷ)$+9=21$이므로 (변 ㄱㄴ)+(변 ㄱㄷ)$=21-9=12$ (cm)입니다.▸3점 변 ㄱㄴ과 변 ㄱㄷ은 원의 반지름으로 길이가 같으므로 원의 반지름은 $12 \div 2 = 6$ (cm)입니다.▸3점 ; 6 cm▸4점

02 선분 ㄴㄹ은 반지름이고 지름이 22 cm이므로 선분 ㄴㄹ의 길이는 $22 \div 2 = 11$ (cm)입니다.

03 컴퍼스의 침과 연필심 사이를 원의 반지름만큼 벌려야 하므로 지름이 18 cm인 원을 그리려면
$18 \div 2 = 9$ (cm)만큼 벌려야 합니다.

04 지름은 반지름의 2배이고 반지름은 지름의 반입니다.

05 세 원이 원의 중심은 같고 크기가 다릅니다.

06 왼쪽 원의 지름은 $4 \times 2 = 8$ (cm), 오른쪽 원의 지름은 $6 \times 2 = 12$ (cm)입니다. ⇨ $12 - 8 = 4$ (cm)

07 ㉠ 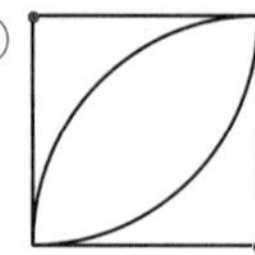 ⇨ 2군데 ㉡ 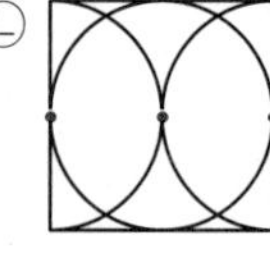 ⇨ 3군데 ㉢ 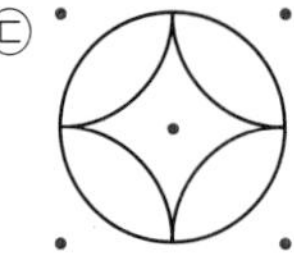 ⇨ 5군데

08 ① 모눈 3칸을 반지름으로 하여 바깥쪽 원을 그리고 위아래에 있는 원의 일부분을 각각 그립니다.
② 반지름이 모눈 2칸인 안쪽 원을 그립니다.

09 (선분 ㄱㄴ)=(큰 원의 지름)=(작은 원의 반지름)$\times$6
$=5\times6=30$ (cm)

10 선분 ㄱㄴ의 길이는 큰 원의 반지름과 작은 원의 반지름의 합과 같습니다. ⇨ $11+6=17$ (cm)

11 가장 작은 원의 반지름이 5 cm이므로 지름은 10 cm이고 중간 크기인 원의 반지름이 10 cm이므로 지름은 20 cm입니다. 따라서 가장 큰 원의 반지름은 20 cm이고 지름은 $20\times2=40$ (cm)입니다.

12 지름이 4 cm이면 원의 반지름은 2 cm이고 사각형의 한 변의 길이는 $2+2=4$ (cm)입니다. 따라서 네 변의 길이의 합은 $4\times4=16$ (cm)입니다.

13 삼각형의 각 변의 길이는 원의 반지름과 같습니다.
⇨ (세 변의 길이의 합)$=9+9+9=27$ (cm)

14 그릴 수 있는 가장 큰 원의 지름은 정사각형의 한 변의 길이와 같습니다. ⇨ (그린 원의 반지름)$=18\div2=9$ (cm)

15

채점 기준		
세 변의 길이의 합을 나타내는 식을 쓴 경우	3점	10점
변 ㄱㄴ, 변 ㄱㄷ이 원의 반지름이라 쓰고, 반지름을 구한 경우	3점	
답을 바르게 쓴 경우	4점	

과정 중심 단원평가 23~24쪽

1 예 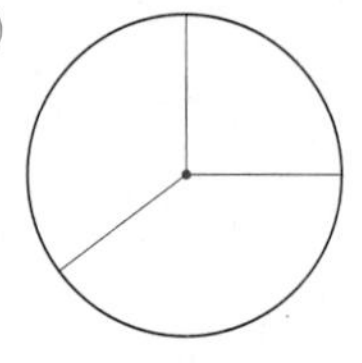 ; 2 cm ▸5점 ▸5점

2 예 원의 반지름은 2 cm이고 지름은 4 cm입니다. ▸4점
원의 반지름은 지름의 반입니다. ▸6점

3 예 그릴 수 있는 가장 큰 원의 지름은 정사각형의 한 변의 길이와 같으므로 ▸2점 12 cm입니다. ▸4점
; 12 cm ▸4점

4 예 ; 5군데 ▸4점 ▸6점

5 예 반지름이 모눈 2칸인 원을 ▸8점 원의 중심을 오른쪽으로 2칸씩 옮겨 가며 그리는 규칙이 있습니다. ▸7점

6 예 선분 ㄱㄴ의 길이는 큰 원의 반지름과 작은 원의 반지름을 더한 길이입니다.
큰 원의 반지름은 5 cm이고, ▸3점
작은 원의 반지름은 $8\div2=4$ (cm)이므로 ▸3점
선분 ㄱㄴ의 길이는 $5+4=9$ (cm)입니다. ▸2점
; 9 cm ▸7점

7 예 매년 나이테의 지름이 3 cm씩 길어지므로 5년 후에는 나이테의 지름이 $3\times5=15$ (cm) 길어집니다. ▸3점
따라서 5년 후 가장 큰 나이테의 지름은
$3+15=18$ (cm)이고 ▸3점
나이테의 반지름은 $18\div2=9$ (cm)입니다. ▸2점
; 9 cm ▸7점

8 예 여섯 원의 중심을 이어 만든 직사각형은 반지름 12개로 만들어졌으므로 ▸4점
네 변의 길이의 합은 $5\times12=60$ (cm)입니다. ▸4점
; 60 cm ▸7점

2

채점 기준		
반지름과 지름의 길이를 잰 경우	4점	10점
반지름과 지름의 관계를 설명한 경우	6점	

3

채점 기준		
원의 지름과 정사각형의 한 변의 길이의 관계를 아는 경우	2점	10점
원의 지름을 구한 경우	4점	
답을 바르게 쓴 경우	4점	

5

채점 기준		
반지름의 규칙을 설명한 경우	8점	15점
원의 중심의 규칙을 설명한 경우	7점	

6

채점 기준		
큰 원의 반지름을 구한 경우	3점	15점
작은 원의 반지름을 구한 경우	3점	
선분 ㄱㄴ의 길이를 구한 경우	2점	
답을 바르게 쓴 경우	7점	

7

채점 기준		
5년 후 나이테의 지름이 몇 cm 길어졌는지 구한 경우	3점	15점
5년 후 가장 큰 나이테의 지름을 구한 경우	3점	
5년 후 가장 큰 나이테의 반지름을 구한 경우	2점	
답을 바르게 쓴 경우	7점	

8

채점 기준		
직사각형의 네 변은 반지름 몇 개로 이루어졌는지 구한 경우	4점	15점
직사각형의 네 변의 길이의 합을 구한 경우	4점	
답을 바르게 쓴 경우	7점	

창의·융합 문제 25쪽

1 ㉣ **2** 마트

1 은행을 중심으로 하여 반지름이 4 cm인 원을 그리고, 학교를 중심으로 하여 반지름이 5 cm인 원을 그려 보면 두 원이 만나는 곳에 있는 집은 ㉣입니다.
따라서 주연이네 집은 ㉣입니다.

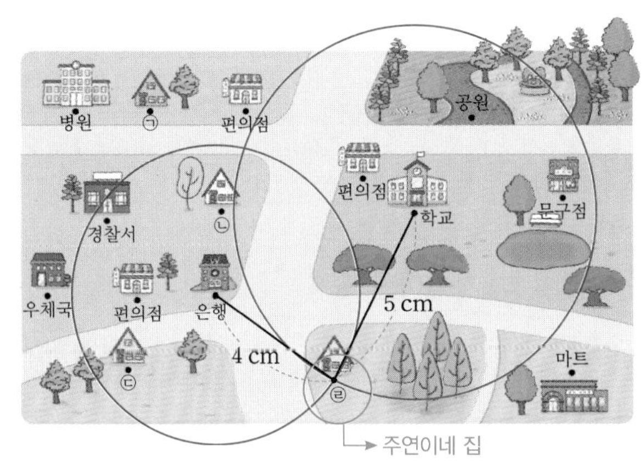

2 각 편의점을 중심으로 반지름이 6 cm인 원을 그리고 원 밖에 있는 건물을 찾아보면 마트입니다.

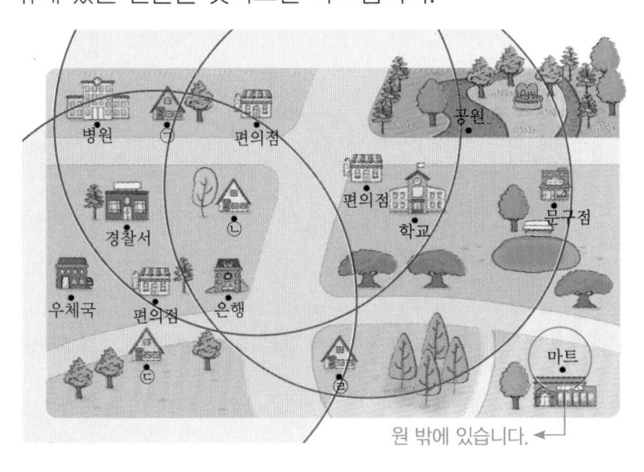

4단원 분수

기본 단원평가 26~28쪽

01 $\frac{4}{5}$, $\frac{8}{11}$, $\frac{12}{15}$ **02** $\frac{7}{6}$, $\frac{15}{3}$, $\frac{11}{11}$

03 $3\frac{1}{4}$, $2\frac{1}{6}$ **04** $\frac{\boxed{3}}{\boxed{4}}$

05

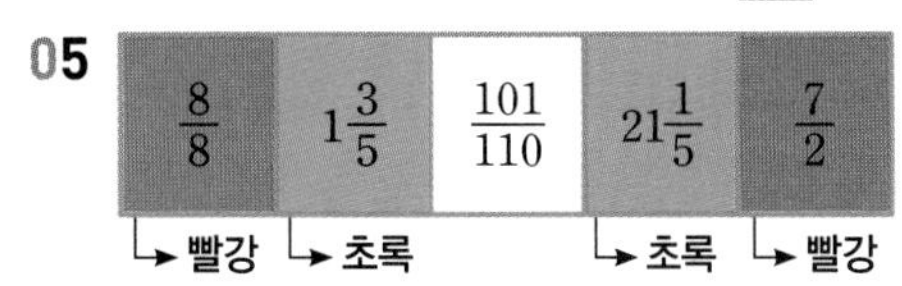

06 $\frac{\boxed{2}}{\boxed{7}}$ **07** 7개 **08** $3\frac{2}{5}$

09 3 **10** 6 **11**

12 8시간 **13** 6시간 **14** $\frac{1}{3}$

15 (1) $2\frac{3}{4}$ (2) $3\frac{4}{9}$ **16** 5개

17 ㉡ **18** $\frac{2}{5}$ **19** 희정

20 $\frac{9}{5}$ **21** $2\frac{3}{8}$ **22** 준하

23 21명 **24** 1, 2, 3, 4, 5

25 예 분모와 분자의 합이 7인 가분수를 모두 찾으면 $\frac{6}{1}$, $\frac{5}{2}$, $\frac{4}{3}$입니다. ▸1점 이 중에서 분모와 분자의 차가 3인 가분수는 $\frac{5}{2}$입니다. ▸1점 ; $\frac{5}{2}$ ▸2점

01 분자가 분모보다 작은 분수를 모두 찾아 씁니다.

02 분자가 분모와 같거나 분모보다 큰 분수를 모두 찾아 씁니다.

03 자연수와 진분수로 이루어진 분수를 모두 찾아 씁니다.

04 색칠한 부분은 전체 4묶음 중의 3묶음입니다.

05 분자가 분모와 같거나 분모보다 큰 분수를 모두 찾아 빨간색을 색칠하고, 자연수와 진분수로 이루어진 분수를 모두 찾아 초록색을 색칠합니다.
$\frac{101}{110}$은 분자가 분모보다 작으므로 진분수입니다.

06 전체 35개를 5개씩 묶으면 7묶음이 되고 이 중 빨간색 사탕 10개는 2묶음이므로 전체의 $\frac{2}{7}$입니다.

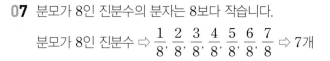

07 분모가 8인 진분수의 분자는 8보다 작습니다.
분모가 8인 진분수 ⇨ $\frac{1}{8}, \frac{2}{8}, \frac{3}{8}, \frac{4}{8}, \frac{5}{8}, \frac{6}{8}, \frac{7}{8}$ ⇨ 7개

11 • 3은 $\frac{1}{7}$이 21개, $\frac{4}{7}$는 $\frac{1}{7}$이 4개이므로 $3\frac{4}{7}$는 $\frac{1}{7}$이 $21+4=25$(개)입니다. ⇨ $3\frac{4}{7}=\frac{25}{7}$
• 3은 $\frac{1}{7}$이 21개, $\frac{1}{7}$은 $\frac{1}{7}$이 1개이므로 $3\frac{1}{7}$은 $\frac{1}{7}$이 $21+1=22$(개)입니다. ⇨ $3\frac{1}{7}=\frac{22}{7}$

15 (1) $\frac{11}{4}$에서 $\frac{8}{4}$을 2로 나타내고 나머지 $\frac{3}{4}$은 진분수로 하여 $2\frac{3}{4}$으로 나타낼 수 있습니다.
(2) $\frac{31}{9}$에서 $\frac{27}{9}$을 3으로 나타내고 나머지 $\frac{4}{9}$는 진분수로 하여 $3\frac{4}{9}$로 나타낼 수 있습니다.

16 분모가 6인 가분수는 분자가 6과 같거나 6보다 큽니다.
따라서 분모가 6이고 $\frac{11}{6}$보다 작은 가분수는 $\frac{6}{6}, \frac{7}{6}, \frac{8}{6}, \frac{9}{6}, \frac{10}{6}$으로 모두 5개입니다.

17 ㉡ $\frac{11}{7}=1\frac{4}{7}$ ㉣ $\frac{19}{7}=2\frac{5}{7}$

18 10개를 2개씩 묶으면 5묶음이고, 그중 4개는 2묶음입니다. 따라서 전체의 $\frac{2}{5}$를 먹었습니다.

19 $\frac{12}{5}=2\frac{2}{5}$이고 $2\frac{2}{5}<2\frac{4}{5}$이므로 희정이가 모은 신문지가 더 무겁습니다.

20 수 카드 2장을 사용하여 만들 수 있는 분모가 5인 가분수는 $\frac{9}{5}, \frac{8}{5}$이고 이 중 $\frac{9}{5}$가 더 큽니다.

21 가장 작은 수 2를 자연수에, 둘째로 작은 수 3을 분자에 놓습니다. ⇨ $2\frac{3}{8}$

22 가분수를 대분수로 나타내면 $\frac{11}{8}=1\frac{3}{8}$이고 $1\frac{3}{8}>1\frac{2}{8}$이므로 $\frac{11}{8}>1\frac{2}{8}$입니다. 따라서 준하의 키가 더 큽니다.

23 28을 똑같이 4묶음으로 나누면 1묶음은 7이므로 28의 $\frac{1}{4}$은 7입니다. 따라서 공에 맞은 학생은 7명이고 공에 맞지 않은 학생은 $28-7=21$(명)입니다.

24 $\frac{45}{13}=3\frac{6}{13}$이므로 $3\frac{6}{13}>3\frac{\square}{13}$에서 □ 안에는 6보다 작은 자연수가 들어갈 수 있습니다. ⇨ 1, 2, 3, 4, 5

25

채점 기준		
분모와 분자의 합이 7인 가분수를 찾은 경우	1점	4점
분모와 분자의 합이 7이고 차가 3인 가분수를 찾은 경우	1점	
답을 바르게 쓴 경우	2점	

실력 단원평가 29~30쪽

01 (1) 2 (2) 8

02

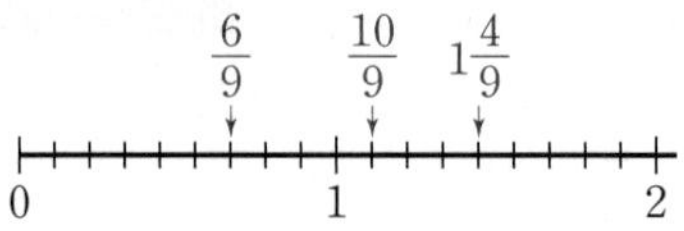

03 (1) 4 (2) 6

04 $3\frac{5}{8}, 5\frac{3}{8}, 8\frac{3}{5}$

05 $\frac{34}{7}$

06 국어 공부

07 10, 11, 12

08 $\frac{23}{7}, 3\frac{4}{7}, 3\frac{5}{7}, \frac{28}{7}$

09 $\frac{3}{5}$

10 $4\frac{5}{7}, 4\frac{6}{7}, 5\frac{1}{7}$

11 $\boxed{2}\frac{\boxed{3}}{\boxed{7}}=\frac{\boxed{17}}{\boxed{7}}$

12 예 $\frac{1}{5}$이 21개이면 $\frac{21}{5}$이고 ▸3점
$\frac{21}{5}=4\frac{1}{5}$이므로 준서가 21일 동안 걸은 거리는 $4\frac{1}{5}$ km입니다. ▸3점
; $4\frac{1}{5}$ km ▸4점

13 $\frac{7}{4}$

14 15분

15 25 m

16 $\frac{9}{4}$

03 (1) 8 cm를 똑같이 2부분으로 나누면 그중 1부분은 4 cm입니다.
(2) 8 cm를 똑같이 4부분으로 나누면 그중 3부분은 6 cm입니다.

04 3, 5, 8 중 하나를 자연수 자리에 쓰고 나머지 중 작은 수를 분자, 큰 수를 분모에 써서 대분수를 만듭니다.

05 $\frac{39}{6}=6\frac{3}{6}$, $\frac{38}{9}=4\frac{2}{9}$, $\frac{34}{7}=4\frac{6}{7}$이므로 대분수로 나타내었을 때 분자가 가장 큰 것은 $4\frac{6}{7}$으로 $\frac{34}{7}$입니다.

06 $\frac{9}{8}=1\frac{1}{8}$ ⇨ $1\frac{1}{8}<1\frac{2}{8}$이므로 국어 공부를 더 오래 했습니다.

07 $\frac{9}{5}<\frac{\square}{5}<\frac{13}{5}$이므로 □ 안에 들어갈 수 있는 수는 10, 11, 12입니다.

08 $3\frac{5}{7}=\frac{26}{7}$, $3\frac{4}{7}=\frac{25}{7}$이므로 $\frac{23}{7}<3\frac{4}{7}<3\frac{5}{7}<\frac{28}{7}$입니다.

09 분모와 분자의 합이 8인 진분수는 $\frac{1}{7}$, $\frac{2}{6}$, $\frac{3}{5}$이고 이 중에서 분자가 2보다 큰 진분수를 찾으면 $\frac{3}{5}$입니다.

10 $\frac{32}{7}<\square<5\frac{2}{7}$에서 $\frac{32}{7}=4\frac{4}{7}$이므로 $4\frac{4}{7}<\square<5\frac{2}{7}$이고 □ 안에 들어갈 수 있는 대분수는 $4\frac{5}{7}$, $4\frac{6}{7}$, $5\frac{1}{7}$입니다.

11 대분수의 자연수에 가장 작은 수를 놓고 나머지 두 수로 진분수를 만들면 $2\frac{3}{7}$입니다.

12

채점 기준		
준서가 걷은 거리를 가분수로 나타낸 경우	3점	10점
준서가 걷은 거리를 대분수로 나타낸 경우	3점	
답을 바르게 쓴 경우	4점	

13 ●−■=3인 가분수는 $\frac{4}{1}$, $\frac{5}{2}$, $\frac{6}{3}$, $\frac{7}{4}$, $\frac{8}{5}$……이고 이 중에서 ●+■=11인 가분수는 $\frac{7}{4}$입니다.

14 현주가 교육 방송을 본 시간은 1시간의 $\frac{1}{4}$입니다.
1시간은 60분이고 60분의 $\frac{1}{4}$은 15분입니다.

15 첫 번째에 튀어 오르는 공의 높이는 64 m의 $\frac{5}{8}$로 40 m이고 두 번째에 튀어 오르는 공의 높이는 40 m의 $\frac{5}{8}$로 25 m입니다.

16 만들 수 있는 분모가 4인 가분수는 $\frac{5}{4}$, $\frac{6}{4}$, $\frac{7}{4}$, $\frac{9}{4}$이고 이 중에서 $2=\frac{8}{4}$보다 큰 가분수는 $\frac{9}{4}$입니다.

과정 중심 단원평가 31~32쪽

1 예 가분수는 분자가 분모와 같거나 분모보다 큰 분수이므로 가분수를 찾으면 $\frac{9}{2}$, $\frac{5}{5}$입니다. ▸3점
따라서 모두 2개입니다. ▸3점
; 2개 ▸4점

2 예 8의 $\frac{1}{4}$은 8을 4묶음으로 나눈 것 중의 1묶음이므로 2입니다. ▸3점
따라서 민주가 먹은 피자는 2조각입니다. ▸3점
; 2조각 ▸4점

3 예 가분수의 분자가 클수록 큰 분수이므로 $\frac{7}{5}<\frac{8}{5}$입니다. ▸3점
따라서 $\frac{8}{5}$시간 동안 책을 읽은 준호가 더 오래 읽었습니다. ▸3점
; 준호 ▸4점

4 예 ▸2점
사탕 21개를 3개씩 묶으면 6개는 7묶음 중 2묶음이므로 ▸2점
딸기 맛 사탕은 전체 사탕의 $\frac{2}{7}$입니다. ▸2점
; $\frac{2}{7}$ ▸4점

5 예 12의 $\frac{2}{6}$만큼은 4이므로 훈민이는 귤을 4개 먹었습니다. ▸3점
12의 $\frac{3}{6}$만큼은 6이므로 정음이는 귤을 6개 먹었습니다. ▸3점
따라서 두 사람이 먹은 귤은 모두 $4+6=10$(개)입니다. ▸2점
; 10개 ▸7점

6 예 $3\frac{2}{3}$에서 3은 $\frac{1}{3}$이 9개, $\frac{2}{3}$는 $\frac{1}{3}$이 2개이므로 $3\frac{2}{3}$는 $\frac{1}{3}$이 $9+2=11$(개)입니다. ▸4점
따라서 재석이의 책가방 무게를 가분수로 나타내면 $\frac{11}{3}$ kg입니다. ▸4점
; $\frac{11}{3}$ kg ▸7점

7 ㉥ 분모와 분자의 합이 12인 분수

$\frac{1}{11}, \frac{2}{10}, \frac{3}{9}, \frac{4}{8}, \frac{5}{7}, \frac{6}{6}, \frac{7}{5}, \frac{8}{4}, \frac{9}{3}, \frac{10}{2}, \frac{11}{1}$ ▶3점

중 진분수는 $\frac{1}{11}, \frac{2}{10}, \frac{3}{9}, \frac{4}{8}, \frac{5}{7}$로 ▶3점

모두 5개입니다. ▶2점

; 5개 ▶7점

8 ㉥ 대분수를 가분수로 나타내면 $2\frac{4}{7}=\frac{18}{7}$이고 ▶3점

$\frac{18}{7}>\frac{17}{7}$이므로 ▶3점

학교와 문구점 중 수지네 집에서 더 가까운 곳은 문구점입니다. ▶2점

; 문구점 ▶7점

1

채점 기준		
가분수를 모두 찾은 경우	3점	10점
찾은 가분수의 개수를 쓴 경우	3점	
답을 바르게 쓴 경우	4점	

2

채점 기준		
8의 $\frac{1}{4}$을 구한 경우	3점	10점
민주가 먹은 피자 조각의 수를 구한 경우	3점	
답을 바르게 쓴 경우	4점	

3

채점 기준		
분수의 크기 비교를 한 경우	3점	10점
누가 더 오래 책을 읽었는지 구한 경우	3점	
답을 바르게 쓴 경우	4점	

4

채점 기준		
사탕을 3개씩 묶은 경우	2점	10점
전체가 몇 묶음이고 6개가 몇 묶음인지 구한 경우	2점	
딸기 맛 사탕이 전체 사탕의 몇 분의 몇인지 구한 경우	2점	
답을 바르게 쓴 경우	4점	

5

채점 기준		
훈민이가 먹은 귤의 수를 구한 경우	3점	15점
정음이가 먹은 귤의 수를 구한 경우	3점	
두 사람이 먹은 귤의 수의 합을 구한 경우	2점	
답을 바르게 쓴 경우	7점	

6

채점 기준		
$3\frac{2}{3}$는 $\frac{1}{3}$이 몇 개인지 구한 경우	4점	15점
재석이의 책가방 무게를 구한 경우	4점	
답을 바르게 쓴 경우	7점	

7

채점 기준		
분모와 분자의 합이 12인 분수를 모두 구한 경우	3점	15점
분모와 분자의 합이 12인 진분수를 모두 구한 경우	3점	
분모와 분자의 합이 12인 진분수의 개수를 구한 경우	2점	
답을 바르게 쓴 경우	7점	

8

채점 기준		
$2\frac{4}{7}$를 가분수로 나타낸 경우	3점	15점
$2\frac{4}{7}$와 $\frac{17}{7}$의 크기 비교를 한 경우	3점	
학교와 문구점 중 수지네 집에서 더 가까운 곳을 찾은 경우	2점	
답을 바르게 쓴 경우	7점	

창의·융합 문제 33쪽

1 12개　**2** 7개
3 23개　**4** 다나

1 아버지께서 42개의 $\frac{2}{7}$만큼을 드셨습니다. 42를 똑같이 7묶음으로 나눈 것 중의 2묶음이 12이므로 아버지는 딸기를 12개 드셨습니다.

2 어머니께서는 42개의 $\frac{1}{6}$만큼을 드셨습니다. 42를 똑같이 6묶음으로 나눈 것 중의 1묶음이 7이므로 어머니는 딸기를 7개 드셨습니다.

3 전체 42개 중에서 아버지께서 12개를 드시고 어머니께서 7개를 드셨으므로 다나가 먹은 딸기는
$42-12-7=23$(개)입니다.

4 23개를 먹은 다나가 가장 많이 먹었습니다.

5단원 들이와 무게

기본 단원평가 34~36쪽

01 주전자 **02** ②
03 4000, 4570 **04** 1 kg 300 g
05 2 L **06** (　)(○)(　)
07 ⑤ **08** $<$
09 사과, 귤, 14 **10** (○)(　)(　)
11 ㉣, ㉡, ㉠, ㉢ **12** 8 L 930 mL
13 2 L 400 mL **14** 약 3배
15 ㉡, ㉢, ㉠ **16** 동희, 아버지
17 민주 **18** 3, 600
19 3000 mL **20** ㉯, ㉮, ㉰
21 ㉯ 마트▶2점
; 예 2000원으로 ㉮ 마트는 1 L 500 mL를 살 수 있고 ㉯ 마트는 800 mL+800 mL=1600 mL=1 L 600 mL를 살 수 있습니다.
따라서 ㉯ 마트에서 더 많은 양의 주스를 살 수 있습니다. ▶2점
22 3000 g **23** 33 kg 750 g
24 (1) 1100 mL (2) 2700 mL
25 예 영어 사전의 무게는 1 kg 400 g이므로 ▶1점
영어 사전과 백과 사전의 무게의 합은
1 kg 400 g+2300 g
=1 kg 400 g+2 kg 300 g
=3 kg 700 g입니다. ▶1점
; 3 kg 700 g ▶2점

04 1 kg=1000 g과 1500 g 사이에 큰 눈금이 5칸이므로 큰 눈금 한 칸의 크기는 500÷5=100 (g)입니다.

06 4012 g=4000 g+12 g=4 kg+12 g
=4 kg 12 g

07 6200 mL=6000 mL+200 mL
=6 L+200 mL=6 L 200 mL

08 3050 mL=3 L 50 mL
⇨ 3050 mL $<$ 3 L 500 mL

09 56 $>$ 42이므로 사과가 귤보다 공깃돌 56−42=14(개) 만큼 더 무겁습니다.

10 1900 mL ⇨ 약 2 L, 1200 mL ⇨ 약 1 L,
3200 mL ⇨ 약 3 L

11 ㉠ 8900 g ㉡ 8792 g ㉢ 9 t=9000 kg
무게가 가장 가벼운 것부터 차례로 기호를 쓰면 ㉣, ㉡, ㉠, ㉢입니다.

14 그릇으로 3번 부어서 수조가 가득 찼으므로 수조의 들이는 그릇의 들이의 약 3배입니다.

15 ㉠ 1700 g+2 kg 150 g=1 kg 700 g+2 kg 150 g
=3 kg 850 g
㉡ 6 kg 800 g−1 kg 400 g=5 kg 400 g
㉢ 4650 g=4 kg 650 g

17 어림한 무게와 실제 무게의 차를 알아봅니다.
지훈: 11 kg 800 g−11 kg 120 g=680 g
민주: 11 kg 200 g−11 kg 120 g=80 g
혜미: 11 kg 500 g−11 kg 120 g=380 g
⇨ 옷장의 무게에 가장 가깝게 어림한 사람은 민주입니다.

주의
어림한 무게와 실제 무게의 차가 적을수록 더 가깝게 어림한 것입니다.

18 4800 g−2 kg 500 g+1300 g
=4800 g−2500 g+1300 g
=2300 g+1300 g
=3600 g=3 kg 600 g

19 1 L 800 mL+1 L 200 mL
=1800 mL+1200 mL=3000 mL

20 들이가 많은 그릇일수록 물을 부어야 하는 횟수가 적습니다. 따라서 부어야 하는 횟수가 적은 그릇부터 차례로 기호를 쓰면 ㉯, ㉮, ㉰입니다.

22 2 kg 600 g+400 g=2 kg+1000 g=2 kg+1 kg
=3 kg=3000 g

23 (책가방을 멘 지현이의 무게)
=31 kg 450 g+2 kg 300 g=33 kg 750 g

24 (1) 물통에는 주전자보다 물이 500 mL 더 적게 들어 있으므로 1 L 600 mL−500 mL=1 L 100 mL=1100 mL 들어 있습니다.
(2) 주전자와 물통에 들어 있는 물은 모두
1 L 600 mL+1100 mL=1600 mL+1100 mL
=2700 mL입니다.

25

채점 기준		
영어 사전의 무게를 바르게 읽은 경우	1점	4점
두 사전의 무게의 합을 바르게 계산한 경우	1점	
답을 바르게 쓴 경우	2점	

실력 단원평가 37~38쪽

01 ㉠, ㉢, ㉡, ㉣
02 지민, 은수, 지현
03 ㉠
04 2 L 350 mL+5 L 450 mL=7 L 800 mL ▸2점
; 7 L 800 mL ▸3점
05 민석
06 2 kg 200 g
07 1 L 260 mL
08 강아지, 2100 g
09 2 L 290 mL
10 500 kg
11 예 실제 의자의 무게와 어림한 무게의 차를 알아보면 규태는 1 kg 800 g−1 kg 300 g=500 g이고, 동준이는 2 kg 100 g−1 kg 800 g=300 g입니다. ▸3점
따라서 동준이가 규태보다 의자의 무게를 실제에 더 가깝게 어림했습니다. ▸3점
; 동준 ▸4점
12 2 kg 500 g
13 3 L 100 mL
14 배추, 배
15 4개

01 ㉠ 5150 g ㉡ 5050 g ㉢ 5100 g ㉣ 4900 g
⇨ ㉠>㉢>㉡>㉣

02 지민: 4 L 110 mL=4110 mL
은수: 4 L 100 mL=4100 mL
⇨ 4110 mL>4100 mL>4010 mL

03 ㉠ 3 L+4 L 900 mL=7 L 900 mL
㉡ 8 L 500 mL−5 L 100 mL=3 L 400 mL
㉢ 4 L 300 mL−2 L 200 mL=2 L 100 mL
㉣ 6 L 400 mL+600 mL=7 L
⇨ 7 L 900 mL>7 L>3 L 400 mL>2 L 100 mL

05 실제 들이와 어림한 들이의 차가 가장 적은 사람이 실제에 가장 가깝게 어림한 사람입니다.
주영: 1 L 300 mL−900 mL
=1300 mL−900 mL=400 mL
민석: 1 L 300 mL−1 L 200 mL=100 mL
현화: 1 L 300 mL−1 L=300 mL
정원: 1 L 300 mL−1 L 100 mL=200 mL

06 3 kg 800 g−1 kg 600 g=2 kg 200 g

07 은하가 일주일 동안 마신 우유는
180×7=1260 (mL)입니다.
⇨ 1260 mL=1 L 260 mL

08 3 kg 800 g>1 kg 700 g이므로 강아지가 고양이보다 더 무겁습니다.
3 kg 800 g−1 kg 700 g
=2 kg 100 g=2100 g
⇨ 강아지가 고양이보다 2100 g 더 무겁습니다.

09 2 L 400 mL에서 110 mL가 모자라므로
어림한 물은 실제로
2 L 400 mL−110 mL=2 L 290 mL입니다.

10 가장 무거운 것은 3500 kg이고 가장 가벼운 것은 3 t(=3000 kg)입니다.
⇨ (무게의 차)=3500 kg−3000 kg=500 kg

11

채점 기준		
실제 무게와 어림한 무게의 차를 각각 구한 경우	3점	10점
의자의 무게를 실제에 더 가깝게 어림한 사람을 찾은 경우	3점	
답을 바르게 쓴 경우	4점	

12 준비한 거름흙의 무게에서 사용한 거름흙의 무게를 뺍니다.
따라서 남은 거름흙은
9 kg 200 g−6 kg 700 g=2 kg 500 g입니다.

13 (사용한 물의 양)=3 L 400 mL+5 L 200 mL
=8 L 600 mL
(남은 물의 양)=11 L 700 mL−8 L 600 mL
=3 L 100 mL

14 2500 g>2 kg>1 kg=1000 g>800 g>500 g
두 물건의 무게의 합이 4 kg을 넘어야 합니다.
• 가장 무거운 배추와 두 번째로 무거운 배의 무게의 합은 2 kg 500 g+2 kg=4 kg 500 g이므로 4 kg을 넘습니다.
• 가장 무거운 배추와 세 번째로 무거운 물건의 합은 2500 g+1 kg=3 kg 500 g이므로 4 kg을 넘지 않습니다.

15 100 g짜리 추 12개는 1200 g=1 kg 200 g이므로 50 g짜리 추 몇 개의 무게는
1 kg 400 g−1 kg 200 g=200 g입니다.
따라서 저울에 올려놓은 50 g짜리 추는
200−50−50−50−50=0으로 4개입니다.

과정 중심 단원평가 39~40쪽

01 2 kg−600 g=1 kg 400 g ▸5점
; 1 kg 400 g ▸5점

02 예 부은 횟수가 적을수록 들이가 많습니다. ▸3점
12<14<15이므로 들이가 가장 많은 컵은 가 컵입니다. ▸3점
; 가 컵 ▸4점

03 예 (남은 주스의 양)
=(처음 주스의 양)−(신현이가 마신 주스의 양)
=1 L 200 mL−300 mL
=1200 mL−300 mL=900 mL ▸5점
; 900 mL ▸5점

04 예 왼쪽 비커에 있는 물은 700 mL이고, ▸1점
오른쪽 비커에 있는 물은 400 mL이므로 ▸1점
모두 더하면 700 mL+400 mL=1100 mL입니다. 1000 mL=1 L이므로
1100 mL=1 L 100 mL입니다. ▸4점
; 1 L 100 mL ▸4점

05 예 (두 사람이 캔 감자의 무게)
=(진규가 캔 감자의 무게)
+(정호가 캔 감자의 무게) ▸4점
=4 kg 220 g+3 kg 750 g
=7 kg 970 g ▸4점
; 7 kg 970 g ▸7점

06 예 4080 mL=4000 mL+80 mL
=4 L+80 mL=4 L 80 mL이므로 ▸3점
4 L 80 mL<4 L 400 mL입니다. ▸2점
따라서 4 L 400 mL−4 L 80 mL=320 mL로 초록색 페인트가 320 mL 더 많이 있습니다. ▸3점
; 초록색 페인트, 320 mL ▸7점

07 예 2 kg 400 g=2 kg+400 g
=2000 g+400 g=2400 g이므로 ▸3점
2400 g>2050 g입니다. ▸2점
따라서 2400 g−2050 g=350 g으로 파인애플이 350 g 더 가볍습니다. ▸3점
; 파인애플, 350 g ▸7점

08 예 고기 3근은 600 g+600 g+600 g=1800 g입니다. ▸4점
1000 g=1 kg이므로
1800 g=1000 g+800 g
=1 kg+800 g
=1 kg 800 g입니다. ▸4점
; 1 kg 800 g ▸7점

02

채점 기준		
부은 횟수가 적을수록 들이가 많다는 것을 아는 경우	3점	10점
들이가 가장 많은 컵을 찾은 경우	3점	
답을 바르게 쓴 경우	4점	

03

채점 기준		
들이의 뺄셈식을 바르게 쓴 경우	5점	10점
답을 바르게 쓴 경우	5점	

04

채점 기준		
비커에 담긴 물의 양을 바르게 읽은 경우	각 1점	10점
들이의 덧셈을 바르게 한 경우	4점	
답을 바르게 쓴 경우	4점	

05

채점 기준		
두 무게를 더해야 하는 것을 아는 경우	4점	15점
무게의 덧셈을 바르게 한 경우	4점	
답을 바르게 쓴 경우	7점	

06

채점 기준		
들이의 단위를 같게 바꾼 경우	3점	15점
들이를 바르게 비교한 경우	2점	
들이의 뺄셈을 바르게 한 경우	3점	
답을 바르게 쓴 경우	7점	

07

채점 기준		
무게의 단위를 같게 바꾼 경우	3점	15점
무게를 바르게 비교한 경우	2점	
무게의 뺄셈을 바르게 한 경우	3점	
답을 바르게 쓴 경우	7점	

08

채점 기준		
고기 3근이 몇 g인지 구한 경우	4점	15점
고기의 양을 몇 kg 몇 g으로 바꾼 경우	4점	
답을 바르게 쓴 경우	7점	

창의·융합 문제 41쪽

01 (위에서부터) 1, 200 ; 3, 750 ; 375 ; 2, 400
; 1, 125 ; 7, 500

01 소고기 2근: 600 g+600 g=1 kg 200 g
돼지고기 4근: 600 g+600 g+600 g+600 g
=2400 g=2 kg 400 g
귤 3근: 375 g+375 g+375 g=1 kg 125 g
감자 2관: 3750 g+3750 g=7 kg 500 g

6단원 자료의 정리(그림그래프)

기본 단원평가 42~44쪽

01 3, 5, 8, 4, 20 **02** 20명
03 파란색
04 빨간색, 초록색, 노란색, 파란색
05 2배 **06** 10명, 1명
07 44명 **08** 1학년
09 36명
10 13, 25, 15, 32, 85
11 좋아하는 책별 학생 수

책	학생 수
시집	■▪▪▪
소설책	■■▪▪▪▪▪
잡지	■▪▪▪▪▪
만화책	■■■▪▪

■10명 ▪1명

12 그림그래프
13 소설책
14 10명
15 좋아하는 새별 학생 수

새	학생 수
앵무새	◎○○○○○
까치	◎
비둘기	○○○○○○
독수리	○○○

◎10명 ○1명

16 앵무새, 까치, 비둘기, 독수리
17 5배 **18** 530그루
19 해 마을, 750그루 **20** 달 마을, 구름 마을
21 별 마을 **22** 360상자
23 행복 과수원 **24** 140상자
25 예 가장 많이 생산한 과수원의 포도 생산량은 행복 과수원으로 420상자이고, 가장 적게 생산한 과수원의 포도 생산량은 우리 과수원으로 170상자입니다.▸1점
따라서 두 과수원의 포도 생산량의 차는 420－170＝250(상자)입니다.▸1점
; 250상자▸2점

01 (합계)＝3＋5＋8＋4＝20(명)

02 조사한 학생은 합계와 같은 20명입니다.

03 파란색을 좋아하는 학생이 8명으로 가장 많습니다.

04 3＜4＜5＜8이므로 학생 수가 적은 색깔부터 차례로 쓰면 빨간색, 초록색, 노란색, 파란색입니다.

05 파란색: 8명, 초록색: 4명
8은 4의 2배이므로 파란색을 좋아하는 학생은 초록색을 좋아하는 학생의 2배입니다.

06 그림그래프에서 큰 그림은 10명을 나타내고 작은 그림은 1명을 나타냄을 알 수 있습니다.

07 큰 그림 4개와 작은 그림 4개이므로 체격 측정을 한 3학년 학생은 44명입니다.

08 큰 그림이 가장 적은 1학년과 2학년 중에서 작은 그림이 더 적은 1학년이 가장 적습니다.

09 5학년: 65명, 2학년: 29명
⇨ 체격 측정을 한 5학년 학생은 2학년 학생보다 65－29＝36(명) 더 많습니다.

11 십의 자리 수와 일의 자리 수에 맞게 그림을 그립니다.

12 • 그림그래프는 각각의 자료의 크기를 한눈에 쉽게 비교할 수 있습니다.
• 표는 합계가 있어서 조사한 학생 수를 쉽게 알 수 있습니다.

13 가장 많은 학생들이 좋아하는 책은 큰 그림이 가장 많은 만화책이고, 두 번째로 많은 학생들이 좋아하는 책은 큰 그림이 두 번째로 많은 소설책입니다.

14 까치: 34－15－6－3＝10(명)

15 앵무새: 15명 ⇨ ◎ 1개, ○ 5개
까치: 10명 ⇨ ◎ 1개
비둘기: 6명 ⇨ ○ 6개 / 독수리: 3명 ⇨ ○ 3개

16 그림그래프에서 큰 그림의 수를 먼저 비교한 후 작은 그림의 수를 비교하면 앵무새, 까치, 비둘기, 독수리 순으로 좋아합니다.

17 앵무새: 15명, 독수리: 3명
15는 3의 5배이므로 앵무새를 좋아하는 학생은 독수리를 좋아하는 학생의 5배입니다.

18 별 마을: 640그루, 해 마을: 750그루, 구름 마을: 320그루
⇨ 달 마을: 2240－640－750－320＝530(그루)

19 가장 많은 나무를 심은 마을은 큰 그림이 가장 많은 해 마을이고, 큰 그림 7개와 작은 그림 5개이므로 750그루입니다.

20 마을별 심은 나무 수를 비교하면
$320 < 530 < 640 < 750$이므로 640그루를 심은 별 마을보다 나무를 더 적게 심은 마을은 달 마을과 구름 마을입니다.

21 구름 마을에서 심은 나무가 320그루이므로 2배만큼 심은 마을은 $320 \times 2 = 640$(그루)인 별 마을입니다.

22 큰 그림 3개와 작은 그림 6개이므로 시원 과수원의 포도 생산량은 360상자입니다.

23 큰 그림의 수가 가장 많은 행복 과수원에서 가장 많이 생산하였습니다.

24 시원 과수원의 작년 포도 생산량은 360상자이므로 500상자로 늘리려면 $500 - 360 = 140$(상자)를 더 생산해야 합니다.

25

채점 기준		
생산량이 가장 많은 과수원과 가장 적은 과수원의 포도 생산량을 각각 구한 경우	1점	4점
두 과수원의 포도 생산량의 차를 구한 경우	1점	
답을 바르게 쓴 경우	2점	

실력 단원평가 45~46쪽

01 12 ; 28 **02** 바이킹
03 롤러코스터, 바이킹, 회전 그네, 범퍼카
04 71명 **05** 22개
06 64개
07 일주일 동안 먹은 사탕 수

이름	사탕 수
미나	
은정	
태민	
혁수	

10개 1개

08 미나, 은정
09 망고 맛
10 예 가장 많이 팔린 주스는 망고 맛으로 420잔이고, 가장 적게 팔린 주스는 딸기 맛으로 240잔입니다.▸3점
따라서 두 주스의 판매량의 차는
$420 - 240 = 180$(잔)입니다.▸3점
; 180잔▸4점
11 예 망고 맛 주스
12 14장 **13** 9장
14 예 홍관이가 9월부터 12월까지 받은 붙임딱지는 모두 $27 + 36 + 18 + 14 = 95$(장)입니다.▸3점
$95 \div 9 = 10 \cdots 5$이므로 홍관이는 공책을 10권까지 바꿀 수 있습니다.▸3점
; 10권▸4점

01 범퍼카를 좋아하는 여학생은
$113 - 38 - 29 - 34 = 12$(명)이고, 회전 그네를 좋아하는 남학생은 $117 - 32 - 15 - 42 = 28$(명)입니다.

02 여학생 수 중에서 바이킹을 좋아하는 학생이 38명으로 가장 많습니다.

05 은정이가 일주일 동안 먹은 사탕은 $11 \times 2 = 22$(개)입니다.

06 합계: $23 + 22 + 11 + 8 = 64$(개)

08 태민이보다 큰 그림의 수가 더 많은 미나와 은정이가 사탕을 더 많이 먹었습니다.

09 한 달 동안 판매량이 가장 많은 음료는 큰 그림이 가장 많은 망고 맛입니다.

10

채점 기준		
가장 많이 팔린 주스와 가장 적게 팔린 주스의 판매량을 구한 경우	3점	10점
두 주스의 판매량의 차를 구한 경우	3점	
답을 바르게 쓴 경우	4점	

11 이번 달 판매량이 가장 많은 주스는 망고 맛 주스이므로 망고 맛 주스의 재료를 가장 많이 준비하는 것이 좋을 것 같습니다.

12 11월에 받은 붙임딱지는 18장이므로 12월에 받은 붙임딱지는 $18 - 4 = 14$(장)입니다.

13 9월: 27장, 10월: 36장
따라서 10월에 받은 붙임딱지는 9월에 받은 붙임딱지보다 $36 - 27 = 9$(장) 더 많습니다.

14

채점 기준		
홍관이가 받은 붙임딱지 수를 모두 구한 경우	3점	10점
바꿀 수 있는 공책 수를 구한 경우	3점	
답을 바르게 쓴 경우	4점	

과정 중심 단원평가 47~48쪽

01 예 농구를 좋아하는 학생은 10명을 나타내는 그림 ㉡이 1개, 1명을 나타내는 그림 ㉠이 9개이므로 ▸3점 19명입니다. ▸3점
; 19명 ▸4점

02 예 ㉡의 수를 비교하면 피구가 3개로 가장 많습니다. ▸3점 따라서 가장 많은 학생들이 좋아하는 운동은 피구입니다. ▸3점
; 피구 ▸4점

03 예 동물원에 가고 싶은 학생은 32명입니다. ▸3점
따라서 박물관에 가고 싶은 학생은
$32-7=25$(명)입니다. ▸3점
; 25명 ▸4점

04 예 놀이동산 ▸7점 ; 예 가장 많은 학생들이 가고 싶은 곳이 놀이동산이므로 놀이동산으로 소풍을 가면 좋을 것 같습니다. ▸8점

05 예 (큰 버섯)의 수를 비교하면 나 마을과 다 마을이 1개로 가장 적으므로 두 마을의 (작은 버섯)의 수를 비교하면 나 마을의 버섯 생산량이 가장 적습니다. ▸3점
따라서 나 마을의 버섯 생산량은 (큰 버섯)이 1개, (작은 버섯)이 1개이므로 110 kg입니다. ▸3점
; 110 kg ▸4점

06 예 각 마을별 버섯 생산량을 알아보면 가 마을은 370 kg, 나 마을은 110 kg, 다 마을은 190 kg, 라 마을은 230 kg입니다. ▸4점
따라서 네 마을의 버섯 생산량은 모두
$370+110+190+230=900$ (kg)입니다. ▸4점
; 900 kg ▸7점

07 예 각 달에 빌려간 책의 수를 알아보면 9월은 60권, 11월은 46권, 12월은 24권입니다. ▸4점
따라서 10월에 빌려간 책은
$165-60-46-24=35$(권)입니다. ▸4점
; 35권 ▸7점

08 예 가장 많이 빌려간 달은 60권으로 9월이고, ▸2점
가장 적게 빌려간 달은 24권으로 12월입니다. ▸2점
따라서 가장 많이 빌려간 달과 가장 적게 빌려간 달의 책의 수의 차는 $60-24=36$(권)입니다. ▸4점
; 36권 ▸7점

01

채점 기준		
그림의 수를 바르게 구한 경우	3점	10점
모두 몇 명인지 구한 경우	3점	
답을 바르게 쓴 경우	4점	

02

채점 기준		
10명을 나타내는 그림이 가장 많은 종목을 찾은 경우	3점	10점
가장 많은 학생이 좋아하는 종목을 찾은 경우	3점	
답을 바르게 쓴 경우	4점	

03

채점 기준		
동물원에 가고 싶은 학생 수를 구한 경우	3점	10점
박물관에 가고 싶은 학생 수를 구한 경우	3점	
답을 바르게 쓴 경우	4점	

05

채점 기준		
생산량이 가장 적은 마을이 어디인지 구한 경우	3점	10점
생산량이 가장 적은 마을의 버섯 생산량을 구한 경우	3점	
답을 바르게 쓴 경우	4점	

06

채점 기준		
각 마을의 버섯 생산량을 구한 경우	4점	15점
네 마을의 버섯 생산량을 구한 경우	4점	
답을 바르게 쓴 경우	7점	

07

채점 기준		
9월, 11월, 12월에 빌려간 책의 수를 구한 경우	4점	15점
10월에 빌려간 책의 수를 구한 경우	4점	
답을 바르게 쓴 경우	7점	

08

채점 기준		
가장 많이 빌려간 달과 가장 적게 빌려간 달의 책의 수를 각각 구한 경우	각 2점	15점
빌려간 책의 수의 차를 구한 경우	4점	
답을 바르게 쓴 경우	7점	

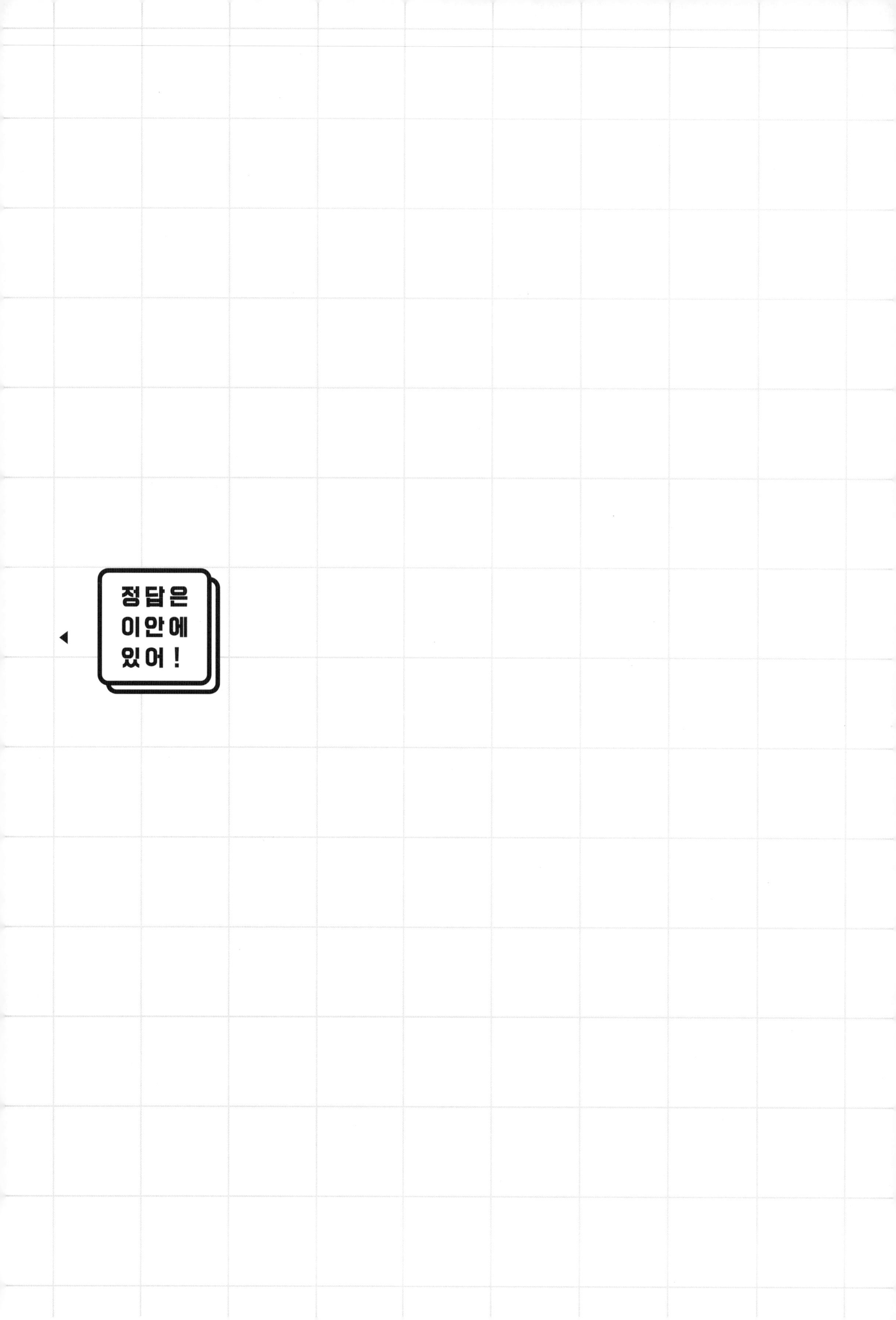
정답은
이안에
있어!

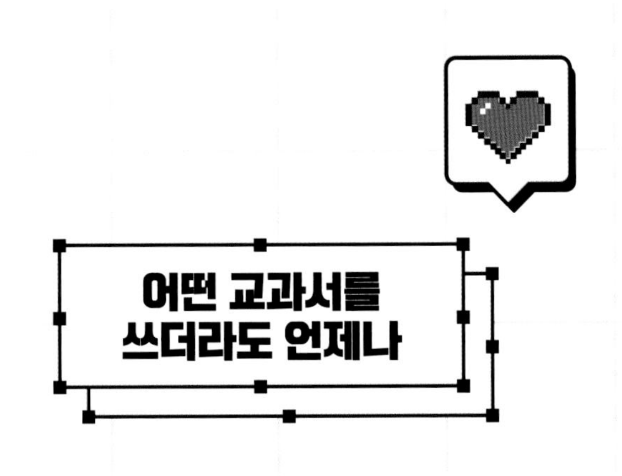
어떤 교과서를
쓰더라도 언제나

2022년 3·4학년, 2023년 5·6학년
수학, 과학, 사회 교과서가 검정교과서로 바뀝니다.

교과서가 바뀐다고요?

교과서가 바뀐다니, 이게 무슨 일이죠?

아, 이제 국정교과서 대신 검정교과서를 쓴대요!

국정, 검정… 무슨 말인지 모르겠어요 @_@

검정교과서를 쓰게 되면...

- 학교와 재학생의 수준에 알맞은 교과서를 선생님이 직접 선택!
- 국정교과서와 비교해 풍부한 학습활동이 가능해지고 실생활 연계 강화!
- 개인의 선택권과 다양성을 존중하는 첫 걸음!

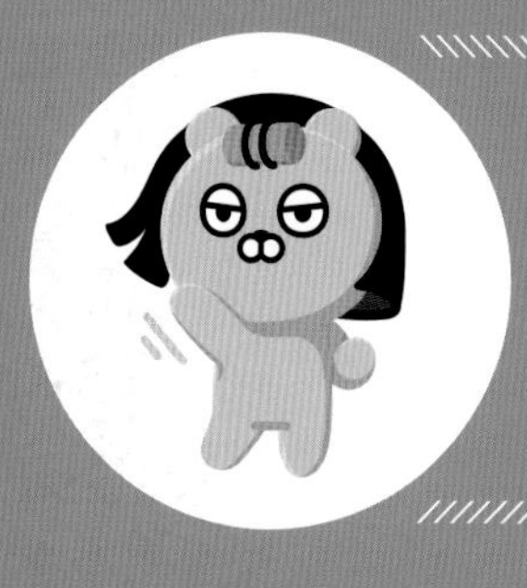

교과서가 다양해져서 고민이시라고요?
걱정하지 마세요!
어떤 교과서를 쓰더라도 **우등생**이 있으니까요.

어느 교과서를 배우더라도

꼭 알아야 하는 **개념**과 **기본 문제** 구성으로

다양한 학교 평가에 완벽 대비할 수 있어요!

11종 검정 교과서 단원 평가 자료집

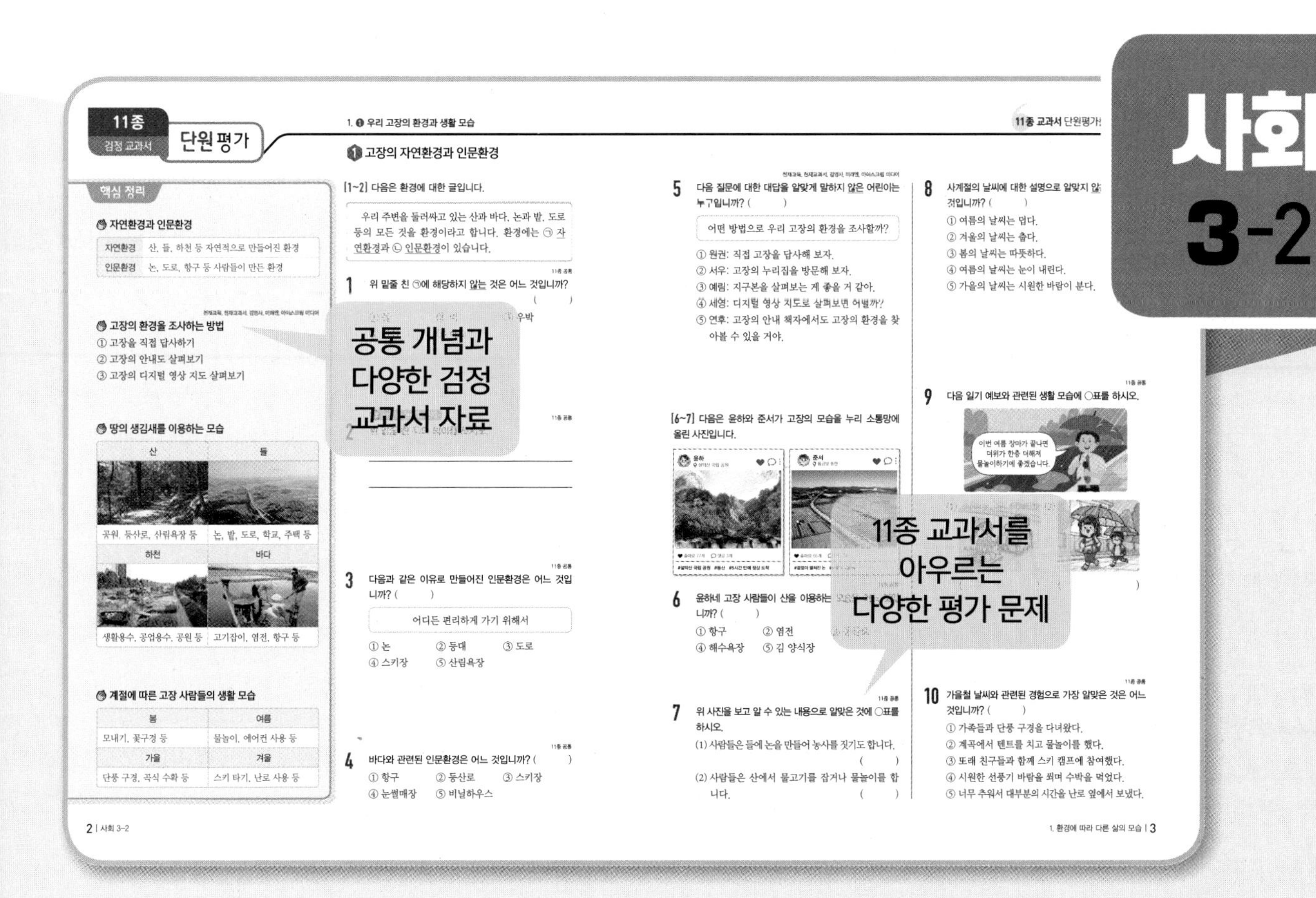

사회 3-2

단원 평가

핵심 정리

자연환경과 인문환경

자연환경	산, 들, 하천 등 자연적으로 만들어진 환경
인문환경	논, 도로, 항구 등 사람들이 만든 환경

천재교육, 천재교과서, 김영사, 미래엔, 아이스크림 미디어

고장의 환경을 조사하는 방법

① 고장을 직접 답사하기
② 고장의 안내도 살펴보기
③ 고장의 디지털 영상 지도 살펴보기

땅의 생김새를 이용하는 모습

산	들
공원, 등산로, 산림욕장 등	논, 밭, 도로, 학교, 주택 등
하천	**바다**
생활용수, 공업용수, 공원 등	고기잡이, 염전, 항구 등

계절에 따른 고장 사람들의 생활 모습

봄	여름
모내기, 꽃구경 등	물놀이, 에어컨 사용 등
가을	**겨울**
단풍 구경, 곡식 수확 등	스키 타기, 난로 사용 등

❶ 고장의 자연환경과 인문환경

[1~2] 다음은 환경에 대한 글입니다.

> 우리 주변을 둘러싸고 있는 산과 바다, 논과 밭, 도로 등의 모든 것을 환경이라고 합니다. 환경에는 ㉠ 자연환경과 ㉡ 인문환경이 있습니다.

11종 공통

1 위 밑줄 친 ㉠에 해당하지 않는 것은 어느 것입니까? (　　　)

① 들　② 비　③ 우박
④ 하천　⑤ 학교

서술형·논술형 문제　11종 공통

2 위 밑줄 친 ㉡의 의미를 쓰시오.

____

____

11종 공통

3 다음과 같은 이유로 만들어진 인문환경은 어느 것입니까? (　　　)

> 어디든 편리하게 가기 위해서

① 논　② 등대　③ 도로
④ 스키장　⑤ 산림욕장

11종 공통

4 바다와 관련된 인문환경은 어느 것입니까? (　　　)

① 항구　② 등산로　③ 스키장
④ 눈썰매장　⑤ 비닐하우스

정답 1쪽

천재교육, 천재교과서, 김영사, 미래엔, 아이스크림 미디어

5 다음 질문에 대한 대답을 알맞게 말하지 않은 어린이는 누구입니까? (　　　)

어떤 방법으로 우리 고장의 환경을 조사할까?

① 원권: 직접 고장을 답사해 보자.
② 서우: 고장의 누리집을 방문해 보자.
③ 예림: 지구본을 살펴보는 게 좋을 거 같아.
④ 세영: 디지털 영상 지도로 살펴보면 어떨까?
⑤ 연후: 고장의 안내 책자에서도 고장의 환경을 찾아볼 수 있을 거야.

[6~7] 다음은 윤하와 준서가 고장의 모습을 누리 소통망에 올린 사진입니다.

11종 공통

6 윤하네 고장 사람들이 산을 이용하는 모습은 어느 것입니까? (　　　)

① 항구　② 염전　③ 등산로
④ 해수욕장　⑤ 김 양식장

11종 공통

7 위 사진을 보고 알 수 있는 내용으로 알맞은 것에 ○표를 하시오.

(1) 사람들은 들에 논을 만들어 농사를 짓기도 합니다. (　　　)
(2) 사람들은 산에서 물고기를 잡거나 물놀이를 합니다. (　　　)

11종 공통

8 사계절의 날씨에 대한 설명으로 알맞지 않은 것은 어느 것입니까? (　　　)

① 여름의 날씨는 덥다.
② 겨울의 날씨는 춥다.
③ 봄의 날씨는 따뜻하다.
④ 여름의 날씨는 눈이 내린다.
⑤ 가을의 날씨는 시원한 바람이 분다.

11종 공통

9 다음 일기 예보와 관련된 생활 모습에 ○표를 하시오.

(1)

(　　　　　)

(2)

(　　　　　)

11종 공통

10 가을철 날씨와 관련된 경험으로 가장 알맞은 것은 어느 것입니까? (　　　)

① 가족들과 단풍 구경을 다녀왔다.
② 계곡에서 텐트를 치고 물놀이를 했다.
③ 또래 친구들과 함께 스키 캠프에 참여했다.
④ 시원한 선풍기 바람을 쐬며 수박을 먹었다.
⑤ 너무 추워서 대부분의 시간을 난로 옆에서 보냈다.

사회

핵심 정리

바다가 있는 고장

바다가 있는 고장의 환경	• 자연환경: 바다, 갯벌, 모래사장, 낮은 산, 좁은 들 등 • 인문환경: 항구, 등대, 양식장, 해수욕장, 수산물 직판장, 식당 등
바다가 있는 고장 사람들이 하는 일	• 물고기를 잡거나 가두어 기름. • 배나 고기잡이 도구를 팔거나 고쳐 줌. • 해녀들은 바닷속에 들어가 해산물을 잡음. • 바다에서 잡아 온 물고기를 소비자에게 직접 파는 직판장을 운영함.

산이 많이 있는 고장

산이 많은 고장의 환경	• 자연환경: 산비탈, 울창한 숲, 계곡 등 • 인문환경: 경사진 밭, 계단 모양의 논, 목장, 스키장, 식당, 리조트, 풍력 발전기 등
산이 많은 고장 사람들이 하는 일	• 지하자원을 캠. • 약초와 나물을 캐거나 버섯을 기름. • 산비탈에 썰매장과 스키장을 운영함. • 목장에서 소나 양과 같은 가축을 키움. • 경사진 밭과 계단 모양의 논에서 농사를 지음.

❷ 바다와 산을 이용해 살아가는 모습

[1~4] 다음은 민지네 고장의 모습입니다.

11종 공통

1 민지네 고장의 자연환경으로 알맞은 것에 ○표를 하시오.

(1) 높은 산이 연속해 있습니다. (　　)

(2) 바다가 있고 주변에 모래사장이 있습니다. (　　)

11종 공통

2 민지네 고장의 자연환경과 관련된 인문환경으로 가장 알맞지 않은 것은 어느 것입니까? (　　)

① 항구　② 양식장
③ 스키장　④ 수산물 직판장
⑤ 물놀이 용품 대여점

11종 공통

3 민지네 고장 사람들이 주로 하는 일을 두 가지 고르시오. (　　,　　)

① 김 양식　② 꿀 얻기
③ 해산물 잡기　④ 버섯 재배하기
⑤ 농업 기술 연구하기

서술형·논술형 문제　11종 공통

4 위와 같은 환경이 나타나는 고장에 가 본 경험으로 알맞은 내용을 쓰시오.

정답 1쪽

11종 공통

5 다음은 고장의 다양한 자연환경 중 무엇을 이용하며 살아가는 사람들의 모습인지 보기에서 찾아 쓰시오.

보기
• 산 • 들 • 비 • 바다

물고기 잡기

배나 고기잡이 도구 고치기

( )

11종 공통

8 산이 많은 고장하면 떠오르는 낱말을 알맞게 적은 어린이는 누구입니까? ( )

①

②

③

④

[6~7] 다음은 아람이가 지우에게 보낸 편지입니다.

지우에게
안녕? 잘 지냈니? ㉠ 이 많은 우리 고장은 버섯이 잘 자라. 우리 고장에서 곧 버섯 축제가 열리거든. 버섯 요리를 맛보거나 버섯 따기 체험도 해 볼 수 있어. 버섯 축제에 같이 가지 않을래? 겨울 방학 때 우리 고장에 있는 ㉡ 에서 스키 캠프도 같이 했잖아. 이번에도 함께 하면 좋겠어.
아람이가

11종 공통

6 위 ㉠에 들어갈 자연환경으로 알맞은 것은 어느 것입니까? ( )

① 산 ② 들 ③ 강
④ 사막 ⑤ 갯벌

11종 공통

7 위 ㉡에 들어갈 인문환경으로 알맞은 것은 어느 것입니까? ( )

① 등대 ② 스키장 ③ 영화관
④ 조선소 ⑤ 해수욕장

11종 공통

9 산이 많은 고장 사람들이 주로 하는 일로 알맞은 것은 어느 것입니까? ( )

① 물놀이 용품을 판매한다.
② 염전을 만들어 소금을 얻는다.
③ 배나 고기잡이 도구를 수리한다.
④ 수산물 직판장에서 수산물을 판다.
⑤ 산비탈에 논과 밭을 만들어 농사를 짓는다.

11종 공통

10 산이 많은 고장에서 계단 모양으로 논을 만들어 농사를 짓는 까닭을 보기에서 찾아 기호를 쓰시오.

보기
㉠ 농사지을 땅이 부족하기 때문에
㉡ 겨울에 눈이 많이 내리기 때문에
㉢ 나물과 약초는 깊은 산속에서 자라기 때문에

( )

사회

11종 검정 교과서 단원평가

❸ 들을 이용해 살아가는 모습과 여가 생활 모습

핵심 정리

들이 있는 고장

들이 있는 고장의 환경	• 자연환경: 넓은 들, 낮은 산, 하천 등 • 인문환경: 논과 밭, 비닐하우스, 과수원, 축사, 농산물 저장고, 저수지 등
들이 있는 고장 사람들이 하는 일	• 농촌 체험 프로그램을 운영함. • 소나 돼지와 같은 가축을 키움. • 농기계를 팔거나 고치는 일을 함. • 농업 기술을 연구하고 알려 주는 일을 함. • 들에 논밭을 만들어 곡식과 채소 등을 기름.

인문환경이 다양한 도시

도시의 환경	• 자연환경: 들, 낮은 산, 하천 등 • 인문환경: 높은 건물, 넓은 도로, 아파트, 공장, 마트, 은행, 박물관 등
도시 사람들이 하는 일	• 회사에서 일을 함. • 버스나 택시를 운전함. • 공장에서 물건을 만듦. • 백화점에서 음식이나 물건을 팖.

고장 사람들의 여가 생활 모습

① 여가 생활: 스스로 즐거움을 얻고자 남는 시간에 하는 자유로운 활동

② 자연환경을 이용한 여가 생활

바다-낚시

산-등산

강-래프팅

③ 인문환경을 이용한 여가 생활

영화관-영화 보기

도서관-책 읽기

공원-산책하기

[1~3] 다음은 서우네 고장의 모습입니다.

11종 공통

1 서우네 고장의 자연환경으로 알맞은 것을 보기에서 두 가지 찾아 기호를 쓰시오.

보기
㉠ 강이 흐릅니다.
㉡ 넓은 들이 있습니다.
㉢ 높은 산이 있습니다.
㉣ 바다와 모래사장이 있습니다.

(,)

11종 공통

2 서우네 고장을 보고 잘못 말한 어린이를 쓰시오.

원권: 비닐하우스를 만들어 농사를 짓기도 하네.
지우: 갯벌이 넓게 펼쳐져 있어서 조개를 잡을 수 있겠어.
준호: 고장에 넓고 평평한 들과 하천이 있어서 농사짓기에 좋겠어.

( )

11종 공통

3 서우네 고장 사람들이 하는 일로 가장 알맞은 것은 어느 것입니까? ( )

① 물고기를 잡거나 기른다.
② 염전에서 소금을 만든다.
③ 멍게나 해삼 등을 잡는다.
④ 스키장 주변에서 리조트를 운영한다.
⑤ 논과 밭에서 곡식과 채소를 재배한다.

정답 2쪽

11종 공통

4 넓은 들이 있는 고장에서 다음과 같은 일을 하는 것과 관련된 인문환경은 어느 것입니까? (　　　)

소, 돼지 등의 가축을 기릅니다.

① 축사　② 등대　③ 항구
④ 과수원　⑤ 산림욕장

11종 공통

5 다음 중 도시의 모습으로 알맞은 것의 기호를 쓰시오.

㉠ 

㉡ 

(　　　　　　)

11종 공통

6 도시에 사는 사람들이 주로 하는 일로 알맞지 않은 것은 어느 것입니까? (　　　)

① 회사에서 일한다.
② 음식점을 운영한다.
③ 가게에서 물건을 판다.
④ 공장에서 물건을 만든다.
⑤ 깊은 산속에서 약초를 캔다.

11종 공통

7 도시 사람들이 하는 일에 대한 설명으로 알맞은 것에 ○표를 하시오.

(1) 도시에 사는 사람들은 주로 농사와 관련된 일을 합니다. (　　)
(2) 도시에서는 주로 인문환경을 이용하여 다양한 일을 합니다. (　　)

서술형·논술형 문제　11종 공통

8 다음은 지난여름에 즐긴 여가 생활을 발표한 내용입니다.

민수: 저는 우리 고장에 있는 해양 생물 과학관에 관람을 갔어요.
연지: 저는 친구들과 집 앞 해수욕장에서 물놀이도 하고, 모래 놀이도 했어요.

(1) 위 친구들이 살고 있는 고장을 보기에서 찾아 쓰시오.

보기
• 바다가 있는 고장　• 높은 산이 있는 고장

(　　　　　　)

(2) 위 (1)번 답과 같이 생각한 까닭을 쓰시오.

____

____

11종 공통

9 다음 자연환경을 이용하는 여가 생활은 무엇인지 바르게 줄로 이으시오.

(1) 산 •　　• ㉠ 서핑
(2) 강 •　　• ㉡ 등산
(3) 바다 •　　• ㉢ 래프팅

11종 공통

10 다음 여가 생활의 공통점은 무엇입니까? (　　　)

• 영화관에서 영화 보기　• 공원에서 산책하기

① 자연환경을 이용한 여가 생활이다.
② 인문환경을 이용한 여가 생활이다.
③ 어린이만 즐길 수 있는 여가 생활이다.
④ 날씨에 영향을 크게 받는 여가 생활이다.
⑤ 도시에서는 즐길 수 없는 여가 생활이다.

사회

단원평가

핵심 정리

의식주의 의미와 필요성

① 의미: 사람들이 생활하는 데 필요한 옷, 음식, 집
② 필요성

의(옷)	피부를 보호하고, 몸의 온도를 유지하기 위해서
식(음식)	영양분을 얻기 위해서
주(집)	더위, 추위를 피하고 안전하게 쉬기 위해서

계절에 따라 다른 옷차림

봄	날씨가 따뜻해지면서 가벼운 옷을 입음.
여름	더위를 피하려고 바람이 잘 통하는 반팔 옷과 반바지를 입고, 햇볕을 막으려고 모자를 씀.
가을	날씨가 선선해지고 아침과 저녁, 낮의 기온 차이가 생겨 옷을 여러 겹 껴입음.
겨울	추위를 막으려고 두꺼운 옷을 입고, 장갑을 끼거나 목도리를 두름.

환경에 따라 다른 세계 여러 고장의 옷차림

덥고 건조한 고장

햇볕과 모래바람을 막으려고 몸 전체를 감싸는 옷을 입고 천을 머리에 두름.

춥고 눈이 많이 오는 고장

몸을 보호하기 위해 동물의 털과 가죽으로 만든 두꺼운 옷을 입음.

덥고 습한 고장

바람이 잘 통하는 가벼운 옷을 입고, 햇볕을 가리거나 비를 막기 위해 모자를 씀.

높은 산지에 있는 고장

낮의 햇볕을 막으려 챙이 넓은 모자를 쓰고, 밤의 추위를 막으려 옷을 덧입음.

❶ 의식주의 의미와 다양한 의생활 모습

11종 공통

1 다음 사진과 관련 있는 것을 보기에서 찾아 쓰시오.

아파트

한옥

보기
• 의생활 • 식생활 • 주생활

( )

[2~3] 다음은 의식주에 대해 정리한 표입니다.

구분	필요한 까닭
의(㉠)	피부를 보호하고, 몸의 온도를 유지하기 위해서
식(음식)	영양분을 얻기 위해서
주(집)	㉡

11종 공통

2 위 ㉠에 들어갈 알맞은 말을 쓰시오.

( )

서술형·논술형 문제 11종 공통

3 위 ㉡에 들어갈 알맞은 내용을 쓰시오.

11종 공통

4 고장의 옷차림과 관련하여 다음 ( ) 안의 알맞은 말에 각각 ○표를 하시오.

고장의 날씨는 ❶(계절 / 인구)에 따라 달라집니다. 그래서 날씨가 따뜻한 ❷(봄 / 겨울)에는 활동하기 편안하고 가벼운 옷을 입습니다.

정답 2쪽

11종 공통

5 다음과 같은 옷차림을 하는 계절은 언제입니까? (　　　)

반팔 옷과 반바지를 입고, 모자를 씁니다.

① 
봄

② 
여름

③ 
가을

④ 
겨울

천재교육

6 9월에 나눈 다음 대화를 통해 알 수 있는 것을 보기 에서 찾아 기호를 쓰시오.

소연: 평창은 아침, 저녁으로 서늘해 긴팔 옷을 입는데 제주도는 어때?
이훈: 제주도는 아직 따뜻해서 반팔 옷을 입어.

보기
㉠ 평창은 남쪽에 있어 9월에 서늘합니다.
㉡ 고장의 환경에 따라 옷차림이 달라집니다.
㉢ 9월에 제주도는 낮과 밤의 기온 차가 큽니다.

(　　　　　　　　)

천재교육, 교학사, 김영사, 동아출판, 비상교과서, 지학사

7 덥고 습한 고장의 의생활 모습에 대한 설명으로 알맞은 것에 모두 ○표를 하시오.

(1) 비를 막기 위해 모자를 씁니다. (　　)
(2) 더위를 피하기 위한 의생활을 합니다. (　　)
(3) 동물의 털과 가죽으로 만든 두꺼운 옷을 입습니다. (　　)

천재교육, 교학사, 금성출판사, 동아출판, 미래엔, 비상교과서, 비상교육, 지학사

8 다음 중 밤과 낮의 기온 차이가 큰 고장 사람들의 의생활 모습을 찾아 기호를 쓰시오.

㉠ 

㉡ 

(　　　　　　　　)

11종 공통

9 다음과 같이 옷을 입는 고장의 환경을 바르게 설명한 것은 어느 것입니까? (　　　)

우리 고장에서는
위아래가 하나로 된
긴 옷을 입고,
천을 머리에 둘러써요.

① 덥고 습한 고장
② 초원이 펼쳐진 고장
③ 높은 산지에 있는 고장
④ 춥고 눈이 많이 오는 고장
⑤ 햇볕이 뜨겁고 모래바람이 많이 부는 고장

11종 공통

10 세계 여러 고장 사람들의 의생활 모습에 대한 설명으로 알맞지 <u>않은</u> 것은 어느 것입니까? (　　　)

① 고장마다 옷을 만드는 재료가 같다.
② 의생활은 땅의 생김새에 영향을 받는다.
③ 고장의 의생활은 기온과 강수량의 영향을 받는다.
④ 고장에서 구하기 쉬운 재료로 옷을 만들어 입는다.
⑤ 고장의 환경에 따라 옷의 두께나 길이가 다양하다.

사회

11종 검정 교과서

단원 평가

핵심 정리

환경에 따라 다른 고장의 식생활 모습

천재교과서

전주	들에서 자란 쌀과 채소로 만든 음식 ⓔ 비빔밥
하동	근처 강에서 잡은 조개로 만든 음식 ⓔ 재첩국

세계 여러 고장의 식생활 모습

천재교육

덥고 습한 고장	열대 과일, 쌀, 기름, 향신료를 사용한 음식 ⓔ 쌀국수(베트남), 파인애플 볶음밥(타이)
추운 고장	추운 곳에서도 자라는 호밀로 만든 음식 ⓔ 호밀빵(러시아)
산지가 많은 고장	산지에서 키운 젖소로부터 나는 우유로 만든 음식 ⓔ 퐁뒤(스위스)
바다와 가까운 고장	해산물을 이용한 음식 ⓔ 초밥(일본)

환경에 따라 다른 고장의 주생활 모습

바람이 많이 부는 고장은 지붕을 줄로 고정하고 돌담을 쌓음.

겨울에 눈이 많이 내리는 고장은 우데기 안에서 생활함.

나무를 쉽게 구할 수 있는 고장은 나무로 너와집을 지음.

여름철 비가 많이 내리는 고장은 터돋움집으로 홍수를 대비함.

세계 여러 고장의 주생활 모습

동아출판, 비상교육

흙집(사우디아라비아)	이글루(캐나다)
사막으로 건조하여 나무가 잘 자라지 않아 흙집을 지음. 뜨거운 낮에는 열을 막고 추운 밤에는 열을 품어 따뜻함.	일 년 내내 춥고 눈으로 둘러싸여 있어 사냥할 때 추위를 피하려고 눈과 얼음으로 집을 지었음.

❷ 다양한 식생활 모습과 주생활 모습

천재교과서

1 다음 □ 안에 들어갈 음식을 보기 에서 찾아 쓰시오.

> 하동은 근처 강에서 잡은 조개를 넣어 만든 □이 유명합니다.

보기
• 재첩국 • 어리굴젓 • 곤드레나물밥

(　　　　　　　　)

천재교과서, 금성출판사, 김영사, 미래엔, 비상교과서

2 고장의 식생활과 관련하여 다음 (　　) 안의 알맞은 말에 각각 ○표를 하시오.

> • 고장을 대표하는 음식은 주변 ❶ (환경 / 나라)에서 쉽게 구할 수 있는 재료로 만들어집니다.
> • 전주는 넓은 ❷ (강 / 들)에서 자란 쌀과 채소로 만든 비빔밥이 유명합니다.

11종 공통

3 고장마다 사람들의 식생활 모습이 다른 까닭을 바르게 말한 어린이를 쓰시오.

> 선아: 고장에서 나는 음식 재료가 같기 때문이야.
> 민정: 고장의 환경이 식생활에 영향을 주기 때문이야.
> 재민: 주변 환경에서 쉽게 구할 수 없는 재료로 음식을 만들기 때문이야.

(　　　　　　　　)

11종 공통

4 고장의 환경에 따라 다른 세계 여러 고장의 식생활 모습이 바르게 짝 지어진 것은 어느 것입니까? (　　　)

① 추운 고장 – 러시아의 호밀빵
② 덥고 습한 고장 – 스위스의 퐁뒤
③ 높은 산지에 있는 고장 – 일본의 초밥
④ 초원이 펼쳐진 고장 – 베트남의 쌀국수
⑤ 바다로 둘러싸인 고장 – 타이의 파인애플 볶음밥

정답 3쪽

천재교육, 금성출판사, 김영사, 비상교과서, 비상교육, 지학사

5 베트남과 같이 덥고 습한 고장의 식생활에 대한 설명으로 알맞은 것에 ○표를 하시오.

(1) 가축의 고기와 젖으로 만든 음식을 자주 먹습니다. (　　)

(2) 기름이나 향신료를 넣어 만든 음식이 발달했습니다. (　　)

(3) 주변에서 쉽게 구할 수 있는 호밀로 음식을 만듭니다. (　　)

11종 공통

6 우리 고장과 다른 고장의 주생활 모습에 대한 설명으로 알맞은 것은 어느 것입니까? (　　)

① 각 고장에서 구하기 어려운 재료로 집을 짓는다.
② 고장의 환경과 관계없이 집을 짓는 재료가 같다.
③ 고장의 환경에 상관없이 집을 짓는 방식이 같다.
④ 우리 고장만 안전하고 편안하게 지낼 집이 필요하다.
⑤ 고장의 날씨, 땅의 생김새에 따라 주생활 모습은 다양하다.

11종 공통

7 다음 설명과 관련 있는 주생활 모습을 찾아 기호를 쓰시오.

> 바람이 많이 부는 제주도에서는 지붕이 바람에 날아가지 않도록 그물 모양으로 지붕을 줄로 엮고 돌담을 쌓았습니다.

㉠ 

㉡ 

(　　　　　　　　　)

11종 공통

8 너와집과 관련된 고장의 특징은 어느 것입니까? (　　)

① 바람이 많이 부는 고장
② 겨울에 눈이 많이 내리는 고장
③ 여름철 비가 많이 내리는 고장
④ 나무를 쉽게 구할 수 있는 고장
⑤ 아침과 저녁의 기온 차가 큰 고장

천재교육, 천재교과서, 동아출판, 비상교육

9 추운 고장에서 사냥할 때 추위를 피하고자 눈과 얼음으로 지은 집은 어느 것입니까? (　　)

① 

수상 가옥

② 

게르

③ 

동굴집

④ 

이글루

서술형·논술형 문제　교학사, 금성출판사, 동아출판, 미래엔, 비상교육

10 사우디아라비아에서 다음과 같은 집을 짓는 까닭을 고장의 환경과 관련하여 쓰시오.

흙집

사회

11종 검정 교과서

단원평가

핵심 정리

돌을 깨뜨려 만든 도구를 사용한 시대

① 돌을 깨뜨려 도구를 만들었습니다.
② 동물의 가죽으로 옷을 만들었습니다.
③ 동굴이나 바위 그늘에서 생활하며 사냥을 하고 열매를 따 먹었습니다.

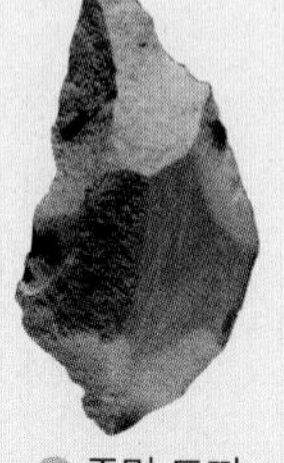
주먹 도끼

돌을 갈아서 만든 도구를 사용한 시대

① 돌이나 동물의 뼈를 갈아 더 좋은 도구를 만들었습니다.
② 강가나 바닷가에 모여 살며 농사를 짓기 시작했습니다.
③ 흙으로 그릇을 만들었습니다.

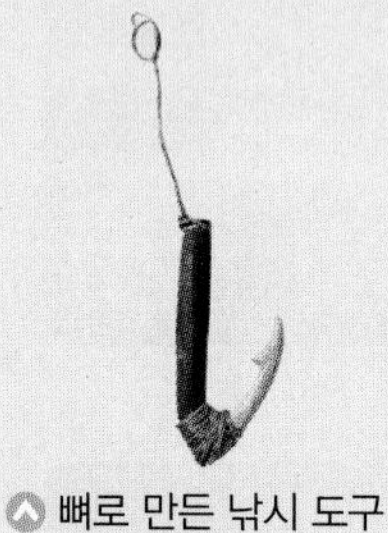
뼈로 만든 낚시 도구

돌괭이

빗살무늬 토기

청동으로 만든 도구를 사용한 시대

① 청동으로 무기, 장신구, 제사 도구를 만들었습니다.
② 농사를 지을 때나 일상생활에서는 돌과 나무를 사용했습니다.

비파형 동검　　청동 거울　　반달 돌칼

철로 만든 도구를 사용한 시대

① 청동보다 더욱 단단한 철로 일상생활에 필요한 다양한 도구를 만들었습니다.
② 철로 만든 농사 도구로 더 많은 곡식을 수확했고, 전쟁에서 철로 만든 무기를 사용했습니다.

1 옛날 사람들의 생활 모습

11종 공통

1 다음 도구에 대한 설명으로 알맞은 말에 각각 ○표를 하시오.

주먹 도끼는 ❶ (돌 / 나무)을/를 ❷ (갈아서 / 깨뜨려) 만든 도구입니다.

11종 공통

2 다음 □ 안에 들어갈 말로 알맞은 것을 두 가지 고르시오. (　　　,　　　)

돌을 깨뜨려 만든 도구를 사용한 시대의 사람들은 추위나 동물들의 공격을 피하기 위해 □에서 생활했습니다.

① 동굴　　② 움집
③ 아파트　　④ 초가집
⑤ 바위 그늘

11종 공통

3 오른쪽 도구를 보고 알 수 있는 옛날 사람들의 생활 모습은 무엇입니까? (　　　)

빗살무늬 토기

① 흙으로 그릇을 만들었다.
② 음식을 보관하지 않았다.
③ 청동으로 도구를 만들었다.
④ 철로 만든 농기구를 사용했다.
⑤ 일상생활에서 청동을 사용했다.

정답 3쪽

11종 공통

4 다음 도구의 이름을 찾아 줄로 바르게 이으시오.

(1) 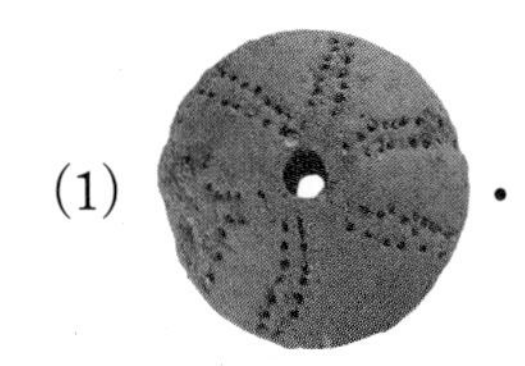 • • ㉠ 비파형 동검

(2) • • ㉡ 가락바퀴

11종 공통

5 돌을 갈아서 만든 도구를 사용한 시대의 생활 모습으로 알맞은 것에 ○표를 하시오.

(1) 청동으로 지은 집에서 생활했습니다. (　　　)

(2) 동물의 뼈를 갈아서 도구를 만들기도 했습니다. (　　　)

서술형·논술형 문제

교학사, 지학사

6 돌을 갈아서 만든 옛날 사람들의 생활 도구 중 갈돌과 갈판의 쓰임새를 쓰시오.

11종 공통

7 옛날 사람들이 오른쪽 도구를 사용했던 때는 언제입니까? (　　　)

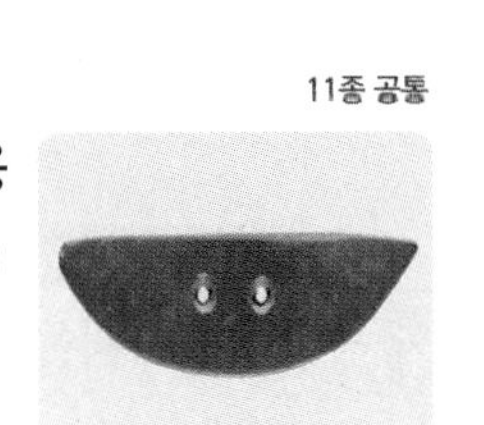

반달 돌칼

① 땅을 팔 때
② 몸을 꾸밀 때
③ 제사를 지낼 때
④ 농사를 지을 때
⑤ 음식을 담을 때

김영사, 동아출판, 비상교과서

8 다음 농경문 청동기를 통해 알 수 있는 옛날 사람들의 생활 모습은 어느 것입니까? (　　　)

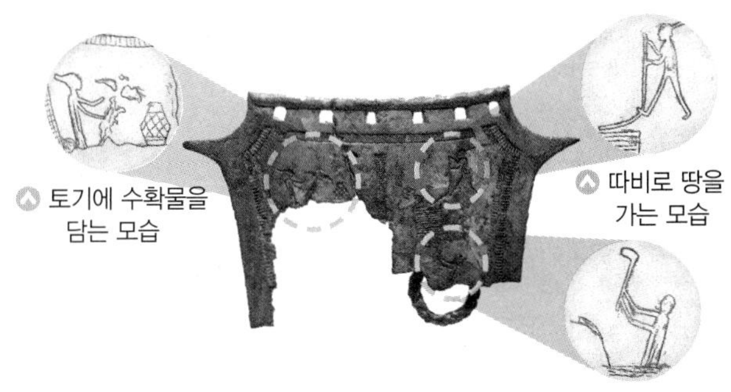

토기에 수확물을 담는 모습

따비로 땅을 가는 모습

괭이로 땅을 파는 모습

① 농사를 지었다.
② 낚시 도구를 사용했다.
③ 농사 도구를 사용하지 않았다.
④ 돌을 깨뜨려 도구를 만들었다.
⑤ 먹을 것을 찾아 이동하며 생활했다.

천재교육, 교학사, 금성출판사, 김영사, 동아출판, 미래엔, 비상교과서, 비상교육, 아이스크림 미디어, 지학사

9 철로 만든 도구를 사용한 시대의 생활 모습을 알맞게 말한 어린이를 쓰시오.

유현: 일상생활에서도 철을 사용했어.
종완: 농사지을 때는 돌과 나무만 사용했어.

(　　　　　　　　)

천재교육, 교학사, 금성출판사, 김영사, 동아출판, 미래엔, 비상교과서, 비상교육, 아이스크림 미디어, 지학사

10 다음과 같은 변화를 가져오게 된 생활 도구를 찾아 기호를 쓰시오.

농업이 크게 발달하게 되었습니다.

㉠ 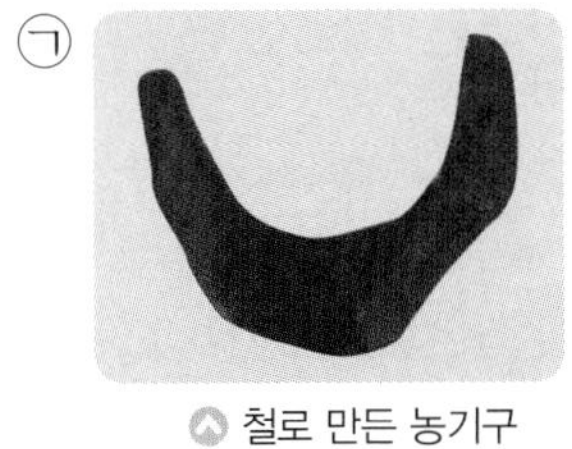

철로 만든 농기구

㉡ 

돌괭이

(　　　　　　　　)

사회

11종 검정 교과서

단원 평가

핵심 정리

농사 도구의 변화

① 농사 도구의 변화: 한 사람이 갈 수 있는 땅이 넓어지고, 많은 양의 곡식을 수확할 수 있습니다.

땅을 가는 도구	돌괭이 ➡ 철로 만든 괭이 ➡ 쟁기 ➡ 트랙터
곡식을 수확하는 도구	반달 돌칼 ➡ 낫 ➡ 탈곡기 ➡ 콤바인(수확기)

② 옛날의 다양한 농사 도구 아이스크림 미디어

키	지게
[출처: 국립민속박물관]	[출처: 국립민속박물관]
곡식 등을 위아래로 흔들어 티끌을 골라냈음.	농작물 등의 짐을 얹어 사람이 등에 지고 옮겼음.

음식을 만드는 도구의 변화

① 요리 도구의 변화

음식을 요리하는 도구	토기 ➡ 가마솥 ➡ 전기밥솥
음식 재료를 가는 도구	갈돌과 갈판 ➡ 맷돌 ➡ 믹서

② 달라진 생활 모습: 음식을 만드는 시간이 줄었습니다.

옷을 만드는 도구의 변화

① 옷을 만드는 도구의 변화

실이나 옷감을 만드는 도구	가락바퀴 ➡ 베틀 ➡ 방직기
옷감을 꿰매는 도구	뼈바늘 ➡ 쇠 바늘 ➡ 재봉틀

② 달라진 생활 모습: 다양한 옷을 빠르고 쉽게 만듭니다.

❷ 생활 도구의 변화로 달라진 생활 모습

11종 공통

1 땅을 가는 도구로 알맞은 것은 어느 것입니까? (　　　)

①

낫

②

쟁기

③

탈곡기

④

반달 돌칼

[2~3] 다음은 옛날 사람들이 사용했던 농사 도구입니다.

아이스크림 미디어

2 위 농사 도구의 이름으로 알맞은 것은 어느 것입니까? (　　　)

① 키　　② 지게
③ 시루　　④ 물레
⑤ 도리깨

서술형·논술형 문제　아이스크림 미디어

3 옛날 사람들은 위 농사 도구를 어떻게 사용했는지 쓰시오.

정답 4쪽

아이스크림 미디어

4 농작물 등의 짐을 얹어 사람이 등에 지고 옮길 때 사용했던 농사 도구를 찾아 ○표를 하시오.

(1)

철로 만든 괭이

(2)
지게

( ) ( )

11종 공통

5 다음에서 설명하는 음식을 만드는 도구끼리 바르게 짝 지어진 것은 어느 것입니까? ( )

> ㉠ 재료를 넣고 끓여서 음식을 만들었습니다.
> ㉡ 철로 만든 무거운 뚜껑을 덮어 음식을 골고루 익혀 먹었습니다.

	㉠	㉡
①	토기	시루
②	토기	가마솥
③	갈돌	전기밥솥
④	갈돌	맷돌
⑤	전기밥솥	시루

천재교육, 천재교과서, 금성출판사, 김영사, 미래엔, 비상교과서, 아이스크림 미디어, 지학사

6 다음 밑줄 친 ㉠~㉢에서 알맞지 않은 것의 기호를 쓰시오.

> 음식 재료를 갈 때 사용하는 도구는 ㉠ 가락바퀴 → ㉡ 맷돌 → ㉢ 믹서의 순서대로 변화했습니다.

( )

11종 공통

7 오른쪽 도구의 발달로 변화된 사람들의 생활 모습으로 알맞은 것은 어느 것입니까? ( )

전기밥솥

① 요리하는 게 불편해졌다.
② 다양한 음식을 먹을 수 없다.
③ 음식 만드는 시간이 늘어났다.
④ 불을 피우지 않고 밥을 짓는다.
⑤ 요리를 하기 위해 준비해야 하는 도구가 많아졌다.

11종 공통

8 실이나 옷감을 만드는 도구가 아닌 것을 두 가지 고르시오. (,)

① 베틀 ② 재봉틀
③ 방직기 ④ 가락바퀴
⑤ 갈돌과 갈판

천재교육, 천재교과서, 교학사, 금성출판사, 김영사, 동아출판, 비상교과서, 아이스크림 미디어, 지학사

9 다음과 같은 생활 모습의 변화를 가져온 오늘날의 도구는 무엇입니까? ( )

> 빠르고 정확하게 옷감을 꿰맬 수 있습니다.

① 뼈바늘 ② 재봉틀
③ 방직기 ④ 쇠 바늘
⑤ 철로 만든 괭이

11종 공통

10 옷을 만드는 도구의 발달로 달라진 사람들의 생활 모습을 알맞게 말한 어린이를 쓰시오.

> 준열: 빠르고 편리하게 많은 옷을 만들 수 있어.
> 지윤: 사람이 직접 식물의 줄기를 꼬아 실을 만들어.

( )

사회

❸ 집의 변화로 달라진 생활 모습

핵심 정리

집의 모습의 변화

동굴이나 바위 그늘 ➡ 움집 ➡ 초가집, 기와집 ➡ 오늘날의 집(예 아파트, 단독 주택, 연립 주택)

움집

초가집

집의 변화로 달라진 생활 모습

움집	하나의 방에서 생활했고, 집 가운데에 불을 피워 따뜻하게 지냈음.
초가집	방, 마루, 헛간 등을 쓰임에 맞게 나누어 사용했고 마당에서는 농사와 관련된 일을 했음.
기와집	안채에서는 주로 여자들이 생활했고, 사랑채에서는 남자들이 글공부를 했음.
오늘날의 집	거실과 주방이 연결되어 있어 가족이 같이 식사를 준비하고 거실에서 이야기를 나눔.

천재교육, 천재교과서, 김영사, 동아출판, 미래엔, 비상교과서, 비상교육, 아이스크림 미디어

옛날 집에 담긴 조상들의 지혜

온돌	대청마루

방바닥 아래에 돌을 놓고, 이 돌을 데워 겨울에도 방 안을 따뜻하게 했음.	땅과 떨어져 있는 마루의 틈으로 찬 공기가 올라와 여름을 시원하게 보냈음.

11종 공통

1 동굴이나 바위 그늘에서 살았던 사람들의 생활 모습으로 알맞은 것은 어느 것입니까? (   )

① 농사를 짓기 시작했다.
② 집을 쓰임에 맞게 나누어 사용했다.
③ 강가나 바닷가에 자리를 잡고 살았다.
④ 먹을 것을 찾아 이동하는 생활을 했다.
⑤ 온돌을 사용해서 겨울을 따뜻하게 보냈다.

11종 공통

2 움집에서 생활하는 모습으로 알맞은 것은 어느 것입니까? (   )

① 
② 
③
④ 

11종 공통

3 다음 집의 모습 변화 과정에서 □ 안에 들어갈 수 있는 알맞은 것을 두 가지 고르시오. (,   )

동굴이나 바위 그늘 ➡ 움집 ➡ □ ➡ 오늘날의 집

① 안채 ② 기와집
③ 초가집 ④ 아파트
⑤ 외양간

정답 4쪽

[4~5] 다음은 옛날 사람들이 살았던 집의 모습입니다.

㉠ 

움집

㉡ 

기와집

11종 공통

4 땅을 파서 풀과 짚으로 지붕을 덮은 집을 찾아 기호를 쓰시오.

(　　　　　　　　)

11종 공통

5 남자와 여자가 생활하는 공간이 구분되어 있었던 집을 찾아 기호를 쓰시오.

(　　　　　　　　)

11종 공통

6 초가집에 대한 설명으로 알맞은 것은 어느 것입니까? (　　　)

① 거실과 주방이 연결되어 있다.
② 볏짚으로 지붕을 덮은 집이다.
③ 오늘날 사람들이 주로 사는 집이다.
④ 마당에서는 남자들이 글공부를 했다.
⑤ 온 가족이 안채에서 식사를 준비했다.

11종 공통

7 다음 밑줄 친 부분에 해당하는 것으로 알맞지 않은 것을 두 가지 고르시오. (　　,　　)

> 오늘날의 집은 철근과 콘크리트로 만들어 옛날의 집보다 훨씬 튼튼합니다.

① 초가집　② 아파트
③ 단독 주택　④ 연립 주택
⑤ 바위 그늘

11종 공통

8 오늘날의 집에 있는 것으로 알맞지 않은 것을 두 가지 고르시오. (　　,　　)

① 주방　② 헛간
③ 거실　④ 화장실
⑤ 사랑채

사회

[9~10] 다음은 옛날 집에서 볼 수 있던 것들입니다.

㉠ (빈칸)　㉡ 온돌

천재교과서, 비상교육, 아이스크림 미디어

9 다음 설명과 관련 있는 위 ㉠의 이름을 보기 에서 찾아 쓰시오.

> 땅과 떨어진 틈새 사이로 찬 공기가 올라오게끔 하여 조상들이 시원한 여름을 보낼 수 있던 공간입니다.

보기
• 마당　• 외양간　• 대청마루

(　　　　　　　　)

서술형·논술형 문제　천재교육, 천재교과서, 김영사, 동아출판, 미래엔, 비상교과서, 비상교육, 아이스크림 미디어

10 위 ㉡으로 알 수 있는 조상들의 생활 모습을 쓰시오.

핵심 정리

세시 풍속

① 의미: 옛날부터 명절과 같이 일정한 시기에 되풀이하여 행해 온 고유의 생활 모습을 말합니다.

② 의식주뿐만 아니라 우리가 하는 일이나 놀이 등 다양한 생활 모습과 관련되어 있습니다.

세시 풍속의 사례 예 추석

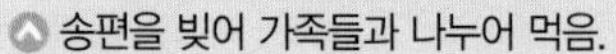
송편을 빚어 가족들과 나누어 먹음.

조상들의 산소를 찾아가 성묘를 함.

옛날의 세시 풍속

① 농사를 시작하는 시기의 세시 풍속

삼짇날	• 한 해의 건강과 풍요를 기원했음. • 진달래꽃으로 전을 만들어 먹었음.
한식	• 성묘를 하고 풍년을 기원했음. • 불을 사용하지 않고 찬 음식을 먹었음.

② 날씨가 무더워지는 시기의 세시 풍속

삼복	• 더위를 이겨 내고자 물놀이를 했음. • 영양이 풍부한 삼계탕 등을 먹었음.
백중	• 마을 사람들과 잔치를 벌였음. • 김매기가 끝나고 제사를 지냈음.

③ 수확을 끝내고 한 해를 마무리하는 시기의 세시 풍속

중양절	• 산에 올라가 단풍을 즐겼음. • 국화전을 먹으며 건강을 기원했음.
상달	• 겨울을 대비해 김장을 했음. • 수확한 콩으로 메주를 띄웠음.

아이스크림 미디어

❶ 옛날의 세시 풍속

11종 공통

1 다음에서 설명하는 것은 무엇인지 쓰시오.

> • 옛날부터 일정한 시기에 되풀이하여 행해 온 고유의 생활 모습입니다.
> • 의식주뿐만 아니라 우리가 하는 일이나 놀이 등 다양한 생활 모습과 관련 있습니다.

( )

천재교과서

2 세시 풍속이 <u>아닌</u> 것은 어느 것입니까? ( )

① 한식에 성묘하기
② 설날에 널뛰기하기
③ 친구들과 외식하기
④ 삼복에 육개장 먹기
⑤ 백중에 잔치 벌이기

[3~4] 다음 사진은 옛날 사람들이 명절에 즐겼던 음식입니다.

㉠

오곡밥

㉡

송편

11종 공통

3 위 ㉠ 음식을 먹었던 명절은 언제인지 쓰시오.

( )

서술형·논술형 문제

11종 공통

4 위 ㉡ 음식을 즐겼던 명절의 다른 세시 풍속을 한 가지만 쓰시오.

정답 5쪽

교학사, 아이스크림 미디어, 지학사

5 다음 그림의 세시 풍속과 관련 있는 날은 언제입니까? (　　　)

① 삼복　② 한식
③ 중양절　④ 삼짇날
⑤ 정월 대보름

천재교육, 천재교과서, 교학사, 김영사, 미래엔, 비상교과서, 비상교육, 아이스크림 미디어, 지학사

6 여름철에 더위를 이겨 내기 위해 행해진 세시 풍속을 두 가지 고르시오. (　　,　　)

① 삼계탕이나 육개장을 먹었다.
② 국화로 만든 술과 떡을 먹었다.
③ 시원한 계곡에서 물놀이를 했다.
④ 오곡밥을 먹고, 부럼을 깨물었다.
⑤ 마을 사람들이 모여 윷놀이를 했다.

아이스크림 미디어

7 다음에서 설명하는 때는 언제입니까? (　　　)

- 음력 10월입니다.
- 겨울을 대비해 김장을 하고 메주를 띄웠습니다.

① 추석　② 백중
③ 상달　④ 동지
⑤ 중양절

11종 공통

8 다음 음식을 주로 먹던 날과 관련 있는 세시 풍속을 찾아 줄로 이으시오.

(1) 토란국 •　　• ㉠ 부채를 주고받음.

(2) 육개장 •　　• ㉡ 계곡에서 물놀이를 즐김.

(3) 수리취떡 •　　• ㉢ 마을 사람들과 줄다리기를 함.

천재교과서, 교학사, 비상교과서, 비상교육, 지학사

9 중양절에 나타나는 자연환경으로 알맞은 것은 어느 것입니까? (　　　)

① 날씨가 무덥다.
② 들판에 새싹이 돋아난다.
③ 얼음이 얼고 눈이 내린다.
④ 단풍이 들고 국화꽃이 핀다.
⑤ 비가 몇 주에 걸쳐 쏟아진다.

11종 공통

10 다음은 우리 조상들이 기념하고 지키던 날들입니다. 이날들을 한 해의 시간 순서대로 기호를 쓰시오.

㉠ 단오　㉡ 동지　㉢ 삼짇날
㉣ 중양절　㉤ 정월 대보름

설날 → (　　　) → (　　　) → (　　　)
→ 추석 → (　　　) → (　　　)

사회

11종 검정 교과서

단원 평가

핵심 정리

옛날과 오늘날의 세시 풍속 비교 예 추석

천재교과서, 미래엔

옛날 추석의 모습	• 차례를 지내고 성묘를 했음. • 올게심니를 기둥에 매달았음. • 소먹이놀이와 농악을 즐겼음. • 밤에는 달을 보며 소원을 빌었음.
오늘날 추석의 모습	• 송편과 토란국을 먹음. • 차례를 지내고 성묘를 함.

옛날 계절별 세시 풍속

봄	여름
한 해 농사가 잘되기를 빌며 조상들의 산소를 찾아가 성묘를 했음.	더위에 지치지 않고 농사를 지을 수 있도록 영양이 풍부한 음식을 먹었음.
가을	**겨울**
수확한 곡식과 과일로 조상들께 감사드리는 차례를 지냈음.	보름달을 보며 새해에도 풍년이 들기를 바라고 소원을 빌었음.

농사와 관련된 세시 풍속 예

천재교육

[출처: 연합뉴스]
달집태우기

[출처: 국립민속박물관]
볏가릿대 세우기

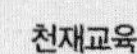

세시 풍속의 변화

오늘날의 세시 풍속	• 세시 풍속에 담긴 의미가 변함. • 큰 명절을 중심으로만 이어져 내려옴. • 농사와 관련된 세시 풍속이 많이 사라짐. • 계절, 날씨와 상관없이 세시 풍속을 체험할 수 있음.
변화한 까닭	교통과 통신, 과학 기술의 발달로 농사를 짓는 사람들이 많이 줄었기 때문에

❷ 옛날과 오늘날의 세시 풍속 비교

천재교과서, 미래엔

1 오늘날까지 내려오는 추석의 세시 풍속으로 알맞은 것을 두 가지 고르시오. (　　,　　)

① 송편 먹기　② 윷놀이하기
③ 물놀이하기　④ 달집태우기
⑤ 차례 지내기

천재교과서, 교학사, 김영사, 동아출판, 비상교과서, 비상교육, 아이스크림 미디어, 지학사

2 옛날과 오늘날의 설날 세시 풍속에 대한 설명으로 알맞지 않은 것은 어느 것입니까? (　　)

① 오늘날에는 옛날보다 세시 풍속이 다양하다.
② 옛날에는 윷놀이를 하며 한 해의 운세를 점쳤다.
③ 오늘날에도 차례를 지내고 세배하는 풍속이 남아 있다.
④ 옛날에는 복이 많이 들어오기를 바라며 복조리를 걸었다.
⑤ 옛날에는 설날에 복을 기원하고 나쁜 일을 몰아내는 다양한 세시 풍속이 있었다.

천재교과서, 교학사, 금성출판사, 김영사, 동아출판, 비상교과서, 비상교육, 아이스크림 미디어

3 옛날의 계절별 세시 풍속으로 알맞은 것은 어느 것입니까? (　　)

① 여름에 김장을 했다.
② 겨울에 풍년을 바라며 소원을 빌었다.
③ 봄에 수확한 곡식으로 차례를 지냈다.
④ 겨울에 계곡을 찾아가 물놀이를 했다.
⑤ 가을에는 더위에 지치지 않도록 영양이 풍부한 음식을 먹었다.

11종 공통

4 세시 풍속에 대한 설명으로 알맞은 것에 ○표를 하시오.

(1) 오늘날에는 옛날의 모든 세시 풍속을 똑같이 따라하며 조상들을 기립니다. (　　)
(2) 조상들이 주로 농사를 지었기 때문에 옛날에는 농사와 관련된 세시 풍속이 많았습니다. (　　)

정답 5쪽

서술형·논술형 문제 천재교육

5 다음은 옛날의 세시 풍속입니다. 두 세시 풍속의 공통점을 한 가지만 쓰시오.

볏가릿대 세우기

거북놀이

11종 공통

6 세시 풍속을 지내는 옛날과 오늘날의 모습으로 알맞은 것은 어느 것입니까? (　　　)

① 오늘날의 세시 풍속은 옛날과 똑같다.
② 오늘날에는 농사와 관련된 세시 풍속만 남았다.
③ 옛날과 달리 오늘날에는 세시 풍속을 일 년 내내 즐긴다.
④ 가족의 건강과 행복을 바라는 마음은 옛날이나 오늘날이나 변함없다.
⑤ 옛날에는 가족들과 세시 풍속을 지냈지만, 오늘날에는 마을 사람들과 함께 지낸다.

11종 공통

7 옛날과 오늘날의 세시 풍속이 다른 까닭과 관련하여 다음 (　) 안의 알맞은 말에 ○표를 하시오.

오늘날에는 교통과 통신, 과학 기술의 발달로 (직업 / 언어)이/가 다양해지면서 세시 풍속의 모습이 많이 바뀌었습니다.

11종 공통

8 세시 풍속의 변화에 대해 알맞게 말한 어린이끼리 짝지어진 것은 어느 것입니까? (　　　)

지성: 옛날의 세시 풍속은 농사와 관련이 있어.
재현: 옛날과 달리 오늘날은 세시 풍속을 통해 풍년을 빌어.
태용: 옛날의 모든 세시 풍속은 오늘날까지 그대로 이어졌어.
정우: 설날에 세배를 드리는 세시 풍속은 오늘날에도 행해지고 있어.

① 지성, 재현　② 지성, 정우
③ 재현, 정우　④ 재현, 태용
⑤ 태용, 정우

서술형·논술형 문제 천재교육, 김영사, 비상교과서, 비상교육, 아이스크림 미디어

9 오늘날과 비교하여 옛날 윷놀이의 특징을 한 가지만 쓰시오.

천재교육, 김영사, 비상교과서, 비상교육, 아이스크림 미디어

10 윷놀이에서 윷을 한 번 더 던질 수 있는 방법을 두 가지 고르시오. (　　,　　)

① 윷을 던져서 걸이 나온다.
② 윷을 던져서 윷이 나온다.
③ 앞서 간 상대편의 말을 잡는다.
④ 윷이 윷판 밖을 벗어나도록 던진다.
⑤ 한 개의 윷말이 출발지로 돌아온다.

사회

핵심 정리

옛날의 혼인 풍습

➡ 신부의 집에서 한복을 입고 혼례를 치렀습니다.

오늘날의 혼인 풍습

➡ 결혼식장에서 턱시도와 웨딩드레스를 입고 결혼합니다.

옛날과 오늘날 혼인 풍습의 공통점과 차이점

구분	옛날의 혼인 풍습	오늘날의 혼인 풍습
주고받는 물건	나무 기러기	결혼반지
결혼식 때 입는 옷	한복	턱시도, 웨딩드레스
결혼식 장소	신부의 집	주로 결혼식장
공통점	• 새로운 가족이 만들어짐. • 가족, 친척, 친구들이 모여 신랑과 신부의 행복한 미래를 축하해 줌.	

❶ 옛날과 오늘날의 혼인 풍습

11종 공통

1 다음 중 옛날의 혼인 풍습과 관련 있는 사진을 골라 기호를 쓰시오.

㉠  ㉡ 

( )

11종 공통

2 다음 보기를 옛날의 혼인 순서에 맞게 순서대로 기호를 쓰시오.

보기
㉠ 신랑과 신부가 마주 보고 절을 합니다.
㉡ 신랑의 집안 어른들께 폐백을 드립니다.
㉢ 신랑이 말을 타고 신부의 집으로 갑니다.
㉣ 신부의 집에서 며칠을 지낸 후 신랑의 집으로 갑니다.

( ) → ( ) → ( ) → ( )

천재교과서, 교학사, 김영사, 동아출판, 비상교과서, 비상교육, 아이스크림 미디어

3 옛날의 결혼식에서 오랫동안 행복하게 살자는 의미로 신랑이 신부에게 주었던 것은 어느 것입니까? ( )

① 함 ② 한복 ③ 가구
④ 말과 가마 ⑤ 나무 기러기

11종 공통

4 오늘날의 혼인 풍습으로 알맞은 것을 두 가지 고르시오. (,)

① 옛날의 혼례 모습과 같다.
② 결혼식의 모습이 정해져 있다.
③ 결혼식을 축하해 주는 사람이 없다.
④ 개인이 스스로 배우자를 선택해 결혼한다.
⑤ 다양한 장소에서 색다른 결혼식을 하기도 한다.

정답 6쪽

[5~6] 다음은 오늘날의 결혼식에서 폐백을 드리는 모습입니다.

폐백실에서 신랑과 신부의 집안 어른들께 폐백을 드림.

천재교과서, 금성출판사, 김영사, 동아출판, 비상교과서, 비상교육, 아이스크림 미디어

5 위 그림에서 자식을 많이 낳고 행복하게 살라는 의미로 신부의 치마에 던져 주는 것을 보기에서 찾아 쓰시오.

보기
• 팥죽 • 떡국 • 밤과 대추

( )

11종 공통

6 옛날과 오늘날 폐백의 공통점은 어느 것입니까? ( )

① 신부만 폐백을 드린다.
② 신랑의 집에서 폐백을 드린다.
③ 결혼식을 하기 전에 폐백을 드린다.
④ 폐백을 마치고 신부의 집으로 이동한다.
⑤ 신랑, 신부가 행복하게 살기를 바란다.

서술형·논술형 문제 천재교육

7 옛날과 오늘날의 혼인 풍습이 달라진 까닭을 쓰시오.

11종 공통

8 다음 중 오늘날의 결혼식에서 주로 입는 옷으로 알맞은 것에 ○표를 하시오.

(1) ( ) (2) ( )

11종 공통

9 옛날과 오늘날 혼인 풍습의 공통점으로 알맞은 것은 어느 것입니까? ( )

① 결혼반지를 주고받는다.
② 신부의 집에서 결혼식을 한다.
③ 사람들 없이 부부만 결혼식에 참여한다.
④ 결혼식을 통해 새로운 가족이 만들어진다.
⑤ 결혼식이 끝나고 부부가 신혼여행을 떠난다.

미래엔

10 다음 글을 읽고 혼례상에 올린 것들에 담긴 의미로 알맞은 것에 ○표를 하시오.

옛날 사람들은 닭이 나쁜 귀신을 물리친다고 생각하여 혼례상에 닭 두 마리를 올렸습니다. 그리고 자식을 많이 낳고 살라는 의미를 담은 대추와 밤을 혼례상에 올렸습니다.

(1) 신랑과 신부의 행복한 앞날을 바라는 의미를 담고 있습니다. ( )
(2) 혼례를 통해 부부가 갈등하기를 바라는 의미를 담고 있습니다. ( )

사회

11종 검정 교과서 단원평가

핵심 정리

확대 가족과 핵가족

확대 가족	• 결혼한 자녀와 부모가 함께 사는 가족 • 주로 옛날에 많았던 가족 형태임.
핵가족	• 결혼하지 않은 자녀와 부부 또는 부부로만 이루어진 가족 • 주로 오늘날에 많은 가족 형태임.

오늘날에 핵가족이 많아진 까닭

아이들 교육 때문에 다른 고장으로 이사를 함.

도시에 직장을 구하게 되어 부모님과 떨어져서 삶.

장사를 하기 위해 도시로 이사를 함.

자녀들이 결혼한 후에도 부모님이 고향에서 사심.

가족 구성원의 역할

옛날	남자	• 농사일이나 바깥일을 함. • 글공부를 가르쳐 주시고 공부를 함. • 집안의 중요한 일은 나이 많은 남자 어른이 결정함.
	여자	아이를 돌보거나 음식 만들기, 바느질 등 집안일을 함.
오늘날		• 가족회의로 집안일을 함께 의논함. • 집안일을 가족 구성원 모두가 함께함. • 부부가 함께 직장에서 일하는 경우가 많음.

❷ 옛날과 오늘날 가족의 형태와 변화

[1~2] 다음은 수민이네 가족 그림입니다.

11종 공통

1 수민이네 가족의 형태를 보기에서 찾아 쓰시오.

보기
• 핵가족 • 확대 가족 • 한 부모 가족

( )

11종 공통

2 수민이네 가족 형태에 대한 설명으로 알맞은 것은 어느 것입니까? ( )

① 오늘날에 주로 많은 가족 형태이다.
② 가족 구성원의 수가 상대적으로 적다.
③ 가족 구성원이 반드시 다섯 명보다 많아야 한다.
④ 결혼한 자녀와 부모가 함께 사는 가족 형태이다.
⑤ 어머니, 아버지, 형, 나, 동생이 사는 가족과 같은 형태이다.

서술형·논술형 문제

11종 공통

3 다음 질문에 대한 알맞은 댓글을 쓰시오.

질문
옛날에 확대 가족이 많았던 까닭은 무엇인가요?
댓글 입력 [ ] 등록
완료

정답 6쪽

11종 공통

4 다음 그림에 나타난 가족의 형태에 대한 설명으로 알맞은 것을 두 가지 고르시오. (,)

부모님이 고향으로 내려와 생활하심.

도시에 직장을 구해 부부끼리 삶.

① 가족의 형태는 핵가족이다.
② 가족의 형태는 확대 가족이다.
③ 오늘날에 많아진 가족 형태이다.
④ 주로 농사를 지으며 사는 가족 형태이다.
⑤ 옛날에는 전혀 찾아볼 수 없었던 가족 형태이다.

11종 공통

5 다음 ㉠과 ㉡에 들어갈 말이 알맞게 짝 지어진 것은 어느 것입니까? ( )

> 오늘날에는 ㉠ 이 많아졌습니다. 왜냐하면 사람들이 교육, 취업 등의 이유로 ㉡ (으)로 가면서 가족의 규모가 줄었기 때문입니다.

	㉠	㉡		㉠	㉡
①	핵가족	시골	②	확대 가족	도시
③	핵가족	도시	④	확대 가족	고향
⑤	핵가족	관광지			

금성출판사

6 다른 가족 없이 혼자 사는 사람들을 무엇이라고 하는지 쓰시오.

직장을 구하기 위해서 부모님과 떨어져 혼자 살게 되었어요.

( )

11종 공통

7 옛날 가족 구성원의 역할로 알맞은 것에 ○표를 하시오.

(1) 남자는 농사일 등 바깥일을 합니다. ( )
(2) 집안의 중요한 일은 가족회의로 결정합니다. ( )
(3) 부부가 함께 아이를 돌보거나 집안일을 합니다. ( )

미래엔

8 옛날과 오늘날의 남녀 교육에 대해 바르게 말한 어린이를 쓰시오.

> 본준: 옛날에 여자아이는 과거 시험을 위한 공부를 해야 했어.
> 효경: 오늘날에는 남자아이와 여자아이가 같은 내용으로 교육을 받아.

( )

11종 공통

9 오늘날 가족 구성원의 역할로 알맞은 것은 어느 것입니까? ( )

① 주로 남자가 아이를 돌본다.
② 여자가 주로 바깥일을 한다.
③ 가족 구성원의 역할을 모두가 함께 나눈다.
④ 가족 구성원의 나이에 따라 역할을 구분한다.
⑤ 집안의 중요한 일은 나이 많은 남자 어른이 결정한다.

11종 공통

10 옛날과 오늘날 중 다음과 같은 가족의 대화가 이루어지는 시대를 쓰시오.

> 아빠: 우주네 가족회의를 시작하겠습니다. 오늘의 회의 주제는 무엇인가요?
> 우주: 네, 오늘은 집안일을 어떻게 분담할지 이야기를 나누어 보기 위해 가족회의를 열었습니다.

( )

사회

핵심 정리

가족 구성원의 역할이 변화한 까닭

교육의 기회 증가	성별과 관계없이 교육을 받을 수 있음.
활발한 사회 활동 참여	누구나 사회 활동에 참여할 수 있음.
남녀평등 의식 향상	남녀가 평등하다는 의식이 높아지면서 직업에 대한 구분이 사라졌고, 집안일을 위해 역할 분담이 필요하게 됨.

가족 구성원 사이의 갈등과 해결

① 가족 구성원 사이의 갈등: 가족 구성원의 생각이 다르고, 각자의 역할을 하지 않았기 때문에 가족 구성원 사이에 갈등이 생깁니다.

▲ 내 방을 정리하지 않고 게임만 해서 부모님이 걱정하심.

② 갈등을 해결하는 바람직한 태도: 가족이 함께 대화를 하면서 서로를 이해하고, 문제 상황을 적극적으로 해결하려는 노력이 필요합니다.

비상교과서

가족 구성원으로서 실천할 수 있는 나의 역할 예

① 부모님을 도와 집안일을 합니다.
② 매일 저녁 강아지를 산책시킵니다.
③ 어려운 일은 가족과 함께 이야기하여 해결합니다.

❸ 가족 구성원의 역할 변화와 바람직한 역할

비상교육

1 다음 신문 기사에 대해 알맞게 말한 어린이를 고르시오.

△△일보 20△△년 △△월 △△일

달라지는 명절의 모습

△△ 지역에서는 명절을 맞아 가족 구성원이 서로 배려하는 명절 문화를 만들자는 캠페인을 벌였습니다. 이 캠페인은 명절 때 하는 일을 가족 구성원 모두가 동등하게 나누어 행복한 명절을 보내자는 내용을 담고 있습니다.

단비: 위 캠페인의 내용을 실천하기 위해 명절에 집안일을 전부 엄마가 하기로 했어.
성준: 오늘날에는 남녀가 평등하다는 의식이 높아져서 위와 같은 캠페인을 할 수 있었어.

( )

11종 공통

2 오늘날 교육의 측면에서 가족 구성원의 역할이 변화한 까닭으로 알맞은 것에 ○표를 하시오.

(1) 남자와 여자가 받는 교육이 달라서 ( )
(2) 누구든지 원하면 교육을 받을 수 있어서 ( )

11종 공통

3 다음 글을 통해 알 수 있는 가족 구성원의 역할이 변화한 까닭으로 가장 알맞은 것은 어느 것입니까? ( )

수연이네 엄마는 최근에 직장을 구했습니다. 엄마가 회사를 다니게 되면서 수연이네 가족은 집안일 역할 분담을 위해 가족회의를 열었습니다.

① 교육의 기회가 줄었다.
② 사회의 변화가 전혀 없다.
③ 남자들이 주로 바깥일을 한다.
④ 여자들이 주로 집안일을 한다.
⑤ 사회 활동에 참여하는 여성들이 많아졌다.

정답 7쪽

천재교육, 금성출판사

4 준범이네 아빠가 육아 휴직을 할 수 있었던 까닭으로 알맞은 것에 ○표를 하시오.

> 준범이네 가족은 맞벌이 가정입니다. 준범이네 아빠는 최근 육아 휴직을 하고 집에서 동생을 돌보거나 집안일을 합니다.

(1) 남녀가 평등하다는 의식이 높아졌습니다. (　　)

(2) 가족 구성원이 서로에게 바라는 것이 달라 갈등이 생겼습니다. (　　)

[5~6] 다음은 영희와 엄마의 대화입니다.

> 엄마: 내일은 할머니, 할아버지를 뵈러 가는 날이야.
> 영희: 어, 잠깐만요. 내일 저는 친구들과 놀기로 약속했어요.
> 엄마: 안 돼. 친구들과는 다음에 놀고, 내일은 할머니, 할아버지를 뵈러 가야 해.
> 영희: 지난번에 제가 놀러 가자고 했을 때는 피곤해서 안 된다고 하셨잖아요!

천재교육

5 영희와 엄마의 갈등이 발생한 까닭으로 알맞은 것에 ○표를 하시오.

(1) 영희는 할머니, 할아버지를 뵈러 가는 것을 자신과 상의하지 않고 정해서 속상합니다. (　　)

(2) 엄마는 가족 모임보다 영희의 약속을 더 중요하게 생각하셔서 갈등이 일어났습니다. (　　)

천재교육

6 위와 같은 갈등 상황을 해결하는 가장 바람직한 방법은 어느 것입니까? (　　)

① 엄마의 말씀을 억지로 따른다.
② 가족 모임을 무시하고 약속을 간다.
③ 집안의 가장 어른인 사람의 의견을 따른다.
④ 엄마와 영희가 대화를 통해 시간을 조정한다.
⑤ 서로의 생각을 표현하지 않고 갈등 해결을 미룬다.

아이스크림 미디어

7 가족의 갈등 상황을 역할극으로 표현할 때 가장 먼저 해야 할 일은 어느 것입니까? (　　)

① 역할 정하기　② 주제 정하기
③ 대본 작성하기　④ 역할극 연습하기
⑤ 역할극 발표하기

사회

[8~9] 다음은 주현이가 만든 실천 계획표입니다.

행복한 가족생활을 위한 실천 계획표

	나의 ㉠	○월 ○일	○월 ○일
1	장난감 정리하기		
2	㉡		

천재교육

8 위 실천 계획표의 ㉠에 들어갈 말을 보기에서 찾아 쓰시오.

> 보기
> • 역할　• 갈등　• 바깥일

(　　　　)

서술형·논술형 문제　11종 공통

9 위 ㉡에 들어갈 내용을 한 가지만 쓰시오.

11종 공통

10 가족 구성원 간의 갈등을 해결하기 위한 태도로 바르지 않은 것은 어느 것입니까? (　　)

① 서로 자신의 입장만 생각하며 대화한다.
② 가족 모두가 서로 존중하는 마음을 갖는다.
③ 갈등을 피하지 않고 상대방의 생각을 듣는다.
④ 가족 구성원이 서로 협력하는 자세를 가진다.
⑤ 가족 구성원으로서 자신의 역할을 알고 실천한다.

11종 검정 교과서

단원평가

핵심 정리

오늘날 다양한 가족의 형태

입양 가족	입양한 자녀와 그 부모로 구성된 가족
조손 가족	할머니, 할아버지가 손주와 함께 사는 가족
재혼 가족	부모님이 재혼하여 만들어진 가족
다문화 가족	다른 나라 사람과 우리나라 사람의 결혼으로 만들어진 가족
한 부모 가족	어머니와 아버지 어느 한 분과 자녀가 사는 가족
이산가족	6·25 전쟁으로 남한과 북한을 오고 갈 수 없게 되면서 헤어진 가족 비상교과서

오늘날 가족의 형태가 다양해진 까닭

① 가족의 형태가 상황에 따라 달라지기 때문입니다.
② 사회가 변화하면서 사람들의 생각도 변화하기 때문입니다.
③ 가족은 아니지만 가족처럼 지내는 경우도 있기 때문입니다.

다양한 가족이 살아가는 모습 예 다문화 가족

천재교육

20X X년 X월 X일 금요일

동훈이의 일기

오늘 친구들이 우리 집에 놀러 왔다. 엄마께서 엄마 고향에서 즐겨 먹는 베트남 고추로 떡볶이를 만들어 주셨다.

➡ 가족마다 자주 먹는 음식, 명절이나 여가를 보내는 방법 등은 다양하지만, 서로를 아끼고 살아가는 모습은 모두 같습니다.

1 다양한 가족의 형태

[1~2] 다음은 다양한 가족의 모습입니다.

㉠

㉡

11종 공통

1 위 ㉠과 같이 할머니, 할아버지가 손주와 함께 사는 가족의 형태는 무엇입니까? (　　　)

① 입양 가족　② 재혼 가족
③ 조손 가족　④ 다문화 가족
⑤ 한 부모 가족

11종 공통

2 위 ㉡ 가족에 대한 설명으로 알맞은 것은 어느 것입니까? (　　　)

① 부모님이 재혼하여 만들어진 가족
② 입양한 자녀와 그 부모로 구성된 가족
③ 할머니, 할아버지가 손주와 함께 사는 가족
④ 어머니와 아버지 어느 한 분과 자녀가 사는 가족
⑤ 다른 나라 사람과 우리나라 사람의 결혼으로 만들어진 가족

비상교과서

3 다음에서 설명하는 가족의 형태로 알맞은 것은 어느 것입니까? (　　　)

> 우리나라는 6·25 전쟁으로 인해 남한과 북한으로 분단되었습니다. 남한과 북한을 자유롭게 오고 갈 수 없게 되면서 많은 가족들이 헤어지고 흩어졌습니다.

① 이산가족　② 조손 가족
③ 재혼 가족　④ 확대 가족
⑤ 입양 가족

11종 공통

4 국적과 문화가 다른 사람으로 이루어진 가족의 모습을 찾아 ○표를 하시오.

(1) 

인사해. 이제부터 네 동생이야.

(2) 

( ) ( )

아빠 고향인 캐나다는 날씨가 어때요?

천재교육, 동아출판, 비상교육

5 가족의 형태가 다양해진 까닭으로 알맞은 것을 보기 에서 찾아 기호를 쓰시오.

보기
㉠ 입양에 대한 부정적인 시선이 늘어나서
㉡ 개인의 선택을 무시하는 사회 분위기가 생겨서
㉢ 맞벌이 부부가 결혼 후에도 부모님으로부터 자녀를 돌보는 데 도움을 받아서

( )

비상교육

6 다음과 같은 라디오 사연을 듣고 보일 수 있는 반응으로 알맞지 않은 것을 보기 에서 찾아 기호를 쓰시오.

이번에는 ○○ 님의 사연입니다.
안녕하세요. 오늘은 제 인생에서 가장 기쁜 생일입니다. 다시 결혼하면서 생긴 딸이 4년 만에 저를 엄마라고 불렀거든요.

보기
㉠ ○○ 님은 딸에게 감동을 받았어.
㉡ 가족의 형태는 시간이 지나도 변하지 않는구나.
㉢ 사연의 가족은 ○○ 님이 재혼하면서 구성된 가족이야.

( )

11종 공통

7 가족의 형태에 대한 설명으로 알맞은 것에 ○표를 하시오.

(1) 사회가 변화하면서 가족의 형태는 하나만 남게 되었습니다. ( )

(2) 오늘날에는 우리 가족과 비슷한 형태의 가족도 있고, 다른 형태의 가족도 있습니다. ( )

11종 공통

8 오늘날 가족의 모습에 대한 설명으로 알맞지 않은 것은 어느 것입니까? ( )

① 입양한 동생도 우리 가족이다.
② 자녀 없이 부부끼리만 지내기도 한다.
③ 가족은 우리나라 사람으로만 이루어진다.
④ 반려동물을 가족 구성원처럼 생각하기도 한다.
⑤ 부모님 대신 조부모님이 손주를 키우기도 한다.

서술형·논술형 문제 천재교육

9 다음 민우네 가족의 특징을 한 가지만 쓰시오.

아빠, 오늘은 엄마네 집에 가는 날이에요.
그래. 아빠가 데려다줄게.
어서 와, 민우야!
민우야, 엄마랑 즐겁게 시간 보내!

11종 공통

10 다양한 가족의 형태에 대해 알맞게 말한 어린이를 쓰시오.

동찬: 한집에서 함께 생활하지 않으면 가족이라 부를 수 없어.
예리: 가족들이 서로를 아끼고 사랑하는 마음은 가족의 형태와 상관없이 같아.

( )

사회

핵심 정리

다양한 가족의 생활 모습을 찾아보는 방법
미래엔

① 도서 자료 찾아보기 예 소설, 동화, 동시
② 뉴스·신문 기사 찾아보기
③ 영상 자료 찾아보기 예 텔레비전, 영화

다양한 가족의 생활 모습 표현하기
아이스크림 미디어

① 다양한 가족의 생활 모습을 만화, 뉴스, 그림, 역할극, 가족 정원 만들기 등으로 표현할 수 있습니다.

▲ 만화로 표현하기

② 다양한 가족의 생활 모습을 표현하면서 다양한 가족의 생활 모습을 존중하는 마음을 가질 수 있습니다.

가족의 역할과 의미
① 우리가 힘들 때 위로와 용기를 주는 존재입니다.
② 가족 안에서 사회생활에 필요한 규칙과 예절을 배울 수 있습니다.
③ 가족의 형태가 다를 수 있지만, 서로 돌봐 주고 사랑하는 마음은 같습니다.

다양한 가족의 생활 모습을 존중하는 태도
① 다양한 가족의 생활 모습을 있는 그대로 바라보고 존중합니다.
② 다른 가족의 생활 모습을 이상하다고 생각하지 않고 서로의 다름을 인정합니다.
③ 다양한 가족들이 모두 행복하게 지내기 위해 서로 예의를 지키고 배려해야 합니다.

② 다양한 가족의 생활 모습을 존중하는 태도

11종 공통

1 다양한 가족의 생활 모습을 찾아보는 방법을 보기에서 찾아 기호를 쓰시오.

보기
㉠ 동화책에서 자료 찾아보기
㉡ 텔레비전에서 스포츠 프로그램 보기
㉢ 지구본에서 우리나라의 위치 찾아보기

( )

[2~3] 다음은 다양한 가족의 생활 모습이 담긴 신문 기사입니다.

△△일보 20△△년 △△월 △△일

우리 가족 참 많죠?

김□□ 씨 부부의 자녀들은 모두 10명이다. 그중에 8명은 가슴으로 낳은, 입양한 아이들이다. 김□□ 씨 부부는 모든 아이들을 사랑으로 보살피고 있다.

11종 공통

2 위 신문 기사를 보고 바르게 말한 내용에 ○표를 하시오.

(1) 김□□ 씨 가족은 입양 가족입니다. ( )
(2) 김□□ 씨 가족은 어머니와 아버지 어느 한 분과 자녀가 사는 한 부모 가족입니다. ( )

서술형·논술형 문제
미래엔

3 위와 같이 다양한 가족의 생활 모습을 신문 기사에서 찾아보면 좋은 점을 쓰시오.

정답 8쪽

11종 공통

4 다양한 가족의 생활 모습을 찾아본 후 소감을 바르게 말한 어린이를 쓰시오.

> 영지: 한 부모 가족에 대한 뉴스를 보니 불쌍했어.
> 지우: 동화책에 나오는 가족의 형태가 우리 가족의 형태와 달라서 어색했어.
> 한서: 입양 가족이 나오는 영화를 보며 나와 다른 가족의 형태를 알고 존중하게 됐어.

( )

비상교과서

5 다음 다양한 가족의 생활 모습을 표현한 뉴스에서 알 수 있는 점은 어느 것입니까? ( )

> 오늘은 한△△ 학생을 소개하려고 합니다. 독일인 아버지와 한국인 어머니 사이에서 태어난 한△△ 학생은 독일어와 한국어 모두를 사용하여 부모님과 대화합니다. 부모님은 영어로 대화하시기 때문에 한△△ 학생은 영어에도 익숙합니다.

① 한△△ 학생의 아버지는 한국인이다.
② 한△△ 학생의 어머니는 미국인이다.
③ 한△△ 학생의 가족은 다문화 가족이다.
④ 한△△ 학생은 한국어만 사용할 수 있다.
⑤ 한△△ 학생은 부모님과 영어로만 대화한다.

천재교과서

6 다음 가족 정원 만들기에서 지유네 가족의 형태를 보기에서 찾아 ○표를 하시오.

보기
• 조손 가족 • 재혼 가족 • 한 부모 가족

천재교육, 교학사, 금성출판사, 김영사, 비상교과서, 비상교육

7 다양한 가족의 생활 모습을 역할극으로 표현할 때 주의할 점으로 알맞은 것은 어느 것입니까? ( )

① 모둠원 중 일부만 역할극에 참여한다.
② 가족들이 서로 다투는 장면을 표현한다.
③ 원하는 역할을 맡기 위해 친구와 다툰다.
④ 다양한 가족의 형태를 존중하며 표현한다.
⑤ 어떤 가족 형태가 더 좋은지 비교하는 장면을 넣는다.

교학사, 아이스크림 미디어

8 다음 만화를 보고 알 수 있는 점을 보기에서 찾아 기호를 쓰시오.

보기
㉠ 가족의 형태는 조손 가족입니다.
㉡ 역할을 나누어 빨래를 하는 가족의 생활 모습이 담겨 있습니다.

( )

천재교육, 천재교과서, 교학사, 금성출판사, 미래엔, 비상교과서, 비상교육

9 다양한 가족의 생활 모습을 표현하는 방법으로 알맞지 않은 것은 무엇입니까? ( )

① 만화로 표현하기
② 가족 정원 만들기
③ 그림으로 표현하기
④ 자신의 모습 그리기
⑤ 역할극으로 표현하기

사회

[10~11] 다음은 수미네 가족의 생활 모습을 소개하며 수미와 친구들이 나눈 대화입니다.

> 수미: 오늘 급식에서 달걀말이가 나왔어! 근데 나는 아빠가 만든 달걀말이가 더 맛있더라.
> 정연: 너희 아빠는 어떻게 요리하시는데?
> 수미: 아빠가 일본 사람이신데 일본에서는 설탕을 조금 넣어서 달걀말이를 만들어.
> 영진: 너희 집에서 달걀말이를 만드는 방법은 참 이상하다. 달걀말이에는 소금을 넣어야지.

11종 공통

10 위 대화에 나타난 수미네 가족의 형태는 어느 것입니까? (   )

① 입양 가족　② 재혼 가족
③ 조손 가족　④ 다문화 가족
⑤ 한 부모 가족

서술형·논술형 문제　11종 공통

11 위 대화에서 다양한 가족의 생활 모습을 존중하지 않은 어린이를 쓰고, 어린이가 한 말을 존중하는 말로 바꾸어 쓰시오.

(1) 존중하지 않은 어린이: (   )

(2) 존중하는 말: ____________

____

11종 공통

12 가족의 역할과 의미를 알맞게 설명한 것은 어느 것입니까? (   )

① 가족 안에서 규칙과 예절을 배울 수 없다.
② 가족은 서로를 격려하고 위로하며 돌봐 준다.
③ 가족은 서로를 싫어하고 갈등을 일으키는 존재이다.
④ 가족의 형태가 달라지면 가족이 지닌 의미도 변한다.
⑤ 가족마다 생활 모습이 다른 것처럼 서로를 아끼고 사랑하는 마음도 다르다.

11종 공통

13 다양한 가족을 존중하는 태도에 대해 알맞게 말한 어린이를 쓰시오.

> 빈우: 바람직한 가족의 형태는 정해져 있어.
> 선미: 가족의 생활 모습 차이를 이해해야 해.

(   )

11종 공통

14 다음 가족 존중 서약서에 들어갈 내용으로 알맞은 것을 보기에서 찾아 기호를 쓰시오.

> 가족 존중 서약서
> 나는 다양한 형태의 가족들이 있다는 것을 알고, ____________ 위해 노력하겠습니다.

보기
㉠ 다른 가족의 안 좋은 점을 찾기
㉡ 다른 가족이 어려울 때 도와주기
㉢ 다른 가족을 우리 가족과 비교하기

(   )

천재교육

15 다음 우리 가족을 음식으로 표현한 대화를 읽고 알 수 있는 점은 어느 것입니까? (   )

> 소라: 우리 가족은 김밥 같아. 서로 다른 재료들이 잘 말려 있는 것처럼 우리 가족도 함께 어울려 살아.
> 서진: 우리 가족은 나이지리아 음식인 에구시 같아. 아빠가 나이지리아 사람이라 에구시를 자주 해 주셔. 우리 가족은 모두 키가 커서 에구시의 빨간 국물처럼 눈에 잘 띄어.

① 서진이의 아빠는 한국 사람이다.
② 서진이네 가족은 모두 키가 작다.
③ 소라네 가족은 사이가 좋지 않다.
④ 소라네 가족 구성원들은 성격이 똑같다.
⑤ 두 어린이는 모두 가족의 소중함을 표현했다.

어느 교과서를 배우더라도

꼭 알아야 하는 **기본 문제** 구성으로

다양한 학교 평가에 완벽 대비할 수 있어요!

7종 검정 교과서

단원 평가 자료집

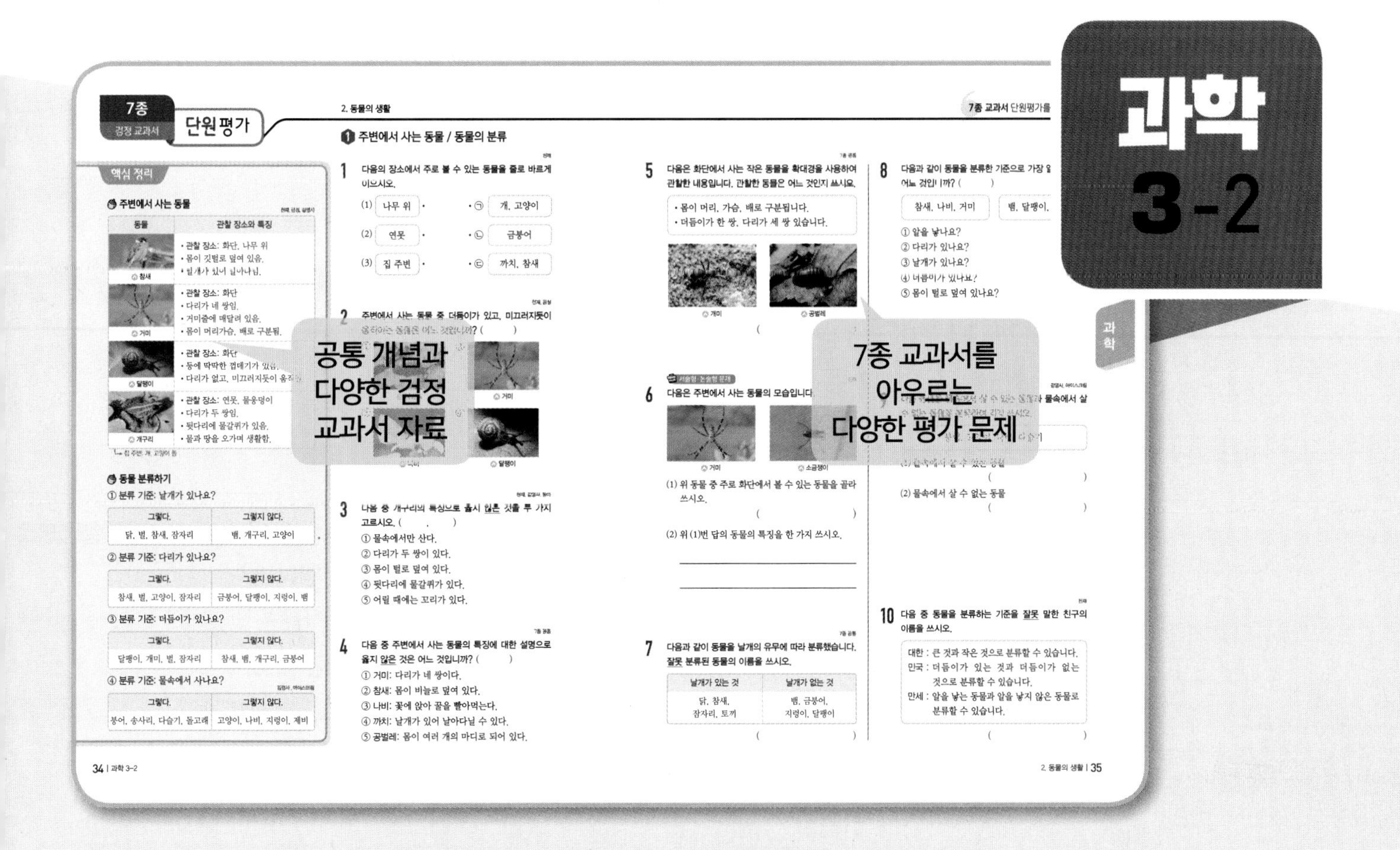

7종
검정 교과서

단원 평가

핵심 정리

주변에서 사는 동물

천재, 금성, 김영사

동물	관찰 장소와 특징
참새	• 관찰 장소: 화단, 나무 위 • 몸이 깃털로 덮여 있음. • 날개가 있어 날아다님.
거미	• 관찰 장소: 화단 • 다리가 네 쌍임. • 거미줄에 매달려 있음. • 몸이 머리가슴, 배로 구분됨.
달팽이	• 관찰 장소: 화단 • 등에 딱딱한 껍데기가 있음. • 다리가 없고, 미끄러지듯이 움직임.
개구리	• 관찰 장소: 연못, 물웅덩이 • 다리가 두 쌍임. • 뒷다리에 물갈퀴가 있음. • 물과 땅을 오가며 생활함.

→ 집 주변: 개, 고양이 등

동물 분류하기

① 분류 기준: 날개가 있나요?

그렇다.	그렇지 않다.
닭, 벌, 참새, 잠자리	뱀, 개구리, 고양이

② 분류 기준: 다리가 있나요?

그렇다.	그렇지 않다.
참새, 벌, 고양이, 잠자리	금붕어, 달팽이, 지렁이, 뱀

③ 분류 기준: 더듬이가 있나요?

그렇다.	그렇지 않다.
달팽이, 개미, 벌, 잠자리	참새, 뱀, 개구리, 금붕어

④ 분류 기준: 물속에서 사나요?

김영사, 아이스크림

그렇다.	그렇지 않다.
붕어, 송사리, 다슬기, 돌고래	고양이, 나비, 지렁이, 제비

1 주변에서 사는 동물 / 동물의 분류

천재

1 다음의 장소에서 주로 볼 수 있는 동물을 줄로 바르게 이으시오.

(1) 나무 위 • • ㉠ 개, 고양이

(2) 연못 • • ㉡ 금붕어

(3) 집 주변 • • ㉢ 까치, 참새

천재, 금성

2 주변에서 사는 동물 중 더듬이가 있고, 미끄러지듯이 움직이는 동물은 어느 것입니까? (　　　)

① 
공벌레

② 
거미

③ 
나비

④ 
달팽이

천재, 김영사, 동아

3 다음 중 개구리의 특징으로 옳지 않은 것을 두 가지 고르시오. (　　,　　)

① 물속에서만 산다.
② 다리가 두 쌍이 있다.
③ 몸이 털로 덮여 있다.
④ 뒷다리에 물갈퀴가 있다.
⑤ 어릴 때에는 꼬리가 있다.

7종 공통

4 다음 중 주변에서 사는 동물의 특징에 대한 설명으로 옳지 않은 것은 어느 것입니까? (　　　)

① 거미: 다리가 네 쌍이다.
② 참새: 몸이 비늘로 덮여 있다.
③ 나비: 꽃에 앉아 꿀을 빨아먹는다.
④ 까치: 날개가 있어 날아다닐 수 있다.
⑤ 공벌레: 몸이 여러 개의 마디로 되어 있다.

정답 9쪽

7종 공통

5 다음은 화단에서 사는 작은 동물을 확대경을 사용하여 관찰한 내용입니다. 관찰한 동물은 어느 것인지 쓰시오.

- 몸이 머리, 가슴, 배로 구분됩니다.
- 더듬이가 한 쌍, 다리가 세 쌍 있습니다.

개미

공벌레

( )

서술형·논술형 문제 천재

6 다음은 주변에서 사는 동물의 모습입니다.

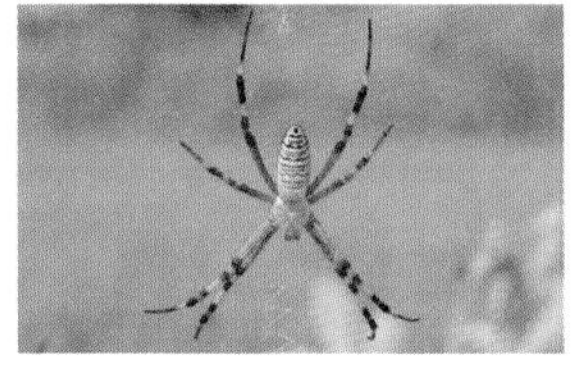
거미

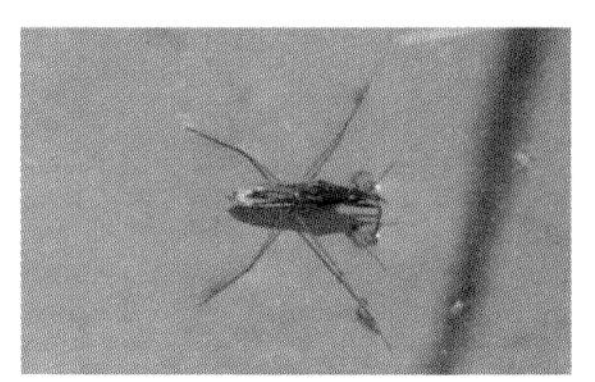
소금쟁이

(1) 위 동물 중 주로 화단에서 볼 수 있는 동물을 골라 쓰시오.

( )

(2) 위 (1)번 답의 동물의 특징을 한 가지 쓰시오.

____

____

7종 공통

7 다음과 같이 동물을 날개의 유무에 따라 분류했습니다. 잘못 분류된 동물의 이름을 쓰시오.

날개가 있는 것	날개가 없는 것
닭, 참새, 잠자리, 토끼	뱀, 금붕어, 지렁이, 달팽이

( )

7종 공통

8 다음과 같이 동물을 분류한 기준으로 가장 알맞은 것은 어느 것입니까? ( )

참새, 나비, 거미	뱀, 달팽이, 금붕어

① 알을 낳나요?
② 다리가 있나요?
③ 날개가 있나요?
④ 더듬이가 있나요?
⑤ 몸이 털로 덮여 있나요?

김영사, 아이스크림

9 다음 동물을 물속에서 살 수 있는 동물과 물속에서 살 수 없는 동물로 분류하여 각각 쓰시오.

붕어, 고양이, 나비, 다슬기

(1) 물속에서 살 수 있는 동물

( )

(2) 물속에서 살 수 없는 동물

( )

천재

10 다음 중 동물을 분류하는 기준을 잘못 말한 친구의 이름을 쓰시오.

대한 : 큰 것과 작은 것으로 분류할 수 있습니다.
민국 : 더듬이가 있는 것과 더듬이가 없는 것으로 분류할 수 있습니다.
만세 : 알을 낳는 동물과 알을 낳지 않은 동물로 분류할 수 있습니다.

( )

과학

7종 검정 교과서

단원평가

핵심 정리

땅 위에서 사는 동물

천재, 김영사, 동아

다람쥐

- 몸이 털로 덮여 있음.
- 등에 줄무늬가 있고 꼬리가 있음.
- 볼에 먹이 주머니가 있음.

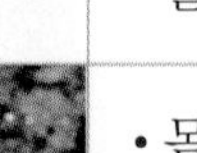
공벌레

- 몸이 여러 개의 마디로 되어 있음.
- 건드리면 몸을 공처럼 둥글게 만듦.
- 일곱 쌍의 다리가 있고, 걸어 다님.

땅속에서 사는 동물

천재, 동아, 비상, 지학사

두더지

- 눈은 거의 보이지 않음.
- 몸이 길고 털로 덮여 있음.
- 앞발로 땅속에 굴을 파서 이동함.

지렁이

- 피부가 매끄러움.
- 다리가 없어 기어서 이동함.
- 몸이 길쭉하고 여러 개의 마디가 있음.

땅강아지

- 몸이 머리, 가슴, 배의 세 부분으로 구분됨.
- 다리가 세 쌍임.
- 앞다리를 이용해 땅을 팜.

땅 위와 땅속을 오가며 사는 동물

뱀

- 몸이 길고 비늘로 덮여 있음.
- 다리가 없어 기어서 이동함.
- 가늘고 긴 혀는 끝이 둘로 갈라져 있음.

개미

- 몸이 머리, 가슴, 배의 세 부분으로 구분됨.
- 더듬이가 한 쌍임.
- 다리가 세 쌍이고, 걸어서 이동함.

땅에서 사는 동물의 이동 방법

① 다리가 있는 동물: 걷거나 뛰어다닙니다.
② 다리가 없는 동물: 기어 다닙니다.

2 땅에서 사는 동물

7종 공통

1 다음 동물이 사는 곳을 줄로 바르게 이으시오.

(1) 두더지 • • ㉠ 땅 위

(2) 다람쥐 • • ㉡ 땅속

(3) 개미 • • ㉢ 땅 위와 땅속

7종 공통

2 다음과 같은 특징을 가지고 있는 동물은 어느 것입니까? (　　)

- 몸이 여러 개의 마디로 되어 있습니다.
- 일곱 쌍의 다리가 있고, 걸어 다닙니다.
- 건드리면 몸을 공처럼 둥글게 만듭니다.

① 개미　② 지렁이
③ 공벌레　④ 두더지
⑤ 땅강아지

7종 공통

3 다음과 같은 특징을 가지고 있는 동물은 어느 것입니까? (　　)

- 땅속에 살고 기어서 이동합니다.
- 몸이 길쭉하고 여러 개의 마디가 있습니다.

① 벌　② 지렁이
③ 공벌레　④ 다람쥐
⑤ 땅강아지

정답 9쪽

서술형·논술형 문제 천재

4 다음은 주변에서 볼 수 있는 동물의 모습입니다.

노루

다람쥐

소

(1) 위의 동물은 땅 위와 땅속 중 어디에서 사는지 쓰시오.

( )

(2) 위의 동물을 관찰한 특징 중 공통점을 한 가지 쓰시오.

천재, 동아, 비상, 지학사

5 다음 보기 에서 땅강아지와 두더지의 공통점으로 옳은 것을 골라 기호를 쓰시오.

보기
㉠ 주로 땅속에서 삽니다.
㉡ 주로 땅 위에서 삽니다.
㉢ 땅 위와 땅속을 오가며 삽니다.

( )

7종 공통

6 다음 중 땅 위와 땅속을 오가며 생활하는 동물을 두 가지 고르시오. (,)

① 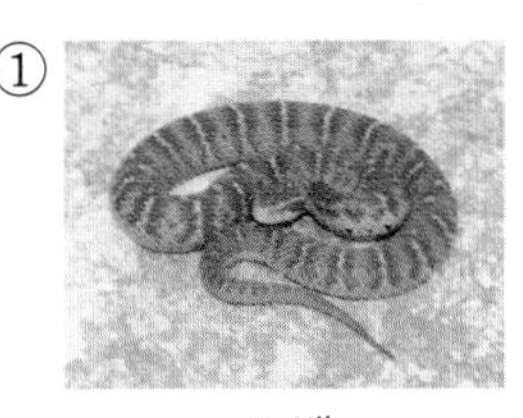
뱀

② 
소

③ 
땅강아지

④ 
개미

7종 공통

7 다음 보기 에서 땅에서 사는 동물의 특징으로 옳은 것을 골라 기호를 쓰시오.

보기
㉠ 다리가 없는 동물도 있습니다.
㉡ 모두 몸이 털로 덮여 있습니다.
㉢ 대부분의 동물이 땅 위에서 생활하고 땅속에서 잠을 잡니다.

( )

7종 공통

8 다음 중 다리를 이용하여 이동하는 동물을 골라 기호를 쓰시오.

㉠ 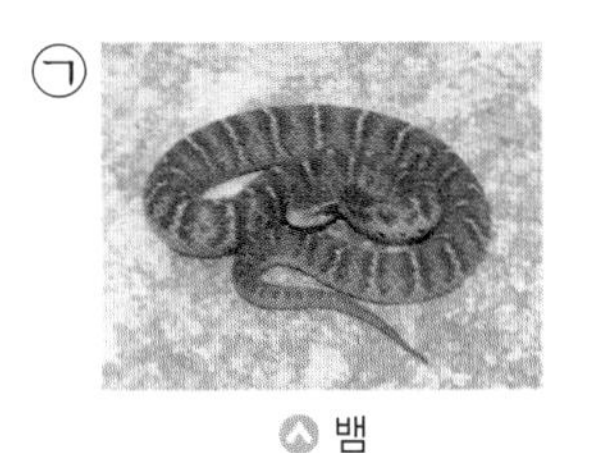
뱀

㉡ 
공벌레

( )

[9~10] 다음은 땅에서 사는 동물의 모습입니다. 물음에 답하시오.

달팽이

개미

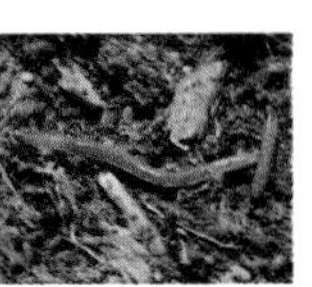
지렁이

두더지

7종 공통

9 위의 동물을 다리의 유무에 따라 분류하여 쓰시오.

(1) 다리가 있는 동물: ( )

(2) 다리가 없는 동물: ( )

서술형·논술형 문제 7종 공통

10 위의 다리가 있는 동물과 다리가 없는 동물은 각각 어떻게 이동하는지 쓰시오.

과학

7종 검정 교과서

단원 평가

③ 물에서 사는 동물

핵심 정리

강이나 호수에서 사는 동물

강가나 호숫가	수달	• 몸이 털로 덮여 있음. • 발가락에 물갈퀴가 있어 헤엄칠 수 있음.
	개구리	• 다리가 네 개임. • 발가락에 물갈퀴가 있어 헤엄칠 수 있음.
강이나 호수의 물속	붕어	• 몸이 비늘로 덮여 있음. • 지느러미로 헤엄쳐 이동함. • 아가미가 있어 물속에서 숨을 쉼.
	다슬기	• 아가미가 있음. • 물속 바위에 붙어서 배발로 기어 다님.

바다에서 사는 동물

갯벌	조개	• 아가미가 있음. • 땅을 파고 들어가거나 기어 다님.
	게	• 아가미가 있음. • 다리가 다섯 쌍이고, 걸어서 이동함.
바닷속	고등어	• 몸이 부드럽게 굽은 형태임. • 지느러미로 헤엄쳐 이동함.
	돌고래	• 숨을 쉴 때마다 물 위로 올라옴. • 지느러미로 헤엄쳐 이동함.
	오징어	• 몸이 긴 세모 모양임. • 지느러미로 헤엄침.
	전복	• 물속 바위에 붙어서 배발로 기어 다님. • 몸은 둥근 모양의 딱딱한 껍질로 둘러싸여 있음.

천재, 금성, 비상, 아이스크림, 지학사

붕어, 고등어가 물속에서 헤엄쳐 이동하기에 알맞은 특징: 지느러미가 있고, 몸이 부드럽게 굽은 형태입니다.

물에서 사는 동물의 이동 방법

① 다리가 있어 걸어 다니는 동물: 게 등
② 바위에 붙어서 기어 다니는 동물: 전복, 다슬기 등
③ 지느러미로 헤엄쳐 이동하는 동물: 붕어, 고등어 등

7종 공통

1 다음 중 강가나 호숫가에 사는 동물끼리 바르게 짝지은 것은 어느 것입니까? (　　　)

① 수달, 붕어　② 수달, 개구리
③ 조개, 개구리　④ 전복, 오징어
⑤ 다슬기, 고등어

7종 공통

2 다음 중 강이나 호수의 물속에 사는 동물을 골라 기호를 쓰시오.

㉠ 게

㉡ 다슬기

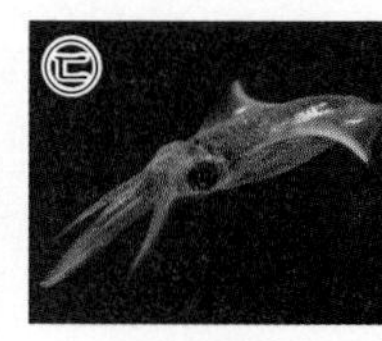
㉢ 오징어

(　　　　　　　　)

천재, 금성, 비상, 아이스크림, 지학사

3 오른쪽 붕어의 특징으로 옳지 <u>않은</u> 것을 두 가지 고르시오. (　　,　　)

① 바닷속에서 산다.
② 몸이 비늘로 덮여 있다.
③ 여러 개의 더듬이가 있다.
④ 지느러미로 헤엄쳐 이동한다.
⑤ 아가미가 있어 물속에서 숨을 쉴 수 있다.

7종 공통

4 다음과 같은 특징을 가지고 있는 동물은 어느 것입니까? (　　　)

> • 아가미가 있습니다.
> • 땅을 파고 들어가거나 기어 다닙니다.
> • 두 장의 딱딱한 껍데기로 몸이 둘러싸여 있습니다.

① 조개　② 붕어　③ 개구리
④ 물방개　⑤ 고등어

정답 10쪽

7종 공통

5 다음과 같은 특징을 가지고 있는 동물을 골라 기호를 쓰시오.

- 갯벌에서 삽니다.
- 걸어서 이동합니다.
- 다리가 다섯 쌍이 있습니다.
- 몸이 딱딱한 껍데기로 덮여 있습니다.

㉠ 
게

㉡ 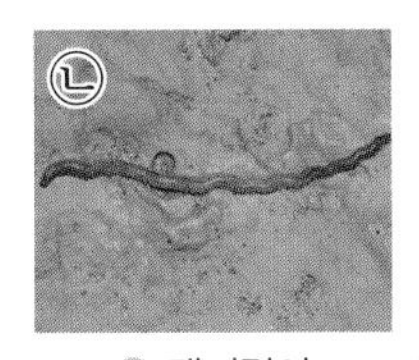
갯지렁이

㉢ 
조개

( )

천재, 금성, 동아, 아이스크림

6 다음 물에서 사는 동물 중 사는 곳이 나머지 셋과 다른 하나는 어느 것입니까? ( )

① 
수달

② 

돌고래

③
고등어

④ 
오징어

천재, 금성, 동아, 비상, 아이스크림, 지학사

7 다음 보기 에서 오징어의 특징으로 옳은 것을 골라 기호를 쓰시오.

보기
㉠ 갯벌에서 삽니다.
㉡ 몸이 긴 원통 모양입니다.
㉢ 지느러미를 이용하여 헤엄치며 이동합니다.

( )

서술형·논술형 문제 천재, 아이스크림

8 다음은 물에서 사는 전복과 다슬기의 모습입니다.

전복

다슬기

(1) 위의 동물을 사는 곳에 따라 분류하여 쓰시오.
㉠ 강이나 호수의 물속: ( )
㉡ 바닷속: ( )

(2) 위의 두 동물이 이동하는 방법을 쓰시오.

천재, 금성, 비상, 아이스크림, 지학사

9 다음 보기 에서 붕어와 고등어가 물속에서 헤엄쳐 이동하기에 알맞은 생김새의 특징을 두 가지 골라 기호를 쓰시오.

보기
㉠ 지느러미가 있습니다.
㉡ 바위에 붙어서 기어 다닙니다.
㉢ 몸이 사각형으로 되어 있습니다.
㉣ 몸이 부드럽게 굽은 형태입니다.

( )

7종 공통

10 다음 중 물에서 사는 동물의 이동 방법에 대한 설명으로 옳은 것은 어느 것입니까? ( )

① 물에서 사는 동물은 모두 헤엄쳐 이동한다.
② 물에서 사는 동물 중 다리가 있는 동물은 없다.
③ 물에서 사는 동물은 모두 지느러미를 이용해 이동한다.
④ 물에서 사는 동물 중 다리가 없는 동물은 모두 기어서 이동한다.
⑤ 물에서 사는 동물 중에는 게처럼 다리가 있어 걸어서 이동하는 동물도 있다.

과학

4 날아다니는 동물 / 사막, 극지방에서 사는 동물 / 동물 모방의 예

핵심 정리

날아다니는 동물

천재, 김영사, 동아, 비상, 아이스크림, 지학사

	날아다니는 새
동물	까치, 참새, 제비, 황새, 직박구리 등
특징	• 몸이 깃털로 덮여 있음. • 부리가 있고, 다리가 두 개임. • 날개를 이용하여 날아다님.

	날아다니는 곤충
동물	벌, 매미, 나비, 잠자리 등
특징	• 몸이 머리, 가슴, 배 세 부분으로 구분됨. • 날개 두 쌍, 다리 세 쌍, 더듬이가 있음. • 날개를 이용하여 날아다님.

천재, 금성, 김영사, 아이스크림

사막이나 극지방에서 사는 동물이 잘 살 수 있는 까닭

사막	낙타	등에 있는 혹에 지방을 저장하여 먹이가 없어도 며칠 동안 생활할 수 있음.
	사막여우	몸에 비해 큰 귀로 체온 조절을 함.
극지방	북극곰	몸집이 크고, 털로 덮여 있어 추위를 잘 견딤.
	북극여우	몸의 열을 빼앗기지 않기 위해 귀가 작음.
	황제펭귄	여러 마리가 무리를 지어 생활함.

동물 모방의 예: 산천어를 모방한 고속열차, 상어 비늘을 모방한 전신 수영복 등이 있습니다.

천재

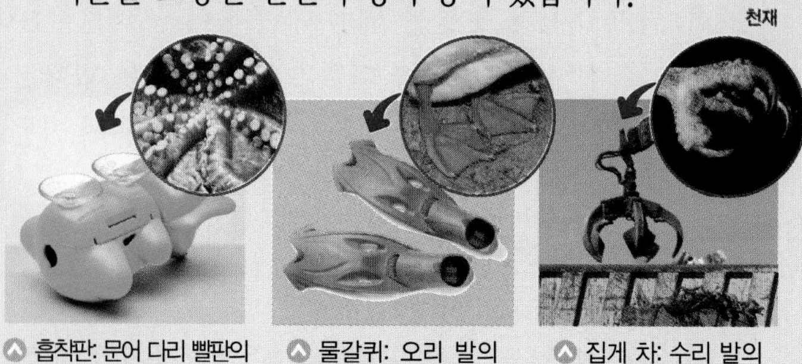

흡착판: 문어 다리 빨판의 특징을 활용함.
물갈퀴: 오리 발의 특징을 활용함.
집게 차: 수리 발의 특징을 활용함.

7종 공통

1 다음 중 날아다니는 동물로만 바르게 짝지은 것은 어느 것입니까? (　　　)

① 제비, 나비, 직박구리
② 참새, 잠자리, 달팽이
③ 붕어, 다슬기, 지렁이
④ 까치, 다람쥐, 개구리
⑤ 뱀, 직박구리, 사막여우

7종 공통

2 다음 보기에서 날아다니는 동물의 공통점으로 옳은 것을 골라 기호를 쓰시오.

보기
㉠ 날개가 있습니다.
㉡ 모두 부리가 있습니다.
㉢ 딱딱한 껍데기로 덮여 있습니다.

(　　　　　　　　)

천재, 김영사, 동아, 아이스크림, 지학사

3 다음 날아다니는 동물 중 곤충인 것은 어느 것입니까? (　　　)

① 제비　② 참새　③ 까치
④ 잠자리　⑤ 직박구리

7종 공통

4 다음은 나비에 대한 설명입니다. ㉠과 ㉡에 들어갈 알맞은 개수를 각각 쓰시오.

• 날개가 [㉠] 쌍이 있고, 다리가 [㉡] 쌍이 있습니다.
• 입이 대롱 모양입니다.

㉠ (　　　　　　) ㉡ (　　　　　　)

천재

5 다음의 직박구리와 매미의 공통점으로 옳은 것을 두 가지 고르시오. (　　　,　　　)

직박구리

매미

① 날개가 있다.　　　② 더듬이가 있다.
③ 날아서 이동한다.　④ 다리가 세 쌍이 있다.
⑤ 몸이 깃털로 덮여 있다.

서술형·논술형 문제　7종 공통

6 다음은 낙타의 모습입니다.

(1) 위의 낙타는 주로 어디에서 사는지 쓰시오.
(　　　　　　　　　　)

(2) 낙타가 위 (1)번의 답과 같은 환경에서 잘 살 수 있는 까닭을 한 가지 쓰시오.

____

____

7종 공통

7 다음 보기 에서 사는 곳에 따른 동물의 특징으로 옳은 것을 골라 보시오.

보기
㉠ 사막에서 사는 동물은 앞을 잘 보지 못합니다.
㉡ 극지방에서 사는 동물은 모두 털이 없습니다.
㉢ 직박구리와 같은 새뿐만 아니라 곤충 중에도 날아다니는 동물이 있습니다.

(　　　　　　　　　　)

천재, 금성, 아이스크림

8 다음의 동물이 특수한 환경에서 잘 살 수 있는 특징을 바르게 줄로 이으시오.

(1)

• 　　　• ㉠ 귀가 작음.

(2)

• 　　　• ㉡ 귀가 큼.

(3)

• 　　　• ㉢ 무리 지어 생활함.

7종 공통

9 다음 중 문어 다리 빨판의 잘 붙는 특징을 활용하여 만든 것은 어느 것입니까? (　　　　)

①
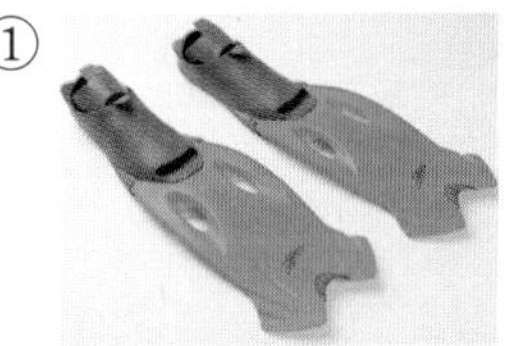
물갈퀴

②

고속 열차

③

칫솔걸이의 흡착판

④

집게 차

천재

10 다음은 우리 생활에서 동물의 특징을 활용한 예입니다. □ 안에 들어갈 알맞은 동물을 쓰시오.

□의 발가락은 먹이를 잘 잡고 놓치지 않습니다. 이러한 특징을 활용한 집게 차는 쓰레기를 잡아 원하는 곳으로 옮깁니다.

(　　　　　　　　　　)

과학

핵심 정리

화단 흙과 운동장 흙의 특징

화단 흙	• 진한 황토색 어두운색을 띱니다. • 알갱이의 크기가 비교적 작음. • 만졌을 때 부드럽고 축축함.	돋보기
운동장 흙	• 연한 노란색 밝은색을 띱니다. • 알갱이의 크기가 비교적 큼. • 만졌을 때 꺼끌꺼끌하고 말라 있음.	돋보기

화단 흙과 운동장 흙의 물 빠짐 비교 김영사, 동아, 비상, 지학사

① 물 빠짐 장치 설치하기
- 같게 한 조건: 흙의 양, 통의 크기, 물의 양, 물을 붓는 빠르기, 거즈의 종류나 두께
- 다르게 한 조건: 흙의 종류

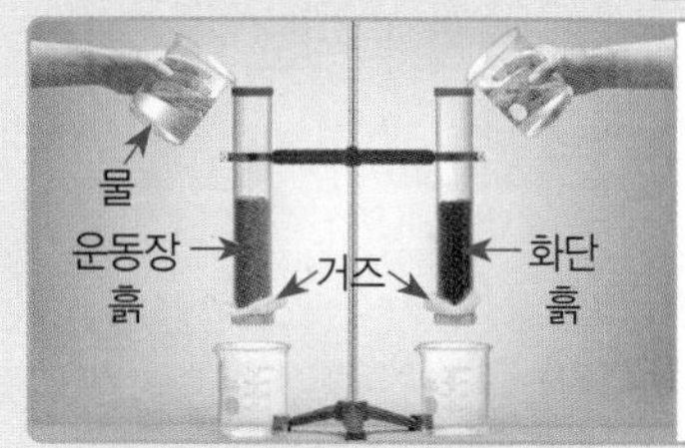

운동장 흙과 화단 흙에 각각 같은 양의 물을 같은 빠르기로 동시에 붓기

② 화단 흙과 운동장 흙의 물 빠짐 비교하기

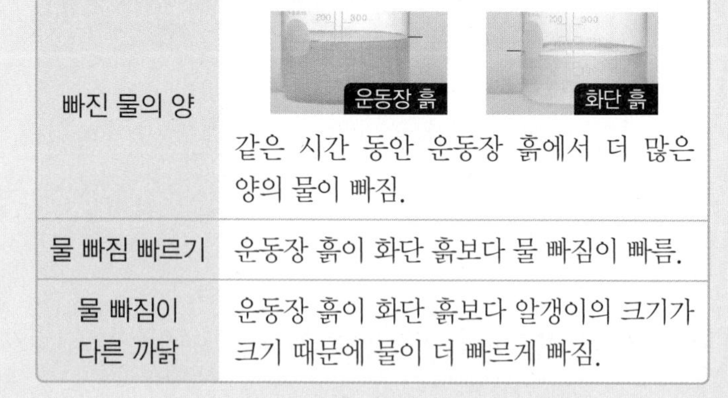

빠진 물의 양	운동장 흙 / 화단 흙 같은 시간 동안 운동장 흙에서 더 많은 양의 물이 빠짐.
물 빠짐 빠르기	운동장 흙이 화단 흙보다 물 빠짐이 빠름.
물 빠짐이 다른 까닭	운동장 흙이 화단 흙보다 알갱이의 크기가 크기 때문에 물이 더 빠르게 빠짐.

화단 흙과 운동장 흙의 뜬 물질 비교

① 물에 뜨는 물질이 많은 흙: 화단 흙

② 식물이 잘 자라는 흙의 특징: 나뭇잎이나 죽은 곤충 등 물에 뜨는 물질이 많고, 부식물이 많습니다.

1 화단 흙과 운동장 흙의 특징

7종 공통

1 다음 중 화단 흙과 운동장 흙의 알갱이를 자세히 관찰하기 위해 필요한 도구를 골라 기호를 쓰시오.

㉠ 유리 막대 ㉡ 돋보기 ㉢ 핀셋

( )

[2~4] 다음 두 흙의 모습을 보고 물음에 답하시오.

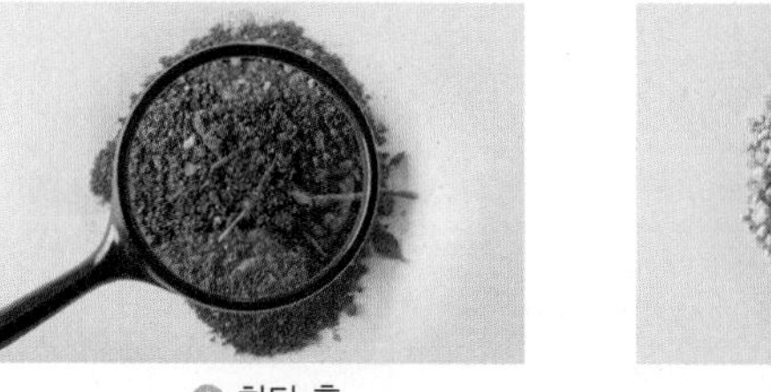

화단 흙

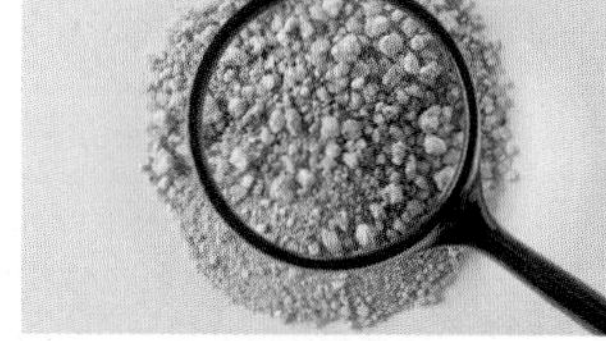

운동장 흙

7종 공통

2 위의 두 흙 중 손으로 만졌을 때 부드럽고 축축한 느낌이 드는 것은 어느 것인지 쓰시오.

( )

7종 공통

3 위의 운동장 흙에 대한 설명으로 옳은 것을 보기에서 두 가지 골라 기호를 쓰시오.

보기
㉠ 비교적 색깔이 어둡습니다.
㉡ 주로 흙먼지가 많이 날립니다.
㉢ 손으로 만지면 마른 느낌이 납니다.

(,)

7종 공통

4 위의 두 흙 중 알갱이의 크기가 비교적 작은 것은 어느 것인지 쓰시오.

( )

정답 11쪽

[5~7] 다음은 운동장 흙과 화단 흙의 물 빠짐을 비교하는 실험입니다. 물음에 답하시오.

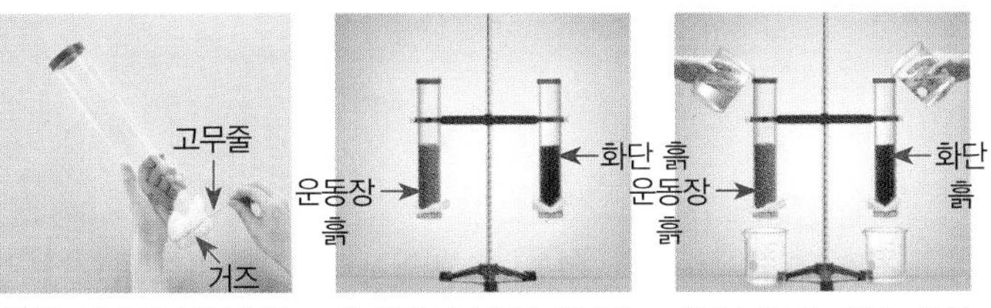

플라스틱 통의 밑 부분을 거즈로 감싼 다음 고무줄로 묶기
플라스틱 통에 운동장 흙과 화단 흙을 채운 뒤, 스탠드에 고정하기
두 흙에 각각 물을 비슷한 빠르기로 동시에 붓기

김영사, 비상, 지학사

5 위 실험에서 다르게 한 조건은 어느 것입니까? (　　　)

① 흙의 양　② 흙의 종류
③ 붓는 물의 양　④ 물을 붓는 빠르기
⑤ 플라스틱 통의 크기

김영사, 동아, 비상, 지학사

6 위의 실험 결과에 대한 설명으로 옳은 것을 보기에서 골라 기호를 쓰시오.

보기
㉠ 같은 시간 동안 화단 흙의 색깔이 더 빠르게 변합니다.
㉡ 같은 시간 동안 화단 흙에서 더 많은 양의 물이 빠집니다.
㉢ 같은 시간 동안 운동장 흙에서 더 많은 양의 물이 빠집니다.

(　　　)

7종 공통

7 위의 6번 답과 같이 물 빠짐이 다른 까닭은 무엇입니까? (　　　)

① 운동장 흙의 색깔이 화단 흙보다 더 밝기 때문이다.
② 운동장 흙의 색깔이 화단 흙보다 더 어둡기 때문이다.
③ 운동장 흙과 화단 흙의 알갱이의 크기가 같기 때문이다.
④ 운동장 흙이 화단 흙보다 알갱이의 크기가 더 크기 때문이다.
⑤ 운동장 흙이 화단 흙보다 알갱이의 크기가 더 작기 때문이다.

7종 공통

8 다음과 같이 운동장 흙과 화단 흙이 들어 있는 비커에 같은 양의 물을 넣고 유리 막대로 저은 뒤 잠시 놓아 두었습니다. 물에 뜬 물질이 거의 없는 비커는 어느 것인지 쓰시오.

(　　　)

서술형·논술형 문제　7종 공통

9 다음은 위의 8번 실험에서 물에 뜬 물질을 건져서 거름 종이 위에 올려놓은 모습입니다.

㉠

식물의 뿌리나 줄기, 마른 나뭇가지, 마른 잎, 죽은 곤충

㉡
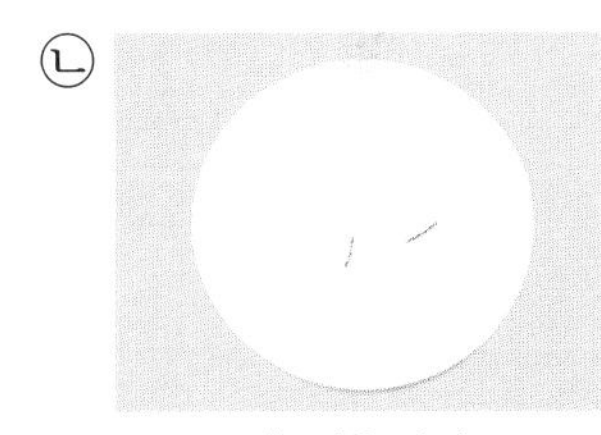
작은 먼지

(1) 위 ㉠, ㉡ 중 화단 흙의 모습을 골라 기호를 쓰시오.
(　　　)

(2) 위 (1)번 답을 통해 알 수 있는 화단 흙의 특징을 한 가지 쓰시오.

____

____

7종 공통

10 다음은 식물이 잘 자라는 흙에 대한 설명입니다. □ 안에 공통으로 들어갈 알맞은 말은 어느 것입니까? (　　　)

□은/는 나뭇잎이나 죽은 곤충 등이 썩은 것입니다. □은/는 식물에 필요한 영양분이 되어 식물이 잘 자라는 데 도움을 줍니다.

① 물　② 돌　③ 모래
④ 쓰레기　⑤ 부식물

과학

7종 검정 교과서

단원평가

핵심 정리

각설탕을 플라스틱 통에 넣고 흔들기

① 각설탕을 플라스틱 통 안에 넣고 뚜껑을 닫은 다음, 세게 흔들기: 큰 덩어리가 부서져 작은 알갱이가 됩니다.

플라스틱 통을 흔들기 전	플라스틱 통을 세게 흔든 뒤
• 각설탕의 크기가 큼. • 모서리가 뾰족한 네모 모양임.	• 각설탕의 크기가 작아짐. • 모서리 부분이 부서져 둥근 모양으로 변함. • 가루가 많이 생김.

② 각설탕 대신 사용할 수 있는 것: 암석 조각, 소금 덩어리, 별 모양 사탕, 과자 등

자연에서 흙이 만들어지는 과정

① 흙이 만들어지는 과정: 바위나 돌이 부서지면 작은 알갱이가 되고, 이 작은 알갱이와 부식물이 섞여서 흙이 됩니다.

② 바위나 돌이 부서지는 원인: 물, 식물의 뿌리, 바람 등 (물 → 바위 틈으로 스며든 물, 흐르는 물)

③ 각설탕을 플라스틱 통에 넣고 흔들어서 가루가 만들어지는 과정과 자연에서 흙이 만들어지는 과정 비교 (각설탕은 자연에서 바위나 돌, 가루 설탕은 흙과 같습니다.)

공통점	큰 덩어리를 작은 알갱이로 부숨.
차이점	각설탕이 가루 설탕으로 되는 데 걸리는 시간은 짧지만, 자연에서 바위나 돌이 흙으로 되는 데 걸리는 시간은 매우 깁.

흙이 소중한 까닭

흙이 소중한 까닭: 흙이 만들어지는 데에는 오랜 시간이 걸리고, 흙에서는 다양한 생물이 살아가고 있기 때문입니다.

2 흙이 만들어지는 과정

천재

1 다음과 같은 실험은 무엇이 만들어지는 과정을 알아보기 위한 것입니까? (　　　)

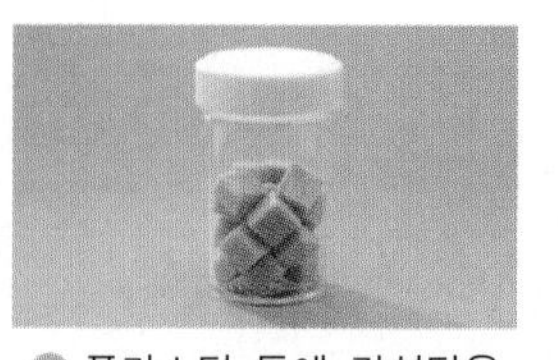

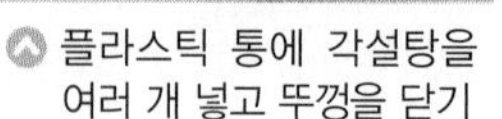

▲ 플라스틱 통에 각설탕을 여러 개 넣고 뚜껑을 닫기

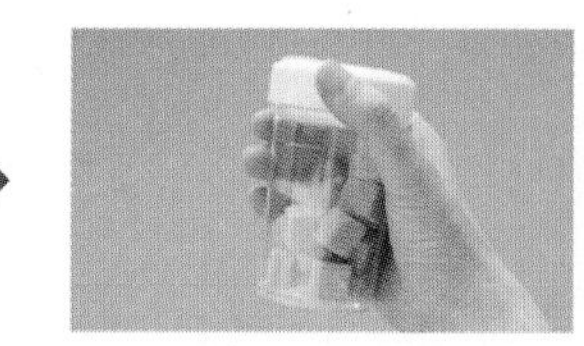

▲ 플라스틱 통을 세게 흔들기

① 물　② 흙　③ 눈
④ 얼음　⑤ 구름

천재

2 위 1번의 각설탕을 플라스틱 통에 넣고 세게 흔들었을 때의 결과로 옳지 않은 것은 어느 것입니까? (　　　)

① 가루가 생긴다.
② 각설탕이 부서진다.
③ 각설탕의 크기가 커진다.
④ 각설탕의 크기가 작아진다.
⑤ 각설탕의 모양이 달라진다.

김영사, 동아, 아이스크림, 지학사

3 다음 중 위 1번과 같은 방법으로 실험했을 때 비슷한 결과가 나타나는 것이 아닌 것을 골라 기호를 쓰시오.

㉠
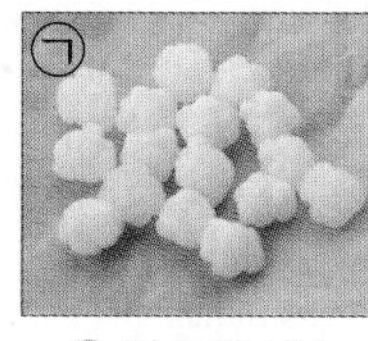

▲ 별 모양 사탕

㉡

▲ 과자

㉢
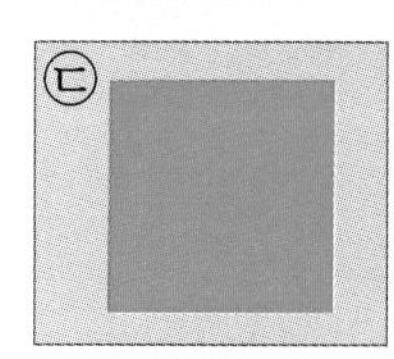

▲ 색종이

(　　　)

금성

4 다음 중 암석 조각을 플라스틱 통에 넣고 세게 흔든 뒤의 모습으로 옳은 것을 골라 기호를 쓰시오.

㉠

㉡

(　　　)

정답 11쪽

비상

5 흙이 만들어지는 과정을 알아보기 위해 다음과 같은 소금 덩어리를 플라스틱 통에 넣고 세게 흔들어 보았습니다. 플라스틱 통을 흔들고 난 후의 소금 가루는 실제 자연에서 무엇에 해당하는지 보기에서 골라 기호를 쓰시오.

보기
㉠ 실제 자연에서의 흙
㉡ 실제 자연에서의 나무
㉢ 실제 자연에서의 바위나 돌

( )

7종 공통

6 다음은 자연에서 흙이 만들어지는 과정입니다. ㉠과 ㉡에 들어갈 알맞은 말을 바르게 짝지은 것은 어느 것입니까? ( )

바위나 돌이 부서지면 (㉠) 알갱이가 되고, 이것과 (㉡)이/가 섞여서 흙이 됩니다.

	㉠	㉡		㉠	㉡
①	큰	물	②	큰	모래
③	큰	공기	④	작은	공기
⑤	작은	부식물			

지학사

7 다음 보기 중 자연에서 바위나 돌이 부서지는 원인으로 옳지 않은 것을 골라 기호를 쓰시오.

보기
㉠ 바람이 불 때
㉡ 물이 흐를 때
㉢ 부식물이 많이 쌓일 때
㉣ 바위틈으로 스며든 물이 얼었다가 녹을 때

( )

서술형·논술형 문제 7종 공통

8 다음은 자연에서 식물의 나무뿌리가 바위를 부서지게 하는 경우입니다. 나무뿌리가 어떻게 바위를 부서지게 하는지 쓰시오.

7종 공통

9 다음 보기에서 더 오랜 시간이 걸리는 것을 골라 기호를 쓰시오.

보기
㉠ 자연에서 바위나 돌 등이 부서져서 흙이 만들어지는 데 걸리는 시간
㉡ 각설탕을 플라스틱 통에 넣고 세게 흔들어서 가루 설탕이 만들어지는 데 걸리는 시간

( )

7종 공통

10 다음은 각설탕을 넣은 플라스틱 통을 세게 흔드는 것과 자연에서 바위틈에 있는 물이 하는 일의 공통점을 나타낸 것입니다. ㉠과 ㉡에 들어갈 알맞은 말을 각각 쓰시오.

각설탕을 넣은 플라스틱 통을 세게 흔드는 것과 실제 자연에서 바위틈에 있는 물이 얼었다 녹는 과정을 반복하는 것은 (㉠) 덩어리를 (㉡) 알갱이로 부순다는 공통점이 있습니다.

㉠ ( ) ㉡ ( )

과학

3 땅의 모습을 변화시키는 물

핵심 정리

흙 언덕에 물을 흘려 보냈을 때의 변화

① 흙 언덕을 만들어 물 흘려 보내기: 흙 언덕 위쪽에 색 모래와 색 자갈을 놓고, 흙 언덕 위에서 물을 붓습니다.
└→ 흙이 어떻게 이동하는지 쉽게 보기 위해 사용합니다.

결과

흙 언덕의 위쪽	흙 언덕의 아래쪽	
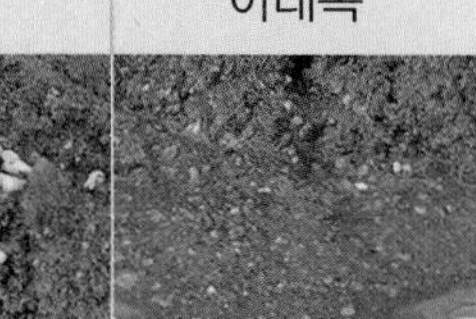		• 흙 언덕의 위쪽에서는 흙이 깎임. • 흙 언덕 아래쪽에서는 흙이 흘러내려 쌓임. • 색 모래와 색 자갈이 위쪽에서 아래쪽으로 이동함.

② 간이 유수대에 흙 언덕을 만들어 물 흘려 보내기 아이스크림

과정

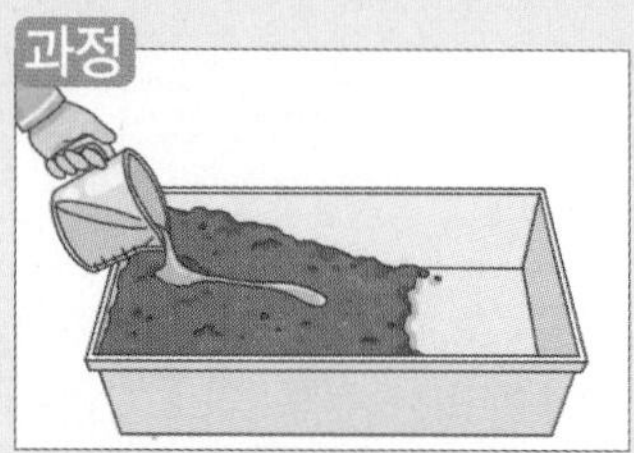

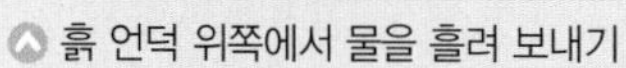
흙 언덕 위쪽에서 물을 흘려 보내기

결과

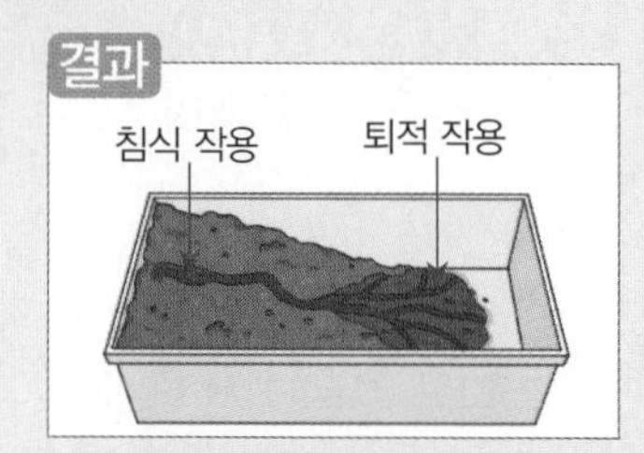

흙 언덕의 위쪽은 움푹 파이고 깎인 곳이 있으며, 흙 언덕의 아래쪽은 흙과 물이 쌓임.

③ ①과 ② 실험에서 흙 언덕의 모습이 변한 까닭: 흐르는 물이 흙 언덕 위쪽의 흙을 깎고, 깎인 흙을 흙 언덕의 아래쪽으로 운반해 쌓았기 때문입니다.
└→ 흙 언덕 실험에서 물을 흘려보내면 흙 언덕의 위쪽은 침식 작용, 흙 언덕의 아래쪽은 퇴적 작용이 활발하게 일어납니다.

흐르는 물에 의한 지표의 변화

① 흐르는 물의 작용

침식 작용	지표의 바위나 돌, 흙 등이 깎여 나가는 것
운반 작용	깎인 돌이나 흙 등이 이동하는 것
퇴적 작용	운반된 돌이나 흙 등이 쌓이는 것

② 흐르는 물에 의해 지표가 변하는 까닭: 흐르는 물은 침식 작용, 운반 작용, 퇴적 작용으로 지표를 서서히 변화시키기 때문입니다.

[1~5] 다음은 흐르는 물에 의한 흙 언덕의 모습 변화를 관찰하는 실험 방법을 순서에 관계없이 나타낸 것입니다. 물음에 답하시오.

1 흙 언덕 만들기
2 흙 언덕 위에서 바닥에 구멍 뚫린 종이컵에 [ ] 붓기
3 색 모래와 색 자갈을 흙 언덕 위쪽에 놓기

천재

1 위 실험 방법을 순서에 맞게 기호를 쓰시오.
( ) ➡ ( ) ➡ ( )

천재

2 위 2 과정에서 [ ] 안에 들어갈 알맞은 말을 쓰시오.
( )

천재

3 위 실험에서 색 모래와 색 자갈을 사용하는 까닭으로 옳은 것을 보기에서 골라 기호를 쓰시오.

보기
㉠ 물을 더 빨리 흐르게 합니다.
㉡ 흙 언덕을 더 단단하게 만들어 줍니다.
㉢ 흙이 어떻게 이동하는지 쉽게 볼 수 있습니다.

( )

천재, 김영사, 동아, 비상, 지학사

4 위 실험 결과 흙이 가장 많이 깎이는 곳은 어디입니까? ( )

① 흙 언덕 속
② 흙 언덕의 윗부분
③ 흙 언덕의 아랫부분
④ 흙 언덕의 중간 부분
⑤ 흙 언덕 전체가 골고루 깎인다.

정답 12쪽

서술형·논술형 문제 천재, 김영사, 동아, 비상, 지학사

5 앞의 실험 결과의 모습이 다음과 같을 때 흙 언덕의 모습이 변한 까닭을 쓰시오.

[6~8] 다음은 간이 유수대에 흙 언덕을 만들어 흙 언덕 위쪽에서 물을 흘려 보내는 실험입니다. 물음에 답하시오.

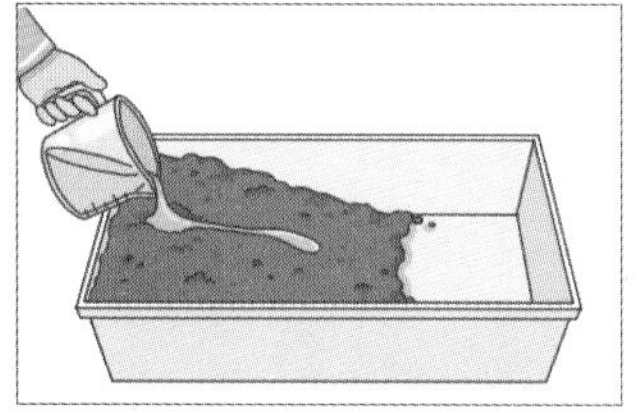
흙 언덕 위쪽에서 물을 흘려 보내기

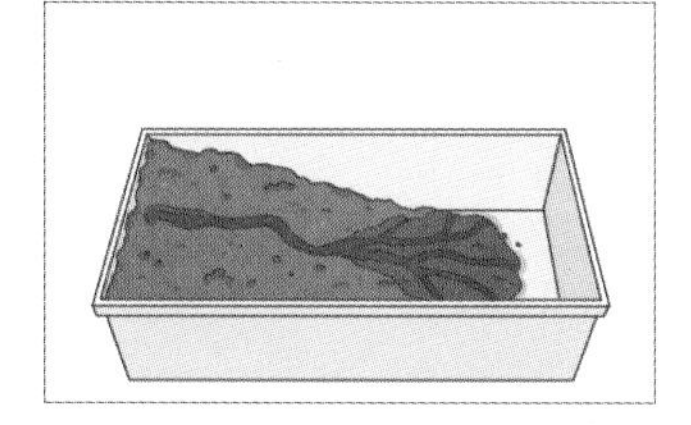
실험 결과

아이스크림

6 위 실험 결과에 맞게 줄로 바르게 이으시오.

(1) 흙 언덕의 위쪽 • • ㉠ 흙이 흘러내려 쌓임.

(2) 흙 언덕의 아래쪽 • • ㉡ 흙이 깎임.

아이스크림

7 위 실험에 대한 설명으로 옳지 않은 것을 두 가지 고르시오 (,)

① 흙 언덕의 위쪽은 경사가 완만하다.
② 흙 언덕의 아래쪽은 경사가 급하다.
③ 흙 언덕의 아래쪽은 물이 고여 있다.
④ 흙 언덕의 위쪽에서는 침식 작용이 활발하다.
⑤ 흙 언덕의 아래쪽에서는 퇴적 작용이 활발하다.

아이스크림

8 다음 중 앞의 실험에서 흙 언덕을 더 높게 쌓은 다음 물을 흘려보냈을 때 흙 언덕의 모습 변화로 옳은 것을 두 가지 고르시오. (,)

① 흙 언덕 위쪽은 변화가 없다.
② 흙 언덕 위쪽은 더 많이 깎인다.
③ 흙 언덕 아래쪽은 변화가 없다.
④ 흙 언덕 아래쪽은 더 많이 깎인다.
⑤ 흙 언덕 아래쪽은 흙이 더 많이 쌓인다.

7종 공통

9 다음은 흐르는 물의 작용에 대한 설명입니다. ㉠, ㉡에 들어갈 말을 바르게 짝지은 것은 어느 것입니까? ( )

> 흐르는 물에 의해 지표의 바위나 돌, 흙 등이 깎여 나가는 것을 [㉠] 작용이라고 하고, 운반된 돌이나 흙 등이 쌓이는 것을 [㉡] 작용이라고 합니다.

	㉠	㉡		㉠	㉡
①	퇴적	운반	②	퇴적	침식
③	운반	퇴적	④	침식	운반
⑤	침식	퇴적			

7종 공통

10 다음 보기에서 흐르는 물의 역할로 옳은 것의 기호를 쓰시오.

보기
㉠ 경사가 완만한 곳의 지표를 깎습니다.
㉡ 깎인 흙을 운반하여 경사가 급한 곳에 쌓아 놓습니다.
㉢ 침식 작용, 운반 작용, 퇴적 작용을 통해 지표를 서서히 변화시킵니다.

( )

과학

7종 검정 교과서 **단원 평가**

핵심 정리

강 주변 지형의 특징

강 상류	강 중류 금성	강 하류
• 강폭이 좁고, 강의 경사가 급해 물의 흐름이 빠름. • 큰 바위가 많음. • 침식 작용이 활발하여 지표가 깎임.	• 상류보다 강폭이 넓어져 많은 양의 물이 흐름. • 운반 작용이 주로 일어남. • 강이 구불구불하게 흐름.	• 강폭이 넓고, 강의 경사가 완만해 물의 흐름이 느림. • 모래나 진흙이 많음. • 퇴적 작용이 활발하여 운반된 알갱이들이 쌓임.

파도에 의한 지형의 변화 김영사, 지학사

사각 수조에 모래와 물을 채우고, 판으로 물결 만들기
→ 실제 바다에서 치는 파도와 같습니다.

물결이 칠 때 위쪽에 쌓여 있던 모래가 깎이고, 깎인 모래는 아래쪽으로 밀려들어가 쌓임.
→ 침식 작용이 활발합니다. → 퇴적 작용이 활발합니다.

바닷가 주변 지형의 특징

① 바닷물의 침식 작용으로 만들어진 지형: 절벽, 구멍 뚫린 바위, 동굴 등

② 바닷물의 퇴적 작용으로 만들어진 지형: 넓은 모래사장, 갯벌 등

강과 바닷가 주변 지형에서 흐르는 물의 작용: 오랜 시간 동안 강과 바닷가 주변 지형의 모습을 서서히 변화시킵니다.

4 강과 바닷가 주변의 모습

7종 공통

1 다음 중 강 상류의 모습으로 알맞은 것을 골라 기호를 쓰시오.

㉠  ㉡  ㉢ 

( )

서술형·논술형 문제 금성

2 다음은 강 중류의 모습입니다.

(1) 위의 강 중류에서 주로 일어나는 흐르는 물의 작용을 쓰시오.

( )

(2) 위의 강 중류의 강폭과 흐르는 물의 양은 어떠한지 강 상류와 비교하여 쓰시오.

____

____

[3~4] 다음은 강 주변 지형의 모습입니다. 물음에 답하시오.

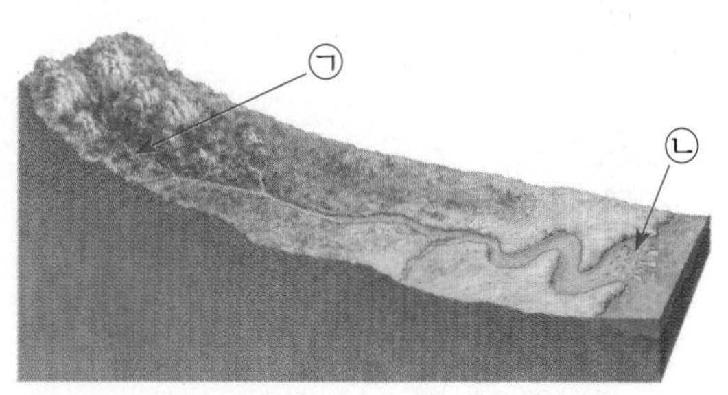

7종 공통

3 위의 ㉠과 ㉡ 중 침식 작용보다 퇴적 작용이 활발하게 일어나는 곳을 골라 기호를 쓰시오.

( )

정답 12쪽

7종 공통

4 앞의 ㉠과 ㉡ 중 오른쪽과 같은 큰 바위를 많이 볼 수 있는 곳을 골라 기호를 쓰시오.

(　　　　　　　)

[5~6] 다음과 같이 사각 수조에 모래와 물을 채우고 판으로 물결을 만들었습니다. 물음에 답하시오.

김영사, 지학사

5 위에서 판으로 물결을 만들었을 때 모래가 깎이는 곳과 깎인 모래가 쌓이는 곳을 골라 각각 기호를 쓰시오.

(1) 모래가 깎이는 곳: (　　　　　　　)

(2) 깎인 모래가 쌓이는 곳: (　　　　　　　)

김영사, 지학사

6 위의 판으로 만든 물결은 실제 바다에서 무엇과 같은지 쓰시오.

(　　　　　　　)

금성, 비상

7 오른쪽의 바닷가 지형에 대한 설명으로 옳은 것을 보기 에서 두 가지 골라 기호를 쓰시오.

동굴

보기

㉠ 바닷물이 지표를 깎아서 만들어졌습니다.
㉡ 바닷물이 모래를 쌓아서 만들어졌습니다.
㉢ 바닷물의 침식 작용으로 만들어졌습니다.
㉣ 바닷물의 퇴적 작용으로 만들어졌습니다.

(　　　　　,　　　　　)

[8~9] 다음의 두 지형을 보고 물음에 답하시오.

갯벌

절벽

7종 공통

8 위의 두 지형을 주로 볼 수 있는 곳은 어디입니까? (　　　)

① 산
② 논
③ 강
④ 호수
⑤ 바닷가

7종 공통

9 위의 두 지형은 각각 바닷물의 어떤 작용으로 만들어진 것인지 바르게 짝지은 것은 어느 것입니까? (　　　)

	갯벌	절벽
①	침식 작용	침식 작용
②	침식 작용	퇴적 작용
③	퇴적 작용	퇴적 작용
④	퇴적 작용	침식 작용
⑤	운반 작용	운반 작용

7종 공통

10 다음은 오른쪽 모래사장에 대한 설명입니다. (　　) 안의 알맞은 말에 ○표를 하시오.

모래사장

모래사장은 바닷물의 (침식 / 퇴적) 작용으로 만들어졌습니다. 이러한 작용으로 바닷물은 바닷가 주변의 모습을 (짧은 / 오랜) 시간 동안 (급격히 / 서서히) 변화시킵니다.

과학

핵심 정리

나무 막대, 물, 공기를 전달하면서 관찰한 특징 김영사, 동아

나무 막대 | 물 | 공기

손으로 잡고 전달할 수 있음. | 손으로 잡으면 흘러서 전달하기 어려움. | 손으로 잡을 수 없어 전달한 것인지 알 수 없음.

고체의 성질

① 나뭇조각과 플라스틱 조각을 여러 가지 모양의 그릇에 넣어보기: 담는 그릇이 바뀌어도 조각의 모양과 크기가 변하지 않습니다.

여러 가지 그릇에 담긴 나뭇조각

여러 가지 그릇에 담긴 플라스틱 조각

② 고체: 담는 그릇이 바뀌어도 모양과 부피가 변하지 않는 물질의 상태입니다.
(부피: 물체나 물질이 차지하는 공간의 크기입니다.)

③ 고체의 성질: 눈으로 볼 수 있고 손으로 잡을 수 있으며, 모양과 부피가 일정합니다.

④ 고체의 예: 흙, 섬유, 돌, 플라스틱, 나무, 금속, 유리, 가죽, 연필, 자, 탁구공, 인형, 종이, 소금, 모래 등

가루 물질의 상태 금성

① 모래나 소금과 같은 가루 물질의 상태: 고체입니다.

② 그 까닭: 가루 물질을 여러 가지 모양의 그릇에 담으면 가루 전체의 모양은 담는 그릇에 따라 변하지만 알갱이 하나하나의 모양과 부피는 변하지 않기 때문입니다.

투명한 플라스틱 컵에 모래를 담은 모습

1 고체의 성질

김영사, 동아

1 다음 보기에서 나무 막대, 물, 공기를 관찰하여 비교한 것으로 옳지 않은 것을 골라 기호를 쓰시오.

보기
㉠ 나무 막대는 눈으로 볼 수 있지만, 공기는 눈으로 볼 수 없습니다.
㉡ 물은 손으로 잡을 수 있지만, 공기는 보이지 않아 잡을 수 없습니다.
㉢ 나무 막대는 손으로 잡을 수 있지만, 물은 손 사이로 흘러서 전달하기 어렵습니다.

(　　　　　　)

7종 공통

2 다음은 어떤 물질에 대한 설명입니다. □ 안에 들어갈 알맞은 물질을 두 가지 고르시오. (　　,　　)

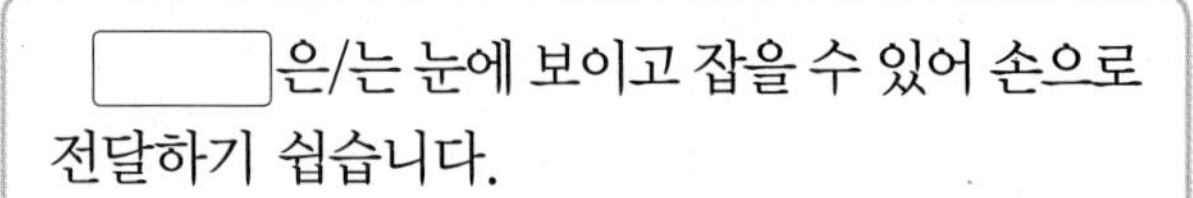
□은/는 눈에 보이고 잡을 수 있어 손으로 전달하기 쉽습니다.

① 우유　② 공기
③ 주스　④ 나무
⑤ 플라스틱

김영사, 동아, 비상, 아이스크림

3 다음은 나무 막대를 여러 가지 모양의 투명한 그릇에 넣었을 때의 결과입니다. 나무 막대의 크기는 변합니까, 변하지 않습니까?

(　　　　　　)

정답 13쪽

7종 공통

4 앞 3번의 나무 막대를 이루는 물질과 같은 물질의 상태를 무엇이라고 하는지 보기 에서 골라 기호를 쓰시오.

보기
㉠ 고체 ㉡ 액체 ㉢ 기체

( )

김영사, 동아, 비상

5 다음은 플라스틱 막대를 여러 가지 그릇에 넣었을 때에 대한 설명입니다. □ 안에 들어갈 알맞은 말을 쓰시오.

플라스틱 막대를 여러 가지 모양의 투명한 그릇에 넣었을 때 막대의 모양은 □ 합니다.

( )

7종 공통

6 다음 중 물질이 차지하는 공간의 크기를 무엇이라고 합니까? ( )

① 길이 ② 두께
③ 무게 ④ 부피
⑤ 질량

지학사

7 다음 물체들의 공통점으로 옳은 것을 보기 에서 골라 기호를 쓰시오.

쌓기나무

플라스틱 블록

보기
㉠ 담는 그릇이 달라지면 모양이 변합니다.
㉡ 담는 그릇이 달라지면 크기가 변합니다.
㉢ 담는 그릇이 달라져도 모양과 부피가 변하지 않습니다.

( )

7종 공통

8 다음 중 고체의 성질에 대한 설명으로 옳은 것은 어느 것입니까? ( )

① 눈에 보인다.
② 손으로 잡으면 흘러내린다.
③ 담는 그릇에 따라 색깔이 변한다.
④ 담는 그릇에 따라 모양이 변한다.
⑤ 담는 그릇의 크기에 따라 크기가 변한다.

서술형·논술형 문제 금성

9 다음은 인형과 연필의 모습입니다.

인형

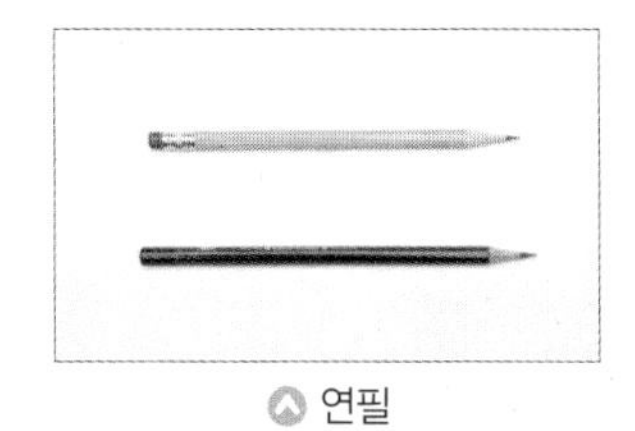
연필

(1) 위의 두 물체 중 만졌을 때 단단한 것은 어느 것인지 쓰시오.

( )

(2) 위의 두 물체를 각각 만졌을 때 느낌이 서로 다르지만 두 물체가 고체인 까닭을 쓰시오.

금성

10 오른쪽은 플라스틱 컵에 담긴 모래의 모습입니다. 플라스틱 컵과 모래의 물질의 상태는 무엇인지 각각 쓰시오.

(1) 플라스틱 컵: ( )
(2) 모래: ( )

과학

7종 검정 교과서

단원 평가

핵심 정리

액체의 성질

① 물과 주스, 우유를 여러 가지 모양의 그릇에 각각 넣어 보기

여러 가지 모양의 그릇에 담긴 같은 부피의 물

여러 가지 모양의 그릇에 담긴 같은 부피의 주스

여러 가지 모양의 그릇에 담긴 같은 부피의 우유 금성

알게 된 점: 담는 그릇에 따라 물과 주스, 우유의 모양은 변하지만 부피는 변하지 않음.

② 액체: 담는 그릇에 따라 모양이 변하지만 부피는 변하지 않는 물질의 상태입니다.

③ 액체의 성질: 눈으로 볼 수 있고 흐르는 성질이 있지만 손으로 잡을 수 없습니다.

④ 액체의 예: 물, 주스, 우유, 식초, 손 세정제, 식용유, 간장, 꿀 등

우리 주변에 있는 공기

① 공기가 있음을 알 수 있는 방법: 숨을 쉬기, 바람에 흔들리는 나뭇가지, 날고 있는 연, 공기가 들어 있는 튜브 등

② 공기가 있는지 알아보기

천재, 김영사

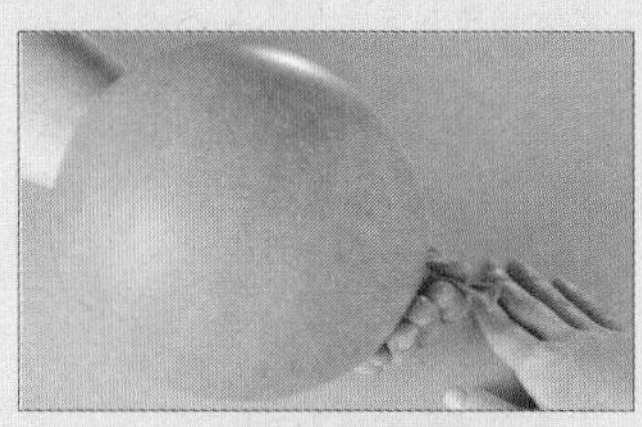

부풀린 풍선의 입구를 손등에 가까이 가져가 쥐었던 손을 살짝 놓기: 바람이 느껴지고, 풍선의 크기가 줄어듦.

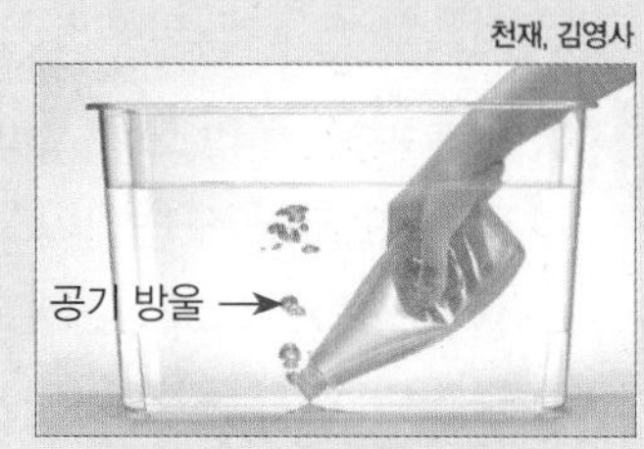

물속에 플라스틱 병을 넣고 누르기: 플라스틱 병 입구에서 공기 방울이 생겨 위로 올라오고, 보글보글 소리가 남.

❷ 액체의 성질 / 우리 주변에 있는 공기

7종 공통

1 다음은 물을 그릇에 넣은 다음, 다른 그릇에 옮겨 담았다가 처음 사용한 그릇에 다시 옮겨 담으면서 물의 높이를 알아보는 모습입니다. 물의 높이로 옳은 것을 골라 기호를 쓰시오.

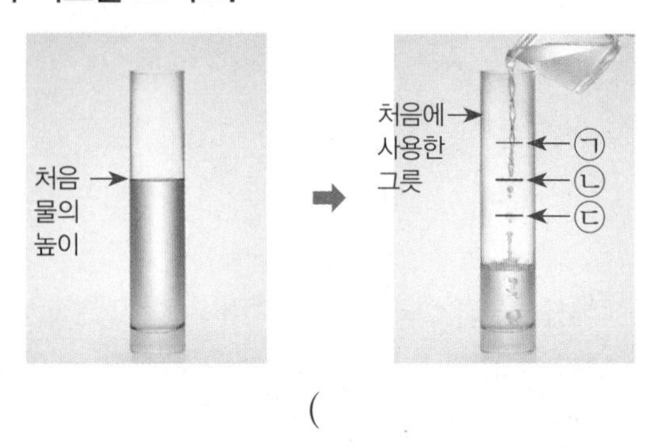

( )

7종 공통

2 다음은 주스를 여러 가지 모양의 그릇에 차례대로 옮겨 담으면서 주스의 모양과 부피를 관찰하는 모습입니다. 이 실험으로 알 수 있는 점이 아닌 것은 어느 것입니까? ( )

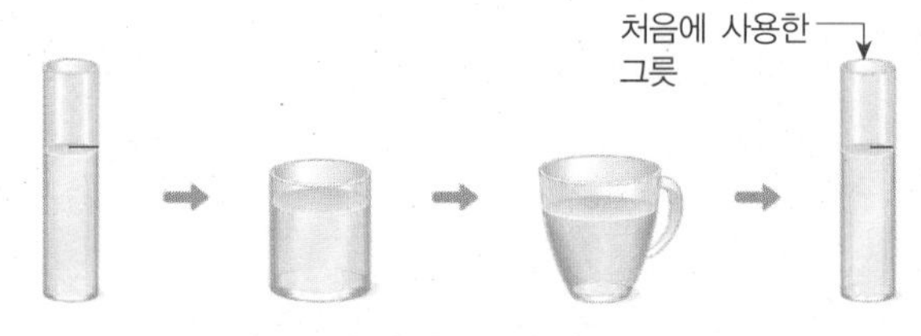

① 주스는 모양이 일정하지 않다.
② 주스의 부피는 그릇에 따라 변한다.
③ 주스의 모양은 그릇의 모양과 같다.
④ 그릇의 모양이 바뀌면 주스의 모양도 변한다.
⑤ 주스는 다른 그릇에 옮겨 담아도 부피는 변하지 않는다.

금성

3 다음 중 우유를 다른 모양의 투명한 그릇에 차례대로 옮겨 담으면서 우유의 모양과 부피를 관찰한 내용으로 옳은 것은 어느 것입니까? ( )

① 다른 그릇에 옮겨 담을 수 없다.
② 담는 그릇에 따라 부피가 변한다.
③ 담는 그릇이 달라져도 그 공간을 가득 채운다.
④ 담는 그릇의 모양에 따라 우유의 모양이 변한다.
⑤ 담는 그릇이 달라져도 우유의 높이는 변하지 않는다.

정답 13쪽

7종 공통

4 다음은 무엇에 대한 설명인지 쓰시오.

- 물질의 상태를 말합니다.
- 담는 그릇에 따라 모양이 변합니다.
- 담는 그릇을 기울이면 모양이 변합니다.
- 담는 그릇에 따라 부피는 변하지 않습니다.

( )

[5~6] 다음은 간장과 식용유의 모습입니다. 물음에 답하시오.

간장

식용유

비상

5 위 간장과 식용유를 오른쪽과 같은 그릇에 각각 옮겨 담았을 때 달라지는 것은 어느 것입니까? ( )

① 간장과 식용유의 색깔
② 간장과 식용유의 부피
③ 간장과 식용유의 무게
④ 간장과 식용유의 모양
⑤ 간장과 식용유의 냄새

7종 공통

6 위 간장과 식용유를 이루는 물질과 같은 상태가 아닌 것은 어느 것입니까? ( )

① 꿀 ② 식초 ③ 설탕
④ 주스 ⑤ 손 세정제

7종 공통

7 다음의 예는 우리 주변에 무엇이 있기 때문에 일어나는 현상인지 쓰시오.

- 깃발이 휘날립니다.
- 나뭇가지가 바람에 흔들립니다.
- 부채를 이용해 바람을 일으킵니다.

( )

서술형·논술형 문제

천재, 김영사

8 오른쪽은 부풀린 풍선의 입구를 한 손으로 꼭 쥔채 손등 가까이 가져가 풍선 입구를 쥐었던 손을 살짝 놓았을 때의 모습입니다.

(1) 위 실험 결과 손등이 시원해짐을 느낄 수 있습니다. 풍선 속에 있던 것은 무엇인지 쓰시오.

( )

(2) 위 실험 결과를 통해 알게 된 점을 (1)번 답을 넣어 쓰시오.

____

____

[9~10] 다음과 같이 물속에서 빈 페트병이나 플라스틱병을 눌렀습니다. 물음에 답하시오.

물속에서 빈 페트병 누르기

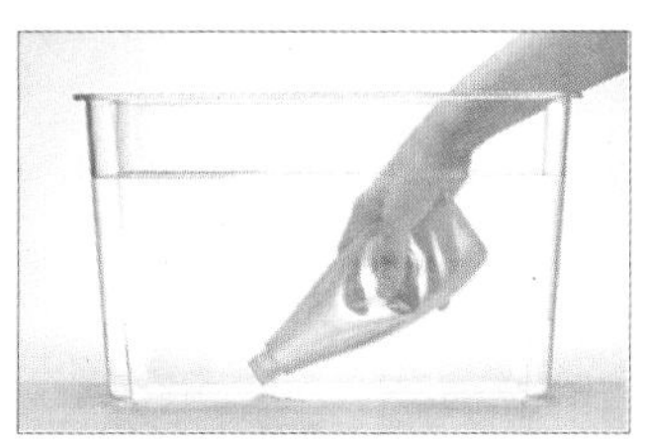
물속에서 플라스틱병 누르기

천재, 김영사

9 다음은 위 실험의 관찰 결과입니다. ( ) 안의 알맞은 말에 ○표를 하시오.

빈 페트병 입구와 플라스틱병 입구에서 둥근 (물 / 공기) 방울이 생겨 위로 올라옵니다.

천재, 김영사

10 다음 중 위 실험을 통해 알게 된 점으로 옳은 것은 어느 것입니까? ( )

① 공기는 색깔이 있다.
② 공기는 냄새가 있다.
③ 공기는 물과 같은 상태의 물질이다.
④ 공기는 존재하지 않고 물질이 아니다.
⑤ 공기는 눈에 보이지 않지만 우리 주변에 있다.

과학

❸ 기체의 성질(1)

핵심 정리

공기가 공간을 차지하는지 알아보기

① 바닥에 구멍이 뚫리거나 뚫리지 않은 컵을 이용: 컵으로 물 위에 띄운 페트병 뚜껑을 덮은 뒤 수조 바닥까지 밀어 넣을 때 나타나는 변화 관찰하기

금성, 동아, 아이스크림

구분	바닥에 구멍이 뚫리지 않은 컵	바닥에 구멍이 뚫린 컵
결과	물의 높이가 조금 높아짐. / 페트병 뚜껑이 내려감.	물의 높이에 변화가 없음. / 페트병 뚜껑이 그대로 있음.
	페트병 뚜껑이 내려가고, 물의 높이가 조금 높아짐.	페트병 뚜껑이 그대로 있고, 물의 높이에 변화가 없음.
까닭	컵 안에 있는 공기가 공간을 차지하고 있기 때문에 컵 안으로 물이 들어가지 못함.	컵 안에 있는 공기가 컵 바닥의 구멍으로 빠져나가기 때문에 물이 컵 안으로 들어감.

② 구멍이 뚫려 있거나 막힌 페트병을 이용: 공기 주입기로 페트병 안의 풍선에 공기를 넣기

지학사

구분	구멍을 막은 페트병	구멍이 뚫린 페트병
결과	공기 주입기 / 풍선 / 구멍을 막음.	풍선 / 구멍
	풍선이 부풀지 않음.	풍선이 부풂.
까닭	페트병 안에 공기가 차 있어서 풍선에 공기를 더 넣을 공간이 없기 때문임.	풍선에 공기를 넣으면 페트병 안에 있던 공기가 페트병 밖으로 빠져나가기 때문임.

③ ①과 ② 실험을 통해 알게 된 공기의 성질: 공기는 공간(부피)을 차지합니다.

④ 공기가 공간(부피)을 차지하는 성질을 이용한 예: 구명조끼, 풍선, 타이어, 물놀이용 튜브, 뽁뽁이(에어 캡), 응원용 막대풍선 등

[1~5] 다음과 같이 바닥에 구멍이 뚫린 플라스틱 컵과 바닥에 구멍이 뚫리지 않은 플라스틱 컵으로 물 위에 띄운 페트병 뚜껑을 덮은 뒤 수조 바닥까지 밀어 넣으려고 합니다. 물음에 답하시오.

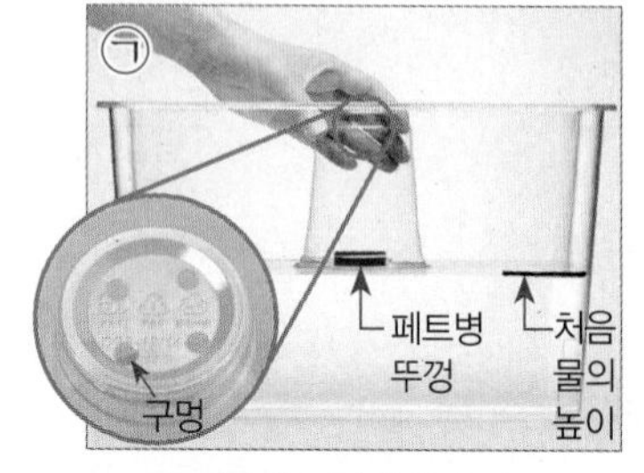

▲ 바닥에 구멍이 뚫린 컵

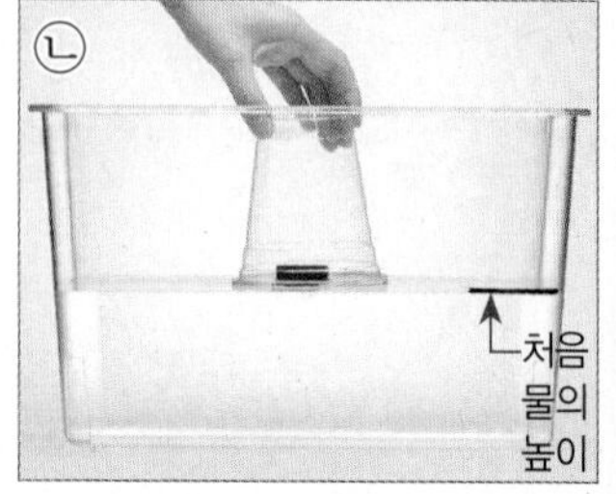

▲ 바닥에 구멍이 뚫리지 않은 컵

금성, 동아, 아이스크림

1 다음은 위 실험에서 컵을 수조의 중간까지 밀어 넣었을 때의 모습입니다. ㉠과 ㉡ 중 각각 어느 컵의 모습인지 기호를 쓰시오.

(1)
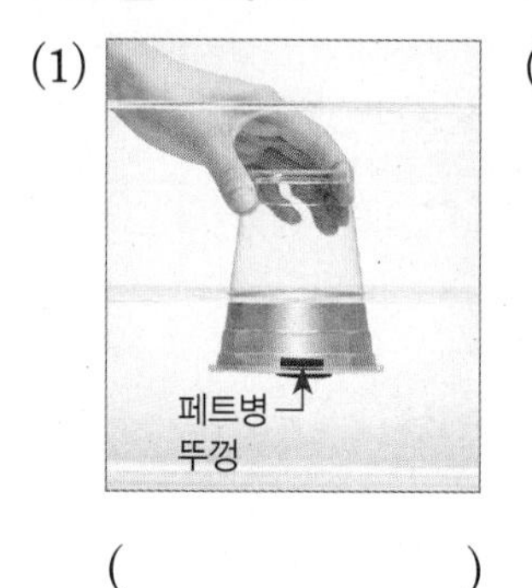

(2)

( ) ( )

금성, 동아, 아이스크림

2 위 실험에서 컵을 수조의 바닥까지 밀어 넣었을 때, 수조 안의 물의 높이가 높아지는 것의 기호를 쓰시오.

( )

서술형·논술형 문제 금성, 동아, 아이스크림

3 위 실험에서 ㉡의 경우 컵을 수조 바닥까지 밀어 넣었을 때 페트병 뚜껑의 위치 변화를 예상하고, 그렇게 생각한 까닭을 쓰시오.

정답 14쪽

금성, 동아, 아이스크림

4 다음은 앞 실험의 결과입니다. ( ) 안의 알맞은 말에 각각 ○표를 하시오.

> ㉠의 컵 안에는 (물 / 공기)이/가 들어 있고, ㉡의 컵 안에는 (물 / 공기)이/가 들어 있습니다.

7종 공통

5 다음 중 앞의 실험으로 알게 된 공기의 성질은 어느 것입니까? ( )

① 공기는 모양이 일정하다.
② 공기는 공간을 차지한다.
③ 공기는 손으로 잡을 수 없다.
④ 공기는 우리 눈으로 볼 수 있다.
⑤ 공기는 다른 곳으로 이동할 수 없다.

[6~8] 오른쪽은 페트병의 구멍을 셀로판 테이프로 막은 뒤 풍선을 페트병 입구에 끼운 모습입니다. 물음에 답하시오.

지학사

6 위 페트병에 끼운 풍선에 공기 주입기로 공기를 넣었을 때의 결과를 **보기** 에서 골라 기호를 쓰시오.

> **보기**
> ㉠ 풍선이 부풀어 오릅니다.
> ㉡ 페트병이 부풀어 오릅니다.
> ㉢ 아무런 변화가 없습니다.

( )

7종 공통

7 다음 중 앞 **6**번의 답과 같은 결과가 나타난 까닭으로 옳은 것에 ○표를 하시오.

(1) 구멍이 막힌 페트병에는 공기가 차 있기 때문입니다. ( )
(2) 페트병 안에 있던 공기가 밖으로 빠져나갔기 때문입니다. ( )

7종 공통

8 다음은 앞의 페트병 속 풍선에 공기를 넣는 실험으로 알게 된 공기의 성질입니다. □ 안에 들어갈 알맞은 말을 쓰시오.

> 이 실험으로 공기가 □을/를 차지한다는 것을 알 수 있습니다.

( )

지학사

9 다음 ㉠과 ㉡ 중 구멍이 뚫린 페트병 입구에 풍선을 끼우고 공기 주입기로 공기를 넣었을 때의 결과로 옳은 것을 골라 기호를 쓰시오.

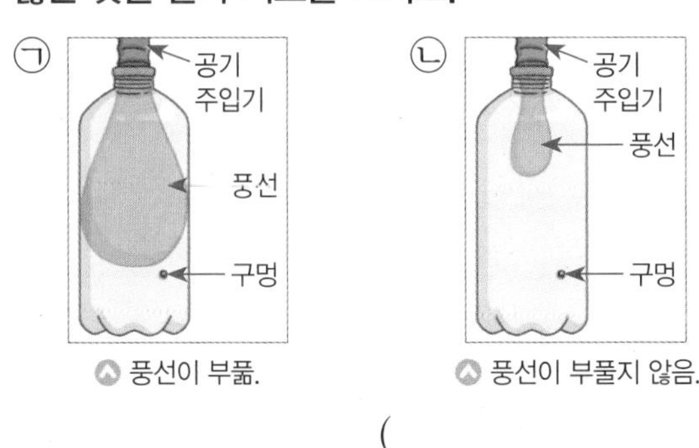

풍선이 부풂. 풍선이 부풀지 않음.

( )

금성

10 다음 중 공기가 공간을 차지하는 성질을 이용한 것이 아닌 것을 골라 기호를 쓰시오.

㉠ 구명조끼

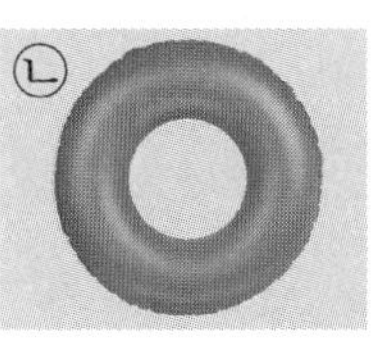
㉡ 튜브

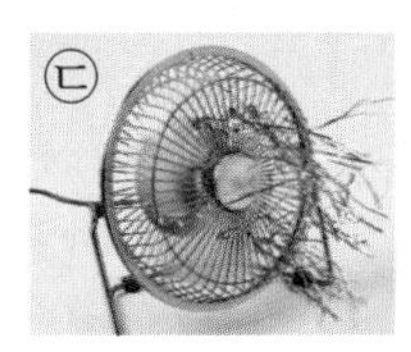
㉢ 선풍기

( )

과학

④ 기체의 성질(2)

핵심 정리

공기가 이동하는지 알아보기

① 두 개의 주사기를 비닐관으로 연결한 뒤 당겨 놓은 주사기의 피스톤을 밀거나 당겼을 때의 변화

천재, 비상, 아이스크림, 지학사

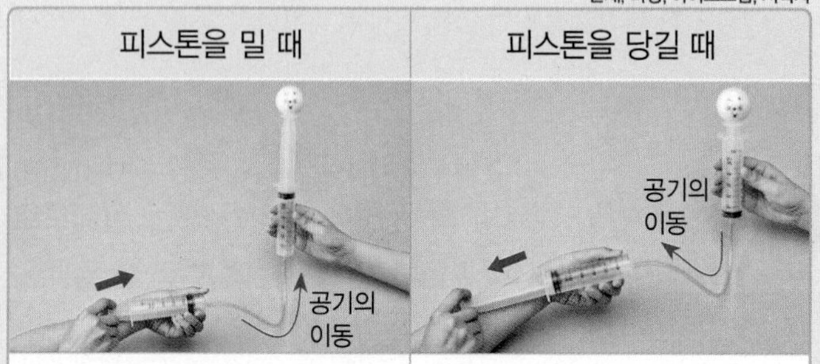

피스톤을 밀 때	피스톤을 당길 때
다른 쪽 주사기의 피스톤이 올라감.	다른 쪽 주사기의 피스톤이 내려감.
변화가 나타나는 까닭: 한쪽 주사기 안에 들어 있던 공기가 다른 쪽 주사기로 이동했기 때문임.	

② 실험을 통해 알게 된 공기의 성질: 공기는 다른 곳으로 이동할 수 있습니다.

③ 공기가 다른 곳으로 이동하는 성질을 이용한 예: 공기 주입기로 풍선 부풀리기, 선풍기, 비눗방울 불기 등

기체의 성질

① 기체: 공기처럼 담는 그릇에 따라 모양이 변하고, 그 공간을 가득 채우는 물질의 상태입니다.

② 기체의 성질: 공간을 차지하고 이동할 수 있으며, 무게가 있습니다.

공기의 무게

천재, 금성, 김영사, 동아, 비상, 아이스크림

① 페트병 입구에 끼운 공기 주입 마개를 누르기 전과 누른 후의 무게 측정

- 공기 주입 마개를 누르기 전의 무게: 54.0 g
- 공기 주입 마개를 누른 후의 무게: 54.2 g ➡ 결과: 페트병의 무게가 늘어남.

② 알게 된 점: 공기는 무게가 있습니다.

[1~3] 다음은 두 개의 주사기를 비닐관으로 연결해 만든 장난감입니다. 물음에 답하시오.

㉠

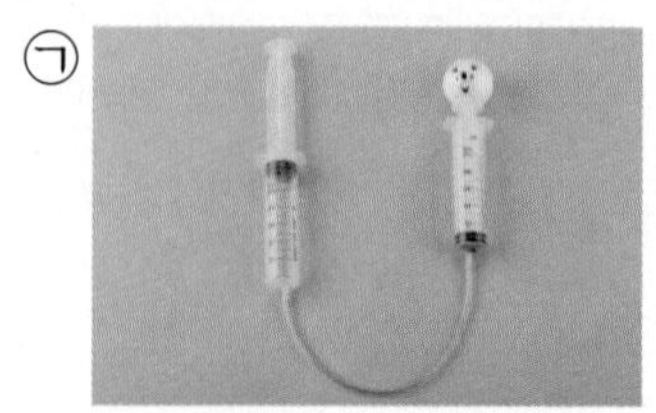

한쪽 주사기를 당겨 놓음.

㉡

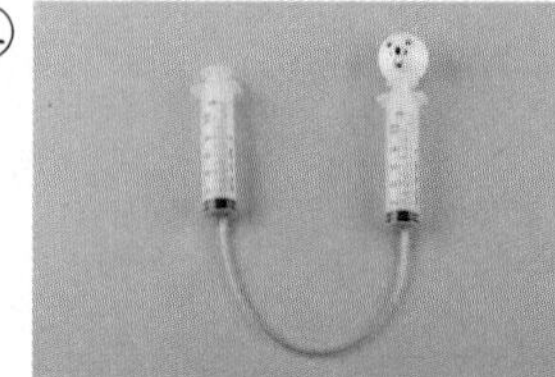

한쪽 주사기를 당겨 놓지 않음.

천재, 비상, 아이스크림, 지학사

1 위 ㉠과 ㉡ 중 주사기 속 어떤 물질이 이동하는지 알아보기 위해 바르게 만든 것을 골라 기호를 쓰시오.

( )

천재, 비상, 아이스크림, 지학사

2 위 **1**번 답 주사기의 피스톤을 밀거나 당길 때 나타나는 변화를 줄로 바르게 이으시오.

(1) 주사기의 피스톤을 밀 때 •　　　• ㉠ 다른 쪽 주사기의 피스톤이 내려감.

(2) 밀었던 주사기의 피스톤을 당길 때 •　　　• ㉡ 다른 쪽 주사기의 피스톤이 올라감.

천재, 비상, 아이스크림, 지학사

3 다음은 위 **2**번의 답과 같은 변화가 나타나는 까닭입니다. □ 안에 들어갈 알맞은 말을 쓰시오.

> 주사기의 피스톤을 밀거나 당기면 주사기와 비닐관 속의 □이/가 이동하기 때문에 피스톤이 움직입니다.

( )

정답 14쪽

7종 공통

4 다음은 비눗방울을 부는 모습입니다. 이것에 이용된 공기의 성질로 옳은 것을 보기 에서 골라 기호를 쓰시오.

보기
㉠ 공기는 눈으로 볼 수 있습니다.
㉡ 공기는 흐르는 성질이 있습니다.
㉢ 공기는 손으로 만질 수 있습니다.
㉣ 공기는 다른 곳으로 이동할 수 있습니다.

( )

7종 공통

5 다음 중 공기를 이동시키는 장치가 아닌 것은 어느 것입니까? ( )

① 부채 ② 선풍기
③ 공기베개 ④ 공기 주입기
⑤ 타이어에 공기를 넣는 펌프

[6~7] 다음은 공기 주입기로 풍선을 부풀리는 모습입니다. 물음에 답하시오.

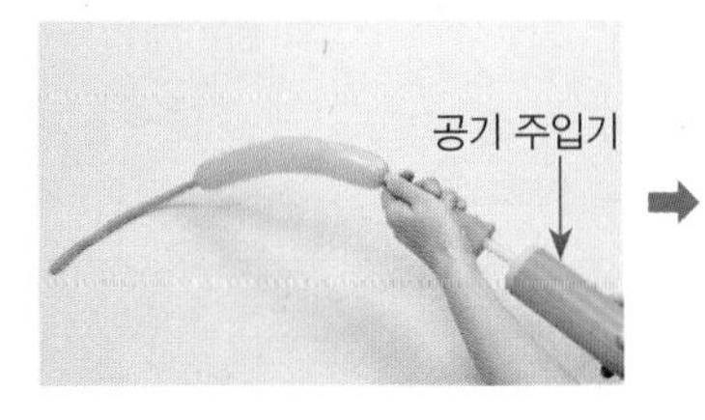

7종 공통

6 위 풍선 속을 가득 채우고 있는 물질의 상태를 쓰시오.

( )

7종 공통

7 위와 같이 풍선으로 여러 가지 모양을 만들 수 있는 까닭은 어느 것입니까? ( )

① 공기는 부피가 일정하기 때문이다.
② 공기는 눈에 보이지 않기 때문이다.
③ 공기는 일정한 모양이 있기 때문이다.
④ 공기는 손으로 잡을 수 없기 때문이다.
⑤ 공기는 담는 그릇에 따라 모양이 변하기 때문이다.

서술형·논술형 문제 천재, 금성, 김영사, 동아, 비상, 아이스크림

8 다음은 페트병 입구에 끼운 공기 주입 마개를 누르기 전과 누른 후의 무게를 측정한 모습입니다.

㉠

공기 주입 마개를 누르기 전 페트병의 무게 측정

㉡

공기 주입 마개를 누른 후 페트병의 무게 측정

(1) 위 ㉠과 ㉡ 중 페트병의 무게를 쟀을 때 더 무거운 것을 골라 기호를 쓰시오.

( )

(2) 위 실험 결과를 통해 알게 된 기체의 성질을 쓰시오.

7종 공통

9 다음 내용과 가장 관련이 있는 기체의 성질로 옳은 것은 어느 것입니까? ( )

공기를 가득 넣은 고무보트가 공기를 모두 뺀 고무보트보다 옮기기 더 힘듭니다.

① 색깔이 있다. ② 냄새가 있다.
③ 무게가 있다. ④ 촉감이 부드럽다.
⑤ 모양이 일정하다.

7종 공통

10 다음 보기 에서 무게가 있는 것을 모두 골라 기호를 쓰시오.

보기
㉠ 고체 ㉡ 액체 ㉢ 기체

( )

과학

핵심 정리

소리가 나는 물체의 특징: 떨림이 있습니다.

소리가 나는 트라이앵글에 손을 대 보기: 떨림이 느껴짐.

소리가 나는 소리굽쇠를 물에 대 보기: 물이 튀어 오름.

소리가 나는 스피커에 손을 대 보기: 떨림이 느껴짐.

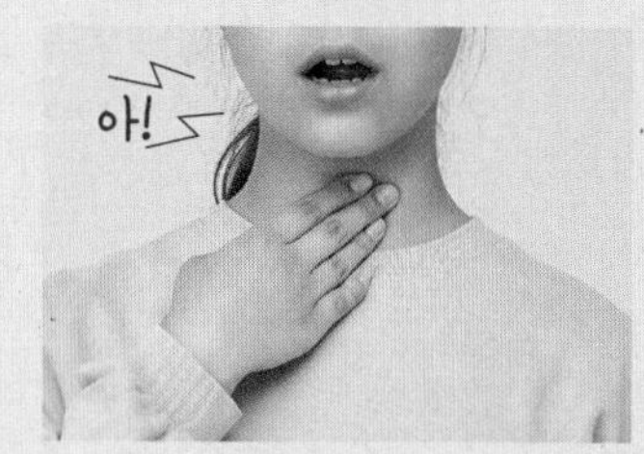

소리가 나는 목에 손을 대 보기: 떨림이 느껴짐.

물체에서 소리가 날 때의 공통점

북을 칠 때 북의 가죽이 떨리면서 소리가 남.

벌이 날 때 빠른 날갯짓의 떨림 때문에 소리가 남.

⬇

공통점 물체에서 소리가 날 때 물체가 떨림.

천재, 금성, 김영사, 비상

소리가 나는 물체를 소리가 나지 않게 하는 방법

① 소리가 나는 물체의 떨림을 멈추게 하면 소리가 나지 않습니다.

② 소리가 나는 트라이앵글이나 소리굽쇠를 손으로 잡을 때: 물체의 떨림이 멈추어 소리가 나지 않습니다.

소리가 나는 소리굽쇠를 손으로 잡아 소리가 나지 않게 하고 물에 대 보면 물이 튀지 않음.

1 소리가 나는 물체

7종 공통

1 다음을 통해 알 수 있는 사실에 맞게 □ 안에 들어갈 알맞은 말을 쓰시오.

- 소리가 나는 스피커에 손을 대 보았을 때 손에 떨림이 느껴집니다.
- 소리를 내고 있는 목에 손을 대 보았을 때 손에 떨림이 느껴집니다.

⬇

소리가 나는 물체들은 □ 은/는 공통점이 있습니다.

( )

금성, 비상, 지학사

2 다음과 같이 스피커에 손을 대 보았을 때, 떨림이 느껴지는 경우의 기호를 쓰시오.

㉠

소리가 나지 않는 스피커에 손을 대 보기

㉡
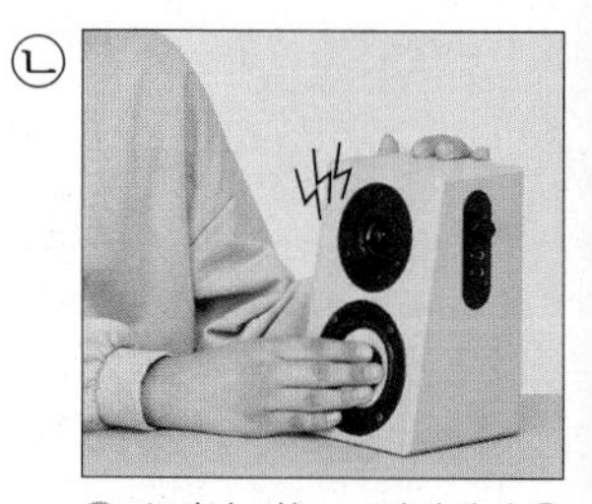
소리가 나는 스피커에 손을 대 보기

( )

7종 공통

3 다음 중 떨림이 느껴지지 않는 물체는 어느 것입니까? ( )

① 소리가 나는 종
② 연주하고 있는 북
③ 말을 하고 있는 목
④ 음악 소리가 나오는 스피커
⑤ 고무망치로 치기 전의 소리굽쇠

정답 15쪽

천재, 금성, 김영사, 동아, 지학사

4 다음은 소리가 나지 않는 소리굽쇠와 소리가 나는 소리굽쇠를 각각 물에 대 보고 관찰한 결과를 비교한 것입니다. ㉠과 ㉡ 중 소리가 나는 소리굽쇠에 해당하는 것의 기호를 쓰시오.

구분	㉠	㉡
관찰한 결과	아무 일도 일어나지 않음.	물이 튀어 오름.

( )

서술형·논술형 문제 천재, 금성, 김영사, 동아, 지학사

5 위 4번의 답과 같이 쓴 까닭을 쓰시오.

7종 공통

6 다음은 소리가 나는 물체입니다. □ 안에 공통으로 들어갈 알맞은 말을 쓰시오.

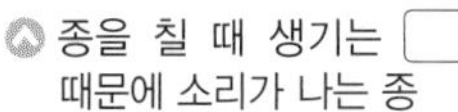
종을 칠 때 생기는 □ 때문에 소리가 나는 종

빠른 날갯짓의 □ 때문에 소리가 나는 벌

( )

7종 공통

7 다음 중 소리가 나는 물체의 특징에 대한 설명으로 옳은 것에는 ○표, 옳지 않은 것에는 ×표를 하시오.

(1) 소리가 나는 물체는 떨립니다. ( )

(2) 물체가 떨리면 소리가 납니다. ( )

(3) 소리가 나는 물체를 흔들면 더 이상 소리가 나지 않습니다. ( )

천재, 금성, 김영사, 비상

8 다음 중 소리가 나는 소리굽쇠를 손으로 세게 움켜잡을 때 나타나는 현상으로 옳은 것은 어느 것입니까? ( )

① 소리가 멈춘다.
② 소리가 점점 커진다.
③ 소리가 점점 작아진다.
④ 소리가 점점 높아진다.
⑤ 소리가 점점 낮아진다.

천재, 금성, 비상

9 다음 중 위 8번의 답을 고른 까닭으로 옳은 것은 어느 것입니까? ( )

① 소리굽쇠의 모양이 변하기 때문이다.
② 소리굽쇠의 떨림이 멈추기 때문이다.
③ 소리굽쇠의 떨림이 커지기 때문이다.
④ 소리굽쇠의 떨림이 작아지기 때문이다.
⑤ 소리굽쇠를 잡은 손이 떨리기 때문이다.

천재, 금성, 비상

10 다음 보기 에서 소리가 나는 물체를 소리가 나지 않게 하는 경우로 옳은 것을 골라 기호를 쓰시오.

보기
㉠ 소리가 나는 물체를 물에 넣을 때
㉡ 소리가 나는 물체를 더 떨리게 할 때
㉢ 소리가 나는 물체를 떨리지 않게 할 때

( )

과학

7종 검정 교과서

단원 평가

핵심 정리

소리의 세기: 소리의 크고 작은 정도를 말합니다.

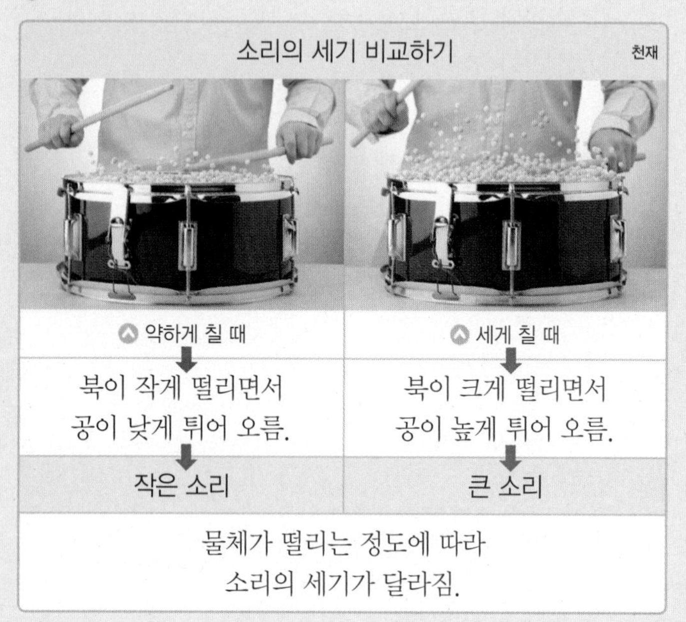

소리의 세기 비교하기
천재
약하게 칠 때
세게 칠 때
북이 작게 떨리면서 공이 낮게 튀어 오름.
북이 크게 떨리면서 공이 높게 튀어 오름.
작은 소리
큰 소리
물체가 떨리는 정도에 따라 소리의 세기가 달라짐.

소리의 높낮이: 소리의 높고 낮은 정도를 말합니다.

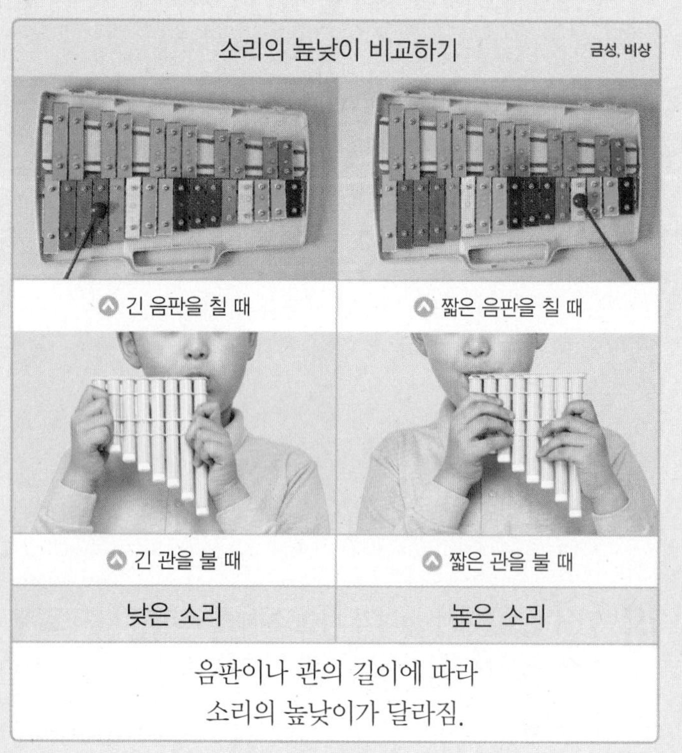

소리의 높낮이 비교하기
금성, 비상
긴 음판을 칠 때
짧은 음판을 칠 때
긴 관을 불 때
짧은 관을 불 때
낮은 소리
높은 소리
음판이나 관의 길이에 따라 소리의 높낮이가 달라짐.

우리 주변에서 높은 소리를 이용하는 예: 구급차 소리, 화재 비상벨, 안전 요원의 호루라기 소리 등

2 소리의 세기 / 소리의 높낮이

[1~4] 다음은 작은북으로 소리의 세기를 비교하는 실험 과정입니다. 물음에 답하시오.

> 1 작은북을 북채로 약하게 칠 때와 세게 칠 때의 소리를 비교합니다.
> 2 작은북 위에 스타이로폼 공을 올려놓습니다.
> 3 작은북을 북채로 약하게 칠 때와 세게 칠 때 스타이로폼 공이 튀어 오르는 모습을 비교합니다.

천재, 김영사, 동아, 비상, 아이스크림

1 다음 중 위 실험에서 다르게 한 조건은 어느 것입니까? (　　　)

① 스타이로폼 공의 양
② 작은북의 크기
③ 작은북을 치는 횟수
④ 작은북을 치는 세기
⑤ 작은북을 치는 북채의 길이

천재, 김영사, 동아, 비상, 아이스크림

2 다음은 위 1번 실험 과정에서 소리를 비교한 결과입니다. 빈 칸에 알맞은 내용을 쓰시오.

약하게 칠 때	세게 칠 때
❶	❷

서술형·논술형 문제 천재, 김영사, 동아, 비상, 아이스크림

3 위 3번 실험 과정에서 작은북을 약하게 칠 때와 세게 칠 때 스타이로폼 공이 튀어 오르는 모습이 다른 까닭을 쓰시오.

정답 15쪽

7종 공통

4 다음은 앞 실험을 통해 알 수 있는 점입니다. □ 안에 들어갈 알맞은 말을 쓰시오.

> 물체가 [ ] 정도에 따라 소리의 세기가 달라집니다.

( )

7종 공통

5 다음은 소리의 성질에 대한 설명입니다. ㉠, ㉡에 들어갈 알맞은 말을 각각 쓰시오.

> 소리의 크고 작은 정도를 소리의 [㉠](이)라고 하고, 소리의 높고 낮은 정도를 소리의 [㉡](이)라고 합니다.

㉠ ( ) ㉡ ( )

7종 공통

6 다음 중 높은 소리와 관련이 있는 것은 어느 것입니까? ( )

① 첼로를 부드럽게 켠다.
② 크게 소리 내어 노래한다.
③ 실로폰의 짧은 음판을 친다.
④ 피아노 건반을 세게 누른다.
⑤ 도서관에서 친구와 귓속말로 이야기한다.

금성, 비상

7 오른쪽 팬 플루트의 ㉠~㉢ 관 중 불었을 때 가장 높은 소리가 나는 것의 기호를 쓰시오.

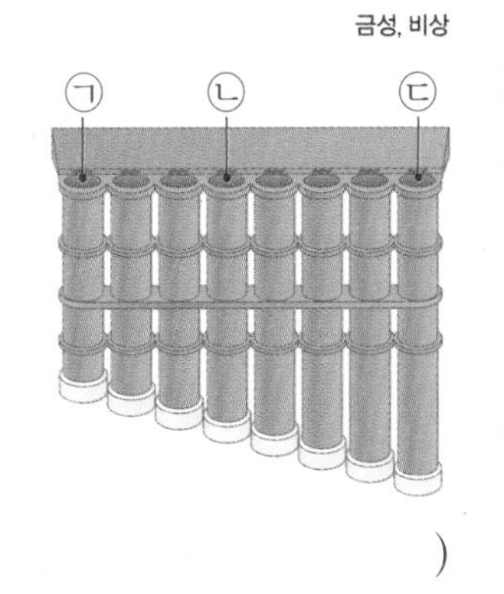

( )

금성, 비상

8 앞 **7**번의 팬 플루트는 무엇에 따라 소리의 높낮이가 달라집니까? ( )

① 관의 모양
② 관의 길이
③ 관의 색깔
④ 부는 시간
⑤ 부는 세기

천재, 금성, 비상, 아이스크림

9 실로폰의 음판을 다음과 같이 화살표 방향으로 순서대로 칠 때 점점 낮은 소리가 나는 경우의 기호를 쓰시오.

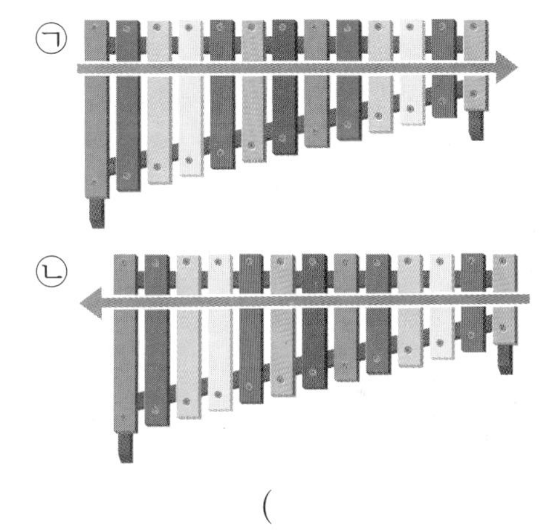

( )

7종 공통

10 다음 중 소리의 높낮이를 이용하는 예에 대한 설명으로 옳지 않은 것은 어느 것입니까? ( )

① 구급차의 경보음은 높은 소리를 이용한다.
② 장구는 소리의 높낮이를 이용하여 연주한다.
③ 화재 비상벨은 높은 소리로 불이 난 것을 알린다.
④ 수영장 안전 요원의 호루라기는 높은 소리로 위험을 알린다.
⑤ 합창단은 낮은 소리뿐만 아니라 높은 소리를 함께 이용해 노래를 부른다.

과학

핵심 정리

여러 가지 물질을 통한 소리의 전달

① 고체 상태의 물질을 통한 소리의 전달

책상을 두드리는 소리는 책상(나무)을 통해 전달됨.

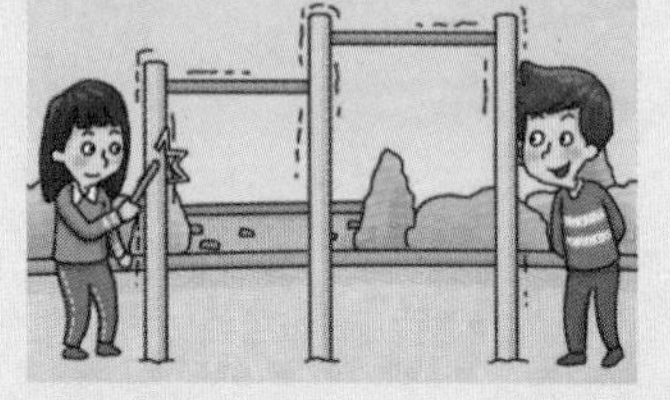
철봉을 두드리는 소리는 철을 통해 전달됨.

② 기체 상태의 물질을 통한 소리의 전달

스피커에서 나는 소리는 공기를 통해 전달됨.

새 소리는 공기를 통해 전달됨.

③ 액체 상태의 물질을 통한 소리의 전달

물속 스피커에서 나는 소리는 물과 공기를 통해 전달됨.

배에서 나는 소리는 물을 통해 전달됨.

→ 물속에 있는 스피커에서 나는 소리는 물속에서는 물을 통해 전달되고 물 밖에서는 공기를 통해 전달됩니다.

소리의 전달

① 소리는 고체, 액체, 기체 상태의 여러 가지 물질을 통해 전달됩니다.

② 달에는 소리를 전달해 주는 공기가 없기 때문에 소리가 들리지 않습니다.

③ 공기를 뺄 수 있는 장치에 소리가 나는 스피커를 넣고 공기를 빼면 소리가 작아집니다. 비상

천재, 금성, 김영사, 동아, 지학사

실 전화기: 실 전화기에서 소리는 실이 떨리면서 전달됩니다.

3 소리의 전달

서술형·논술형 문제 7종 공통

1 다음과 같이 책상에 귀를 대고 책상을 두드리는 소리를 들어 보았습니다.

(1) 위 실험에서 책상을 두드리는 소리가 들리는지, 들리지 않는지 쓰시오.

( )

(2) 위 실험으로 알 수 있는 점을 쓰시오.

____

____

천재, 비상, 아이스크림

2 다음은 물속에 있는 스피커에서 나는 소리가 무엇을 통해 전달되었는지 설명한 것입니다. ㉠과 ㉡에 들어갈 알맞은 말을 각각 쓰시오.

> 스피커의 소리는 물속에서는 ㉠ 을/를 통해, 물 밖에서는 ㉡ 을/를 통해 전달되었습니다.

㉠ ( ) ㉡ ( )

7종 공통

3 다음 중 액체를 통해 소리가 전달되는 경우를 두 가지 고르시오. (,)

① 교문 밖에서 종소리를 들을 때

② 운동장에서 친구가 부르는 소리를 들을 때

③ 바닷속에서 잠수부가 멀리서 오는 배의 소리를 들을 때

④ 수중 발레 선수들이 수중 스피커로 물속에서 음악을 들을 때

⑤ 막대기로 철봉을 두드리는 소리를 다른 쪽 끝에서 귀를 대고 들을 때

정답 16쪽

7종 공통

4 다음 중 소리의 전달에 대한 설명으로 옳은 것에는 ○표, 옳지 않은 것에는 ×표를 하시오.

(1) 물속에서는 소리가 전달되지 않습니다. ( )

(2) 소리는 물질을 통하지 않고도 전달됩니다. ( )

(3) 학교의 종소리는 공기를 통해 전달됩니다. ( )

(4) 우리 주변에서 들리는 대부분의 소리는 기체인 공기를 통해 전달됩니다. ( )

7종 공통

5 다음 중 소리가 전달되지 않는 곳은 어디입니까? ( )

① 달 ② 바닷속 ③ 운동장
④ 동굴 속 ⑤ 산꼭대기

7종 공통

6 다음은 소리의 전달에 대한 설명입니다. □ 안에 공통으로 들어갈 알맞은 말을 쓰시오.

> 우리가 듣는 대부분의 소리는 □을/를 통해서 전달됩니다. 물체의 떨림이 주변의 □을/를 떨리게 하고, 그 □의 떨림이 우리 귀까지 도달해 소리가 전달됩니다.

( )

비상

7 다음은 공기를 뺄 수 있는 장치에 소리가 나는 스피커를 넣고 공기를 뺄 때의 소리 변화에 대한 설명입니다. ( ) 안의 알맞은 말에 ○표를 하시오.

> 장치의 손잡이를 당겨 통 안의 공기를 빼면 스피커의 소리가 (커 / 작아)집니다.

천재, 금성, 김영사, 동아, 지학사

8 다음은 실 전화기를 만드는 방법을 순서에 관계없이 나타낸 것입니다. 가장 먼저 해야 하는 과정의 기호를 쓰시오.

> ㉠ 구멍에 실을 넣기
> ㉡ 실의 한쪽 끝에 클립을 묶기
> ㉢ 종이컵 바닥에 누름 못으로 구멍 뚫기
> ㉣ 다른 종이컵도 같은 방법으로 만들어 완성하기

( )

천재, 금성, 김영사, 동아

9 위 **8**번의 실 전화기에서 소리를 전달하는 것은 무엇인지 쓰시오.

( )

천재, 금성, 김영사, 동아

10 다음 중 실 전화기의 소리를 가장 잘 들리게 하는 방법으로 알맞은 것은 어느 것입니까? ( )

① 실을 느슨하게 하여 말한다.
② 실을 팽팽하게 하여 말한다.
③ 실에 물을 묻히고 느슨하게 하여 말한다.
④ 실에 물을 묻히고 팽팽하게 하여 말한다.
⑤ 실을 최대한 길게 하여 손으로 잡고 말한다.

과학

핵심 정리

소리가 물체에 부딪칠 때 나타나는 현상

천재, 금성

① 소리가 물체에 부딪칠 때 나타나는 현상 관찰하기

1

아무것도 세우지 않고 소리 듣기: 소리를 들을 수 있지만 작게 들림.

2

나무판자를 세우고 소리 듣기: 소리가 크게 들림.

3

스펀지를 세우고 소리 듣기: 1에서 들었던 소리보다 크지만 2보다 작게 들림.

② 결과: 나무판자를 세웠을 때 소리가 가장 크고, 아무것도 세우지 않았을 때 소리가 가장 작았습니다.

③ 위의 실험에서 소리의 크기가 다르게 들리는 까닭: 소리는 딱딱한 물체에는 잘 반사되지만, 부드러운 물체에는 잘 반사되지 않습니다.

소리의 반사

① 소리가 나아가다가 물체에 부딪쳐 되돌아오는 성질을 소리의 반사라고 합니다.

② 소리가 반사되는 경우

- 산에서 소리를 내면 메아리가 생깁니다.
- 공연장 천장에 설치된 반사판을 이용하여 연주 소리를 골고루 전달합니다.

소음을 줄이는 방법 예

천재

음악실 방음벽: 소리의 전달을 막음.

도로 방음벽: 소리의 반사를 이용함.

스피커 볼륨 조절: 소리의 세기를 줄임.

4 소리의 반사 / 소음을 줄이는 방법

정답 16쪽

김영사, 아이스크림

1 다음과 같이 아무것도 들지 않거나 스타이로폼판을 들고 소리를 들었을 때, 소리가 더 크게 들리는 경우를 ○ 안에 >, =, <를 이용하여 비교하시오.

아무것도 들지 않고 소리 듣기

○

스타이로폼판을 들고 소리 듣기

김영사, 아이스크림

2 위 1번 답과 같은 현상이 나타나는 까닭을 바르게 말한 친구를 쓰시오.

> 민준: 소리가 스타이로폼판에 반사되기 때문이야.
> 동우: 소리가 스타이로폼판에 전부 흡수되기 때문이야.
> 재이: 소리가 스타이로폼판을 통해 전달되기 때문이야.

(　　　　　　　)

7종 공통

3 다음 중 소리의 반사에 대한 설명으로 옳은 것에는 ○표, 옳지 않은 것에는 ×표를 하시오.

(1) 소리는 딱딱한 물체에서 잘 반사됩니다. (　　　)

(2) 물체에서 소리가 반사되는 정도는 모두 비슷합니다. (　　　)

(3) 메아리는 소리의 반사와 관련된 현상입니다. (　　　)

7종 공통

4 다음 중 소음을 줄이는 방법으로 적당하지 않은 것은 어느 것입니까? (　　　)

① 도로에 방음벽을 설치한다.
② 공동 주택에서 뛰지 않는다.
③ 자동차의 경적 소리를 줄인다.
④ 공사장 주변에 방음벽을 설치한다.
⑤ 음악을 들을 때 스피커의 소리를 크게 한다.

어느 교과서를 배우더라도

꼭 알아야 하는 **기본 문제** 구성으로

다양한 학교 평가에 완벽 대비할 수 있어요!

10종 검정 교과서

단원 평가 자료집

수학 3-2

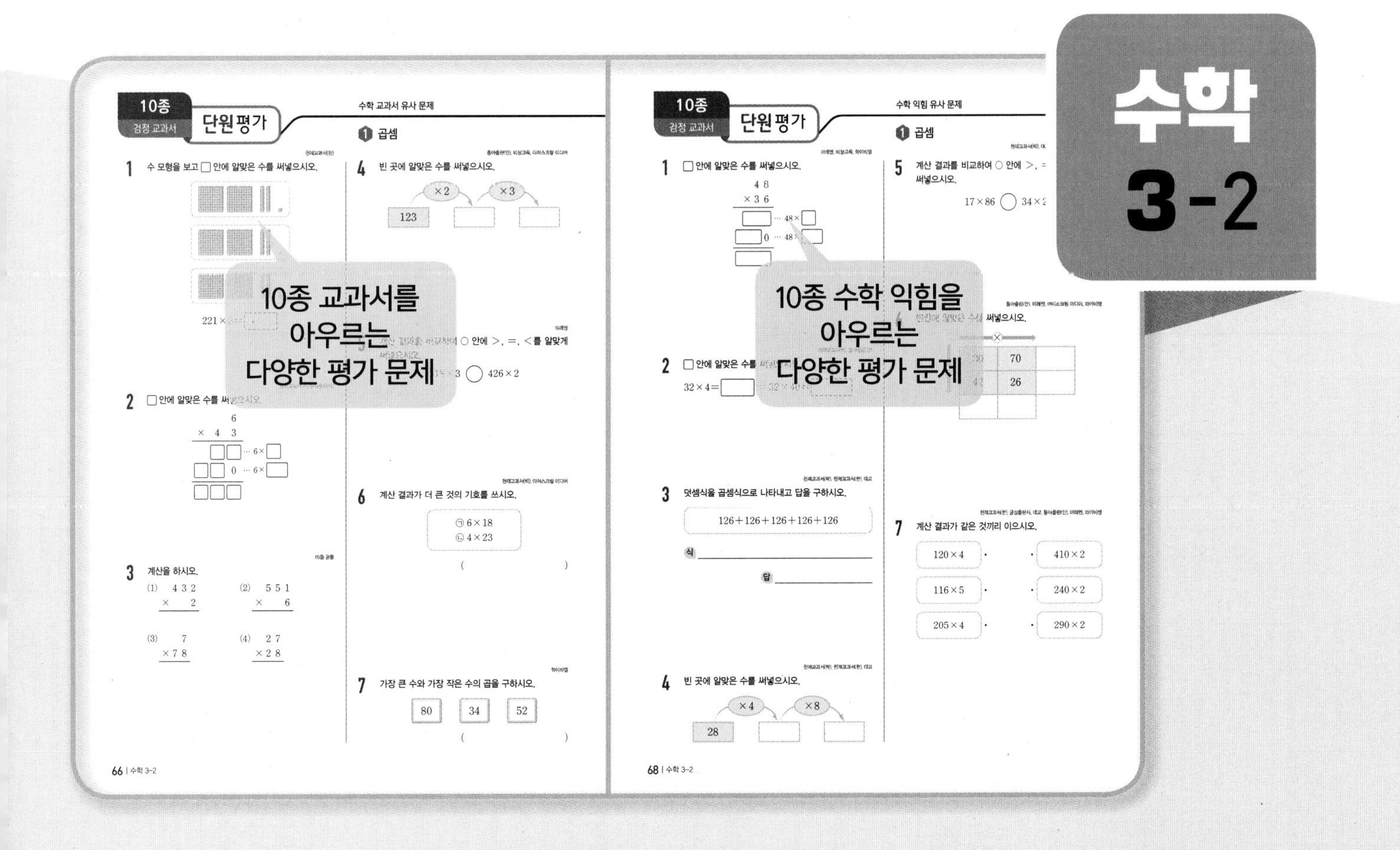

10종 검정 교과서

단원평가

1 곱셈

천재교과서(한)

1 수 모형을 보고 □ 안에 알맞은 수를 써넣으시오.

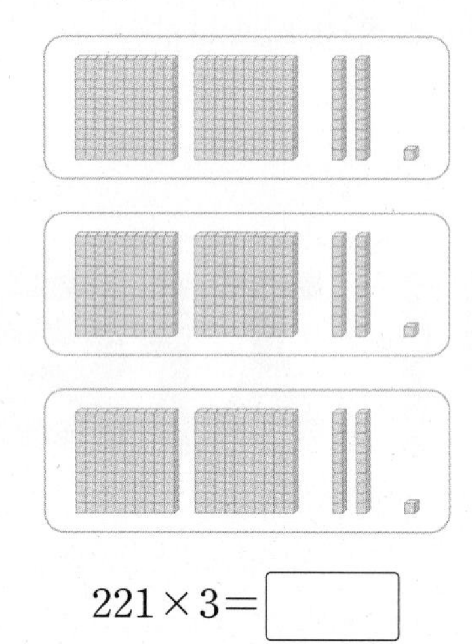

$221 \times 3 =$ □

천재교과서(한), 동아출판(박)

2 □ 안에 알맞은 수를 써넣으시오.

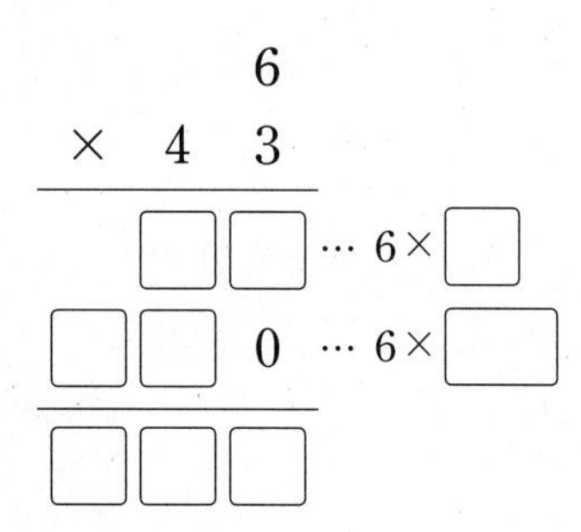

10종 공통

3 계산을 하시오.

(1) $\begin{array}{r} 432 \\ \times \quad 2 \\ \hline \end{array}$

(2) $\begin{array}{r} 551 \\ \times \quad 6 \\ \hline \end{array}$

(3) $\begin{array}{r} 7 \\ \times 78 \\ \hline \end{array}$

(4) $\begin{array}{r} 27 \\ \times 28 \\ \hline \end{array}$

동아출판(안), 비상교육, 아이스크림 미디어

4 빈 곳에 알맞은 수를 써넣으시오.

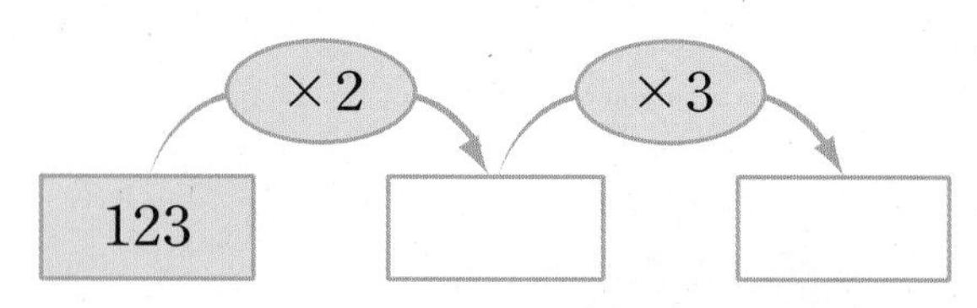

미래엔

5 계산 결과를 비교하여 ○ 안에 >, =, <를 알맞게 써넣으시오.

318×3 ○ 426×2

천재교과서(박), 아이스크림 미디어

6 계산 결과가 더 큰 것의 기호를 쓰시오.

㉠ 6×18
㉡ 4×23

(　　　　　　)

와이비엠

7 가장 큰 수와 가장 작은 수의 곱을 구하시오.

80　34　52

(　　　　　　)

정답 17쪽

천재교과서(한), 대교

8 계산 결과가 가장 작은 것은 어느 것입니까? (　　　)

① 43×26　　② 7×98

③ 231×4　　④ 40×30

⑤ 72×30

천재교과서(박)

9 깡통으로 만든 로봇이 한 줄에 27개씩 43줄로 놓여 있습니다. 깡통으로 만든 로봇은 모두 몇 개인지 구하시오.

(　　　　　　　)

10종 공통

10 잘못된 부분을 찾아서 바르게 계산하시오.

$$\begin{array}{r} 3\ 2 \\ \times\ 2\ 4 \\ \hline 1\ 2\ 8 \\ 6\ 4 \\ \hline 1\ 9\ 2 \end{array} \Rightarrow \square$$

금성출판사, 동아출판(안)

11 △와 ☆에 알맞은 수를 각각 구하시오.

$$\begin{array}{r} 3\ \triangle\ 5 \\ \times\ \ \ \ \ \star \\ \hline 9\ 7\ 5 \end{array}$$

△ (　　　　　　), ☆ (　　　　　　)

와이비엠

12 50원짜리 동전을 수민이는 50개, 미연이는 70개 모았습니다. 수민이와 미연이가 모은 돈은 모두 얼마입니까?

(　　　　　　　)

아이스크림 미디어

13 초콜릿 만들기 체험에서 36명의 학생들이 각각 56개씩 초콜릿을 만들었습니다. 학생들이 만든 초콜릿은 모두 몇 개인지 식을 쓰고 답을 구하시오.

식 ________________

답 ________________

서술형·논술형 문제

금성출판사

14 성준이는 1분에 49걸음씩 걷습니다. 성준이가 1시간 동안 걷는 걸음은 모두 몇 걸음인지 풀이 과정을 쓰고 답을 구하시오.

풀이 ________________

____

____

____

답 ________________

천재교과서(박)

15 도넛 가게에서 오늘 도넛이 4개 들어 있는 상자를 32상자, 도넛이 6개 들어 있는 상자를 23상자 팔았습니다. 이 가게에서 오늘 팔린 도넛은 모두 몇 개인지 구하시오.

(　　　　　　　)

수학

1 곱셈

미래엔, 비상교육, 와이비엠

1 □ 안에 알맞은 수를 써넣으시오.

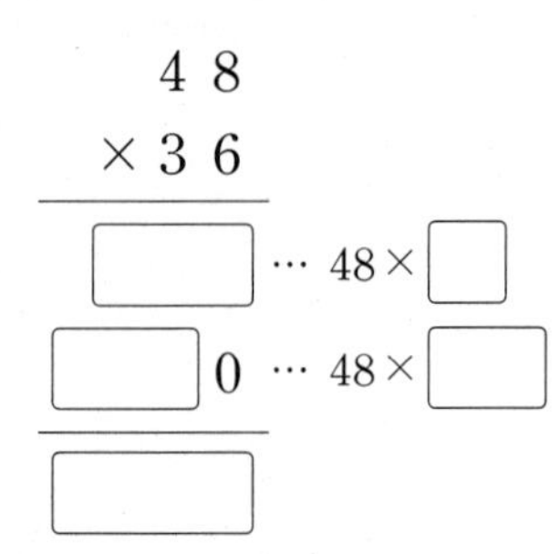

천재교과서(박), 동아출판(안)

2 □ 안에 알맞은 수를 써넣으시오.

$32 \times 4 =$ □ ⇨ $32 \times 40 =$ □

천재교과서(박), 천재교과서(한), 대교

3 덧셈식을 곱셈식으로 나타내고 답을 구하시오.

$126+126+126+126+126$

식 ______________________

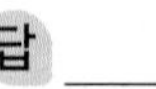
답 ______________

천재교과서(박), 천재교과서(한), 대교

4 빈 곳에 알맞은 수를 써넣으시오.

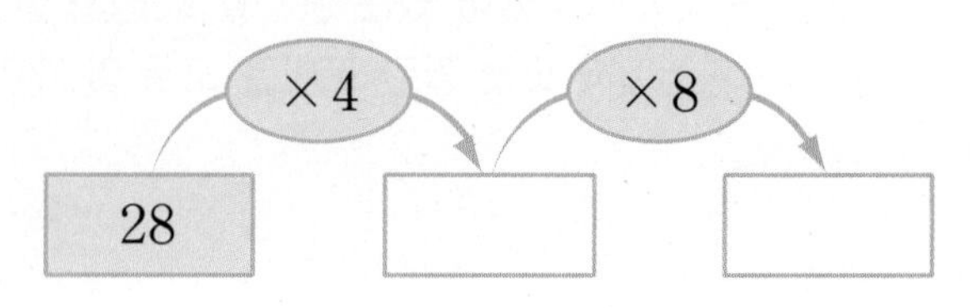

천재교과서(박), 대교, 동아출판(박), 동아출판(안)
미래엔, 아이스크림 미디어

5 계산 결과를 비교하여 ○ 안에 >, =, <를 알맞게 써넣으시오.

17×86 ○ 34×20

동아출판(안), 미래엔, 아이스크림 미디어, 와이비엠

6 빈칸에 알맞은 수를 써넣으시오.

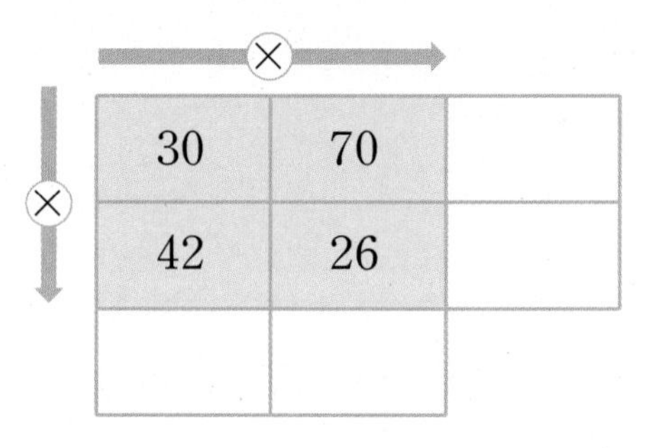

천재교과서(한), 금성출판사, 대교, 동아출판(안), 미래엔, 와이비엠

7 계산 결과가 같은 것끼리 이으시오.

120×4 •	• 410×2
116×5 •	• 240×2
205×4 •	• 290×2

정답 17쪽

금성출판사

8 곱이 20×60보다 큰 것은 어느 것입니까? (　　　)

① 28×30　　② 33×20

③ 19×50　　④ 21×60

⑤ 30×40

천재교과서(박)

9 조건 을 보고 □ 안에 알맞은 수를 써넣으시오.

▲ : 6배
■ : 7배
● : 8배

(1) 48 → ■ → □

(2) 54 → ▲ → □

대교, 미래엔, 아이스크림 미디어

10 계산 결과가 큰 순서대로 기호를 쓰시오.

㉠ 47×21　　㉡ 119×5

㉢ 28×14　　㉣ 45×20

(　　　　　　　　)

천재교과서(한), 동아출판(안), 미래엔, 와이비엠

11 □ 안에 알맞은 수를 써넣으시오.

$$\begin{array}{r} \square\,8 \\ \times\ 2\,\square \\ \hline 1\,9\,0 \\ \square\,6\,0 \\ \hline 9\,\square\,0 \end{array}$$

천재교과서(박), 대교, 동아출판(안), 미래엔, 아이스크림 미디어

12 □ 안에 들어갈 수 있는 자연수 중 가장 작은 수를 구하시오.

$981\times\square>4000$

(　　　　　　　　)

천재교과서(한)

13 사과가 한 상자에 24개씩 들어 있습니다. 76상자에 들어 있는 사과는 모두 몇 개인지 식을 쓰고 답을 구하시오.

식 ______________________

답 ______________

10종 공통

14 가희와 보영이가 계산한 것을 보고 잘못 계산한 사람의 이름을 쓰고 어느 부분을 잘못 계산했는지 설명하시오.

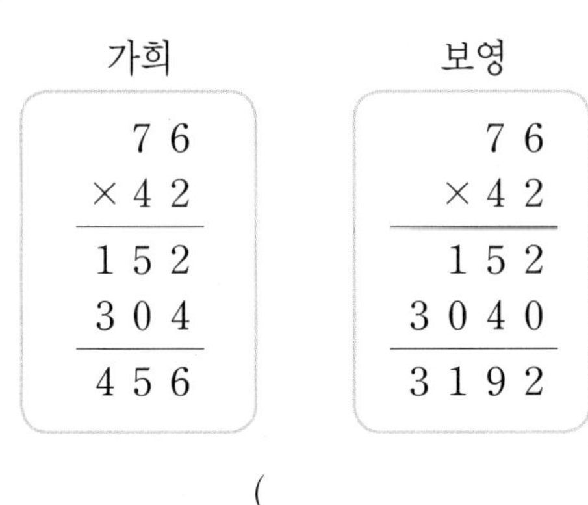

가희
7 6
× 4 2
1 5 2
3 0 4
4 5 6
보영
7 6
× 4 2
1 5 2
3 0 4 0
3 1 9 2

(　　　　　　　　)

____

____

수학

천재교과서(한)

15 무궁화 한 송이의 꽃잎은 5개입니다. 무궁화가 86송이 있다면 꽃잎은 모두 몇 개입니까?

(　　　　　　　　)

천재교과서(박)

16 중국을 다녀오신 아버지께서 유준이에게 중국 돈 5위안을 기념으로 주셨습니다. 유준이가 은행에 갔을 때 중국 돈 1위안은 우리나라 돈 167원과 같았습니다. 유준이가 받은 용돈은 우리나라 돈으로 얼마입니까?

중국 돈 1위안	=	우리나라 돈 167원

(　　　　　　　　)

서술형·논술형 문제

대교

17 한 개에 36원씩 하는 방울토마토 75개와 한 개에 540원씩 하는 감 5개를 샀습니다. 방울토마토와 감을 산 돈은 모두 얼마인지 풀이 과정을 쓰고 답을 구하시오.

풀이 ______________________

____

____

____

답 ______________

천재교과서(한), 금성출판사, 대교, 와이비엠

18 어떤 수에 63을 곱해야 하는데 잘못하여 63을 더했더니 99가 되었습니다. 물음에 답하시오.

(1) 어떤 수를 □라 하고 덧셈식을 만드시오.

(　　　　　　　　)

(2) 어떤 수는 얼마입니까?

(　　　　　　　　)

(3) 바르게 계산한 값을 구하시오.

(　　　　　　　　)

동아출판(박), 동아출판(안), 아이스크림 미디어

19 민수네 학교 도서관에 있는 책장 한 개에는 7칸이 있고 한 칸에는 책이 12권씩 꽂혀 있습니다. 도서관에 있는 책장이 모두 60개일 때 도서관에 있는 책은 모두 몇 권입니까?

(　　　　　　　　)

천재교과서(박), 천재교과서(한), 금성출판사, 동아출판(안), 미래엔, 아이스크림 미디어, 와이비엠

20 4장의 수 카드를 한 번씩만 사용하여 (두 자리 수)×(두 자리 수)의 식을 만들려고 합니다. 계산 결과가 가장 큰 곱셈식을 만들고 답을 구하시오.

2　4　6

식 ______________________

답 ______________

2 나눗셈

비상교육

1 나눗셈식을 보고 □ 안에 알맞은 말을 써넣으시오.

$23 \div 4 = 5 \cdots 3$

23을 4로 나누면 □은 5이고 3이 남습니다.

이때 3을 $23 \div 4$의 □라고 합니다.

아이스크림 미디어

2 □ 안에 알맞은 수를 써넣으시오.

$$\begin{array}{r} \square\square\square \\ 3\overline{)\,6\ \ 0\ \ 0} \\ 6 \\ \hline \square \end{array}$$

대교

3 □ 안에 알맞은 수를 써넣으시오.

$$\begin{array}{rl} 4\,\square & \\ 2\overline{)\,8\ \ 4} & \\ 8\ \ 0 & \leftarrow 2\times\square \\ \hline \square & \\ \square & \leftarrow 2\times\square \\ \hline 0 & \end{array}$$

천재교과서(한)

4 □ 안에 알맞은 수를 써넣으시오.

$28 \div 3 = \square \cdots \square$

$3 \times \square = 27$, $\square + \square = 28$

천재교과서(박), 동아출판(박)

5 □ 안에 알맞은 수를 써넣으시오.

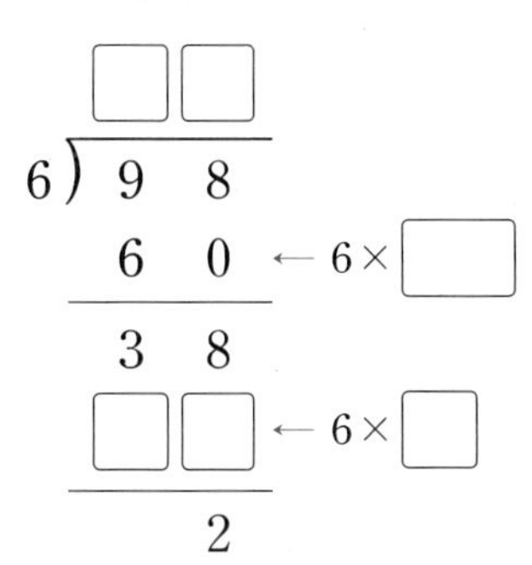

천재교과서(한)

6 나눗셈의 몫과 나머지를 구하시오.

$7\overline{)\,8\ 8}$

몫 (　　　　　　　　)
나머지 (　　　　　　　　)

천재교과서(박), 동아출판(안), 아이스크림 미디어

7 □ 안에 알맞은 수를 써넣으시오.

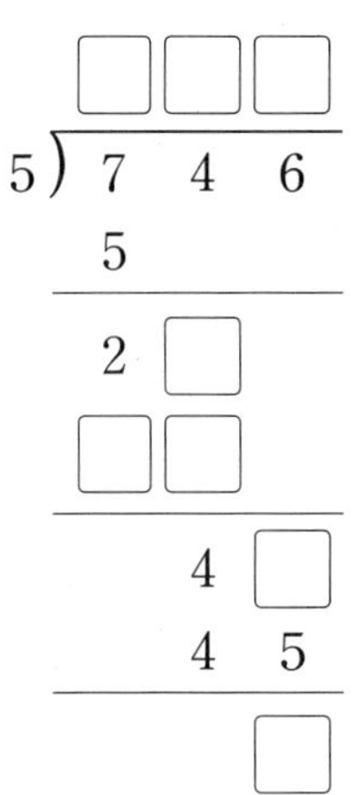

수학

정답 18쪽

10종 공통

8 계산을 하시오.

(1) $8\overline{)896}$

(2) $9\overline{)975}$

비상교육, 아이스크림 미디어

9 나눗셈을 하고 맞게 계산했는지 확인하시오.

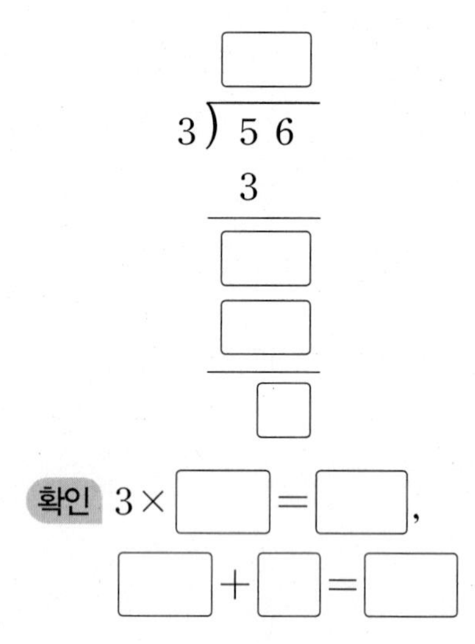

확인 $3\times\square=\square$, $\square+\square=\square$

천재교과서(한), 아이스크림 미디어

10 어떤 수를 6으로 나누었을 때, 나머지가 될 수 <u>없는</u> 것은 어느 것입니까? (　　　)

① 1　　② 2　　③ 4
④ 5　　⑤ 6

아이스크림 미디어, 와이비엠

11 나눗셈의 몫이 큰 것부터 순서대로 기호를 쓰시오.

㉠ $66\div3$	㉡ $46\div2$
㉢ $64\div4$	㉣ $77\div7$

(　　　　　　　　　　)

미래엔

12 7로 나누었을 때 나머지가 3인 수를 모두 찾아 쓰시오.

45　27　36　59　65

(　　　　　　　　　　)

금성출판사, 동아출판(안), 대교

13 사과 70개를 두 상자에 똑같이 나누어 담으려고 합니다. 한 상자에 몇 개씩 담으면 되는지 식을 쓰고 답을 구하시오.

식 ______________________

답 ______________

천재교과서(한)

14 사마귀 다리가 87쌍 있습니다. 사마귀는 몇 마리 있습니까?

(　　　　　　　　　　)

서술형·논술형 문제　천재교과서(박), 비상교육, 동아출판(안)

15 볼펜 52자루를 한 사람에게 7자루씩 나누어 준다면 몇 명까지 나누어 줄 수 있고, 몇 자루가 남는지 풀이 과정을 쓰고 답을 구하시오.

풀이 ______________________

____

____

____

답 ____________, ____________

2 나눗셈

10종 공통

1 □ 안에 알맞은 수를 써넣으시오.

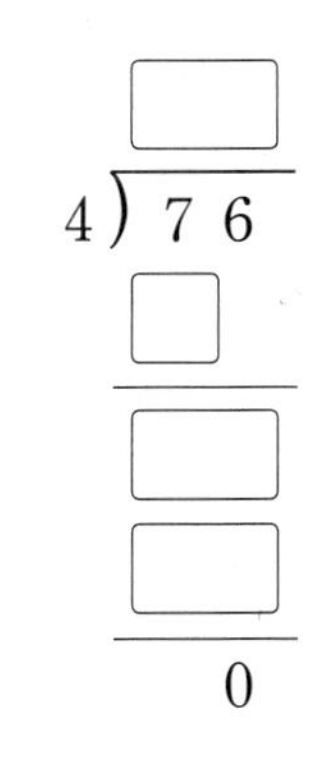

10종 공통

2 계산을 하시오.

(1) $39 \div 3$

(2) $66 \div 6$

미래엔, 아이스크림 미디어, 와이비엠

3 몫이 같은 것끼리 이으시오.

$80 \div 4$ •	• $90 \div 3$
$60 \div 2$ •	• $50 \div 5$
$70 \div 7$ •	• $40 \div 2$

동아출판(안), 대교

4 나눗셈의 몫과 나머지를 구하시오.

$74 \div 8$

몫 (　　　　　　　　)
나머지 (　　　　　　　　)

천재교과서(한), 대교

5 관계있는 것끼리 이으시오.

$69 \div 5$ •	• $5 \times 18 = 90$, $90 + 4 = 94$
$94 \div 5$ •	• $5 \times 13 = 65$, $65 + 4 = 69$

천재교과서(박), 동아출판(안), 와이비엠

6 빈 곳에 알맞은 수를 써넣으시오.

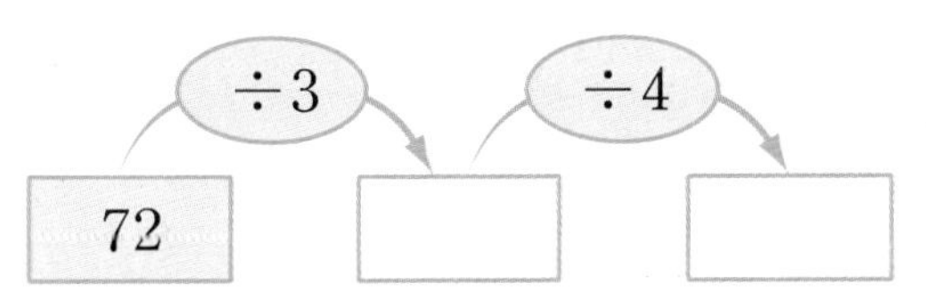

대교

7 잘못 계산한 곳을 찾아 바르게 계산하시오.

$$\begin{array}{r} 7 \\ 3\overline{)25} \\ 21 \\ \hline 4 \end{array}$$

⇨

동아출판(안), 미래엔

8 큰 수를 작은 수로 나눈 몫을 빈 곳에 써넣으시오.

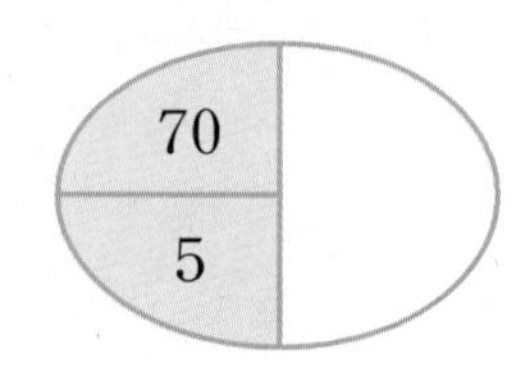

천재교과서(한), 아이스크림 미디어

9 나머지가 3이 될 수 없는 나눗셈은 어느 것입니까?

( )

① □÷8 ② □÷7
③ □÷6 ④ □÷5
⑤ □÷3

천재교과서(한), 동아출판(박)

10 몫이 다른 것을 찾아 ○표 하시오.

30÷2	90÷6
60÷4	90÷9

미래엔, 와이비엠

11 나머지가 가장 큰 것을 찾아 기호를 쓰시오.

㉠ 497÷5 ㉡ 495÷6
㉢ 498÷7 ㉣ 493÷8

( )

천재교과서(한), 대교

12 몫이 큰 것부터 순서대로 빈 곳에 번호를 써넣으시오.

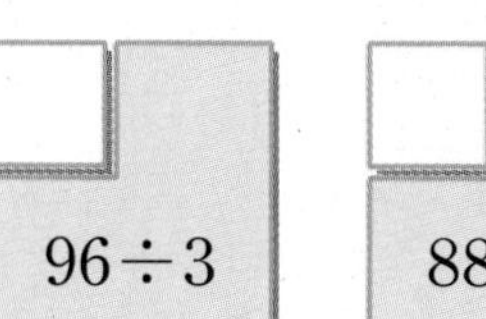

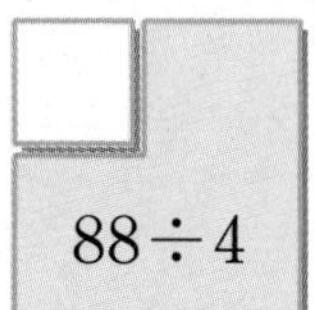

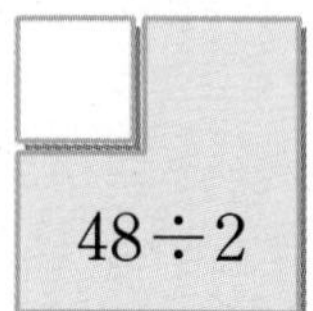

금성출판사, 동아출판(박), 비상교육

13 잘못 계산한 곳을 찾아 바르게 계산하고, 이유를 쓰시오.

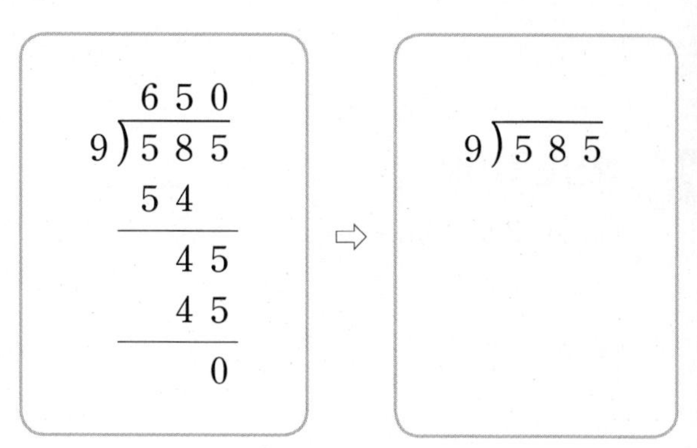

이유 ______________________

____

동아출판(안), 미래엔

14 (몇십몇)÷(몇)을 계산하고 계산이 맞는지 확인한 식이 보기와 같습니다. 계산한 나눗셈식을 쓰고 몫과 나머지를 구하시오.

보기
$3\times19=57,\ 57+1=58$

식 ______________________

몫 __________ 나머지 __________

정답 19쪽

금성출판사, 아이스크림 미디어

15 네 변의 길이의 합이 72 cm인 정사각형입니다. 이 정사각형의 한 변은 몇 cm입니까?

(　　　　　　　　)

와이비엠, 비상교육

16 분필 150개를 다섯 반이 똑같이 나누어 쓰려고 합니다. 한 반에서 쓸 수 있는 분필은 몇 개인지 식을 쓰고 답을 구하시오.

식 ______________________

답 ______________

천재교과서(박), 아이스크림 미디어

17 남학생 22명과 여학생 21명이 있습니다. 학생들을 한 모둠에 3명씩으로 하면 몇 모둠이 되고 남는 학생은 몇 명입니까?

(　　　　　　), (　　　　　　)

동아출판(박), 대교, 미래엔

18 어떤 수를 9로 나누었더니 몫이 7, 나머지가 2가 되었습니다. 어떤 수는 얼마입니까?

(　　　　　　　　)

서술형·논술형 문제

미래엔

19 연필 157자루가 있습니다. 한 사람에게 연필을 4자루씩 나누어 주었더니 남는 연필이 생겼습니다. 연필을 남김없이 나누어 주려면 적어도 몇 자루가 더 있어야 하는지 풀이 과정을 쓰고 답을 구하시오.

풀이 ______________________

____

____

____

답 ______________

천재교과서(한), 아이스크림 미디어

20 민호와 징현이는 각자 가지고 있는 수 카드를 한 번씩만 사용하여 몫이 가장 큰 (세 자리 수)÷(한 자리 수)의 나눗셈을 만들었습니다. 몫이 더 큰 나눗셈을 만든 친구의 이름을 쓰시오.

민호	2	3	5	7
정현	6	9	4	5

(　　　　　　　　)

수학

3 원

와이비엠

1 그림을 보고 □ 안에 알맞은 말을 써넣으시오.

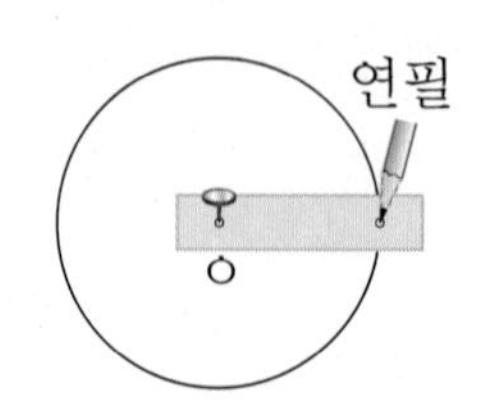

원을 그릴 때 누름 못이 꽂혔던 점 ㅇ을 원의 □이라고 합니다.

10종 공통

2 점 ㅇ은 원의 중심입니다. □ 안에 알맞은 말을 써넣으시오.

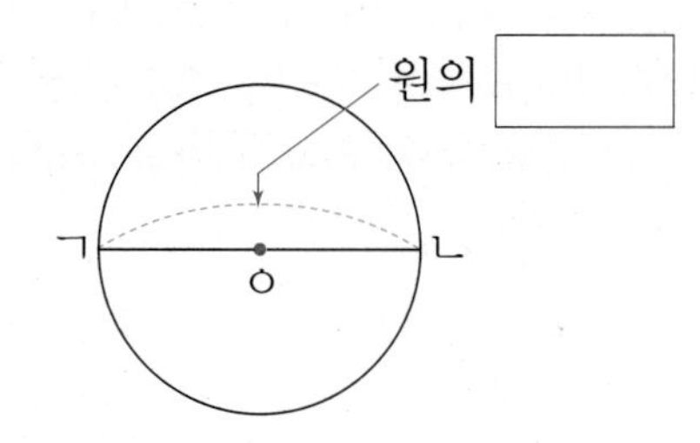

10종 공통

3 원의 중심은 어느 것입니까?

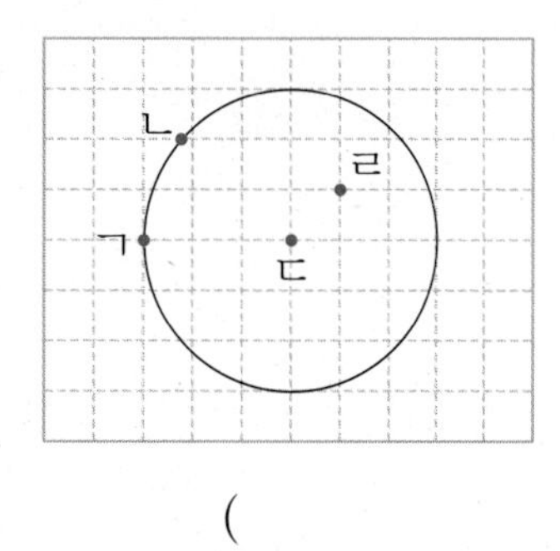

(　　　　　　　)

금성출판사

4 그림을 보고 물음에 답하시오.

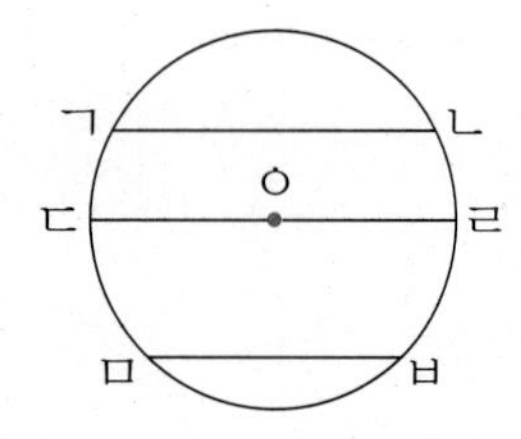

(1) 길이가 가장 긴 선분은 어느 것입니까?

(　　　　　　　)

(2) 원의 지름은 어느 선분입니까?

(　　　　　　　)

천재교과서(박)

5 반지름이 3 cm인 원을 그리려고 합니다. 알맞게 컴퍼스를 벌린 것을 찾아 기호를 쓰시오.

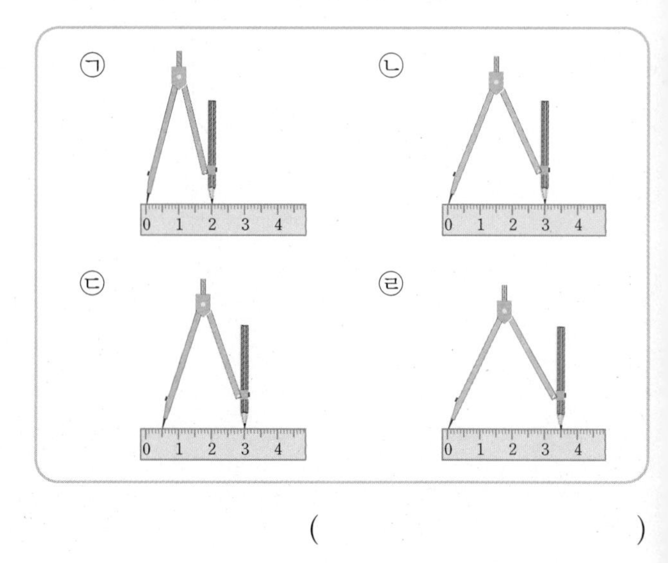

(　　　　　　　)

천재교과서(박)

6 원에 지름을 2개 그으시오.

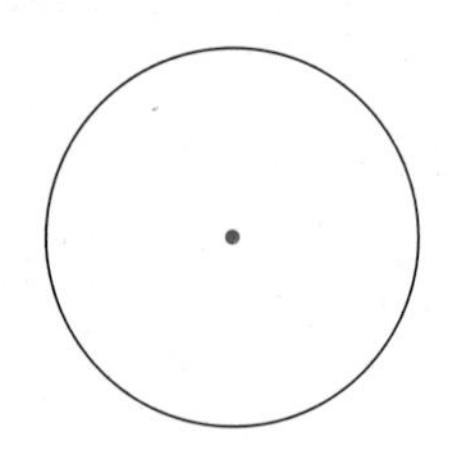

금성출판사, 아이스크림 미디어

7 옳은 것에 ○표, 옳지 않은 것에 ×표 하시오.

(1) 한 원에서 반지름은 길이가 모두 같습니다.

(　　　)

(2) 한 원에서 원의 중심은 5개입니다. (　　　)

대교, 아이스크림 미디어, 비상교육

8 원의 지름과 반지름을 각각 구하시오.

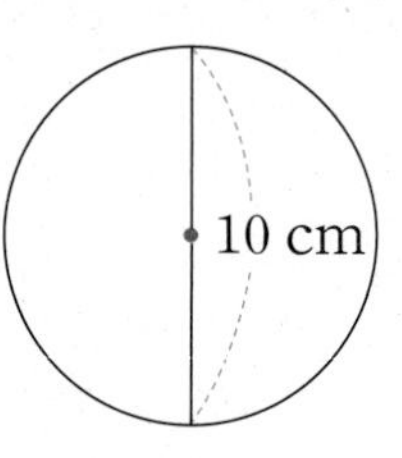

지름 (　　　　　　　)

반지름 (　　　　　　　)

미래엔

9 반지름이 2 cm인 원을 그리시오.

금성출판사, 동아출판(안)

10 다음과 같이 반지름을 모눈 1칸씩 늘려 가며 원을 1개 더 그리시오.

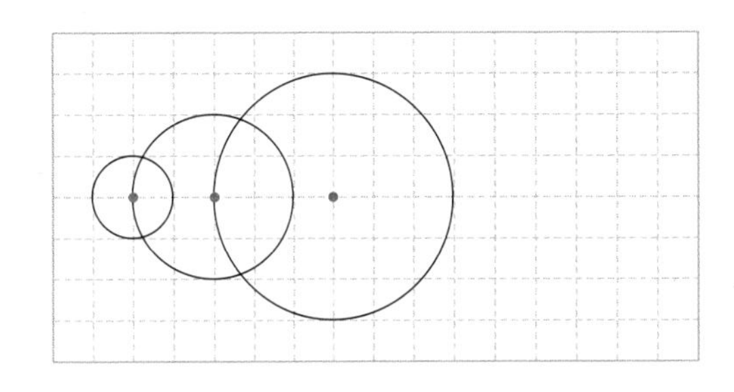

천재교과서(한), 아이스크림 미디어

11 다음 중 옳지 않은 것을 찾아 기호를 쓰고 바르게 고치시오.

㉠ 한 원에서 지름은 반지름의 2배입니다.
㉡ 지름은 항상 원의 중심을 지납니다.
㉢ 한 원에는 반지름을 3개만 그을 수 있습니다.

금성출판사, 동아출판(안), 와이비엠

12 큰 원부터 순서대로 기호를 쓰시오.

㉠ 반지름이 3 cm인 원
㉡ 지름이 9 cm인 원
㉢ 반지름이 4 cm인 원
㉣ 지름이 5 cm인 원

(　　　　　　　　)

대교, 천재교과서(한)

13 주어진 모양과 똑같이 그리시오.

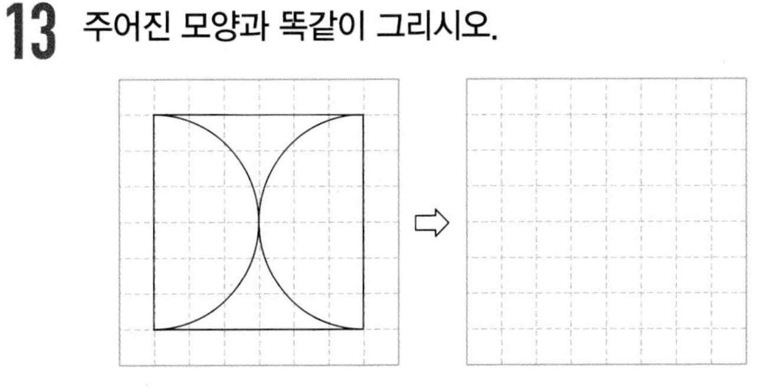

천재교과서(박), 비상

14 주어진 모양과 똑같이 그릴 때, 컴퍼스의 침을 꽂아야 할 곳은 모두 몇 군데입니까?

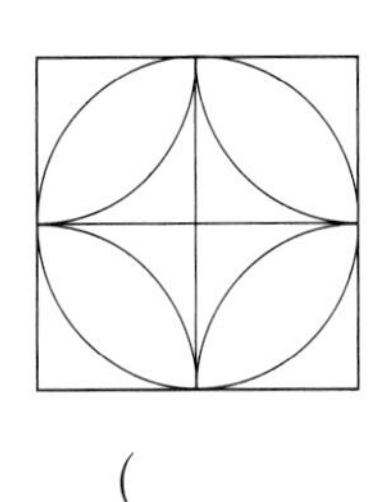

(　　　　　　　　)

서술형·논술형 문제

동아출판(박), 미래엔, 와이비엠

15 두 원의 크기가 같을 때 선분 ㄱㄴ의 길이는 몇 cm인지 풀이 과정을 쓰고 답을 구하시오.

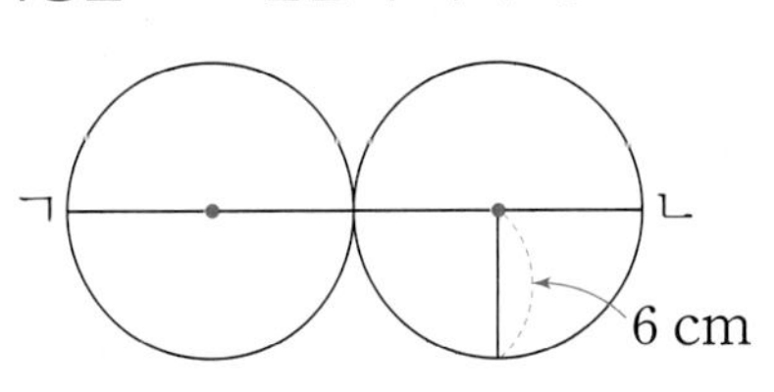

풀이

답

3 원

10종 공통

1 □ 안에 알맞은 말을 써넣으시오.

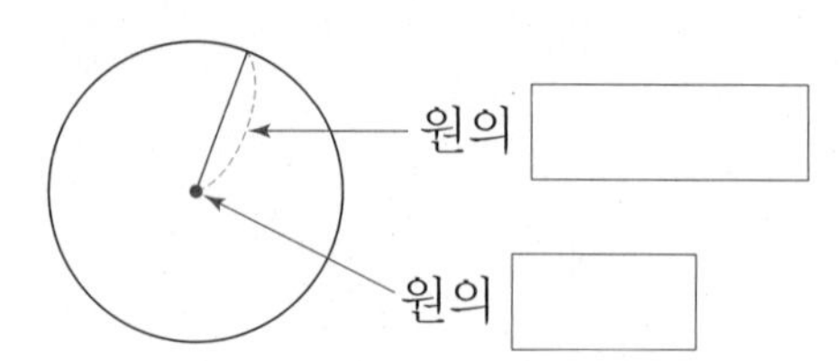

동아출판(박), 미래엔, 비상교육

2 원의 반지름을 나타내는 선분이 아닌 것을 찾아 기호를 쓰시오.

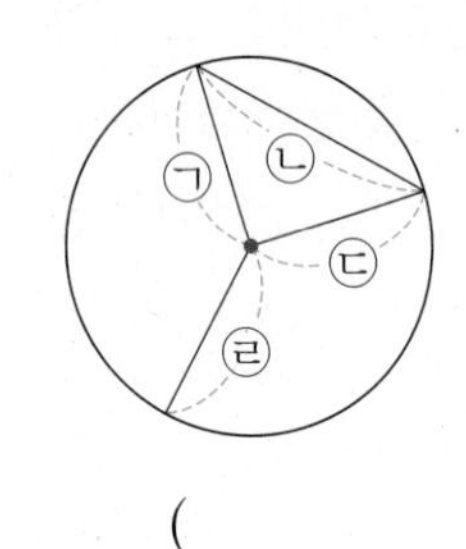

( )

10종 공통

3 원의 지름은 몇 cm입니까?

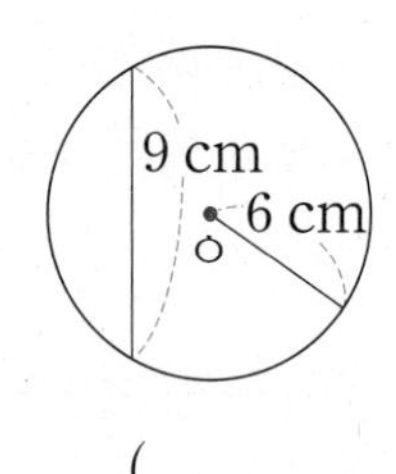

( )

10종 공통

4 □ 안에 알맞은 수를 써넣으시오.

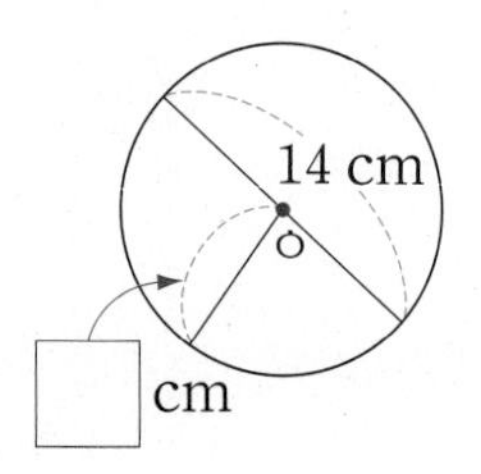

동아출판(박), 아이스크림 미디어, 와이비엠

5 원을 그리려고 컴퍼스를 다음과 같이 벌렸습니다. 그리려는 원의 지름은 몇 cm입니까?

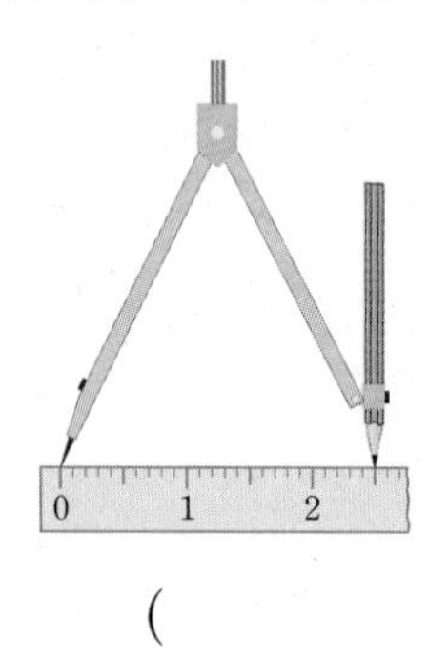

( )

대교, 아이스크림 미디어

6 주어진 선분의 길이를 반지름으로 하는 원을 그리시오.

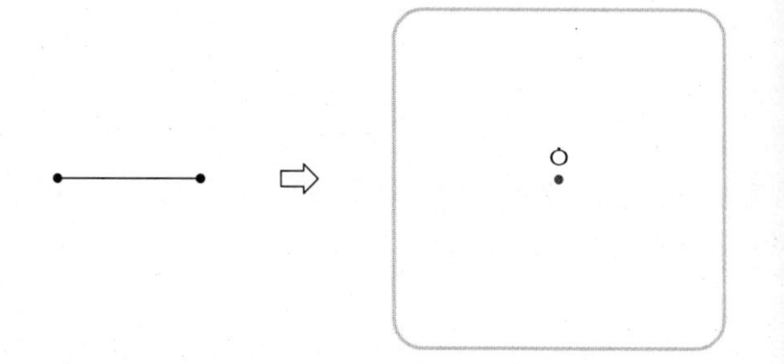

천재교과서(한), 금성출판사

7 반지름이 12 cm인 원의 지름은 몇 cm입니까?

( )

정답 20쪽

금성출판사, 동아출판(박)

8 가장 작은 원을 찾아 기호를 쓰시오.

㉠ 반지름이 12 cm인 원
㉡ 지름이 22 cm인 원
㉢ 반지름이 13 cm인 원
㉣ 지름이 18 cm인 원

( )

10종 공통

9 주어진 모양과 똑같이 그리시오.

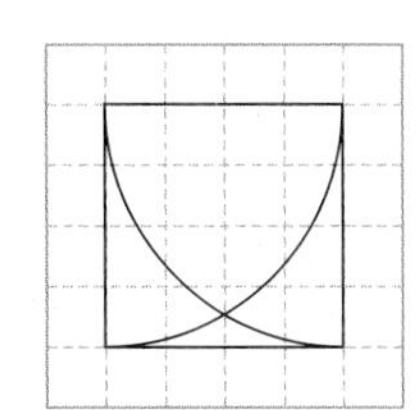

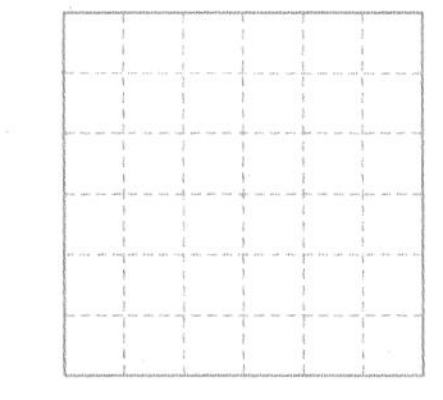

아이스크림 미디어, 와이비엠

10 두 원의 지름의 차는 몇 cm입니까?

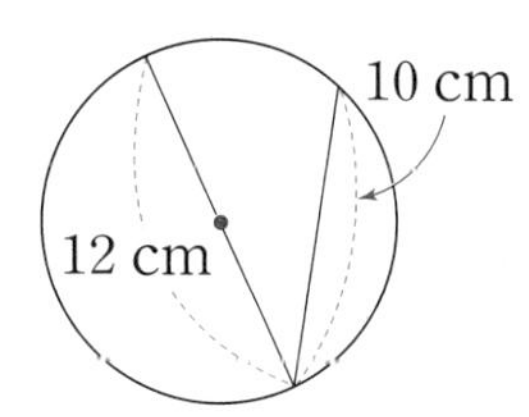

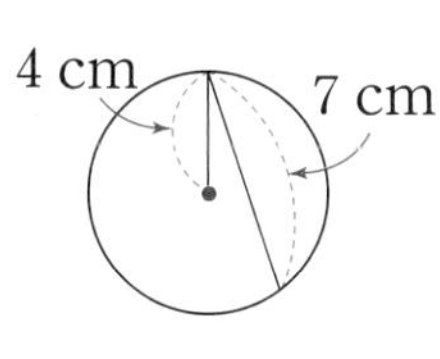

( )

10종 공통

11 그림과 같이 원들이 맞닿도록 지름을 모눈 2칸씩 늘려 가며 원을 1개 더 그리시오.

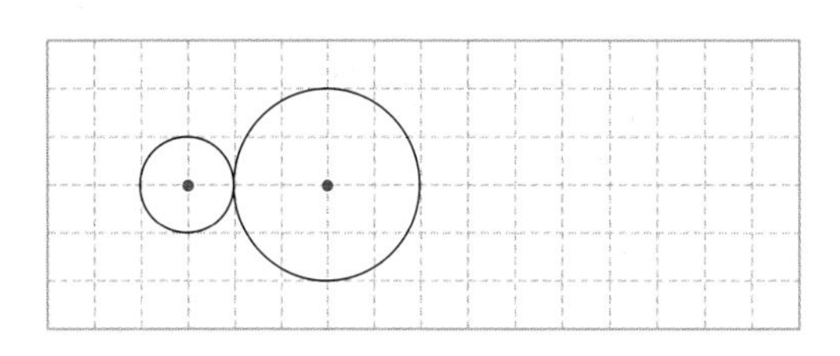

10종 공통

12 그림과 같이 반지름을 모눈 1칸씩 늘려 가며 원을 2개 더 그리시오.

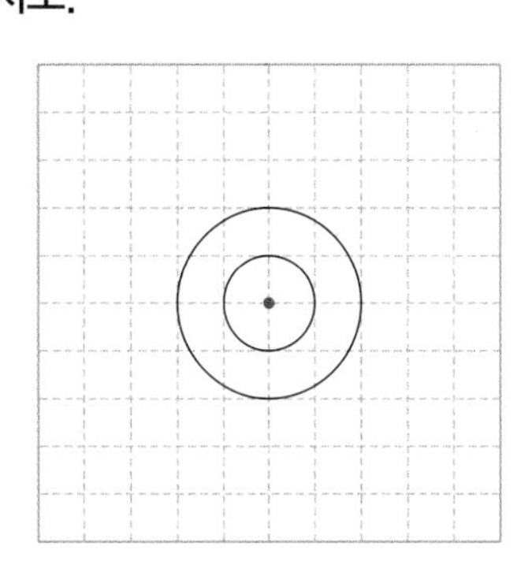

천재교과서(박), 동아출판(박), 아이스크림 미디어

13 선분 ㄱㄴ의 길이를 구하시오.

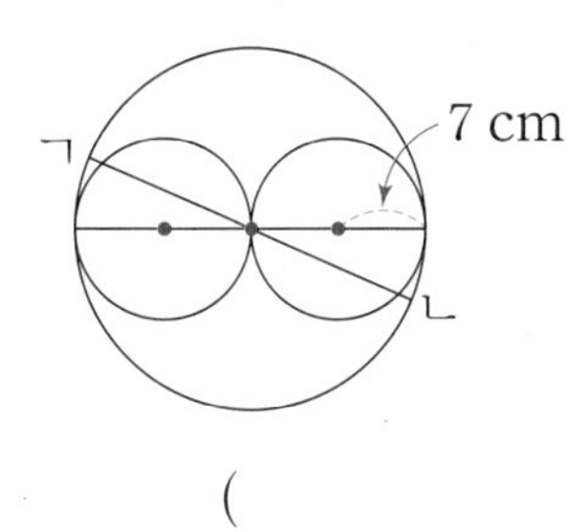

( )

대교, 아이스크림 미디어

14 원의 중심은 옮기지 않고 반지름을 다르게 하여 그린 것의 기호를 쓰시오.

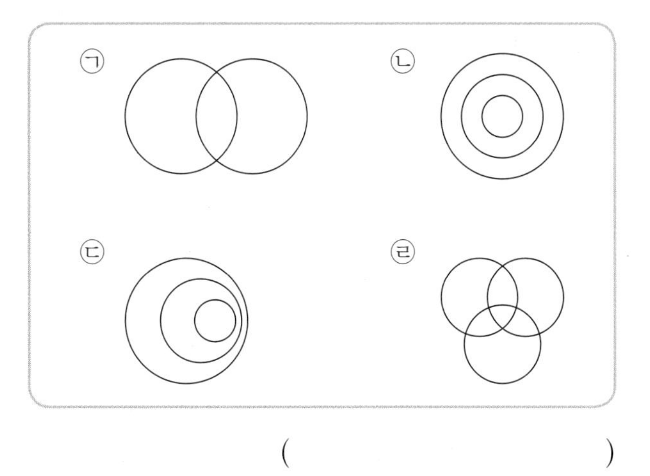

( )

수학

대교, 아이스크림 미디어

15 직사각형 안에 크기가 같은 원 2개가 맞닿도록 그렸습니다. 물음에 답하시오.

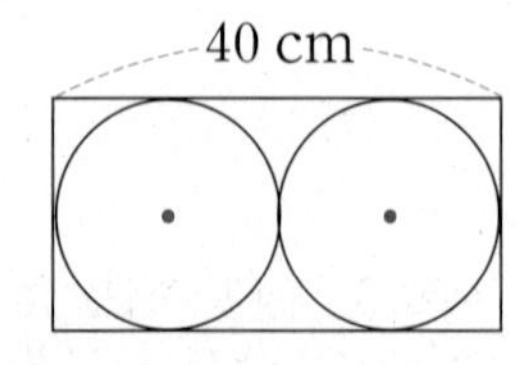

(1) 직사각형의 가로는 원의 반지름의 몇 배입니까?

( )

(2) 원의 반지름은 몇 cm입니까?

( )

[16~17] 다음은 크기가 같은 원 5개를 서로 중심이 지나도록 겹쳐서 그린 것입니다. 물음에 답하시오.

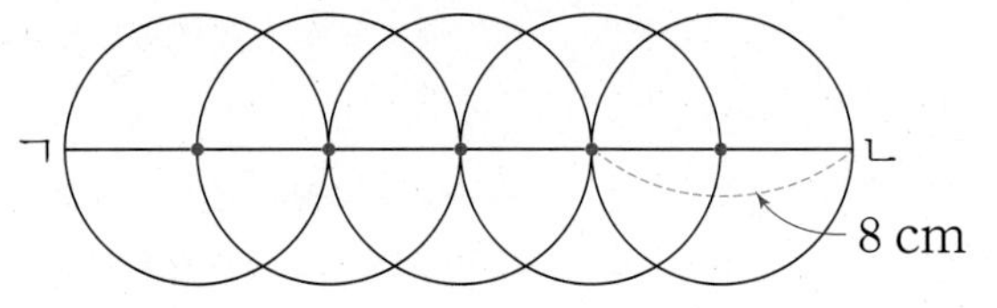

10종 공통

16 원의 반지름은 몇 cm입니까?

( )

천재교과서(한), 비상교육

17 선분 ㄱㄴ의 길이는 몇 cm입니까?

( )

천재교과서(박), 동아출판(박), 동아출판(안)

18 주어진 모양을 그리기 위하여 컴퍼스의 침을 꽂아야 할 곳은 모두 몇 군데입니까?

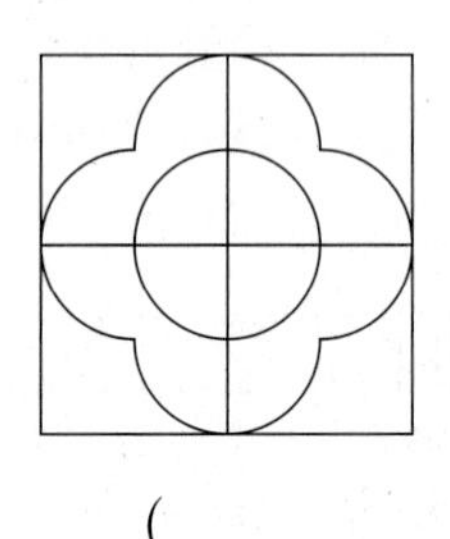

( )

천재교과서(한)

19 크기가 같은 원 3개를 그린 것입니다. 세 원의 중심을 이은 삼각형 ㄱㄴㄷ의 세 변의 길이의 합이 27 cm일 때 원의 지름을 구하시오.

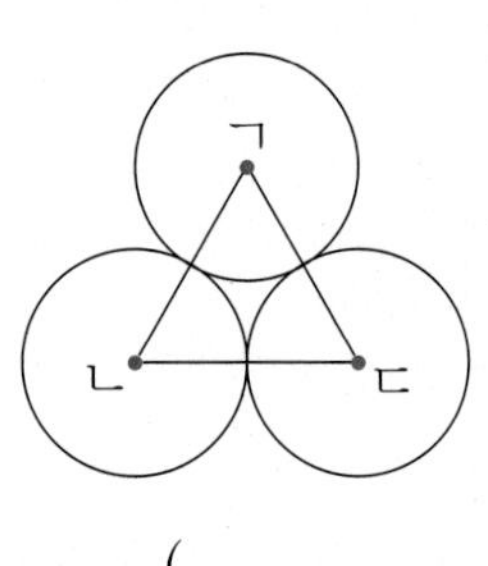

( )

서술형·논술형 문제

비상교육

20 정사각형 안에 크기가 같은 원 4개를 이어 붙여서 그린 것입니다. 정사각형의 네 변의 길이의 합은 몇 cm인지 풀이 과정을 쓰고 답을 구하시오.

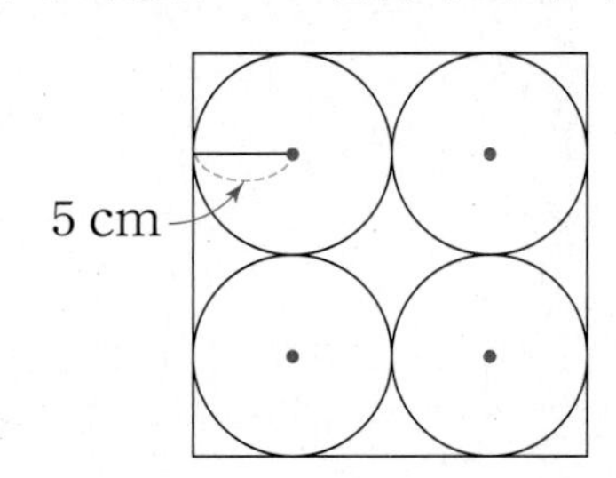

풀이 ______________________

____

____

답 ______________

4 분수

금성출판사, 아이스크림 미디어

1 그림을 보고 □ 안에 알맞은 수를 써넣으시오.

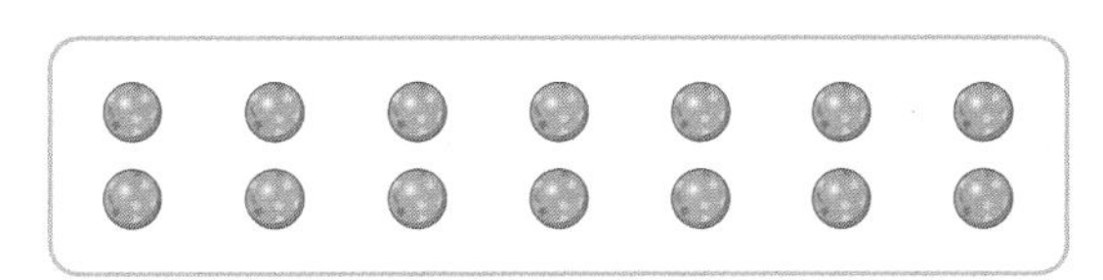

14의 $\frac{3}{7}$은 □입니다.

천재교과서(한)

2 그림을 보고 □ 안에 알맞은 수를 써넣으시오.

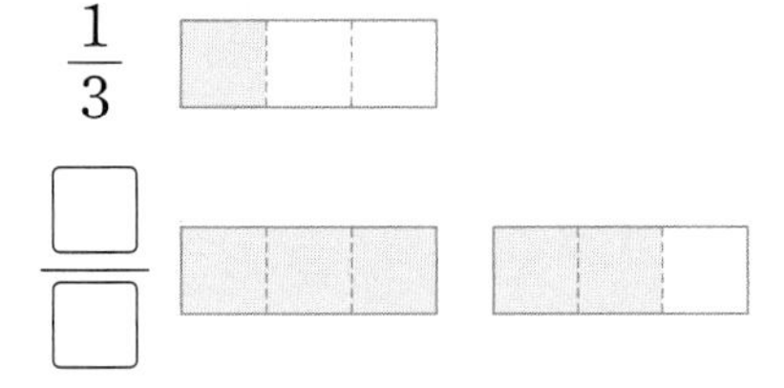

$\frac{1}{3}$

$\frac{\square}{\square}$

10종 공통

3 □ 안에 알맞은 수를 써넣으시오.

0 5 10 15 20 25 30 (cm)

(1) 30 cm의 $\frac{1}{6}$은 □ cm입니다.

(2) 30 cm의 $\frac{4}{6}$는 □ cm입니다.

동아출판(안), 미래엔

4 □ 안에 알맞은 수를 써넣으시오.

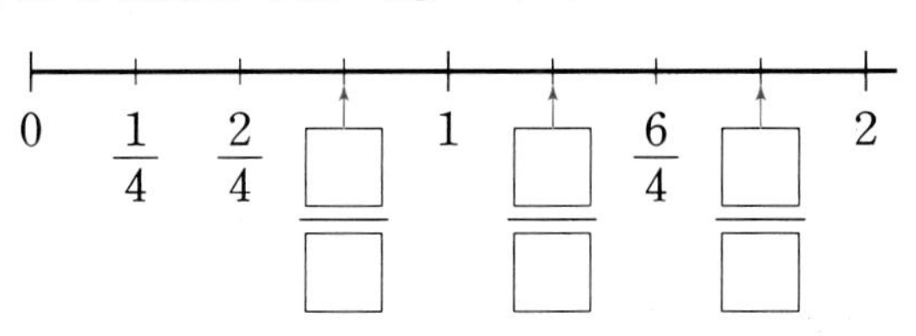

0 $\frac{1}{4}$ $\frac{2}{4}$ $\frac{\square}{\square}$ 1 $\frac{\square}{\square}$ $\frac{6}{4}$ $\frac{\square}{\square}$ 2

금성출판사, 비상교육

5 다음 중 대분수는 어느 것입니까? (　　　)

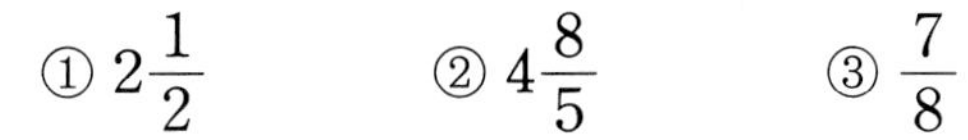

① $2\frac{1}{2}$　② $4\frac{8}{5}$　③ $\frac{7}{8}$

④ $\frac{7}{7}$　⑤ $\frac{1}{9}$

천재교과서(한)

6 그림을 보고 분수의 크기를 비교하여 ○ 안에 $>$, $<$를 알맞게 써넣으시오.

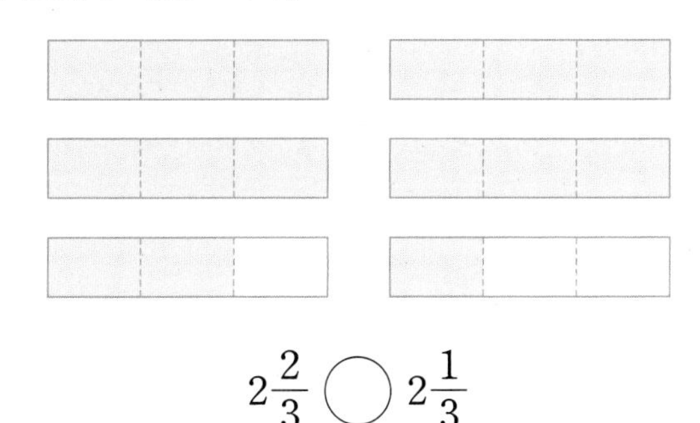

$2\frac{2}{3}$ ○ $2\frac{1}{3}$

동아출판(박), 미래엔

7 그림을 보고 □ 안에 알맞은 수를 써넣으시오.

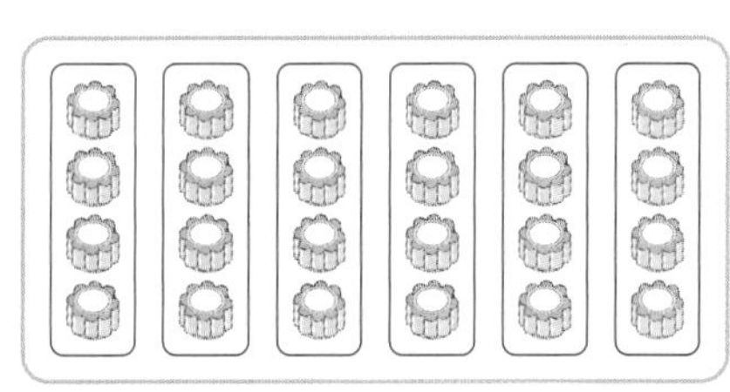

24를 4씩 묶으면 □묶음이 됩니다.

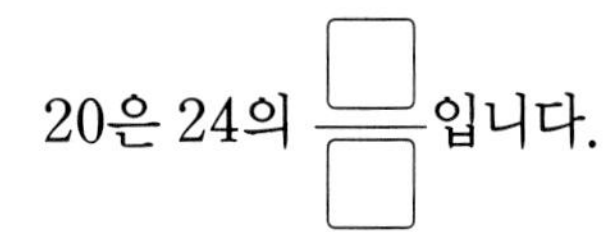

20은 24의 $\frac{\square}{\square}$입니다.

천재교과서(박)

8 그림을 보고 대분수를 가분수로 나타내시오.

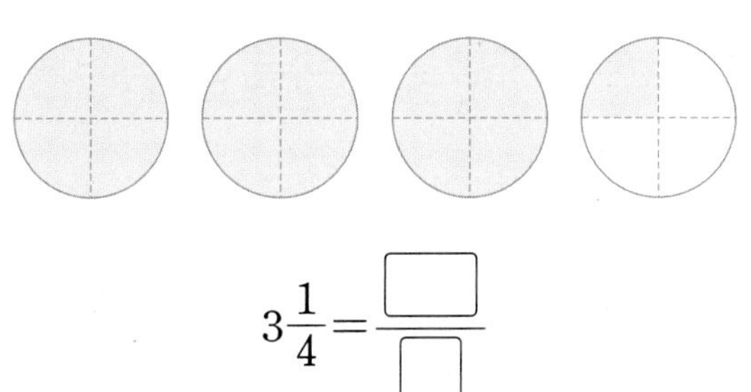

$3\frac{1}{4}=\frac{\square}{\square}$

천재교과서(한), 금성출판사, 와이비엠

9 친구들의 책가방 무게를 분수로 나타냈습니다. 진분수, 가분수, 대분수로 분류하시오.

진분수	가분수	대분수

와이비엠

10 수직선을 보고 물음에 답하시오.

0 ... 1 (m)
0 10 20 30 40 50 60 70 80 90 100 (cm)

(1) $\frac{1}{5}$ m는 몇 cm입니까?

( )

(2) $\frac{3}{5}$ m는 몇 cm입니까?

( )

천재교과서(한), 비상교육, 아이스크림 미디어

11 대분수는 가분수로, 가분수는 대분수로 나타내시오.

(1) $2\frac{2}{9}$ ⇨ ( )

(2) $\frac{11}{8}$ ⇨ ( )

10종 공통

12 분수의 크기를 비교하여 ○ 안에 >, =, <를 알맞게 써넣으시오.

(1) $1\frac{1}{5}$ ○ $\frac{5}{5}$

(2) $4\frac{3}{7}$ ○ $4\frac{5}{7}$

천재교과서(박), 동아출판(안)

13 수 카드 3장 중에서 2장을 골라 만들 수 있는 진분수를 모두 쓰시오.

3 5 8

( )

동아출판(박), 대교, 미래엔

14 크기가 작은 분수부터 순서대로 쓰시오.

$7\frac{3}{6}$ $\frac{25}{6}$ $4\frac{5}{6}$ $\frac{49}{6}$

( )

서술형·논술형 문제 천재교과서(한)

15 서준이는 피아노 학원에 가서 1시간 동안 공부를 합니다. 1시간의 $\frac{1}{3}$ 동안은 이론 공부를 한다면 서준이가 이론 공부를 하는 시간은 몇 분인지 풀이 과정을 쓰고 답을 구하시오.

풀이 ____________

답 ____________

10종 공통

1 □ 안에 알맞은 수를 써넣으시오.

20을 5씩 묶으면 □묶음이 됩니다.

15는 20의 $\frac{\square}{\square}$입니다.

천재교과서(한), 금성출판사, 아이스크림 미디어

2 □ 안에 알맞은 수를 써넣으시오.

(1) 16의 $\frac{1}{4}$은 □입니다.

(2) 16의 $\frac{5}{8}$는 □입니다.

10종 공통

3 진분수에 ○표, 가분수에 △표, 대분수에 □표 하시오.

$\frac{4}{7}$　$\frac{10}{10}$　$3\frac{9}{12}$　$\frac{1}{11}$　$\frac{8}{3}$

10종 공통

4 □ 안에 알맞은 수를 써넣으시오.

0 1 2 3 4 5 6 7 8 9 10 11 12 (cm)

(1) 12 cm의 $\frac{2}{3}$는 □cm입니다.

(2) 12 cm의 $\frac{2}{6}$는 □cm입니다.

10종 공통

5 대분수를 가분수로 나타내시오.

$4\frac{10}{11}$ ⇨ (　　　　)

동아출판(안), 대교, 와이비엠

6 더 긴 것을 찾아 ○표 하시오.

40 cm의 $\frac{1}{5}$　　25 cm의 $\frac{2}{5}$

(　　)　　(　　)

금성출판사

7 분자가 7인 가분수를 모두 찾아 쓰시오.

$\frac{4}{7}$　$\frac{7}{6}$　$\frac{9}{7}$　$\frac{7}{3}$　$4\frac{5}{7}$　$7\frac{1}{3}$

(　　　　)

10종 공통

8 분수의 크기를 비교하여 ○ 안에 >, =, <를 알맞게 써넣으시오.

(1) $2\frac{1}{5}$ ○ $\frac{11}{5}$

(2) $\frac{14}{9}$ ○ $1\frac{7}{9}$

수학

동아출판(안), 대교

9 □ 안에 알맞은 수가 큰 것부터 순서대로 기호를 쓰시오.

㉠ 18을 2씩 묶으면 4는 18의 $\frac{\square}{9}$입니다.

㉡ 18을 3씩 묶으면 9는 18의 $\frac{\square}{6}$입니다.

㉢ 18을 6씩 묶으면 6은 18의 $\frac{\square}{3}$입니다.

(   )

10종 공통

10 조건에 맞게 빨간색과 파란색으로 색칠하여 무늬를 꾸미시오.

조건

빨간색: 20의 $\frac{3}{10}$

파란색: 20의 $\frac{7}{10}$

○ ○ ○ ○ ○ ○ ○ ○ ○ ○

○ ○ ○ ○ ○ ○ ○ ○ ○ ○

아이스크림 미디어, 와이비엠

11 $\frac{8}{9}$보다 큰 분수를 모두 찾아 쓰시오.

$\frac{4}{9}$ $1\frac{2}{9}$ $\frac{7}{9}$ $\frac{10}{9}$

(   )

천재교과서(한), 아이스크림 미디어

12 두 분수의 크기를 비교하여 더 큰 분수를 □ 안에 써넣으시오.

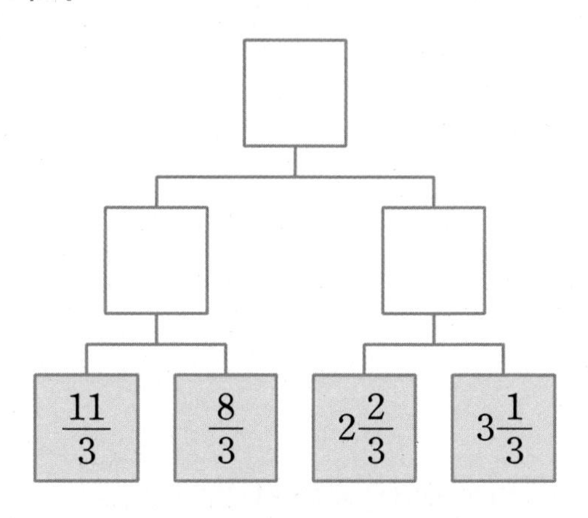

천재교과서(박), 금성출판사, 아이스크림 미디어

13 분모가 8인 분수 중 $3\frac{4}{8}$보다 크고 4보다 작은 대분수를 모두 쓰시오.

(   )

비상교육, 와이비엠

14 다음 분수를 가분수로 나타냈을 때 분자가 가장 큰 분수를 쓰시오.

$2\frac{3}{4}$ $1\frac{5}{7}$ $2\frac{4}{5}$

(   )

정답 22쪽

천재교과서(한), 동아출판(박), 비상교육

15 낮잠을 세은이는 $3\frac{2}{5}$시간 동안 잤고 진호는 $\frac{16}{5}$시간 동안 잤습니다. 낮잠을 더 오랫동안 잔 사람은 누구입니까?

( )

아이스크림 미디어, 와이비엠

16 체리가 24개 있습니다. 아버지께서 24개의 $\frac{1}{3}$만큼을, 어머니께서 24개의 $\frac{1}{4}$만큼을 드시고 나머지는 태영이가 모두 먹었습니다. 누가 체리를 가장 많이 먹었습니까?

( )

금성출판사, 동아출판(박), 대교

17 분자와 분모의 합이 8이고 차가 2인 가분수가 있습니다. 이 가분수를 대분수로 나타내시오.

( )

금성출판사, 와이비엠

18 다음 수 카드 중 3장을 뽑아 분수를 만들려고 합니다. 만들 수 있는 분수 중에서 분모가 6인 가장 큰 대분수를 쓰시오.

3 4 5 6 7

( )

서술형·논술형 문제

천재교과서(한), 동아출판(박)

19 다음 조건을 만족하는 대분수는 모두 몇 개인지 풀이 과정을 쓰고 답을 구하시오.

$$6\frac{3}{5} < \square\frac{\square}{5} < 8\frac{4}{5}$$

풀이

답

대교, 아이스크림 미디어

20 □ 안에 들어갈 수 있는 수 중 가장 큰 수를 쓰시오.

$$\frac{\square}{7} < 5\frac{1}{7}$$

( )

수학

5 들이와 무게

천재교과서(한), 금성출판사, 동아출판(박), 비상교육, 와이비엠

1 물의 양이 얼마인지 눈금을 읽고 □ 안에 알맞은 수를 써넣으시오.

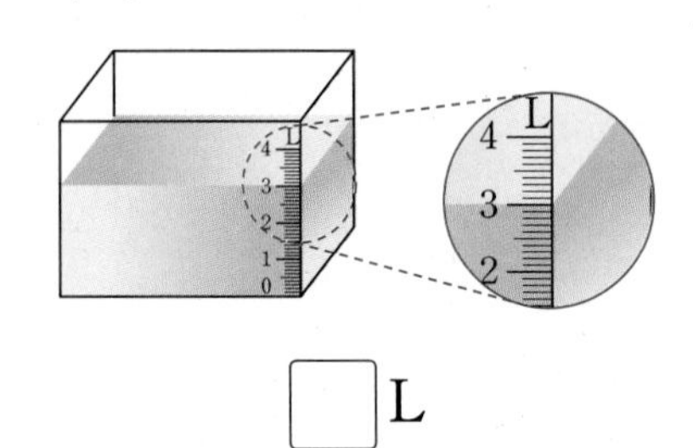

□ L

10종 공통

2 □ 안에 알맞은 수를 써넣으시오.

(1) 5 L=□ mL

(2) 7000 mL=□ L

10종 공통

3 □ 안에 L와 mL 중 알맞은 단위를 써넣으시오.

(1) 요구르트병의 들이는 약 100 □입니다.

(2) 욕조의 들이는 약 50 □입니다.

천재교과서(한), 동아출판(안), 미래엔, 비상교육

4 양동이와 주전자에 물을 가득 채운 후 모양과 크기가 같은 그릇에 옮겨 담았습니다. 그림과 같이 물이 채워졌을 때 들이가 더 많은 것은 어느 것입니까?

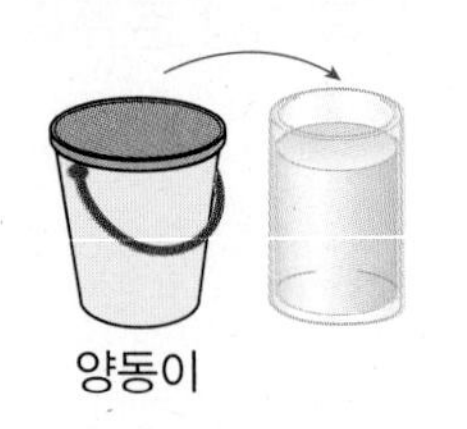

( )

동아출판(안), 미래엔

5 무게가 무거운 것부터 순서대로 기호를 쓰시오.

㉠ 풍선	㉡ 트럭
㉢ 전화기	㉣ 의자

( )

천재교과서(박), 천재교과서(한), 금성출판사, 미래엔

6 다음 물건의 무게를 재는 데 kg과 g 중 알맞은 단위를 쓰시오.

(1) 양말 한 켤레 ( )

(2) 침대 ( )

미래엔, 아이스크림 미디어

7 들이가 1 L인 비커에 다음과 같이 물이 들어 있습니다. 비커에 있는 물을 모두 수조에 부으면 수조에 담긴 물의 양은 모두 얼마인지 구하시오.

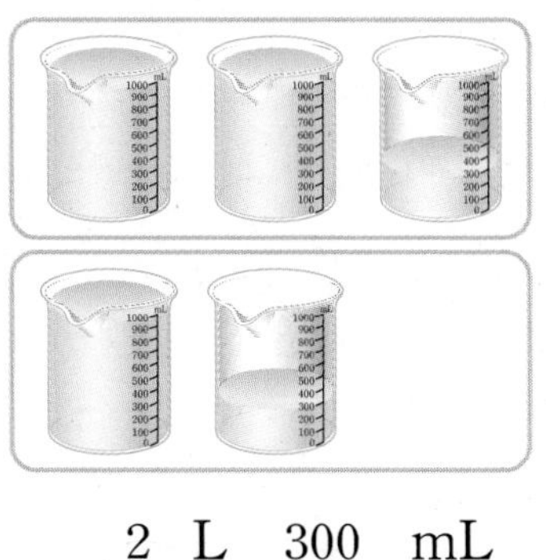

	2 L	300 mL
+	1 L	300 mL
	□ L	□ mL

대교

8 □ 안에 알맞은 수를 써넣으시오.

8500 mL−3000 mL

=□ mL=□ L □ mL

정답 22쪽

10종 공통

9 들이의 계산을 하시오.

(1)
$$\begin{array}{r} 2\text{ L}\ \ 200\text{ mL} \\ +\ 2\text{ L}\ \ 500\text{ mL} \\ \hline \end{array}$$

(2)
$$\begin{array}{r} 4\text{ L}\ \ 800\text{ mL} \\ -\ 1\text{ L}\ \ 200\text{ mL} \\ \hline \end{array}$$

10종 공통

10 무게의 계산을 하시오.

(1)
$$\begin{array}{r} 6\text{ kg}\ \ 500\text{ g} \\ +\ 8\text{ kg}\ \ 400\text{ g} \\ \hline \end{array}$$

(2)
$$\begin{array}{r} 11\text{ kg}\ \ 700\text{ g} \\ -\ \ 2\text{ kg}\ \ 300\text{ g} \\ \hline \end{array}$$

천재교과서(한), 비상교육, 아이스크림 미디어

11 수조에 물을 가득 채우려면 ㉮ 컵으로는 5번, ㉯ 컵으로는 8번 부어야 합니다. 어느 컵의 들이가 더 많습니까?

( )

천재교과서(한), 금성출판사, 미래엔, 와이비엠

12 저울과 바둑돌을 이용하여 감자와 양파의 무게를 잰 것입니다. 감자와 양파 중 어느 것이 바둑돌 몇 개만큼 더 무겁습니까?

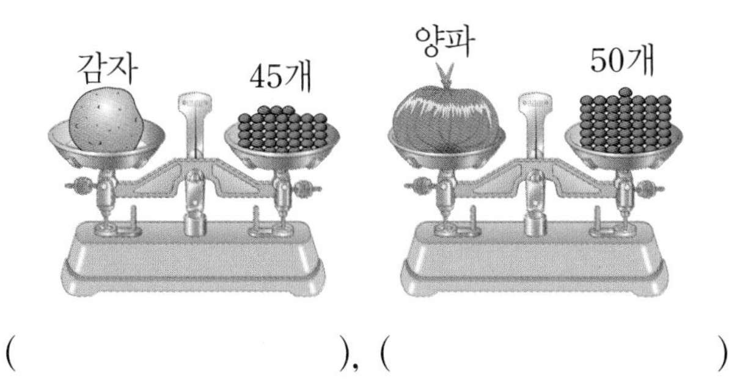

( ), ( )

천재교과서(한)

13 단위가 바르지 않은 문장을 찾아 바르게 고치시오.

- 연필의 무게는 약 5 kg입니다.
- 바둑돌 한 개의 무게는 약 48 g입니다.
- 범고래의 무게는 약 7 t입니다.

동아출판(안)

14 물이 3 L 900 mL 들어 있는 수조가 있습니다. 물을 1 L 600 mL 더 넣으면 수조에 들어 있는 물의 양은 모두 몇 L 몇 mL인지 구하시오.

( )

서술형·논술형 문제

금성출판사

15 몸무게가 32 kg 300 g인 승훈이가 1 kg 500 g짜리 아령을 들고 무게를 재면 몇 kg 몇 g인지 풀이 과정을 쓰고 답을 구하시오.

풀이

답

수학

⑤ 들이와 무게

아이스크림 미디어, 와이비엠

1 들이가 같은 것끼리 이어 보시오.

2400 mL •	• 2 L 40 mL
3020 mL •	• 3 L 20 mL
2040 mL •	• 2 L 400 mL

금성출판사, 대교, 동아출판(박)

2 보기 에서 물건을 선택하여 문장을 완성하시오.

(1) ☐의 들이는 약 10 L입니다.

(2) ☐의 들이는 약 30 mL입니다.

동아출판(박), 동아출판(안)

3 가방은 몇 kg 몇 g입니까?

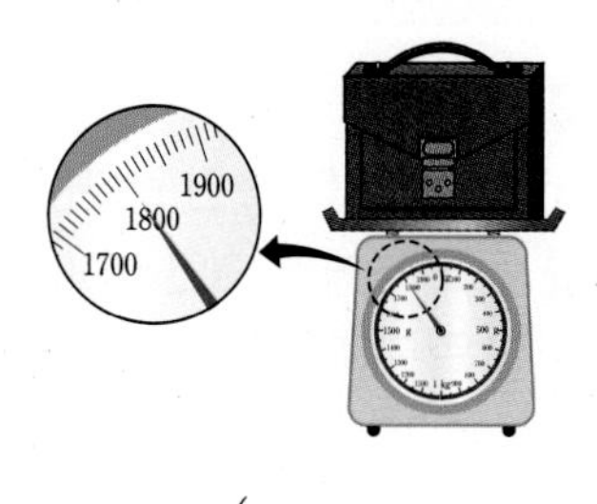

( )

천재교과서(박), 아이스크림 미디어

4 ㉯ 컵에 물을 가득 담아 ㉮ 수조에 6번 부었더니 가득 찼습니다. ㉮ 수조의 들이는 ㉯ 컵의 들이의 몇 배입니까?

( )

천재교과서(박), 미래엔, 비상교육, 아이스크림 미디어

5 크기가 같은 컵으로 주전자와 양동이에 물을 가득 채우려면 주전자는 8컵, 양동이는 14컵을 부어야 합니다. 양동이의 들이는 주전자의 들이보다 몇 컵 더 많습니까?

( )

천재교과서(한), 아이스크림 미디어

6 무게가 같은 것끼리 이으시오.

6 kg •	• 6100 g
6 kg 10 g •	• 6000 g
6 kg 100 g •	• 6010 g

천재교과서(박), 금성출판사

7 들이가 많은 순서대로 기호를 쓰시오.

㉠ 7 L 10 mL	㉡ 7100 mL
㉢ 7000 mL	㉣ 7 L 300 mL

( )

정답 23쪽

10종 공통

8 들이의 계산을 하시오.

(1)
$$\begin{array}{r} 5\text{ L}\ \ 900\text{ mL} \\ +\ 2\text{ L}\ \ 600\text{ mL} \\ \hline \end{array}$$

(2)
$$\begin{array}{r} 7\text{ L}\ \ 400\text{ mL} \\ -\ 2\text{ L}\ \ 800\text{ mL} \\ \hline \end{array}$$

천재교과서(박), 천재교과서(한), 비상교육, 미래엔

9 무게가 1 t보다 무거운 것을 모두 찾아 기호를 쓰시오.

㉠ 세탁기 1대	㉡ 버스 1대
㉢ 냄비 1개	㉣ 트럭 1대

( )

대교, 미래엔, 비상교육, 아이스크림 미디어

10 무게가 무거운 것부터 순서대로 기호를 쓰시오.

㉠ 5 kg 5 g	㉡ 5500 g
㉢ 5050 g	㉣ 50 kg

( )

10종 공통

11 무게의 계산을 하시오.

(1)
$$\begin{array}{r} 4\text{ kg}\ \ 300\text{ g} \\ +\ 3\text{ kg}\ \ 800\text{ g} \\ \hline \end{array}$$

(2)
$$\begin{array}{r} 10\text{ kg}\ \ 600\text{ g} \\ -\ \ 5\text{ kg}\ \ 700\text{ g} \\ \hline \end{array}$$

서술형·논술형 문제

금성출판사, 비상교육, 아이스크림 미디어, 와이비엠

12 같은 과일끼리 무게가 서로 같습니다. 한 개의 무게가 가장 가벼운 과일이 무엇인지 쓰고 이유를 쓰시오.

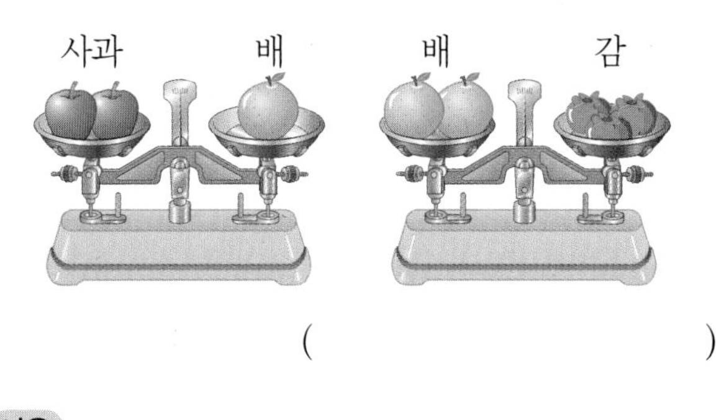

( )

이유 ____________________

____

천재교과서(한), 대교, 동아출판(박), 비상교육, 동아출판(안), 아이스크림 미디어

13 단위가 바르지 않은 문장을 찾아 바르게 고치시오.

- 상추의 무게는 약 30 g입니다.
- 자동차의 무게는 약 2 kg입니다.
- 컴퓨터의 무게는 약 1 kg입니다.

____

____

천재교과서(한)

14 액체 세제 2 L가 있습니다. 그중에서 1 L 400 mL를 사용했습니다. 남은 액체 세제는 몇 mL입니까?

( )

수학

정답 23쪽

대교

15 아버지의 몸무게는 68 kg 200 g이고 기준이의 몸무게는 40 kg 500 g입니다. 아버지는 기준이보다 몇 kg 몇 g 더 무겁습니까?

( )

아이스크림 미디어

16 다음 중 무게가 가장 무거운 것과 가장 가벼운 것의 차는 몇 kg 몇 g입니까?

7 kg 200 g	7500 g
5 kg 700 g	5800 g

( )

천재교과서(박)

17 들이가 500 mL인 컵에 물을 가득 채워 빈 물병에 2번 붓고, 들이가 300 mL인 컵에 물을 가득 채워 1번 부었더니 물병에 물이 가득 찼습니다. 물병의 들이는 몇 L 몇 mL인지 구하세요.

( )

비상교육

18 다음 그릇 3개에 물을 가득 채우려면 물은 모두 몇 L 몇 mL가 필요합니까?

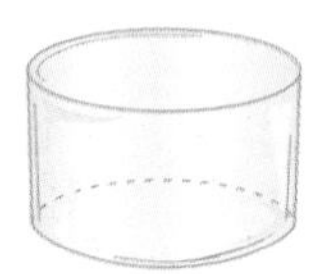

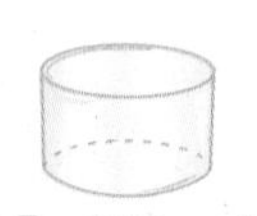

3 L 700 mL　700 mL　1 L 800 mL

( )

천재교과서(한)

19 우유가 4 L 200 mL 있습니다. 어제 1 L 600 mL를 마시고, 오늘 얼마를 마셨더니 900 mL가 남았습니다. 오늘 마신 우유는 몇 L 몇 mL입니까?

( )

천재교과서(박)

20 7 kg까지 담을 수 있는 상자가 있습니다. 이 상자에 무게가 1 kg 200 g인 물건과 3500 g인 물건이 각각 1개씩 들어 있습니다. 상자에 더 담을 수 있는 무게는 몇 kg 몇 g인지 구하시오.

( )

6 자료의 정리(그림그래프)

[1~4] 예윤이네 반 학생들이 좋아하는 학교 행사를 조사하여 표로 나타내었습니다. 물음에 답하시오.

학생들이 좋아하는 학교 행사

학교 행사	운동회	학예회	체험 학습	독서대회	합계
학생 수(명)		10	8	5	30

대교

1 운동회를 좋아하는 학생은 몇 명입니까?

( )

대교, 와이비엠

2 예윤이네 반 학생은 모두 몇 명입니까?

( )

와이비엠

3 학예회를 좋아하는 학생은 독서대회를 좋아하는 학생보다 몇 명 더 많습니까?

( )

대교, 동아출판(박), 비상교육, 와이비엠

4 가장 많은 학생이 좋아하는 학교 행사는 무엇입니까?

( )

[5~7] 송이네 반 학생들이 좋아하는 계절을 조사하였습니다. 물음에 답하시오.

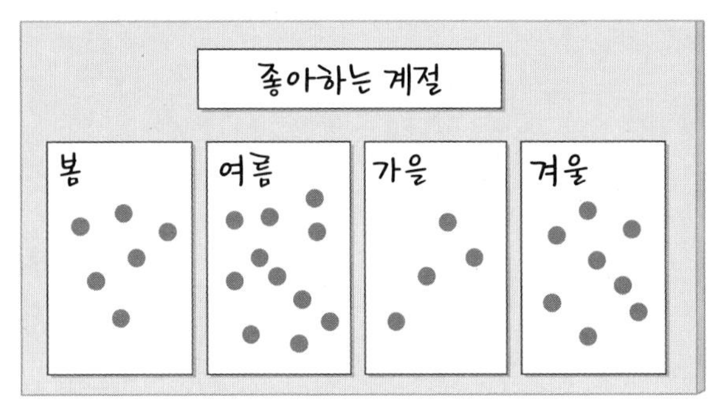

동아출판(박)

5 조사한 것은 무엇입니까?

( )

천재교과서(한), 대교, 동아출판(박), 비상교육, 아이스크림 미디어

6 조사한 자료를 보고 표로 나타내시오.

학생들이 좋아하는 계절

계절	봄	여름	가을	겨울	합계
학생 수(명)					

대교, 동아출판(박), 아이스크림 미디어

7 좋아하는 학생이 많은 계절부터 순서대로 쓰시오.

( )

수학

[8~10] 올해 식목일에 심은 나무의 수를 마을별로 조사하여 나타낸 것입니다. 물음에 답하시오.

마을별 나무 수

마을	나무 수
믿음	🌳🌳🌳🌲
소망	🌳🌳🌳🌳🌲🌲
사랑	🌳🌳🌳🌲🌲
행복	🌳🌳🌳🌲🌲🌲🌲🌲

🌳 10그루
🌲 1그루

천재교과서(박), 천재교과서(한), 금성출판사, 대교, 동아출판(안), 미래엔, 와이비엠

8 그림 🌳와 🌲은 각각 몇 그루를 나타냅니까?

🌳 (　　　　　　)
🌲 (　　　　　　)

10종 공통

9 사랑 마을에서 올해 식목일에 심은 나무는 몇 그루입니까? (　　　　　　)

천재교과서(한), 동아출판(박), 동아출판(안), 미래엔, 와이비엠

10 올해 식목일에 심은 나무의 수가 가장 적은 마을은 어느 마을입니까? (　　　　　　)

[11~14] 진영이네 학교 3학년 학생들이 여행하고 싶은 나라를 조사하여 그림그래프로 나타내었습니다. 물음에 답하시오.

학생들이 여행하고 싶은 나라

나라	학생 수
미국	😊😊😊😊🙂🙂
영국	😊😊😊🙂🙂🙂🙂🙂🙂🙂🙂🙂
스페인	😊🙂🙂🙂🙂🙂🙂🙂🙂
중국	😊😊🙂🙂🙂🙂🙂🙂🙂🙂
호주	😊😊😊🙂🙂

😊 10명
🙂 1명

천재교과서(박), 금성출판사, 미래엔

11 미국을 여행하고 싶은 학생은 몇 명입니까?

(　　　　　　)

금성출판사

12 호주를 여행하고 싶은 학생은 스페인을 여행하고 싶은 학생보다 몇 명 더 많습니까?

(　　　　　　)

동아출판(박)

13 진영이네 학교 3학년 학생은 모두 몇 명입니까?

(　　　　　　)

서술형·논술형 문제

천재교과서(박), 천재교과서(한), 동아출판(박), 동아출판(안), 미래엔, 비상교육, 아이스크림 미디어

14 그림그래프를 보고 알 수 있는 내용을 두 가지 쓰시오.

____

____

[15~16] 지훈이는 우유를 사러 마트에 갔습니다. 물음에 답하시오.

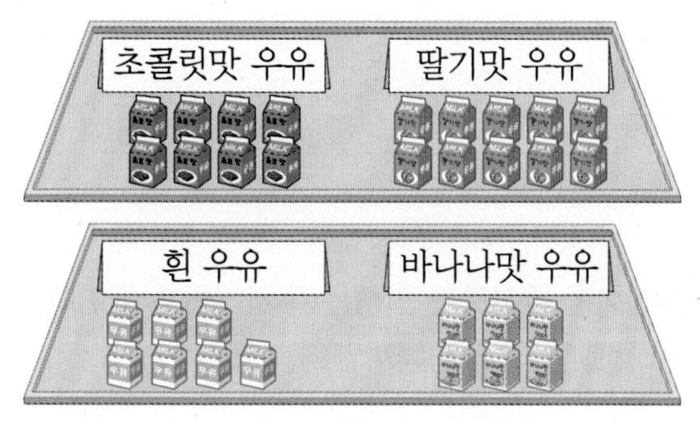

와이비엠

15 마트에 있는 우유의 수를 표로 나타내시오.

종류별 우유의 수

종류	초콜릿맛	딸기맛	흰	바나나맛	합계
우유 수 (개)					

서술형·논술형 문제

대교, 비상교육, 아이스크림 미디어, 와이비엠

16 표를 보고 알 수 있는 내용을 두 가지 쓰시오.

____

____

[17~18] 수연이네 가게에서 지난주에 판매한 아이스크림의 수를 요일별로 조사하여 표로 나타내었습니다. 물음에 답하시오.

요일별 아이스크림 판매량

요일	월	화	수	목	금	토	일	합계
판매량(개)	250	300	180	270	230	400	370	2000

천재교과서(박), 동아출판(박), 동아출판(안), 미래엔

17 표를 보고 그림그래프를 그릴 때 그림을 몇 가지로 나타내는 것이 좋습니까?

( )

10종 공통

18 표를 보고 그림그래프를 완성하시오.

요일별 아이스크림 판매량

요일	판매량
월	
화	
수	
목	
금	
토	
일	

◎ 100개
○ 10개

[19~20] 민영이네 학교 3학년 학생들이 가고 싶어 하는 현장 체험 학습 장소를 조사하여 그림그래프로 나타내었습니다. 물음에 답하시오.

가고 싶어 하는 현장 체험 학습 장소별 학생 수

장소	학생 수
박물관	☺☺ ☺☺☺
미술관	☺☺☺☺ ☺
놀이 동산	☺☺☺ ☺☺☺☺
동물원	☺☺☺☺☺ ☺

(큰 ☺) 10명
(작은 ☺) 1명

천재교과서(한), 금성출판사, 동아출판(안)

19 그림그래프를 보고 잘못된 설명을 찾아 바르게 고치시오.

- 박물관에 가고 싶어 하는 학생 수는 32명입니다.
- 미술관에 가고 싶어 하는 학생 수가 놀이 동산에 가고 싶어 하는 학생 수보다 많습니다.
- 가고 싶어 하는 학생 수가 30명보다 적은 장소는 박물관입니다.

바르게 고치기 ______________________

천재교과서(박), 대교, 동아출판(안), 미래엔, 비상교육, 와이비엠

20 민영이네 학교 3학년 학생들이 현장 체험 학습을 어디로 가면 좋을지 고르고, 그 까닭을 쓰시오.

장소 ______________________

까닭 ______________________

수학

6 자료의 정리(그림그래프)

[1~3] 슬기네 반 학생들이 좋아하는 음식을 조사하였습니다. 물음에 답하시오.

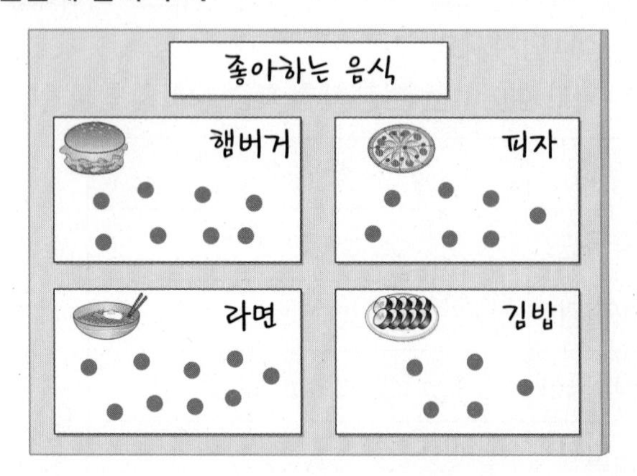

대교, 동아출판(박), 동아출판(안), 와이비엠

1 자료를 수집한 대상은 누구입니까?

( )

천재교과서(박), 천재교과서(한), 대교, 동아출판(박), 동아출판(안), 비상교육, 아이스크림 미디어

2 조사한 자료를 보고 표로 나타내시오.

학생들이 좋아하는 음식

음식	햄버거	피자	라면	김밥	합계
학생 수(명)					

대교, 아이스크림 미디어

3 표를 보고 알 수 있는 내용을 쓰시오.

____

____

[4~7] 영준이네 반 학생들이 운동회에서 하고 싶은 경기를 조사하여 표로 나타내었습니다. 물음에 답하시오.

운동회에서 하고 싶은 경기

경기	달리기	줄다리기	피구	박터뜨리기	합계
남학생 수(명)	6		2	3	16
여학생 수(명)		2	6	2	14

와이비엠

4 빈칸에 알맞은 수를 써넣으시오.

대교

5 운동회에서 가장 많은 여학생이 하고 싶은 경기는 무엇입니까?

( )

대교, 와이비엠

6 운동회에서 가장 많은 남학생이 하고 싶은 경기부터 순서대로 쓰시오.

( )

와이비엠

7 운동회에서 가장 많은 학생이 하고 싶은 경기는 무엇입니까?

( )

정답 24쪽

[8~11] 솔이네 마을 과수원에서 올해 생산한 사과의 양을 조사하여 그림그래프로 나타내었습니다. 물음에 답하시오.

과수원별 사과 생산량

과수원	생산량
가	🍎🍎🍏🍏🍏🍏🍏🍏🍏🍏
나	🍎🍏🍏🍏🍏🍏
다	🍎🍎🍎
라	🍎🍏🍏🍏🍏🍏🍏🍏

🍎 100상자
🍏 10상자

천재교과서(박), 금성출판사, 동아출판(안), 비상교육, 와이비엠

8 어느 과수원의 사과 생산량이 가장 많습니까?

( )

천재교과서(박)

9 사과 생산량이 가 과수원보다 적은 과수원을 모두 쓰시오.

( )

금성출판사, 와이비엠

10 사과 생산량이 가장 많은 과수원과 가장 적은 과수원의 생산량의 차는 몇 상자입니까?

( )

천재교과서(박)

11 그림그래프를 보고 잘못 설명한 문장을 찾아 바르게 고치시오.

- 사과를 가장 적게 생산한 과수원은 나 과수원입니다.
- 다 과수원에서 생산한 사과는 300 상자입니다.
- 다 과수원에서는 가 과수원보다 사과를 200 상자 더 많이 생산했습니다.

바르게 고친 문장

[12~14] 어느 문구점에서 월별 공책 판매량을 조사하여 표로 나타내었습니다. 물음에 답하시오.

월별 공책 판매량

월	5월	6월	7월	8월	합계
판매량(권)	54		38	22	150

아이스크림 미디어

12 6월에는 공책이 몇 권 팔렸습니까?

( )

10종 공통

13 표를 보고 그림그래프를 완성하시오.

월별 공책 판매량

월	판매량
5월	
6월	
7월	
8월	

◎ 10권
○ 1권

서술형·논술형 문제

천재교과서(박), 금성출판사

14 표와 그림그래프의 다른 점을 두 가지 쓰시오.

수학

정답 24쪽

[15~18] 어느 꽃 가게에서 일주일 동안 팔린 꽃의 수를 그림그래프로 나타내었습니다. 물음에 답하시오.

일주일 동안 팔린 꽃의 수

종류	꽃의 수
국화	(큰 꽃 2개, 작은 꽃 5개)
장미	(큰 꽃 3개, 작은 꽃 2개)
튤립	(큰 꽃 1개, 작은 꽃 6개)
카네이션	(큰 꽃 1개, 작은 꽃 4개)

(큰 꽃) 100송이
(작은 꽃) 10송이

천재교과서(한), 금성출판사, 동아출판(박), 동아출판(안)

15 일주일 동안 많이 팔린 꽃부터 순서대로 쓰시오.

( )

천재교과서(박), 대교, 동아출판(박), 동아출판(안)

16 팔린 국화와 튤립의 차는 몇 송이입니까?

( )

천재교과서(박)

17 팔린 꽃의 수가 튤립의 2배인 꽃은 무엇입니까?

( )

천재교과서(박), 천재교과서(한), 금성출판사, 비상교육, 와이비엠

18 내가 꽃 가게 주인이라면 다음 주에는 어떤 꽃을 어떻게 준비하면 좋은지 쓰시오.

[19~20] 주아와 유준이가 학생들이 좋아하는 악기를 조사하여 표로 나타내었습니다. 물음에 답하시오.

학생들이 좋아하는 악기

악기	피아노	바이올린	트럼펫	플루트	합계
학생 수(명)	48	37	19	26	130

천재교과서(박), 동아출판(박), 이이스크림 미디어, 와이비엠

19 주아는 조사한 표를 보고 그림그래프로 나타내려고 합니다. 그림그래프를 완성하시오.

학생들이 좋아하는 악기

악기	학생 수
피아노	
바이올린	
트럼펫	
플루트	

◎ 10명
○ 1명

천재교과서(박), 동아출판(박), 이이스크림 미디어, 와이비엠

20 유준이는 조사한 표를 보고 ◎는 10명, ●는 5명, ○는 1명으로 나타내려고 합니다. 그림그래프를 완성하시오.

학생들이 좋아하는 악기

악기	학생 수
피아노	
바이올린	
트럼펫	
플루트	

◎ 10명
● 5명
○ 1명

실패는 고통스럽다.
그러나 최선을 다하지 못했음을 깨닫는 것은
몇 배 더 고통스럽다.

Failure hurts, but realizing you didn't do your best
hurts even more.

앤드류 매슈스

살아가면서 실패는 누구나 겪는 감기몸살 같은 것이지만
최선을 다 하지 않은 것은 부끄러운 일이라고 합니다. 만약 최선을 다 하고도
실패했다면 좌절하지 마세요. 언젠가 값진 선물이 되어 다시 돌아올 테니까요.

book.chunjae.co.kr

검정 교과서

단원평가 자료집

정답과 풀이

천재교육

1. ❶ 우리 고장의 환경과 생활 모습

❶ 고장의 자연환경과 인문환경

단원평가 2~3쪽

1 ⑤ 2 예 논과 밭, 과수원, 공원 등 사람들이 고장의 자연환경을 이용해 만든 환경이다. 3 ③ 4 ① 5 ③ 6 ③ 7 (1) ○ 8 ④ 9 (2) ○ 10 ①

1 우리 고장을 둘러싼 여러 가지 환경 중에서 산, 들, 하천, 바다와 같은 땅의 생김새와 날씨에 영향을 주는 비, 눈, 바람, 기온 등 자연 그대로의 환경을 자연환경이라고 합니다.

하천

눈

2 인문환경은 인간이 자연환경을 이용해 만든 환경을 뜻합니다.

채점 기준

정답 키워드 사람 | 자연환경 | 이용 | 만들다 '논과 밭, 과수원, 공원 등 사람들이 고장의 자연환경을 이용해 만든 환경이다.'라고 정확히 씀.	상
인문환경의 의미를 썼으나 구체적이지 않음.	하

3 사람들은 목적지까지 빠르고 편리하게 가기 위해 도로를 만듭니다.

4 항구는 배가 드나들 수 있도록 만든 시설입니다.

5 지구본은 지구를 본떠 만든 모형으로 우리 고장의 환경을 조사하는 데 적합하지 않습니다.

6 윤하네 고장 사람들은 산에 공원이나 등산로를 만들어 이용하고 있습니다.

7 준서의 누리 소통망을 보면 들에 논을 만들어 농사를 짓는다는 것을 알 수 있습니다.

8 눈은 겨울에 내립니다.

9 (1)은 얼음 썰매를 타는 모습으로 겨울과 관련 있는 생활 모습입니다.

10 가을철에는 단풍 구경, 벼 수확 등의 생활 모습을 볼 수 있습니다.

❷ 바다와 산을 이용해 살아가는 모습

단원평가 4~5쪽

1 (2) ○ 2 ③ 3 ①, ③ 4 예 잠수함을 타고 바닷속을 구경한 적이 있다. 갯벌에서 조개를 잡아 봤다. 5 바다 6 ① 7 ② 8 ② 9 ⑤ 10 ㉠

1 바다와 모래사장이 있는 고장의 모습입니다.

2 민지네 고장은 바다가 있는 고장으로 ③ 스키장은 산이 많은 고장의 자연환경과 관련 있는 인문환경입니다.

더 알아보기

바다가 있는 고장의 환경
- 자연환경: 바다, 갯벌, 모래사장, 낮은 산, 좁은 들 등
- 인문환경: 항구, 등대, 양식장, 해수욕장, 수산물 직판장 등

3 바다가 있는 고장 사람들은 고기잡이, 해산물 따기, 김이나 미역 양식하기 등 주로 바다를 이용한 일을 하며 살아갑니다.

4 바다가 있는 고장에서는 갯벌에서 조개잡이, 수산 시장 구경하기, 잠수함 타기, 해수욕 즐기기 등의 경험을 할 수 있습니다.

채점 기준

정답 키워드 잠수함 | 갯벌 '잠수함을 타고 바닷속을 구경한 적이 있다.', '갯벌에서 조개를 잡아 봤다.' 등 바다가 있는 고장에서의 경험을 알맞게 씀.	상
바다가 있는 고장에서의 경험을 썼으나 구체적이지 않음.	하

5 고기잡이, 배나 고기잡이 도구 고치기는 바다와 관련된 생활 모습입니다.

6 버섯이 잘 자라고 스키장이 있는 것으로 보아 아람이네 고장은 산이 많은 고장입니다.

7 산이 많은 고장에서는 추운 겨울에 스키장을 운영하기도 합니다.

8 산이 많은 고장에서는 높은 산, 가축을 키우는 목장, 스키장 등을 볼 수 있습니다.

9 산이 많은 고장에서는 약초 캐기, 버섯 재배하기, 목재 얻기 등의 일을 합니다.

10 산에는 농사지을 수 있는 땅이 부족하기 때문에 경사지를 계단처럼 만들어 농사를 짓습니다.

❸ 들을 이용해 살아가는 모습과 여가 생활 모습

단원평가 6~7쪽

1 ㉠, ㉡ 2 지우 3 ⑤ 4 ① 5 ㉡
6 ⑤ 7 (2) ○ 8 (1) 바다가 있는 고장 (2) 예 해양 생물 과학관과 해수욕장은 바다가 있는 고장에서 볼 수 있는 환경이기 때문이다. 9 (1) ㉡ (2) ㉢ (3) ㉠ 10 ②

1 넓은 들에 강이 흐르는 고장의 모습입니다.

2 갯벌은 바다가 있는 고장에서 볼 수 있는 자연환경입니다.

3 넓은 들이 있는 고장 사람들은 주로 들에 논과 밭을 만들어 농사를 지으며 살아갑니다.

더 알아보기

넓은 들이 있는 고장 사람들이 하는 일
- 축사를 만들어 가축을 기릅니다.
- 밭에서 여러 가지 채소를 재배합니다.
- 농기구를 팔거나 수리하는 일을 합니다.
- 논에서 농기계를 이용하여 벼농사를 합니다.
- 농업 기술을 연구하고 농민들에게 알려 주는 일을 합니다.

4 축사는 가축을 기르는 건물입니다.

5 도시에서는 높고 빽빽한 건물들, 잘 발달된 도로를 볼 수 있습니다. ㉠은 산이 많은 고장의 모습입니다.

6 도시에서는 주로 인문환경을 이용한 일을 합니다.

7 도시에서는 자연에서 필요한 것을 직접 얻는 것보다 인문환경을 이용한 생산 활동을 합니다.

8 사람들은 주로 살고 있는 고장의 환경을 이용해 여가 생활을 하지만, 다른 고장에 가서 그 고장의 환경을 이용해 여가 생활을 하기도 합니다.

채점 기준

(1)	'바다가 있는 고장'이라고 정확히 씀.	
(2)	정답 키워드 해양 생물 과학관 | 해수욕장 | 바다 '해양 생물 과학관과 해수욕장은 바다가 있는 고장에서 볼 수 있는 환경이기 때문이다.'라는 내용을 정확히 씀.	상
	바다가 있는 고장이라고 생각하는 까닭을 썼으나 구체적이지 않음.	하

9 사람들은 산에서 등산을 하거나 강에서 래프팅을 하고, 바다에서 서핑을 하기도 합니다.

10 사람들은 영화관에서 영화 보기, 공원에서 산책하기 등 인문환경을 이용해 다양한 여가 생활을 합니다.

1. ❷ 환경에 따른 의식주 생활 모습

❶ 의식주의 의미와 다양한 의생활 모습

단원평가 8~9쪽

1 주생활 2 예 옷 3 예 더위와 추위를 피하기 위해서이다. 안전하게 쉬기 위해서이다. 4 ❶ 계절 ❷ 봄
5 ② 6 ㉡ 7 (1) ○ (2) ○ 8 ㉠
9 ⑤ 10 ①

1 주생활은 아파트와 한옥과 같이 사람들이 머물고 쉬며 잠을 자는 것과 관련된 것입니다.

2 옷이 있어서 피부를 보호할 수 있고, 몸의 온도를 유지할 수 있습니다.

3 집이 없다면 더위와 추위를 견디기 어렵고, 안전하게 쉬기 어려울 것입니다.

채점 기준

정답 키워드 더위 | 추위 | 안전 '더위와 추위를 피하기 위해서이다.', '안전하게 쉬기 위해서이다.' 등의 내용을 정확히 씀.	상
주(집)의 필요성을 썼으나 구체적이지 않음.	하

4 계절에 따라 옷차림이 달라지므로 날씨가 따뜻한 봄에는 얇은 옷을 입거나 가벼운 외투를 걸칩니다.

5 무더운 여름에는 바람이 잘 통하는 반팔 옷과 반바지를 입고, 햇볕을 막으려고 모자를 쓰기도 합니다.

6 높은 산지에 있는 평창은 9월에 서늘하여 긴팔 옷을 입고, 남쪽 끝에 위치한 제주도는 9월에 따뜻하여 반팔 옷을 입습니다. 이처럼 고장의 환경에 따라 옷차림이 달라집니다.

7 덥고 습한 고장에서는 바람이 잘 통하는 가벼운 옷을 입고 햇볕과 비를 피하기 위해 모자를 씁니다.

8 낮과 밤의 온도 차가 큰 고장에서는 낮의 햇볕을 가리기 위해 챙이 넓은 모자를 쓰고, 밤의 추위를 피하기 위해 쉽게 덧입을 수 있는 옷을 걸칩니다.

왜 틀렸을까?

㉡은 춥고 눈이 많이 오는 고장의 의생활 모습입니다. 몸을 보호하기 위해 동물의 털과 가죽으로 만든 두꺼운 옷을 입습니다.

9 모래바람과 햇볕을 막으려고 위아래가 하나로 된 긴 옷을 입고, 천을 머리에 두릅니다.

10 고장마다 옷을 만드는 재료가 다릅니다.

❷ 다양한 식생활 모습과 주생활 모습

단원평가 10~11쪽

1 재첩국　2 ❶ 환경 ❷ 들　3 민정　4 ①
5 (2) ○　6 ⑤　7 ㉠　8 ④　9 ④
10 예 주변에서 흙을 쉽게 구할 수 있기 때문이다. 흙집이 한낮의 햇볕을 막아 주고 저녁에는 열을 품어 따뜻하기 때문이다.

1 하동은 근처 강에서 잡은 조개로 만든 재첩국이 유명합니다.

2 고장마다 환경이 다르고, 그에 따라 고장에서 나는 음식 재료들도 다릅니다. 전주는 넓은 들에서 자란 쌀과 채소로 만든 비빔밥이 유명합니다.

3 고장의 환경에 따라 고장에서 쉽게 구할 수 있는 음식 재료가 다르기 때문에 고장마다 사람들의 식생활 모습이 다릅니다.

4 추운 고장인 러시아는 추운 곳에서도 잘 자라는 호밀로 만든 호밀빵을 즐겨 먹습니다.

5 덥고 습한 고장에서는 주변에서 쉽게 구할 수 있는 열대 과일이나 쌀을 이용한 음식, 기름이나 향신료를 넣어 만든 음식이 발달했습니다.

6 땅의 생김새, 날씨 등 고장의 환경에 따라 집을 짓는 데 사용하는 재료나 집을 짓는 방식이 다양합니다.

7 제주도에서는 주위에서 쉽게 구할 수 있는 새로 지붕을 덮고 지붕이 날아가지 않도록 묶어 두었으며, 돌로 담을 쌓아 바람을 막았습니다.

8 나무를 쉽게 구할 수 있는 고장에서는 나무를 잘라 만든 너와집을 지었습니다.

9 눈과 얼음으로 덮인 추운 고장에서는 사냥을 나왔을 때 추위를 피하려고 눈과 얼음으로 이글루를 지었습니다.

10 사막이 있고 건조한 고장에서는 나무가 잘 자라지 않아 쉽게 구할 수 있는 흙으로 집을 짓습니다.

채점 기준

정답 키워드 흙 | 햇볕 | 열 '주변에서 흙을 쉽게 구할 수 있기 때문이다.', '흙집이 한낮의 햇볕을 막아 주고 저녁에는 열을 품어 따뜻하기 때문이다.' 등의 내용을 정확히 씀.	상
사우디아라비아에서 흙집을 짓는 까닭을 썼으나 구체적이지 않음.	하

2. ❶ 옛날과 오늘날의 생활 모습

❶ 옛날 사람들의 생활 모습

단원평가 12~13쪽

1 ❶ 돌 ❷ 깨뜨려　2 ①, ⑤　3 ①　4 (1) ㉡ (2) ㉠　5 (2) ○　6 예 곡식의 껍질을 벗기고 가루로 만드는 데 사용했다.　7 ④　8 ①　9 유현　10 ㉠

1 옛날 사람들은 돌을 깨뜨려 만든 주먹 도끼로 사냥을 하거나 음식을 손질하는 등 다양한 일을 했습니다.

2 돌을 깨뜨려 만든 도구를 사용한 시대의 사람들은 동굴이나 바위 그늘에서 생활하며 사냥을 하거나 열매를 따 먹었습니다.

3 빗살무늬 토기는 곡식이나 음식을 담는 데 사용되었습니다.

4 가락바퀴는 식물의 줄기를 꼬아 실을 뽑는 데 사용했던 도구이고, 비파형 동검은 제사장이 제사를 지낼 때나 전쟁에서 무기로 사용했던 도구입니다.

5 돌을 갈아서 만든 도구를 사용한 시대에는 주로 강가나 바닷가에 모여 살면서 강이나 바닷가에서 먹을거리를 얻었습니다.

6 갈돌과 갈판은 음식의 재료를 가는 데 사용했던 도구입니다.

채점 기준

정답 키워드 껍질 | 벗기다 | 가루 '곡식의 껍질을 벗기고 가루로 만드는 데 사용했다.' 등의 내용을 정확히 씀.	상
갈돌과 갈판의 쓰임새를 썼으나 구체적이지 않음.	하

7 옛날 사람들은 반달 돌칼을 이용해 곡식을 수확했습니다.

8 농경문 청동기를 보면 당시의 생활 모습을 파악할 수 있습니다.

9 철로 만든 도구를 사용한 시대의 사람들은 일상생활에서도 청동보다 훨씬 단단한 철을 널리 사용했습니다.

10 철로 만든 농사 도구를 사용하면서 더 많은 양의 곡식을 수확할 수 있게 되어 농업이 크게 발달하게 되었습니다.

② 생활 도구의 변화로 달라진 생활 모습

단원평가 14~15쪽

1 ② 2 ① 3 예 곡식 등을 위아래로 흔들어 티끌을 골라낼 때 사용했다. 4 (2) ○ 5 ② 6 ㉠ 7 ④ 8 ②, ⑤ 9 ② 10 준열

1 땅을 가는 도구에는 괭이, 쟁기, 트랙터 등이 있습니다. 낫, 탈곡기, 반달 돌칼은 곡식을 수확하는 도구입니다.

2 키는 곡식 등을 위아래로 흔들어 쭉정이나 티끌을 골라낼 때 사용했던 농사 도구입니다.

왜 틀렸을까?
② 농작물 등의 짐을 얹어 사람이 등에 지고 옮길 때 쓰는 농사 도구입니다.
③ 바닥의 구멍에서 올라오는 뜨거운 김으로 음식을 요리할 때 쓰는 도구입니다.
④ 솜이나 털 등에서 실을 뽑아내는 도구입니다.
⑤ 곡식의 낟알을 떨어내는 데 쓰는 농사 도구입니다.

3 키에 곡식을 담고 위아래나 양옆으로 흔들어 주면 가벼운 쭉정이는 바람에 날아가거나 앞에 남고, 무거운 것은 뒤로 모여 따로 구분할 수 있습니다.

채점 기준

정답 키워드 곡식 | 티끌 | 골라내다 '곡식 등을 위아래로 흔들어 티끌을 골라낼 때 사용했다.' 등의 내용을 정확히 씀.	상
옛날 사람들이 키를 어떻게 사용했는지 썼으나 구체적이지 않음.	하

4 지게는 사람의 힘으로 나를 수 있는 물건을 운반할 때 사용되었던 옛날의 대표적인 운반 도구로, 어느 곳에서나 두루 사용되는 농사 도구였습니다.

5 ㉠은 토기, ㉡은 가마솥에 대한 설명입니다.

6 가락바퀴는 실을 만들 때 이용했던 도구입니다.

7 오늘날에는 전기밥솥의 발달로 불을 피우지 않고도 편리하게 밥을 지을 수 있게 되었습니다.

8 재봉틀은 옷감을 꿰매는 도구, 갈돌과 갈판은 음식 재료를 가는 도구입니다.

9 옷을 만드는 도구의 발달로 다양한 옷을 빠르고 쉽게 만들 수 있게 되었습니다.

10 오늘날에는 입을 수 있는 옷의 종류가 다양해졌고, 필요한 옷을 쉽게 구할 수 있습니다.

③ 집의 변화로 달라진 생활 모습

단원평가 16~17쪽

1 ④ 2 ④ 3 ②, ③ 4 ㉠ 5 ㉡ 6 ② 7 ①, ⑤ 8 ②, ⑤ 9 대청마루
10 예 방 안을 데워 추운 겨울을 따뜻하게 보냈다.

1 옛날 사람들은 동굴과 바위 그늘에서 생활하며 추위와 더위를 피하고, 동물의 공격을 피했습니다.

2 움집은 땅을 파서 기둥을 세우고, 풀과 짚으로 지붕을 덮어 만든 집입니다.

3 집의 모습은 동굴이나 바위 그늘에서 움집, 초가집과 기와집, 아파트 등의 형태로 발달해 왔습니다.

4 움집에 살던 사람들은 하나의 방에서 음식을 만들고, 잠을 자며 생활 도구를 손질했습니다.

5 기와집은 여자들이 생활했던 안채와 남자들이 글공부를 하거나 손님을 맞이했던 사랑채 등으로 구성되어 있습니다.

6 초가집은 볏짚으로 지붕을 덮고, 나무와 흙을 이용해 만든 집입니다.

7 오늘날의 집은 아파트, 단독 주택, 연립 주택 등 다양한 형태가 있습니다.

8 오늘날의 집은 거실과 주방이 연결되어 있고, 화장실이 집 안에 있어 하나의 공간에서 다양한 생활을 할 수 있습니다.

왜 틀렸을까?
②는 가축을 키우고 작물이나 연장을 보관하는 데 쓰이는 공간입니다.

9 대청마루는 한옥에서 방과 방 사이에 있는 나무 마루로, 앞뒤 마당과 트여 있어 시원한 바람이 잘 통했습니다.

10 아궁이에 불을 피우면 방바닥 아래에 깔아 놓은 돌들이 데워지고, 이 돌들이 식지 않고 방을 따뜻하게 만들어 주었습니다.

채점 기준

정답 키워드 데우다 | 겨울 | 따뜻하게 '방 안을 데워 추운 겨울을 따뜻하게 보냈다.' 등의 내용을 정확히 씀.	상
온돌을 통해 알 수 있는 조상들의 생활 모습을 썼으나 구체적이지 않음.	하

2. ❷ 옛날과 오늘날의 세시 풍속

❶ 옛날의 세시 풍속

단원평가 18~19쪽

1 세시 풍속 **2** ③ **3** 정월 대보름 **4** 예 추석에 차례를 지냈다. 추석에 강강술래, 줄다리기 등을 했다.
5 ④ **6** ①, ③ **7** ③ **8** (1) ㉢ (2) ㉡ (3) ㉠
9 ④ **10** ㉤, ㉢, ㉠, ㉣, ㉡

1 풍속은 옛날부터 전해 내려오는 생활 습관을 의미합니다.

2 옛날부터 일정한 시기에 되풀이하여 행해 온 고유의 생활 모습을 세시 풍속이라 합니다. 친구들과 외식하는 것은 고유의 생활 모습이라 보기 어렵습니다.

3 정월 대보름에는 오곡밥과 나물을 먹었습니다.

4 추석에는 풍요와 건강을 기원하며 차례와 성묘를 지냈습니다. 마을 사람들과 함께 강강술래와 줄다리기를 하기도 했습니다.

채점 기준

정답 키워드 추석 | 차례 '추석에 차례를 지냈다.' 등의 내용을 정확히 씀.	상
추석의 세시 풍속을 썼으나 구체적이지 않음.	하

5 농사를 시작하는 삼짇날에는 진달래꽃으로 화전을 만들어 먹고 버드나무로 피리를 만들어 불었습니다.

6 여름철 가장 더운 시기를 세 개로 나눈 것을 삼복이라 하는데, 이때 물놀이를 하고 삼계탕과 육개장 같은 영양이 풍부한 음식을 먹었습니다.

7 농사일이 끝나고 먹을거리가 많아 '가장 좋은 달'이라는 뜻에서 상달이라 불렸습니다.

8 토란국은 추석, 육개장은 삼복, 수리취떡은 단오와 관련 있습니다. 단오에는 더운 여름을 시원하게 지내라는 의미에서 부채를 주고받았습니다. 삼복에는 더위를 이겨 내기 위해 영양이 풍부한 음식을 먹었습니다. 추석에는 수확에 감사하는 마음으로 차례를 지냈습니다.

9 음력 9월 9일인 중양절이 되면 사람들은 단풍이 들고 향기로운 국화꽃이 핀 산으로 나들이를 갔습니다.

10 중양절은 수확을 마무리하는 시기로 음력 9월 9일입니다. 동지는 양력 12월 22일경입니다.

❷ 옛날과 오늘날의 세시 풍속 비교

단원평가 20~21쪽

1 ①, ⑤ **2** ① **3** ② **4** (2) ○ **5** 예 농사와 관련된 세시 풍속이다. 농사가 잘되기를 바라는 마음에서 즐겼던 풍속이다. **6** ④ **7** 직업 **8** ②
9 예 옛날에는 마을 사람들과 윷놀이를 하며 마을의 평안과 풍년을 기원했다. 옛날에는 윷놀이로 한 해의 운세를 점치기도 했다. **10** ②, ③

1 예로부터 추석에는 송편과 토란국을 먹고 수확한 곡식으로 조상들께 차례를 지냈습니다.

2 옛날에는 오늘날보다 다양한 세시 풍속이 있었습니다.

3 겨울에는 보름달을 보며 새해에도 풍년이 들기를 바라고 소원을 빌었습니다.

4 통신, 과학 기술의 발달로 농사를 짓는 사람들이 많이 줄면서 농사와 관련된 세시 풍속도 많이 사라졌습니다.

5 볏가릿대 세우기는 정월 대보름에 곡식을 한지나 헝겊에 싸서 높이 매다는 풍속이고, 거북놀이는 추석에 거북 모양을 만들어 집집마다 찾아다니는 풍속입니다.

채점 기준

정답 키워드 농사 | 잘되다 '농사가 잘되기를 바라는 마음에서 즐겼던 풍속이다.' 등의 내용을 정확히 씀.	상
볏가릿대 세우기와 거북놀이의 공통점을 썼으나 구체적이지 않음.	하

6 오늘날에는 큰 명절을 중심으로만 세시 풍속이 이어져 내려옵니다.

7 오늘날에는 옛날보다 날씨와 계절의 영향을 적게 받기 때문에 세시 풍속이 변화하기도 했습니다.

8 오늘날에는 사람들의 직업이 다양해지면서 농사와 관련된 세시 풍속은 점점 변화하거나 사라지고 있습니다.

9 오늘날에는 가족들과 재미를 위해 윷놀이를 합니다.

채점 기준

정답 키워드 풍년 | 운세 | 점치다 '윷놀이를 하며 풍년을 기원했다.', '윷놀이로 한 해의 운세를 점치기도 했다.' 등의 내용을 정확히 씀.	상
옛날 윷놀이의 특징을 썼으나 구체적이지 않음.	하

10 윷놀이는 네 개의 윷말이 먼저 출발지로 들어오는 편이 이기는 놀이입니다.

3. ❶ 가족의 구성과 역할 변화

❶ 옛날과 오늘날의 혼인 풍습

단원평가 22~23쪽

1 ㉠ 2 ㉢, ㉠, ㉣, ㉡ 3 ⑤ 4 ④, ⑤
5 밤과 대추 6 ⑤ 7 예 외국 문화의 영향을 받았기 때문이다. 사회와 사람들의 생활 모습이 변화했기 때문이다. 8 (2) ○ 9 ④ 10 (1) ○

1 오늘날에도 옛날 방식을 따라 전통 혼례를 올리는 경우도 있습니다.

2 옛날 사람들은 혼인을 통해 가족과 가족이 관계를 맺는다고 생각했습니다.

3 옛날에는 신랑이 신부에게 나무 기러기를 건네주며 혼례가 시작되었습니다.

4 오늘날의 결혼식 모습은 정해져 있지 않고 다양합니다.

5 폐백에서 대추와 밤을 던져 주는 까닭은 자식을 많이 낳고 부자가 되라는 뜻입니다.

왜 틀렸을까?
- 팥죽: 주로 동지에 나쁜 기운을 쫓는 의미로 먹는 음식입니다.
- 떡국: 주로 한 해가 새로 시작되는 설날에 먹는 음식입니다.

6 오늘날에도 전통 양식을 따라 폐백을 드리는 등 옛날의 혼인 풍습과 문화가 완전히 사라진 것은 아닙니다.

7 오늘날에는 온라인 결혼식, 작은 결혼식 등과 같이 결혼식의 형태와 모습이 다양합니다.

채점 기준

정답 키워드 외국 문화 | 생활 모습 | 변화 '외국 문화의 영향을 받았기 때문이다.', '사회와 사람들의 생활 모습이 변화했기 때문이다.' 등의 내용을 정확히 씀.	상
옛날과 오늘날의 혼인 풍습이 달라진 까닭에 대해 썼으나 구체적이지 않음.	하

8 오늘날에는 주로 턱시도와 웨딩드레스를 입고 결혼을 합니다.

9 결혼식을 통해 두 사람의 결혼을 알리고 새로운 가족이 만들어지는 것은 변하지 않았습니다.

10 혼례상에 올리는 것들은 모두 신랑과 신부의 행복한 앞날을 바라는 의미를 담고 있습니다.

❷ 옛날과 오늘날 가족의 형태와 변화

단원평가 24~25쪽

1 확대 가족 2 ④ 3 예 옛날에는 주로 농사를 지으면서 생활했기 때문에 일손이 많이 필요하여 가족들이 모여 살았다. 4 ①, ③ 5 ③
6 1인 가구 7 (1) ○ 8 효경 9 ③ 10 오늘날

1 그림 속에 조부모님, 부모님이 있는 것을 통해 확대 가족임을 알 수 있습니다.

2 확대 가족은 가족 구성원의 수와 관계없이 결혼한 자녀와 부모가 함께 사는 가족을 뜻합니다.

3 옛날에는 일손이 많이 필요했기 때문에 자녀들이 결혼하고 자식을 낳은 후에도 부모님을 도와 농사를 지으며 함께 살았습니다.

채점 기준

정답 키워드 농사 | 일손 '옛날에는 주로 농사를 지으면서 생활했기 때문에 일손이 많이 필요하여 가족들이 모여 살았다.' 등의 내용을 정확히 씀.	상
옛날에 확대 가족이 많았던 까닭에 대해 썼으나 구체적이지 않음.	하

4 두 가족의 형태는 모두 핵가족입니다.

5 오늘날에는 다양한 이유로 가족이 도시로 이동하면서 핵가족이 많아졌습니다.

6 오늘날에는 혼자 사는 사람들이 많아지면서 사회 모습도 변화했습니다.

더 알아보기

1인 가구의 증가
- 다른 가족 없이 혼자 사는 사람들을 1인 가구라고 합니다.
- 오늘날에는 도시에 직장을 구하여 가족과 떨어져 살거나, 다양한 이유로 혼자 사는 사람들이 많아지고 있습니다.
- 혼자 사는 사람들을 위한 음식이나 취미 생활, 의료나 돌봄 서비스가 늘어나는 등 사회 모습도 변화하고 있습니다.

7 (2), (3)은 오늘날 가족 구성원의 역할입니다.

8 옛날에 여자들은 교육 받을 기회가 적었고 주로 청소나 요리, 바느질 등을 배웠습니다.

9 오늘날에는 가족 내에서 성별과 나이에 따른 역할 구분이 없어지고 있습니다.

10 오늘날 집안의 중요한 일을 결정할 때는 가족 구성원이 모두 함께 의논합니다.

❸ 가족 구성원의 역할 변화와 바람직한 역할

단원평가 26~27쪽

1 성준 **2** (2) ○ **3** ⑤ **4** (1) ○ **5** (1) ○
6 ④ **7** ② **8** 역할 **9** 예 방 청소나 숙제를 미루지 않기, 빨래 널기나 신발 정리 등 집안일을 돕기
10 ①

1 전통적인 남녀의 역할 구분에서 벗어나 가족 구성원이 모두 동등하게 명절에 할 일을 나누어 하자는 것이 캠페인의 목적입니다.

2 오늘날에는 성별과 관계없이 같은 교육을 받습니다.

3 오늘날에는 여성의 사회 진출이 활발해졌습니다.

4 오늘날에는 옛날처럼 남녀의 역할이 구분되어 있지 않아 육아 휴직을 하고 아이를 돌보거나 집안일을 하는 아빠들도 많아졌습니다.

더 알아보기

육아 휴직 제도
- 자녀 양육을 위해 일을 잠시 쉬면서 집에서 아이를 돌볼 수 있게 하는 제도를 '육아 휴직'이라고 합니다.
- 오늘날에는 맞벌이 가정이 늘어나면서 가족의 상황에 따라 육아 휴직을 하는 아빠들도 많아졌습니다.

5 엄마는 영희의 약속보다 가족 모임을 더 중요하게 여기셔서 엄마와 영희 사이에 갈등이 발생했습니다.

6 가족 구성원 사이의 갈등을 피하지 않고 대화를 통해 갈등 상황을 해결해야 합니다.

7 가장 먼저 역할극으로 표현할 주제를 정하고 역할극을 만들어야 합니다.

8 행복한 가족생활을 위해서는 가족 구성원으로서 나의 역할을 알고 실천하는 자세가 필요합니다.

9 방 청소, 분리배출, 신발 정리 등 내가 할 수 있는 일을 스스로 찾아 꾸준히 실천하는 태도가 중요합니다.

채점 기준

정답 키워드 집안일 | 돕는다 '방 청소나 숙제를 미루지 않기', '빨래 널기나 신발 정리 등 집안일을 돕기' 등의 내용을 정확히 씀.	상
행복한 가족생활을 위해 내가 할 수 있는 나의 역할에 대해 썼으나 구체적이지 않음.	하

10 가족 구성원끼리 서로의 입장을 생각하며 대화하고, 서로를 배려하는 태도가 필요합니다.

3. ❷ 다양한 가족이 살아가는 모습

❶ 다양한 가족의 형태

단원평가 28~29쪽

1 ③ **2** ④ **3** ① **4** (2) ○ **5** ㉢
6 ㉡ **7** (2) ○ **8** ③ **9** 예 엄마와 아빠가 따로 생활하고 있다. 서로를 아끼고 사랑한다. **10** 예리

1 할머니, 할아버지가 손주와 함께 사는 가족을 조손 가족이라고 합니다. 다양한 이유로 자녀가 부모와 함께 살지 못하는 경우 조부모가 손주를 돌볼 수 있습니다.

2 부모 중 한 사람이 자녀와 함께 사는 가족을 한 부모 가족이라고 합니다. 이혼, 별거, 사별 등의 이유로 한 부모 가족이 생깁니다.

3 1950년 6·25 전쟁 때 헤어진 가족을 이산가족이라고 합니다. 이러한 이산가족들은 오늘날에도 여전히 서로를 그리워하고 있습니다.

4 다른 나라 사람과 우리나라 사람의 결혼으로 만들어진 가족을 다문화 가족이라고 합니다. 다문화 가족은 서로 다른 문화와 말을 이해하고 배우며 자랄 수 있습니다.

5 맞벌이 부부의 경우 결혼 후에도 부모님 집 근처에 살면서 일하는 동안 조부모가 손주를 돌보기도 합니다.

왜 틀렸을까?

㉠ 최근 입양에 대해 긍정적으로 생각하는 사람이 많아져 입양 가족이 늘어나고 있습니다.
㉡ 행복을 위한 개인의 선택을 존중하여 재혼 가족이 늘어나고 있습니다.

6 다시 결혼을 했다는 부분에서 가족 형태가 재혼 가족으로 바뀌었음을 알 수 있습니다. 재혼 가족의 경우 자녀에게 새어머니, 새아버지, 새로운 형제자매 등이 생기기도 합니다.

7 오늘날에는 사회가 변화하면서 다양한 형태의 가족이 늘어나고 있습니다. 사회가 변화하면서 사람들의 생각도 변화하기 때문입니다.

8 부모님 중 한 분이 외국인인 다문화 가족도 있습니다. 경제·사회·문화 등 여러 분야에서 다양한 나라의 문화를 가진 사람들이 활동하게 되면서 국적이 다른 사람들과 가족을 이루기도 합니다.

9 서로 아끼고 사랑하는 모습은 어떤 형태의 가족이든 변하지 않습니다. 여러 가지 이유로 부부가 따로 살게 되는 경우도 있습니다.

채점 기준

정답 키워드 따로 | 사랑 '엄마와 아빠가 따로 생활하고 있다.', '서로를 아끼고 사랑한다.' 등의 내용을 정확히 씀.	상
민우네 가족의 특징을 썼으나 구체적이지 않음.	하

10 가족의 형태에 따라 가족이 살아가는 모습은 다르지만, 가족이 서로를 아끼고 사랑하며 살아가는 모습은 변하지 않습니다.

② 다양한 가족의 생활 모습을 존중하는 태도

단원평가 30~32쪽

1 ㉠ 2 (1) ○ 3 예 특별한 사례를 소개하는 자료가 많다. 4 한서 5 ③ 6 한 부모 가족 7 ④ 8 ㉡ 9 ④ 10 ④ 11 (1) 영진 (2) 예 달걀말이를 그렇게 만들 수도 있구나. 가족마다 달걀말이를 만드는 방법이 다양하구나. 12 ② 13 선미 14 ㉡ 15 ⑤

1 도서 자료나 뉴스 · 신문 기사, 영상 자료에서 다양한 가족의 생활 모습을 찾아볼 수 있습니다.

2 김□□ 씨 부부는 입양 가족으로, 모든 아이들을 사랑으로 보살피고 있습니다.

3 함께 생각해 볼 만한 가족들의 사례가 신문 기사에 담겨 있습니다.

채점 기준

정답 키워드 특별한 | 사례 | 많다 '특별한 사례를 소개하는 자료가 많다.' 등의 내용을 정확히 씀.	상
다양한 가족의 생활 모습을 신문 기사에서 찾아보면 좋은 점을 썼으나 구체적이지 않음.	하

4 다양한 가족의 형태를 불쌍하거나 이상하게 생각하지 않고 존중합니다.

5 독일인 아버지와 한국인 어머니 사이에서 태어난 한△△ 학생은 다문화 가정에서 자라 독일어, 한국어, 영어까지 3개 국어를 할 수 있습니다.

6 엄마, 지유로 구성된 한 부모 가족입니다.

더 알아보기

가족 정원 만드는 방법
- 준비물: 도화지 여러 장, 연필, 색연필, 사인펜, 가위, 풀 등
- 순서
  ① 모둠 구성원 각자 어떤 가족 나무를 만들지 이야기합니다.
  ② 도화지에 가족 구성원의 얼굴을 그리고 그 아래에 나와의 관계를 써서 나무에 붙여 가족 나무를 만듭니다.
  ③ 큰 도화지에 모둠 구성원의 가족 나무를 붙이고 꾸며 가족 정원을 완성하고 소개해 봅니다.

7 모둠 친구들 모두가 역할극에 참여하여 다양한 가족의 형태와 생활 모습을 존중하는 모습을 표현합니다.

8 만화 속에는 한 부모 가족의 생활 모습이 표현되어 있습니다.

9 자신의 모습을 표현하는 것으로는 다양한 가족의 생활 모습을 표현할 수 없습니다.

10 수미네 가족은 아버지가 일본 사람인 다문화 가족입니다.

11 다른 가족의 생활 모습을 이해하고 존중해야 합니다.

채점 기준

정답 키워드 달걀말이 | 방법 | 다양한 '달걀말이를 그렇게 만들 수도 있구나.', '가족마다 달걀말이를 만드는 방법이 다양하구나.' 등의 내용을 정확히 씀.	상
다양한 가족의 생활 모습을 존중하는 말을 썼으나 구체적이지 않음.	하

12 가족 안에서 규칙과 예절을 배울 수 있고, 가족의 형태나 생활 모습과 관계없이 가족 구성원은 서로 존중하고 사랑합니다.

13 사회가 변화하며 가족의 형태와 생활 모습은 달라지므로 서로 다른 가족들을 이해하고 존중해야 합니다.

14 다양한 가족들을 존중하려면 다른 가족의 좋은 점을 찾고, 다른 가족이 어려울 때 도우며, 다른 가족과 우리 가족을 비교하지 않습니다.

15 소라와 서진이 모두 가족 구성원과 함께 어울려 살며 가족을 아끼고 사랑합니다.

왜 틀렸을까?

① 서진이의 아빠는 나이지리아 사람입니다.
② 서진이네 가족은 모두 키가 큽니다.
③ 소라네 가족은 사이좋게 함께 어울려 삽니다.
④ 소라네 가족 구성원들은 김밥의 다양한 재료처럼 성격이 다릅니다.

2. 동물의 생활

❶ 주변에서 사는 동물 / 동물의 분류

단원평가 34~35쪽

1 (1) ㉢ (2) ㉡ (3) ㉠ **2** ④ **3** ①, ③
4 ② **5** 개미 **6** (1) 거미 (2) 예 다리가 네 쌍이다. 거미줄에 매달려 있다. 몸이 머리가슴과 배로 구분된다. 등
7 토끼 **8** ② **9** (1) 붕어, 다슬기 (2) 고양이, 나비
10 대한

1 개와 고양이는 집 주변에서, 금붕어는 연못에서, 까치와 참새는 나무 위에서 주로 볼 수 있습니다.

2 달팽이는 주로 화단에서 볼 수 있는 동물로, 더듬이가 있고 미끄러지듯이 움직입니다.

3 개구리는 올챙이 때에는 꼬리가 있고 물속에서 살지만, 개구리가 되면 물과 땅을 오가며 삽니다.

4 참새는 몸이 깃털로 덮여 있습니다.

5 개미는 몸이 머리, 가슴, 배의 세 부분으로 구분되며, 공벌레는 몸이 여러 개의 마디로 되어 있습니다.

6 거미는 화단에서 볼 수 있고, 소금쟁이는 물웅덩이에서 볼 수 있습니다.

채점 기준

(1)	'거미'를 정확히 씀.	
(2)	정답 키워드 다리 네 쌍 | 거미줄 | 머리가슴과 배 등 '다리가 네 쌍이다.', '거미줄에 매달려 있다', '몸이 머리가슴과 배로 구분된다.' 등의 내용 중 한 가지를 정확히 씀.	상
	거미의 특징을 썼지만 표현이 부족함.	중

7 토끼는 날개가 없는 동물입니다.

8 참새, 나비, 거미는 다리가 있는 동물이고, 뱀, 달팽이, 금붕어는 다리가 없는 동물입니다.

9 붕어와 다슬기는 물속에서 살 수 있는 동물이고, 고양이와 나비는 물속에서 살 수 없는 동물입니다.

붕어

다슬기

고양이

나비

10 '크다', '작다'는 분류하는 사람마다 기준이 다를 수 있으므로 분류 기준으로 알맞지 않습니다.

❷ 땅에서 사는 동물

단원평가 36~37쪽

1 (1) ㉡ (2) ㉠ (3) ㉢ **2** ③ **3** ②
4 (1) 땅 위 (2) 예 걷거나 뛰어서 이동한다. 다리가 두 쌍이 있다. 몸이 털로 덮여 있다. 등 **5** ㉠ **6** ①, ④
7 ㉠ **8** ㉡ **9** (1) 개미, 두더지 (2) 달팽이, 지렁이
10 예 다리가 있는 동물은 걷거나 뛰어서 이동하고, 다리가 없는 동물은 기어서 이동한다.

1 두더지는 땅속, 다람쥐는 땅 위, 개미는 땅 위와 땅속을 오가며 사는 동물입니다.

2 공벌레는 건드리면 몸을 공처럼 둥글게 만듭니다.

3 지렁이는 다리가 없어 기어서 이동합니다.

4 노루, 다람쥐, 소는 모두 땅 위에서 사는 동물로, 다리가 있어 걷거나 뛰어서 이동합니다.

채점 기준

(1)	'땅 위'를 정확히 씀.	
(2)	정답 키워드 걷거나 뛰다 | 다리 두 쌍 | 몸이 털로 덮여 있다 등 '걷거나 뛰어서 이동한다.', '다리가 두 쌍이 있다.', '몸이 털로 덮여 있다.' 등의 특징 중 한 가지를 정확히 씀.	상
	공통적으로 관찰할 수 있는 동물의 특징 한 가지를 썼지만 표현이 부족함.	중

5 땅강아지와 두더지는 땅속에서 사는 동물입니다.

6 뱀과 개미는 땅 위와 땅속을 오가며 생활합니다.

7 땅에서 사는 동물 중 뱀과 지렁이처럼 다리가 없어 기어다니는 동물도 있습니다.

8 땅에서 사는 동물 중 다리가 있는 동물은 걷거나 뛰어서 이동합니다.

9 개미와 두더지는 다리가 있는 동물이고, 달팽이와 지렁이는 다리가 없는 동물입니다.

10 땅에서 사는 동물 중 다리가 있는 동물은 걷거나 뛰어서 이동하고, 다리가 없는 동물은 기어서 이동합니다.

채점 기준

정답 키워드 다리가 있는 동물 | 걷거나 뛰다 | 다리가 없는 동물 | 기다 등 '다리가 있는 동물은 걷거나 뛰어서 이동하고, 다리가 없는 동물은 기어서 이동한다.' 등의 내용을 정확히 씀.	상
다리가 있는 동물과 다리가 없는 동물의 이동 방법 중 한 가지만 정확히 씀.	중

3 물에서 사는 동물

단원평가 38~39쪽

1 ② 2 ㉡ 3 ①, ③ 4 ① 5 ㉠
6 ① 7 ㉢ 8 (1) ㉠ 다슬기 ㉡ 전복 (2) 예 물속 바위에 붙어서 배발로 기어 다닌다. 등 9 ㉠, ㉣ 10 ⑤

1 수달과 개구리는 강가나 호숫가에 사는 동물입니다.

왜 틀렸을까?
① 붕어는 강이나 호수의 물속에 사는 동물입니다.
③ 조개는 갯벌에서 사는 동물입니다.
④ 전복과 오징어는 바닷속에서 사는 동물입니다.
⑤ 다슬기는 강이나 호수의 물속, 고등어는 바닷속에서 사는 동물입니다.

2 게는 갯벌, 다슬기는 강이나 호수의 물속, 오징어는 바닷속에 사는 동물입니다.

3 붕어는 강이나 호수의 물속에서 살고 있습니다.

4 조개는 갯벌에서 사는 동물로, 아가미가 있고 두 장의 딱딱한 껍데기로 몸을 보호합니다.

5 게는 갯벌에서 살고, 다리가 다섯 쌍이 있으며 걸어서 이동합니다.

6 수달은 강가나 호숫가에서 사는 동물입니다. 돌고래, 고등어, 오징어는 바닷속에서 사는 동물입니다.

7 오징어는 바닷속에서 살고, 몸이 긴 세모 모양입니다. 지느러미를 이용하여 헤엄치며 이동합니다.

8 물에서 사는 동물 중 전복이나 다슬기는 물속 바위에 붙어서 배발로 기어 다닙니다.

채점 기준

(1)	㉠에 '다슬기', ㉡에 '전복'을 정확히 씀.	
(2)	정답 키워드 물속 | 바위에 붙다 | 기어 다닌다 등 '물속 바위에 붙어서 배발로 기어 다닌다.' 등의 내용을 정확히 씀.	상
	전복과 다슬기 두 동물이 이동하는 방법을 썼지만 표현이 부족함.	중

9 붕어와 고등어는 지느러미가 있고 몸이 부드럽게 굽은 형태이기 때문에 물속에서 헤엄을 잘 칠 수 있습니다.

10 물에서 사는 동물은 게처럼 다리가 있어 걸어 다니는 동물도 있고, 붕어처럼 지느러미로 헤엄쳐 이동하는 동물도 있으며, 전복처럼 바위에 붙어서 기어 다니는 동물도 있습니다.

4 날아다니는 동물 / 사막, 극지방에서 사는 동물 / 동물 모방의 예

단원평가 40~41쪽

1 ① 2 ㉠ 3 ④ 4 (1) 두(2) (2) 세(3)
5 ①, ③ 6 (1) 사막 (2) 예 낙타는 등에 있는 혹에 지방을 저장하여 먹이가 없어도 며칠 동안 생활할 수 있기 때문이다. 등
7 ㉢ 8 (1) ㉡ (2) ㉠ (3) ㉢ 9 ③ 10 예 수리

1 제비, 나비, 직박구리, 참새, 잠자리, 까치는 날아다니는 동물입니다.

2 날아다니는 동물은 날개가 있습니다.

3 날아다니는 동물 중 잠자리는 곤충이고, 제비, 참새, 까치, 직박구리는 새입니다.

4 나비는 날개를 두 쌍 가지고 있으며, 다리는 세 쌍이 있습니다.

5 날아다니는 동물은 날개가 있고 날개를 이용해 날아서 이동합니다.

6 사막에서 사는 낙타는 등에 있는 혹에 지방을 저장하여 먹이가 없어도 며칠 동안 생활할 수 있습니다.

채점 기준

(1)	'사막'을 정확히 씀.	
(2)	정답 키워드 등에 있는 혹 | 지방 등 '낙타는 등에 있는 혹에 지방을 저장하여 먹이가 없어도 며칠 동안 생활할 수 있기 때문이다.' 등의 내용을 정확히 씀.	상
	낙타가 사막에서 잘 살 수 있는 까닭을 썼지만 표현이 부족함.	중

더 알아보기

낙타가 사막에서 잘 살 수 있는 특징
- 긴 다리가 두 쌍이 있습니다.
- 발바닥이 넓어 모래에 발이 잘 빠지지 않습니다.
- 콧구멍을 열고 닫을 수 있어 모래 먼지가 콧속으로 들어가는 것을 막을 수 있습니다.

7 날아다니는 동물 중에는 새도 있고, 곤충도 있습니다.

8 사막여우는 몸에 비해 큰 귀로 체온 조절을 하고, 북극여우는 몸의 열을 빼앗기지 않기 위해 귀가 작습니다. 황제펭귄은 서로 무리를 지어 추위를 견딥니다.

9 칫솔걸이의 흡착판처럼 거울이나 유리에 붙이는 생활용품은 문어 다리 빨판의 잘 붙는 특징을 활용한 것입니다.

10 집게 차는 수리 발의 특징을 활용한 예입니다.

3. 지표의 변화

❶ 화단 흙과 운동장 흙의 특징

단원평가 42~43쪽

1 ㉡ 2 화단 흙 3 ㉡, ㉢ 4 화단 흙 5 ②
6 ㉢ 7 ④ 8 운동장 흙
9 (1) ㉠ (2) 예 식물의 뿌리나 줄기, 마른 나뭇가지, 마른 잎, 죽은 곤충 등 물에 뜨는 물질이 많다. 부식물이 많아 식물이 잘 자란다. 등 10 ⑤

1 돋보기를 이용해 화단 흙과 운동장 흙 알갱이를 크게 확대해서 볼 수 있습니다.

2 화단 흙은 알갱이의 크기가 작고, 손으로 만졌을 때 부드럽고 축축한 느낌이 듭니다.

3 운동장 흙은 비교적 밝은색을 띠고, 흙먼지가 많이 날리며 손으로 만졌을 때 말라 있습니다.

4 화단 흙은 알갱이의 크기가 비교적 작습니다.

5 흙의 종류를 제외한 나머지 조건은 모두 같게 해야 합니다.

6 운동장 흙은 화단 흙보다 알갱이의 크기가 더 크기 때문에 같은 시간 동안 더 많은 양의 물이 빠집니다.

7 운동장 흙에서 물이 더 잘 빠지는 것은 운동장 흙이 화단 흙보다 알갱이의 크기가 커 흙 속에 물이 빠져나갈 수 있는 공간이 많기 때문입니다.

8 운동장 흙은 물에 뜬 물질이 거의 없고, 화단 흙은 물에 뜬 물질이 많습니다.

9 화단 흙에는 운동장 흙보다 식물이 잘 자라는 데 도움을 주는 부식물이 많이 섞여 있습니다.

채점 기준

(1)	'㉠'을 정확히 씀.	
(2)	정답 키워드 물에 뜨는 물질 | 부식물 | 식물이 잘 자란다 등 '식물의 뿌리나 줄기, 마른 나뭇가지, 마른 잎, 죽은 곤충 등 물에 뜨는 물질이 많다.', '부식물이 많아 식물이 잘 자란다.' 등의 특징 중 한 가지를 정확히 씀.	상
	화단 흙의 특징 한 가지를 썼지만 표현이 부족함.	중

10 부식물은 식물의 뿌리나 줄기, 마른 나뭇가지, 마른 잎, 죽은 곤충 등이 썩은 것으로 식물이 잘 자라는 데 도움을 줍니다.

❷ 흙이 만들어지는 과정

단원평가 44~45쪽

1 ② 2 ③ 3 ㉢ 4 ㉠ 5 ㉠
6 ⑤ 7 ㉢ 8 예 바위틈에서 자라는 나무뿌리가 점점 굵어지면 바위틈을 점차 벌리고, 오랜 시간 동안 나무가 더 자라게 되면서 바위가 점차 부서진다. 등 9 ㉠
10 ㉠ 예 큰 ㉡ 예 작은

1 흙이 만들어지는 과정을 알아보기 위한 실험입니다.

2 각설탕을 플라스틱 통에 넣고 세게 흔들면 각설탕이 부서져 가루가 생기고 둥근 모양으로 변하며, 각설탕의 크기가 작아집니다.

3 별 모양 사탕, 과자를 플라스틱 통에 넣고 세게 흔들면 부서져 작은 알갱이가 생깁니다.

4 암석 조각을 플라스틱 통에 넣고 세게 흔들면 암석 조각이 부서져 작은 알갱이가 생깁니다.

5 소금 덩어리를 이용해 흙이 만들어지는 과정을 알아보는 실험에서 소금 가루는 실제 자연에서 흙과 같고, 소금 덩어리는 실제 자연에서의 바위나 돌과 같습니다.

6 바위나 돌이 작게 부서져 생긴 작은 알갱이와 나뭇잎이나 죽은 곤충 등이 썩어 생긴 부식물이 섞여서 흙이 됩니다.

7 바람이나 흐르는 물에 의해 바위나 돌이 부서져 흙이 되고, 바위틈으로 스며든 물이 얼었다가 녹을 때 바위나 돌이 부서져 흙이 됩니다.

8 바위틈에서 나무뿌리가 자라면 바위가 부서지기도 합니다.

채점 기준

정답 키워드 바위틈에서 자라는 나무뿌리 | 바위틈을 벌리다 등 '바위틈에서 자라는 나무뿌리가 점점 굵어지면 바위틈을 점차 벌리고, 오랜 시간 동안 나무가 더 자라게 되면서 바위가 점차 부서진다.' 등의 내용을 정확히 씀.	상
나무뿌리에 의해 바위가 부서지는 과정을 썼지만 표현이 부족함.	중

9 바위나 돌이 흙이 될 때에는 매우 오랜 시간이 걸리고, 각설탕이 부서져 가루 설탕이 될 때에는 짧은 시간이 걸립니다.

10 각설탕을 넣은 플라스틱 통을 세게 흔드는 것과 자연에서 바위틈에 있는 물이 얼었다 녹는 것을 반복하는 것은 큰 덩어리를 작은 알갱이로 부순다는 공통점이 있습니다.

③ 땅의 모습을 변화시키는 물

단원평가 46~47쪽

1 ①, ③, ② 2 물 3 ㉢ 4 ②
5 예 흐르는 물이 흙 언덕 위쪽의 흙을 깎고, 깎인 흙을 흙 언덕의 아래쪽으로 운반해 쌓았기 때문이다. 등
6 (1) ㉡ (2) ㉠ 7 ①, ② 8 ②, ⑤ 9 ⑤
10 ㉢

1 흙 언덕을 만들고, 색 모래와 색 자갈을 흙 언덕 위쪽에 놓은 다음, 흙 언덕 위쪽에서 바닥에 구멍 뚫린 종이컵에 물을 붓습니다.

2 흙 언덕 위쪽에서 물을 흘려 보내고 그 변화를 관찰합니다.

3 색 모래와 색 자갈을 사용하면 흐르는 물에 의해 흙이 어떻게 이동하는지 쉽게 볼 수 있습니다.

4 흐르는 물에 의해 흙 언덕 위쪽에 있는 흙이 깎이고, 깎인 흙이 아래쪽으로 떠내려와 쌓입니다.

5 흐르는 물이 경사가 급한 위쪽의 흙을 깎아 경사가 완만한 아래쪽으로 옮겼습니다.

채점 기준

정답 키워드 흙 언덕 위쪽 | 깎이다 | 흙 언덕 아래쪽 | 운반하여 쌓인다 등 '흐르는 물이 흙 언덕 위쪽의 흙을 깎고, 깎인 흙을 흙 언덕의 아래쪽으로 운반해 쌓았기 때문이다.' 등의 내용을 정확히 씀.	상
흙 언덕의 모습이 변한 까닭을 썼지만 표현이 부족함.	중

6 흙 언덕 위쪽에서 물을 흘려 보내면 흙 언덕의 위쪽에서는 흙이 깎이고, 흙 언덕의 아래쪽에서는 흙이 흘러내려 쌓입니다.

흙 언덕의 위쪽: 흙이 많이 깎임.

흙 언덕의 아래쪽: 흙이 많이 쌓임.

7 흙 언덕의 위쪽은 경사가 급하고, 아래쪽은 경사가 완만합니다.

8 흙 언덕 위쪽에 있는 흙은 더 많이 깎이고, 깎인 흙이 아래쪽으로 운반되어 흙 언덕 아래쪽에 더 많이 쌓입니다.

9 흐르는 물에 의해 지표의 바위나 돌, 흙 등이 깎여 나가는 것을 침식 작용, 운반된 돌이나 흙 등이 쌓이는 것을 퇴적 작용이라고 합니다.

10 흐르는 물은 경사가 급한 곳의 지표를 깎고, 깎인 흙을 운반하여 경사가 완만한 곳에 쌓아 놓습니다.

④ 강과 바닷가 주변의 모습

단원평가 48~49쪽

1 ㉡ 2 (1) 운반 작용 (2) 예 강 상류보다 강폭이 넓어져 많은 양의 물이 흐른다. 등 3 ㉡ 4 ㉠
5 (1) ㉠ (2) ㉡ 6 예 파도 7 ㉠, ㉢ 8 ⑤
9 ④ 10 퇴적, 오랜, 서서히

1 강 상류는 강폭이 좁고, 강의 경사가 급합니다.

2 강 중류는 강 상류보다 강폭이 넓어져 많은 양의 물이 흐르며, 주로 운반 작용이 일어납니다.

채점 기준

(1)	'운반 작용'을 정확히 씀.	
(2)	정답 키워드 강폭 | 넓어지다 | 많은 양의 물 등 '강 상류보다 강폭이 넓어져 많은 양의 물이 흐른다.' 등의 내용을 정확히 씀.	상
	강 중류의 강폭과 흐르는 물의 양을 강 상류와 비교하여 썼지만 표현이 부족함.	중

3 강 상류에서는 퇴적 작용보다 침식 작용이 활발하고, 강 하류에서는 침식 작용보다 퇴적 작용이 활발합니다.

4 강 상류에서는 큰 바위를 많이 볼 수 있고, 강 하류에서는 모래나 진흙을 많이 볼 수 있습니다.

5 물결이 칠 때 ㉠에서는 모래가 조금씩 깎여 나가고, ㉡에서는 깎인 모래가 쌓입니다.

6 판으로 만든 물결은 실제 바다에서 치는 파도와 같습니다.

7 바닷가의 동굴은 바닷물의 침식 작용에 의해 지표가 깎여서 만들어졌습니다.

8 갯벌과 절벽은 바닷가에서 볼 수 있습니다.

9 갯벌은 바닷물의 퇴적 작용, 절벽은 바닷물의 침식 작용이 활발하게 일어나 만들어진 지형입니다.

10 모래사장은 바닷물의 퇴적 작용으로 만들어졌고, 바닷물은 오랜 시간 동안 바닷가 주변의 모습을 서서히 변화시킵니다.

4. 물질의 상태

❶ 고체의 성질

단원평가 50~51쪽

1 ㉡ 2 ④, ⑤ 3 변하지 않는다. 4 ㉠
5 ㉠ 일정 6 ④ 7 ㉢ 8 ①
9 (1) 연필 (2) ㉠ 만졌을 때의 느낌은 다르지만 물체의 모양과 부피가 일정하기 때문에 고체이다. 10 (1) 고체 (2) 고체

1 나무 막대는 손으로 잡고 전달할 수 있지만, 물은 손으로 잡으면 흘러서 전달하기 어렵습니다. 공기는 눈으로 볼 수 없고, 손으로 잡을 수 없습니다.

2 나무와 플라스틱은 눈으로 볼 수 있고, 손으로 잡을 수 있습니다.

왜 틀렸을까?
①, ③ 우유와 주스는 손으로 잡을 수 없습니다.
② 공기는 눈에 보이지 않고, 손으로 잡을 수 없습니다.

3 나무 막대는 여러 가지 모양의 그릇에 넣었을 때 막대의 모양과 크기가 변하지 않습니다.

4 담는 그릇이 바뀌어도 모양과 부피가 변하지 않는 물질의 상태를 고체라고 합니다.

5 플라스틱 막대를 여러 가지 모양의 그릇에 담아도 막대의 모양과 크기는 일정합니다.

6 물체나 물질이 차지하는 공간의 크기를 부피라고 합니다.

7 쌓기나무와 플라스틱 블록은 담는 그릇이 달라져도 모양과 부피가 변하지 않습니다.

8 고체는 눈으로 볼 수 있고, 손으로 잡을 수 있습니다.

9 단단하고 딱딱한 물체만 고체가 아니라 말랑말랑해도 물질의 모양과 부피가 변하지 않으면 고체입니다.

채점 기준

(1)	'연필'을 정확히 씀.	
(2)	정답 키워드 물체 | 모양과 부피 일정 | 고체 등 '만졌을 때의 느낌은 다르지만 물체의 모양과 부피가 일정하기 때문에 고체이다.'와 같이 내용을 정확히 씀.	상
	'모양이 변하지 않기 때문이다.'와 같이 쓰고, 부피도 변하지 않는다는 내용은 쓰지 못함.	중

10 플라스틱 컵은 고체이고, 플라스틱 컵 안에 담긴 모래도 담는 그릇이 바뀌어도 모래 알갱이 하나하나의 모양과 부피가 변하지 않기 때문에 고체입니다.

❷ 액체의 성질 / 우리 주변에 있는 공기

단원평가 52~53쪽

1 ㉡ 2 ② 3 ④ 4 액체
5 ④ 6 ③ 7 공기
8 (1) 공기 (2) ㉠ 공기는 눈에 보이지 않지만 우리 주변에 있다. 9 공기 10 ⑤

1 물은 담은 그릇에 따라 부피가 변하지 않는 액체이므로, 처음 사용한 그릇에 다시 옮겨도 물의 높이가 처음과 같습니다.

2 주스를 여러 가지 모양의 그릇에 옮겨 담으면 담는 그릇에 따라 모양은 변하지만 부피는 변하지 않습니다.

3 담는 그릇이 달라져도 우유의 부피는 변하지 않습니다.

4 담는 그릇에 따라 모양이 변하지만 부피는 변하지 않는 물질의 상태를 액체라고 합니다.

5 간장과 식용유를 다른 그릇에 옮겨 담으면 모양이 변하지만, 부피는 변하지 않습니다.

6 간장과 식용유, 꿀, 식초, 주스, 손 세정제는 액체 상태의 물질이고, 설탕은 고체 상태의 물질입니다.

7 우리 주변에 공기가 있다는 것을 확인할 수 있는 예입니다.

8 우리 주변에 공기가 있음을 알아보는 실험입니다.

채점 기준

(1)	'공기'를 정확히 씀.	
(2)	정답 키워드 공기 | 주변에 있다 '공기는 눈에 보이지 않지만 우리 주변에 있다.'와 같이 내용을 정확히 씀.	상
	'공기는 눈에 보이지 않는다.'와 같이 간단히 씀.	중

9 빈 페트병과 플라스틱병 입구에서 공기 방울이 생겨 위로 올라오고, 보글보글 소리가 납니다.

물속에서 빈 페트병 누르기

물속에서 플라스틱병 누르기

10 실험을 통해 공기는 눈에 보이지 않지만 우리 주변에 있다는 것과 고체, 액체와는 다른 물질의 상태임을 알 수 있습니다.

3 기체의 성질(1)

단원평가 54~55쪽

1 (1) ㉡ (2) ㉠　2 ㉡　3 예 페트병 뚜껑이 내려간다. 왜냐하면 컵 안으로 물이 들어가지 못하기 때문이다.
4 물, 공기　5 ②　6 ㉢　7 (1) ○
8 공간(부피)　9 ㉠　10 ㉢

1 바닥에 구멍이 뚫린 플라스틱 컵 안으로는 물이 들어가 페트병 뚜껑이 그대로 있습니다.

2 ㉡은 컵 안에 공기가 들어 있어 컵 안의 공기의 부피만큼 물이 밀려 나오므로 수조 안의 물의 높이가 조금 높아집니다.

3 바닥에 구멍이 뚫리지 않은 플라스틱 컵을 뒤집어 수조의 바닥까지 밀어 넣으면 컵 안의 공기가 공간을 차지하고 있기 때문에 컵 안으로 물이 들어가지 못하고, 페트병 뚜껑은 수조의 바닥으로 가라앉습니다.

채점 기준

정답 키워드 뚜껑 | 내려가다 | 컵 | 물이 들어가지 못하다 '페트병 뚜껑이 내려간다. 왜냐하면 컵 안으로 물이 들어가지 못하기 때문이다.'와 같이 페트병 뚜껑의 위치 변화와 그 까닭을 정확히 씀.	상
페트병 뚜껑의 위치 변화만 예상하고, 그 까닭을 정확히 쓰지 못함.	중

4 ㉠의 바닥에 구멍이 뚫린 컵 안에 들어 있는 공기는 구멍으로 빠져나가 컵 안으로 물이 들어가고, ㉡의 바닥에 구멍이 뚫리지 않은 컵 안에는 공기가 들어 있습니다.

5 공기가 공간을 차지하고 있음을 알아보는 실험입니다.

6 구멍이 막힌 페트병에는 공기를 더 넣을 공간이 없어 풍선이 부풀지 않습니다.

7 구멍이 막힌 페트병에는 공기가 차 있어서 풍선에 공기를 더 넣을 공간이 없기 때문에 풍선이 부풀지 않습니다.

8 구멍을 막은 페트병 안에는 공기가 공간(부피)을 차지하고 있으므로 풍선이 부풀지 않습니다.

9 구멍이 뚫린 페트병 안의 풍선에 공기를 넣으면 페트병 안에 있던 공기가 밖으로 빠져나가 풍선이 부풀어 오릅니다.

10 선풍기는 공기가 다른 곳으로 이동하는 성질을 이용한 것입니다.

4 기체의 성질(2)

단원평가 56~57쪽

1 ㉠　2 (1) ㉡ (2) ㉠　3 공기　4 ㉣
5 ③　6 기체　7 ⑤　8 (1) ㉡ (2) 예 기체는 무게가 있다.　9 ③　10 ㉠, ㉡, ㉢

1 주사기의 피스톤을 당겨 놓은 뒤, 주사기 입구에 비닐관의 다른 한쪽 끝을 끼워 연결해야 합니다.

2 주사기의 피스톤을 밀면 다른 쪽 주사기의 피스톤이 올라가고, 피스톤을 당기면 다른 쪽 주사기의 피스톤이 내려갑니다.

3 주사기와 비닐관 속의 공기가 다른 쪽 주사기 쪽으로 이동하기 때문에 다른 쪽 주사기의 피스톤이 움직입니다.

4 비눗방울은 공기가 이동하는 성질을 이용한 예입니다.

5 공기가 이동하는 성질을 이용한 예에는 부채, 선풍기, 공기 주입기, 타이어에 공기를 넣는 펌프 등이 있습니다.

더 알아보기

공기가 이동하는 것을 이용한 예
- 진공청소기: 공기를 빨아들이면서 먼지를 청소합니다.
- 환풍기: 실내의 오염된 공기를 밖으로 이동시킵니다.
- 공기청정기: 실내의 오염된 공기를 빨아들이고 정화된 공기를 내뿜습니다.

6 풍선 속을 가득 채우고 있는 것은 공기이고, 공기는 기체입니다.

7 공기는 담는 그릇에 따라 모양이 변하기 때문에 둥근 풍선에 넣으면 둥근 모양이 되고, 막대 모양의 풍선에 넣으면 막대 모양이 됩니다.

8 공기 주입 마개를 눌러 페트병에 공기를 넣으면 무게가 늘어나는 것을 통해 기체는 무게가 있음을 알 수 있습니다.

채점 기준

(1)	'㉡'을 정확히 씀.	
(2)	정답 키워드 기체 | 무게 '기체는 무게가 있다.'와 같이 내용을 정확히 씀.	상
	'기체는 무겁다.'와 같이 물질의 성질을 나타내는 표현이 부족함.	중

9 큰 고무보트에 공기를 넣으면 무게가 더 무거워지기 때문에 옮기기 힘듭니다.

10 고체, 액체, 기체 모두 무게가 있습니다.

5. 소리의 성질

1 소리가 나는 물체

단원평가 58~59 쪽

1 예 떨린다 2 ㉡ 3 ⑤ 4 ㉡
5 예 소리가 나는 소리굽쇠를 물에 대면 소리굽쇠의 떨림으로 인해 물이 튀어 오르기 때문이다. 6 예 떨림
7 (1) ○ (2) ○ (3) × 8 ① 9 ② 10 ㉢

1 소리가 나는 물체에 손을 대 보면 떨림이 느껴집니다.

2 소리가 나지 않는 스피커에 손을 대 보면 떨림이 없고, 소리가 나는 스피커에 손을 대 보면 떨림이 느껴집니다.

3 고무망치로 치기 전의 소리굽쇠는 소리가 나지 않으므로 떨림이 느껴지지 않습니다.

4 소리가 나는 소리굽쇠의 떨림 때문에 물이 튀어 오르므로 ㉠은 소리가 나지 않는 소리굽쇠이고, ㉡은 소리가 나는 소리굽쇠입니다.

소리가 나지 않는 소리굽쇠를 물에 대었을 때

소리가 나는 소리굽쇠를 물에 대었을 때

5 소리가 나지 않는 소리굽쇠를 물에 대면 아무 일도 일어나지 않고, 소리가 나는 소리굽쇠를 물에 대면 물이 튀어 오릅니다.

채점 기준

정답 키워드 소리굽쇠의 떨림 I 물이 튀어 오르다 '소리가 나는 소리굽쇠를 물에 대면 소리굽쇠의 떨림으로 인해 물이 튀어 오르기 때문이다.'와 같이 물이 튀어 오르는 까닭을 정확히 씀.	상
'소리가 나기 때문에 물이 튀어 오른다.'와 같이 소리굽쇠가 떨린다는 내용을 포함하여 쓰지 못함.	중

6 물체가 떨리면 소리가 납니다.

7 소리가 나는 물체를 소리가 나지 않게 하려면 물체를 떨리지 않게 해야 합니다.

8 소리가 나는 소리굽쇠를 손으로 세게 움켜잡아 소리굽쇠를 떨리지 않게 하면 소리가 멈춥니다.

9 소리굽쇠의 소리가 멈춘 것은 소리굽쇠의 떨림이 멈췄기 때문입니다.

10 소리가 나는 물체를 떨리지 않게 하면 소리가 나지 않습니다.

2 소리의 세기 / 소리의 높낮이

단원평가 60~61 쪽

1 ④ 2 ❶ 예 작은 소리가 남. ❷ 예 큰 소리가 남.
3 예 작은북을 약하게 치면 작은북이 작게 떨리기 때문에 스타이로폼 공이 낮게 튀어 오르고, 작은북을 세게 치면 작은북이 크게 떨리기 때문에 스타이로폼 공이 높게 튀어 오른다.
4 예 떨리는 5 ㉠ 세기 ㉡ 높낮이 6 ③
7 ㉠ 8 ② 9 ㉡ 10 ②

1 작은북을 약하게 칠 때와 세게 칠 때의 소리와 스타이로폼 공이 튀어 오르는 모습을 비교해 보는 실험이므로 다르게 해야 할 조건은 작은북을 치는 세기입니다.

2 작은북을 북채로 약하게 칠 때는 작은 소리가 나고, 세게 칠 때는 큰 소리가 납니다.

3 작은북을 약하게 치면 북이 작게 떨리면서 스타이로폼 공이 낮게 튀어 오르고 작은 소리가 납니다. 반대로 작은북을 세게 치면 북이 크게 떨리면서 스타이로폼 공이 높게 튀어 오르고 큰 소리가 납니다.

채점 기준

정답 키워드 약하게 치다 I 작게 떨리다 I 낮게 튀어 오르다 I 세게 치다 I 크게 떨리다 I 높게 튀어 오르다 '작은북을 약하게 치면 작은북이 작게 떨리기 때문에 스타이로폼 공이 낮게 튀어 오르고, 작은북을 세게 치면 작은북이 크게 떨리기 때문에 스타이로폼 공이 높게 튀어 오른다.'와 같이 까닭을 정확히 씀.	상
'작은북을 약하게 치면 스타이로폼 공이 낮게 튀어 오르고, 세게 치면 높게 튀어 오른다.'와 같이 북이 떨리는 정도에 대한 내용을 포함하여 쓰지 못함.	중

4 물체가 떨리는 정도에 따라 소리의 세기가 달라집니다.

5 소리의 크고 작은 정도를 소리의 세기라고 하고, 소리의 높고 낮은 정도를 소리의 높낮이라고 합니다.

6 실로폰은 음판의 길이가 짧을수록 높은 소리가 납니다.

7 팬 플루트는 관의 길이가 짧을수록 높은 소리가 납니다.

8 팬 플루트는 관의 길이에 따라 소리의 높낮이가 달라집니다.

9 실로폰은 음판의 길이에 따라 소리의 높낮이가 달라집니다. 음판의 길이가 짧을수록 높은 소리가 나고, 음판의 길이가 길수록 낮은 소리가 납니다.

10 장구는 소리의 세기를 이용하여 연주하는 악기입니다.

❸ 소리의 전달

단원평가 62~63쪽

1 (1) 예 들린다. (2) 예 소리는 책상(나무)과 같은 고체를 통해서도 전달된다. **2** ㉠ 물 ㉡ 공기 **3** ③, ④
4 (1) × (2) × (3) ○ (4) ○ **5** ① **6** 공기
7 작아 **8** ㉢ **9** 실(실의 떨림) **10** ④

1 책상을 두드리는 소리가 크게 들리는 것을 통해 소리가 책상(나무)과 같은 고체를 통해서도 전달되는 것을 알 수 있습니다.

채점 기준

(1)	'들린다.'를 정확히 씀.	
(2)	정답 키워드 소리 | 고체를 통해서 | 전달 '소리는 책상(나무)과 같은 고체를 통해서도 전달된다.'와 같이 내용을 정확히 씀.	상
	소리가 무엇을 통해 전달되는지 썼지만 표현이 부족함.	중

2 스피커에서 나는 소리는 물과 물 밖에서는 공기를 통해 전달됩니다.

3 ①과 ②는 공기(기체 상태)를 통해 소리가 전달되는 경우이고, ⑤는 철(고체 상태)을 통해 소리가 전달되는 경우입니다.

4 소리는 고체, 액체, 기체 상태의 여러 가지 물질을 통해 전달됩니다.

왜 틀렸을까?
(1), (2) 소리는 물질(고체, 액체, 기체)을 통해서 전달됩니다.

5 공기가 없는 달에서는 소리가 전달되지 않습니다.

6 우리 주변에서 들리는 대부분의 소리는 기체인 공기를 통해 전달됩니다.

7 통 안의 공기를 빼면 소리를 전달하는 물질인 공기가 줄어들어 소리가 작아집니다.

8 종이컵 바닥에 누름 못으로 구멍을 뚫은 뒤, 구멍에 실을 넣고 실의 한쪽 끝에 클립을 묶어 실이 빠지지 않도록 하고, 다른 종이컵도 같은 방법으로 완성합니다.

9 실 전화기는 실의 떨림으로 소리를 전달합니다.

10 실 전화기의 실에 물을 묻히고 팽팽하게 하면 소리가 더 잘 들립니다. 또 실의 길이가 짧을수록, 실의 두께가 두꺼울수록 소리가 더 잘 들립니다.

❹ 소리의 반사 / 소음을 줄이는 방법

단원평가 64쪽

1 < **2** 민준 **3** (1) ○ (2) × (3) ○ **4** ⑤

1 아무것도 들지 않고 소리를 들을 때보다 스타이로폼판을 들고 소리를 들을 때 소리가 더 크게 들립니다.

2 소리가 스타이로폼판에 반사되어 듣는 사람의 귀로 전달되기 때문에 소리가 더 크게 들립니다.

3 소리는 딱딱한 물체에서는 잘 반사되지만, 부드러운 물체에서는 잘 반사되지 않습니다.

왜 틀렸을까?
(2) 물체의 종류에 따라 소리를 반사하는 정도는 다릅니다.

4 음악을 들을 때 소리를 줄이거나 이어폰을 사용하면 소음을 줄일 수 있습니다.

더 알아보기

집 안에서 소음을 줄이는 방법
- 걸어 다닐 때는 뛰지 않고 천천히 걸어 다니고, 소음 방지 매트를 깝니다.
- 문을 닫을 때 살살 닫거나 문이 닿는 곳에 푹신한 물질을 붙입니다.
- 의자를 옮길 때 의자를 들고 이동하거나 의자 다리에 소음 방지 덮개를 끼웁니다.
- 음악을 들을 때 소리를 줄이거나 이어폰을 사용합니다.
- 밤늦게 청소기를 사용하지 않습니다.

1. 곱셈

수학 교과서 유사 문제 단원평가 66~67쪽

1 663

2
$$\begin{array}{r} 6 \\ \times\ 4\ 3 \\ \hline \boxed{1}\boxed{8} \cdots 6\times\boxed{3} \\ \boxed{2}\boxed{4}\ 0 \cdots 6\times\boxed{40} \\ \hline \boxed{2}\boxed{5}\boxed{8} \end{array}$$

3 (1) 864 (2) 3306 (3) 546 (4) 756

4 246, 738

5 >

6 ㉠

7 2720

8 ②

9 1161개

10
$$\begin{array}{r} 3\ 2 \\ \times\ 2\ 4 \\ \hline 1\ 2\ 8 \\ 6\ 4\ 0 \\ \hline 7\ 6\ 8 \end{array}$$

11 2, 3

12 6000원

13 56×36=2016 ; 2016개

14 예 1시간은 60분이므로 1시간 동안 걷는 걸음은 모두 49×60=2940(걸음)입니다.
; 2940걸음

15 266개

4 123×2=246, 246×3=738

5 318×3=954, 426×2=852
⇨ 954>852

6 ㉠ 6×18=108 ㉡ 4×23=92
⇨ 계산 결과가 더 큰 것은 ㉠입니다.

7 80×34=34×80=2720

8 ① 1118 ② 686 ③ 924 ④ 1200 ⑤ 2160
⇨ 계산 결과가 가장 작은 것은 ②입니다.

9 27×43=1161

11
$$\begin{array}{r} 3\ \triangle\ 5 \\ \times\ \quad \star \\ \hline 9\ 7\ 5 \end{array}$$
☆이 1이면 곱의 백의 자리 숫자가 3이어야 하므로 ☆은 1이 아닙니다.

☆이 2이면 곱의 일의 자리 숫자가 0이어야 하므로 ☆은 2가 아닙니다.

☆이 3이면
$$\begin{array}{r} {}^{1}\quad \\ 3\ \triangle\ 5 \\ \times\ \quad 3 \\ \hline 5 \end{array} ⇨ \begin{array}{r} {}^{1}\quad \\ 3\ \triangle\ 5 \\ \times\ \quad 3 \\ \hline 7\ 5 \end{array} ⇨ \begin{array}{r} {}^{1}\quad \\ 3\ \triangle\ 5 \\ \times\ \quad 3 \\ \hline 9\ 7\ 5 \end{array}$$
이고, △×3에 1을 더하면 7이므로 △는 2입니다.

☆이 3보다 크면 곱이 네 자리 수가 되므로 ☆은 3보다 큰 수가 될 수 없습니다.

12 수민: 50×50=2500(원)
미연: 50×70=3500(원)
⇨ 2500+3500=6000(원)

13
$$\begin{array}{r} 5\ 6 \\ \times\ 3\ 6 \\ \hline 3\ 3\ 6 \\ 1\ 6\ 8\ 0 \\ \hline 2\ 0\ 1\ 6 \end{array}$$

14 채점 기준

1시간은 60분임을 알고 곱셈식을 쓰고 성준이가 걷는 걸음 수를 바르게 구함.	상
곱셈식을 바르게 썼으나 계산 과정에서 실수하여 성준이가 걷는 걸음 수를 바르게 구하지 못함.	중
곱셈식을 쓰지 못하고 답도 틀림.	하

15 4×32=128, 6×23=138
⇨ 128+138=266(개)

수학 익힘 유사 문제 단원평가 68~70쪽

1
$$\begin{array}{r} 4\ 8 \\ \times\ 3\ 6 \\ \hline \boxed{2\ 8\ 8} \cdots 48\times\boxed{6} \\ \boxed{1\ 4\ 4}\ 0 \cdots 48\times\boxed{30} \\ \hline \boxed{1\ 7\ 2\ 8} \end{array}$$

2 128, 1280

3 126×5=630 ; 630

4 112, 896

5 >

6 (위에서부터) 2100, 1092, 1260, 1820

7 (선 잇기)

8 ④

9 (1) 336 (2) 324

10 ㉠, ㉣, ㉡, ㉢

11 (위에서부터) 3, 5, 7, 5

12 5

13 24×76=1824 ; 1824개

14 가희 ; 예 76×2와 76×40을 계산하여 더해야 하는데 76×2와 76×4를 계산하여 더했습니다.

15 430개

16 835원

17 예 방울토마토의 값: 36×75=2700(원)
감의 값: 540×5=2700(원)
따라서 모두 2700+2700=5400(원)입니다.
; 5400원

18 (1) □+63=99 (2) 36 (3) 2268

19 5040권

20 예 92×64=5888 ; 5888

4 $28\times4=112$, $112\times8=896$

6 $30\times70=2100$, $42\times26=1092$,
$30\times42=1260$, $70\times26=1820$

8 $20\times60=1200$ ① $28\times30=840$
② $33\times20=660$ ③ $19\times50=950$
④ $21\times60=1260$ ⑤ $30\times40=1200$

9 $48\times7=336$, $54\times6=324$

10 ㉠ 987 ㉡ 595 ㉢ 392 ㉣ 900

11

```
  [㉠] 8
×  2 [㉡]
---------
 1  9  0
[㉢] 6  0
---------
 9 [㉣] 0
```

- $8\times$㉡의 일의 자리 수가 0이므로 ㉡$=5$입니다.
- ㉠$8\times5=190$이므로 ㉠$=3$입니다.
- $9+6=15$이므로 ㉣$=5$입니다.
- $1+1+$㉢$=9$이므로 ㉢$=7$입니다.

12 $981\times4=3924$, $981\times5=4905$……이므로 □ 안에 들어갈 수 있는 자연수 중 가장 작은 수는 5입니다.

13

```
    2 4
  × 7 6
-------
  1 4 4
1 6 8 0
-------
1 8 2 4
```

15 $5\times86=430$(개)

16 $167\times5=835$(원)

17 채점 기준

방울토마토와 감의 값을 각각 구한 후 합을 바르게 구함.	상
방울토마토와 감의 값을 각각 구했으나 합을 바르게 구하지 못함.	중
방울토마토와 감의 값을 구하지 못하여 합을 구하지 못함.	하

18 (2) $\square=99-63=36$
(3) $36\times63=2268$

19 $12\times7=84$(권), $84\times60=5040$(권)

20 (두 자리 수)×(두 자리 수)의 곱이 크려면 십의 자리 수를 되도록 크게 하여 곱셈식을 만듭니다.

```
    9 4         9 2
  × 6 2       × 6 4
  -------     -------
  5 8 2 8  <  5 8 8 8
```

2. 나눗셈

수학 교과서 유사 문제 단원평가 71~72쪽

1 몫, 나머지

2 2, 0, 0, 0

3

```
      4 [2]
   ┌──────
 2 ) 8  4
     8  0   ← 2×[40]
   ──────
       [4]
       [4]  ← 2×[2]
   ──────
        0
```

4 (위에서부터) 9, 1 ; 9, 27, 1

5

```
     [1][6]
   ┌──────
 6 ) 9  8
     6  0   ← 6×[10]
   ──────
     3  8
    [3][6]  ← 6×[6]
   ──────
        2
```

6 12, 4

7

```
     [1][4][9]
   ┌─────────
 5 ) 7  4  6
     5
   ─────────
     2 [4]
    [2][0]
   ─────────
        4 [6]
        4  5
   ─────────
          [1]
```

8 (1) 112 (2) 108 … 3

9 18, 26, 24, 2 ; 18, 54, 54, 2, 56

10 ⑤

11 ㉡, ㉠, ㉢, ㉣

12 45, 59

13 $70\div2=35$; 35개

14 29마리

15 예 $52\div7=7\cdots3$이므로 7명에게 나누어 줄 수 있고 3자루가 남습니다. ; 7명, 3자루

6

```
     1 2  ← 몫
   ┌────
 7 ) 8 8
     7
   ────
     1 8
     1 4
   ────
       4  ← 나머지
```

10 나누는 수가 6일 때 나머지는 6보다 작습니다.

11 ㉠ 22 ㉡ 23 ㉢ 16 ㉣ 11

12 $45 \div 7 = 6 \cdots 3$, $27 \div 7 = 3 \cdots 6$, $36 \div 7 = 5 \cdots 1$, $59 \div 7 = 8 \cdots 3$, $65 \div 7 = 9 \cdots 2$

14 $87 \div 3 = 29$(마리)

15 **채점 기준**

나눗셈식을 쓰고 나누어 줄 수 있는 사람 수와 남는 볼펜의 수를 바르게 구함.	상
나눗셈식을 바르게 계산했으나 나누어 줄 수 있는 사람 수나 남는 볼펜의 수를 구하지 못함.	중
나눗셈식을 쓰지 못하고 답도 틀림.	하

수학 익힘 유사 문제 단원평가 73~75쪽

1 19, 4, 36, 36
2 (1) 13 (2) 11
3 (선 잇기)
4 9, 2
5 (선 잇기)
6 24, 6
7
```
      8
 3 ) 2 5
     2 4
     ---
       1
```
8 14
9 ⑤
10 $90 \div 9$에 ○표
11 ㉣
12 1, 3, 2
13
```
       6 5
 9 ) 5 8 5
     5 4
     -----
       4 5
       4 5
       ---
         0
```
; 예 몫을 십의 자리에 맞추어 쓰지 않았습니다.
14 $58 \div 3 = 19 \cdots 1$; 19, 1
15 18 cm
16 $150 \div 5 = 30$; 30개
17 14모둠, 1명
18 65
19 예 $157 \div 4 = 39 \cdots 1$이므로 39명에게 나누어 주고 남는 연필은 1자루입니다. 따라서 연필은 적어도 3자루 더 있어야 합니다. ; 3자루
20 민호

3 $80 \div 4 = 20$, $90 \div 3 = 30$, $60 \div 2 = 30$, $50 \div 5 = 10$, $70 \div 7 = 10$, $40 \div 2 = 20$

4
```
     9 ← 몫
 8 ) 7 4
     7 2
     ---
       2 ← 나머지
```

7 나머지가 나누는 수인 3보다 크므로 잘못되었습니다. 몫을 더 크게 하여 계산해야 합니다.

8
```
     1 4
 5 ) 7 0
     5
     ---
     2 0
     2 0
     ---
       0
```

9 나머지는 나누는 수보다 항상 작아야 합니다. 따라서 나누는 수가 3일 때 나머지는 3이 될 수 없습니다.

10 $30 \div 2 = 15$, $90 \div 6 = 15$, $60 \div 4 = 15$, $90 \div 9 = 10$

11 ㉠ $497 \div 5 = 99 \cdots 2$ ㉡ $495 \div 6 = 82 \cdots 3$
㉢ $498 \div 7 = 71 \cdots 1$ ㉣ $493 \div 8 = 61 \cdots 5$
⇨ 나머지가 가장 큰 것은 ㉣입니다.

12 $96 \div 3 = 32$, $88 \div 4 = 22$, $48 \div 2 = 24$
⇨ $32 > 24 > 22$

15 정사각형은 네 변의 길이가 모두 같습니다.
⇨ (한 변의 길이)$= 72 \div 4 = 18$ (cm)

16 $150 \div 5 = 30$(개)

17 (전체 학생 수)$= 22 + 21 = 43$(명)
⇨ $43 \div 3 = 14 \cdots 1$ (14: 모둠 수, 1: 남는 학생 수)

18 어떤 수를 □라 하면 $□ \div 9 = 7 \cdots 2$입니다.
나눗셈을 맞게 했는지 확인하면
$9 \times 7 = 63$, $63 + 2 = 65$이므로 어떤 수는 65입니다.

19 **채점 기준**

나눗셈을 하고 나머지를 이용하여 답을 바르게 구함.	상
나눗셈을 하고 나머지를 이용했으나 실수를 하여 답이 틀림.	중
나눗셈을 하였으나 나머지를 잘못 구해 답도 틀림.	하

20 민호: $753 \div 2 = 376 \cdots 1$
정현: $965 \div 4 = 241 \cdots 1$
⇨ $376 > 241$이므로 몫이 더 큰 나눗셈을 만든 친구는 민호입니다.

3. 원

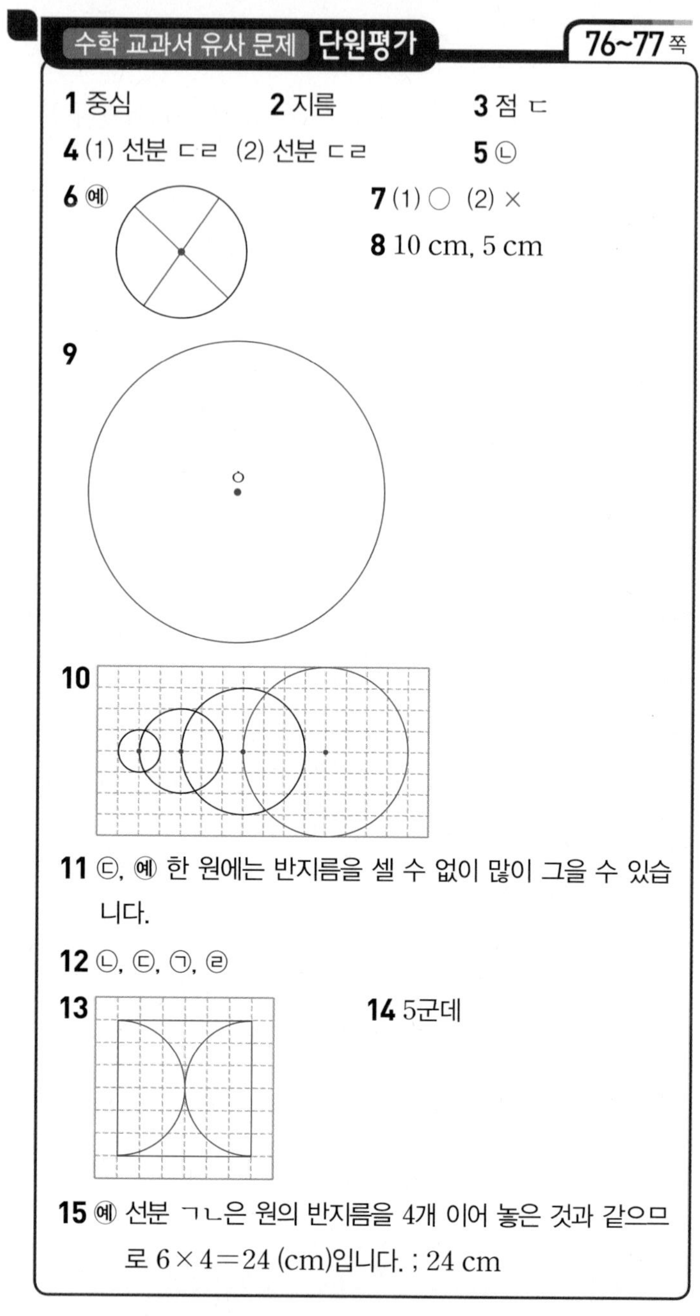

수학 교과서 유사 문제 단원평가 76~77쪽

1 중심 2 지름 3 점 ㄷ

4 (1) 선분 ㄷㄹ (2) 선분 ㄷㄹ 5 ㉡

6 예

7 (1) ○ (2) ×

8 10 cm, 5 cm

9

10

11 ㉢, 예 한 원에는 반지름을 셀 수 없이 많이 그을 수 있습니다.

12 ㉡, ㉢, ㉠, ㉣

13

14 5군데

15 예 선분 ㄱㄴ은 원의 반지름을 4개 이어 놓은 것과 같으므로 $6\times4=24$ (cm)입니다. ; 24 cm

5 컴퍼스를 사용하여 원을 그릴 때에는 컴퍼스를 원의 반지름만큼 벌려야 하므로 3 cm만큼 벌린 것을 찾으면 ㉡입니다.

7 (2) 한 원에서 원의 중심은 1개입니다.

8 원의 지름이 10 cm이므로 반지름은 $10\div2=5$ (cm)입니다.

12 각 원의 지름을 알아보면 ㉠ $3\times2=6$ (cm), ㉡ 9 cm, ㉢ $4\times2=8$ (cm), ㉣ 5 cm입니다.
⇨ ㉡>㉢>㉠>㉣

13 정사각형을 그리고 정사각형의 변의 한가운데를 원의 중심으로 하여 원을 반씩 2개 그립니다.

14 원 한 개를 그릴 때 원의 중심이 1개이고 원의 일부분 4개를 그릴 때 원의 중심이 4개이므로 컴퍼스의 침을 꽂아야 할 곳은 모두 5군데입니다.

15 채점 기준

선분 ㄱㄴ의 길이가 반지름의 4배임을 알고 답을 바르게 구함.	상
선분 ㄱㄴ의 길이가 반지름의 4배임을 알고 있으나 답을 바르게 구하지 못함.	중
선분 ㄱㄴ의 길이와 반지름의 관계를 알지 못하여 답을 구하지 못함.	하

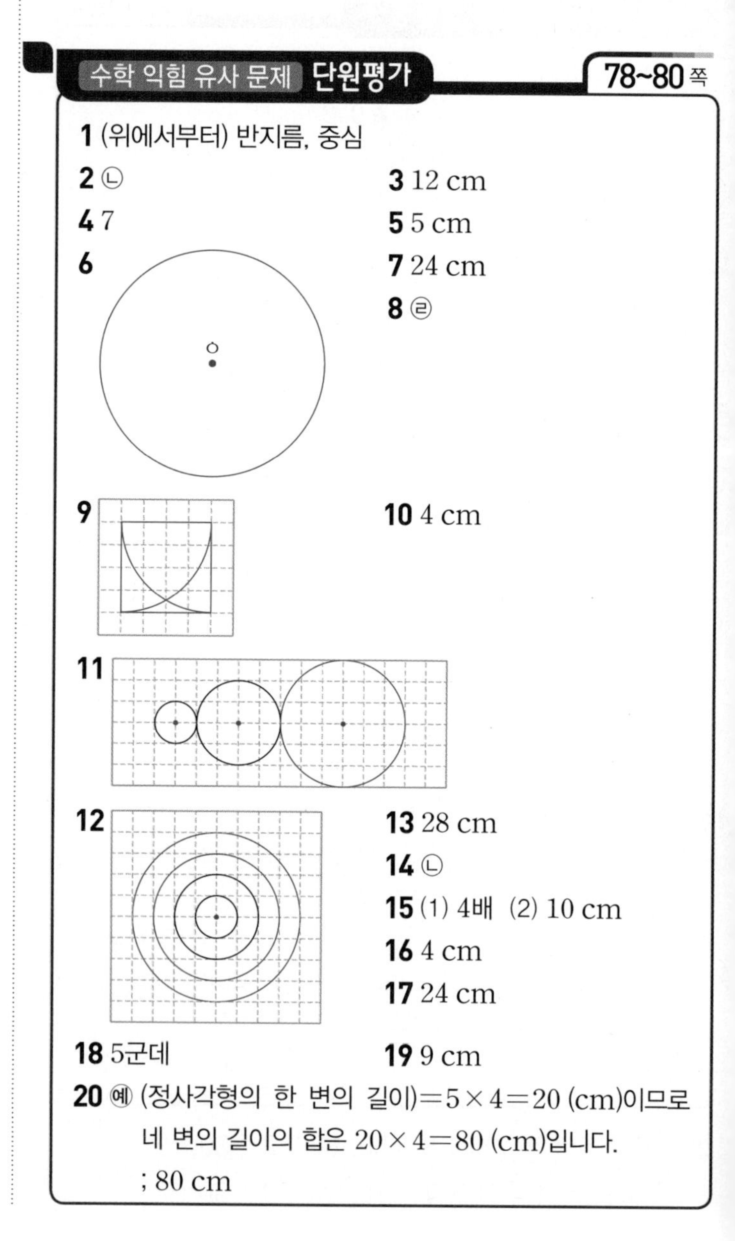

수학 익힘 유사 문제 단원평가 78~80쪽

1 (위에서부터) 반지름, 중심

2 ㉡ 3 12 cm

4 7 5 5 cm

6 7 24 cm

8 ㉣

9 10 4 cm

11

12 13 28 cm

14 ㉡

15 (1) 4배 (2) 10 cm

16 4 cm

17 24 cm

18 5군데 19 9 cm

20 예 (정사각형의 한 변의 길이)$=5\times4=20$ (cm)이므로 네 변의 길이의 합은 $20\times4=80$ (cm)입니다. ; 80 cm

3 (원의 지름)=(원의 반지름)×2

$=6\times2=12$ (cm)

4 $14\div2=7$ (cm)

5 컴퍼스를 사용하여 원을 그릴 때에는 컴퍼스의 침과 연필심 사이의 거리가 원의 반지름이므로 반지름이 2 cm 5 mm인 원을 그리면 지름은 5 cm인 원이 됩니다.

6 컴퍼스를 주어진 선분만큼 벌려서 컴퍼스의 침을 점 ㅇ에 꽂고 원을 그립니다.

7 $12\times2=24$ (cm)

8 원의 지름의 길이를 비교합니다.

㉠ $12\times2=24$ (cm) ㉡ 22 cm

㉢ $13\times2=26$ (cm) ㉣ 18 cm

⇨ ㉣<㉡<㉠<㉢

10 큰 원의 지름은 12 cm, 작은 원의 지름은 $4\times2=8$ (cm)입니다.

따라서 두 원의 지름의 차는 $12-8=4$ (cm)입니다.

12 반지름이 각각 모눈 3칸, 모눈 4칸인 원을 그립니다.

13 선분 ㄱㄴ은 큰 원의 지름입니다. 큰 원의 지름은 작은 원의 반지름 4개의 길이의 합과 같으므로 $7\times4=28$ (cm)입니다.

15 (2) $40\div4=10$ (cm)

16 (원의 반지름)=$8\div2=4$ (cm)

17 선분 ㄱㄴ의 길이는 원의 반지름 6개 길이의 합과 같으므로 $4\times6=24$ (cm)입니다.

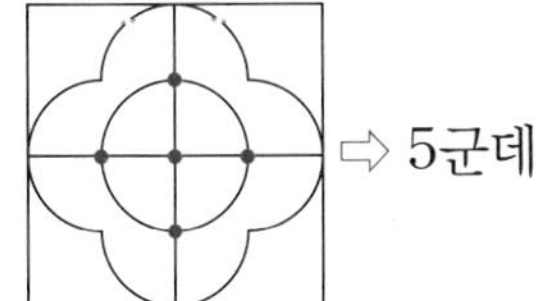

⇨ 5군데

19 삼각형 ㄱㄴㄷ의 세 변의 길이는 모두 같고, 한 변의 길이는 원의 지름과 같습니다.

⇨ (원의 지름)=$27\div3=9$ (cm)

20 채점 기준

정사각형의 한 변의 길이를 구하여 정사각형의 네 변의 길이의 합을 바르게 구함.	상
정사각형의 한 변의 길이를 구했으나 계산 실수를 하여 정사각형의 네 변의 길이의 합을 바르게 구하지 못함.	중
정사각형의 한 변의 길이를 구하지 못해 답도 틀림.	하

4. 분수

수학 교과서 유사 문제 단원평가

81~82쪽

1 6

2 $\dfrac{\boxed{5}}{\boxed{3}}$

3 (1) 5 (2) 20

4 $\dfrac{\boxed{3}}{\boxed{4}}$, $\dfrac{\boxed{5}}{\boxed{4}}$, $\dfrac{\boxed{7}}{\boxed{4}}$

5 ①

6 >

7 6, $\dfrac{\boxed{5}}{\boxed{6}}$

8 $\dfrac{\boxed{13}}{\boxed{4}}$

9 $\frac{11}{12}$ / $\frac{3}{3}$, $\frac{10}{9}$ / $1\frac{1}{8}$

10 (1) 20 cm (2) 60 cm

11 (1) $\frac{20}{9}$ (2) $1\frac{3}{8}$

12 (1) > (2) <

13 $\frac{3}{5}$, $\frac{3}{8}$, $\frac{5}{8}$

14 $\frac{25}{6}$, $4\frac{5}{6}$, $7\frac{3}{6}$, $\frac{49}{6}$

15 예 1시간은 60분이므로 60분의 $\frac{1}{3}$은 20분입니다.

따라서 서준이가 이론 공부를 한 시간은 20분입니다.

; 20분

9 진분수: $\frac{11}{12}$

가분수: $\frac{3}{3}$, $\frac{10}{9}$

대분수: $1\frac{1}{8}$

11 (1) $2\frac{2}{9}$ ⇨ 2와 $\frac{2}{9}$ ⇨ $\frac{18}{9}$과 $\frac{2}{9}$ ⇨ $\frac{20}{9}$

(2) $\frac{11}{8}$ ⇨ $\frac{8}{8}$과 $\frac{3}{8}$ ⇨ 1과 $\frac{3}{8}$ ⇨ $1\frac{3}{8}$

13 진분수는 분자가 분모보다 작은 분수이므로 $\frac{3}{5}$, $\frac{3}{8}$, $\frac{5}{8}$입니다.

14 가분수를 대분수로 나타내면 $\frac{25}{6}=4\frac{1}{6}$, $\frac{49}{6}=8\frac{1}{6}$이므로 $\frac{25}{6}\left(=4\frac{1}{6}\right)<4\frac{5}{6}<7\frac{3}{6}<\frac{49}{6}\left(=8\frac{1}{6}\right)$입니다.

15 채점 기준

1시간이 60분임을 알고 이론 공부를 한 시간을 바르게 구함.	상
1시간이 60분임을 알지만 이론 공부를 한 시간을 바르게 구하지 못함.	중
1시간이 60분임을 알지 못하여 이론 공부를 한 시간을 바르게 구하지 못함.	하

수학 익힘 유사 문제 단원평가 83~85쪽

1 4, $\frac{\boxed{3}}{\boxed{4}}$ **2** (1) 4 (2) 10

3 $\frac{4}{7}$, $\frac{10}{10}$, $3\frac{9}{12}$, $\frac{1}{11}$, $\frac{8}{3}$

4 (1) 8 (2) 4 **5** $\frac{54}{11}$

6 (　)(○) **7** $\frac{7}{6}$, $\frac{7}{3}$

8 (1) $=$ (2) $<$ **9** ㉡, ㉠, ㉢

10 예

└→빨간색으로 6개, 파란색으로 14개를 색칠하면 정답입니다.

11 $1\frac{2}{9}$, $\frac{10}{9}$ **12** (위에서부터) $\frac{11}{3}$, $\frac{11}{3}$, $3\frac{1}{3}$

13 $3\frac{5}{8}$, $3\frac{6}{8}$, $3\frac{7}{8}$ **14** $2\frac{4}{5}$

15 세은 **16** 태영

17 $1\frac{2}{3}$ **18** $7\frac{5}{6}$

19 예 만들 수 있는 대분수는 $6\frac{4}{5}$, $7\frac{1}{5}$, $7\frac{2}{5}$, $7\frac{3}{5}$, $7\frac{4}{5}$, $8\frac{1}{5}$, $8\frac{2}{5}$, $8\frac{3}{5}$으로 모두 8개입니다. ; 8개

20 35

8 (2) $\frac{14}{9}=1\frac{5}{9}$이므로 $\frac{14}{9}<1\frac{7}{9}$입니다.

9 ㉠ 18을 2씩 묶으면 4는 18의 $\frac{\boxed{2}}{9}$입니다.

㉡ 18을 3씩 묶으면 9는 18의 $\frac{\boxed{3}}{6}$입니다.

㉢ 18을 6씩 묶으면 6은 18의 $\frac{\boxed{1}}{3}$입니다.

10 20의 $\frac{3}{10}$은 6이고, 20의 $\frac{7}{10}$은 14입니다.

11 $1\frac{2}{9}=\frac{11}{9}$이므로 $\frac{8}{9}$보다 큰 분수는 $1\frac{2}{9}$, $\frac{10}{9}$입니다.

14 $2\frac{3}{4}=\frac{11}{4}$, $1\frac{5}{7}=\frac{12}{7}$, $2\frac{4}{5}=\frac{14}{5}$이므로 분자가 가장 큰 분수는 $2\frac{4}{5}$입니다.

15 $3\frac{2}{5}=\frac{17}{5}$이고 $\frac{17}{5}>\frac{16}{5}$이므로 낮잠을 더 오랫동안 잔 사람은 세은이입니다.

16 24개의 $\frac{1}{3}$은 8개, 24개의 $\frac{1}{4}$은 6개이므로 태영이는 $24-8-6=10$(개)를 먹었습니다.
따라서 태영이가 체리를 가장 많이 먹었습니다.

17 합이 8이고 차가 2가 되는 두 수를 찾으면 3과 5이므로 가분수는 $\frac{5}{3}$입니다.

$\frac{5}{3}$ ⇨ $\frac{3}{3}$과 $\frac{2}{3}$ ⇨ 1과 $\frac{2}{3}$ ⇨ $1\frac{2}{3}$

18 가장 큰 수인 7을 대분수의 자연수 부분에 놓습니다.

19 채점 기준

채점 기준	
조건을 만족하는 대분수를 모두 찾고 답을 바르게 구함.	상
조건을 만족하는 대분수 중 일부를 찾아 답을 바르게 구하지 못함.	중
조건을 만족하는 대분수를 찾지 못함.	하

20 $5\frac{1}{7}=\frac{36}{7}$입니다.

따라서 $\frac{\square}{7}<\frac{36}{7}$에서 □ 안에 들어갈 수 있는 가장 큰 수는 35입니다.

5. 들이와 무게

수학 교과서 유사 문제 단원평가 86~87쪽

1 3 **2** (1) 5000 (2) 7

3 (1) mL (2) L **4** 양동이

5 ㉡, ㉣, ㉢, ㉠ **6** (1) g (2) kg

7 3, 600 **8** 5500, 5, 500

9 (1) 4 L 700 mL (2) 3 L 600 mL

10 (1) 14 kg 900 g (2) 9 kg 400 g

11 ㉮ 컵 **12** 양파, 5개

13 예 연필의 무게는 약 5 g입니다.

14 5 L 500 mL

15 예 승훈이가 아령을 들고 무게를 재면
32 kg 300 g+1 kg 500 g=33 kg 800 g
입니다. ; 33 kg 800 g

11 물을 붓는 횟수가 적을수록 들이가 많은 컵이고, 물을 붓는 횟수가 많을수록 들이가 적은 컵입니다.
따라서 들이가 더 많은 것은 ㉮ 컵입니다.

12 감자는 바둑돌 45개의 무게와 같고, 양파는 바둑돌 50개의 무게와 같으므로 양파가 감자보다 바둑돌 5개만큼 더 무겁습니다.

14 3 L 900 mL+1 L 600 mL
=4 L 1500 mL=5 L 500 mL

15 채점 기준

채점 기준	
무게의 합을 구하는 식을 쓰고 승훈이가 아령을 든 무게를 바르게 구함.	상
무게의 합을 구하는 식을 썼지만 승훈이가 아령을 든 무게를 바르게 구하지 못함.	중
무게의 합을 구하는 식을 쓰지 못해 답을 구하지 못함.	하

수학 익힘 유사 문제 단원평가 88~90쪽

1 (선 잇기)
2 (1) 양동이 (2) 주사기
3 1 kg 800 g
4 6배
5 6컵
6 (선 잇기)
7 ㉣, ㉡, ㉠, ㉢
8 (1) 8 L 500 mL (2) 4 L 600 mL
9 ㉡, ㉣
10 ㉣, ㉡, ㉢, ㉠
11 (1) 8 kg 100 g (2) 4 kg 900 g
12 사과 ; ㉲ 사과 4개는 배 2개의 무게와 같으므로 사과 4개는 감 3개의 무게와 같습니다. 따라서 가장 가벼운 과일은 사과입니다.
13 ㉲ 자동차의 무게는 약 2 t입니다.
14 600 mL
15 27 kg 700 g
16 1 kg 800 g
17 1 L 300 mL
18 6 L 200 mL
19 1 L 700 mL
20 2 kg 300 g

12 채점 기준

채점 기준	
가장 가벼운 과일을 찾고 이유를 바르게 씀.	상
가장 가벼운 과일은 찾았지만 이유를 바르게 쓰지 못함.	중
가장 가벼운 과일을 찾지 못하고 이유도 쓰지 못함.	하

14 2 L−1 L 400 mL=600 mL

15 68 kg 200 g−40 kg 500 g=27 kg 700 g

16 가장 무거운 것: 7500 g=7 kg 500 g
가장 가벼운 것: 5 kg 700 g
⇨ 7 kg 500 g−5 kg 700 g=1 kg 800 g

17 500 mL씩 2번이면 500+500=1000 (mL)이므로 1 L입니다.
1 L보다 300 mL 더 많은 들이는 1 L 300 mL입니다.

18 3 L 700 mL+700 mL+1 L 800 mL
=4 L 400 mL+1 L 800 mL=6 L 200 mL

19 4 L 200 mL−1 L 600 mL−900 mL
=2 L 600 mL−900 mL=1 L 700 mL

20 3500 g=3 kg 500 g
(물건의 무게)=1 kg 200 g+3 kg 500 g
=4 kg 700 g,
(상자에 더 담을 수 있는 무게)=7 kg−4 kg 700 g
=2 kg 300 g

6. 자료의 정리(그림그래프)

수학 교과서 유사 문제 단원평가 91~93쪽

1 7명
2 30명
3 5명
4 학예회
5 ㉲ 송이네 반 학생들이 좋아하는 계절
6 6, 11, 4, 8, 29
7 여름, 겨울, 봄, 가을
8 10그루, 1그루
9 32그루
10 믿음 마을
11 42명
12 14명
13 159명
14 ㉲ 영국을 여행하고 싶은 학생은 39명입니다.
미국을 여행하고 싶은 학생이 가장 많습니다.
15 8, 10, 7, 6, 31
16 ㉲ 마트에 딸기맛 우유가 가장 많습니다.
마트에 초콜릿맛 우유는 8개 있습니다.
17 ㉲ 2가지
18 요일별 아이스크림 판매량

요일	판매량
월	◎◎○○○○○
화	◎◎◎
수	◎○○○○○○○○○
목	◎◎○○○○○○○○
금	◎◎○○○
토	◎◎◎◎
일	◎◎◎○○○○○○○○

◎100개
○10개

19 ㉲ 박물관에 가고 싶어 하는 학생 수는 23명입니다.
20 ㉲ 동물원 ; 동물원에 가고 싶어 하는 학생 수가 가장 많기 때문입니다.

7 표를 보면 11>8>6>4이므로 좋아하는 학생이 많은 계절부터 순서대로 쓰면 여름, 겨울, 봄, 가을입니다.

12 호주: 32명, 스페인: 18명 ⇨ 32−18=14(명)

13 42+39+18+28+32=159(명)

14 채점 기준

그림그래프를 보고 알 수 있는 내용을 두 가지 모두 바르게 씀.	상
그림그래프를 보고 알 수 있는 내용을 한 가지만 바르게 씀.	중
그림그래프를 보고 알 수 있는 내용을 쓰지 못함.	하

15 (합계)=8+10+7+6=31(개)

16 채점 기준

그림그래프를 보고 알 수 있는 내용을 두 가지 모두 바르게 씀.	상
그림그래프를 보고 알 수 있는 내용을 한 가지만 바르게 씀.	중
그림그래프를 보고 알 수 있는 내용을 쓰지 못함.	하

17 판매량이 몇백몇십이므로 100개를 나타내는 그림과 10개를 나타내는 그림으로 나타내는 것이 좋겠습니다. 100개를 나타내는 그림, 50개를 나타내는 그림, 10개를 나타내는 그림 3가지로 나타낼 수도 있습니다.

20 장소를 쓰고 그 장소에 가고 싶은 까닭을 바르게 쓰면 정답입니다.

수학 익힘 유사 문제 단원평가 94~96쪽

1 예 슬기네 반 학생 **2** 8, 7, 9, 5, 29

3 예 학생들이 가장 좋아하는 음식은 라면입니다. / 햄버거를 좋아하는 학생은 피자를 좋아하는 학생보다 1명 많습니다.

4 (위에서부터) 5, 4 **5** 피구

6 달리기, 줄다리기, 박터뜨리기, 피구

7 달리기 **8** 다 과수원

9 나 과수원, 라 과수원 **10** 150상자

11 예 다 과수원에서는 가 과수원보다 사과를 20상자 더 많이 생산했습니다.

12 36권

13 월별 공책 판매량

월	판매량
5월	◎◎◎◎◎○○○○
6월	◎◎◎○○○○○○
7월	◎◎◎○○○○○○○○
8월	◎◎○○

◎10권 ○1권

14 예 표는 그림을 일일이 세지 않아도 됩니다. 그림그래프를 그리면 한눈에 비교가 잘 됩니다.

15 장미, 국화, 튤립, 카네이션

16 90송이 **17** 장미

18 예 장미가 가장 많이 팔렸으므로 장미를 더 많이 준비하면 좋겠습니다.

19 학생들이 좋아하는 악기

악기	학생 수
피아노	◎◎◎◎○○○○○○○○
바이올린	◎◎◎○○○○○○○
트럼펫	◎○○○○○○○○○
플루트	◎◎○○○○○○

◎10명 ○1명

20 학생들이 좋아하는 악기

악기	학생 수
피아노	◎◎◎◎●○○○
바이올린	◎◎◎●○○
트럼펫	◎●○○○○
플루트	◎◎●○

◎10명 ●5명 ○1명

7 달리기: 6+4=10(명), 줄다리기: 5+2=7(명), 피구: 2+6=8(명), 박터뜨리기: 3+2=5(명)
⇨ 운동회에서 가장 많은 학생이 하고 싶은 경기는 달리기입니다.

8 100상자를 나타내는 그림이 가장 많은 다 과수원의 사과 생산량이 가장 많습니다.

10 • 생산량이 가장 많은 과수원: 다 과수원
⇨ 300상자
• 생산량이 가장 적은 과수원: 나 과수원
⇨ 150상자
(사과 생산량의 차)=300−150=150(상자)

11 다 과수원: 300상자, 가 과수원: 280상자
⇨ 300−280=20(상자)

12 150−54−38−22=36(권)

14 채점 기준

표와 그림그래프의 다른 점을 두 가지 모두 바르게 씀.	상
표와 그림그래프의 다른 점을 한 가지만 바르게 씀.	중
표와 그림그래프의 다른 점을 쓰지 못함.	하

16 250−160=90(송이)

17 튤립: 160송이
⇨ 160×2=320(송이)가 팔린 꽃은 장미입니다.

검정 교과서

단원평가 자료집

정답과 풀이

검정 교과서 단원평가 자료집

정답과 풀이

※ 주의
책 모서리에 다칠 수 있으니 주의하시기 바랍니다.
부주의로 인한 사고의 경우 책임지지 않습니다.

기초 학습능력 강화 프로그램

매일 조금씩 **공부력** UP!

똑똑한 하루 시리즈

쉽다!

초등학생에게 꼭 필요한 지식을
학습 만화, 게임, 퍼즐 등을 통한
'비주얼 학습'으로 쉽게 공부하고 이해!

빠르다!

하루 10분, 주 5일 완성의
커리큘럼으로 빠르고 부담 없이
초등 기초 학습능력 향상!

재미있다!

교과서는 물론 생활 속에서
쉽게 접할 수 있는 다양한 소재를 활용해
스스로 재미있게 학습!

더 새롭게! 더 다양하게! 전과목 시리즈로 돌아온 **'똑똑한 하루'**

국어 (예비초 ~ 초6)

예비초~초6 각 A·B
교재별 14권

예비초: 예비초 A·B
초1~초6: 1A~4C
14권

영어 (예비초 ~ 초6)

초3~초6 Level 1A~4B
8권

Starter A·B
1A~3B
8권

수학 (예비초 ~ 초6)

초1~초6 1·2학기
12권

예비초~초6 각 A·B
14권

초1~초6 각 A·B
12권

봄·여름 가을·겨울 (초1~초2)

봄·여름·가을·겨울
각 2권 / 8권

안전 (초1~초2)

초1~초2
2권

사회·과학 (초3~초6)

학기별 구성
사회·과학 각 8권

기획·디자인 **진선주**

손과 뇌가 좋아하는

심심풀이 땅콩을 소개합니다.

미션을 완성하며
창의력, 사고력을 키워요!

자투리 시간을
슬기롭게 보내요!

궁정 발랄 **라미**

모든 일을 해결하는 활발한 오지랖 대마왕

도도 시크 **모모**

까칠하지만 수줍어하는 은근 츤데레

유리 멘탈 **네네**

겁도 많고 마음도 여린 순둥이

호기심 대장 **별**

사고뭉치지만 독특한 아이디어 왕

혼자서도 재미있고
함께해도 신나요!

자유롭게 펼쳐서
마음대로 해 봐요!

ㅏ, 너, 우리

월 일 요일

창의 #생각그물 #사고력

에는 어떤 사람들이 있나요? 가까운 사람들을 떠올려 보세요.

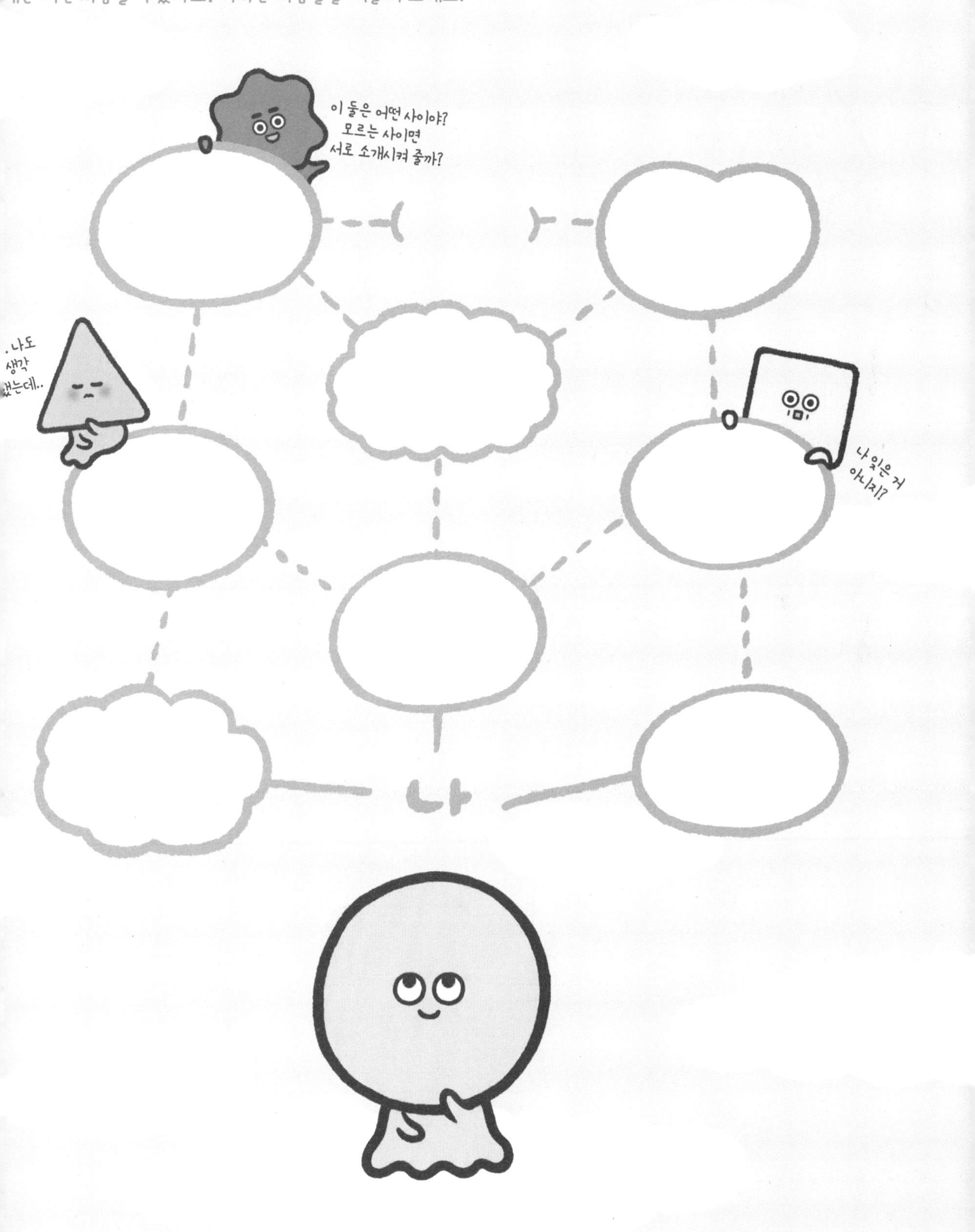

공포의 줄타기

월 일 요

미션 #그리기 #집중

연필로 아슬아슬 줄을 타 보세요. 연필선이 줄에 닿으면 안 돼요.

초성게임

월 일 요일

미션 #언어 #어휘력

첫 소리. 다음 초성으로 시작하는 단어들을 써 보세요.

도전 초성 ㅇ ㅅ

야 식

도전 초성 ㄴ ㅂ

내 복

갑자기
생각이..

숫자 찾기 1

월 일 요

미션 #숫자 #뇌

1부터 100까지 순서대로 찾아보세요. 물음표 속 숫자는 뭘까요?

54 66 99 85 69 72 89 32

65 20 76

74 60 67 3 97 11

8 34 100 16 57

83 61 98 26 56

77 62 87 71

80 5 96 2 7 73 12 44

14 68 37 31 17 36 35 55 19 42

52

88 ? 1 38 92 93 13

59 82 91 29 28 94 6 84

18 24 22 33 15 64

47 75 27 21 70

4 30 90 25 10 41 63 78

9 79 23 40 81 86

45 46 50 48 53 58

39 51 49 95

VEL P

숫자 찾기 2

월 일 요일

미션 #숫자 #뇌운동

ㅔ는 편을 나누어 한 명은 1부터 순서대로, 한 명은 100부터 거꾸로 숫자를 찾아보세요. 몇에서 만났나요?

75 12 54
33 95 93 63 94
86 4
76 3 74 81 61 99 87 31 62
88 오 85 83 사십육 78 1 16 십구 73
71 82 오십 90 팔 13 9 23
이십사 6 25 39 60 97 28
6 72 79 20 45 34 14
65 삼십이 29 27
67 7 64 98
43 이십이 96 십칠 오십오 77
66 84 10 40 30
구십일 37 35 11 100 21
15 68 팔십구 59 44
51 41 팔십 38 92
26 48 18 2 49 58 47
57 42 53 52 56 69 70

월 일
양손잡이
미션
#글쓰기
양손을 쓰면 머리가 좋아져요.
도전해 보세요.

양손잡이

나의이름

룰루랄라

떡볶이

헷갈린다

WOW!

BANANA

RIGHT

LEFT

DIFFICULT

ᅡ른 표정 찾기

월　　일　　요일

미션 #다른그림 #관찰력

개인지는 안 알랴줌! (정답 55쪽)

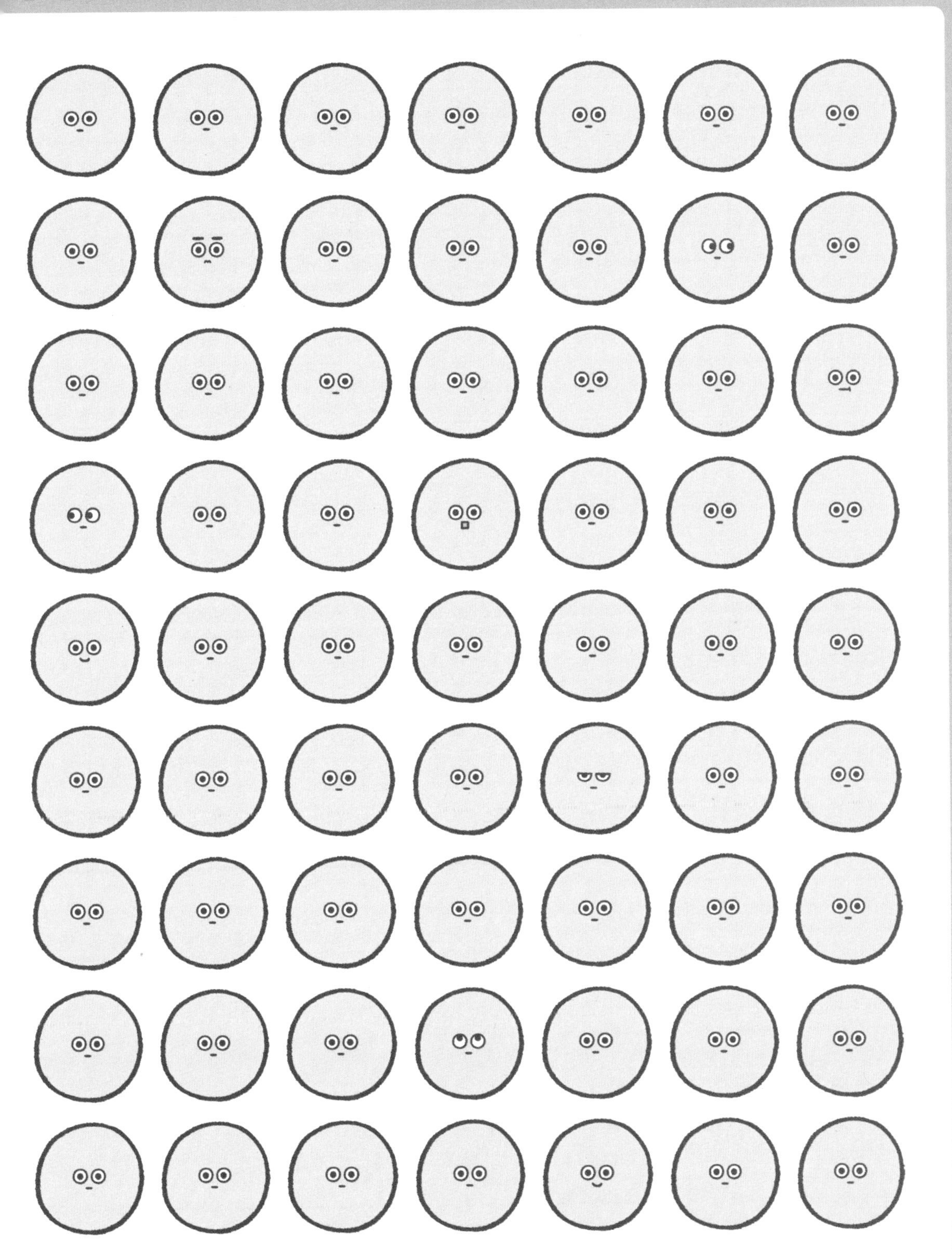

테트리스

월 일 요일

미션 #모양맞추기 #뇌운동

1-4의 조각을 순서대로 하나씩 쌓아 올려 보세요.
친구와 할 때는 서로가 조각을 골라 주면서 번갈아가며 하세요.

점잇기

월 일 요일

미션 #점잇기 #집중력

색의 구슬을 빠짐없이 이어 보세요. 다른 구슬을 건드리지 않도록 조심하세요.

36 빙고

월 일

미션 #빙고 #

빙고는 역시 36칸 빙고!
상대의 빙고판은 15쪽에

2	16	4	18	3	8
10	35	17	15	31	14
9	21	1	22	5	29
23	12	24	11	33	6
7	20	34	25	13	36
26	28	30	19	32	27

지짐 폭발 메이크업

월 일 요일

창의 #그리기 #상상력

개성으로 얼굴을 꾸며 주세요.

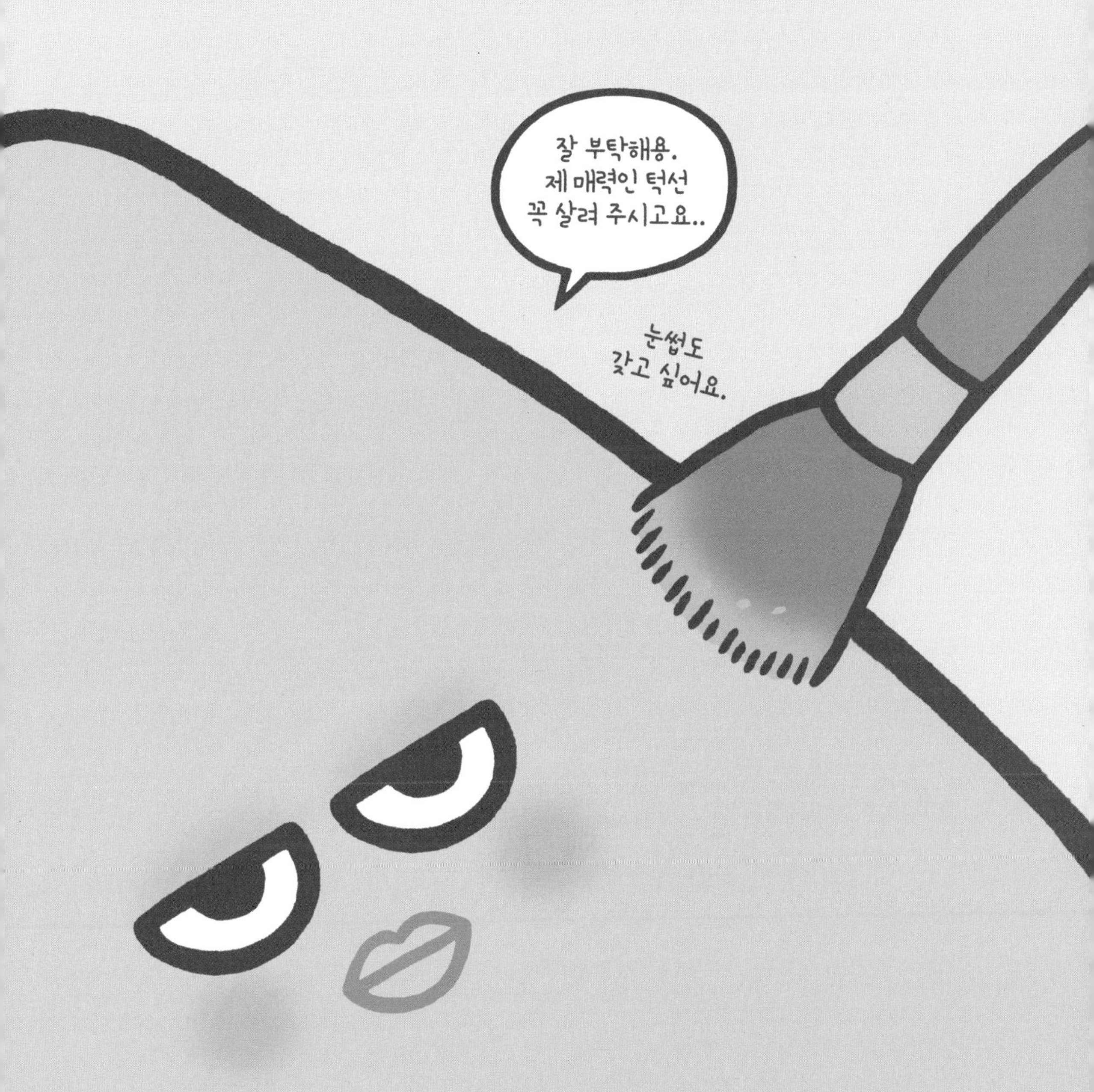

손가락 양궁

월	일

미션 #움직임 #지

눈을 감고 손을 머리 위로 높이 든 후, 하나 둘 셋에 손가락으로 콕 내려 찍어 보세요. 나의 오른손과 왼손 또는 친구와 대

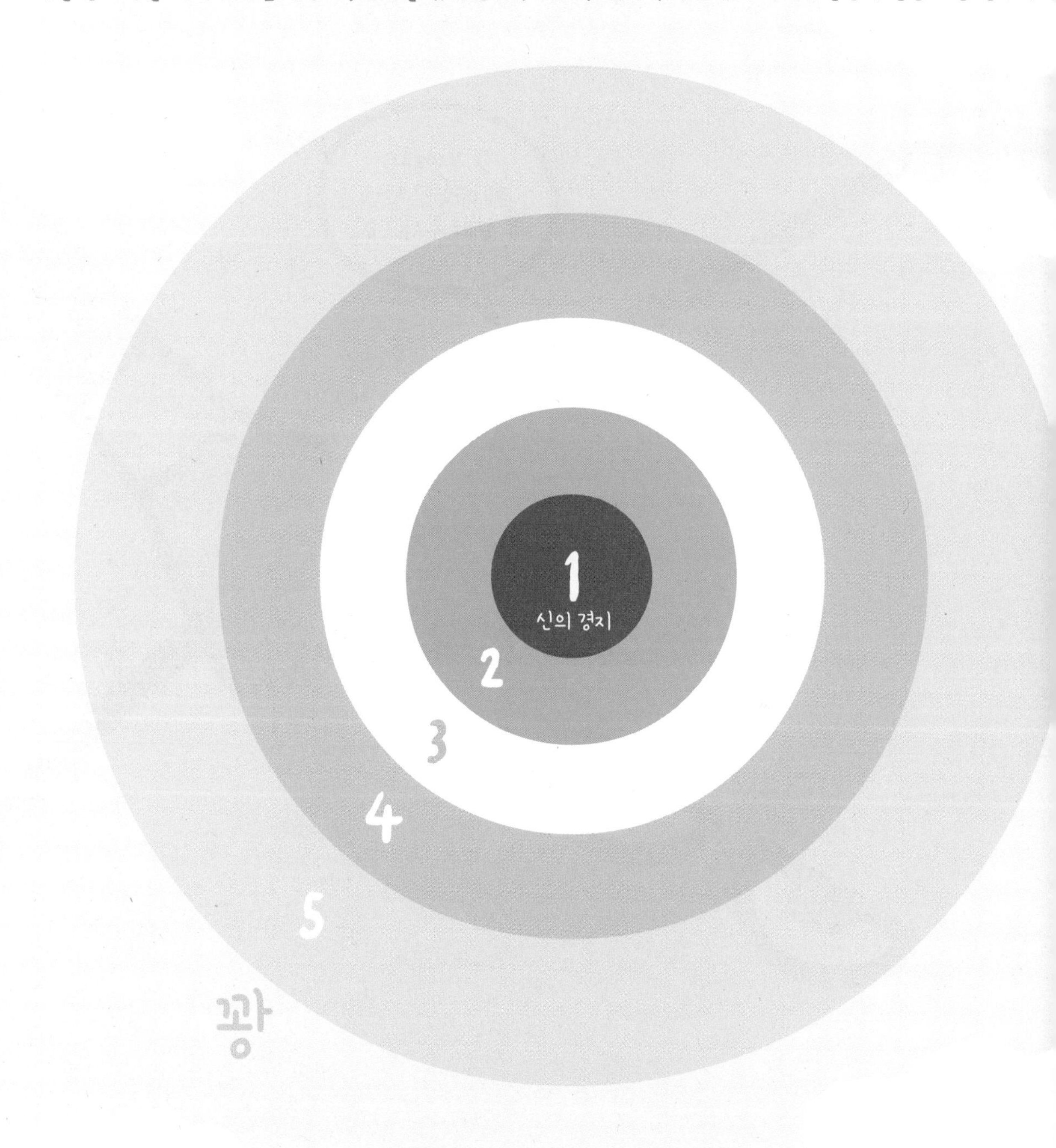

선수 이름	1차	2차	3차	4차	5차	합계

월 일 요일

#빙고 #뇌운동

36 빙고

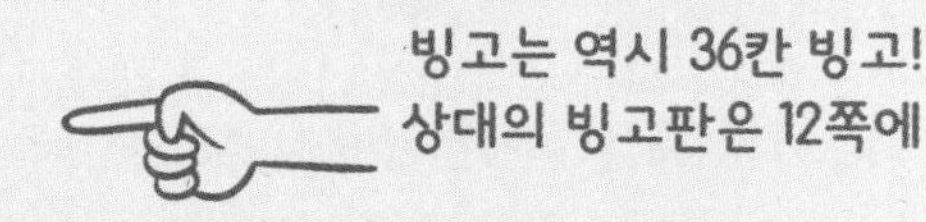
빙고는 역시 36칸 빙고!
상대의 빙고판은 12쪽에

19	11	13	15	17	10
16	1	20	27	18	22
31	24	35	23	4	21
5	14	36	25	34	3
30	7	28	9	29	6
2	26	12	32	8	33

나를 말해줘

친구들은 나를 어떻게 생각할까요?
이 노트를 돌려서 나에 대해서 써 달라고 해 보세요.
쓴 사람이 누군지는 비밀로 하면 더 흥미진진!

나 ______________(은)는
어떤 사람이야?
나에 대해 말해 줘! Please~

(이)가

서 맘에 든다.

와(과)

고 싶다.

은(는)

을(를) 잘한다.

은(는)

의 일인자다.

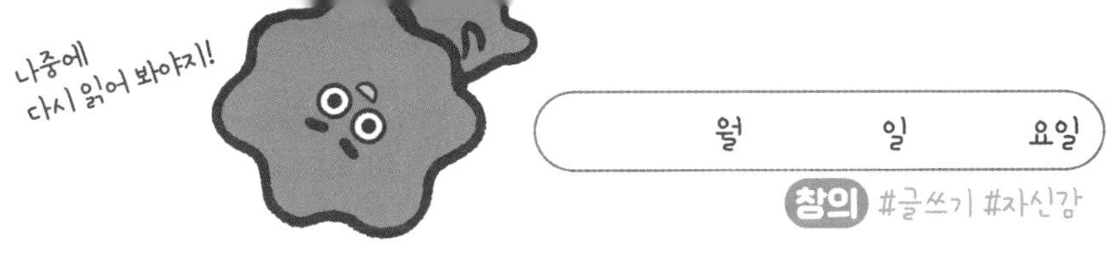
나중에
다시 읽어 봐야지!
월 일 요일
창의 #글쓰기 #자신감

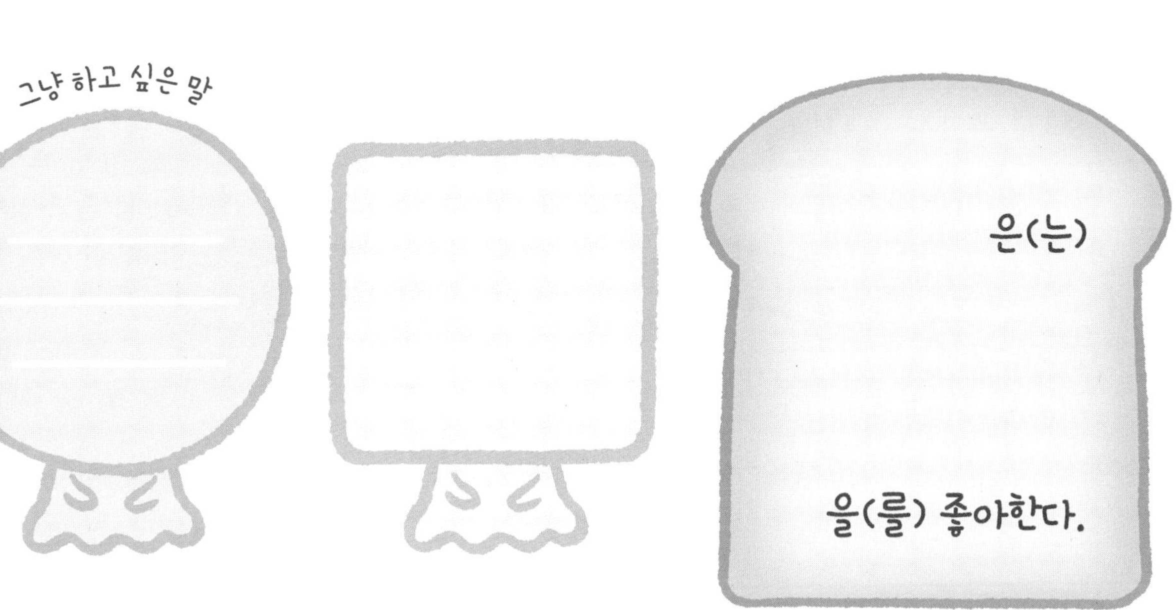
그냥 하고 싶은 말
은(는)
을(를) 좋아한다.

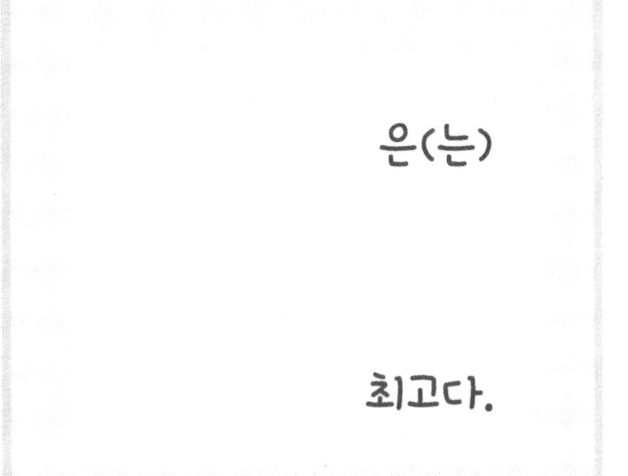
은(는)
최고다.

에게
“
”
라고 말해주고
싶다.

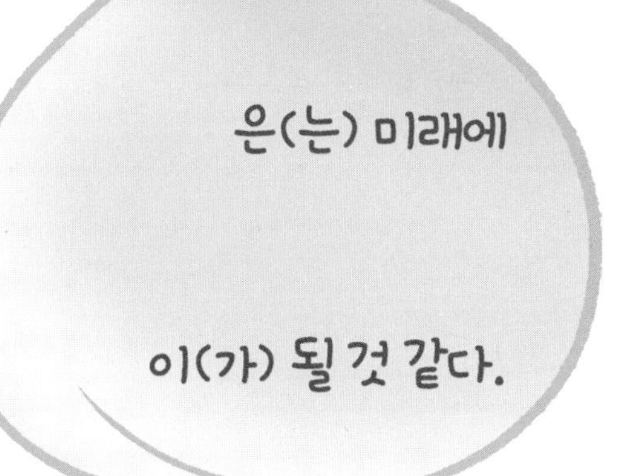
은(는) 미래에
이(가) 될 것 같다.

테이프 디자이너

월 일 요

창의 #디자인 #창의

단 하나뿐인 나만의 테이프를 만들어 보세요.

제품명: 오묘한 은하수 컨셉: 밤하늘의 은하수처럼 신비로운 홀로그램 테이프

인기도 ★★★☆

제품명: 컨셉:

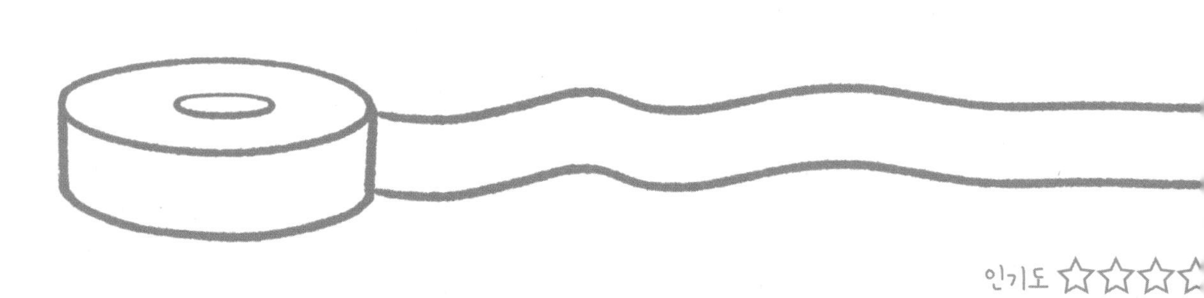

인기도 ☆☆☆☆

제품명: 컨셉:

인기도 ☆☆☆☆

제품명: 컨셉:

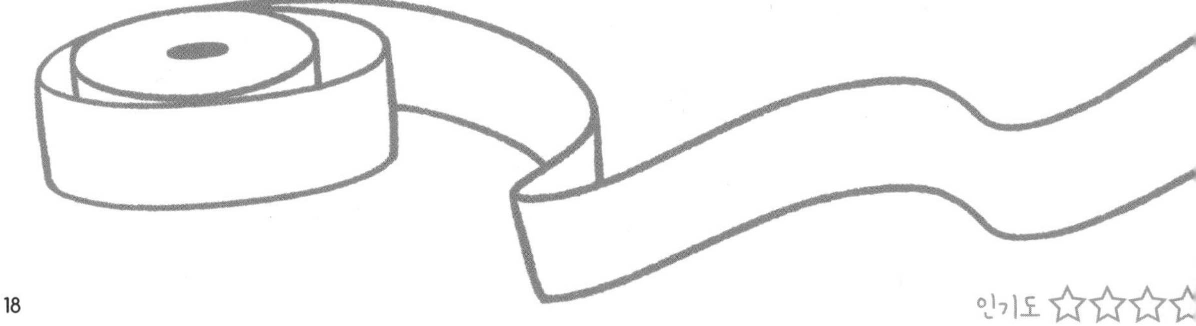

인기도 ☆☆☆☆

월 일 요일

창의 #그리기 #상상력

나의 피자 레시피

원하는 대로 토핑을 추가해서
나만의 피자를 만들어 보세요.

1

비엔나소시지

2

치즈 김밥

3

곰 젤리

4

파인애플

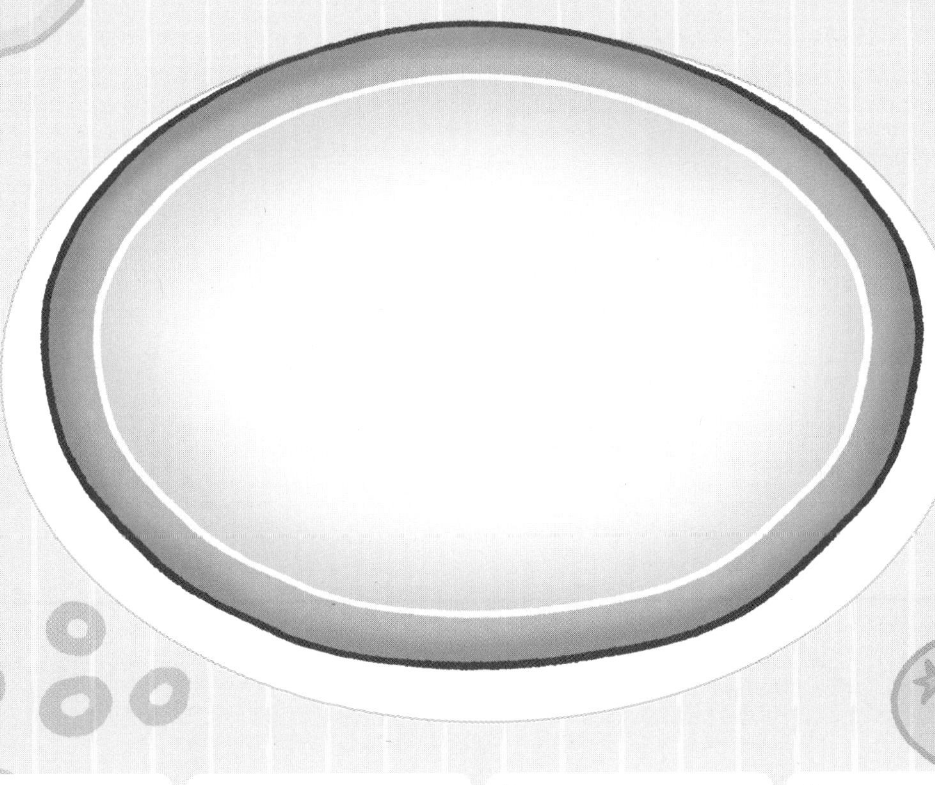

5

6

7

8

생각을 넓히는 상상

뾰족이와 정육면체가 뭐로 변신할 수 있을까요? 상상해서 그려 보세요.

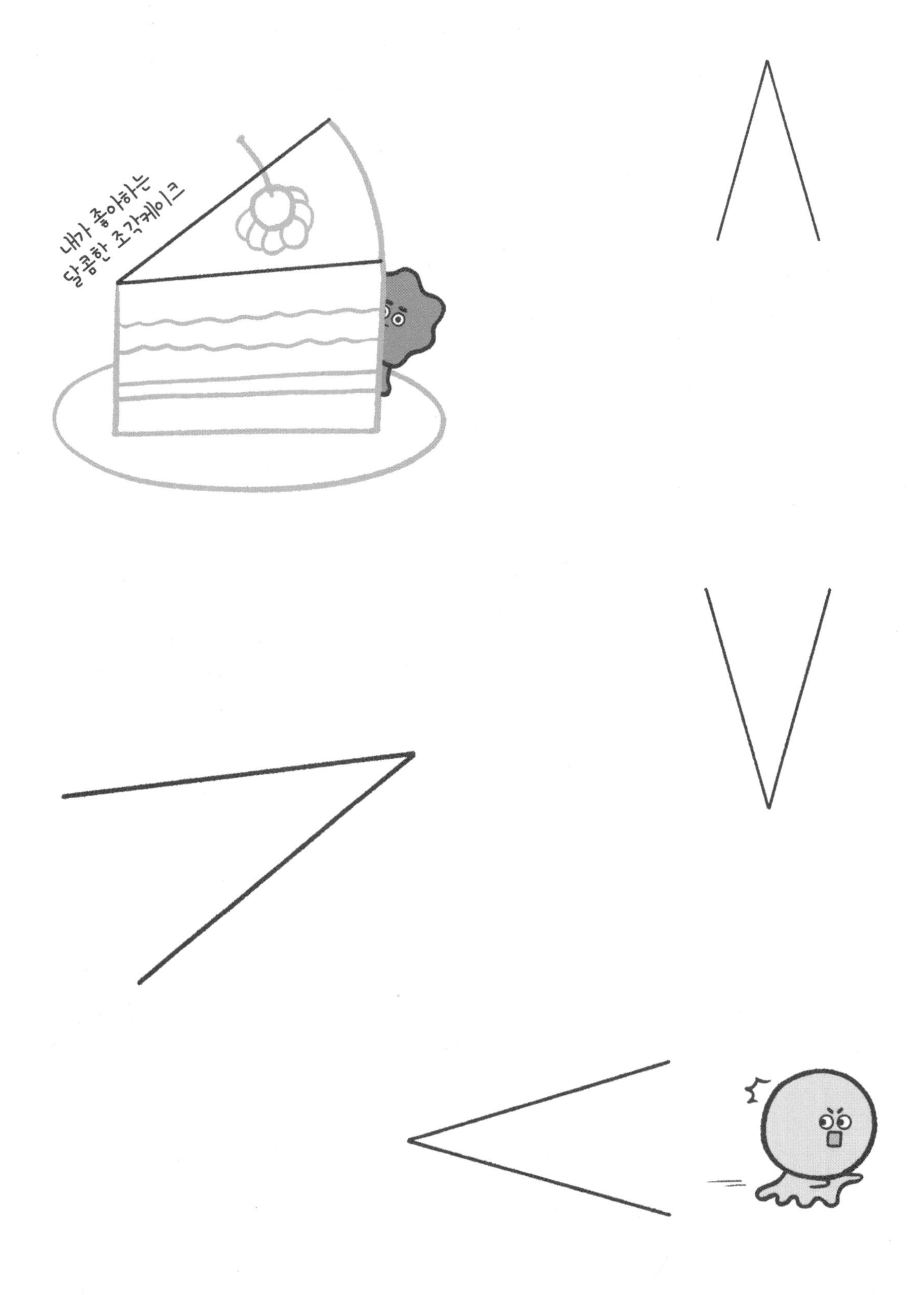

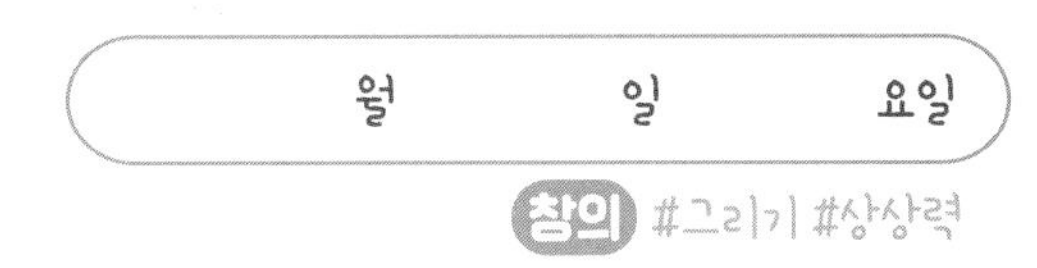

월 일 요일
참의 #그리기 #상상력

냠~

절대 맞출 수 없는
알쏭달쏭 퍼즐

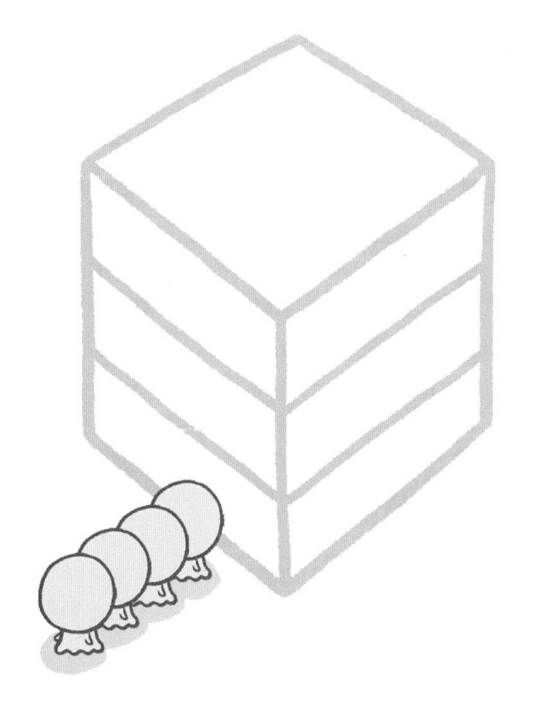

조각 케이크 만들기

월 일

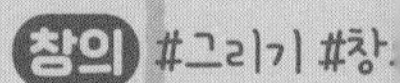

한번도 맛본 적 없는 환상적인 조각 케이크를 색칠하고, 어울리는 이름을 붙여 주세요.

흐물흐물 슬라임

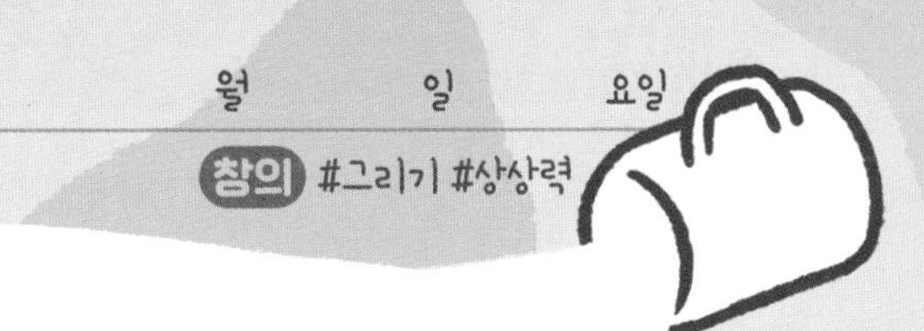

임? 얼룩? 흐물흐물한 모양들이 뭐가 될 수 있을까?
껏 상상해서 그려 보세요.

월 일 요일

미션 #땅따먹기 #게임

야금야금 식빵 먹기

가위바위보를 해서 이기는 사람이 원하는 부분에 색칠을 해요. 많이 칠한 사람이 승!
서로 다른 색 펜을 준비하세요.

친구의 편지

월 일 요일

창의 #글쓰기 #사고력

가 나에게 편지를 썼다면 뭐라고 썼을까요?
진 편지를 완성해 보세요.

것
어제 내가
어.
때문에 너무
싶어.
그래서 너한테
!
그리고 꼭
슬픈 내용 같아..
뭔 소리야?
대체 뭘 먹으면서 쓴 거야..

집중력 테스트

월 일

미션 #선긋기 #집

숨을 참고 집중해서 같은 색끼리 단숨에 직선을 그어 보세요. 성공하면 인간 자로 인정!

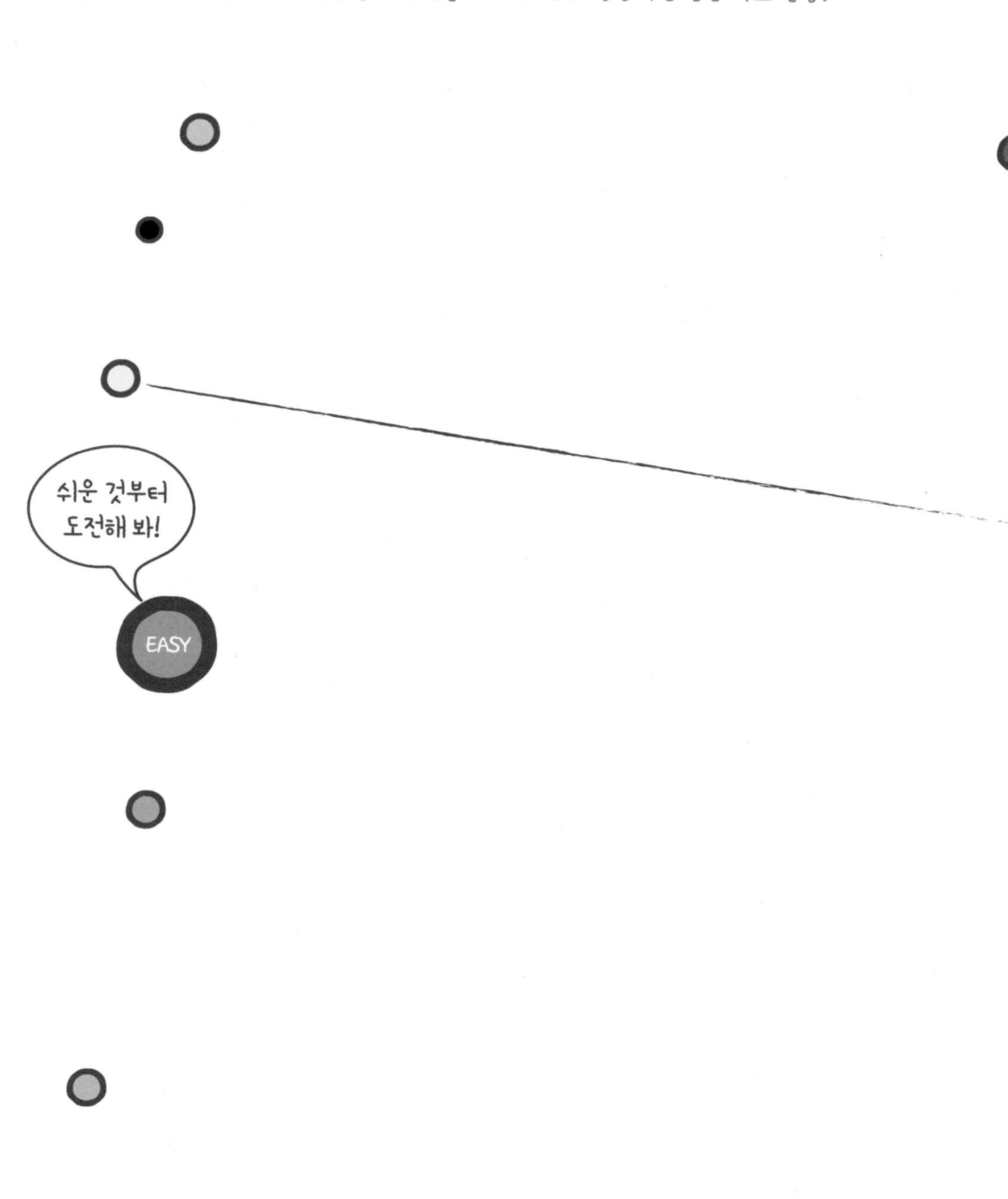

나는 인간 자

월 일 요일

미션 #언어 #관찰력

단어를 찾아라

가로, 세로, 대각선에 숨어있는 단어들을 모두 찾아 보세요.
(정답 55쪽)

하	두	적	사	다	리	영	나	도	둑
저	묘	오	숙	수	새	찬	주	핵	모
냉	장	고	독	만	뒤	제	와	감	선
가	서	리	현	도	장	바	죽	튀	옥
조	머	비	일	동	리	모	콘	수	몬
대	론	요	스	좀	비	진	둥	서	돈
와	화	미	반	스	토	견	자	맨	트
적	차	장	무	푸	하	피	도	라	로
타	백	재	실	찰	혁	아	챙	빨	인
숭	례	문	우	당	만	노	주	메	래

숨은 단어

사다리, 피아노, 화장실, 냉장고, 대머리독수리, 독도, 제주도,
감옥, 도둑, 좀비, 리모콘, 피자, 콘서트, 화요일, 숭례문, 빨래

초성 게임: 동물 이름편

월 일 요일

미션 #언어 #어휘력

주어진 초성을 보고 동물 이름을 맞혀 보세요. (예시답 55쪽)

ㄱ ㄹ →

ㅇ ㅅ →

ㅇ ㅅ ㅇ →

ㄷ ㅅ ㄹ →

ㅋ ㄲ ㄹ →

ㅇ ㄹ ㅁ →

ㄱ ㄹ ㄹ →

ㄷ ㄹ ㅈ →

ㅇ ㄹ ㅇ ㅌ →

알파벳 찾기

속이 빈 알파벳(A B C ...)을 순서대로 찾아보세요.
라 할 때는 한 명은 글자 속이 칠해진 알파벳을 (A B C ...), 다른 한 명은 속이 빈 알파벳을 (A B C ...),
대로 찾아보세요. 먼저 찾는 사람이 승!

벳 순서

BCDEFGHIJKLMNOPQRSTUVWXYZ

나이테 그리기

월 일

미션 #그리기 #집

우리나라처럼 계절이 뚜렷한 곳에서 자라는 나무는 일 년에 나이테가 한 개씩 생겨요.
그래서 나이테를 보고 나이를 세지요.
선끼리 닿지 않게 동그란 나이테를 그려 나이를 정해 주세요.

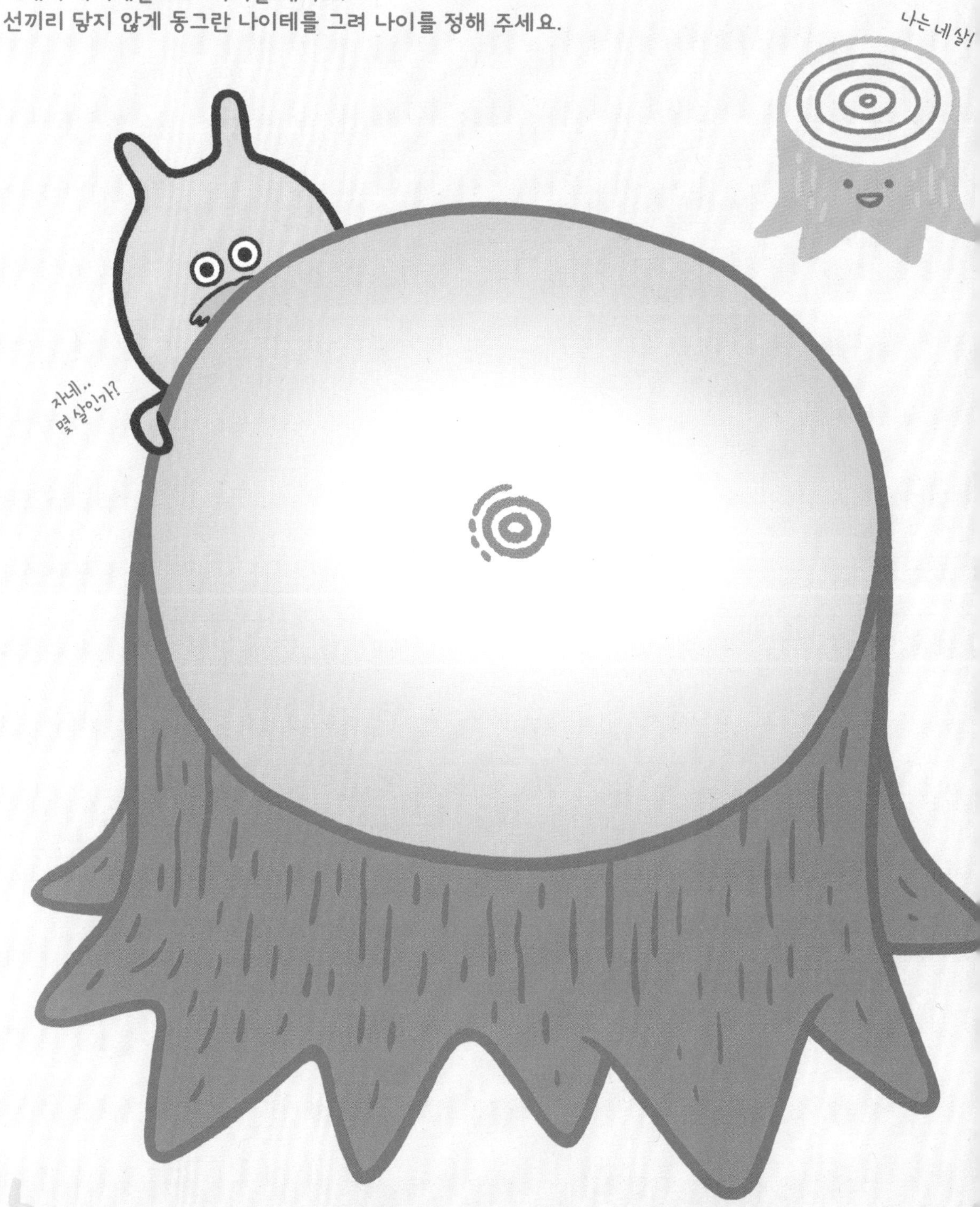

세모 만들기

월 일 요일

미션 #선잇기 #게임

나누어 한 줄씩 번갈아 가며 직선을 그어서 세모를 만들어 보세요.
완성하면 ◯ 또는 ╳로 자기 세모를 표시해요. 캐릭터가 들어 간 세모는 그냥 세모 두 개와 같아요.

간질간질

발바닥 미로 찾기

(정답 55쪽)

월 일

미션 #미로찾기 #노

END

월 일 요일

미션 #스도쿠 #지능개발

미니 스도쿠

스도쿠는 가로줄, 세로줄에 네 가지 모양이나 숫자 중 같은 것이 겹치지 않도록 칸을 완성하는 놀이입니다.

(정답 56쪽)

분 초

		×	
□			○
	△		×
	□		

분 초

	1	2	
			4
1			
	3		1

분 초

3			
			4
		2	
4			1

분 초

나의 방 꾸미기

월 일

창의 #그리기 #

어떤 방을 갖고 싶은가요? 내가 꿈꾸는 방을 그려 보세요.

나만의 컵 만들기

월 일 요일

창의 #그리기 #상상력

내가 제일 좋아하는 컵에 금이 갔어요.
금이 디자인의 일부인 것처럼 멋지게 그려 보세요.

내가 좋아하는 날씨

월 일

창의 #그리기 #표

내일은 어떤 날씨였으면 하나요? 좋아하는 날씨를 그려 보세요.

칠하기 한 판

월　　일　　요일

미션 #칠하기 #순발력

많이 빨리 칠한 사람이 승!

오늘은 이 펜이 느낌이 좋군~

나도 느낌이 왔어! 각오해라!

내 맘대로 양말

월 일

창의 #디자인 #표

내가 디자인한 양말이 이 세상에 나온다면? 양말에 좋아하는 무늬를 그리고 어울리는 이름도 지어 보세요.

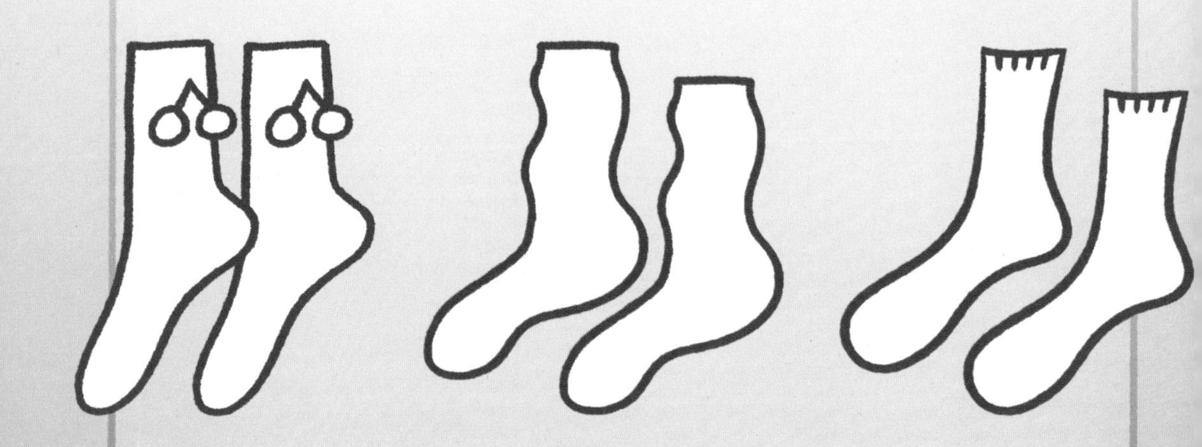

달랑달랑 체리폼폼

R을 찾아라!
R을 모두 찾아서 색칠해 보세요.
(정답 56쪽)
월 일 요일
미션 #같은그림찾기 #관찰력

속담 퀴즈

월 일 요

미션 #속담 #추

그림이 설명하는 속담을 알아맞혀 보세요. (정답 56쪽)

1

돼지 목에

2

3

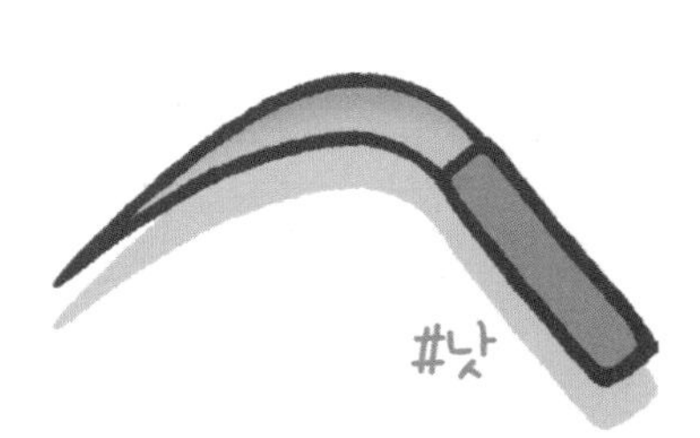

꿈 일기

월 일 요일

창의 #글쓰기 #묘사력

꾼 꿈 이야기를 쓰거나 그려 보세요. 생각이 안 난다면 오늘 밤 이 노트를 머리맡에 두고 잠들어 볼까요?

꿈 내용

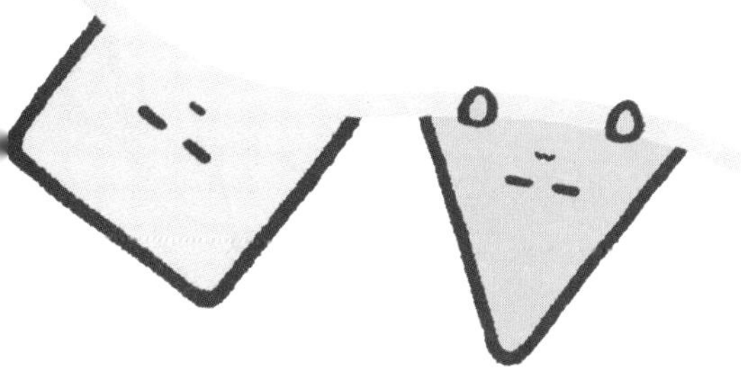

한 줄 평

꼬물꼬물 컬러링

월 일

참의 #그리기 #상

얼굴을 그려서 캐릭터를 완성해 보세요. 색칠도 하면 더 재밌을 걸요.

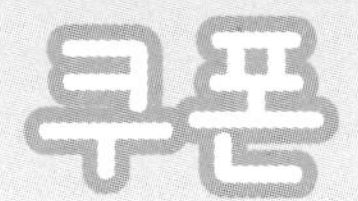

가까운 사람들에게 쿠폰을 나눠 주세요.

3분 동안 조용히 좀 합시다.

5분 동안 조용히 좀 합시다.

오늘은 잔소리를 금합니다.

우리끼리 비밀로 간직합시다.

내가 만든 쿠폰

가까운 사람들에게 쿠폰을 만들어 선물하세요.

내가 만드는 창의 놀이

내가 만드는 창의 놀이

내가 만드는 창의 놀이

내가 만드는 창의 놀이

정답/예시 답

9쪽

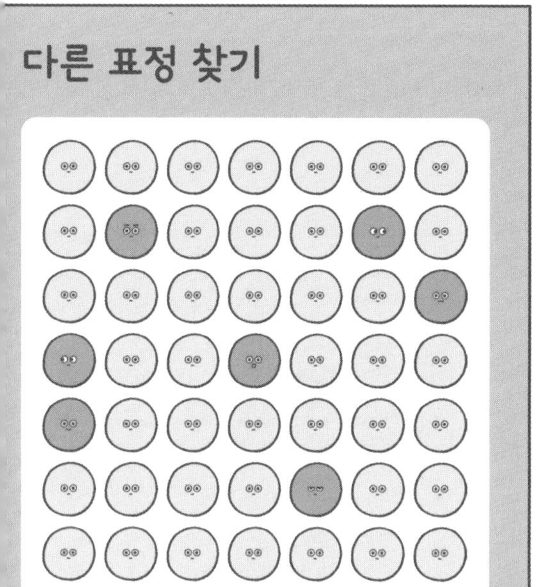

27쪽

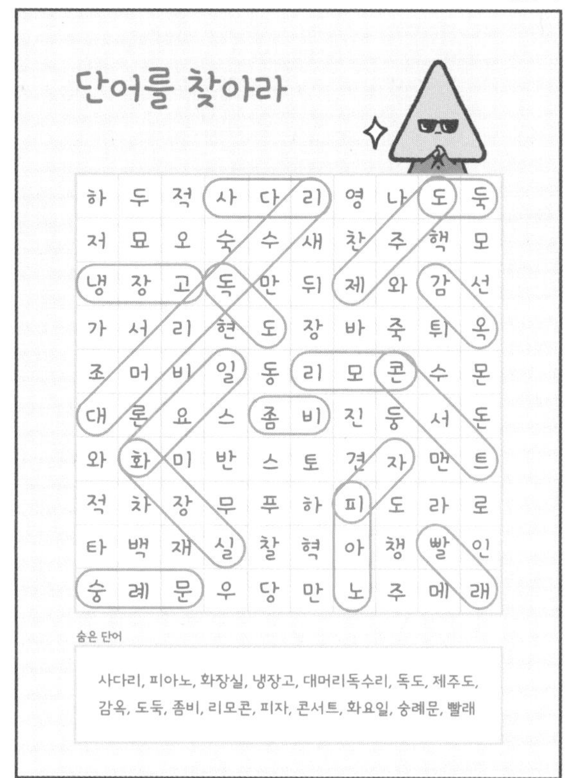

28쪽

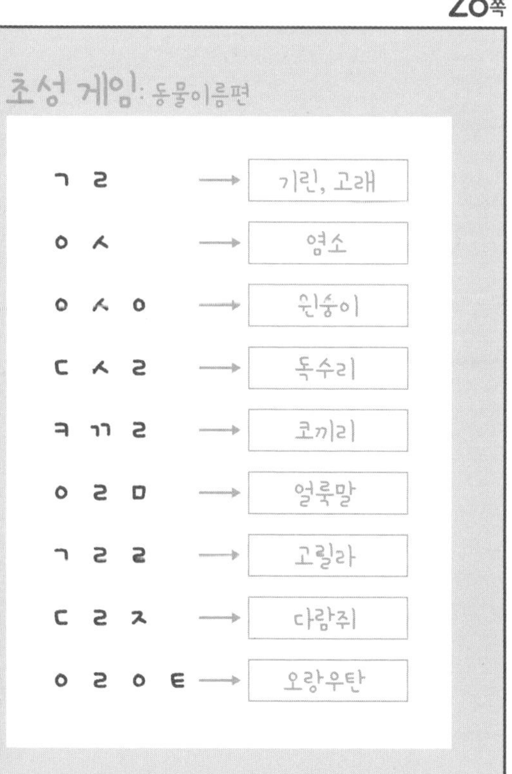

32쪽

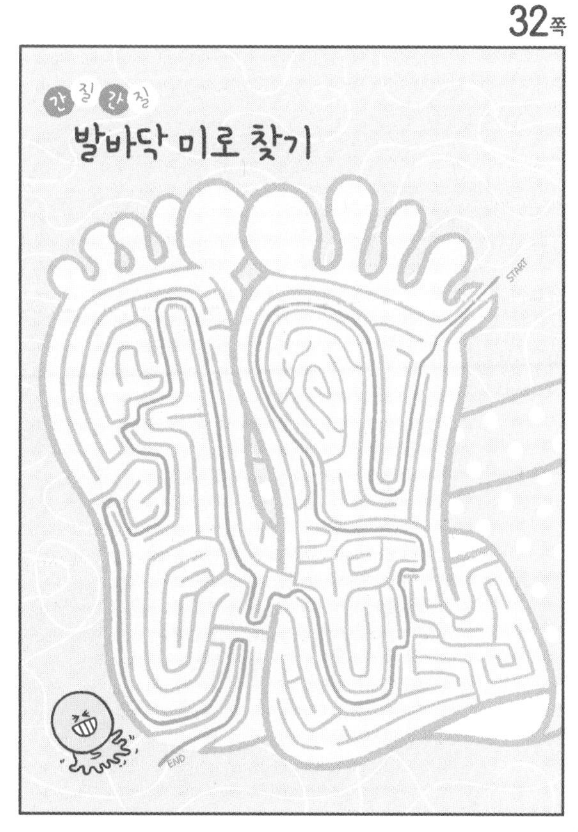

33쪽

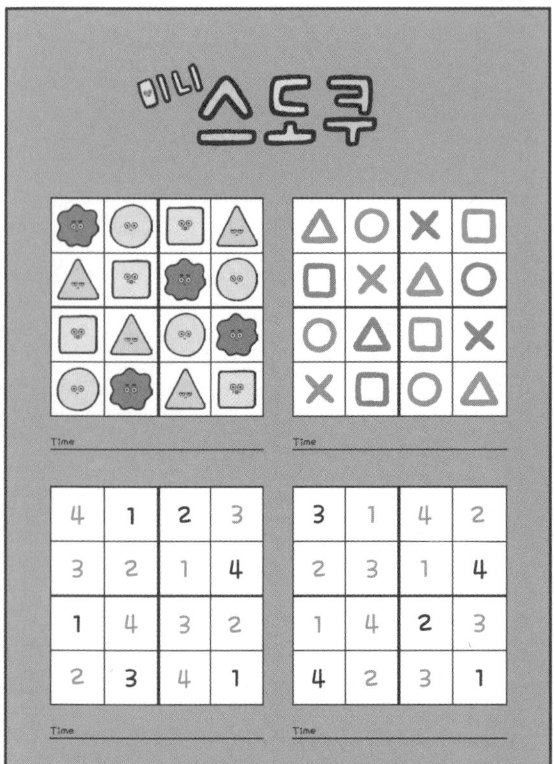

39

40쪽

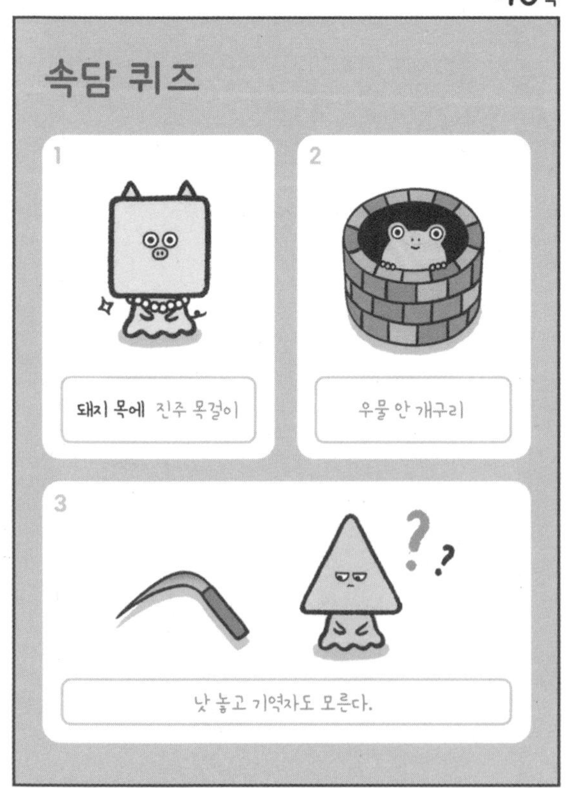

속담 뜻풀이

1 **돼지 목에 진주 목걸이**

값어치를 모르는 사람에게는 보물도 아무 소용 없음을 비유적으로 이르는 말.

2 **우물 안 개구리**

1. 넓은 세상의 형편을 알지 못하는 사람을 비유적으로 이르는 말.
2. 견식이 좁아 저만 잘난 줄로 아는 사람을 비꼬는 말.

3 **낫 놓고 기역자도 모른다.**

기역자 모양으로 생긴 낫을 놓고도 기역자를 모른다는 뜻으로, 사람이 글자를 모르거나 아주 무식함을 비유적으로 이르는 말.